개념과 정리가 한번에 끝나는 기본서

개념풀

세계지리

쉽게 풀어 이해가 잘되는

개념책

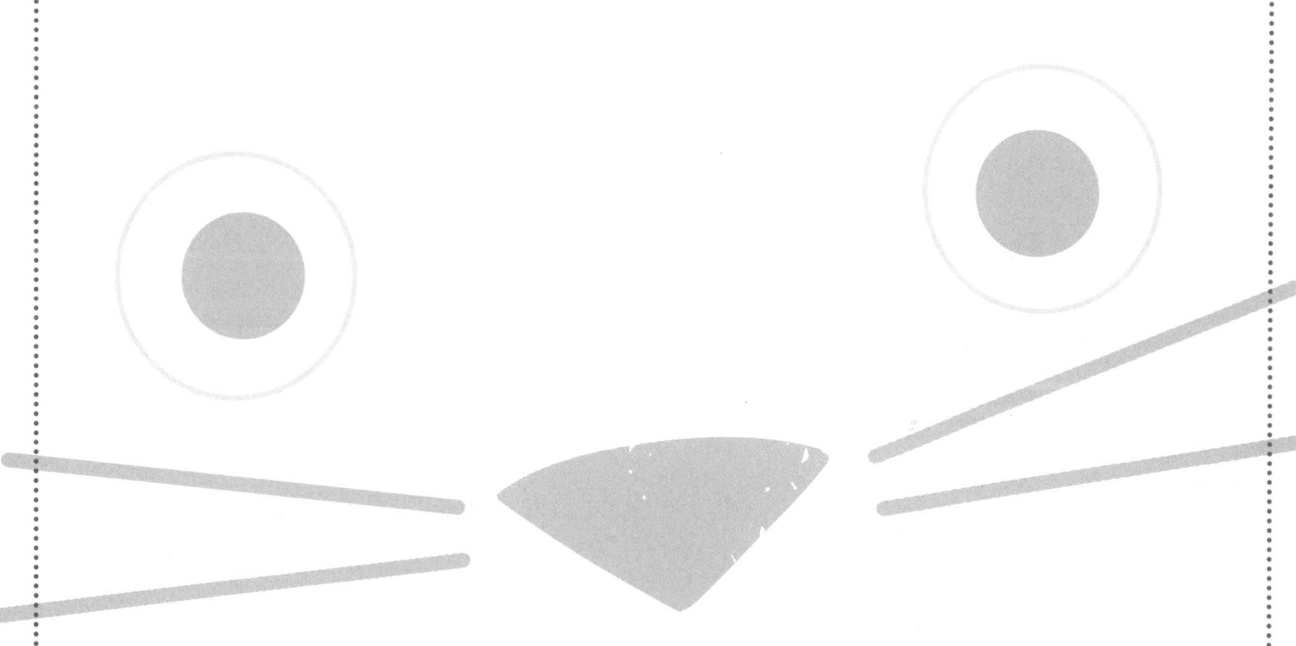

자율학습에 용이한 개념풀 세계지리

교재 구성과 학습 시스템

교재 구성

개념과 정리를 한번에!

학습 시스템

개념을 익힌다.

세계지리에 나오는 모든 개념을 친절하고 상세한 내용 정리로 술술 익힌다.

준비물 개념책

읽으면, 나도 모르게 개념이 쏙쏙 들어온다~옹!

개념을 적용한다.

단계별 문제 풀이로 학습한 개념을 적용하고 실력을 디진다.

준비물 개념책, 정답과 해설

개념을 적용해서 문제를 풀면 만점도 맞을 수 있다~옹!

개념을 완성한다.

정리노트에 학습한 개념을 자기만의 스타일로 정리하여 개념을 완성한다.

준비물 개념책, 정리노트

내 입맛대로 노트를 정리하면, 개념 공부는 끝이다~옹!

개념책+정리노트 제대로 활용하기

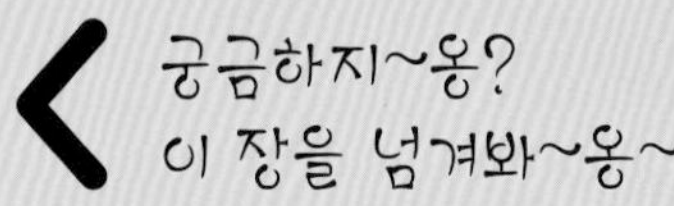

개념을 학습하고 노트에 스스로 정리하는 사과탐 기억 학습법 구현!!

교재 구성

- 개념을 쉽게 풀어 이해가 잘되는 **개념책**
- 학습한 개념을 정리해 보는 개념책 맞춤 **정리노트**

사과탐 기억 학습법이란?

핵심 단어-주제어 기억법과 PQ4R 학습법을 적용하여 사과탐 공부를 효과적으로 할 수 있도록 구성된 개념풀만의 학습법입니다.

개념책을 보며 나만의 스타일로 노트 정리~

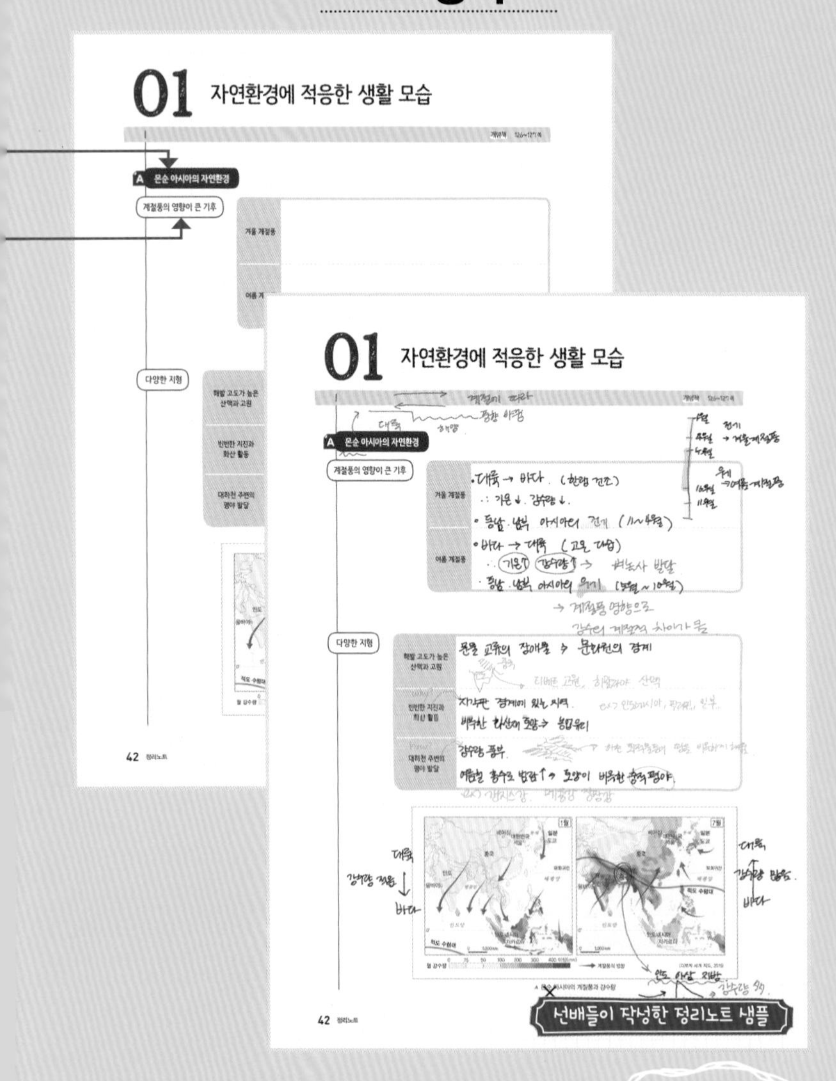

정리가 막막하다면?

선배들이 작성한
정리노트를 참고해 봐~

선배들의 노트 바로 가기

선배들의 정리노트 활용법 동영상

군더더기 없이 핵심만 정리한 선배의 노트

자신만의 팁을 많이 제시한 선배의 노트

정리노트를 다시 쓰고 싶다면?

빈 노트 바로 가기

개념책을 보지 않고
노트 정리에
도전해 볼까?

개념 학습과 정리가 한번에 끝나는 기본서 개념풀

개념 학습과 정리가 한번에 끝나는 개념풀이면, 세계지리의 모든 개념은 완벽하게 끝!!!

개념풀 TIP

중요한 내용은 '한눈에 정리'로 휘리릭 점검하면 학습 속도가 빨라져.

쉽게 풀어 이해가 빠른 개념책으로

개념 학습~

01 자연환경에 적응한 생활 모습

★ 한눈에 정리

몬순 아시아의 계절풍

겨울	대륙에서 바다로 (한랭 건조) → 건기
여름	바다에서 대륙으로 (고온 다습) → 우기

A 몬순 아시아의 자연환경

예 남부 아시아(인도, 방글라데시 등), 동남아시아(말레이시아, 베트남, 타이 등), 동부 아시아(우리나라, 중국, 일본) 등이 있어.

1. 계절풍의 영향이 큰 기후 자료 1

겨울 계절풍	· 대륙 내부에서 바다 쪽으로 바람이 불어 나감 → 기온이 낮고 강수량이 적음 · 동남 및 남부 아시아의 건기에 해당함 (11월~4월의 기간에 해당해.)
여름 계절풍	· 바다에서 대륙 내부로 바람이 불어 들어옴 → 기온이 높고 강수량이 많음 · 동남 및 남부 아시아의 우기에 해당함 (5월~10월의 기간에 해당해.) · 여름철 잦은 홍수 발생, 풍부한 강수량을 이용하여 벼농사 발달

2. 다양한 지형

(1) **해발 고도가 높은 산맥과 고원**: 문물 교류의 장애물로 작용하여 문화권의 경계를 이룸 예 인도-중국 접경 지역의 **히말라야산맥, 티베트고원**

(2) **빈번한 지진과 화산 활동**: 지각판의 경계에 있는 지역 예 인도네시아, 필리핀, 일본 등 → 비옥한 화산재 토양은 농업에 유리한 조건을 제공함

(3) **대하천 주변의 평야 발달**: 강수량이 풍부하여 대하천 발달 예 갠지스강, 메콩강, 창장강 → 여름철 홍수로 잦은 범람이 발생하여 토양이 비옥한 충적 평야 발달

왜 몬순의 영향으로 강수의 계절적 차이가 크기 때문이야.

B 몬순 아시아의 전통적인 생활 모습

1. 자연환경에 적응한 농업 자료 2

(1) 몬순의 영향이 강한 지역

① **벼농사**: 하천 주변의 비옥한 충적 평야 → 기온이 높고 강수량이 풍부함(동남아시아의 경우 벼의 2기작이 가능)

뜻 한 지역에서 주어진 자원을 이용하여 인구를 얼마나 부양할 수 있는가를 나타내는 지표야.

② 쌀은 인구 부양력이 높아 몬순 아시아는 **세계적인 인구 밀집 지역을 형성함**

왜 쌀은 다른 작물에 비해 단위 면적당 생산량이 많기 때문이야.

(2) 몬순의 영향이 적은 지역

① **밭농사**: 화베이·둥베이 지방(밀, 옥수수, 콩 등) → 강수량이 적고 겨울이 추움

② **유목**: 티베트고원, 몽골 일대 → 건조 기후가 나타남

③ **플랜테이션**: 열대 우림 기후 지역, 차·목화·커피 등의 기호 작물 재배

2. 자연환경에 적응한 의식주 문화

(1) 지역마다 다른 음식 문화

① **동부 아시아**: 점성이 큰 쌀로 만든 쌀밥

② **동남·남부 아시아**: 점성이 작은 쌀밥을 향신료와 함께 볶아 먹는 문화 발달

(2) 기후 환경을 반영한 전통 가옥

① **동남아시아**: 고온 다습한 기후의 영향 → 통풍이 잘되며 개방적인 가옥 구조, 비나 햇볕을 피할 수 있는 구조

예 고상 가옥(지면의 열기와 습기를 막아 줌)

② **동부 아시아**: 겨울철 추위와 여름철 더위에 대비한 가옥 구조(온돌, 다다미 등), 폭설 피해에 대비한 가옥 구조(합장 가옥)

(3) 다양한 전통 의복

① **여름철**: 더위를 극복하기 위해 얇고 통풍이 잘되는 천을 사용함

예 베트남의 아오자이 등

② **겨울철**: 보온이 잘되는 두꺼운 옷을 입음

❶ 몬순(monsoon)
계절을 의미하는 아랍어 '마우심'에서 유래한 말로, 대륙과 해양의 비열 차로 계절에 따라 풍향이 바뀌는 바람을 말한다.

❷ 2기작
한 농지에서 1년에 두 번 같은 작물을 재배하는 것으로, 2기작이 가능하기 위해서는 겨울이 따뜻하고 강수량이 풍부해야 한다.

❸ 점성
쌀의 품종은 크게 모양이 둥글고 굵은 자포니카와 모양이 긴 인디카로 나뉜다. 자포니카는 인디카에 비해 점성(끈기)이 높아서 밥을 지으면 윤기가 흐르면서 찰진 식감을 준다.

❹ 합장 가옥

▲ 일본 시라카와고의 합장 가옥
겨울철 폭설에 대비해 지붕의 경사를 급하게 하였다.

126 Ⅳ. 몬순 아시아와 오세아니아

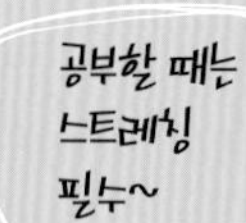

세계지리를 집필하신 선생님

고인석 석관고등학교 교사

김진수 광신방송예술고등학교 교사

송훈섭 덕양중학교 교사

최재희 휘문고등학교 교사

홍철희 대전과학고등학교 교사

개념풀 세계지리

특별 부록

① 세계 지도

② 권역별 지도

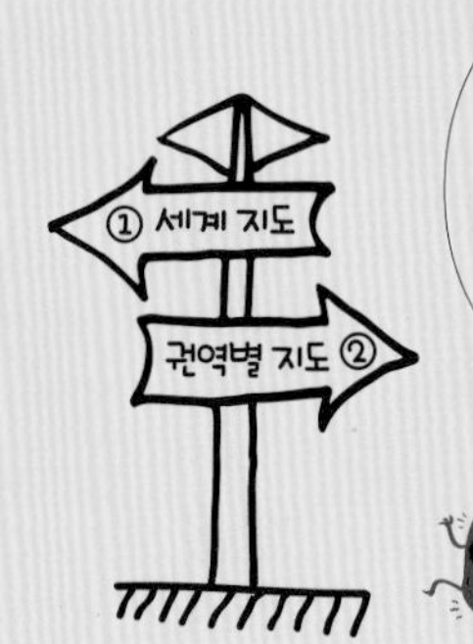

2015개정 교육과정의 세계지리에서는
전 세계를 크게 네 개의 권역으로 구분하고,
각 권역별 주요 특징과
최근 각 권역의 쟁점 사항들을 배울 거야.
자, 단원을 학습하기 전에
각 권역을 어떻게 구분했는지 알아볼까?

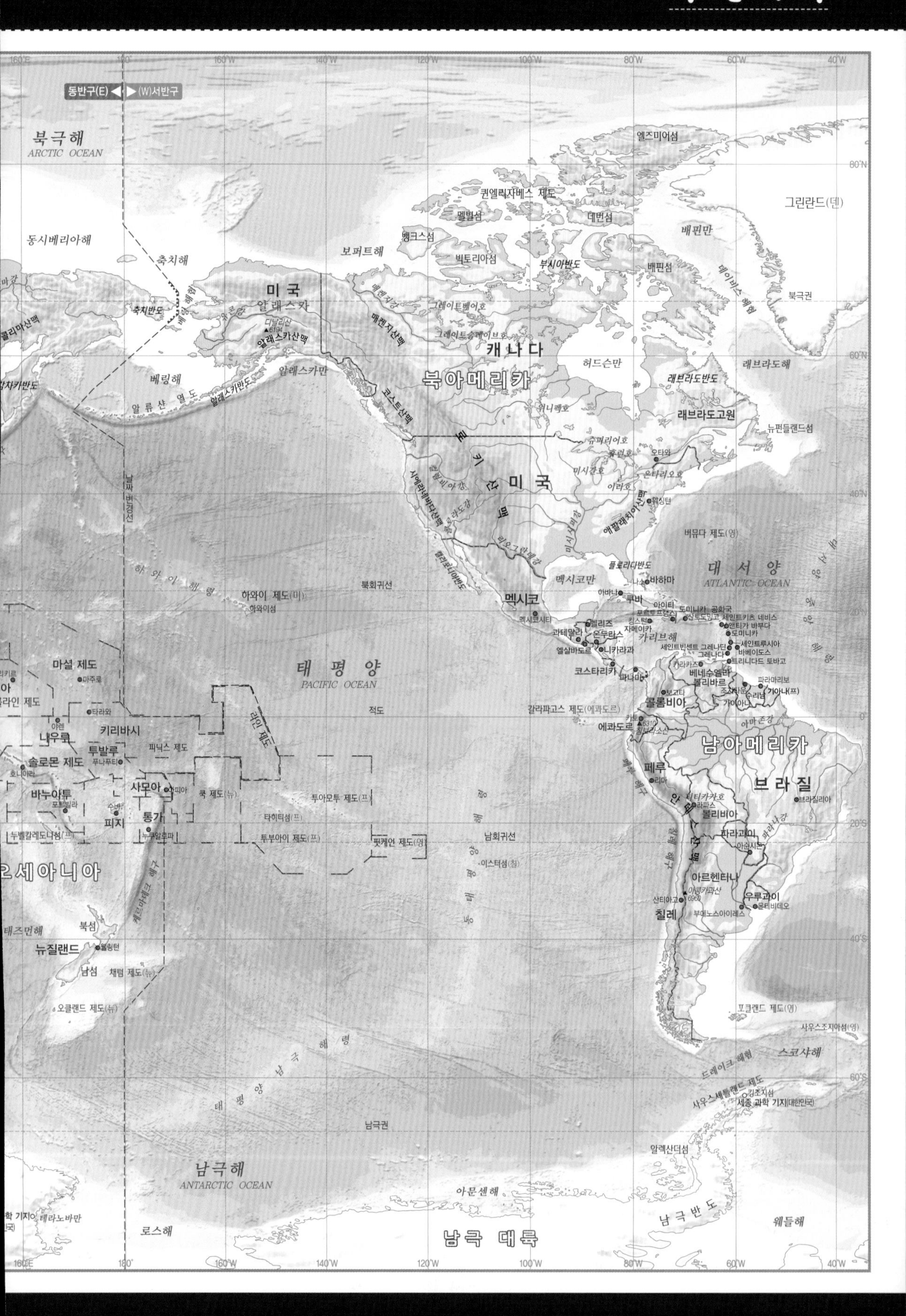
동반구(E) ◀ ▶ (W)서반구
북극해
ARCTIC OCEAN
동시베리아해
축치해
축치반도
미국
알래스카
데날리산 6194
알래스카산맥
베링해
알류산 열도
알래스카반도
알래스카만
보퍼트해
뱅크스섬
빅토리아섬
엘즈미어섬
퀸엘리자베스 제도
멜빌섬
데번섬
배핀만
배핀섬
부시아반도
그린란드(덴)
데이비스 해협
북극권
매켄지강
매켄지산맥
그레이트베어호
그레이트슬레이브호
캐나다
허드슨만
래브라도해
래브라도반도
래브라도고원
북아메리카
코스트산맥
위니펙호
뉴펀들랜드섬
슈피리어호
휴런호
오타와
미시간호
온타리오호
이리호
워싱턴
로키 산맥
미국
애팔래치아산맥
미시시피강
버뮤다 제도(영)
플로리다반도
리오그란데강
대서양
ATLANTIC OCEAN
멕시코만
나소
바하마
아바나
쿠바
아이티
멕시코
멕시코시티
도미니카 공화국
킹스턴
자메이카
벨리즈
과테말라
온두라스
카리브해
엘살바도르
니카라과
코스타리카
파나마
카라카스
베네수엘라
보고타
콜롬비아
가이아나
파라마리보
기아나(프)
태평양
PACIFIC OCEAN
하와이 제도(미)
하와이섬
북회귀선
마셜 제도
마주로
타라와
키리바시
나우루
투발루
푸나푸티
솔로몬 제도
호니아라
바누아투
포트빌라
피닉스 제도
라인 제도
사모아
아피아
쿡 제도(뉴)
통가
누쿠알로파
피지
수바
누벨칼레도니섬(프)
투아모투 제도(프)
타히티섬(프)
투부아이 제도(프)
핏케언 제도(영)
남회귀선
이스터섬(칠)
적도
갈라파고스 제도(에콰도르)
키토
에콰도르
아마존강
남아메리카
브라질
브라질리아
페루
리마
티티카카호
라파스
볼리비아
안데스 산맥
파라과이
아순시온
아르헨티나
아콩카과산
산티아고
칠레
우루과이
몬테비데오
부에노스아이레스
뉴질랜드
웰링턴
북섬
남섬
태즈먼해
채텀 제도(뉴)
오클랜드 제도(뉴)
포클랜드 제도(영)
사우스조지아섬(영)
스코샤해
드레이크 해협
사우스셰틀랜드 제도
킹조지섬
세종 과학 기지(대한민국)
남극권
태 평 양 남 극 해 령
알렉산더섬
남극해
ANTARCTIC OCEAN
아문센해
남극반도
웨들해
로스해
테라노바만
남극 대륙
160°E
180°
160°W
140°W
120°W
100°W
80°W
60°W
40°W
80°N
60°N
40°N
20°N
0°
20°S
40°S
60°S

① 세계 지도

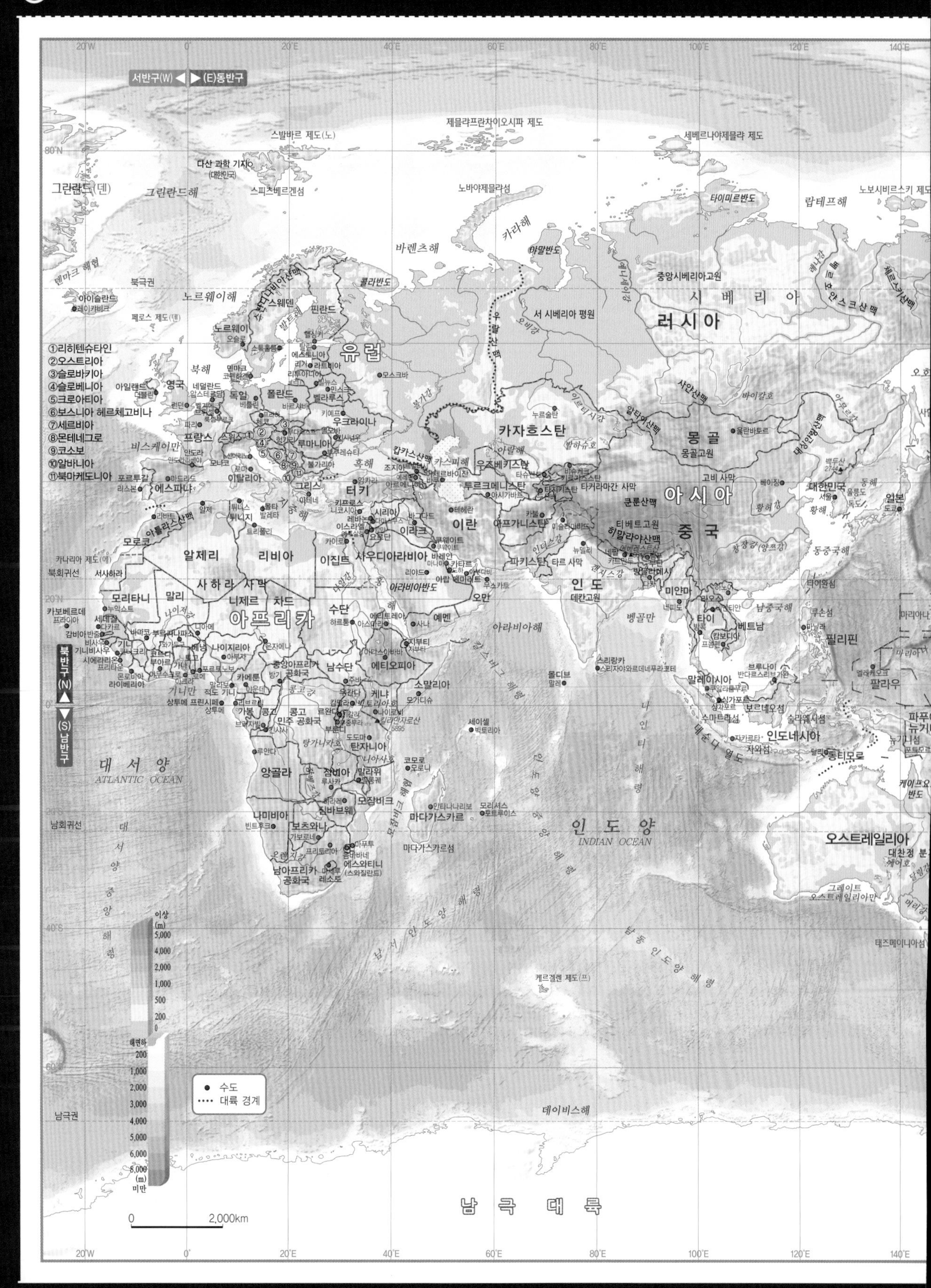

서반구(W) ◀ ▶ (E)동반구
유럽
아시아
아프리카
러시아
중국
인도
대서양
ATLANTIC OCEAN
인도양
INDIAN OCEAN
남극 대륙
오스트레일리아
● 수도
···· 대륙 경계
①리히텐슈타인
②오스트리아
③슬로바키아
④슬로베니아
⑤크로아티아
⑥보스니아 헤르체고비나
⑦세르비아
⑧몬테네그로
⑨코소보
⑩알바니아
⑪북마케도니아
0 2,000km

② 권역별 지도

몬순 아시아와 오세아니아

몽골
중국
인도
태평양
인도양
오스트레일리아
인도네시아
필리핀
뉴질랜드
0 1,000km

건조 아시아와 북부 아프리카

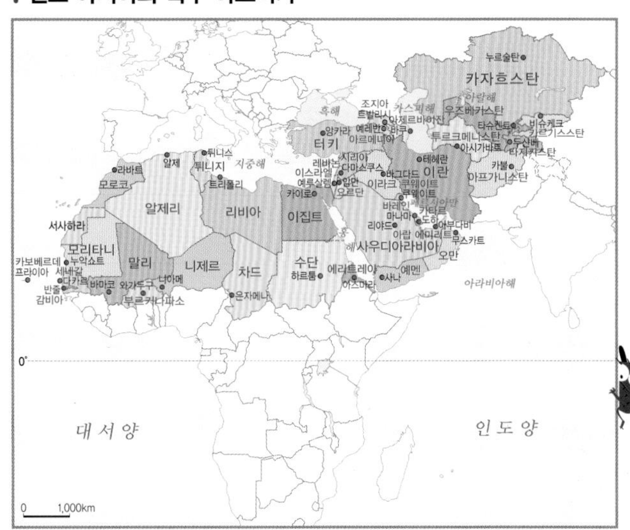

유럽과 북부 아메리카

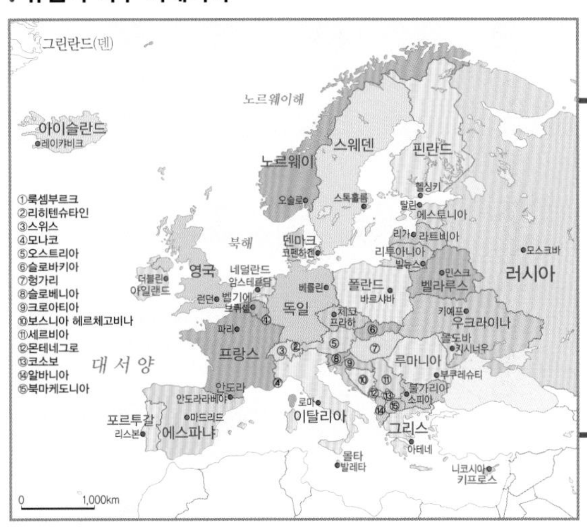

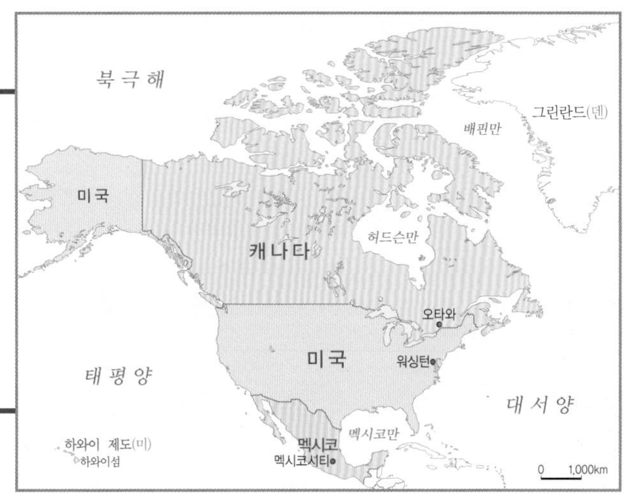

사하라 이남 아프리카와 중 · 남부 아메리카

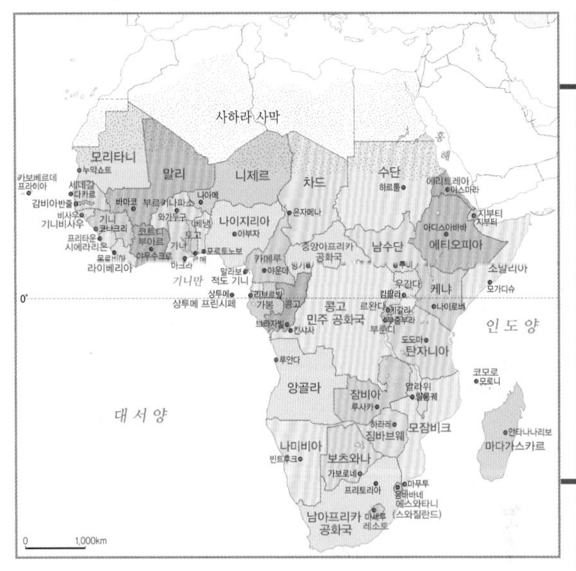

개념책 240쪽에는 세계 백지도가 있고,
정리노트 88쪽에는 권역별 백지도가 있어!
잘 활용하길 바랄게~

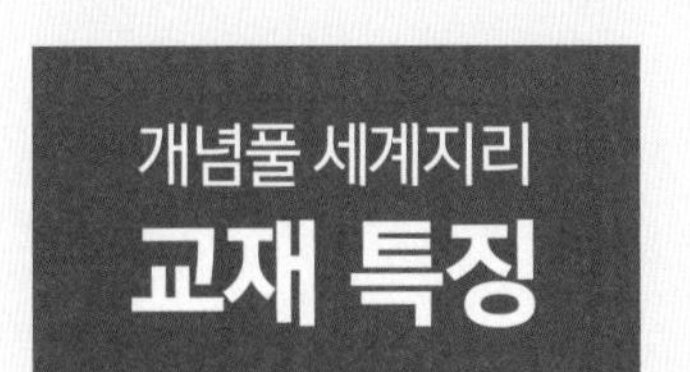

쉽게 풀어 이해가 잘 되는 개념책

이해하기 쉬운 개념 학습

▪ 술술 읽히는 개념과 자료 정리

4종 교과서를 철저하게 비교·분석하여 이해하기 쉽게 풀어 정리했습니다.

❶ **한눈에 정리** 꼭 알아야 할 핵심 내용을 표나 도식으로 한눈에 파악

❷ **교과서 자료 모아보기** 교과서 알짜 자료를 분석하고 자료별 핵심 내용을 한 문장으로 제시

❸ **자료 확인 문제** 자료를 읽고 간단한 문제로 이해도 점검

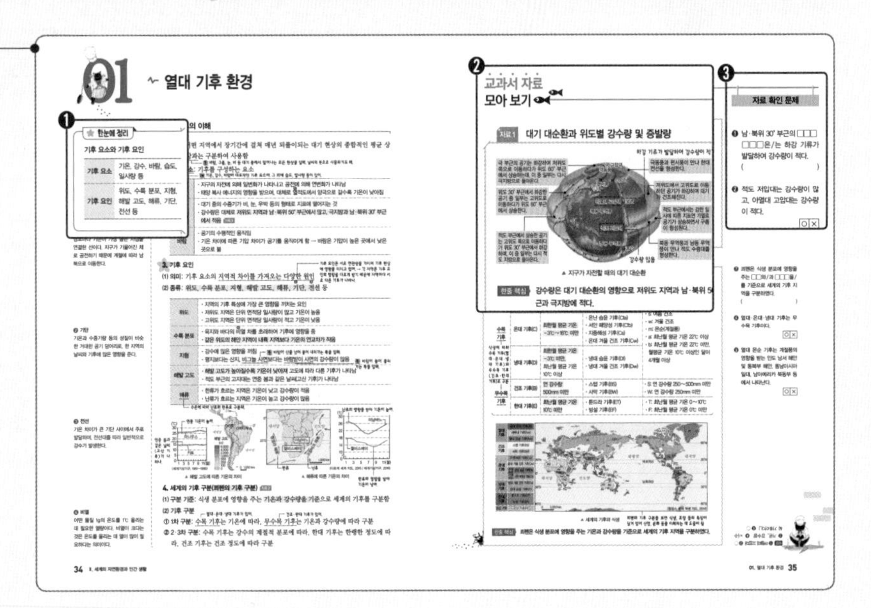

▪ 수능 자료로 개념 완성 수능 POOL

수능 기출 자료 분석을 통해 개념을 완성하고 동시에 수능 대비까지 할 수 있습니다.

❶ **수능풀 Guide** 수능풀의 핵심 주제 안내

❷ **PLUS 분석** 기출 자료의 핵심 내용 분석은 물론 개념 이해에 필요한 추가 분석 내용 제시

❸ **기출 선택지로 확인하기** 수능 기출 문제의 선택지를 통해 자료에 대한 이해도 확인

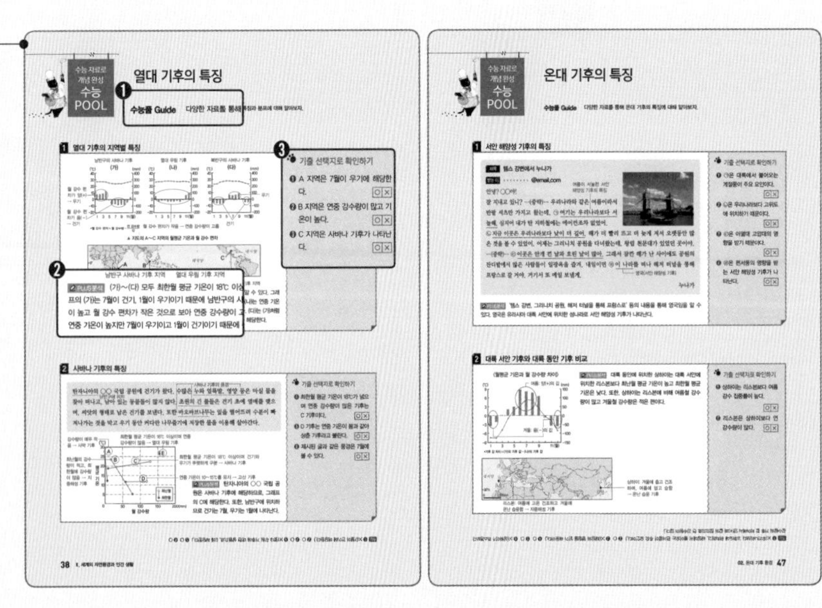

쉽게 풀어 이해가 잘 되는 개념책

다양한 유형의 단계별 문제

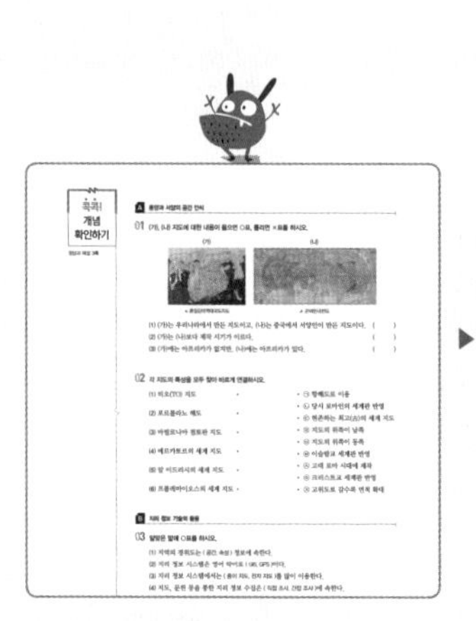

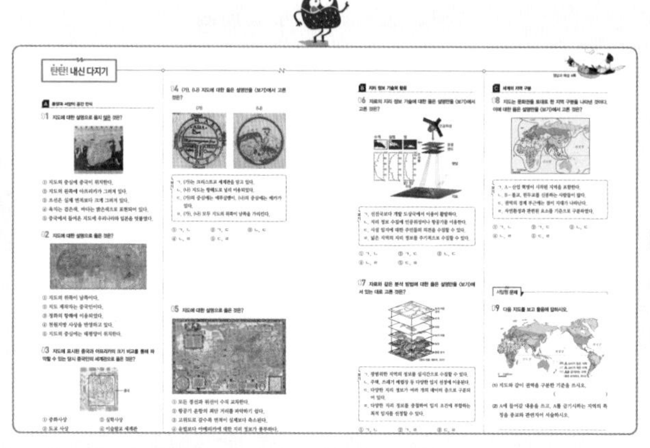

▪콕콕! 개념 확인하기

앞에서 정리한 주요 개념을 다시 확인할 수 있습니다.

▪탄탄! 내신 다지기

학교 시험 난이도로 구성된 다양한 유형의 문제로 내신에 대비할 수 있고, 출제율이 높아지고 있는 서답형 문제를 연습할 수 있습니다.

▪도전! 실력 올리기

고난도 문제와 수능 기출 변형 문제로 내신뿐 아니라 수능에도 대비할 수 있습니다.

실전에 대비하는 대단원 학습

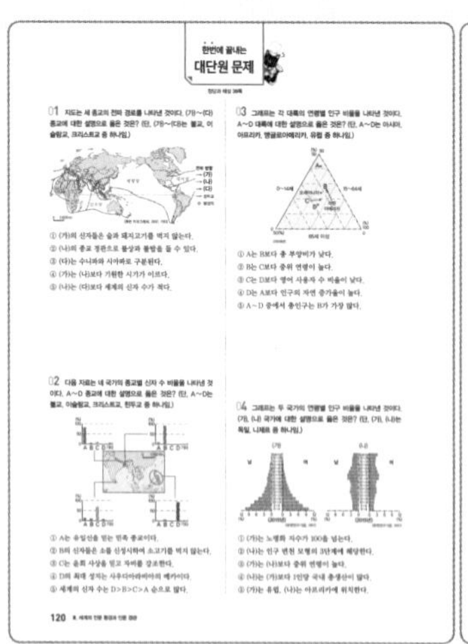

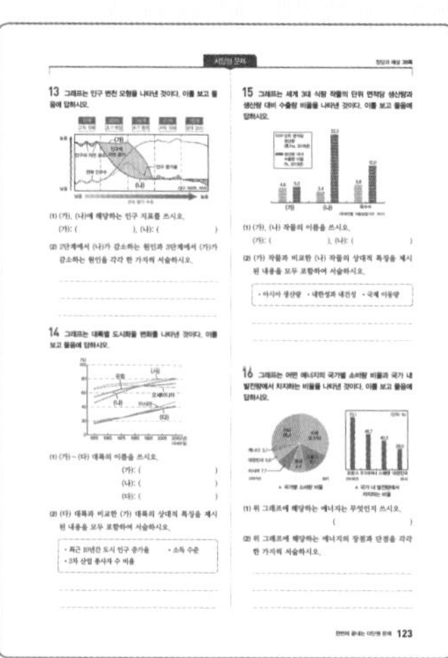

▪한눈에 보는 대단원 정리

주요 내용을 중단원별로 정리하여 핵심 내용을 한눈에 파악할 수 있습니다.

▪한번에 끝내는 대단원 문제

대단원을 아우르는 문제로 중간·기말 고사에 대비할 수 있으며, 출제율이 높아지고 있는 서답형 문제를 연습할 수 있습니다.

학습한 개념을 직접 써 보는 나만의 정리노트

정리노트만 있으면
시험 준비 끝!
내가 설명해 줄게.

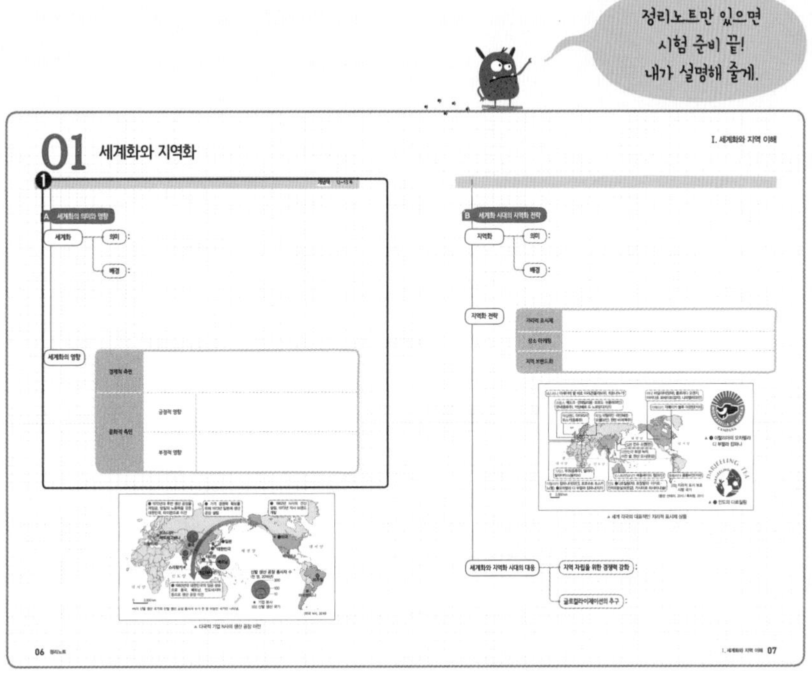

❶ 중단원 내용 구조가 한눈에 보이도록 구성하여 개념책과 교과서를 보면서 빈 공간에 나만의 노트 정리를 할 수 있습니다.

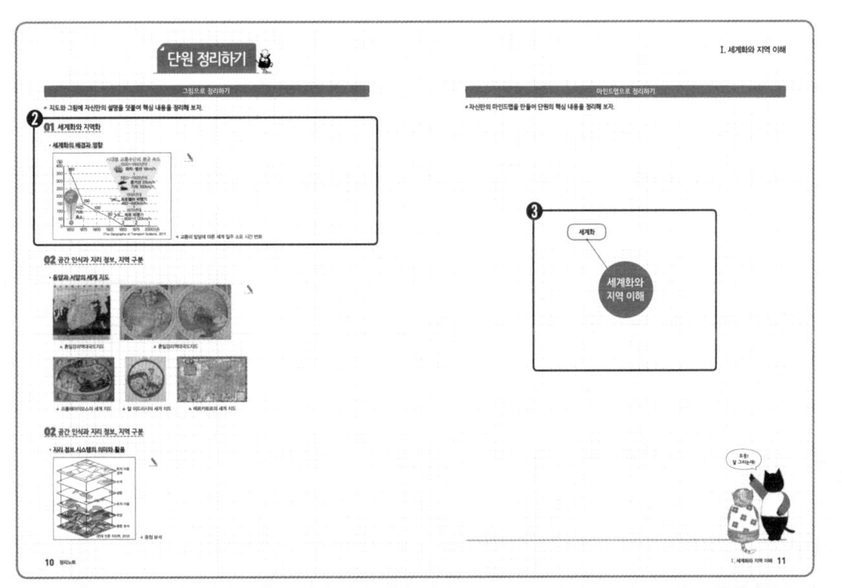

❷ 지도나 그래프 등의 자료를 통해 대단원의 핵심 내용을 다시 한번 정리할 수 있습니다.

❸ 마인드맵을 그려 보면서 대단원의 전체적인 내용과 흐름을 제대로 알고 있는지 확인해 볼 수 있습니다.

선배들의 정리노트
다운로드 바로 가기

차례

I 세계화와 지역 이해

II 세계의 자연환경과 인간 생활

III 세계의 인문 환경과 인간 생활

IV 몬순 아시아와 오세아니아

무엇을 공부할지 함께 확인해 볼까~옹?

개념풀과 우리 학교

교과서 비교

대단원	중단원	소단원	개념풀	금성	미래엔	비상교육	천재교과서
I 세계화와 지역 이해	01 세계화와 지역화	A 세계화의 의미와 영향	12	13	10·12	11~13	11~12
		B 세계화 시대의 지역화 전략	12	14	11~12	14~15	13~14
	02 공간 인식과 지리 정보, 지역 구분	A 동양과 서양의 공간 인식	18	17~19	14~15	17~19	17~19
		B 지리 정보 기술의 활용	20	20	16~17	20~21	20~21
		C 세계의 지역 구분	20	23~24	20~23	23~25	23~24
II 세계의 자연환경과 인간 생활	01 열대 기후 환경	A 기후의 이해	34	31·35	30~32	33	30~35
		B 열대 기후 환경	36	32~34	33~34	34~36	37~39
		C 열대 기후 지역의 주민 생활	36	32~34	35	36	37~39
	02 온대 기후 환경	A 온대 기후의 특징	44	37~40	36~38	41~43	41
		B 온대 기후 지역의 주민 생활	46	37~40	39	44~45	42~44
	03 건조 및 냉·한대 기후 환경과 지형	A 건조 기후의 구분과 사막의 형성	52	43	40	47	46~47
		B 건조 기후 지역의 지형과 주민 생활	52	44~45	41	48~49	46~49
		C 냉대 및 한대 기후의 환경	54	46~47	42	50~51	50~51
		D 냉대 및 한대 기후 지역의 지형과 주민 생활	54	46~49	43~44	50~51	50~55
	04 세계의 주요 대지형	A 대지형의 형성 작용	62	51	46~47	53	58~59
		B 세계의 주요 대지형	62	52~54	48~49	54~55	57
	05 독특하고 특수한 지형들	A 화산 지형	68	57	52~53	57	60~61
		B 카르스트 지형	68	58~59	50~51	58~59	62~63
		C 해안 지형	70	60~61	55~57	60~61	64~66
III 세계의 인문 환경과 인간 생활	01 주요 종교의 전파와 종교 경관	A 세계 주요 종교의 분포와 특징	84	69~70	66~67	69~71	72~73
		B 세계 주요 종교의 전파와 종교 경관	84	70~73	67~69	70~73	74~76
	02 세계의 인구 변천과 인구 이주	A 세계의 인구 성장과 인구 분포	90	75~76	70	75	78
		B 세계의 인구 변천과 인구 구조	90	75~76	71	76~77	79
		C 세계의 인구 이주	92	78~79	72~73	78~79	82~83
	03 세계의 도시화와 세계 도시 체계	A 도시화와 도시화 과정	98	81	74	81	85
		B 세계 도시와 세계 도시 체계	98	82~84	75~77	82~85	86~89
	04 주요 식량 자원과 국제 이동	A 주요 곡물 자원의 특징과 이동	104	88	80~83	87~91	91~93
		B 주요 축산물의 특징과 이동	104	90	81~83	87~91	94
	05 주요 에너지 자원과 국제 이동	A 에너지 자원	110	93	88~89	95	96~97
		B 주요 에너지 자원의 특징과 이동	110	94~97	90~92	96~99	98~99
		C 신·재생 에너지의 특징과 개발	112	97	92	98	97

우리 학교 교과서가
개념풀의 어느 단원에
해당하는지 확인하세요!

대단원	중단원	소단원	개념풀	금성	미래엔	비상교육	천재교과서
Ⅳ 몬순 아시아와 오세아니아	01 자연환경에 적응한 생활 모습	A 몬순 아시아의 자연환경	126	103	102~103	107	106~107
		B 몬순 아시아의 전통적인 생활 모습	126	104~106	104~105	108~111	108~111
	02 주요 자원의 분포 및 이동과 산업 구조	A 몬순 아시아와 오세아니아의 자원 분포 및 이동	132	109	107~108	113	112~113
		B 몬순 아시아와 오세아니아 주요 국가의 산업 구조	132	110~111	109~110	114~115	114~117
	03 민족(인종) 및 종교적 차이	A 몬순 아시아와 오세아니아의 다양한 민족(인종)과 종교	138	113~116	112~113	117~119	118~122
		B 지역 갈등과 해결 노력	138	113~116	114~115	120~121	120~122
Ⅴ 건조 아시아와 북부 아프리카	01 자연환경에 적응한 생활 모습	A 건조 아시아와 북부 아프리카의 자연환경 특성	150	123~126	124~125	129	128~129
		B 건조 아시아와 북부 아프리카의 전통적인 생활 모습	150	123~126	126~128	130~131	130~132
	02 주요 자원의 분포 및 이동과 산업 구조	A 화석 에너지 자원의 분포 및 이동과 개발 및 영향	156	129~130	130~131	133	134~135
		B 주요 국가의 산업 구조와 변화를 위한 노력	156	132	132~133	134~137	136~139
	03 사막화의 진행	A 사막화의 원인과 진행 지역	162	135	134~135	139	142~143
		B 사막화의 진행으로 인한 지역 문제와 해결 노력	162	136~137	136~137	140~141	144
Ⅵ 유럽과 북부 아메리카	01 주요 공업 지역의 형성과 최근 변화	A 유럽의 공업 지역 형성과 변화	174	145~146	146~148	149~151	151~154
		B 북부 아메리카의 공업 지역 형성과 변화	174	147~149	147~148	152~153	151~154
	02 현대 도시의 내부 구조와 특징	A 유럽과 북부 아메리카의 도시 특생과 대도시권	180	154	150~151	155	156~159
		B 유럽과 북부 아메리카의 도시 내부 구조와 특징	180	151~152	152~154	156~159	156~159
	03 지역의 통합과 분리 운동	A 유럽의 지역 통합과 분리 운동	186	157~158	156~158	163~165	163~165
		B 북부 아메리카의 지역 통합과 분리 운동	186	160~161	157~158	166~167	166~167
Ⅶ 사하라 이남 아프리카와 중·남부 아메리카	01 도시 구조에 나타난 도시화 과정의 특징	A 중·남부 아메리카의 도시화 과정 특징	198	167~168	168~169	176	172~173
		B 중·남부 아메리카의 도시 구조와 도시 문제	198	169~171	170~172	176~179	174~177
	02 다양한 지역 분쟁과 저개발 문제	A 사하라 이남 아프리카의 식민지 경험과 민족(인종) 및 종교 분포	204	173	173~174	181	180~181
		B 사하라 이남 아프리카의 분쟁과 저개발	204	174~176	175~177	182~185	182~184
	03 자원 개발을 둘러싼 과제	A 중·남부 아메리카와 사하 이남 아프리카의 자원 개발	210	179~181	178~179	187	186~189
		B 환경 보전과 자원의 정의로운 분배	210	180~182	180~181	188~191	188~190
Ⅷ 공존과 평화의 세계	01 경제의 세계화와 경제 블록	A 경제의 세계화	222	189	188~189	199	196~197
		B 경제 블록의 형성과 특징	222	190~191	190~191	200~203	198~199
	02 지구촌 문제의 해결을 위한 노력	A 지구적 환경 문제와 해결을 위한 노력	228	193~195	192~195	205~207	200~205
		B 세계 평화와 정의를 위한 노력	228	199~202	196~199	211~213	206~208

I

세계화와 지역 이해

배울 내용 한눈에 보기

01 세계화와 지역화

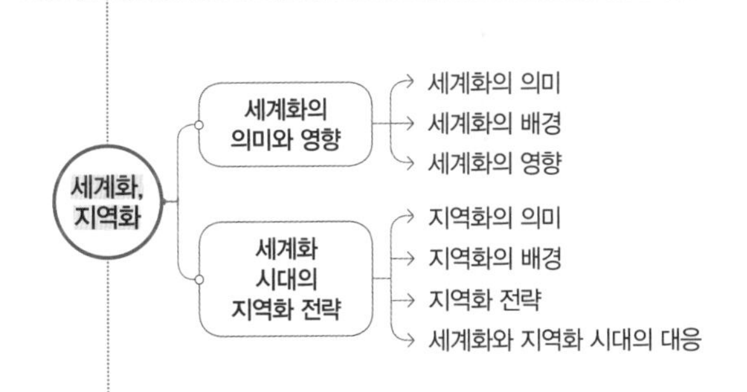

02 공간 인식과 지리 정보, 지역 구분

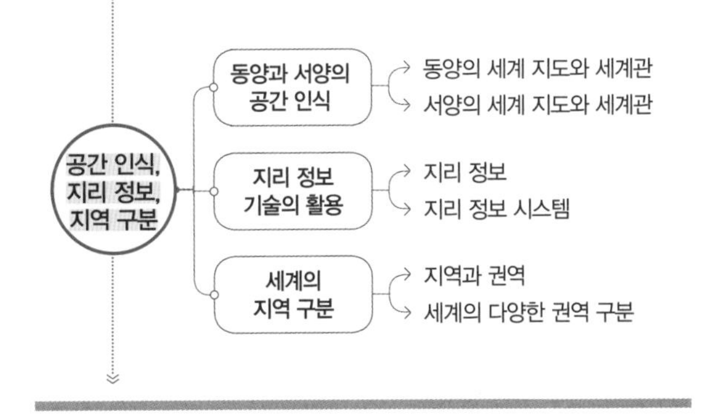

01 세계화와 지역화

A 세계화의 의미와 영향

1. 세계화의 의미: 교통·통신의 발달에 따라 정치, 경제, 사회, 문화 등 모든 면에서 세계가 하나의 공동체로 통합되는 현상

2. 세계화의 배경

(1) 교통·통신수단의 발달: 시간 및 비용 거리 단축으로 시공간적 제약이 줄어듦

(2) 지역의 상호 의존성 증가: 국가 간 교류 증대로 국경의 의미 약화

시대별 교통수단의 평균 속도
1500~1840년대 마차·범선 16km/h
1850~1930년대 증기선 25km/h 기차 100km/h
1950년대 프로펠러 비행기 480~640km/h
1970년대 제트 비행기 800~1,120km/h
(일) 360 (1850), 150 (1875), 100 (1900), 60 (1925), 3 (1950), 2 (1975), 1 (2000(년))
시간 거리 축소
(The Geography of Transport Systems, 2017)

▲ 교통의 발달에 따른 세계 일주 소요 시간 변화

3. 세계화의 영향

(1) 경제적 측면

① **지구적 차원의 협력과 분업 증가**: 국제 분업❶ 증가, 다국적 기업 발달 등 자료 1

② **자유 무역 확대**: 세계 무역 기구(WTO) 출범에 따른 무역 증가, 소비 활동의 공간 범위 확대 등

(2) 문화적 측면: 전 세계의 다양한 문화들이 활발하게 교류함으로써 지구촌 문화 변화

① **긍정적 영향**: 문화 전파 과정에서 서로 다른 문화의 융합으로 새로운 문화가 창조되어 세계 문화가 풍부해짐

예 올림픽, 월드컵, 영화제 등의 다양한 행사를 세계인과 함께 즐길 수 있어.

② **부정적 영향**: 문화 갈등 발생, 소수 문화 쇠퇴, 문화의 획일화, 전통문화 변질 등의 문제가 발생하기도 함

└ 전통문화와 세계 문화 간 갈등이 나타날 수 있어.

B 세계화 시대의 지역화 전략

1. 지역화의 의미: 하나의 지역이 세계적 차원에서 독자적인 가치를 지니는 현상

2. 지역화의 배경

(1) 문화와 경관의 획일화에 대한 비판: 세계화로 지역의 고유 경관과 특성이 사라짐

(2) 다른 지역과의 차별화 노력: 각 고유의 전통이나 특성을 살리고자 함

3. 지역화 전략

지리적 표시제 자료 2	특정 지역의 지리적 특성(기후, 지형, 토양 등)을 반영한 우수한 상품에 그 지역에서 생산·가공된 상품임을 표시할 수 있도록 인정하는 제도
장소 마케팅	특정 장소가 기업이나 관광객에게 매력적인 상품이 되도록 지역 주민과 공공 기관 등이 협력하여 독특한 이미지를 만들고, 이를 통해 부가 가치를 창출하는 전략
❷ 지역 브랜드화	지역의 상품과 서비스, 축제 등을 브랜드로 인식시켜 지역 이미지를 높이고, 지역 경제를 활성화하는 전략

뜻 생산 과정을 거치면서 새롭게 증가한 가치를 말해.

4. 세계화와 지역화 시대의 대응

세계화와 지역화는 동시에 진행되는 현상이며, 이로 인해 세계 관광객 수가 빠르게 증가하여 지역 경제가 활성화되고 있어.

(1) 지역 자립을 위한 경쟁력 강화: 지역 및 국가가 경제적·문화적으로 자립할 수 있는 여건 조성, 세계 여러 지역과의 교류와 더불어 지역의 문화 보존을 위해 노력

(2) 글로컬라이제이션❸의 추구: 세계화를 추구하면서도 각 지역의 고유한 의식, 문화, 기호, 행동 양식 등을 존중하는 전략 → 세계화와 지역화의 효과를 동시에 높일 수 있음

---

❶ 국제 분업
하나의 제품을 생산하는 데 여러 국가의 자본, 노동력 등이 투입되는 것을 말한다. 미국의 ○○ 항공기 회사는 세계 각국으로부터 부품을 공급받아 항공기를 완성한다.

(○○ 항공기 제작사, 2017)

▲ 항공기 산업의 국제 분업

❷ 지역 브랜드화 사례

▲ 뉴욕

I.SEOUL.U
너와 나의 서울
▲ 서울

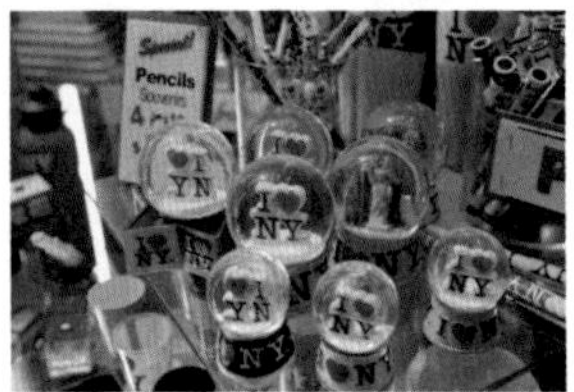
▲ 뉴욕의 지역 브랜드 활용 사례

❸ 글로컬라이제이션(Glocalization)
'세계화(globalization)'와 '지역화(localization)'를 합성한 용어로, 세방화 또는 현지화라고도 한다. 글로컬라이제이션은 현지의 풍토(문화, 기호, 소비자 행동의 차이 등)를 반영하기 때문에 현지에 맞는 전략이다.

교과서 자료 모아 보기

자료 확인 문제

자료1 다국적 기업의 생산 공장 이전

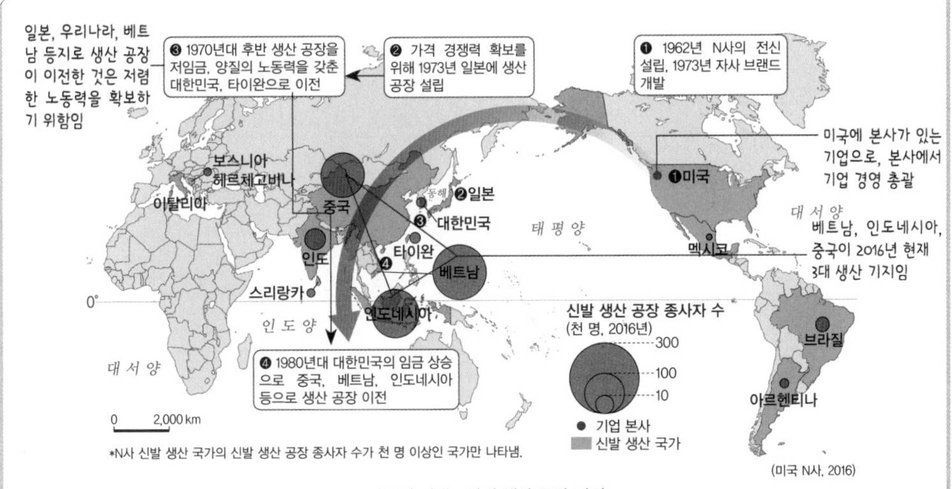

▲ 다국적 기업 N사의 생산 공장 이전

| 자료 분석 | 다국적 기업인 N사는 미국 기업이지만 제품 생산은 미국을 비롯하여 베트남, 인도네시아, 중국, 인도 등지에서 주로 이루어진다. N사는 저렴한 노동력을 확보하기 위해 1973년에는 일본, 1970년대 후반에는 대한민국과 타이완, 1980년대에는 중국, 베트남, 인도네시아 등으로 생산 공장을 이전하였다.

한줄 핵심 **다국적 기업 N사는 저렴한 노동력을 확보하기 위해 생산 공장을 이전하고 있다.**

❶ 2016년 기준 N사 생산 공장의 종사자 수가 많은 상위 3개 국가의 이름은?
( )

❷ 다국적 기업의 국가 간 분업으로 부품 운송비가 감소하였을 것이다. ○ ×

❸ N사의 생산 공장이 이전하게 된 가장 큰 이유는 저렴한 노동력을 확보하기 위해서이다. ○ ×

자료2 지리적 표시제

▲ 세계 각국의 대표적인 지리적 표시제 상품

▲ ❶ 이탈리아의 모차렐라 디 부팔라 캄파나

▲ ❷ 인도의 다르질링

| 자료 분석 | 지리적 표시제는 상품의 품질이나 맛이 생산지의 기후와 토양 등 지리적 특성과 밀접하게 연계되어 높은 명성을 얻은 경우 지역의 이름, 즉 지명을 지식 재산권으로 인정하는 제도이다. 지리적 표시제 상품 등록을 통해 생산자는 양질의 제품을 합리적인 가격에 판매할 수 있고, 소비자는 믿을 수 있는 제품을 구매할 수 있다.

한줄 핵심 **지리적 표시제는 특정 지역의 지리적 특성을 반영한 우수한 상품에 그 지역에서 생산·가공되었음을 표시하는 제도이다.**

❹ 상품의 품질이나 맛이 생산지의 특성과 밀접하게 연계되어 있을 경우, 지명을 지식 재산권으로 인정해 주는 제도는?
( )

❺ '다르질링 차'의 생산국은 인도이다. ○ ×

정답 ❶ 베트남, 인도네시아, 중국 ❷ ×(부품 운송비가 증가하였을 것이다.) ❸ ○ ❹ 지리적 표시제 ❺ ○

세계화와 다국적 기업의 전략

수능풀 Guide 다국적 기업의 국제 분업과 현지화 전략에 대해 알아보자.

1 국제 분업의 사례

- 최상위 세계 도시인 영국의 [A]에 위치한 본사에서 브랜드 및 디자인 개발, 생산 전략 수립
  - 영국 런던, 미국 뉴욕, 일본 도쿄
- 파키스탄의 목화 산지인 [B]에 입지한 공장에서 청바지의 소재가 되는 면직물 생산
- 산업 발달 수준이 낮은 탄자니아의 중소도시 [C]에 위치한 봉제 공장에서 단순 생산직 노동자가 완제품 생산

(주석) 본사는 선진국인 영국의 런던에 위치함

(주석) 영국, 파키스탄, 탄자니아에서 분업이 이루어지고 있으므로 다국적 기업임

(주석) 면직물 생산 공장은 개발 도상국인 파키스탄에 위치함

(주석) 봉제에서 완제품 생산까지의 공정은 개발 도상국인 탄자니아에서 이루어짐 → 저렴한 노동력 확보가 주된 목적임

PLUS분석 자료에 제시된 청바지 회사는 영국의 수도이며 최상위 세계 도시인 런던에 위치한 본사에서 제품의 생산 전략을 수립하고 브랜드 및 디자인을 개발한다. 이후 파키스탄의 목화 산지에 위치한 공장에서 면직물을 생산한 다음 저렴한 노동력을 확보할 수 있는 탄자니아에서 봉제 과정을 거쳐 완제품을 생산하고 있다. 이를 통해 다국적 기업의 국제 분업을 파악할 수 있다.

기출 선택지로 확인하기

❶ A는 B보다 전체 산업 종사자의 평균 임금이 높다. ○ | ×

❷ 자료에 제시된 청바지 회사는 연구 개발비 절감 및 전문 연구 인력 확보를 목적으로 B와 C에 생산 공장을 설립했다. ○ | ×

2 기업의 생산 공장 이전 사례

스포츠용품을 생산·판매하는 세계적인 ○○ 기업의 본사는 미국 오리건주에 있으며, 이 기업에서 판매되는 상품은 모두 외국에 있는 생산 공장에서 제작된다. 창업 초기에는 일본에 생산 공장을 설립하였으나 1970년대 후반 대한민국, 타이완으로 생산 공장을 이전하였다. 이후 1980년대에는 중국, 1990년대에는 베트남, 인도네시아 등의 동남아시아 지역으로 생산 공장을 이전하였다.

(주석) 본사는 미국 오리건주에 위치하고, 생산 공장은 베트남, 인도네시아 등지에 위치하므로 다국적 기업에 해당함

(주석) 저렴한 노동력 확보를 위해 생산 공장을 일본 → 대한민국, 타이완 → 중국 → 베트남, 인도네시아로 이동함

PLUS분석 본사는 미국에 위치하지만, 생산 공장은 저렴한 노동력 확보를 목적으로 일본, 대한민국, 타이완, 중국, 베트남, 인도네시아 등지로 이동한 다국적 기업의 사례이다.

기출 선택지로 확인하기

❸ 중국에 공장이 입지한 것은 대한민국, 타이완의 노동비가 상승한 것과 관련이 깊다. ○ | ×

3 여러 다국적 기업의 현지화 전략

수행 평가 보고서

○학년 ○반 이름: ◇◇◇

주제: [(가)] 와/과 관련된 신문 기사 조사하기

(주석) 다국적 기업의 현지화 전략

조사 내용 Ⅰ

(주석) 중국인들의 음식 문화를 메뉴에 반영

미국의 치킨 업체 A사는 중국 매장에서 중국인들의 아침 식사인 요우티아오(기름 빵)와 또우장(콩즙)을 판매하고 있다. 한편 미국의 피자 업체인 B사는 밥을 메뉴에 추가하여 중국 소비자들의 마음을 얻었다. … (후략) …

-□□ 신문, 2017. ○○. ○○.-

조사 내용 Ⅱ

(주석) 인도인들의 문화적 특성과 현지 사정을 자동차 디자인에 반영

서울에 본사를 둔 자동차 업체 C사는 'S' 발음을 좋아하는 인도 소비자들의 기호에 맞추어 차량의 이름을 지었다. 또한 비포장도로가 많은 도로 사정과 터번을 쓰는 인도인의 편의에 맞추어 차량을 개발했다. … (후략) …

-△△ 일보, 2016. ○○. ○○.-

PLUS분석 미국 기업과 우리나라 기업이 각각 중국과 인도로 진출하면서 현지화 전략을 세운 사례를 나타낸 것이다. 다국적 기업은 제품 개발 및 생산에 현지의 지형 및 기후 특성과 더불어 현지인들의 문화, 기호 등을 반영하고 있다.

기출 선택지로 확인하기 ❹ (가)에 들어갈 가장 적절한 내용은 '다국적 기업의 현지화 전략'이다. ○ | ×

정답 ❶ ○ ❷ ×(원료 확보를 위해 B에, 저렴한 노동력 확보를 위해 C에 공장을 설립하였다.) ❸ ○ ❹ ○

콕콕! 개념 확인하기

정답과 해설 2쪽

A 세계화의 의미와 영향

01 그래프와 관련된 지구촌의 변화에 대한 내용이 옳으면 ○표, 틀리면 ×표를 하시오.

(일) 400, 350, 300, 250, 200, 150, 100, 50, 0
1850, 1875, 1900, 1925, 1950, 1975, 2000(년)
360, 150, 100, 60, 3, 2, 1
시간 거리 ㉠
시대별 교통수단의 평균 속도
1500~1840년대 마차·범선 16km/h
1850~1930년대 증기선 25km/h 기차 100km/h
1950년대 프로펠러 비행기 480~640km/h
1970년대 제트 비행기 800~1,120km/h
(The Geography of Transport Systems, 2017)

▲ 교통의 발달에 따른 세계 일주 소요 시간 변화

(1) ㉠에는 '축소'가 들어갈 수 있다. ( )
(2) 국제 관광객 수는 증가하고 있다. ( )
(3) 국제기구의 필요성이 작아지고 있다. ( )
(4) 화석 연료의 사용량이 감소하고 있다. ( )
(5) 다국적 기업의 영향력이 약화되고 있다. ( )
(6) 국가 및 지역 간 의존성이 증가하고 있다. ( )
(7) 영어로 의사소통을 할 수 있는 사람들이 늘어나고 있다. ( )
(8) 서로 다른 문화의 융합으로 새로운 문화가 만들어지고 있다. ( )

B 세계화 시대의 지역화 전략

02 (가), (나)를 보고 물음에 답하시오.

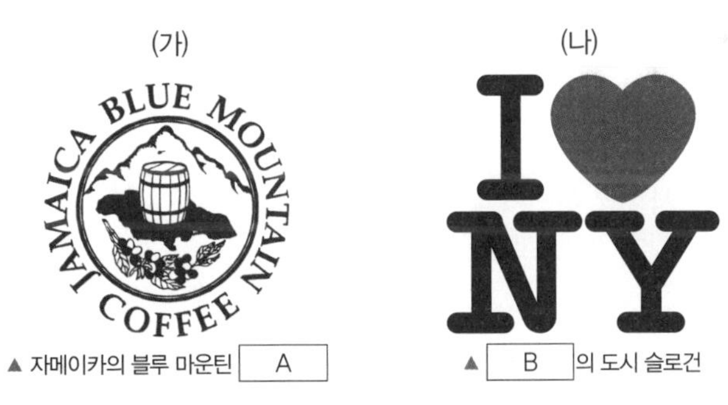

▲ 자메이카의 블루 마운틴 [A]

▲ [B]의 도시 슬로건

(1) A~B에 들어갈 알맞은 말을 쓰시오.

A: ( ), B: ( )

(2) (가)~(나)에 해당하는 지역화 전략을 바르게 연결하시오.

① (가) • • ㉠ 지역 브랜드화
② (나) • • ㉡ 지리적 표시제

03 빈칸에 알맞은 말을 쓰시오.

세계화의 과정에서 세계 각 지역은 고유의 전통이나 특성을 살려 다른 지역과 차별화된 경쟁력을 갖추기 위해 다양한 □□□ 전략을 추진하고 있다.

탄탄! 내신 다지기

정답과 해설 2쪽

A 세계화의 의미와 영향

01 ㉠에 들어갈 옳은 내용만을 〈보기〉에서 고른 것은?

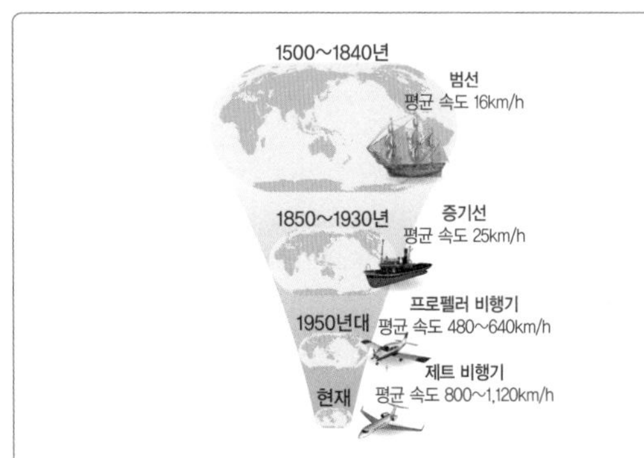

그림은 지구의 상대적 크기 변화를 나타낸 것이다. 교통이 발달하면서 지구의 상대적 크기는 점차 작아졌으며, 그에 따라 [㉠]은/는 증가하고 있다.

〈보기〉
ㄱ. 국제 분업 ㄴ. 국가 간 교역량
ㄷ. 단위 거리당 운송비 ㄹ. 물리적 거리의 중요성

① ㄱ, ㄴ ② ㄱ, ㄷ ③ ㄴ, ㄷ
④ ㄴ, ㄹ ⑤ ㄷ, ㄹ

02 그림은 미국에 본사를 둔 어느 기업의 항공기 부품 생산지를 나타낸 것이다. 이에 대한 설명으로 옳은 것은?

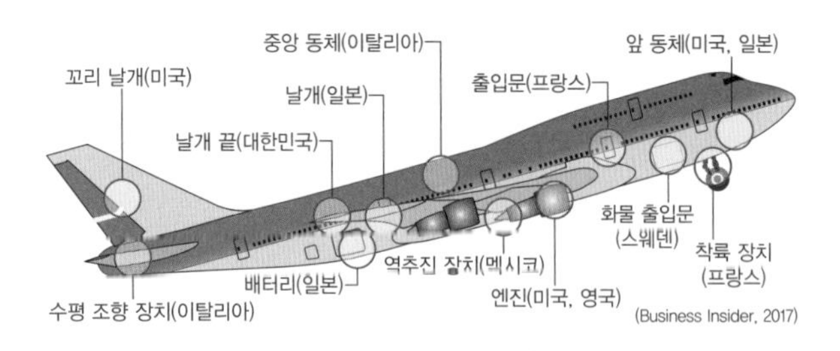

(Business Insider, 2017)

① 생산된 항공기는 미국 내에서만 판매된다.
② 항공기 생산에 참여한 국가는 대부분 개발 도상국이다.
③ 항공기 생산에 참여한 국가는 아시아가 유럽보다 많다.
④ 국가 간 분업으로 생산비에서 운송비가 차지하는 비중이 작아졌다.
⑤ 국가 간 분업은 국제 협력을 통해 생산 비용을 절감하기 위해 이루어지고 있다.

B 세계화 시대의 지역화 전략

03 (가), (나)에 해당하는 설명으로 옳은 것은?

(가) 지역 주민과 공공 기관 등이 협력하여 특정 장소를 기업이나 관광객에게 매력적인 상품이 되도록 만들어 부가 가치를 창출하는 전략이다.
(나) 상품의 품질과 명성, 특성이 특정 지역의 기후·지형·토양 등의 지리적 특성을 반영한 경우, 그 지역에서 생산·가공된 상품임을 인정해 주는 제도이다.

① (가)는 지리적 표시제이다.
② (나)는 지역 브랜드화이다.
③ 지역 축제는 (가)보다 (나)와 관련이 깊다.
④ (가), (나) 모두 중앙 정부 주도로 이루어진다.
⑤ (가), (나) 모두 지역 경쟁력 향상에 도움이 된다.

서답형 문제

04 (가), (나)를 보고 물음에 답하시오.

(1) (가), (나) 상표의 제품이 생산되는 국가를 지도의 A~C에서 골라 기호를 쓰시오.

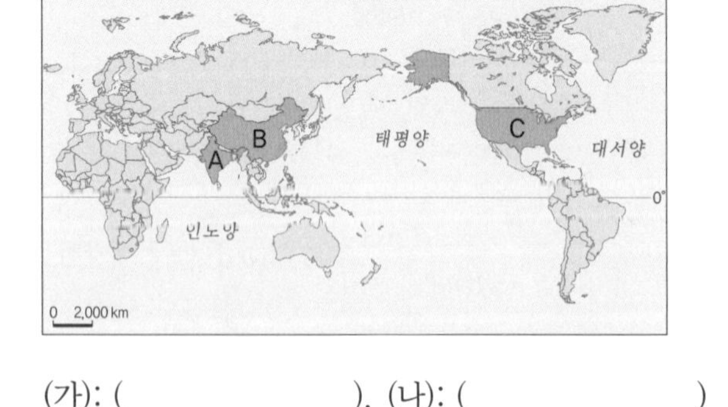

(가): ( ), (나): ( )

(2) (가), (나)와 같은 지역화 전략을 무엇이라고 하는지 쓰고, 그 의미를 서술하시오.

도전! 실력 올리기

정답과 해설 2쪽

01 그래프는 국제 관광에 관한 것이다. 이를 통해 추론할 수 있는 변화로 옳지 않은 것은?

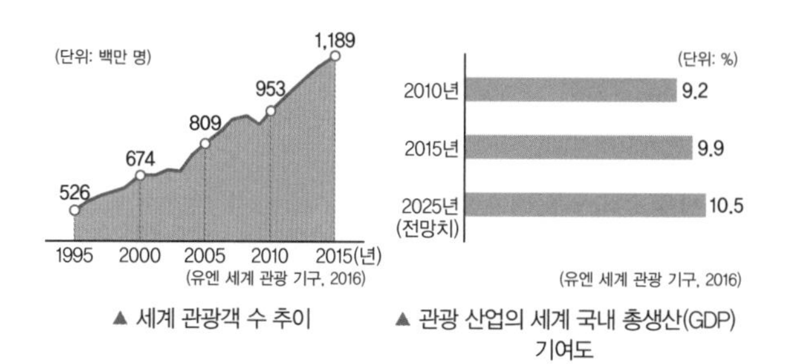

▲ 세계 관광객 수 추이 ▲ 관광 산업의 세계 국내 총생산(GDP) 기여도

① 의식주 문화의 세계화가 촉진될 것이다.
② 국가 간 교류의 확대로 국경의 의미가 약화될 것이다.
③ 대부분의 국가에서 관광을 통한 수입이 증가할 것이다.
④ 관광 수요 증가로 지역의 환경에 미치는 악영향이 나타날 것이다.
⑤ 세계 여객 수송에서 해운 교통이 차지하는 비중이 높아질 것이다.

02 지도는 미국에 본사를 둔 스포츠 의류 및 신발 기업의 생산 공장 이전을 나타낸 것이다. 이에 대한 옳은 설명만을 〈보기〉에서 있는 대로 고른 것은?

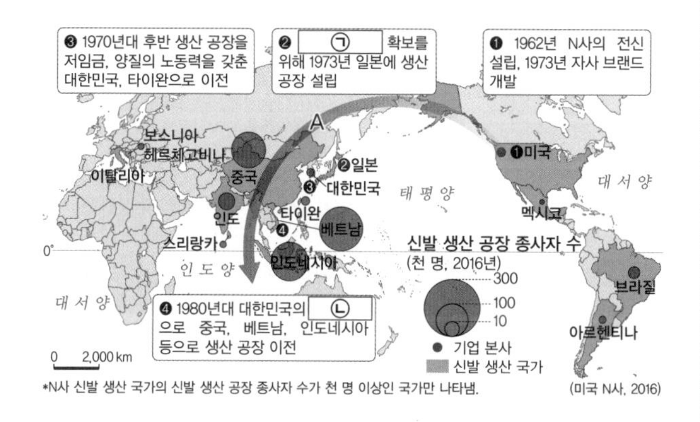

*N사 신발 생산 국가의 신발 생산 공장 종사자 수가 천 명 이상인 국가만 나타냄. (미국 N사, 2016)

보기
ㄱ. ㉠에는 '품질 경쟁력'이 들어갈 수 있다.
ㄴ. ㉡에는 '임금 상승'이 들어갈 수 있다.
ㄷ. A는 생산 공장 이전의 대체적인 방향을 나타낸 것이다.
ㄹ. 2016년 현재 생산 공장 종사자 수가 많은 3개 국가는 모두 아시아에 위치한다.

① ㄱ, ㄴ ② ㄱ, ㄹ ③ ㄷ, ㄹ
④ ㄱ, ㄴ, ㄷ ⑤ ㄴ, ㄷ, ㄹ

기출 변형

03 다음 글의 ㉠~㉣과 관련된 옳은 설명만을 〈보기〉에서 있는 대로 고른 것은?

> **수행 평가 보고서**
>
> ○학년 ○반 이름: ○○○
>
> 주제: 다국적 기업의 ㉠ 와/과 관련된 신문 기사 조사하기
>
> [조사 내용 Ⅰ]
>
> 미국의 치킨 업체 A사는 현지인들의 아침 식사인 요우티아오(기름 빵)와 또우쟝(콩즙)을 판매하고 있다. 한편 미국의 피자 업체인 B사는 밥을 메뉴에 추가하여 ㉡ 현지 소비자들의 마음을 얻었다. … (후략) …
>
> - □□ 신문, 2017. △△. △△. -
>
> [조사 내용 Ⅱ]
>
> 서울에 본사를 둔 자동차 업체 C사는 'S' 발음을 좋아하는 ㉢ 현지 소비자들의 기호에 맞추어 차량의 이름을 지었다. 또한 ㉣ 비포장도로가 많은 도로 사정과 터번을 쓰는 현지인의 편의에 맞추어 차량을 개발했다. … (후략) …
>
> - ◇◇ 일보, 2016. △△. △△. -

보기
ㄱ. ㉠에는 '현지화 전략'이 들어갈 수 있다.
ㄴ. ㉡에서는 툰드라 기후가 주로 나타난다.
ㄷ. ㉢은 우리나라보다 평균 소득 수준이 높다.
ㄹ. ㉣과 관련하여 차량 내부의 천장이 높을 것이다.

① ㄱ, ㄴ ② ㄱ, ㄹ ③ ㄷ, ㄹ
④ ㄱ, ㄴ, ㄷ ⑤ ㄴ, ㄷ, ㄹ

04 다음 글의 '에키벤'에 대한 설명으로 가장 알맞은 것은?

> 에키벤은 일본의 철도역에서 판매하는 지역 특유의 도시락으로, 현재 그 종류가 2,500여 종에 이른다. 에키벤이 특별한 이유는 지역에서 나는 식재료를 전통 방식으로 조리하여 지역의 문화를 반영한 그릇과 포장지에 담아내기 때문이다. 지역의 고유한 특성을 반영한 에키벤을 맛보기 위해 기차를 타는 사람도 늘고 있다.

① 통일된 제품 이미지를 추구하고 있다.
② 지리적 표시제에 등록된 도시락 제품이다.
③ 철도 여행과 지역 관광에 이바지하고 있다.
④ 로컬 푸드보다는 글로벌 푸드의 특성이 강하다.
⑤ 다국적 기업에 의해 제품 생산이 이루어지고 있다.

02 공간 인식과 지리 정보, 지역 구분

A 동양과 서양의 공간 인식

★ 한눈에 정리

동양의 세계 지도

중국	• 화이도, 대명혼일도: 중화사상 반영 • 곤여만국전도: 서구식 세계 지도 → 세계 인식 범위 확대
우리나라	• 혼일강리역대국도지도: 중국 중심의 세계관 반영 • 지구전후도: 중국 중심의 세계관 극복

1. 동양의 세계 지도와 세계관 자료 1

(1) 중국과 우리나라의 세계 인식과 세계 지도

중국	• 일찍부터 지도 제작 기술 발달, 활발한 동서 교류를 통해 많은 지리 정보를 수집하였으나 외부 세계에 대한 관심이 제한적 → 대부분의 세계 지도에 중화사상 반영 • 송나라의 화이도❶, 명나라의 대명혼일도 등의 세계 지도 제작
우리나라	• 조선 전기와 중기까지 중국 중심의 세계관에 영향을 받음 • 혼일강리역대국도지도(조선 전기에 국가 주도로 제작된 세계 지도), 천하도(조선 중기 이후 민간에서 제작된 관념적 세계 지도) 등의 세계 지도 제작

뜻 중화사상: 중국을 세계의 중심이라고 생각하는 사상이야.

천하도: 천원지방 사상, 중화사상, 도교 사상의 영향을 받았어.

(2) 중국과 우리나라의 세계 인식 범위의 확대

중국	17세기 마테오 리치의 곤여만국전도가 소개되면서 중국인의 세계 인식 범위가 유럽 및 아메리카까지 확대됨 → 서구식 세계 지도가 제작되기 시작
우리나라	18세기 이후 실학자들에 의해 서양의 근대적 지도가 도입되면서 중국 중심의 세계관에서 벗어남 → 지구전후도 제작

지구전후도: 경위도를 사용하였고, 아시아·유럽·아프리카·아메리카 등이 표현되어 있으며, 중국이 실제와 유사한 크기로 그려졌어.

2. 서양의 세계 지도와 세계관 자료 2

(1) 고대의 세계 지도

① **바빌로니아 점토판 지도**: 기원전 600년경에 제작된 현존하는 가장 오래된 세계 지도, 바빌론과 그 주변 지역 및 미지(未知)의 세계를 표현함

② **프톨레마이오스의 세계 지도**: 150년경 로마 시대에 제작되었다고 알려져 있으며 15세기에 복원된 지도가 남아 있음, 경선·위선의 개념과 투영법이 사용되었음, 유럽·아시아·아프리카가 표현되어 있음

당시 로마인의 세계관이 반영되어 있어.

뜻 투영법: 구체인 지구 표면을 오차를 최소화하면서 평면으로 나타내는 방법(=도법)이야.

(2) 중세의 세계 지도

① **티오(TO) 지도**: 중세 유럽에서 제작, 지도의 중심에 예루살렘이 있음(크리스트교 세계관 반영), 지도의 위쪽이 동쪽이며 에덴동산이 표현됨

뜻 에덴동산: 상상의 세계, 파라다이스와 같은 뜻이야.

② **알 이드리시의 세계 지도**: 12세기경에 제작, 프톨레마이오스의 세계 지도와 이슬람인들의 광범위한 지식을 토대로 함, 지도의 중심에 메카가 있음(이슬람교 세계관 반영), 지도의 위쪽이 남쪽임

③ **포르톨라노 해도❷**: 13세기경부터 유럽에서 제작된 항해용 지도

(3) 근대의 세계 인식 범위 확대와 세계 지도

① **세계 인식 범위의 확대 배경**

• 지리 지식의 확대: 대항해 시대가 열리고 콜럼버스의 신대륙 발견(1492년), 마젤란의 세계 일주(1519~1522년)가 이루어지면서 지리 지식 확대 → 지도에 아메리카가 표현되기 시작함

뜻 대항해 시대: 15세기에서 16세기에 걸쳐 유럽인들의 신항로 개척이나 신대륙 발견이 활발하던 시대를 말해.

• 인쇄술의 발달: 지도 제작 기술이 발달하고, 대량 생산이 이루어짐

② **메르카토르의 세계 지도**: 1569년에 항해를 목적으로 제작, 직각으로 교차하는 경위선을 이용해 사람들은 비교적 정확한 직선 항로를 찾을 수 있었음, 고위도로 갈수록 면적이 확대되어 왜곡 발생

뜻 직선 항로: 경선에 항상 동일한 각도로 교차하면서 전진하는 항로를 말해.

❶ 화이도

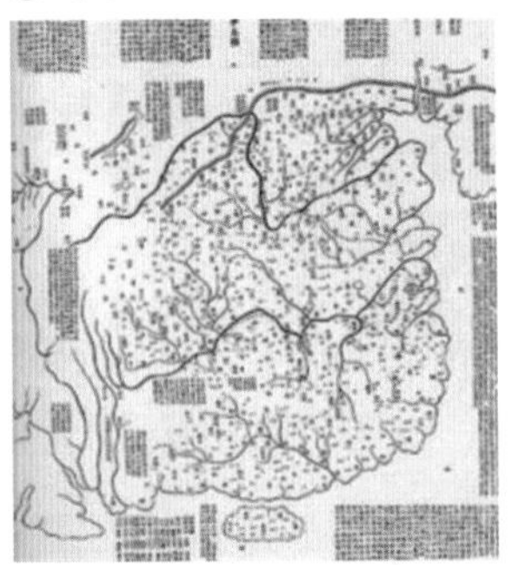

현존하는 지도 중 중국 전체를 표현한 지도로는 가장 오래된 지도이다. 지도의 중심에 중국이 있다.

❷ 포르톨라노 해도

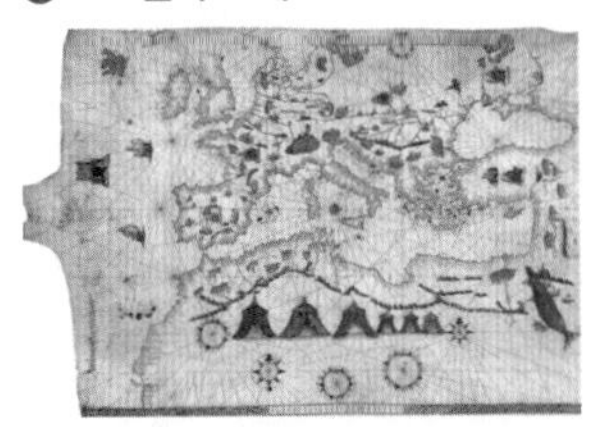

지도의 명칭은 항해 지침서를 뜻하는 '포르톨라니'에서 유래되었다. 유럽 해안의 항구와 도시들이 자세히 표현되어 있으며, 항해 요충지마다 나침반의 방향을 알려 주는 방사선이 목적지까지 직선으로 나타나 있다.

교과서 자료 모아 보기

자료 확인 문제

자료 1 동양의 세계 지도와 세계관

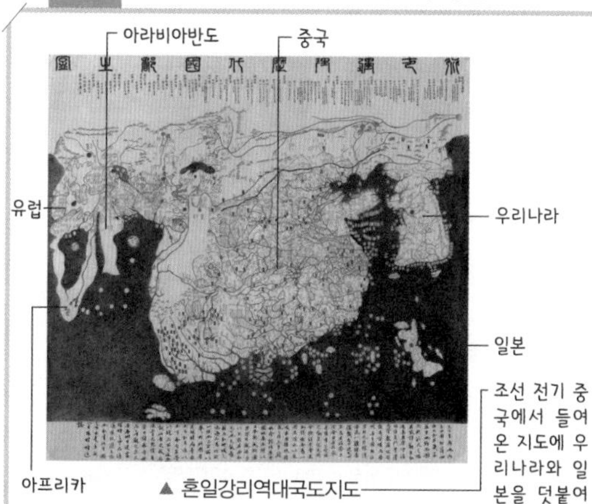

아라비아반도　중국

유럽

우리나라

일본

조선 전기 중국에서 들여온 지도에 우리나라와 일본을 덧붙여 만든 지도임

아프리카

▲ 혼일강리역대국도지도

| 자료 분석 | 조선 전기에 제작된 혼일강리역대국도지도는 당시의 세계관을 보여주며, 중화사상이 드러나 있는 것이 특징이다. 조선 후기 실학자들에 의해 제작된 지구전후도는 목판본 지도로, 경위도가 나타나 있으며 아메리카 대륙 등도 표현되어 있다. 지구전후도는 과학적인 지도로 오늘날의 지도와 비슷하며, 중화 사상이 드러나 있지 않다.

한줄 핵심 **혼일강리역대국도지도에 반영되어 있던 중화사상이 지구전후도에는 나타나 있지 않다.**

◀ 지구전후도

❶ 조선 전기 국가 주도로 제작된 대표적인 세계 지도는?
( )

❷ 혼일강리역대국도지도는 지구전후도보다 더 넓은 지역을 표현하고 있다. ○ ×

❸ 지구전후도는 중국 중심의 세계관을 (반영, 극복)하였다.

자료 2 서양의 세계 지도와 세계관

▲ 프톨레마이오스의 세계 지도

고대 로마 시대에 프톨레마이오스가 지구 구체설을 바탕으로 투영법을 이용하여 제작한 지도로, 15세기에 복원된 후 근대 지도 제작의 바탕이 됨

아라비아반도　　아프리카

아시아

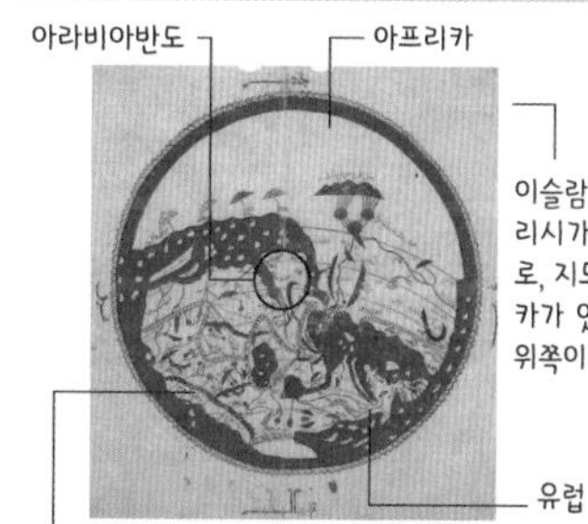

▲ 알 이드리시의 세계 지도

유럽

이슬람 학자 알 이드리시가 제작한 지도로, 지도의 중심에 메카가 있으며, 지도의 위쪽이 남쪽 방향임

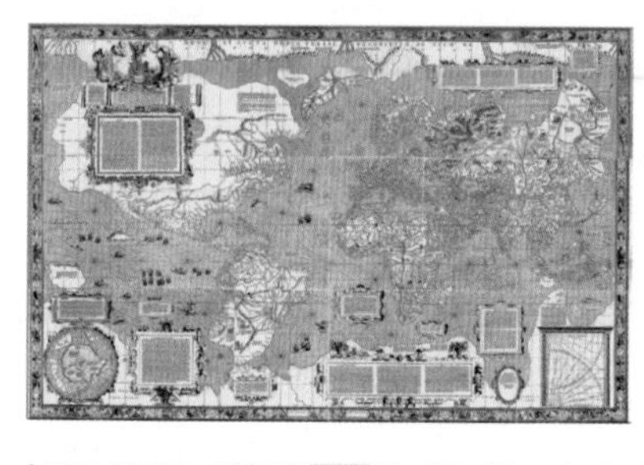

◀ 메르카토르의 세계 지도

대항해 시대 이후에

| 자료 분석 | 서양의 고대를 대표하는 지도는 프톨레마이오스의 세계 지도로 투영법을 이용하여 경위선망을 지도에 나타냈다. 중세의 세계 지도인 알 이드리시의 세계 지도는 이슬람 세계관을 나타낸 지도이다. 근대의 세계 지도인 메르카토르의 세계 지도는 항해도로 많이 이용되었다.

한줄 핵심 **시대별 주요 세계 지도를 통해 당시의 세계관과 세계 인식의 변화를 파악할 수 있다.**

❹ 고대 로마 시대에 지구 구체설을 바탕으로 세계 지도를 만든 사람은?
( )

❺ 알 이드리시의 세계 지도는 지도의 위쪽이 □□을 가리킨다.
( )

❻ 메르카토르의 세계 지도에서는 모든 경위선이 서로 수직으로 교차한다. ○ ×

정답 ❶ 혼일강리역대국도지도 ❷ ×(지구전후도가 더 넓은 지역을 표현하였다.) ❸ 극복 ❹ 프톨레마이오스 ❺ 남쪽 ❻ ○

B 지리 정보 기술의 활용

1. 지리 정보

(1) **의미:** 어떤 장소나 지역에 대한 정보 → 지리 정보를 통해 지역의 특성과 변화 파악

(2) **종류:** 공간 정보(장소의 위치와 형태), 속성 정보(장소가 지닌 자연적·인문적 특성), 관계 정보(한 장소와 다른 장소 간의 관계)
- 예 경위도, 주소 등의 정보야.
- 예 지형, 기후, 인구, 산업 등의 정보야.

(3) **수집 방법**

수집 방법	특징
직접 조사	조사 지역을 방문하여 지리 정보 수집
간접 조사	지도, 문헌 등을 통한 지리 정보 수집
❸ 원격 탐사	• 인공위성, 항공기 등의 센서를 이용하여 지구 표면의 지리 정보 수집 • 광범위한 지역에 대한 정보를 주기적으로 수집할 수 있음

왜 인공위성이 지구 주위를 주기적으로 돌기 때문이야.

2. 지리 정보 시스템(GIS, Geographic Information System) 자료 3

(1) **의미:** 지리 정보를 수치화하여 컴퓨터에 입력·저장하고, 사용자의 요구에 따라 분석·가공·처리하여 필요한 결과를 얻는 지리 정보 기술

(2) **특징:** 복잡한 지리 정보를 다양한 유형 및 크기로 지도화할 수 있음 → 공간의 이용과 관련하여 신속하고 합리적인 결정 가능

(3) **활용:** 국토 및 도시 개발·환경 보전 등 다양한 분야에 활용됨, 컴퓨터와 위성 위치 확인 시스템(GPS)❹ 등의 발달로 사용 범위 확대 → 사물 인터넷❺, 드론, 자율 주행차, 증강 현실❻ 등과 결합하여 공간 정보 서비스의 범위가 넓어짐 예 웹(Web) GIS❼ 등

C 세계의 지역 구분

1. 지역과 권역

(1) **지역의 의미:** 지리적 특성이 다른 곳과 구분되는 지표상의 공간 범위, 자연적·문화적·사회적·경제적 기준에 따라 지역의 경계가 달라짐

(2) **권역의 의미와 구분 기준**

① **의미:** 세계를 나누는 가장 큰 규모의 공간적 단위 → 권역 구분을 통해 지역성 파악

뜻 다른 지역과 구분되는 지역의 독특한 특성을 말해.

② **세계 권역 구분의 기준**

자연적 기준	위치, 지형, 기후, 식생 등의 자연환경과 관련된 요소
문화적 기준	의식주, 언어, 종교, 정치 체제 등 생활 양식과 관련된 요소
기능적 기준	기능이 중심이 되는 핵심지와 그 배후지로 이루어지는 권역을 설정할 수 있는 요소

2. 세계의 다양한 권역 구분❽ 자료 4

권역들 사이의 경계를 이루는 곳에서는 두 권역의 특성이 섞여서 나타나는 점이 지대가 나타나.

(1) **관점에 따른 권역 구분:** 기준에 따라 다양한 권역으로 구분됨

① **대륙 중심:** 아시아, 유럽, 아프리카, 오세아니아, 아메리카 등으로 구분 → 총체적인 지리 정보 파악에 유리

② **인문적 요소 중심:** 문화, 정치 등과 같은 요소에 따른 구분 → 어떤 지표를 중요시하는가에 따라 경계가 달라짐

③ **지구적 쟁점 중심:** 쟁점과 관련된 지역을 한 권역으로 묶는 방식 → 쟁점이 뚜렷하지 않거나 사라지면 구분 근거가 모호해짐

뜻 서로 다투는 중심이 되는 내용을 말해.

(2) **규모에 따른 권역 구분:** 지역 연구 주제에 따라 적절한 규모로 지역을 구분할 수 있음

---

❸ 원격 탐사
관측 대상과의 접촉 없이 먼 거리에서 측정을 통해 지리 정보를 수집하는 기술이다. 주로 인공위성이나 항공기를 이용하여 넓은 지역의 지리 정보를 실시간 및 주기적으로 수집할 수 있다.

❹ 위성 위치 확인 시스템(GPS)
인공위성에서 보내는 신호를 수신하여 사용자의 현재 위치를 알려 주는 시스템이다.

❺ 사물 인터넷(IoT, Internet of Things)
각종 사물에 감지기와 통신 기능을 내장하여 인터넷에 연결하는 기술이다.

❻ 증강 현실(AR, Augmented Reality)
사람들이 보는 현실 세계에 3차원의 가상 물체를 띄워서 보여주는 기술이다.

❼ 웹(Web) GIS
인터넷을 통해 지리 정보를 검색, 분석, 처리할 수 있는 시스템이다.

❽ 관점에 따른 아메리카의 구분

(디르케 세계 지도, 2015)

아메리카를 지리적으로 구분할 때와 문화적으로 구분할 때 그 경계가 다르다. 지리적으로 구분할 때는 파나마 지협이 경계가 되고, 문화적으로 구분할 때는 리오그란데강이 경계가 된다.

자료 확인 문제

자료 3 지리 정보 시스템의 활용

〈중첩 분석을 통한 입지 선정〉

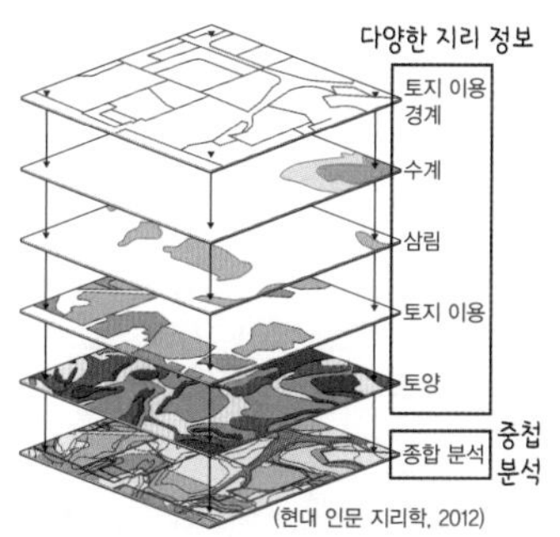

▲ 중첩 분석

| 자료 분석 | 지리 정보 시스템에서는 다양한 지리 정보를 각각의 레이어(layer)로 구분하고, 이를 중첩하여 최적의 조건을 만족하는 지역을 선정할 수 있다.

〈중첩 분석을 활용한 입지 선정 사례〉

• 조건

인구(만 명)	점수
1,500 이상	3
1,000～1,500	2
1,000 미만	1

도시화율(%)	점수
80 이상	3
70～80	2
70 미만	1

• 국가 정보

국가	인구(만 명)	도시화율(%)	합산 점수
볼리비아	1,073 2	68.5 1	→ 3
칠레	1,795 3	89.5 3	→ 6
콜롬비아	4,823 3	76.4 2	→ 5
파라과이	664 1	59.7 1	→ 2
페루	3,138 3	78.6 2	→ 5

▲ 공장 건설의 최적 국가 찾기 가장 적합한 국가는 칠레

한줄 핵심 **지리 정보 시스템의 중첩 분석을 활용하여 최적 입지를 선정할 수 있다.**

❼ □□ □□ □□□에서는 최적 입지를 선정할 때 중첩 분석을 많이 활용한다.
( )

자료 4 세계의 권역 구분

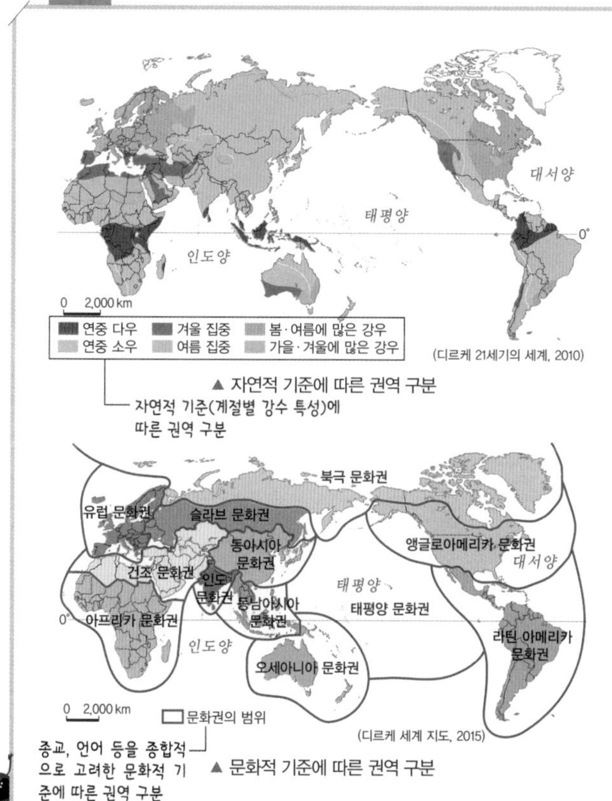

▲ 자연적 기준에 따른 권역 구분

▲ 문화적 기준에 따른 권역 구분

| 자료 분석 | 지역을 구분하는 기준 중에 세계를 가장 큰 규모로 나눈 공간 범위를 권역이라고 한다. 권역은 자연적 기준, 문화적 기준, 기능적 기준에 따라 구분된다.

한줄 핵심 **지표 공간은 기준이 되는 요소에 따라 다양한 권역으로 구분된다.**

❽ 계절별 강수 특성을 바탕으로 권역을 구분한 것은 자연적 기준에 따른 권역 구분이다. ○ ×

❾ 세계를 여러 권역으로 구분하는 기준이 되는 지표 중 종교, 언어 등은 (자연적, 문화적) 요소이다.

❿ 아프리카 북부는 어떤 문화권에 속하는가?
( )

정답 ❼ 지리 정보 시스템 ❽ ○ ❾ 문화적 ❿ 건조 문화권

수능 자료로 개념 완성 수능 POOL

동 · 서양의 고지도에 나타난 세계관

수능풀 Guide 동·서양의 고지도에 담겨 있는 지도 제작 당시의 세계관을 알아보자.

1 동양과 서양의 세계 지도

프톨레마이오스의 세계 지도 └(가)

메르카토르의 세계 지도 └(나)

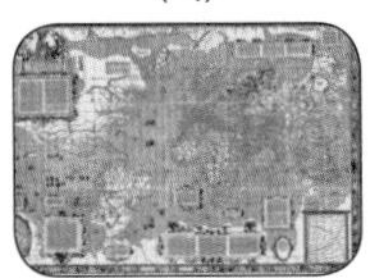

혼일강리역대국도지도 └(다)

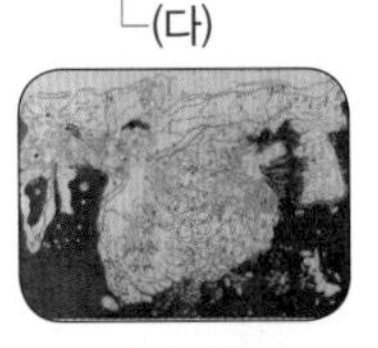

(가)는 르네상스 시대에 복원된 지도로 유럽은 물론 북부 아프리카와 아시아의 일부 지역까지 표현되어 있어.

(나)는 메르카토르의 세계 지도로 항해용으로 널리 사용되었다고 해.

(다)는 조선 전기에 제작된 지도로 중국이 중앙에 크게 표현되어 있어.

지구 구체설, 투영법, 경위도 표현

경위선 직교, 고위도 왜곡, 아메리카 표현

중화사상, 유럽과 아프리카 표현

PLUS분석 (가)는 르네상스 시대에 복원된 지도로, 150년경에 제작된 프톨레마이오스의 세계 지도이다. (나)는 항해용으로 제작된 지도로, 경위선이 수직 교차하는 메르카토르의 세계 지도이다. (다)는 조선 전기에 제작된 혼일강리역대국도지도이다.

기출 선택지로 확인하기

❶ (나)는 저위도보다 고위도의 면적이 정확하게 표현되어 있다. ○ ×

2 다양한 세계관을 반영하는 세계 지도

천하도 └(가)

티오(TO) 지도 └(나)

알 이드리시의 세계 지도 └(다)

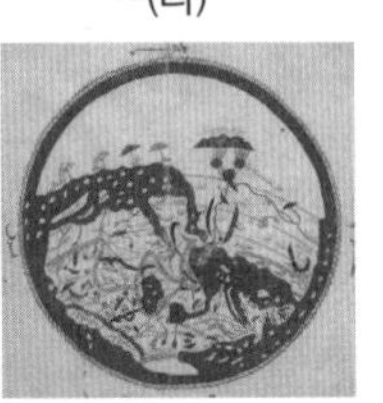

PLUS분석 (가)는 조선 중기 이후 민간에서 널리 제작된 천하도이다. 도교 사상의 영향을 받은 지도로, 상상의 세계가 나타나는 것이 특징이다. (나)는 서양 중세 시대에 제작된 티오(TO) 지도로, 크리스트교 세계관을 바탕으로 제작되었다. 지도의 중앙에 예루살렘이 위치하고, 지도의 위쪽이 동쪽이며 에덴동산이 표현되어 있다. (다)는 12세기경 이슬람 학자에 의해 제작된 알 이드리시의 세계 지도로 지도의 위쪽이 남쪽이며, 지도의 중심에 메카가 위치한다.

기출 선택지로 확인하기

❷ (가), (나)에는 상상 속의 지역이 표현되어 있다. ○ ×

❸ (나)는 지도의 위쪽이 남쪽, (다)는 지도의 위쪽이 동쪽이다. ○ ×

3 투영법이 사용된 세계 지도

(가) 프톨레마이오스의 세계 지도 → 150년경 제작

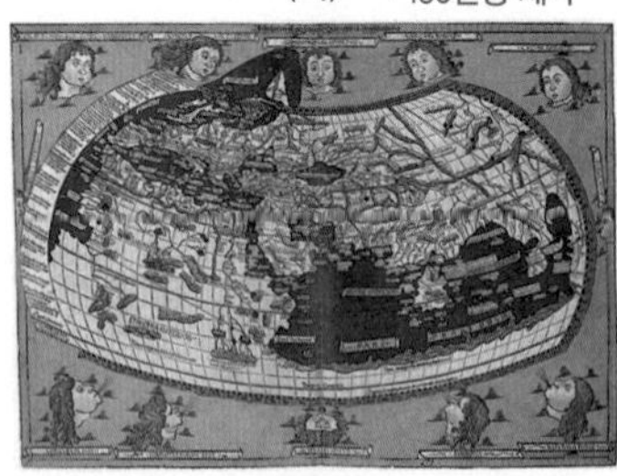

(나) 지구전후도 → 조선 후기 실학자들에 의해 제작, 아메리카 표현

(가)와 (나) 비교: 제작 시기는 (가)가 이르고, 표현된 지역 범위는 (나)가 넓으며, 대량 생산은 목판본인 (나)가 유리함

PLUS분석 (가)는 프톨레마이오스의 세계 지도이고, (나)는 지구전후도이다. (가)는 서양의 고대에 제작된 지도이고, (나)는 조선 후기에 제작된 지도이지만, 두 지도 모두 지구를 구체로 간주하고 투영법을 사용하여 지도를 제작하였으며, 경위선이 나타난다.

기출 선택지로 확인하기

❹ (가), (나) 지도에는 지구가 구체라는 인식이 반영되어 있다. ○ ×

❺ (가), (나) 지도는 서양에서 제작된 세계 지도이다. ○ ×

정답 ❶ ×(고위도 지역이 확대·왜곡되었다.) ❷ ○ ❸ ×((나)는 지도의 위쪽이 동쪽, (다)는 지도의 위쪽이 남쪽이다.) ❹ ○ ❺ ×(지구전후도는 우리나라에서 제작된 세계 지도이다.)

콕콕! 개념 확인하기

정답과 해설 3쪽

A 동양과 서양의 공간 인식

01 (가), (나) 지도에 대한 내용이 옳으면 ○표, 틀리면 ×표를 하시오.

(가)

▲ 혼일강리역대국도지도

(나)

▲ 곤여만국전도

(1) (가)는 우리나라에서 만든 지도이고, (나)는 중국에서 서양인이 만든 지도이다. (   )
(2) (가)는 (나)보다 제작 시기가 이르다. (   )
(3) (가)에는 아프리카가 없지만, (나)에는 아프리카가 있다. (   )

02 각 지도의 특성을 모두 찾아 바르게 연결하시오.

(1) 티오(TO) 지도 •
(2) 포르톨라노 해도 •
(3) 바빌로니아 점토판 지도 •
(4) 메르카토르의 세계 지도 •
(5) 알 이드리시의 세계 지도 •
(6) 프톨레마이오스의 세계 지도 •

• ㉠ 항해도로 이용
• ㉡ 당시 로마인의 세계관 반영
• ㉢ 현존하는 최고(古)의 세계 지도
• ㉣ 지도의 위쪽이 남쪽
• ㉤ 지도의 위쪽이 동쪽
• ㉥ 이슬람교 세계관 반영
• ㉦ 고대 로마 시대에 제작
• ㉧ 크리스트교 세계관 반영
• ㉨ 고위도로 갈수록 면적 확대

B 지리 정보 기술의 활용

03 알맞은 말에 ○표를 하시오.

(1) 지역의 경위도는 (공간, 속성) 정보에 속한다.
(2) 지리 정보 시스템은 영어 약어로 (GIS, GPS)이다.
(3) 지리 정보 시스템에서는 (종이 지도, 전자 지도)를 많이 이용한다.
(4) 지도, 문헌 등을 통한 지리 정보 수집은 (직접 조사, 간접 조사)에 속한다.

C 세계의 지역 구분

04 지역 구분에 대한 내용이 옳으면 ○표, 틀리면 ×표를 하시오.

(1) 지역을 구분하고 지역성을 탐구하는 것은 지역 간 주민 생활의 차이와 상호 의존성을 이해하는 데 필요한 과정이다. (   )
(2) 문화적 기준에 따른 권역 구분에 종교를 고려하기도 한다. (   )
(3) 앵글로아메리카와 라틴 아메리카의 지역 경계는 파나마 지협이다. (   )

탄탄! 내신 다지기

A 동양과 서양의 공간 인식

01 지도에 대한 설명으로 옳지 <u>않은</u> 것은?

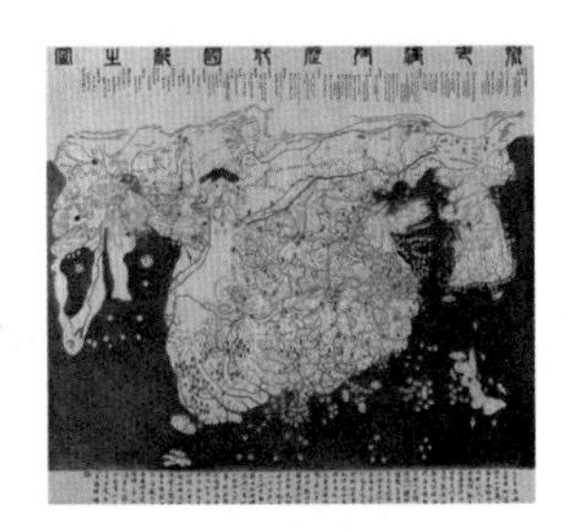

① 지도의 중심에 중국이 위치한다.
② 지도의 왼쪽에 아프리카가 그려져 있다.
③ 조선은 실제 면적보다 크게 그려져 있다.
④ 육지는 검은색, 바다는 밝은색으로 표현되어 있다.
⑤ 중국에서 들여온 지도에 우리나라와 일본을 덧붙였다.

02 지도에 대한 설명으로 옳은 것은?

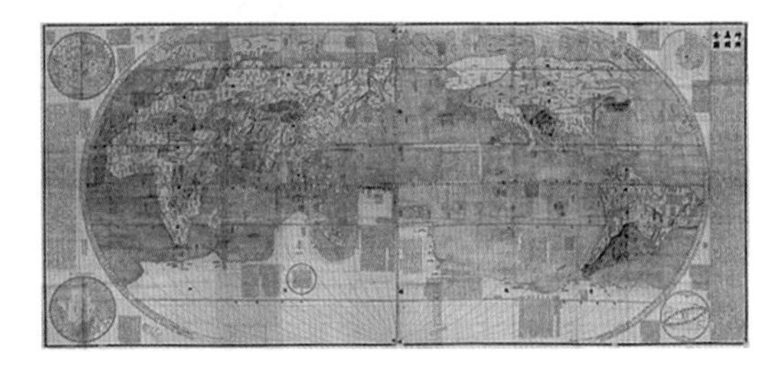

① 지도의 위쪽이 남쪽이다.
② 정화의 항해에 이용되었다.
③ 천원지방 사상을 반영하고 있다.
④ 지도의 최초 제작자는 중국인이다.
⑤ 지도의 중심에는 태평양이 위치한다.

03 지도에 표시된 중국과 아프리카의 크기 비교를 통해 파악할 수 있는 당시 중국인의 세계관으로 옳은 것은?

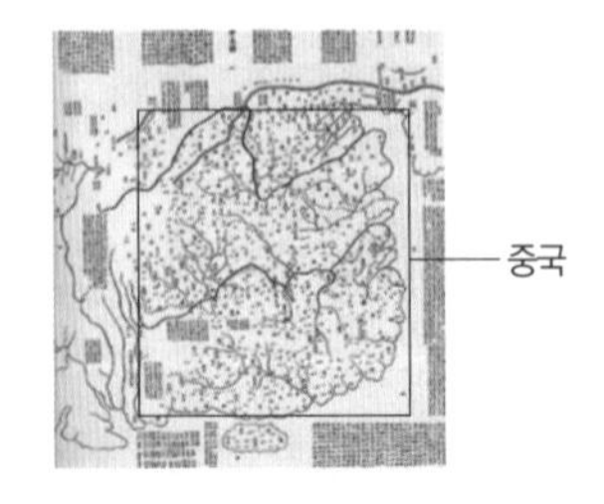

① 중화사상　　② 실학사상
③ 도교 사상　　④ 이슬람교 세계관
⑤ 크리스트교 세계관

04 (가), (나) 지도에 대한 옳은 설명만을 〈보기〉에서 고른 것은?

(가)

(나)

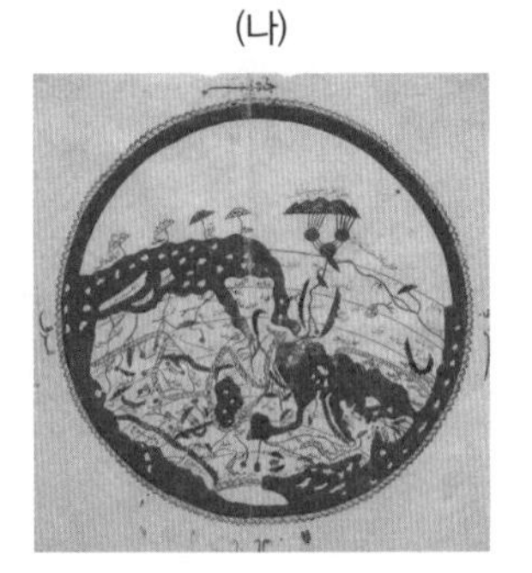

〈보기〉
ㄱ. (가)는 크리스트교 세계관을 담고 있다.
ㄴ. (나) 지도는 항해도로 널리 이용되었다.
ㄷ. (가)의 중심에는 예루살렘이, (나)의 중심에는 메카가 있다.
ㄹ. (가), (나) 모두 지도의 위쪽이 남쪽을 가리킨다.

① ㄱ, ㄴ　　② ㄱ, ㄷ　　③ ㄴ, ㄷ
④ ㄴ, ㄹ　　⑤ ㄷ, ㄹ

05 지도에 대한 설명으로 옳은 것은?

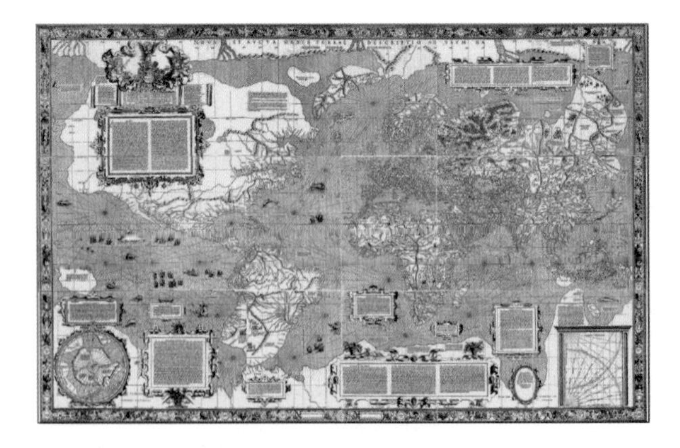

① 모든 경선과 위선이 수직 교차한다.
② 항공기 운항의 최단 거리를 파악하기 쉽다.
③ 고위도로 갈수록 면적이 실제보다 축소된다.
④ 유럽보다 아메리카에 대한 지리 정보가 풍부하다.
⑤ 오스트레일리아를 포함한 오세아니아가 표현되어 있다.

B 지리 정보 기술의 활용

06 자료의 지리 정보 기술에 대한 옳은 설명만을 〈보기〉에서 고른 것은?

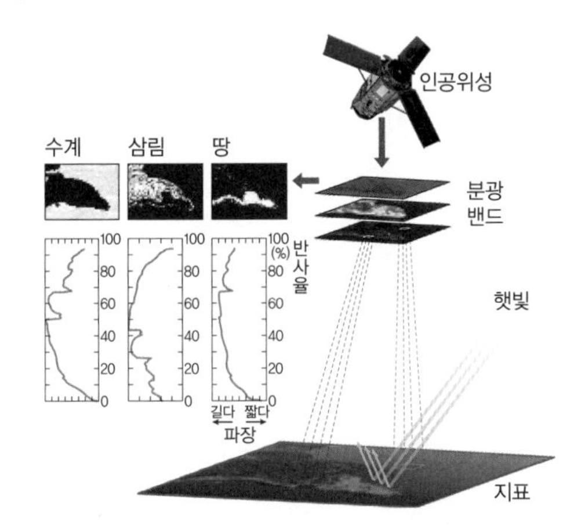

보기
ㄱ. 선진국보다 개발 도상국에서 이용이 활발하다.
ㄴ. 지리 정보 수집에 인공위성이나 항공기를 이용한다.
ㄷ. 시설 입지에 대한 주민들의 의견을 수집할 수 있다.
ㄹ. 넓은 지역의 지리 정보를 주기적으로 수집할 수 있다.

① ㄱ, ㄴ ② ㄱ, ㄷ ③ ㄴ, ㄷ
④ ㄴ, ㄹ ⑤ ㄷ, ㄹ

07 자료와 같은 분석 방법에 대한 옳은 설명만을 〈보기〉에서 있는 대로 고른 것은?

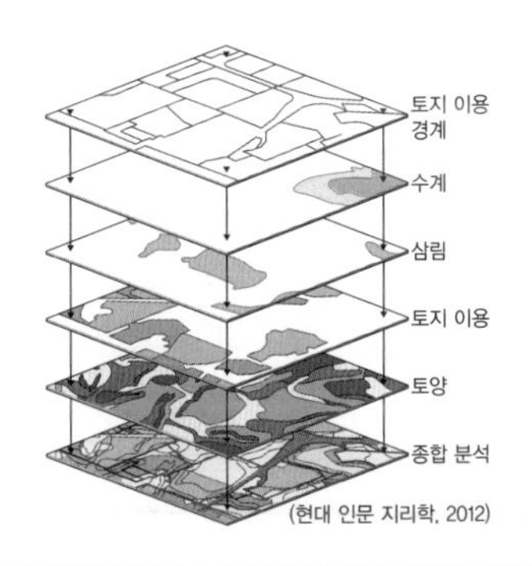

(현대 인문 지리학, 2012)

보기
ㄱ. 광범위한 지역의 정보를 실시간으로 수집할 수 있다.
ㄴ. 주택, 쓰레기 매립장 등 다양한 입지 선정에 이용된다.
ㄷ. 다양한 지리 정보가 여러 개의 데이터 층으로 구분되어 있다.
ㄹ. 다양한 지리 정보를 중첩하여 입지 조건에 부합하는 최적 입지를 선정할 수 있다.

① ㄱ, ㄴ ② ㄱ, ㄹ ③ ㄷ, ㄹ
④ ㄱ, ㄴ, ㄷ ⑤ ㄴ, ㄷ, ㄹ

C 세계의 지역 구분

08 지도는 문화권을 토대로 한 지역 구분을 나타낸 것이다. 이에 대한 옳은 설명만을 〈보기〉에서 고른 것은?

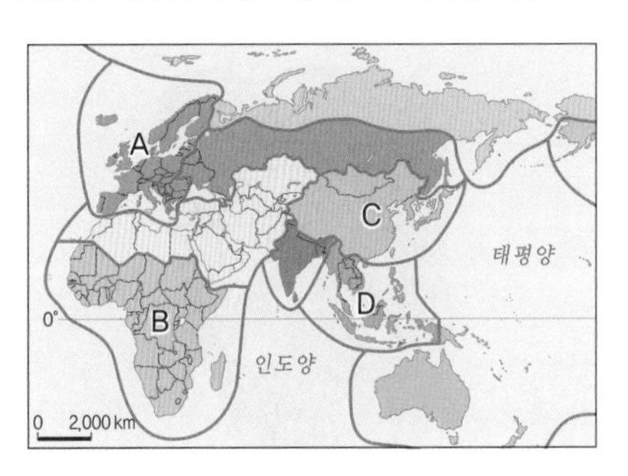

보기
ㄱ. A－산업 혁명이 시작된 지역을 포함한다.
ㄴ. B－불교, 힌두교를 신봉하는 사람들이 많다.
ㄷ. 권역의 경계 부근에는 점이 지대가 나타난다.
ㄹ. 자연환경과 관련된 요소를 기준으로 구분하였다.

① ㄱ, ㄴ ② ㄱ, ㄷ ③ ㄴ, ㄷ
④ ㄴ, ㄹ ⑤ ㄷ, ㄹ

서답형 문제

09 다음 지도를 보고 물음에 답하시오.

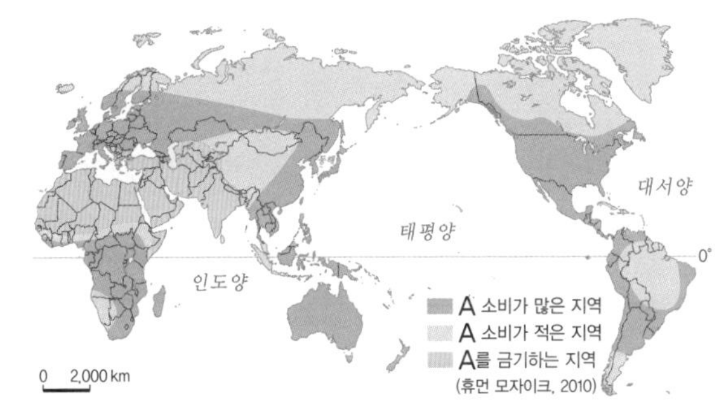

(휴먼 모자이크, 2010)

(1) 지도와 같이 권역을 구분한 기준을 쓰시오.
( )

(2) A에 들어갈 내용을 쓰고, A를 금기시하는 지역의 특징을 종교와 관련지어 서술하시오.

도전! 실력 올리기

01 지도에 대한 옳은 설명만을 〈보기〉에서 있는 대로 고른 것은?

보기
ㄱ. 점토판에 제작되었다.
ㄴ. 경위선이 그려져 있다.
ㄷ. 지도의 중심에 바빌론이 위치한다.
ㄹ. 현존하는 가장 오래된 세계 지도로 알려져 있다.

① ㄱ, ㄴ ② ㄱ, ㄹ ③ ㄴ, ㄷ
④ ㄱ, ㄷ, ㄹ ⑤ ㄴ, ㄷ, ㄹ

기출 변형

02 (가), (나) 지도의 특징을 그림의 A~E에서 골라 바르게 연결한 것은?

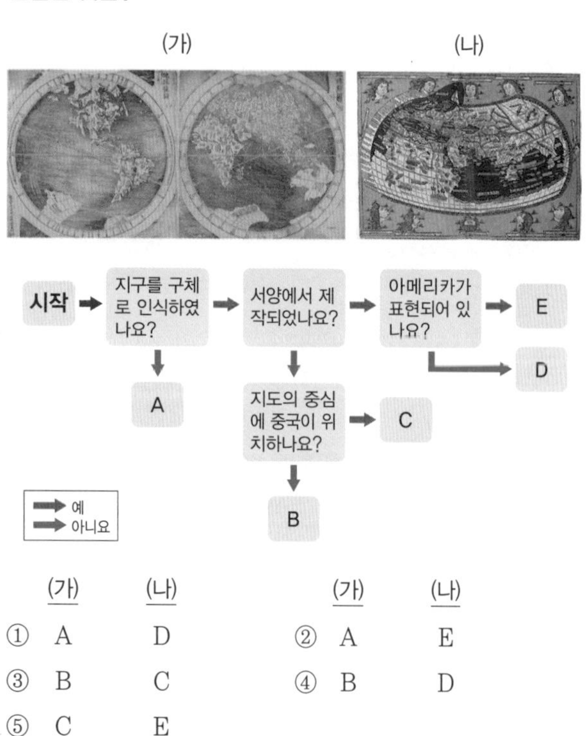
(가)
(나)
시작
지구를 구체로 인식하였나요?
서양에서 제작되었나요?
아메리카가 표현되어 있나요?
E
D
A
지도의 중심에 중국이 위치하나요?
C
B
예
아니요

	(가)	(나)
①	A	D
②	A	E
③	B	C
④	B	D
⑤	C	E

03 다음은 세계지리 수업 장면이다. (가), (나)에 들어갈 알맞은 지도를 〈보기〉에서 골라 바르게 연결한 것은?

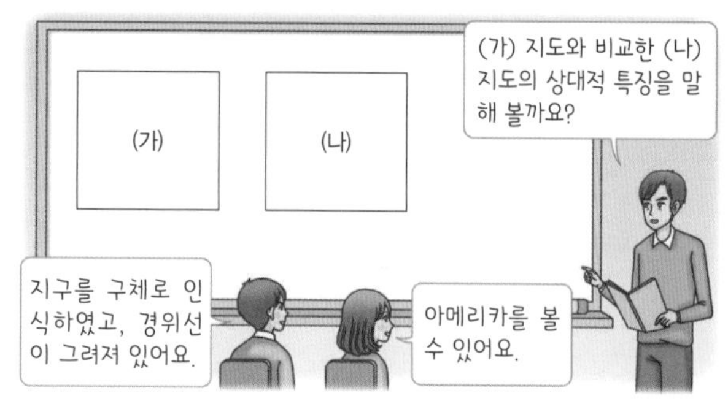
(가)
(나)
(가) 지도와 비교한 (나) 지도의 상대적 특징을 말해 볼까요?
지구를 구체로 인식하였고, 경위선이 그려져 있어요.
아메리카를 볼 수 있어요.

보기

ㄱ.
ㄴ.
ㄷ.

	(가)	(나)
①	ㄱ	ㄴ
②	ㄱ	ㄷ
③	ㄴ	ㄱ
④	ㄴ	ㄷ
⑤	ㄷ	ㄱ

04 (가), (나) 지도의 공통점으로 옳은 내용만을 〈보기〉에서 있는 대로 고른 것은?

(가) (나)

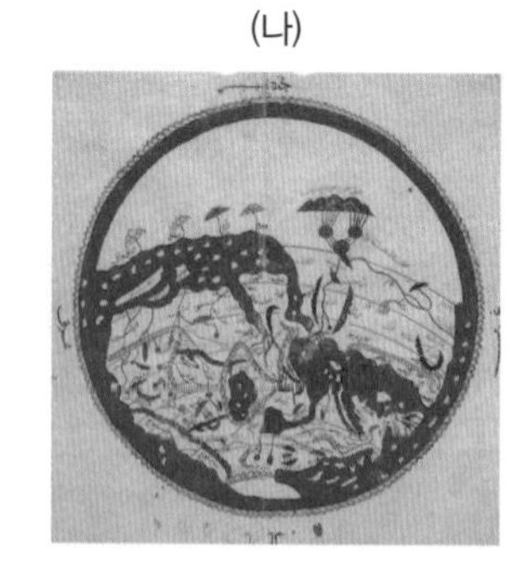

보기
ㄱ. 지도의 위쪽이 북쪽이 아니다.
ㄴ. 종교적 세계관을 반영하고 있다.
ㄷ. 지구를 구체로 인식하고 제작되었다.
ㄹ. 대륙의 형태와 면적이 비교적 정확하다.

① ㄱ, ㄴ ② ㄱ, ㄹ ③ ㄴ, ㄷ
④ ㄱ, ㄷ, ㄹ ⑤ ㄴ, ㄷ, ㄹ

05 다음은 어느 국가의 지리 정보를 나타낸 것이다. 이에 대한 옳은 설명만을 〈보기〉에서 고른 것은?

- 국가명: (가)
- 수도의 위치: (나) 동경 18°4′, 북위 59°21′
- 면적: 4,474만 3천ha (2015년)
- (다) 인구: 약 1,005만 명 (2019년)
- (라) GDP: 약 5,380억 4,045만 달러 (2017년)
- 기후: (마) 해양성 기후의 특징이 나타나는데, 가까운 보트니아만 … (후략) …

보기
ㄱ. (가)는 유럽에 위치한다.
ㄴ. (나)는 속성 정보, (마)는 공간 정보에 속한다.
ㄷ. (다)와 (라)를 통해 1인당 국내 총생산을 구할 수 있다.
ㄹ. (마)는 1년을 주기로 기후 변화가 잘 이루어진다.

① ㄱ, ㄴ ② ㄱ, ㄷ ③ ㄴ, ㄷ
④ ㄴ, ㄹ ⑤ ㄷ, ㄹ

기출 변형

06 다음 자료를 이용하여 TV 생산 공장을 세운다고 할 때, 가장 적합한 국가는? (단, 합산 점수가 가장 높은 국가를 선택하며, 합산 점수가 같을 경우 제조업 부가 가치가 많은 국가를 선택함.)

〈국가 정보〉

국가 \ 항목	1인당 GDP (천 달러)	기대 수명 (세)	제조업 부가 가치(십억 달러)
A	4.1	75.3	9.3
B	3.2	51.9	32.8
C	0.6	63.7	4.5
D	0.5	62.5	7.3
E	6.4	59.5	41.4

* 1인당 GDP와 기대 수명은 2015년, 제조업 부가 가치는 2017년 기준임.

〈점수 산정 기준〉

1인당 GDP (천 달러)	점수	기대 수명 (세)	점수	제조업 부가 가치(십억 달러)	점수
5.0 이상	1	60 이상	3	30 이상	3
2.0~5.0	2	55~60	2	10~30	2
2.0 미만	3	55 미만	1	10 미만	1

① A ② B ③ C ④ D ⑤ E

07 (가), (나) 권역 구분의 지표로 옳은 것은?

(가)

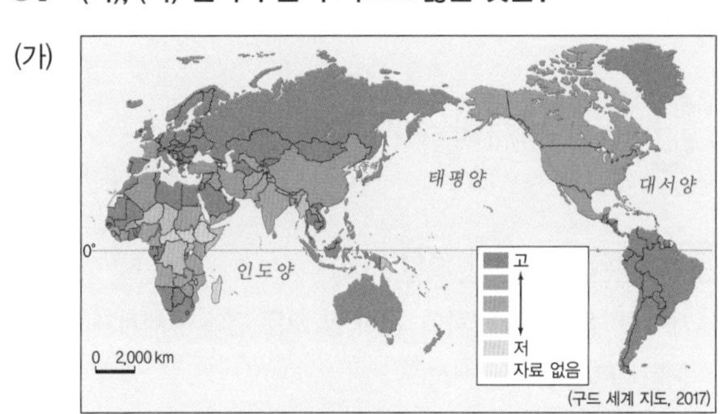

(나)

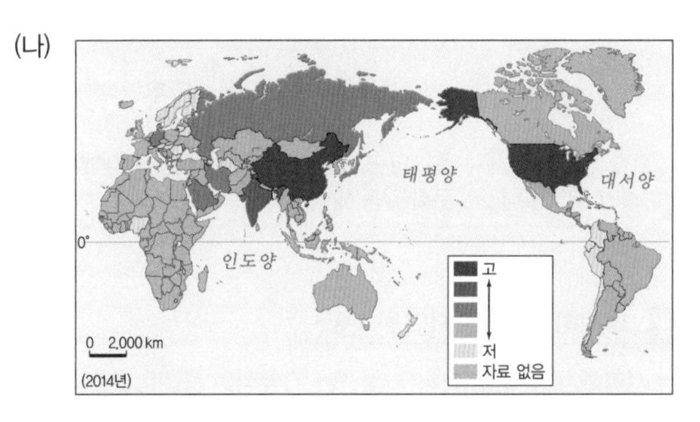

	(가)	(나)
①	합계 출산율	이산화 탄소 배출량
②	이산화 탄소 배출량	합계 출산율
③	이산화 탄소 배출량	휴대 전화 사용 비율
④	휴대 전화 사용 비율	합계 출산율
⑤	휴대 전화 사용 비율	이산화 탄소 배출량

08 지도는 세계지리 교과서의 권역 구분도이다. A~D 권역의 탐구 주제로 옳은 내용만을 〈보기〉에서 고른 것은?

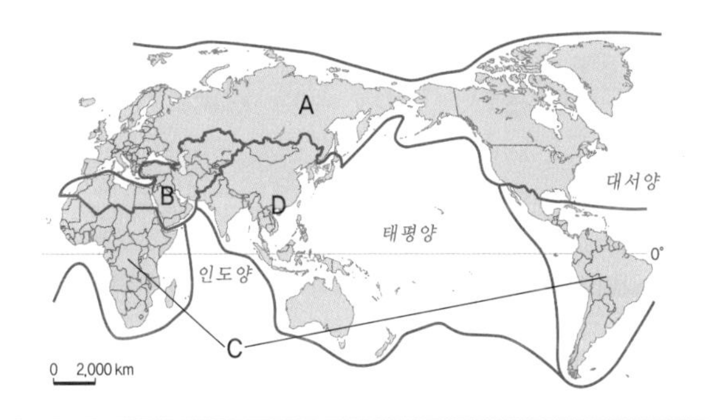

보기
ㄱ. A-계절풍 기후가 농업 활동에 주는 영향
ㄴ. B-열대 우림의 파괴와 농경지의 확대
ㄷ. C-저개발에 따른 빈곤 문제
ㄹ. D-종교의 다양성과 지역 갈등

① ㄱ, ㄴ ② ㄱ, ㄷ ③ ㄴ, ㄷ
④ ㄴ, ㄹ ⑤ ㄷ, ㄹ

한눈에 보는 대단원 정리

01 세계화와 지역화

A 세계화의 의미와 영향

(1) 세계화: 정치·경제·사회·문화 등 모든 면에서 세계가 하나의 공동체로 통합되는 현상

(2) 세계화의 영향

경제적 측면	지구적 차원의 협력과 분업 증가, 자유 무역 확대 등
문화적 측면	전 세계 문화의 활발한 교류, 문화 전파 과정에서 문화 창조, 문화 갈등 발생

B 세계화 시대의 지역화 전략

(1) 지역화: 하나의 지역이 자율성과 고유성을 증대함으로써 세계적인 차원에서 독자적인 가치를 지니게 되는 현상

(2) 지역화 전략

지리적 표시제	특정 지역의 지리적 특성을 반영한 우수한 상품에 그 지역에서 생산·가공된 상품임을 표시할 수 있도록 인정하는 제도
장소 마케팅	특정 장소가 매력적인 상품이 되도록 지역 주민과 공공 기관 등이 협력하여 독특한 이미지를 만듦 → 부가 가치 창출
지역 브랜드화	지역의 상품과 서비스, 축제 등을 브랜드로 인식시켜 지역 이미지를 높이고, 지역 경제를 활성화하는 전략

02 공간 인식과 지리 정보, 지역 구분

A 동양과 서양의 공간 인식

(1) 동양의 세계 지도와 세계관

중국	• 화이도, 대명혼일도: 중화사상이 반영됨 • 곤여만국전도: 세계의 인식 범위가 넓어짐 → 서구식 세계 지도가 제작되기 시작함
우리나라	• 혼일강리역대국도지도: 조선 전기 국가 주도로 제작된 세계 지도, 중화사상 반영 • 천하도: 조선 중기 이후 민간에서 제작된 세계 지도, 천원지방 사상, 중화사상, 도교 사상 반영 • 지구전후도: 조선 후기에 목판본으로 제작, 경위선 사용, 중국도 세계의 일부라는 인식 확산

(2) 서양의 세계 지도와 세계관

고대	• 바빌로니아 점토판 지도: 기원전 600년경에 제작된 현존하는 가장 오래된 세계 지도 • 프톨레마이오스의 세계 지도: 150년경 로마 시대에 제작, 15세기에 복원된 지도가 남아 있음, 경선과 위선의 개념과 투영법 사용
중세	• 티오(TO) 지도: 중세 유럽에서 제작, 지도의 중심에 예루살렘이 있음(크리스트교 세계관), 지도의 위쪽이 동쪽 • 알 이드리시의 세계 지도: 12세기경 제작, 지도의 중심에 메카가 있음(이슬람교 세계관), 지도의 위쪽이 남쪽
근대	• 대항해에 따른 지리 지식 확대, 인쇄술 발달 • 메르카토르의 세계 지도: 경선과 위선이 직교하여 직선 항로 파악이 쉬워 항해도로 많이 이용됨, 고위도로 갈수록 면적이 확대되어 왜곡 발생

B 지리 정보 기술의 활용

(1) 지리 정보의 종류: 공간 정보, 속성 정보, 관계 정보

(2) 지리 정보의 수집 방법

직접 조사	조사 지역을 방문하여 지리 정보 수집
간접 조사	지도, 문헌 등을 통한 지리 정보 수집
원격 탐사	인공위성, 항공기 등의 센서를 이용하여 지구 표면의 지리 정보 수집

(3) 지리 정보 시스템(GIS)

의미	지리 정보를 수치화하여 컴퓨터에 입력·저장하고, 사용자의 요구에 따라 분석·가공·처리하여 필요한 결과를 얻는 지리 정보 기술
특징	복잡한 지리 정보를 다양한 유형 및 크기로 지도화할 수 있음 → 신속하고 합리적인 결정 가능

C 세계의 지역 구분

(1) 권역과 권역 구분의 기준

권역	세계를 나누는 가장 큰 규모의 공간적 단위
권역 구분의 기준	자연적 기준(지형, 기후 등), 문화적 기준(언어, 종교 등), 기능적 기준(핵심지와 배후지)

(2) 세계의 다양한 권역 구분

대륙 중심	아시아, 유럽 등 → 총체적인 지리 정보 파악에 유리
기타	인문적 요소 중심, 지구적 쟁점 중심 등

한번에 끝내는 대단원 문제

정답과 해설 7쪽

01 지도는 S 커피 전문점의 국가별 매장 수와 두 지역에서 볼 수 있는 매장의 모습을 나타낸 것이다. 이에 대한 옳은 설명만을 〈보기〉에서 고른 것은?

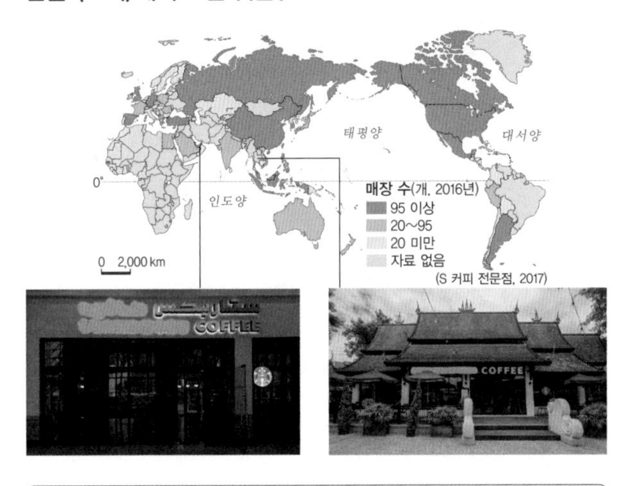

보기
ㄱ. S 커피 전문점의 모습은 지역에 따라 다르게 나타난다.
ㄴ. S 커피 전문점의 매장 수는 유럽이 남아메리카보다 많다.
ㄷ. 중·남부 아프리카 대부분의 국가는 커피 섭취를 금기시한다.
ㄹ. S 커피 전문점의 매장 수는 커피 원두 생산량 분포 지도와 대체로 비슷하게 나타난다.

① ㄱ, ㄴ ② ㄱ, ㄷ ③ ㄴ, ㄷ
④ ㄴ, ㄹ ⑤ ㄷ, ㄹ

02 ㉠, ㉡ 국가를 지도의 A~C에서 고른 것은?

• 쌀을 주식으로 하는 [㉠]에서는 대신 밥을 이용하여 햄버거를 만들기도 한다.
• 힌두교도가 많은 [㉡]에서는 소고기 대신 닭고기를 이용하여 햄버거를 만들기도 한다.

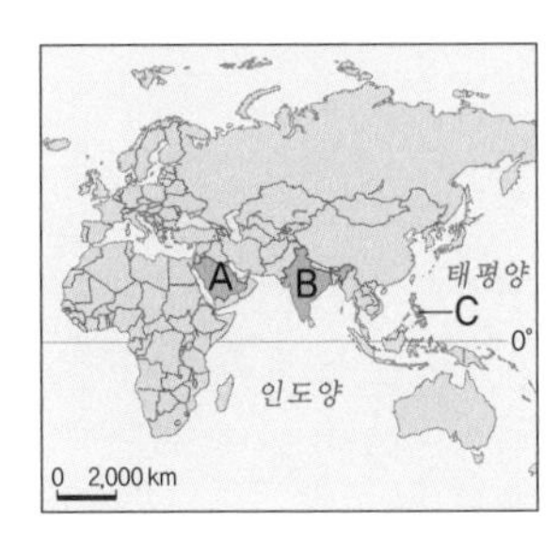

	㉠	㉡
①	A	B
②	A	C
③	B	A
④	C	A
⑤	C	B

03 다음 자료와 관련된 옳은 설명만을 〈보기〉에서 있는 대로 고른 것은?

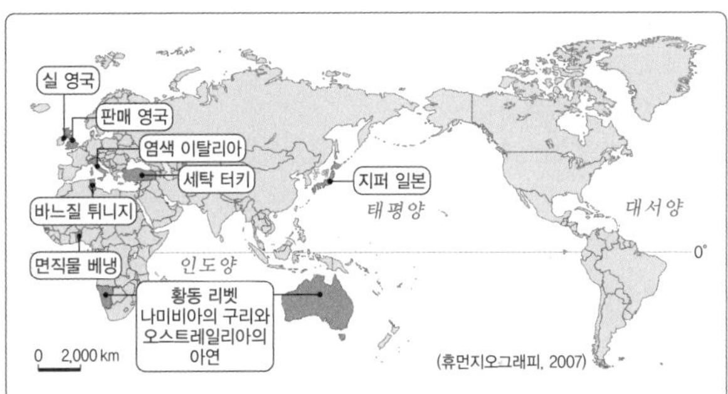

영국 ○○사는 청바지를 생산하기 위해 8개 이상의 국가로부터 원료, 부품, 노동력 등을 공급받는다. 이렇게 생산된 청바지는 유통망을 통해 전 세계로 팔려나간다.

보기
ㄱ. 청바지 생산은 국제 분업을 통해 이루어진다.
ㄴ. 베냉 인근에 넓은 목화 재배 지역이 위치한다.
ㄷ. 영국은 튀니지보다 노동자의 임금 수준이 높다.
ㄹ. 청바지 생산에 참여한 국가만 청바지 소비국에 해당한다.

① ㄱ, ㄴ ② ㄱ, ㄹ ③ ㄷ, ㄹ
④ ㄱ, ㄴ, ㄷ ⑤ ㄴ, ㄷ, ㄹ

04 ㉠, ㉡ 고지도의 특성을 그림의 A~D에서 고른 것은?

• 조선 후기에 제작된 [㉠]은/는 지구를 앞뒷면으로 나누어 구성하였다. 이 지도는 목판본으로 제작되어 인쇄 후 보급되었고, 이를 통해 중국도 조선과 마찬가지로 세계의 일부라는 세계관을 확산하는 계기가 되었다.
• 조선 전기에 제작된 [㉡]은/는 국가의 경영 자료 확보 목적 이외에도 조선 왕조의 정당성을 세계에 알리기 위한 목적으로 제작되었다. 중국을 지도의 중앙에 크게 그렸으나, 조선을 상대적으로 크고 자세하게 표현하였다.

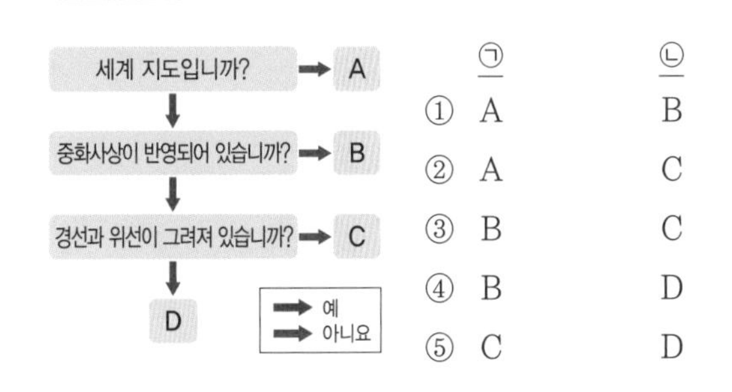

	㉠	㉡
①	A	B
②	A	C
③	B	C
④	B	D
⑤	C	D

05 (가), (나) 지도에 대한 옳은 설명만을 〈보기〉에서 고른 것은?

- (가) 지도는 150년경 로마의 지리학자에 의해 제작되었다고 추정된다. 르네상스 시대에 복원되어 근대 지도 발달의 바탕이 되었다.
- (나) 지도는 조선 순조 때인 1834년에 실학자들에 의해 제작되었다. 전도와 후도의 두 반구로 나누어져 있으며, 목판본으로 제작되었다.

보기
ㄱ. (가)는 (나)보다 중국이 잘 표현되어 있다.
ㄴ. (나)는 (가)보다 대륙의 형태가 정확하다.
ㄷ. (가)에 표현된 지역은 대부분 (나)의 '후도'에 나타나 있다.
ㄹ. (가), (나) 모두 경선과 위선이 나타난다.

① ㄱ, ㄴ ② ㄱ, ㄷ ③ ㄴ, ㄷ
④ ㄴ, ㄹ ⑤ ㄷ, ㄹ

06 다음은 세계지리 수업 장면이다. ㉠을 통해 얻을 수 있는 지리 정보의 사례만을 〈보기〉에서 고른 것은?

보기
ㄱ. 영국의 월별 강수일수 변화
ㄴ. 계절 변화에 따른 유럽의 인구 이동
ㄷ. 산성비로 파괴된 삼림의 회복 속도 관찰
ㄹ. 유럽 연합 가입국과 미가입국 간 경제적 격차 파악

① ㄱ, ㄴ ② ㄱ, ㄷ ③ ㄴ, ㄷ
④ ㄴ, ㄹ ⑤ ㄷ, ㄹ

07 (가) 지도와 비교한 (나) 지도의 상대적인 특징을 그림의 A~E에서 고른 것은?

(가) (나)

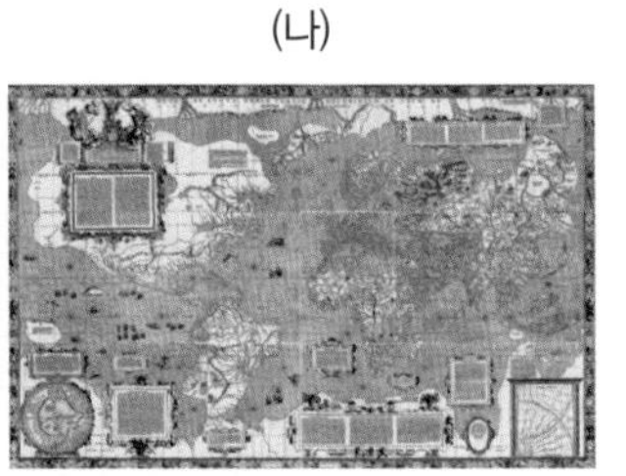

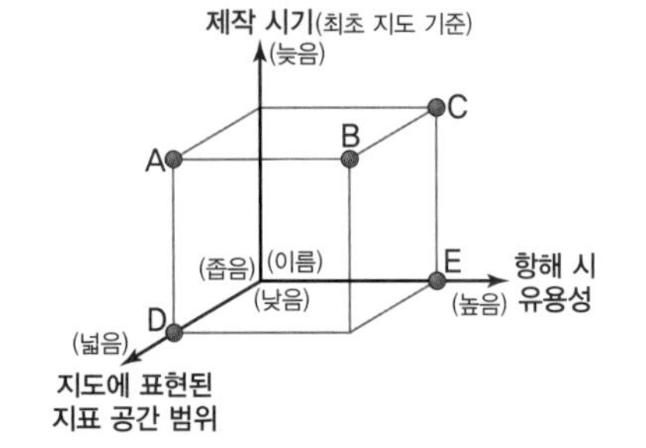

① A
② B
③ C
④ D
⑤ E

08 다음 자료를 바탕으로 세영이가 여행한 국가를 지도의 A~E에서 고른 것은?

〈국가별 인구 특징〉

항목 / 국가	인구 밀도 (명/km²)	1인당 국내 총생산(달러)	유소년층 인구 비율(%)	노년층 인구 비율(%)
타이	134	6,594	29	5
라오스	29	2,457	32	4
베트남	302	2,343	34	4
캄보디아	88	1,384	18	11
방글라데시	1,238	1,517	23	7

* 인구 밀도와 유소년층·노년층 인구 비율은 2015년, 1인당 국내 총생산은 2017년 값임. (국제 연합, 세계 은행)

세영: 제가 여행한 국가를 맞춰 보세요. 타이와 라오스 중에서 인구 밀도가 낮은 국가를 선택하였어요. 선택한 국가와 베트남 중에서는 1인당 국내 총생산이 적은 국가예요. 선택한 국가와 캄보디아 중에서는 유소년층 인구 비율이 높은 국가예요. 선택한 국가와 방글라데시 중에서는 노년층 인구 비율이 낮은 국가예요.

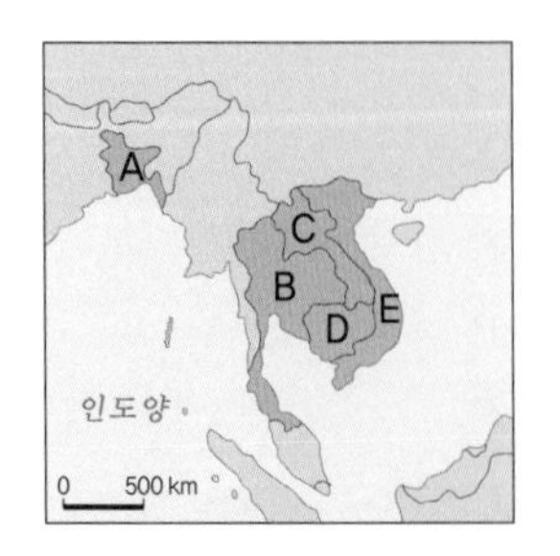

① A
② B
③ C
④ D
⑤ E

09 다음 글의 밑줄 친 '이 국가'를 지도의 A~E에서 고른 것은?

〈다양한 특성이 공존하는 점이 지대〉

<u>이 국가</u>는 국토의 약 40%가 사막이지만, 바닷가에서는 지중해성 기후가 나타난다. 세계적인 올리브 생산국인 만큼 거의 모든 음식에 올리브를 사용하고, 주민 대부분은 대추야자를 간식으로 즐긴다. 이슬람 문화가 지배적이지만, 유럽의 영향을 받은 문화도 함께 나타난다. 관공서에서는 아랍어가 사용되지만, 일상에서는 프랑스어를 많이 사용한다. 이슬람 국가이지만, 개방적이고 여성 인권이 높은 편이다.

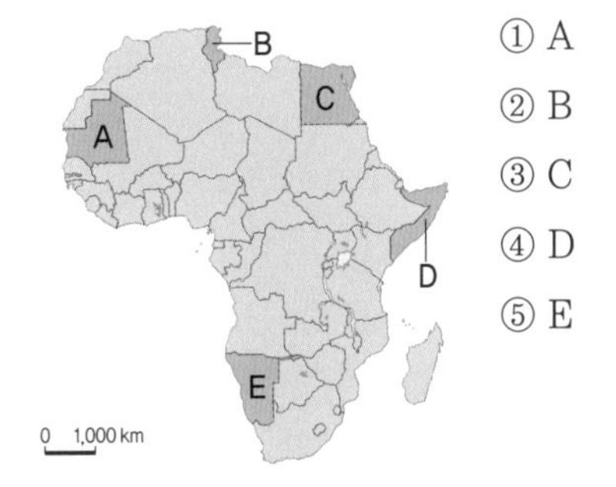

① A
② B
③ C
④ D
⑤ E

10 ㉠~㉢에 해당하는 권역 경계를 지도의 A~C에서 골라 바르게 연결한 것은?

㉠ 높은 산지가 위치한다.
㉡ 하폭이 넓은 강이 흐른다.
㉢ 연 강수량 차이가 뚜렷하다.

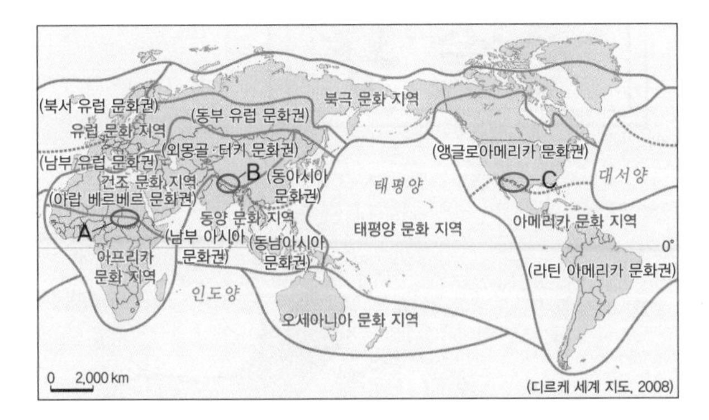

	㉠	㉡	㉢
①	A	B	C
②	A	C	B
③	B	A	C
④	B	C	A
⑤	C	B	A

11 지도를 보고 물음에 답하시오.

(가) (나)

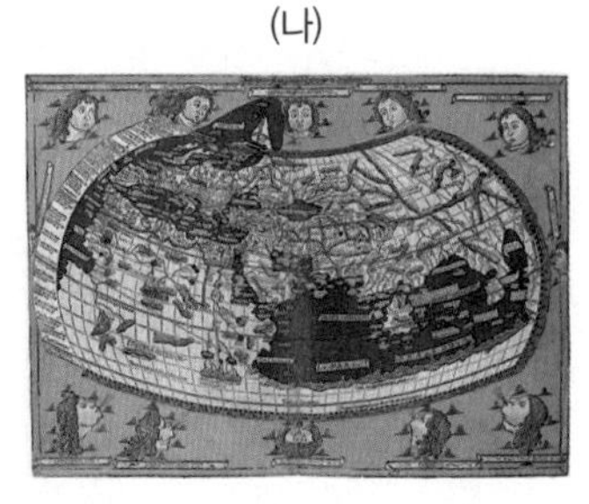

(1) (가), (나) 지도의 이름을 쓰시오.

(가): (　　　　　　　　)
(나): (　　　　　　　　)

(2) 근대 지도 발달에 (가) 지도보다 (나) 지도가 크게 영향을 준 이유를 서술하시오.

12 지도는 세계지리 교과서의 권역 구분도이다. 이를 보고 물음에 답하시오.

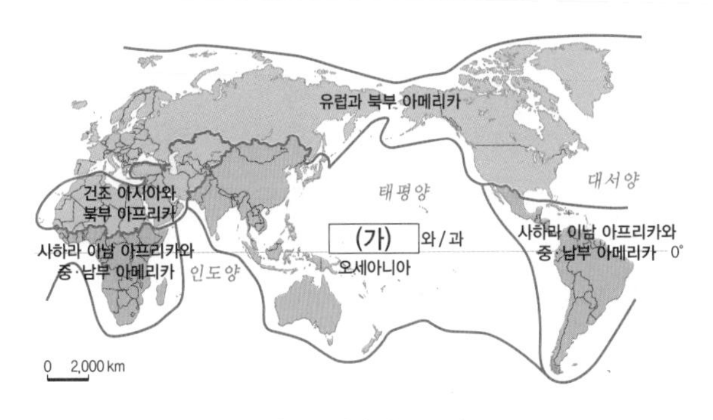

(1) (가)에 들어갈 알맞은 내용을 쓰시오.

(　　　　　　　　)

(2) 유럽과 북부 아메리카가 하나의 권역으로, 사하라 이남 아프리카와 중·남부 아메리카가 또 다른 하나의 권역으로 구분된 이유를 서술하시오.

Ⅱ

세계의 자연환경과 인간 생활

배울 내용 한눈에 보기

01 열대 기후 환경

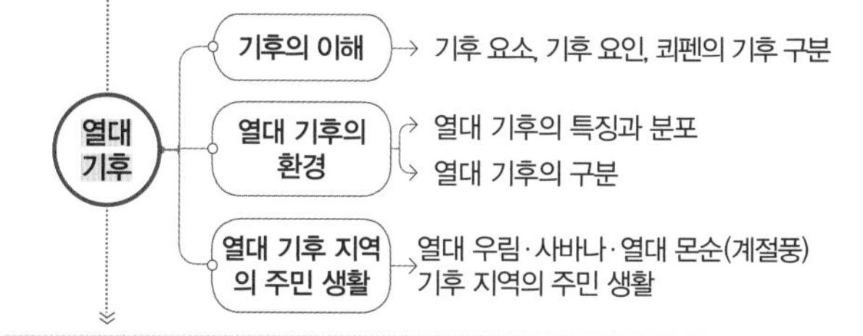

02 온대 기후 환경

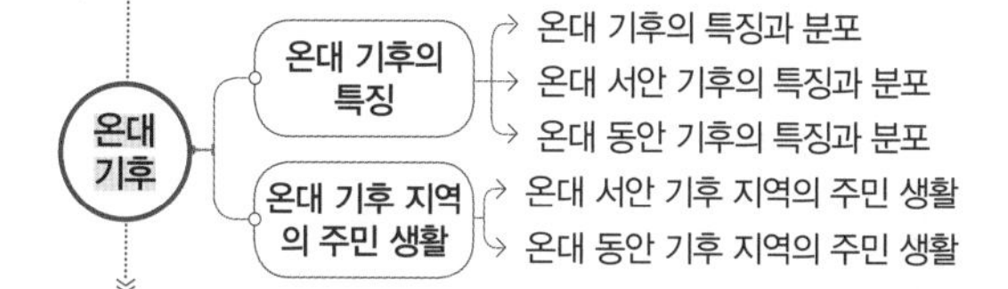

03 건조 및 냉·한대 기후 환경과 지형

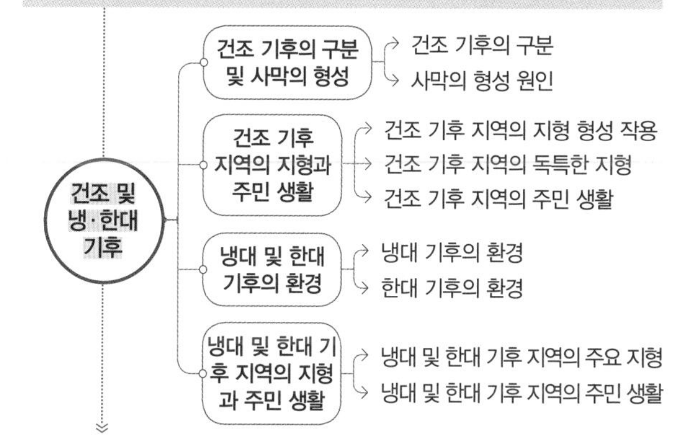

04 세계의 주요 대지형

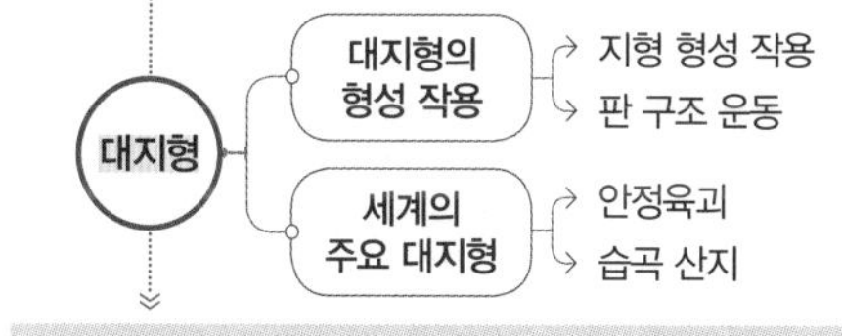

05 독특하고 특수한 지형들

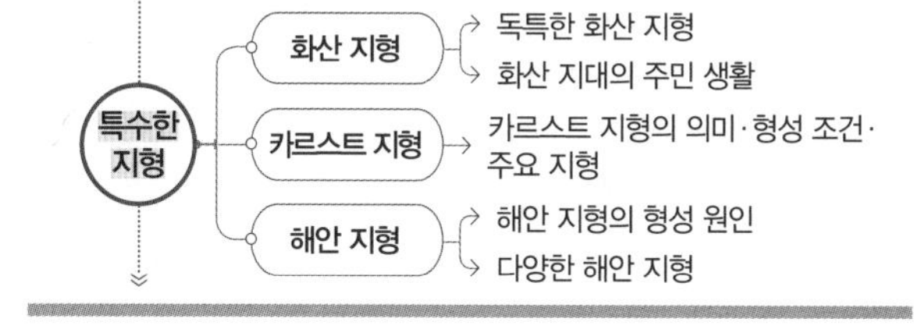

01 열대 기후 환경

> **한눈에 정리**
>
> 기후 요소와 기후 요인
>
> | | |
> |---|---|
> | 기후 요소 | 기온, 강수, 바람, 습도, 일사량 등 |
> | 기후 요인 | 위도, 수륙 분포, 지형, 해발 고도, 해류, 기단, 전선 등 |

A 기후의 이해

1. 기후: 어떤 지역에서 장기간에 걸쳐 매년 되풀이되는 대기 현상의 종합적인 평균 상태, 기상과는 구분하여 사용함

뜻 (기상) 바람, 구름, 눈, 비 등 대기 중에서 일어나는 모든 현상을 말해. 날씨의 뜻으로 사용되기도 해.

2. 기후 요소: 기후를 구성하는 요소

예 기온, 강수, 바람이 대표적인 기후 요소야. 그 외에 습도, 일사량 등이 있어.

기온	• 지구의 자전에 의해 일변화가 나타나고 공전에 의해 연변화가 나타남 • 태양 복사 에너지의 영향을 받으며, 대체로 열적도❶에서 양극으로 갈수록 기온이 낮아짐
강수	• 대기 중의 수증기가 비, 눈, 우박 등의 형태로 지표에 떨어지는 것 • 강수량은 대체로 저위도 지역과 남·북위 50° 부근에서 많고, 극지방과 남·북위 30° 부근에서 적음 자료 1
바람	• 공기의 수평적인 움직임 • 기온 차이에 따른 기압 차이가 공기를 움직이게 함 → 바람은 기압이 높은 곳에서 낮은 곳으로 붊

3. 기후 요인

(1) **의미**: 기후 요소의 지역적 차이를 가져오는 다양한 원인

기후 요인은 서로 연관성을 가지며 기후 현상에 영향을 미치고 있어. → 각 지역은 기후 요인의 영향을 다르게 받기 때문에 지역마다 서로 다른 기후가 나타나.

(2) **종류**: 위도, 수륙 분포, 지형, 해발 고도, 해류, 기단❷, 전선❸ 등

위도	• 지역의 기후 특성에 가장 큰 영향을 끼치는 요인 • 저위도 지역은 단위 면적당 일사량이 많고 기온이 높음 • 고위도 지역은 단위 면적당 일사량이 적고 기온이 낮음
수륙 분포	• 육지와 바다의 비열❹ 차를 초래하여 기후에 영향을 줌 • 같은 위도의 해안 지역이 내륙 지역보다 기온의 연교차가 작음
지형	• 강수에 많은 영향을 끼침 • 평지보다는 산지, 비그늘 사면보다는 바람받이 사면의 강수량이 많음
해발 고도	• 해발 고도가 높아질수록 기온이 낮아져 고도에 따라 다른 기후가 나타남 • 적도 부근의 고지대는 연중 봄과 같은 날씨(고산 기후)가 나타남
해류	• 한류가 흐르는 지역은 기온이 낮고 강수량이 적음 • 난류가 흐르는 지역은 기온이 높고 강수량이 많음

뜻 (비그늘 사면) 바람이 산을 넘어 불어 내려가는 쪽을 말해.

뜻 (바람받이 사면) 바람이 불어 올라가는 쪽을 말해.

(해류) 수온에 따라 난류와 한류로 구분돼.

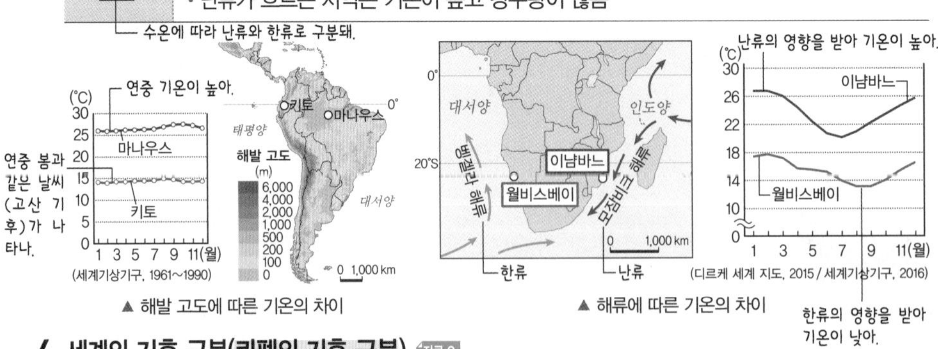

▲ 해발 고도에 따른 기온의 차이

▲ 해류에 따른 기온의 차이

4. 세계의 기후 구분(쾨펜의 기후 구분) 자료 2

(1) **구분 기준**: 식생 분포에 영향을 주는 기온과 강수량을 기준으로 세계의 기후를 구분함

(2) **기후 구분**

① **1차 구분**: 수목 기후는 기온에 따라, 무수목 기후는 기온과 강수량에 따라 구분

(수목 기후) 열대·온대·냉대 기후가 있어. (무수목 기후) 건조·한대 기후가 있어.

② **2·3차 구분**: 수목 기후는 강수의 계절적 분포에 따라, 한대 기후는 한랭한 정도에 따라, 건조 기후는 건조 정도에 따라 구분

---

❶ **열적도**
경도마다 기온이 가장 높은 지점을 연결한 선이다. 지구가 기울어진 채로 공전하기 때문에 계절에 따라 남북으로 이동한다.

❷ **기단**
기온과 수증기량 등의 성질이 비슷한 거대한 공기 덩어리로, 한 지역의 날씨와 기후에 많은 영향을 준다.

❸ **전선**
기온 차이가 큰 기단 사이에서 주로 발달하며, 전선대를 따라 일반적으로 강수가 발생한다.

❹ **비열**
어떤 물질 1g의 온도를 1℃ 올리는 데 필요한 열량이다. 비열이 크다는 것은 온도를 올리는 데 열이 많이 필요하다는 의미이다.

교과서 자료 모아 보기

자료 확인 문제

자료 1 대기 대순환과 위도별 강수량 및 증발량

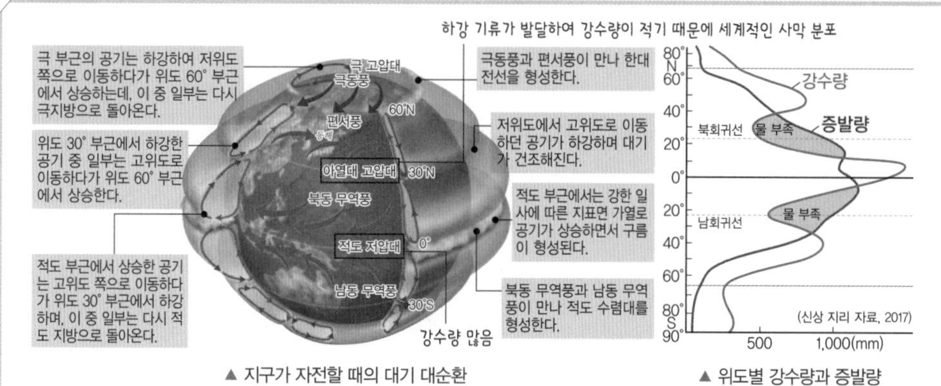

하강 기류가 발달하여 강수량이 적기 때문에 세계적인 사막 분포
극 부근의 공기는 하강하여 저위도 쪽으로 이동하다가 위도 60° 부근에서 상승하는데, 이 중 일부는 다시 극지방으로 돌아온다.
위도 30° 부근에서 하강한 공기 중 일부는 고위도로 이동하다가 위도 60° 부근에서 상승한다.
적도 부근에서 상승한 공기는 고위도 쪽으로 이동하다가 위도 30° 부근에서 하강하며, 이 중 일부는 다시 적도 지방으로 돌아온다.
극고압대
극동풍
60°N
편서풍
아열대 고압대
30°N
북동 무역풍
적도 저압대
0°
남동 무역풍
30°S
강수량 많음
극동풍과 편서풍이 만나 한대 전선을 형성한다.
저위도에서 고위도로 이동하던 공기가 하강하며 대기가 건조해진다.
적도 부근에서는 강한 일사에 따른 지표면 가열로 공기가 상승하면서 구름이 형성된다.
북동 무역풍과 남동 무역풍이 만나 적도 수렴대를 형성한다.
80°N
60°
40°
20°
0°
20°
40°
60°
80°S
90°
북회귀선
남회귀선
물 부족
강수량
증발량
500
1,000(mm)
(신상 지리 자료, 2017)

▲ 지구가 자전할 때의 대기 대순환　　▲ 위도별 강수량과 증발량

한줄 핵심 강수량은 대기 대순환의 영향으로 저위도 지역과 남·북위 50° 부근에 많고 남·북위 30° 부근과 극지방에 적다.

❶ 남·북위 30° 부근의 □□□ □□□은/는 하강 기류가 발달하여 강수량이 적다.
(　　　　　　)

❷ 적도 저압대는 강수량이 많고, 아열대 고압대는 강수량이 적다. ○ ×

자료 2 쾨펜의 기후 구분

	1차 구분(기후대)	1차 구분의 기준	2·3차 구분(기후형)	2·3차 구분의 기준
수목 기후	열대 기후(A)	최한월 평균 기온 18℃ 이상	• 열대 우림 기후(Af) • 사바나 기후(Aw) • 열대 몬순(계절풍) 기후(Am)	• f: 연중 습윤 • s: 여름 건조 • w: 겨울 건조 • m: 몬순(계절풍) • a: 최난월 평균 기온 22℃ 이상 • b: 최난월 평균 기온 22℃ 미만, 월평균 기온 10℃ 이상인 달이 4개월 이상
	온대 기후(C)	최한월 평균 기온 −3℃～18℃ 미만	• 온난 습윤 기후(Cfa) • 서안 해양성 기후(Cfb) • 지중해성 기후(Cs) • 온대 겨울 건조 기후(Cw)	
	냉대 기후(D)	최한월 평균 기온 −3℃ 미만, 최난월 평균 기온 10℃ 이상	• 냉대 습윤 기후(Df) • 냉대 겨울 건조 기후(Dw)	
무수목 기후	건조 기후(B)	연 강수량 500mm 미만	• 스텝 기후(BS) • 사막 기후(BW)	• S: 연 강수량 250～500mm 미만 • W: 연 강수량 250mm 미만
	한대 기후(E)	최난월 평균 기온 10℃ 미만	• 툰드라 기후(ET) • 빙설 기후(EF)	• T: 최난월 평균 기온 0～10℃ • F: 최난월 평균 기온 0℃ 미만

식생에 따라 수목 기후(열대·온대·냉대 기후)와 무수목 기후(건조·한대 기후)로 구분

열대 기후: 열대 우림 기후(Af), 사바나 기후(Aw), 열대 몬순 기후(Am)
건조 기후: 스텝 기후(BS), 사막 기후(BW)
온대 기후: 지중해성 기후(Cs), 온대 겨울 건조 기후(Cw), 온대 습윤 기후(Cf): 온난 습윤 기후(Cfa), 서안 해양성 기후(Cfb)
냉대 기후: 냉대 겨울 건조 기후(Dw), 냉대 습윤 기후(Df)
한대 기후: 툰드라 기후(ET), 빙설 기후(EF)
고산 기후: 고산 기후(H)

60°N　30°N　0°　30°S　60°S　태평양　대서양　인도양　북회귀선　남회귀선　0　3,000 km
(필립스 국제 학생 지도, 2014)

▲ 세계의 기후와 식생

쾨펜의 기후 구분을 보면 식생, 토양 등의 특징이 담겨 있어 산업, 문화 등을 이해하는 데 도움이 됨

한줄 핵심 쾨펜은 식생 분포에 영향을 주는 기온과 강수량을 기준으로 세계의 기후 지역을 구분하였다.

❸ 쾨펜은 식생 분포에 영향을 주는 □□와/과 □□□을/를 기준으로 세계의 기후 지역을 구분하였다.
(　　　　　　)

❹ 열대·온대·냉대 기후는 무수목 기후이다. ○ ×

❺ 열대 몬순 기후는 계절풍의 영향을 받는 인도 남서 해안 및 동북부 해안, 동남아시아 일대, 남아메리카 북동부 등에서 나타난다. ○ ×

정답 ❶ 아열대 고압대 ❷ ○ ❸ 기온, 강수량 ❹ ×(무수목 기후이다.) ❺ ○

❺ 적도 수렴대
북동 무역풍과 남동 무역풍이 수렴하는 곳으로, 상승 기류가 발달하여 연 강수량이 많다. 적도 수렴대는 계절에 따라 남북으로 이동하며 기온과 강수에 영향을 준다. 적도 수렴대는 북반구가 겨울일 때 적도의 남쪽에 위치하고, 북반구가 여름일 때 적도의 북쪽에 위치한다.

❻ 스콜
스콜은 짧은 시간에 집중적으로 쏟아지는 소나기이다. 낮에 강한 태양열을 받아 상승 기류가 형성되어 오후에 세찬 비가 집중적으로 내린다.

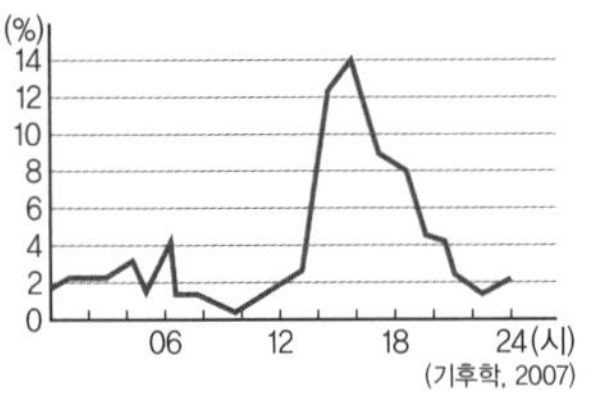

▲ 시간대별 강수 비중(쿠알라룸푸르)

❼ 사바나 기후의 식생
키가 큰 풀이 자라는 초원에 키가 작은 관목이 드문드문 분포한다. 대체로 열대 우림 기후 지역에 가까울수록 나무가 많으며, 우기에는 풀이 무성하게 자란다.

❽ 플랜테이션
현지 주민의 저렴한 노동력과 선진국의 자본 및 기술이 결합하여 대규모 농장에서 카카오, 커피, 천연고무, 사탕수수 등의 상품 작물을 재배하는 농업 형태이다.

▲ 브라질의 커피 농장

B 열대 기후의 환경

1. 열대 기후의 특징과 분포

(1) 특징

① 최한월 평균 기온이 18℃ 이상, 일 년 내내 기온이 높아 기온의 연교차가 작으며, 강수량이 많음 (왜 강한 일사로 상승 기류가 발달하여 대류성 강수가 빈번해.)

② 태양 복사 에너지를 받아 가열된 공기는 상승하면서 적도 수렴대❺를 형성함

(2) 분포: 적도를 중심으로 남·북회귀선 사이의 저위도 지역에 주로 분포

2. 열대 기후의 구분 자료 3

강수량과 강수 시기에 따라 열대 우림 기후, 사바나 기후, 열대 몬순(계절풍) 기후로 구분해.

열대 우림 기후	• 연중 기온이 높고 강수량의 계절적 변화가 작으며, 열대 우림이 자람 (왜 일 년 내내 강수량이 많기 때문이야.) • 강한 일사로 대류성 강수인 스콜❻이 자주 내림
사바나 기후	• 건기와 우기가 뚜렷하게 구분되며, 소림과 장초의 식생❼이 분포함 • 건기에는 아열대 고압대의 영향으로 강수량이 적고, 우기에는 적도 수렴대의 영향으로 강수량이 많음 (기린, 코끼리, 얼룩말, 사자 등 각종 동물들이 서식하는 장소야. 그래서 사파리 관광 산업이 활발해.)
열대 몬순(계절풍) 기후	• 적도 수렴대와 계절풍의 영향으로 긴 우기와 짧은 건기가 나타남 • 고온 다습한 여름 계절풍의 영향으로 우기에 강수가 집중됨
열대 고산 기후	• 열대 기후가 나타나는 저위도의 고산 지역에서는 연중 봄과 같은 기후가 나타남 • 인간이 거주하기에 유리하기 때문에 고산 도시가 발달함 예 라파스, 키토, 보고타 등

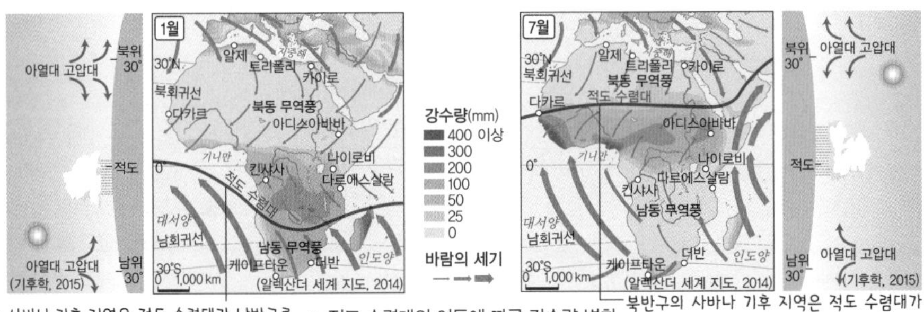

북반구 사바나 기후 지역은 적도 수렴대가 남반구로 이동하면 아열대 고압대의 영향을 받아 건기가 돼.
▲ 적도 수렴대의 이동에 따른 강수량 변화
북반구의 사바나 기후 지역은 적도 수렴대가 북반구로 이동하면 우기가 돼.

C 열대 기후 지역의 주민 생활

1. 열대 우림 기후 지역의 주민 생활

의복	덥고 습하기 때문에 통풍이 잘되는 간단한 의복을 입음
산업	• 수렵과 채집 생활 • 이동식 화전 농업: 얌, 카사바, 타로 등을 재배함 (뜻 불을 놓아 숲이나 초원을 태우고 그 땅에서 농사를 지은 후 지력이 쇠하면 다른 곳으로 옮겨 가는 농업 방식을 말해.) • 플랜테이션❽: 카카오, 천연고무, 커피 등의 상품 작물을 대규모로 재배함
가옥 자료 4	• 고상 가옥: 바닥과 지면이 떨어져 있는 가옥이 발달함 자료 4 • 경사가 급한 지붕: 많은 강수에 대비하여 빗물이 잘 흘러내리도록 함

2. 사바나 기후 지역의 주민 생활

(1) 산업: 전통적으로 유목이 이루어졌으며, 근래에는 플랜테이션이 발달함

(2) 가옥: 풀이나 진흙으로 집을 지음

3. 열대 몬순(계절풍) 기후 지역의 주민 생활

(1) 산업: 전통적으로 벼농사가 활발하고 벼의 2~3기작이 이루어짐

(2) 가옥: 바닥과 지면이 떨어져 있는 고상 가옥이나 수상 가옥의 형태가 많음 자료 4

교과서 자료 모아 보기

자료 확인 문제

자료 3 열대 기후의 분포와 특징

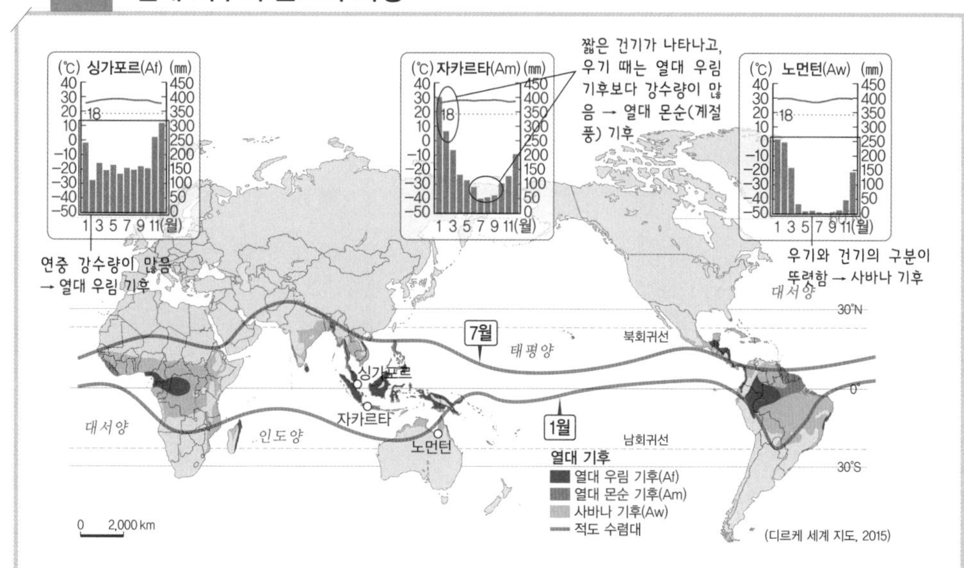

| 자료 분석 |
- 열대 우림 기후는 기온의 연변화가 작으며 연중 기온이 높다. 열대 우림 기후 지역은 연중 적도 수렴대의 영향을 받아 일 년 내내 강수량이 많으며, 강한 일사로 상승 기류가 발달하여 스콜이 자주 내린다.
- 사바나 기후는 연중 기온이 높고 적도 수렴대와 아열대 고압대의 영향을 번갈아 받아 우기와 건기의 구분이 뚜렷하다. 우기에는 적도 수렴대의 영향을 받아 비가 자주 내리지만, 건기에는 아열대 고압대의 영향을 받아 맑은 날씨가 이어진다.
- 열대 몬순(계절풍) 기후는 적도 수렴대와 고온 다습한 계절풍의 영향을 받는 시기에는 강수량이 집중되고, 아열대 고압대나 건조한 계절풍의 영향을 받는 시기에는 건기가 나타난다. 우기의 강수량은 같은 시기의 열대 우림 기후 지역보다 대체로 많은 편이다.

한줄 핵심 **열대 우림 기후는 연중 기온이 높고, 사바나 기후는 우기와 건기의 구분이 뚜렷하며, 열대 몬순(계절풍) 기후 지역에서 우기의 강수량은 같은 시기의 열대 우림 기후 지역보다 많은 편이다.**

❻ 열대 기후 중 기온의 연변화가 가장 작고, 연중 기온이 높은 기후는?
( )

❼ 열대 우림 기후는 적도를 중심으로 무역풍이 수렴하는 □□ □□□에 분포한다.
( )

❽ 건기와 우기가 뚜렷이 나타나는 열대 기후는 사바나 기후이다. ○ ×

자료 4 열대 기후 지역의 가옥

| 자료 분석 | 열대 우림 기후 지역과 열대 몬순(계절풍) 기후 지역의 가옥은 바람이 잘 통하도록 문과 창문을 크게 만들고 빗물이 잘 흘러내리도록 지붕의 경사를 급하게 만든다. 또한 지표면에서 전달되는 열기와 습기를 줄이고 해충이 들어오는 것을 막기 위해 바닥을 지면에서 띄운 형태의 집을 짓는다. 이러한 가옥을 고상 가옥이라고 한다.

한줄 핵심 **열대 기후 지역의 고상 가옥은 열기와 습기를 줄이고 해충이 들어오는 것을 막기 위한 가옥의 형태이다.**

❾ 열대 우림 기후 지역과 열대 몬순(계절풍) 기후 지역에서는 문과 창문을 크게 만든 폐쇄적인 가옥 형태가 나타난다. ○ ×

❿ 열대 우림 기후 지역과 열대 몬순(계절풍) 기후 지역에서는 열기와 습기를 줄이기 위해 □□ □□을/를 짓는다.
( )

답 ❻ 열대 우림 기후 ❼ 적도 수렴대 ❽ ○ ❾ ×(개방적인 가옥 구조이다) ❿ 고상 가옥

열대 기후의 특징

수능풀 Guide 다양한 자료를 통해 열대 기후의 특징과 분포에 대해 알아보자.

1 열대 기후의 지역별 특징

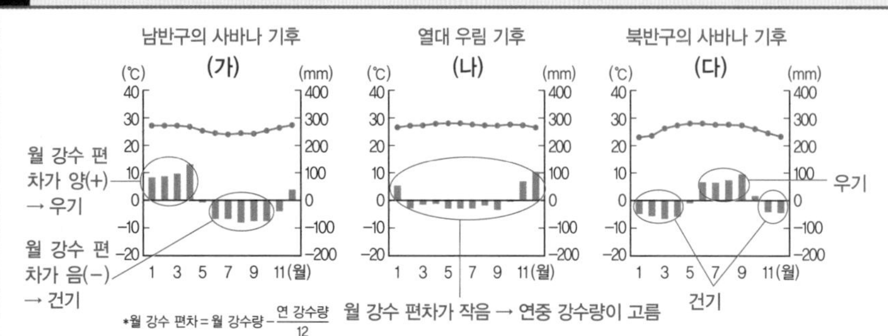

▲ 지도의 A~C 지역의 월평균 기온과 월 강수 편차

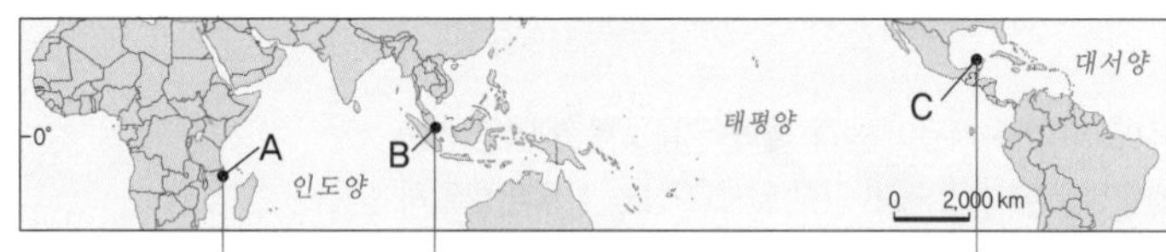

남반구 사바나 기후 지역 열대 우림 기후 지역 북반구 사바나 기후 지역

PLUS분석 (가)~(다) 모두 최한월 평균 기온이 18℃ 이상이므로 열대 기후임을 알 수 있다. 그래프의 (가)는 7월이 건기, 1월이 우기이기 때문에 남반구의 사바나 기후에 해당한다. (나)는 연중 기온이 높고 월 강수 편차가 작은 것으로 보아 연중 강수량이 고른 열대 우림 기후이다. (다)는 (가)처럼 연중 기온이 높지만 7월이 우기이고 1월이 건기이기 때문에 북반구의 사바나 기후에 해당한다.

기출 선택지로 확인하기

❶ A 지역은 7월이 우기에 해당한다. ○ ×

❷ B 지역은 연중 강수량이 많고 기온이 높다. ○ ×

❸ C 지역은 사바나 기후가 나타난다. ○ ×

2 사바나 기후의 특징

탄자니아의 ○○ 국립 공원에 건기가 왔다. 수많은 누와 얼룩말, 영양 등은 마실 물을 찾아 떠나고, 남아 있는 동물들이 많지 않다. 초원의 긴 풀들은 건기 초에 열매를 맺으며, 씨앗의 형태로 남은 건기를 보낸다. 또한 바오바브나무는 잎을 떨어뜨려 수분이 빠져나가는 것을 막고 우기 동안 커다란 나무줄기에 저장한 물을 이용해 살아간다.

(사바나 기후의 풍경 / 남반구에 위치)

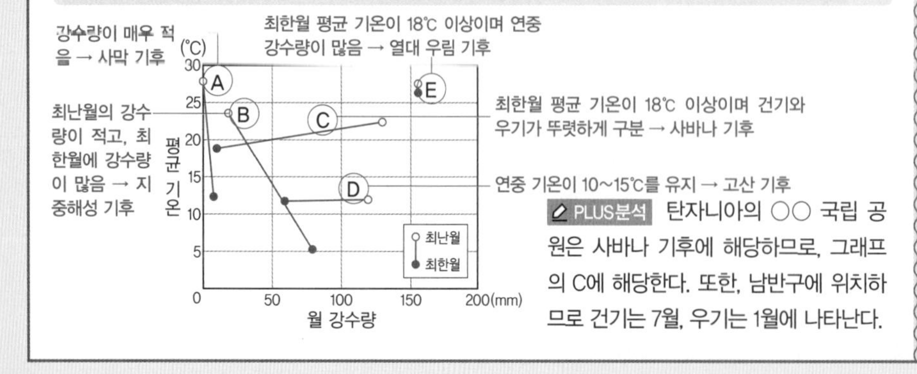

PLUS분석 탄자니아의 ○○ 국립 공원은 사바나 기후에 해당하므로, 그래프의 C에 해당한다. 또한, 남반구에 위치하므로 건기는 7월, 우기는 1월에 나타난다.

기출 선택지로 확인하기

❹ 최한월 평균 기온이 18℃가 넘으며 연중 강수량이 많은 기후는 C 기후이다. ○ ×

❺ D 기후는 연중 기온이 봄과 같아 상춘 기후라고 불린다. ○ ×

❻ 제시된 글과 같은 풍경은 7월에 볼 수 있다. ○ ×

정답 ❶ ×(7월이 건기에 해당한다.) ❷ ○ ❸ ○ ❹ ×(열대 우림 기후에 대한 설명으로, E에 해당한다.) ❺ ○ ❻ ○

콕콕! 개념 확인하기

정답과 해설 9쪽

A 기후의 이해

01 빈칸에 알맞을 말을 쓰시오.

(1) 기후를 구성하는 기온, 강수, 바람 등을 □□ □□(이)라고 한다.

(2) □□ □□은/는 육지와 바다의 비열 차를 초래하여 기후에 영향을 준다.

(3) 기후 요소의 지역적 차이를 가져오는 다양한 원인을 □□ □□(이)라고 한다.

(4) □□은/는 어떤 지역에서 장기간에 걸쳐 매년 되풀이되는 대기 현상의 종합적인 평균 상태이다.

02 쾨펜의 기후 구분에 대한 내용이 옳으면 ○표, 틀리면 ×표를 하시오.

(1) 식생에 따라 수목 기후와 무수목 기후로 구분하였다. ( )

(2) 열대 우림 기후는 Af, 사바나 기후는 Aw, 열대 몬순(계절풍) 기후는 Am으로 나타낸다. ( )

(3) 쾨펜은 식생 분포에 영향을 주는 위도와 지형을 기준으로 세계의 기후를 구분하였다. ( )

(4) 쾨펜의 기후 구분에는 식생, 토양 등의 특징이 담겨 있어 산업, 문화 등을 이해하는 데 중요한 바탕이 된다. ( )

B 열대 기후의 환경

03 (가)~(라) 그래프에 해당하는 기후를 쓰시오.

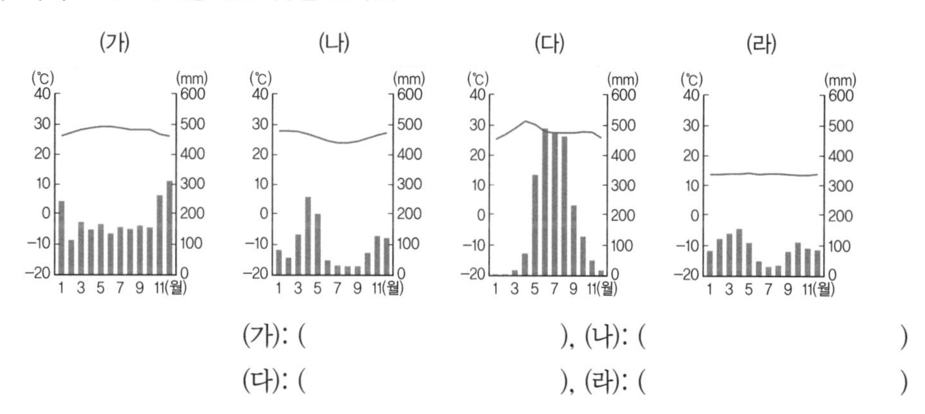

(가): ( ), (나): ( )
(다): ( ), (라): ( )

C 열대 기후 지역의 주민 생활

04 열대 기후 지역의 주민 생활에 대한 설명이다. 알맞은 말에 ○표를 하시오.

(1) 열대 우림 기후 지역의 주민들은 (고상, 이동식) 가옥에서 주로 생활한다.

(2) 열대 우림 기후 지역에서는 전통적으로 (이동식 화전 농업, 플랜테이션)이 이루어졌다.

(3) (열대 우림 기후, 사바나 기후) 지역에 사는 주민들은 전통적으로 목초지를 찾아 이동하는 유목 생활을 하였다.

(4) 열대 몬순(계절풍) 기후는 주로 아시아의 저위도 지역에 분포하며, 주민들은 전통적으로 (벼농사, 유목)을/를 하였다.

탄탄! 내신 다지기

A 기후의 이해

01 다음 글의 ㉠, ㉡에 들어갈 내용을 바르게 연결한 것은?

> 기후는 기온, 강수, 바람 등의 [㉠](으)로 구성된다. 그중 [㉡]은(는) 지구의 자전에 의해 일변화가 나타나고 공전에 의해 연변화가 나타난다.

	㉠	㉡
①	기후 요소	기온
②	기후 요소	강수
③	기후 요인	바람
④	기후 요인	기온
⑤	기후 변수	강수

02 그래프는 위도별 연교차와 일교차, 위도별 평균 강수량을 나타낸 것이다. 이에 대한 옳은 설명만을 〈보기〉에서 고른 것은?

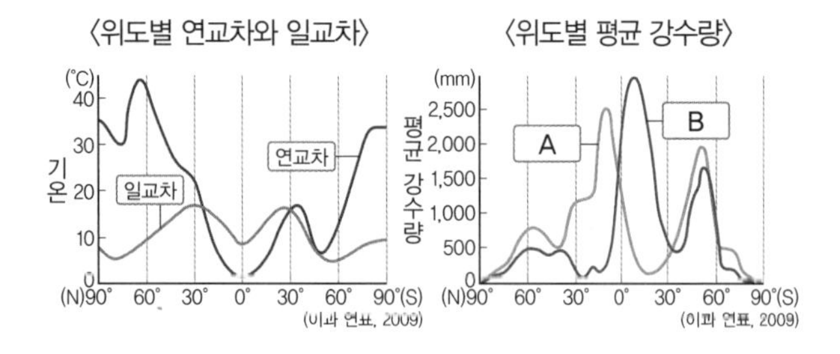

> 보기
> ㄱ. 극지방은 기온의 연교차와 일교차가 모두 크다.
> ㄴ. A는 6~8월, B는 12~2월의 강수량을 나타낸다.
> ㄷ. 저위도 지역에 비해 고위도 지역의 강수량이 많다.
> ㄹ. 대체로 극지방으로 갈수록 일교차보다 연교차가 크게 나타난다.

① ㄱ, ㄴ　② ㄱ, ㄷ　③ ㄴ, ㄷ　④ ㄴ, ㄹ　⑤ ㄷ, ㄹ

03 다음 자료에 대한 설명으로 옳은 것은?

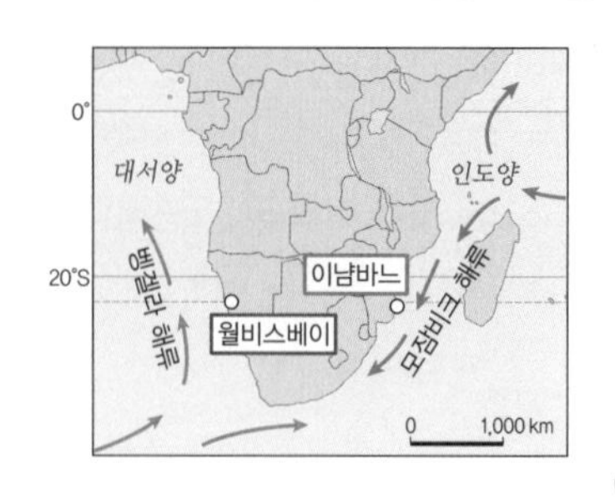

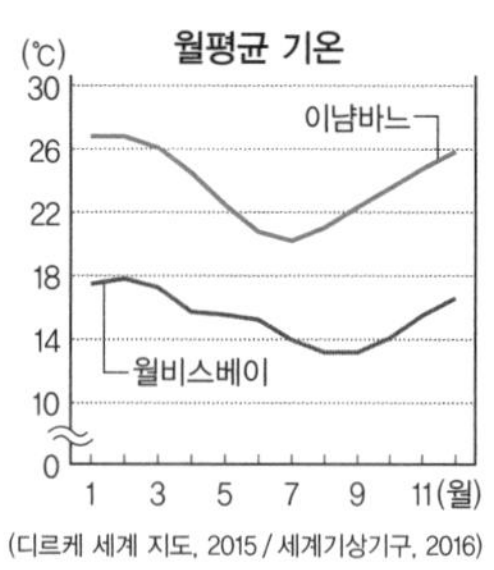

(디르케 세계 지도, 2015 / 세계기상기구, 2016)

① 벵겔라 해류는 난류이다.
② 모잠비크 해류는 한류이다.
③ 이냠바느는 한류의 영향으로 강수량이 많다.
④ 동일한 위도대에서도 기온이 다른 이유는 해류 때문이다.
⑤ 벵겔라 해류 주변의 기온이 모잠비크 해류 주변의 기온보다 높다.

04 다음 중 무수목 기후로만 바르게 묶인 것은?

① 스텝 기후, 빙설 기후
② 냉대 습윤 기후, 툰드라 기후
③ 사바나 기후, 온난 습윤 기후
④ 냉대 겨울 건조 기후, 사막 기후
⑤ 열대 우림 기후, 서안 해양성 기후

05 다음 글의 ㉠~㉤에 들어갈 내용으로 옳지 않은 것은?

> 쾨펜은 기후를 구분할 때 [㉠]을/를 기준으로 삼았다. [㉡]은/는 최한월 평균 기온이 18℃ 이상이며, 최한월 평균 기온 [㉢]℃를 기준으로 온대 기후와 냉대 기후를 구분하였다. 또한 [㉣] 평균 기온 10℃를 기준으로 한대 기후와 냉대 기후를 구분하였다. 그리고 연 강수량 [㉤]mm 미만의 기후를 건조 기후로 구분한다.

① ㉠ - 기온과 강수량　② ㉡ - 열대 기후
③ ㉢ - 3　④ ㉣ - 최난월
⑤ ㉤ - 500

B 열대 기후의 환경

06 지도에 표시된 지역에 대한 설명으로 옳은 것은?

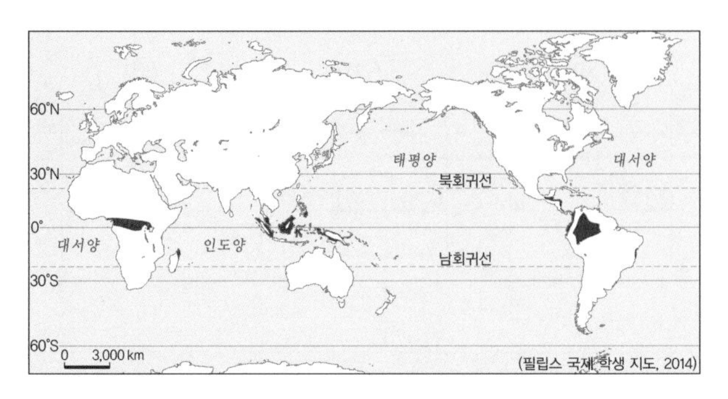

① 건기와 우기의 구분이 뚜렷하다.
② 기온의 연교차가 일교차보다 크다.
③ 강수량보다 증발량이 많은 지역이다.
④ 일 년 내내 기온이 높고 강수량이 많다.
⑤ 수종이 단일한 키 큰 나무의 숲을 볼 수 있다.

07 그래프와 같은 강수 특성이 나타나는 지역에 대한 설명으로 옳은 것은?

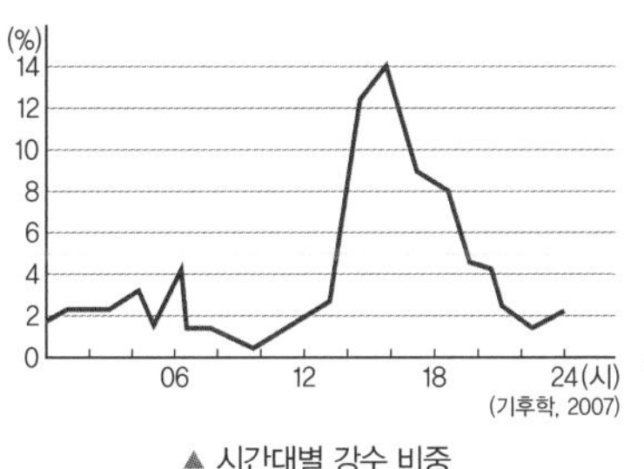

▲ 시간대별 강수 비중

① 최한월 평균 기온이 18℃ 미만이다.
② 연중 봄과 같이 온화한 날씨가 나타난다.
③ 대류성 강수인 스콜이 거의 매일 내린다.
④ 저위도 지역보다 고위도 지역에서 볼 수 있다.
⑤ 적도 저압대보다 아열대 고압대의 영향을 많이 받는다.

08 다음 글에 해당하는 기후로 옳은 것은?

> 건기에는 풀이 마르지만 우기에는 풀이 무성하게 자라 초식 동물이 서식하기에 좋다. 우기의 초원에는 기린, 코끼리, 사자 등의 동물이 서식한다.

① 사막 기후　② 빙설 기후
③ 사바나 기후　④ 지중해성 기후
⑤ 열대 우림 기후

C 열대 기후 지역의 주민 생활

09 지도에 표시된 A~C 지역 주민들의 생활 모습으로 옳지 않은 것은?

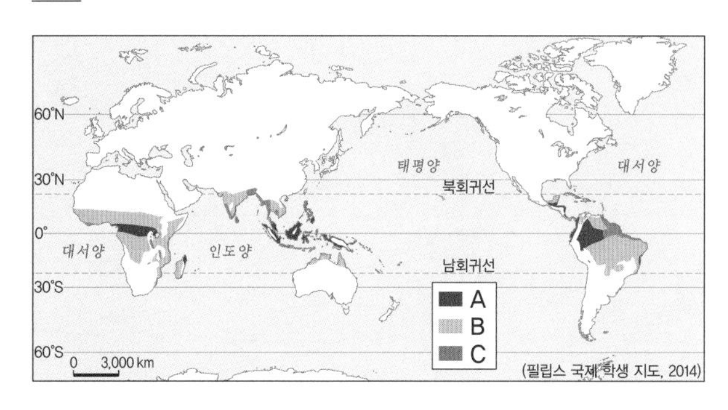

① A에서는 전통적으로 이동식 화전 농업이 이루어진다.
② B에서는 사파리 관광 산업이 발달한 곳도 있다.
③ C에서는 한 해에 2~3번의 벼농사가 이루어지는 곳도 있다.
④ B는 A보다 건기와 우기의 구분이 뚜렷하다.
⑤ A~C 모두 플랜테이션에 불리하다.

서답형 문제

10 그림을 보고 물음에 답하시오.

(1) 그림과 같은 가옥이 나타나는 기후와 가옥의 이름을 쓰시오.
(　　　　　　　　　　)

(2) 그림과 같이 가옥의 바닥을 지면에서 띄워 지은 이유를 두 가지 서술하시오.

도전! 실력 올리기

01 지도는 세계의 연평균 기온을 나타낸 것이다. 이에 대한 옳은 설명만을 〈보기〉에서 고른 것은?

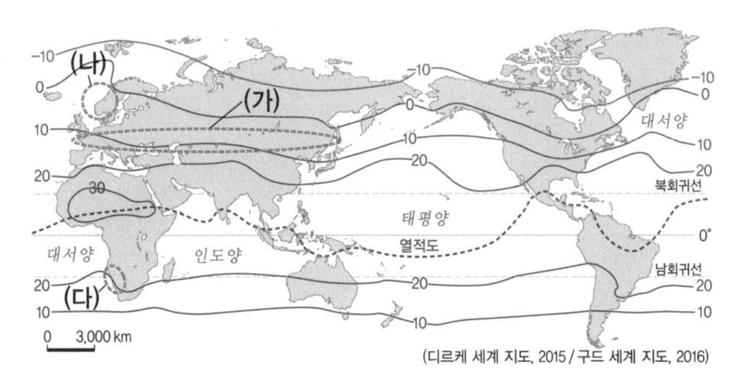

(디르케 세계 지도, 2015 / 구드 세계 지도, 2016)

보기
ㄱ. 고위도 지역으로 갈수록 대체로 연평균 기온이 높아진다.
ㄴ. (가) 지역에서 동안보다 서안 지역의 연평균 기온이 높다.
ㄷ. (나)는 같은 위도의 다른 지역에 비해 연평균 기온이 낮다.
ㄹ. (다) 지역에서 등온선이 휜 것은 한류의 영향 때문이다.

① ㄱ, ㄴ ② ㄱ, ㄷ ③ ㄴ, ㄷ
④ ㄴ, ㄹ ⑤ ㄷ, ㄹ

02 지도에 표시된 A~D 지역에 대한 설명으로 옳은 것은?

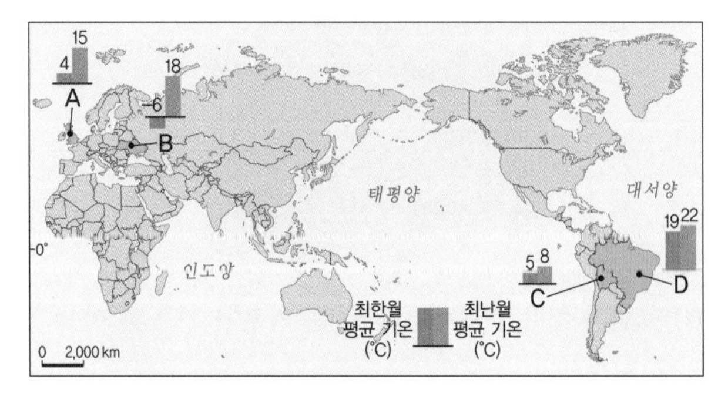

① A는 한류의 영향을 많이 받는다.
② D는 열대 고산 기후에 해당한다.
③ A는 D보다 연평균 기온이 높다.
④ C는 B보다 기온의 연교차가 크다.
⑤ C, D 간 기온 차이가 나타나는 원인은 해발 고도 때문이다.

기출 변형

03 그래프는 지도에 표시된 세 지역의 월평균 기온과 월 강수 편차를 나타낸 것이다. 이에 대한 옳은 설명만을 〈보기〉에서 고른 것은?

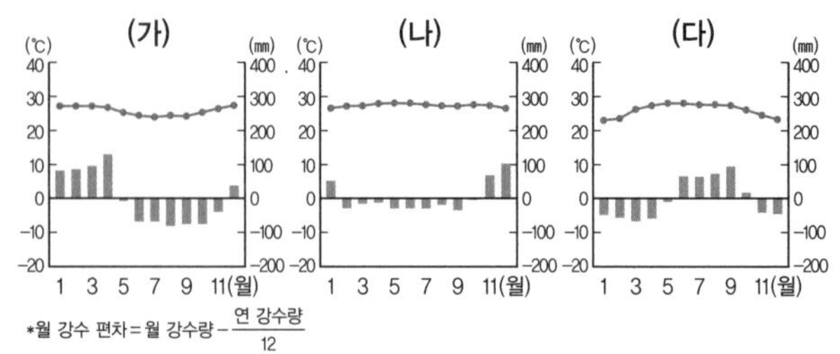

*월 강수 편차 = 월 강수량 − 연 강수량/12

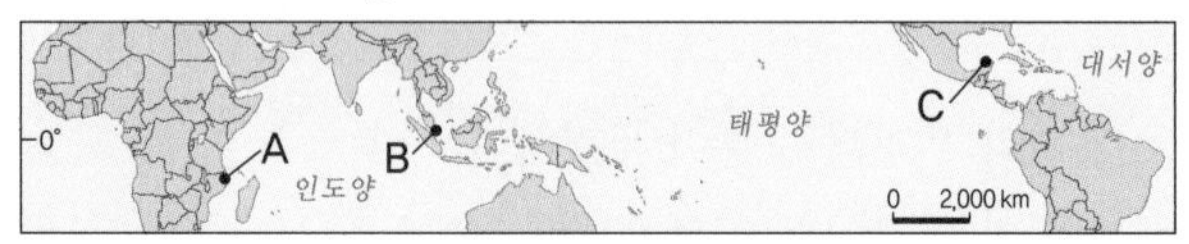

보기
ㄱ. (가)는 건기와 우기의 구분이 뚜렷하다.
ㄴ. (나)는 일 년 내내 기온이 높고 강수량이 많다.
ㄷ. (다)는 남반구의 사바나 기후에 해당한다.
ㄹ. 연 강수량은 A>B>C 순으로 많다.

① ㄱ, ㄴ ② ㄱ, ㄷ ③ ㄴ, ㄷ
④ ㄴ, ㄹ ⑤ ㄷ, ㄹ

04 그림은 두 기후 지역의 식생 경관을 나타낸 것이다. (가), (나) 지역에 대한 설명으로 옳지 않은 것은?

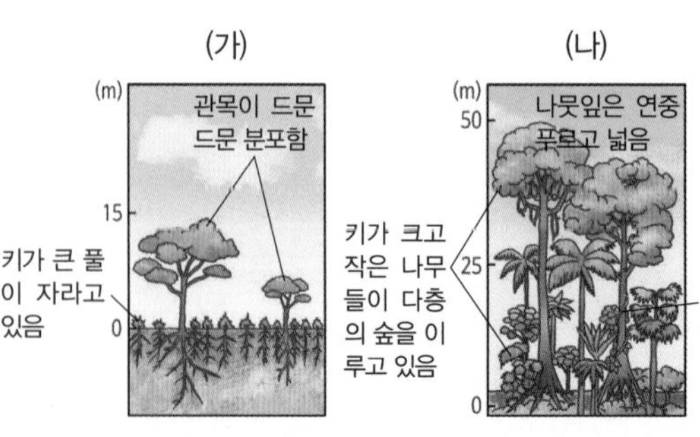

① (가)는 연중 풀이 잘 자란다.
② (가)에는 얼룩말, 누 등이 많이 서식한다.
③ (나)에서는 전통적으로 이동식 화전 농업이 이루어졌다.
④ (가)는 (나)보다 연중 강수량이 적다.
⑤ (나)는 (가)보다 수목 밀도가 높다.

05 지도에 대한 옳은 설명만을 〈보기〉에서 있는 대로 고른 것은?

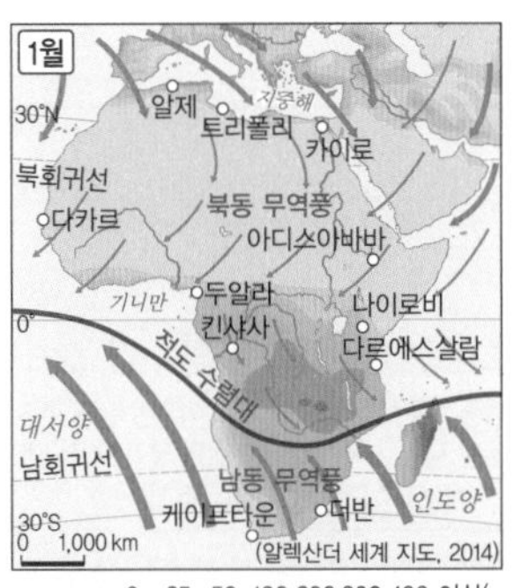

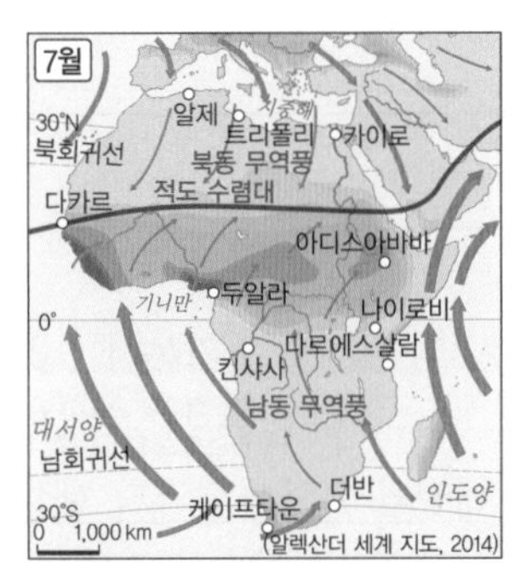

월 강수량 0 25 50 100 200 300 400 이상(mm)　바람의 세기

〈보기〉
ㄱ. 1월 북위 30° 부근에서는 이동식 화전 농업이 활발하다.
ㄴ. 7월 킨샤사는 건기로, 계절풍의 영향을 받아 벼농사에 유리하다.
ㄷ. 1월 다르에스살람 일대는 풀이 무성하게 자라 초식 동물이 서식하기에 좋다.
ㄹ. 두알라 지역에서는 일 년 내내 짧은 시간에 집중적으로 쏟아지는 스콜이 내린다.

① ㄱ, ㄴ　② ㄱ, ㄹ　③ ㄷ, ㄹ
④ ㄱ, ㄴ, ㄷ　⑤ ㄴ, ㄷ, ㄹ

06 지도에 표시된 지역에서 이루어지는 (가) 농업에 대한 설명으로 옳은 것은?

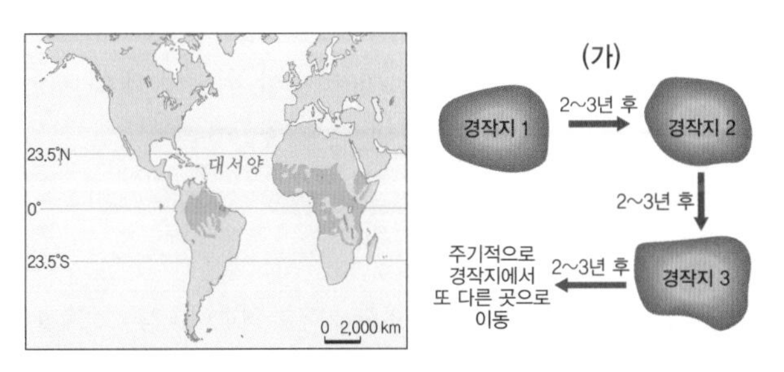

① 1년에 벼의 2~3기작이 이루어진다.
② 얌, 카사바, 타로 등을 주로 재배한다.
③ 단일 작물을 대규모로 재배하는 방식이다.
④ 건기와 우기가 뚜렷한 지역에서 주로 이루어진다.
⑤ 커피, 카카오 등 상품 작물을 재배하는 농업 형태이다.

07 그림은 어떤 기후 지역의 생활 모습을 나타낸 것이다. (가)에 들어갈 가옥의 특색으로 옳은 것은?

〈주민 생활〉

〈전통 가옥〉

① 지붕의 경사가 완만하다.
② 가옥 재료는 주로 진흙을 많이 사용한다.
③ 가옥과 가옥 사이가 좁아 그늘이 만들어진다.
④ 강한 햇빛을 반사시키기 위해 지붕과 벽의 색깔을 흰색으로 칠한다.
⑤ 습기를 차단하고 해충을 막기 위해 가옥의 바닥이 지면으로부터 떨어져 있다.

08 (가)~(다) 기후 지역에서 볼 수 있는 모습으로 옳은 설명만을 〈보기〉에서 고른 것은?

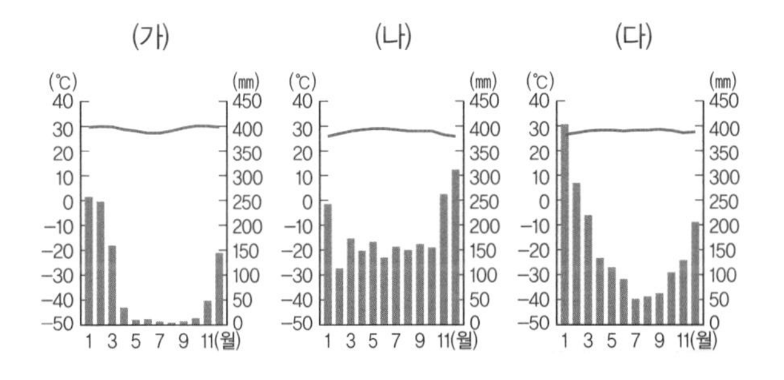

〈보기〉
ㄱ. (가)에서는 소림과 장초의 경관이 나타난다.
ㄴ. (나)에서는 계절에 따라 풀을 찾아 가축을 이동하는 유목민들의 모습을 볼 수 있다.
ㄷ. (다)에서는 1년에 2~3번의 벼농사가 이루어진다.
ㄹ. (가)~(다) 모든 지역에서 올리브를 활용한 음식을 주로 먹는다.

① ㄱ, ㄴ　② ㄱ, ㄷ　③ ㄴ, ㄷ
④ ㄴ, ㄹ　⑤ ㄷ, ㄹ

02 온대 기후 환경

A 온대 기후의 특징

1. 온대 기후의 특징과 분포

(1) 특징

① **기온이 온화하고 강수량이 풍부:** 최한월 평균 기온이 -3℃ 이상~18℃ 미만, 연 강수량은 대체로 500mm 이상

왜 태양의 고도가 높은 여름철은 낮의 길이가 길고 기온이 높은 반면, 태양의 고도가 낮은 겨울철은 낮의 길이가 짧고 기온이 낮기 때문이야.

② **계절 변화 뚜렷:** 계절에 따라 태양의 고도가 달라져 계절별 기온의 변화가 큼

③ **대륙 동안과 서안의 기후가 다르게 나타남:** 중위도 지역의 대륙 동안은 계절풍❶의 영향을 크게 받고, 대륙 서안은 편서풍❷의 영향을 크게 받기 때문 자료 1

④ **인간 활동에 유리:** 고위도 지역에 비해 덜 춥고 저위도 지역에 비해 덥지 않음 → 인구 밀집

⑤ **식생:** 낙엽 활엽수와 침엽수가 함께 혼합림을 이룸

(2) 분포: 대체로 중위도에 걸쳐 분포함

연중 따뜻한 열대 기후와 추운 냉대 기후의 점이 기후 지역에 속해.

① **대륙 서안:** 남·북위 30°~60°에 분포

② **대륙 동안:** 남·북위 20°~40°에 분포

2. 온대 서안 기후와 온대 동안 기후의 특징과 분포

(1) 온대 서안 기후

① **특징:** 겨울에 해양성 기단의 영향을 받아 비슷한 위도의 대륙 동안에 비해 따뜻함

② **분포:** 대륙 서안의 남·북위 30°~60°에 분포

③ **온대 서안 기후의 구분** 자료 2

서안 해양성 기후	• 특징: 여름이 서늘하고 겨울이 온화하며 기온의 연교차가 작음 • 분포: 서부 유럽, 북아메리카 북서 해안, 뉴질랜드, 칠레 남부, 오스트레일리아 남동부 등
지중해성 기후	• 특징: 여름에는 기온이 높고 강수량이 적음, 겨울에는 따뜻하고 강수량이 많음 • 분포: 지중해 연안, 미국 캘리포니아 일대, 칠레 중부, 아프리카 남단, 오스트레일리아 남서부 등

왜 여름에는 아열대 고기압의 영향을 받기 때문에 기온이 높고 건조한 반면, 겨울에는 전선대와 편서풍의 영향으로 온화하고 강수량이 많아지게 되기 때문이야.

(2) 온대 동안 기후

① **특징:** 겨울에 찬 대륙에서 불어오는 계절풍의 영향을 받아 비슷한 위도의 대륙 서안에 비해 추움

낙엽 활엽수, 침엽수 등의 혼합림이 주로 나타나며, 겨울이 온난한 지역에는 상록 활엽수가 분포해.

② **분포:** 대륙 동안의 남·북위 20°~40°에 분포

③ **온대 동안 기후의 구분** 자료 2

온대 겨울 건조 기후	• 특징: 여름에는 고온 다습하고 겨울에는 한랭 건조함, 기온의 연교차와 강수의 계절 차가 매우 큼 • 분포: 중국 남부, 인도차이나반도 북부, 인도 북부 등
온난 습윤 기후	• 특징: 연중 습윤함, 여름에는 무덥고 강수량이 많으며 건기는 뚜렷하지 않음, 겨울에는 대체로 온화한 편이지만 한랭한 대륙성 기단의 영향을 받아 갑자기 기온이 내려가기도 함 • 분포: 중국 남동부, 일본 남부, 미국 남동부, 남아메리카 남동부, 오스트레일리아 동부 지역 등

---

❶ 계절풍

계절풍은 대륙과 해양의 비열 차이로 발생한다. 겨울에는 대륙 쪽에 고기압, 해양 쪽에 저기압이 발달하여 대륙에서 해양으로 계절풍이 분다. 여름에는 해양 쪽에 고기압, 대륙 쪽에 저기압이 발달하여 해양에서 대륙으로 계절풍이 분다. 따라서 여름에는 기온이 높고 강수량이 많지만, 겨울에는 기온이 낮고 건조하다.

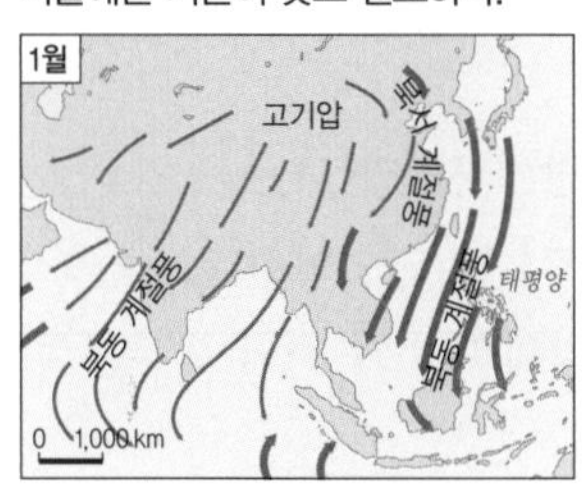

▲ 겨울철 계절풍

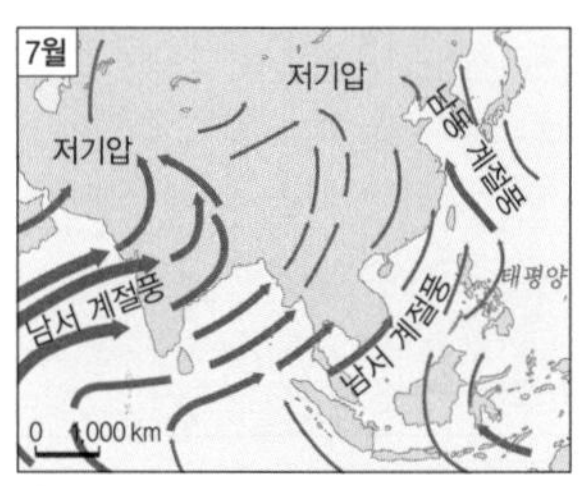

▲ 여름철 계절풍

❷ 편서풍

주로 남·북위 30°~60°의 중위도 지역에서 나타나며, 일 년 내내 서쪽에서 동쪽으로 부는 바람을 말한다.

★ 한눈에 정리

온대 서안 기후와 온대 동안 기후 비교

온대 서안 기후	• 해양의 영향을 많이 받음 • 대륙 서안의 남·북위 30°~60°에 분포 • 서안 해양성 기후, 지중해성 기후
온대 동안 기후	• 대륙의 영향을 많이 받음 • 대륙 동안의 남·북위 20°~40°에 분포 • 온대 겨울 건조 기후, 온난 습윤 기후

교과서 자료 모아 보기

자료 확인 문제

자료 1 위도가 비슷한 지역에서 다른 기후가 나타나는 이유

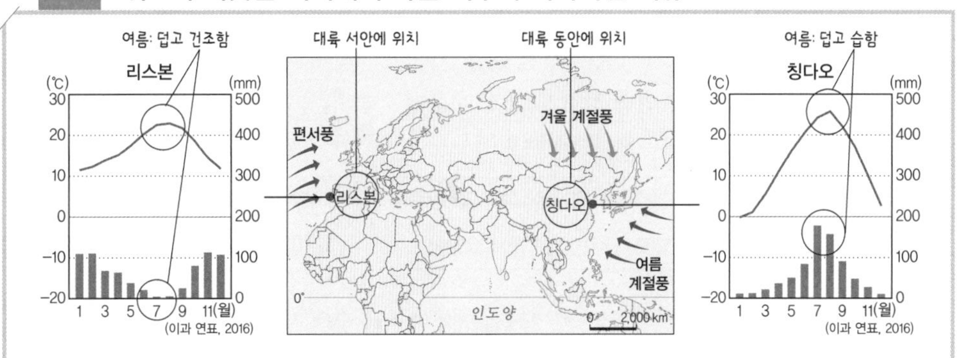

| 자료 분석 | 대륙 서안에 위치한 리스본은 여름철에는 아열대 고압대의 영향으로 덥고 건조하며, 겨울철에는 해양에서 불어오는 편서풍의 영향으로 비교적 따뜻하고 비가 자주 내린다. 유라시아 대륙 동안에 위치한 칭다오는 여름철에는 고온 다습한 남동 및 남서 계절풍의 영향으로 덥고 습하지만, 겨울철에는 한랭 건조한 북서 계절풍의 영향으로 춥고 건조하다.

한줄 핵심 대륙 서안은 편서풍의 영향을 받고, 대륙 동안은 계절풍의 영향을 받기 때문에 위도가 비슷한 지역이지만 서로 다른 기후 특징이 나타난다.

❶ 비슷한 위도의 대륙 서안이 대륙 동안보다 겨울에 따뜻한 이유는 연중 해양에서 불어오는 □□□의 영향을 받기 때문이다.
( )

❷ 대륙 서안에 위치한 리스본은 여름철에는 아열대 고압대의 영향으로 덥고 건조하다. ○ ×

자료 2 온대 기후의 분포

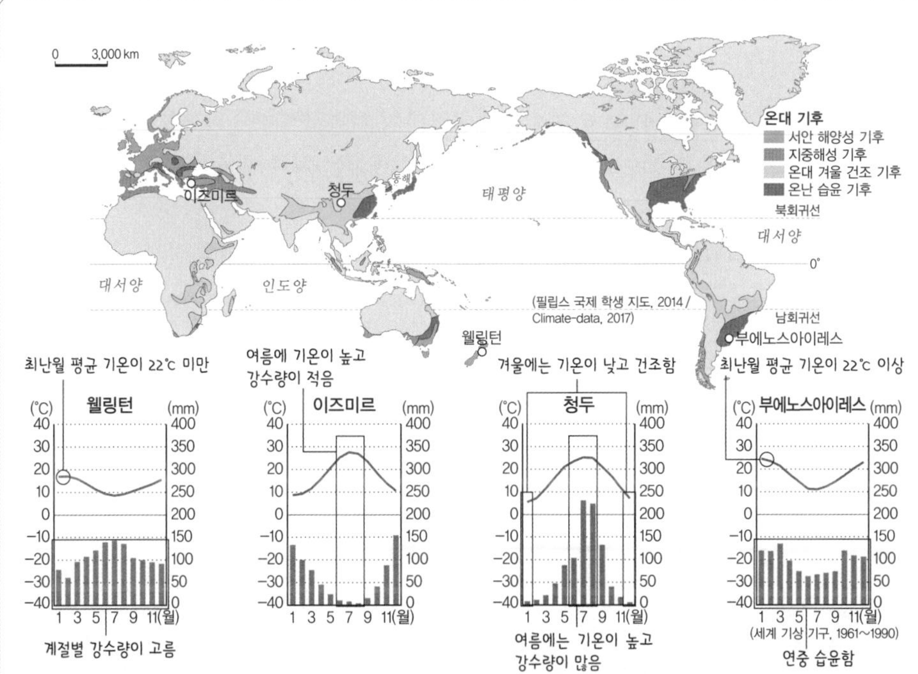

| 자료 분석 | 웰링턴은 여름에 서늘하고 겨울이 온화하여 기온의 연교차가 작으며, 계절별 강수량이 고르게 나타나므로 서안 해양성 기후(Cfb)가 나타난다. 이즈미르는 여름에 고온 건조하고, 겨울에 온난 습윤하므로 지중해성 기후(Cs)가 나타난다. 청두는 여름에 고온 다습하고, 겨울에 한랭 건조하므로 온대 겨울 건조 기후(Cw)가 나타난다. 부에노스아이레스는 여름에 무덥고 연중 습윤하므로 온난 습윤 기후(Cfa)가 나타난다.

한줄 핵심 서안 해양성 기후와 지중해성 기후는 온대 서안 기후이고, 온대 겨울 건조 기후와 온난 습윤 기후는 온대 동안 기후이다.

❸ 온대 기후는 대체로 □□□이/가 부는 중위도에 걸쳐 분포하며, 계절에 따라 기온 변화가 뚜렷하다.
( )

❹ 서안 해양성 기후는 여름이 서늘하고 겨울이 온화하여 기온의 연교차가 작다. ○ ×

❺ 온대 기후 중 여름이 고온 건조하고 겨울이 온난 습윤한 기후는?
( )

정답 ❶ 편서풍 ❷ ○ ❸ 편서풍 ❹ ○ ❺ 지중해성 기후

❸ 서안 해양성 기후 지역의 날씨와 주민 생활
서안 해양성 기후 지역은 연 강수량이 많은 편이며 강수량이 고르게 나타나기 때문에 비가 내리는 날이 많다. 따라서 외출할 때는 가벼운 겉옷이나 우산 등을 준비한다. 또한, 흐린 날이 많기 때문에 맑은 날에는 해변이나 공원에서 일광욕을 즐기는 사람이 많다.

❹ 원예 농업과 낙농업
원예 농업은 꽃, 채소, 과일 등을 재배하는 농업이며, 낙농업은 가축에서 젖을 얻거나 그 젖으로 버터, 치즈 등의 유제품을 만드는 산업이다.

❺ 이목
지중해성 기후 지역의 독특한 목축 형태로, 여름철에는 서늘한 산지의 초지에서 염소나 양을 방목하고, 겨울철에는 온난한 저지대로 이동하여 가축을 사육하는 방식이다.

B 온대 기후 지역의 주민 생활

1. 온대 서안 기후 지역의 주민 생활

(1) 서안 해양성 기후 지역❸

① **수운**: 강수량이 고르기 때문에 하천 수위 변화가 작음 → 하천을 이용한 수운 발달

② **풍력 발전**: 편서풍이 연중 강하게 불기 때문에 이를 활용한 풍력 발전 단지가 발달함

예 덴마크, 독일 등은 세계적인 풍력 단지가 조성되어 있어.

③ **농목업**

왜 서늘하고 습윤한 기후로 목초지 조성에 유리하기 때문이야.

혼합 농업	가축 사육과 식량 작물 및 사료용 작물 재배가 함께 이루어짐 자료 3
원예 농업과 낙농업❹	대도시 주변 지역에서 발달함

└선선한 기후에 잘 자라는 밀, 호밀, 감자, 보리 등을 재배해.

(2) 지중해성 기후 지역

① **가옥**: 강한 햇빛을 막기 위해 가옥의 벽을 흰색으로 칠한 경우가 많음

└벽을 두껍게 하고 창문을 작게 하여 외부의 열을 차단하기도 해.

② **태양광 발전**: 풍부한 일사량을 이용하여 태양광 발전이 활발함

③ **관광 산업**: 여름철 맑은 날씨와 많은 유적지 → 관광 산업 발달

예 지중해 지역은 그리스·로마의 유적 등 수많은 유적과 문화가 남아 있어.

④ **농목업**

수목 농업	여름철 고온 건조한 기후 이용 → 올리브, 오렌지, 코르크참나무 등을 재배 자료 3
곡물 농업	겨울에 온화한 기후를 이용하여 밀과 보리 등을 재배
이목❺	알프스산맥 등 해발 고도가 높은 산지에서 이루어짐

└기온이 높고 건조한 여름철 날씨를 잘 견디는 작물이야.

2. 온대 동안 기후 지역의 주민 생활

왜 대륙 동안은 여름철에 열대 저기압의 영향과 집중 호우 등으로 강수가 집중하기 때문이야. → 이로 인해 대륙 서안보다 연 강수량이 많아.

(1) **수운**: 여름철에 강수량이 집중되기 때문에 내륙 수운 발달에 불리

(2) **댐 건설**: 계절별 강수량 차이가 크기 때문에 다목적 댐을 건설함

왜 홍수나 가뭄에 대비하고 안정적으로 용수를 확보하려고 댐을 건설해.

(3) **농목업**

왜 고온 다습한 계절풍의 영향을 받기 때문이야.

① **벼농사**: 여름에 기온이 높고 강수량이 풍부하여 벼농사가 활발함

중국 남부, 베트남 북부 등에서는 벼의 2기작이 이루어져.

② **차**: 일조량이 많고 강수량이 풍부한 산지 지역에서는 차를 재배함

③ **목화**: 북아메리카 남동부에서 대규모로 재배됨

④ **기업적 목축업·밀농사**: 남아메리카 남동부에서 대규모로 이루어짐

교과서 자료 모아 보기

자료 확인 문제

❻ 서안 해양성 기후 지역에서는 곡물 재배와 가축 사육을 함께 하는 □□ □□이/가 발달하였다.
(　　　　　)

❼ 지중해성 기후 지역에서는 올리브, 포도, 오렌지 등을 재배하는 □□ □□이/가 발달하였다.
(　　　　　)

답 ❻ 혼합 농업 ❼ 수목 농업

자료 3 혼합 농업과 수목 농업

서안 해양성 기후 지역에서 발달

▲ 혼합 농업 ─ 곡물 재배와 가축 사육을 함께 함

지중해성 기후 지역에서 발달

▲ 수목 농업 ─ 올리브나무, 포도나무, 오렌지나무 등의 경엽수 재배

| 자료 분석 | 서안 해양성 기후 지역은 연중 강수량이 고르고 겨울이 온화하여 목초지 조성에 유리하다. 이를 바탕으로 혼합 농업이 발달하였다. 지중해성 기후 지역에서는 여름철 강수량이 적은 환경에서도 잘 자라는 경엽수를 재배하는 수목 농업이 발달하였다.

한줄 핵심 서안 해양성 기후 지역에서는 혼합 농업이, 지중해성 기후 지역에서는 수목 농업이 발달하였다.

온대 기후의 특징

수능풀 Guide 다양한 자료를 통해 온대 기후의 특징에 대해 알아보자.

1 서안 해양성 기후의 특징

제목 템스 강변에서 누나가

받는 이 ******** @email.com

안녕? ○○야!

잘 지내고 있니? …(중략)… 우리나라와 같은 여름이라서 반팔 셔츠만 가지고 왔는데, ㉠ 여기는 우리나라보다 서늘해. 심지어 내가 탄 지하철에는 에어컨조차 없었어.

(여름이 서늘한 서안 해양성 기후의 특징)

㉡ 지금 이곳은 우리나라보다 낮이 더 길어. 해가 더 빨리 뜨고 더 늦게 져서 오랫동안 많은 것을 볼 수 있었어. 어제는 그리니치 공원을 다녀왔는데, 왕립 천문대가 있었던 곳이야. …(중략)… ㉢ 이곳은 안개 낀 날과 흐린 날이 많아. 그래서 잠깐 해가 난 사이에도 공원의 잔디밭에서 많은 사람들이 일광욕을 즐겨. 내일이면 ㉣ 이 나라를 떠나 해저 터널을 통해 프랑스로 갈 거야. 거기서 또 메일 보낼게.

(영국(서안 해양성 기후))

누나가

PLUS분석 '템스 강변, 그리니치 공원, 해저 터널을 통해 프랑스로' 등의 내용을 통해 영국임을 알 수 있다. 영국은 유라시아 대륙 서안에 위치한 섬나라로 서안 해양성 기후가 나타난다.

기출 선택지로 확인하기

❶ ㉠은 대륙에서 불어오는 계절풍이 주요 요인이다. ○ ×

❷ ㉡은 우리나라보다 고위도에 위치하기 때문이다. ○ ×

❸ ㉢은 아열대 고압대의 영향을 받기 때문이다. ○ ×

❹ ㉣은 편서풍의 영향을 받는 서안 해양성 기후가 나타난다. ○ ×

2 대륙 서안 기후와 대륙 동안 기후 비교

〈월평균 기온과 월 강수량 차이〉

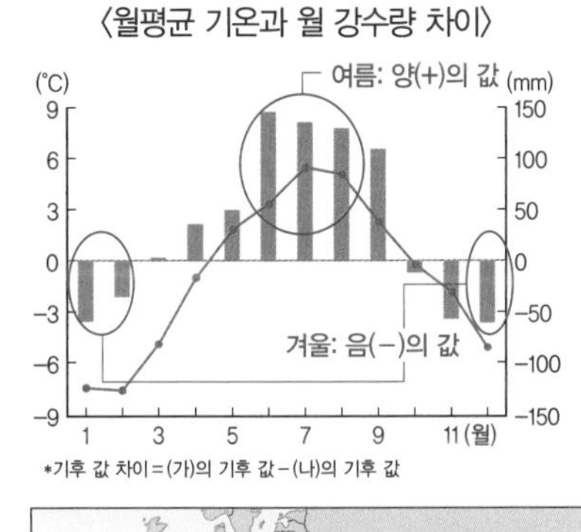

*기후 값 차이=(가)의 기후 값−(나)의 기후 값

리스본: 여름에 고온 건조하고 겨울에 온난 습윤함 → 지중해성 기후

상하이: 겨울에 춥고 건조하며, 여름에 덥고 습함 → 온난 습윤 기후

PLUS분석 대륙 동안에 위치한 상하이는 대륙 서안에 위치한 리스본보다 최난월 평균 기온이 높고 최한월 평균 기온은 낮다. 또한, 상하이는 리스본에 비해 여름철 강수량이 많고 겨울철 강수량은 적은 편이다.

기출 선택지로 확인하기

❺ 상하이는 리스본보다 여름 강수 집중률이 높다. ○ ×

❻ 리스본은 상하이보다 연 강수량이 많다. ○ ×

정답 ❶ ×(우리나라보다 고위도에 위치하고, 해양에서 불어오는 편서풍이 주요 요인이다.) ❷ ○ ❸ ×(해양의 영향을 받기 때문이다.) ❹ ○ ❺ ○ ❻ ×(상하이가 리스본보다 강수량의 기후 값 차이에서 양(+)의 값이 많으므로 연 강수량이 많다.)

콕콕! 개념 확인하기

정답과 해설 12쪽

A 온대 기후의 특징

01 빈칸에 알맞을 말을 쓰시오.

(1) 온대 기후는 최한월 평균 기온이 □℃ 이상~18℃ 미만이다.

(2) □□ □□□ 기후 지역은 여름에 서늘하고 겨울에 온화하여 기온의 연교차가 작다.

(3) 온대 동안 기후는 강수량의 계절적 차이에 따라 온난 습윤 기후와 □□ □□ □□ 기후로 구분된다.

(4) 중위도의 대륙 동안은 여름철에는 해양성 기단, 겨울철에는 대륙성 기단의 영향을 받는 □□□ 기후가 나타난다.

(5) □□□□ 기후 지역은 여름철에는 아열대 고압대의 영향으로 매우 덥고 건조하며, 겨울철에는 편서풍의 영향을 받아 기온이 온화하고 강수량이 많은 편이다.

02 (가)~(라) 그래프에 해당하는 기후를 쓰시오.

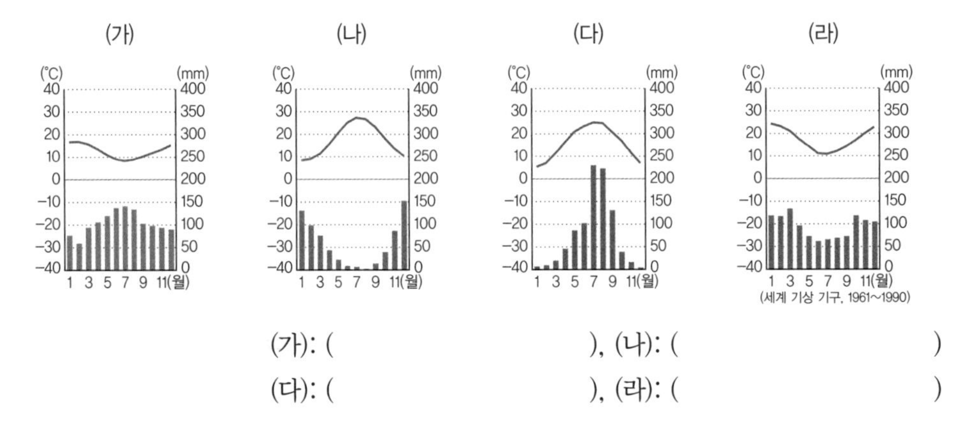

(가): (　　　　　　), (나): (　　　　　　)

(다): (　　　　　　), (라): (　　　　　　)

B 온대 기후 지역의 주민 생활

03 다음 내용이 옳으면 ○표, 틀리면 ×표를 하시오.

(1) 지중해성 기후 지역의 전통 가옥은 벽이 얇고 창문이 크며, 가옥과 가옥 사이가 넓은 편이다. (　　)

(2) 지중해성 기후 지역에서는 여름에 고온 건조한 기후를 이용하여 올리브, 오렌지 등을 재배하는 수목 농업이 발달하였다. (　　)

(3) 서안 해양성 기후 지역은 연중 강수가 고르기 때문에 하천의 유량 변화가 적어 하천을 교통로로 이용하는 내륙 수운이 발달하였다. (　　)

(4) 동아시아와 동남아시아의 온대 기후 지역에서는 벼농사가 발달하며, 겨울에도 온화한 중국 남부와 베트남 북부 지역에서는 벼의 2기작이 이루어진다. (　　)

04 알맞은 말에 ○표를 하시오.

(1) 아시아의 온대 겨울 건조 기후 지역에서는 (벼농사, 밀 농사)가 활발히 이루어진다.

(2) (서안 해양성 기후, 지중해성 기후)는 흐린 날이 많고 비가 자주 오기 때문에 맑은 날에는 일광욕을 즐긴다.

(3) 서안 해양성 기후 지역에서는 밀과 보리를 재배하면서 가축을 함께 기르는 (혼합 농업, 수목 농업)이 발달하였다.

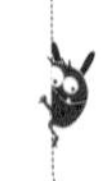

탄탄! 내신 다지기

정답과 해설 12쪽

A 온대 기후의 특징

[01~02] 지도를 보고 물음에 답하시오.

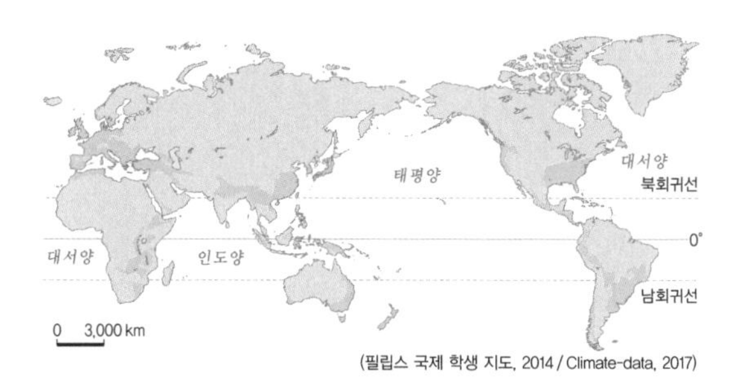

(필립스 국제 학생 지도, 2014 / Climate-data, 2017)

01 지도에 표시된 지역에서 나타나는 기후로 옳은 것은?

① 열대 기후 ② 건조 기후 ③ 냉대 기후
④ 온대 기후 ⑤ 한대 기후

02 지도에 표시된 지역의 기후 특징에 대한 옳은 설명만을 〈보기〉에서 고른 것은?

보기
ㄱ. 계절의 변화가 뚜렷한 편이다.
ㄴ. 기온의 연교차보다 일교차가 크다.
ㄷ. 기후가 온화하여 인간 거주에 유리하다.
ㄹ. 기온이 높고 강수량이 많아 플랜테이션이 활발하다.

① ㄱ, ㄴ ② ㄱ, ㄷ ③ ㄴ, ㄷ
④ ㄴ, ㄹ ⑤ ㄷ, ㄹ

03 지도에 표시된 A, B 지역의 기후 특성으로 옳은 것은?

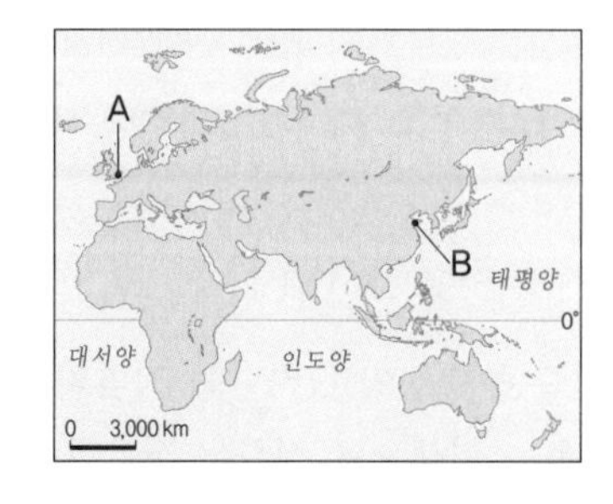

① A는 B보다 기온의 연교차가 크다.
② A는 B보다 계절풍의 영향을 크게 받는다.
③ B는 A보다 여름 강수 집중률이 높다.
④ B는 A보다 7월 낮 시간의 길이가 길다.
⑤ A와 B 모두 벼농사가 활발히 이루어진다.

[04~06] 지도를 보고 물음에 답하시오.

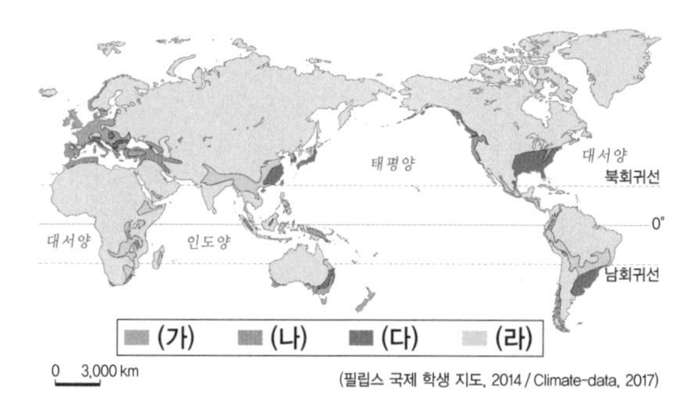

(필립스 국제 학생 지도, 2014 / Climate-data, 2017)

04 (가) 지역의 기후 특징을 나타낸 그래프로 옳은 것은?

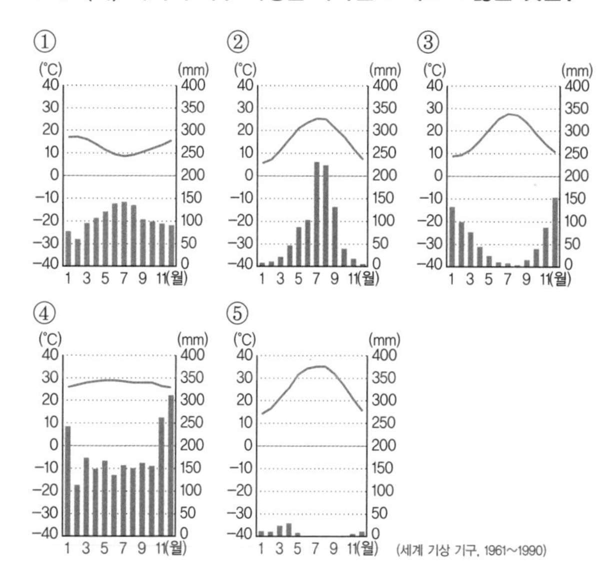

(세계 기상 기구, 1961~1990)

05 (나) 지역에 대한 옳은 설명만을 〈보기〉에서 고른 것은?

보기
ㄱ. 낙엽 활엽수가 주로 자란다.
ㄴ. (가)에 비해 여름철이 덥고 건조하다.
ㄷ. 계절풍의 영향을 받아 겨울에는 한랭 건조하다.
ㄹ. 여름철에는 아열대 고압대의 영향을 많이 받는다.

① ㄱ, ㄴ ② ㄱ, ㄷ ③ ㄴ, ㄷ
④ ㄴ, ㄹ ⑤ ㄷ, ㄹ

06 (다), (라) 지역의 공통적인 기후 특징으로 옳은 것은?

① 기온의 일교차보다 연교차가 작다.
② 겨울은 따뜻하고 비가 많이 내린다.
③ 최한월 평균 기온이 −3℃ 미만이다.
④ 여름 강수량이 겨울 강수량보다 많다.
⑤ 편서풍과 난류의 영향을 많이 받는다.

B 온대 기후 지역의 주민 생활

[07~08] 그래프를 보고 물음에 답하시오.

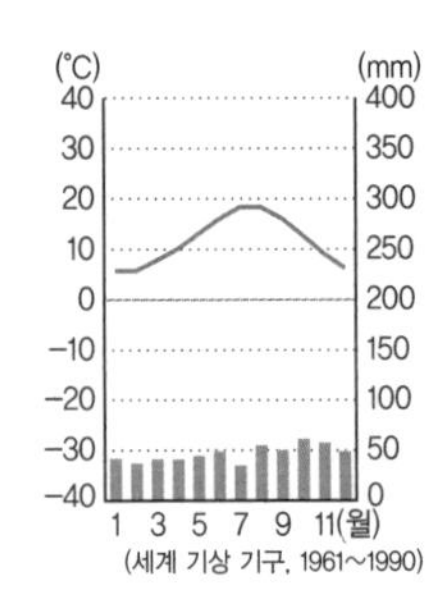

07 위 기후 그래프와 같은 기후가 나타나는 지역의 주된 농업 특징으로 옳은 것은?

① 커피, 카카오 등을 대규모로 재배하는 플랜테이션이 발달한다.
② 연 강수량이 많고 기온이 높아 1년에 2번 이상의 벼농사가 이루어진다.
③ 숲에 불을 질러 만든 밭에서 얌, 타로, 카사바 등의 작물을 주로 재배한다.
④ 고온 건조한 여름에도 자랄 수 있는 코르크참나무, 올리브, 오렌지 등을 주로 재배한다.
⑤ 밀과 보리 등의 곡물을 재배하면서 목초지를 따로 조성하여 가축을 함께 기르는 농업이 발달한다.

08 위 그래프와 같은 기후가 나타나는 지역의 주민 생활 모습으로 옳은 내용만을 〈보기〉에서 있는 대로 고른 것은?

보기
ㄱ. 하천 수운이 활발히 이용된다.
ㄴ. 온돌을 이용한 난방 시설이 발달했다.
ㄷ. 해가 비치고 따뜻할 때 일광욕을 즐기는 주민이 많다.
ㄹ. 식사를 할 때 숟가락과 젓가락을 사용하는 경우가 많다.

① ㄱ, ㄴ ② ㄱ, ㄷ ③ ㄴ, ㄹ
④ ㄱ, ㄷ, ㄹ ⑤ ㄴ, ㄷ, ㄹ

09 지도에 표시된 A~C 지역 주민들의 생활 모습으로 옳은 것은?

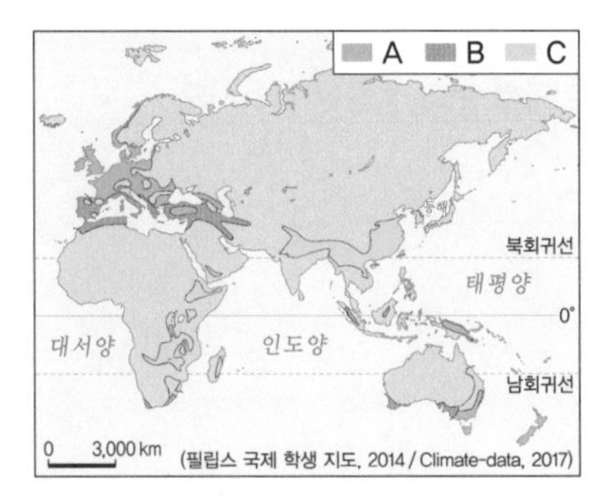

① A 지역은 쌀을 중심으로 한 음식 문화가 발달하였다.
② B 지역에서는 여름철 집안의 습기를 제거하기 위해 벽난로를 설치하는 경우가 많다.
③ C 지역은 전통적으로 올리브나 토마토 등을 사용한 파스타를 즐겨 먹는 경우가 많다.
④ C는 A보다 벼의 재배 면적이 넓다.
⑤ A~C 지역 모두 전통적으로 지하 관개 수로를 활용한 농업이 발달하였다.

서답형 문제

10 자료를 보고 물음에 답하시오.

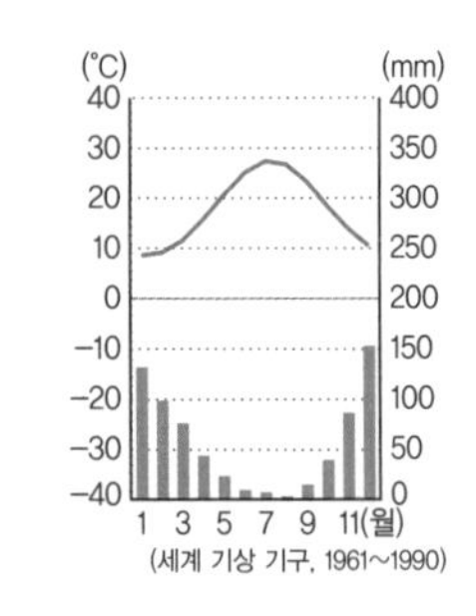

▲ 산토리니섬의 가옥

(1) 위 자료는 온대 기후 중 어느 기후에 해당하는지 쓰시오.

( )

(2) 위 자료와 같은 특징이 나타나는 지역의 여름철 기후 특색과 가옥을 흰색으로 칠하는 이유를 연결지어 서술하시오.

도전! 실력 올리기

정답과 해설 14쪽

01 그래프는 온대 기후에 속하는 세 지역의 기후 특색을 나타낸 것이다. A~C에 대한 옳은 설명만을 〈보기〉에서 고른 것은?

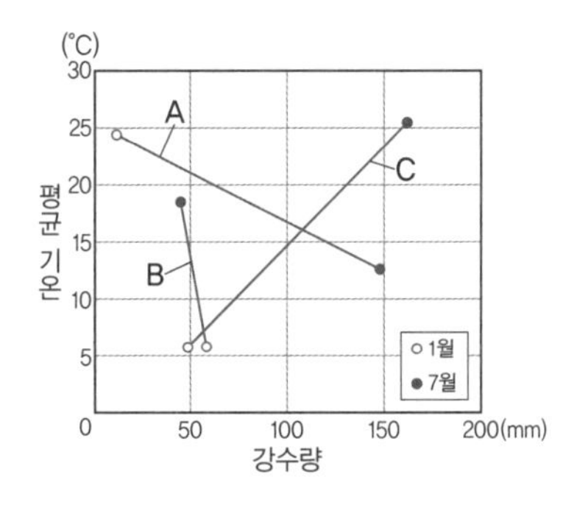

보기
ㄱ. A는 여름보다 겨울에 강수량이 많다.
ㄴ. B는 연중 강수량이 고르지만 겨울에 매우 춥다.
ㄷ. A는 남반구의 지중해성 기후 지역, C는 북반구의 온대 겨울 건조 기후 지역이다.
ㄹ. C에서는 혼합 농업, B에서는 수목 농업이 주로 이루어진다.

① ㄱ, ㄴ ② ㄱ, ㄷ ③ ㄴ, ㄷ
④ ㄴ, ㄹ ⑤ ㄷ, ㄹ

02 지도에 표시된 A~D 지역의 지리적 특성에 대한 설명으로 옳은 것은?

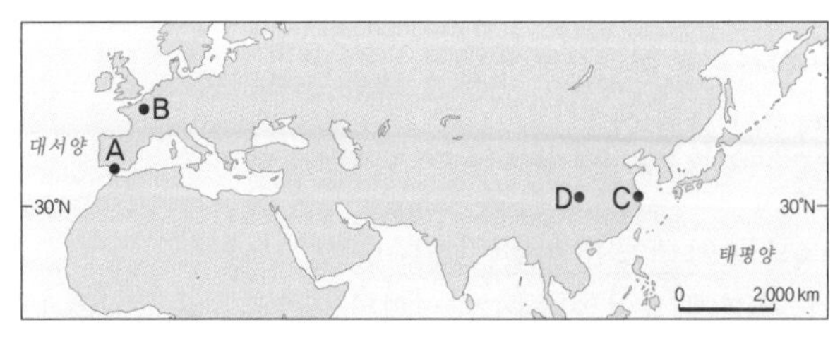

① A에서는 커피, 카카오 등의 작물 재배가 많이 이루어진다.
② B는 아열대 고압대의 영향으로 연중 강수량이 고르다.
③ C는 최한월 평균 기온이 -3℃ 미만이다.
④ A는 B보다 여름철 강수량이 많다.
⑤ C, D는 A, B보다 계절풍의 영향을 많이 받는다.

기출 변형

03 전자 우편의 내용 중 ㉠~㉣에 대한 옳은 설명만을 〈보기〉에서 고른 것은?

제목 템스 강변에서 누나가
받는 이 ******** @email.com
안녕? ○○야!
잘 지내고 있니? …(중략)… 우리나라와 같은 여름이라서 반팔 셔츠만 가지고 왔는데, ㉠ 여기는 우리나라보다 서늘해. 심지어 내가 탄 지하철에는 에어컨조차 없었어.

㉡ 지금 이곳은 우리나라보다 낮이 더 길어. 해가 더 빨리 뜨고 더 늦게 져서 오랫동안 많은 것을 볼 수 있었어. 어제는 그리니치 공원을 다녀왔는데, 왕립 천문대가 있었던 곳이야. …(중략)… ㉢ 이곳은 안개 낀 날과 흐린 날이 많아. 그래서 잠깐 해가 난 사이에도 공원의 잔디밭에서 많은 사람들이 일광욕을 즐겨. 내일이면 ㉣ 이 나라를 떠나 해저 터널을 통해 프랑스로 갈 거야. 거기서 또 메일 보낼게.
누나가

보기
ㄱ. ㉠-해양에서 불어오는 편서풍이 주요 요인이다.
ㄴ. ㉡-우리나라보다 고위도에 위치하기 때문이다.
ㄷ. ㉢-대륙의 영향을 받기 때문이다.
ㄹ. ㉣-위도의 기준이 되는 본초 자오선이 지난다.

① ㄱ, ㄴ ② ㄱ, ㄷ ③ ㄴ, ㄷ
④ ㄴ, ㄹ ⑤ ㄷ, ㄹ

04 그림은 두 기후 지역의 식생 경관을 나타낸 것이다. (가), (나)에 대한 설명으로 옳은 것은?

(가)

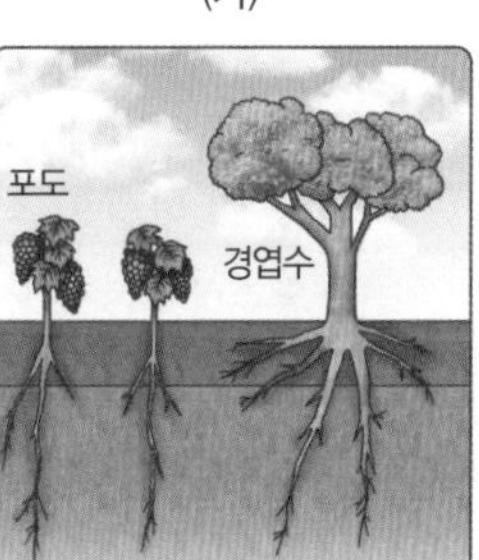

(나)

① (가)는 (나)보다 저위도에 위치한다.
② (가)는 (나)보다 최한월 평균 기온이 높다.
③ (나)는 (가)보다 기온의 연교차가 크다.
④ (나)는 (가)보다 1월과 7월의 낮 시간 길이 차가 크다.
⑤ (가), (나) 모두 아열대 고압대의 영향을 받는다.

03 건조 및 냉·한대 기후 환경과 지형

A 건조 기후의 구분 및 사막의 형성

강수량보다 증발량이 많아.

1. 건조 기후의 구분 연 강수량에 따라 사막 기후와 스텝 기후로 구분 자료 1

사막 기후	• 연 강수량 250mm 미만 • 매우 건조하여 식생의 생장이 어려우며, 기온의 일교차가 큼
스텝 기후	• 연 강수량 250~500mm 미만 • 사막 주변에 주로 분포하고 짧은 우기가 나타나며 키가 작은 풀이 자라 초원을 이룸

스텝 기후 지역의 토양은 강수에 의한 유기물의 손실이 적어 비옥하고 검은색을 띠고 있어. 우크라이나와 카자흐스탄의 흑토 지대가 대표적이야.

2. 사막의 형성 원인

하강 기류

아열대 고기압이 발달하여 연중 하강 기류의 영향을 받아 맑고 건조한 날씨가 이어져.

▲ 아열대 고기압의 영향을 받는 지역

▲ 바다로부터 수분 공급이 적은 내륙 지역

▲ 중위도 대륙 서안의 한류 연안 지역

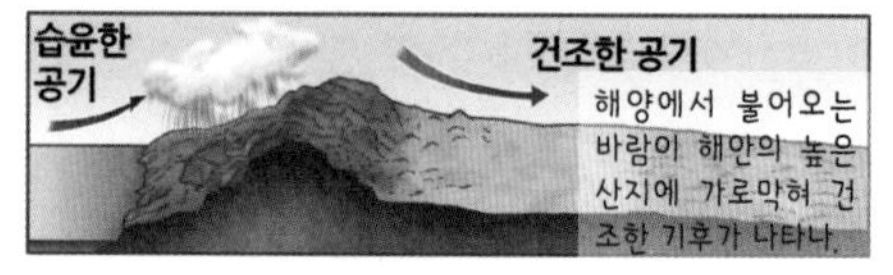

▲ 대규모 산지의 비그늘 지역

한눈에 정리

사막의 형성 원인과 대표적인 사막

형성 원인	대표적인 사막
아열대 고압대의 영향	예 사하라 사막, 룹알할리 사막 등
내륙에 위치	예 타커라마간 사막, 고비 사막 등
한류의 영향	예 아타카마 사막, 나미브 사막 등
산지의 비그늘 지역에 위치	예 파타고니아 사막 등

B 건조 기후 지역의 지형과 주민 생활

1. 건조 기후 지역의 지형 형성 작용

풍화❶	강수량이 적고 기온의 일교차가 커서 물리적 풍화 작용이 활발함
바람	식생이 빈약하여 바람에 의한 침식·운반·퇴적 작용이 활발함
유수(流水)	간헐적으로 내리는 비에 의해 포상홍수 침식과 퇴적 작용이 나타남

뜻 유수가 지표면에 넓게 퍼져 흘러내리는 것을 말해.

2. 건조 기후 지역의 독특한 지형

(1) 바람에 의해 형성되는 지형 자료 2

① **삼릉석**: 바람에 날린 모래의 침식으로 여러 개의 평평한 면과 모서리가 생긴 돌

② **버섯바위**: 바람에 날린 모래의 침식으로 아랫부분이 많이 깎인 바위

③ **사구**: 바람의 퇴적 작용으로 형성된 모래 언덕

지표면을 덮듯이 넓게 퍼져 흐르는 포상 홍수의 형태로 나타나.

(2) 유수에 의해 형성되는 지형 자료 3

평상시에는 교통로로 이용해.

① **와디**: 비가 내릴 때만 일시적으로 물이 흐르는 하천(건천)

② **플라야**: 건조 분지에 퇴적층이 두껍게 쌓여 이루어진 평평한 땅으로, 비가 왔을 때 물이 고이면 호수가 형성되기도 함 플라야호라고 해.

③ **선상지**: 골짜기 입구의 경사 급변점에 하천 물질이 부채 모양으로 퇴적된 지형

여러 개의 선상지가 연속적으로 발달하여 형성된 복합 선상지는 바하다라고 해.

3. 건조 기후 지역의 주민 생활

(1) 사막 기후 지역: 오아시스 농업과 관개 농업(지하수, 외래 하천❷, 관개 시설 등을 이용)을 통해 밀, 대추야자 등을 재배함

(2) 스텝 기후 지역: 유목, 관개 농업, 대규모의 상업적 농업(밀)과 기업적 방목(소, 양)

토양이 비옥한 지역에서 관개 농업을 통해 대추야자, 밀, 목화 등을 재배해.

❶ **풍화**
지표 부근의 암석이 잘게 부서지는 현상이다. 지표 환경의 영향으로 암석의 화학 성분에 변화가 일어나는 화학적 풍화 작용과 지표에서 일어나는 압력 및 기온의 변화 등과 같이 물리적인 요인에 의해 입자의 크기가 점차 작게 부서지는 물리적 풍화 작용으로 구분된다.

❷ **외래 하천**
강수량이 풍부한 습윤 기후 지역에서 발원하여 사막을 흐르는 하천을 말한다. 이집트의 나일강, 미국의 콜로라도강 등이 있다.

교과서 자료 모아 보기

자료 1 건조 기후의 분포

| 자료 분석 | 건조 기후는 연 강수량에 비해 증발량이 더 많아 수목이 성장하는 데 필요한 물이 절대적으로 부족한 기후이다.

한줄 핵심 건조 기후는 연 강수량이 500mm 미만인 기후로 증발량이 강수량보다 많은 지역에 분포한다.

❶ 연 강수량이 500mm 미만인 기후는?
( )

❷ 건조 기후는 연 강수량에 비해 증발량이 더 많다. ○ ×

자료 2 바람에 의해 형성되는 지형

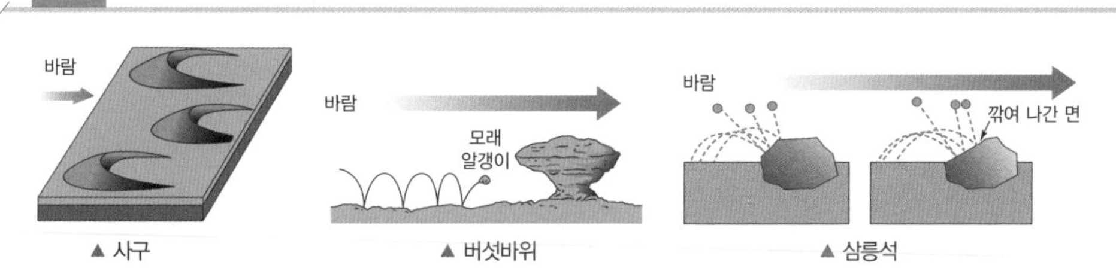

▲ 사구 ▲ 버섯바위 ▲ 삼릉석

| 자료 분석 | 사구는 바람에 날린 모래가 쌓여 만들어진 모래 언덕으로 탁월풍이 부는 지역은 초승달 모양이 형성된다. 버섯바위는 바람을 타고 낮게 이동하는 모래가 바위의 밑부분을 깎아 형성된다. 삼릉석은 바람에 날린 모래가 암석에 부딪히면서 침식되어 여러 개의 평평한 면과 모서리가 생긴 돌이다.

한줄 핵심 건조 기후 지역은 바람에 의한 침식·퇴적 작용이 활발하여 사구, 버섯바위, 삼릉석 등이 잘 형성된다.

❸ 바람을 타고 낮게 이동하는 모래가 바위의 밑부분을 깎아 형성된 지형은?
( )

❹ 건조 기후 지역은 식생이 빈약하기 때문에 □□에 의한 지형이 잘 형성된다.
( )

자료 3 유수(流水)에 의해 형성되는 지형

한줄 핵심 건조 기후 지역에서는 간헐적으로 내리는 비에 의해 포상홍수 침식과 퇴적 작용이 나타나 독특한 지형이 형성된다.

❺ 사막에서 비가 올 때만 일시적으로 물이 흐르는 하천을 □□(이)라고 한다.
( )

정답 ❶ 건조 기후 ❷ ○ ❸ 버섯바위 ❹ 바람 ❺ 와디

C 냉대 및 한대 기후의 환경

1. 냉대 기후 자료 4

최한월 평균 기온 -3℃는 온대 기후와 냉대 기후를 구분하는 기준이야.

(1) 특징: 최한월 평균 기온이 -3℃ 미만이고, 최난월 평균 기온이 10℃ 이상, 기온의 연교차가 큰 대륙성 기후로 겨울은 몹시 춥고 여름은 짧음

(2) 식생: 타이가❸라고 불리는 침엽수림대가 분포 — 냉대 기후의 남부 지역에는 혼합림, 북부 지역에는 드넓은 침엽수림의 타이가 지대가 분포하고 있어.

(3) 토양: 척박한 산성 토양인 포드졸❹ 분포

(4) 구분: 강수 특성에 따라 냉대 습윤 기후와 냉대 겨울 건조 기후로 구분

2. 한대 기후 자료 4

최난월 평균 기온 10℃는 냉대 기후와 한대 기후를 구분하는 기준이야.

(1) 특징: 최난월 평균 기온이 10℃ 미만, 강수량이 매우 적으며 증발량은 이보다 더 적음

(2) 식생: 기온이 매우 낮아 나무가 자라지 못함 – 짧은 여름 동안 이끼류 등이 자라는 곳도 있어.

(3) 구분: 툰드라❺ 기후와 빙설 기후로 구분

D 냉대 및 한대 기후 지역의 지형과 주민 생활

1. 냉대 및 한대 기후 지역의 주요 지형

(1) 빙하 지형: 빙하 침식 지형과 빙하 퇴적 지형으로 구분 자료 5

① 빙하 침식 지형

권곡	골짜기의 상류에 형성된 반원 모양의 오목한 지형
호른	빙하의 침식을 받아 산 정상에 형성된 뾰족한 봉우리
빙식곡	빙하가 골짜기를 따라 이동하면서 사면을 깊게 깎아 형성된 U자 모양의 골짜기
현곡	본류 빙식곡으로 합류하는 지류 빙식곡 → 폭포가 발달해.
피오르	빙식곡이 해수면 상승으로 바닷물에 잠겨 형성된 좁고 깊은 만

② 빙하 퇴적 지형

모레인	빙하가 운반한 많은 양의 토사가 빙하의 말단부나 측면에 퇴적된 지형
드럼린	빙하 밑을 따라 운반되던 토사가 숟가락을 엎어 놓은 모양으로 쌓인 언덕
에스커	빙하가 녹은 물이 빙하 밑을 흐르면서 토사를 퇴적하여 형성된 제방 모양의 지형
빙력토 평원	빙하의 퇴적물로 형성된 넓은 평야 → 빙하의 후퇴로 남게 된 자갈·모래·점토 등의 물질이 퇴적되어 형성돼.

(드럼린·에스커: 퇴적물의 분급이 양호한 편이야.)

(2) 주빙하 지형: 빙하 주변 지역에서 한랭한 기후에 의해 만들어지는 지형

① 지형 형성 작용: 암석의 물리적 풍화 작용 활발

② 주요 지형: 솔리플럭션❻ 현상 발생, 구조토❼·애추 형성

뜻 애추: 암석의 물리적 풍화 작용에 의해 암벽에 많은 암설이 만들어지며, 이러한 암설이 아래로 떨어져서 쌓인 지형을 말해.

2. 냉대 및 한대 기후 지역의 주민 생활

(1) 냉대 기후 지역

① 농업: 냉대 기후 지역의 남부에서는 보리, 밀, 귀리 등을 재배

② 임업: 냉대 기후 지역의 북부에서는 타이가 지대를 중심으로 목재 및 펄프 공업 발달

뜻 펄프: 종이 등을 만들기 위해 나무 등의 섬유 식물에서 뽑아낸 재료를 말해.

③ 관광 산업: 빙하호, 피오르 등의 아름다운 빙하 지형을 이용한 관광 산업 발달

(2) 한대 기후 지역

① 농목업: 기온이 낮아 농사는 불가능, 순록 유목, 바다표범과 고래 등을 사냥함

② 의식주: 가죽과 털을 이용한 옷, 생선과 고기를 날 것으로 먹음, 고상 가옥 발달 자료 6

③ 최근: 오로라, 백야 현상 등을 체험하기 위한 관광객 증가

└ 극지방 개발과 이용에 대한 관심이 높아지고 있어.

---

❸ 타이가
유라시아 대륙과 북아메리카 대륙에 동서 방향으로 펼쳐져 있는 침엽수림를 타이가라고 한다. 타이가는 나무의 종류가 많지 않은 단순림이며, 대부분 가공이 쉬운 연목이므로 경제적 가치가 높다.

❹ 포드졸
침엽수림이 우세한 지역에서 주로 발달하는 토양으로, 회백색의 얕은 토양층이 나타나며 산성을 띤다.

❺ 툰드라
'나무가 자랄 수 없는 땅'이라는 사미족(라프족)의 언어에서 유래하였으며, 오늘날에는 고위도 지역의 기후와 식생을 의미한다.

❻ 솔리플럭션
툰드라 기후 지역의 토양층은 일 년 내내 얼어 있는 영구 동토층과 짧은 여름에만 녹는 활동층으로 구성되어 있다. 여름에 토양이 녹으면서 수분을 많이 포함한 활동층이 경사가 완만한 사면을 따라 쉽게 흘러내리는 현상이다.

❼ 구조토

토양 속 수분의 동결과 융해가 반복되는 동안 큰 자갈은 바깥쪽으로 밀려 나가고, 작은 자갈과 모래는 안쪽에 쌓이면서 형성된 다각형의 지형이다.

교과서 자료
모아 보기

자료 확인 문제

자료 4 냉대 및 한대 기후의 분포와 특징

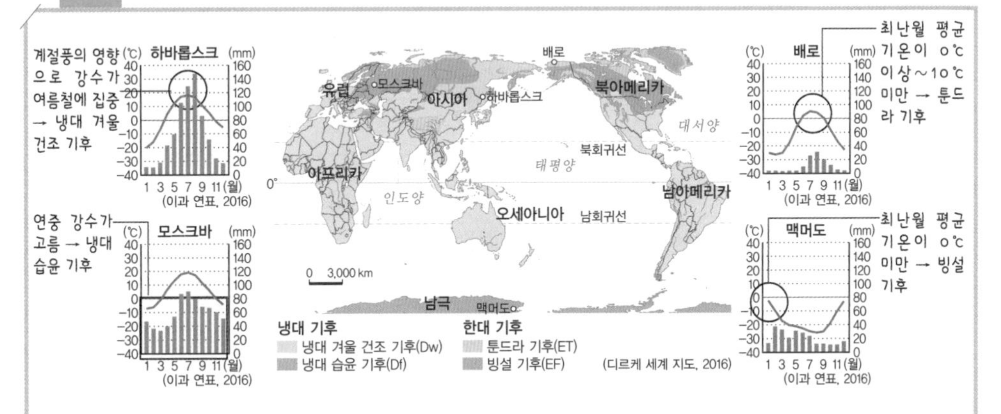

한줄 핵심 냉대 기후는 여름에 강수가 집중되는 냉대 겨울 건조 기후와 강수량이 연중 고르게 나타나는 냉대 습윤 기후로 구분되고, 한대 기후는 최난월 평균 기온이 10℃ 미만인 툰드라 기후와 연중 영하의 기온이 유지되는 빙설 기후로 구분된다.

❻ 최난월 평균 기온이 0℃ 미만으로 연중 기온이 영하에 머무는 기후는?
( )

❼ 최난월 평균 기온이 0℃ 이상~10℃ 미만인 기후는 □□□ 기후이다.
( )

자료 5 빙하에 의해 형성된 지형

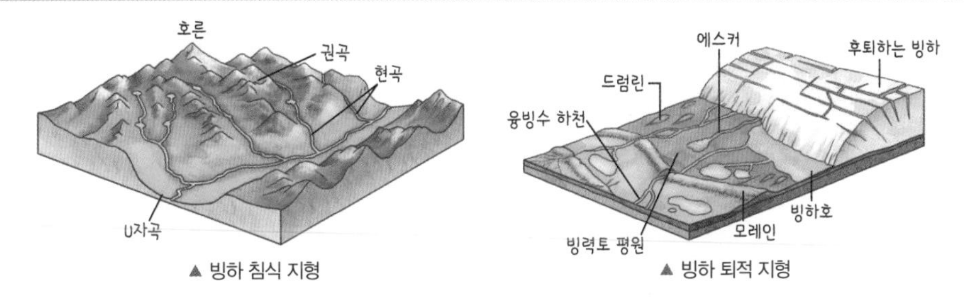

▲ 빙하 침식 지형 ▲ 빙하 퇴적 지형

| 자료 분석 | 거대한 빙하는 하천만큼 자유롭게 흐르지 못해 이동 속도는 느리지만 엄청난 무게 때문에 이동에 장애가 되는 지형을 깎아내리면서 독특한 침식 지형을 만들어낸다. 빙력토 평원에는 빙하가 이동하는 방향 등에 따라 다양한 퇴적 지형이 나타난다.

한줄 핵심 빙하에 의해 형성된 지형은 빙하 침식 지형과 빙하 퇴적 지형으로 구분된다.

❽ 과거 빙하로 덮여 있던 지역에서는 빙하가 후퇴하고 남은 자갈, 모래 등이 퇴적되어 □□□ □□이/가 형성된다.
( )

❾ 에스커, 드럼린, 모레인은 빙하 침식 지형이다. ○ ×

자료 6 툰드라 기후 지역의 인공 구조물 건설

▲ 한대 기후 지역의 고상 가옥(그린란드)
가옥의 바닥을 지면으로부터 띄워 지음

▲ 지면에서 띄운 송유관(알래스카)
송유관을 지면에서 띄워 설치

| 자료 분석 | 여름철에 일부 지표면이 녹으면서 건물이 기울어지는 것을 방지하기 위해 가옥의 바닥을 지면으로부터 일정한 높이로 띄워 짓는 고상 가옥이 발달하였다. 토양층의 동결과 융해가 반복되면서 송유관이 휘거나 무너지는 것을 막기 위해 지면에서 띄워 송유관을 설치한다.

한줄 핵심 툰드라 기후 지역에서는 토양층의 동결과 융해가 반복되면서 구조물이 붕괴되는 것을 막기 위해 구조물의 바닥을 지면으로부터 띄워 짓는다.

❿ 토양층의 동결과 융해로 건물이 무너지는 것을 막기 위해 지면에 띄워서 짓는 가옥은?
( )

정답 ❻ 빙설 기후 ❼ 툰드라 ❽ 빙력토 평원 ❾ × (빙하 퇴적 지형이다.) ❿ 고상 가옥

건조 기후 지역의 지형과 빙하 지형

수능풀 Guide 건조 기후 지역의 지형과 빙하 지형의 종류와 특징을 알아보자.

1 건조 기후 지역의 지형과 특징

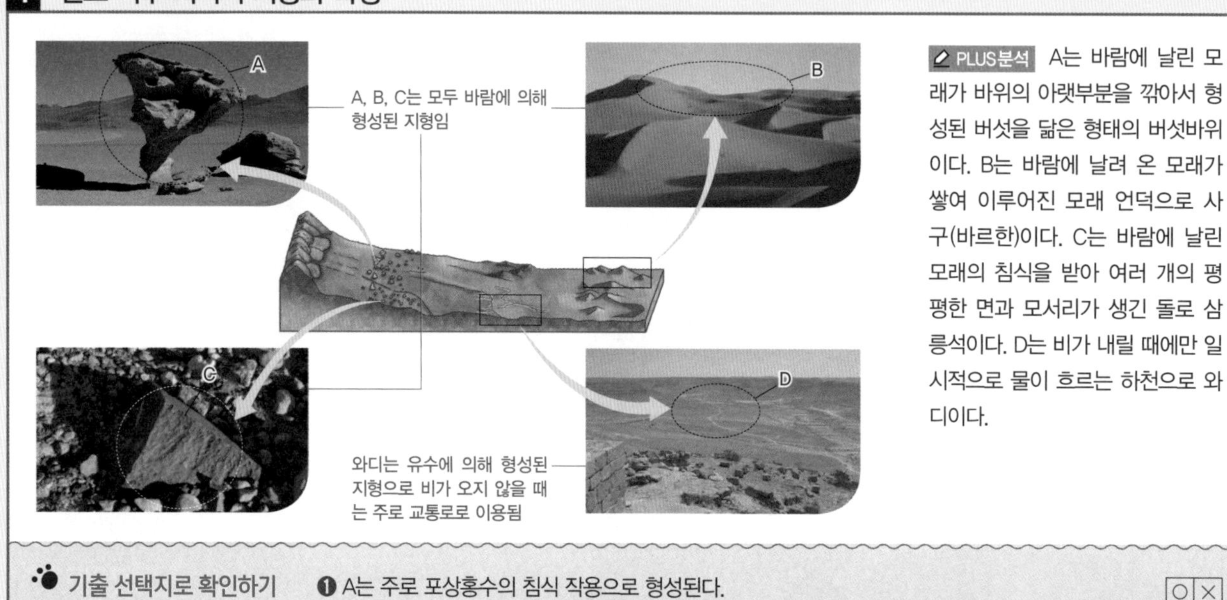

PLUS분석 A는 바람에 날린 모래가 바위의 아랫부분을 깎아서 형성된 버섯을 닮은 형태의 버섯바위이다. B는 바람에 날려 온 모래가 쌓여 이루어진 모래 언덕으로 사구(바르한)이다. C는 바람에 날린 모래의 침식을 받아 여러 개의 평평한 면과 모서리가 생긴 돌로 삼릉석이다. D는 비가 내릴 때에만 일시적으로 물이 흐르는 하천으로 와디이다.

기출 선택지로 확인하기

❶ A는 주로 포상홍수의 침식 작용으로 형성된다. ○ ×

❷ D는 대부분 비가 내릴 때만 일시적으로 물이 흐른다. ○ ×

2 빙하 지형과 건조 기후 지역의 지형 및 특징

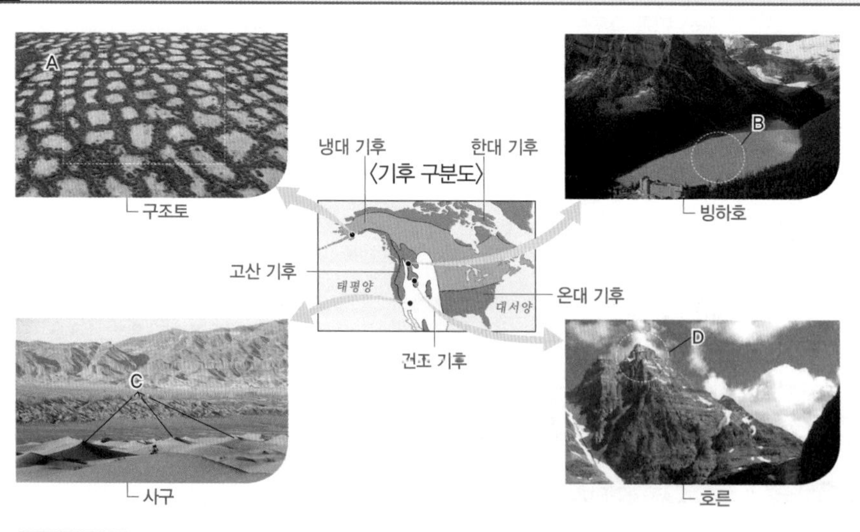

PLUS분석 A는 토양 속 수분의 동결과 융해가 반복되는 동안 물질이 나뉘어지면서 형성된 다각형의 지형인 구조토이다. B는 빙식호로, 빙하의 침식에 의해 형성된 빙식곡 내부의 와지에 형성된 호수인 빙하호이다. C는 건조 기후 지역의 지형인 사구이다. D는 빙하의 침식으로 형성된 산 정상부의 뾰족한 봉우리인 호른이다. A, B, D는 빙하 지형이고, C는 건조 기후 지역의 지형이다.

기출 선택지로 확인하기

❸ A는 빙하 밑을 흐르는 융빙수의 퇴적 작용으로 형성된 언덕이다. ○ ×

❹ C는 바람에 날린 모래의 침식으로 형성된 여러 개의 매끄러운 면을 가진 암석이다. ○ ×

❺ A~D는 화학적 풍화보다 물리적 풍화가 활발한 지역에서 잘 발달한다. ○ ×

정답 ❶ ×(바람의 침식 작용으로 형성된 지형이다.) ❷ ○ ❸ ×(에스커에 대한 설명이다.) ❹ ×(삼릉석에 대한 설명이다.) ❺ ○

콕콕! 개념 확인하기

정답과 해설 15쪽

A 건조 기후의 구분 및 사막의 형성

01 빈칸에 알맞은 말을 쓰시오.

(1) □□ □□은/는 강수량보다 증발량이 많으며, 사막 기후와 스텝 기후로 구분한다.

(2) 나미브 사막, 아타카마 사막은 중위도 대륙 서안의 □□ 연안 지역에서 발달한 사막이다.

(3) 스텝 기후 지역의 토양은 강수에 의한 유기물의 손실이 적어 비옥하고 검은색을 띠는데, 우크라이나에서는 이를 □□(이)라고 부른다.

B 건조 기후 지역의 지형과 주민 생활

02 다음 내용이 옳으면 ○표, 틀리면 ×표를 하시오.

(1) 사구는 바람의 퇴적 작용으로 형성된 대표적인 지형이다. ( )

(2) 건조 기후 지역은 물리적 풍화 작용보다 화학적 풍화 작용이 활발하다. ( )

(3) 버섯바위는 바람에 날린 모래가 바위의 아랫부분을 집중적으로 깎아 만든 것이다. ( )

(4) 골짜기 입구에 유수로 인해 운반된 자갈과 모래 등이 퇴적되어 형성된 부채 모양의 지형을 와디라고 한다. ( )

C 냉대 및 한대 기후의 환경

03 A~D에 해당하는 기후를 쓰시오.

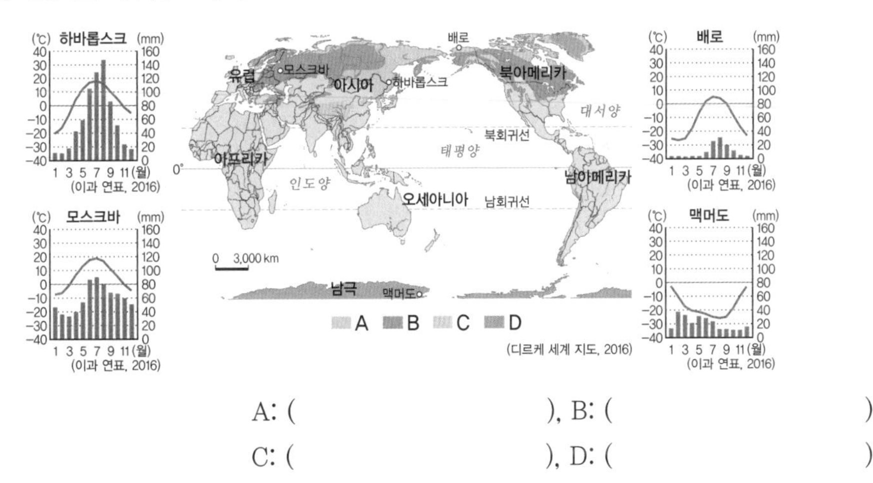

A: ( ), B: ( )

C: ( ), D: ( )

D 냉대 및 한대 기후 지역의 지형과 주민 생활

04 냉대 및 한대 기후 지역의 지형과 주민 생활에 대한 설명이다. 알맞은 말에 ○표를 하시오.

(1) 호른, 권곡은 빙하 (침식, 퇴적) 지형에 해당한다.

(2) 피오르는 빙식곡이 해수면 (상승, 하강)으로 바닷물에 잠겨 형성된 좁고 긴 만이다.

(3) (드럼린, 모레인)은 빙하의 이동에 의해 퇴적된 지형으로 숟가락을 엎어 놓은 것과 같은 모양의 언덕을 말한다.

(4) 툰드라 기후 지역에서는 토양층의 동결과 융해가 반복되면서 가옥이 붕괴되는 것을 막기 위해 (이글루, 고상 가옥)을/를 짓는다.

탄탄! 내신 다지기

A 건조 기후의 구분 및 사막의 형성

01 지도의 A, B 지역에 대한 설명으로 옳은 것은?

① A는 증발량에 비해 강수량이 많다.
② A는 다양한 높이의 나무들이 자라고 있다.
③ B는 대규모 침엽수림이 분포한다.
④ B는 기온이 높고 월 강수량이 100mm 이상이다.
⑤ A는 B보다 연 강수량이 적고 건조하다.

02 그래프와 같은 기후 특징이 나타나는 지역으로 가장 적절한 것은?

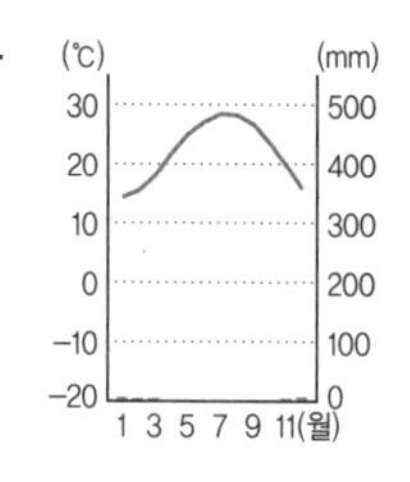

① 적도 부근
② 남극 일대
③ 남·북회귀선 부근
④ 난류가 흐르는 지역
⑤ 대양에 위치한 작은 섬 지역

03 다음 글과 관련된 기후 지역에 대한 설명으로 옳지 않은 것은?

> 최난월 평균 기온이 10℃보다 높고 연 강수량이 250mm가 되지 않는 지역에서는 ㉠ 기후가 나타난다.

① ㉠에는 '사막'이 들어갈 수 있다.
② 식생이 거의 자라지 못한다.
③ 흑토 지대가 넓게 분포한다.
④ 대부분 자갈, 암석, 모래 등으로 이루어져 있다.
⑤ 아열대 고압대 지역, 대륙 내부 지역 등에 주로 나타난다.

B 건조 기후 지역의 지형과 주민 생활

04 사진과 같은 지형이 잘 발달하는 지역에 대한 옳은 설명만을 〈보기〉에서 고른 것은?

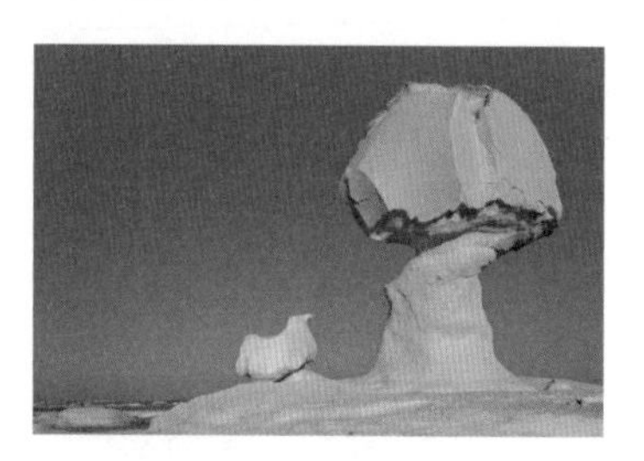

> 보기
> ㄱ. 토양의 동결과 융해가 활발하다.
> ㄴ. 연 강수량이 500mm 이상인 지역이다.
> ㄷ. 바람에 의한 침식과 퇴적 작용이 활발하다.
> ㄹ. 화학적 풍화 작용보다 물리적 풍화 작용이 활발하다.

① ㄱ, ㄴ ② ㄱ, ㄷ ③ ㄴ, ㄷ
④ ㄴ, ㄹ ⑤ ㄷ, ㄹ

05 그림에 나타난 지형들에 대한 옳은 설명만을 〈보기〉에서 고른 것은?

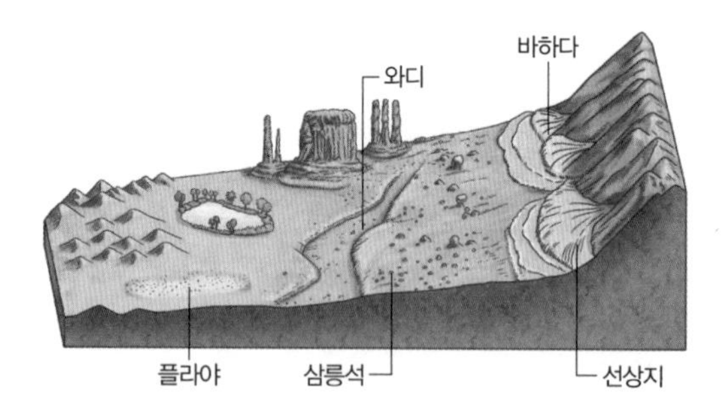

> 보기
> ㄱ. 플라야호는 관개용 저수지로 이용된다.
> ㄴ. 와디는 비가 올 때만 일시적으로 물이 흐르는 하천이다.
> ㄷ. 바하다는 여러 개의 선상지가 연결되어 형성된 지형이다.
> ㄹ. 삼릉석은 바람에 모래가 제거된 후 자갈만 남게 된 지형이다.

① ㄱ, ㄴ ② ㄱ, ㄷ ③ ㄴ, ㄷ
④ ㄴ, ㄹ ⑤ ㄷ, ㄹ

C 냉대 및 한대 기후의 환경

06 (가), (나) 지역에 대한 설명으로 옳은 것은?

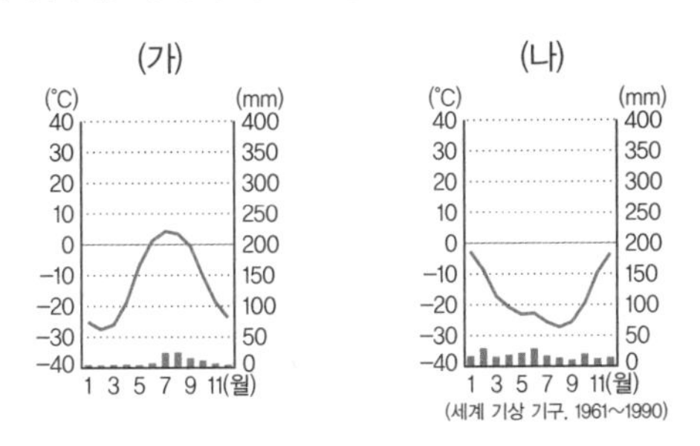

① (가)는 저위도 지역에서 주로 나타난다.
② (나)는 북반구에 위치한다.
③ (가)는 (나)보다 토양의 동결과 융해가 잘 이루어진다.
④ (나)는 (가)보다 최난월 평균 기온이 높다.
⑤ (가)는 빙설 기후, (나)는 툰드라 기후이다.

07 지도의 A~D 기후 지역에 대한 설명으로 옳은 것은?

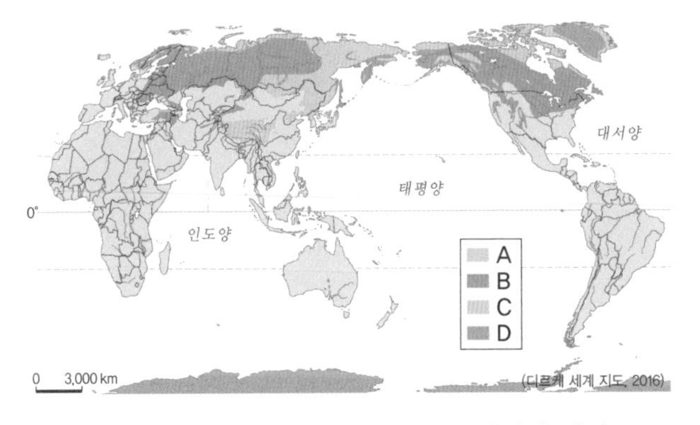

① C는 북반구보다 남반구에서의 분포 범위가 넓다.
② D는 짧은 여름철에 이끼류가 자란다.
③ A는 B보다 겨울 강수 집중률이 높다.
④ A와 B는 최난월 평균 기온이 10℃ 미만이다.
⑤ C는 D보다 눈이나 얼음으로 덮여 있는 비율이 낮다.

D 냉대 및 한대 기후 지역의 지형과 주민 생활

08 툰드라 기후 지역의 주민 생활 모습으로 옳은 것은?

① 순록 유목이나 수렵 및 어업 활동을 한다.
② 침엽수림을 활용한 펄프 공업이 발달하였다.
③ 지하 수로를 활용한 관개 농업이 이루어진다.
④ 전통적으로 개방적인 구조의 고상 가옥을 짓는다.
⑤ 오아시스를 중심으로 밀, 대추야자 등을 재배한다.

09 주제어, 개념 정의, 그림 자료가 잘 연결된 항목만을 고른 것은?

주제어	개념 정의	그림 자료
ㄱ. 드럼린	빙하의 운반 물질이 숟가락을 엎어 놓은 모양으로 퇴적된 지형	
ㄴ. 모레인	빙하의 침식을 받아 형성된 뾰족한 봉우리	
ㄷ. 피오르	해수면 상승으로 빙식곡이 침수된 해안	
ㄹ. 호른	빙하의 침식을 받아 반원 모양으로 움푹 파인 와지	

① ㄱ, ㄴ ② ㄱ, ㄷ ③ ㄴ, ㄷ
④ ㄴ, ㄹ ⑤ ㄷ, ㄹ

서답형 문제

10 사진은 어느 기후 지역의 가옥 모습이다. 이를 보고 물음에 답하시오.

(1) 사진과 같은 가옥 모습이 주로 나타나는 지역의 기후를 쓰시오.
( )

(2) 위 사진의 가옥 특성을 이 지역의 지리적 특성과 연관지어 서술하시오.

도전! 실력 올리기

01 다음 글의 (가), (나)에 해당하는 사막의 위치를 지도의 A~E에서 골라 바르게 연결한 것은?

> (가) 하강 기류가 발달하는 아열대 고압대의 영향을 받는 지역은 강수량이 적다.
> (나) 연중 한류의 영향을 받는 지역은 상승 기류가 발달하지 못하고 강수량이 적다.

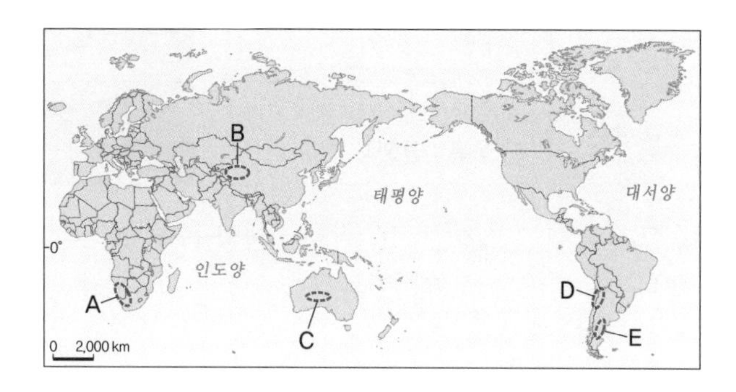

	(가)	(나)		(가)	(나)
①	A	B	②	B	E
③	C	D	④	D	A
⑤	E	C			

02 그래프는 지도에 표시된 두 지역의 월평균 기온과 누적 강수량을 나타낸 것이다. (가), (나) 지역에 대한 옳은 설명만을 〈보기〉에서 고른 것은?

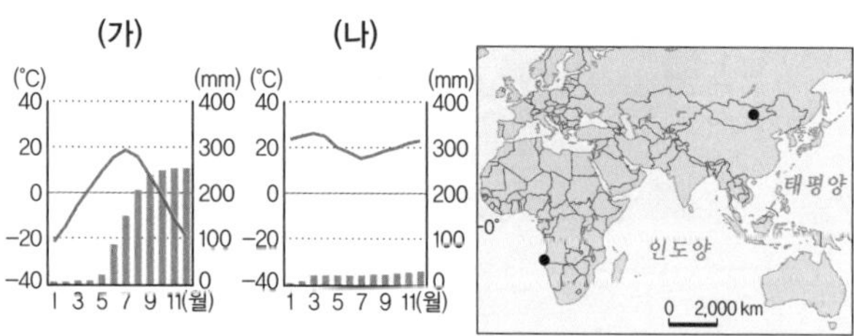

*누적 강수량은 1월부터 해당 월까지의 강수량을 합한 값임.

〈보기〉
ㄱ. (가)는 1월 강수량이 7월 강수량보다 많다.
ㄴ. (나)는 연중 봄과 같은 날씨가 나타난다.
ㄷ. (가)는 스텝 기후, (나)는 사막 기후이다.
ㄹ. (가)는 북반구, (나)는 남반구에 위치한다.

① ㄱ, ㄴ ② ㄱ, ㄷ ③ ㄴ, ㄷ
④ ㄴ, ㄹ ⑤ ㄷ, ㄹ

기출 변형

03 A~D 지형에 대한 설명으로 옳은 것은?

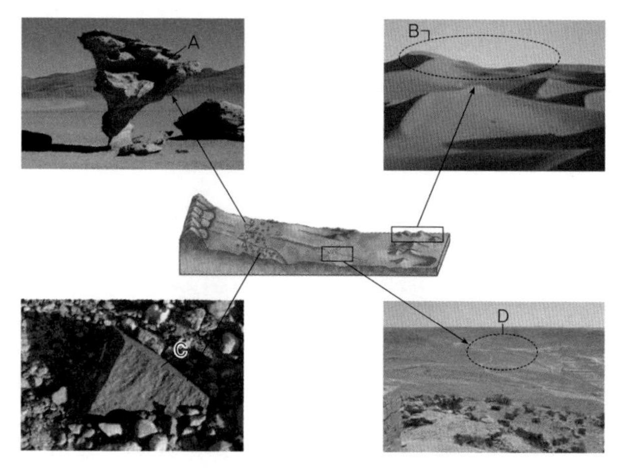

① A는 포상홍수 침식에 의해 형성된다.
② B는 바람의 침식 작용으로 형성된다.
③ C의 여러 면은 유수에 의해 마모되어 형성되었다.
④ D는 비가 내릴 때만 일시적으로 물이 흐르는 하천이다.
⑤ A~D를 볼 수 있는 지역은 기온의 연교차가 기온의 일교차보다 크다.

기출 변형

04 다음 자료의 ㉠~㉤에 대한 옳은 설명만을 〈보기〉에서 고른 것은?

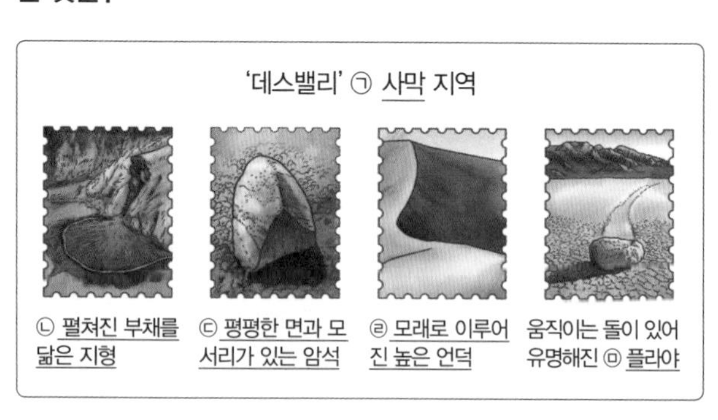

'데스밸리' ㉠ 사막 지역
㉡ 펼쳐진 부채를 닮은 지형
㉢ 평평한 면과 모서리가 있는 암석
㉣ 모래로 이루어진 높은 언덕
움직이는 돌이 있어 유명해진 ㉤ 플라야

〈보기〉
ㄱ. ㉠은 대부분 진흙으로 구성되어 있다.
ㄴ. ㉡이 연속적으로 이어진 지형을 바하다라고 한다.
ㄷ. ㉢은 퇴적 작용, ㉣은 침식 작용에 의해 형성되었다.
ㄹ. ㉤에 고인 물은 주민들의 식수로 사용되기 어렵다.

① ㄱ, ㄴ ② ㄱ, ㄷ ③ ㄴ, ㄷ
④ ㄴ, ㄹ ⑤ ㄷ, ㄹ

05 그림과 같은 인터뷰가 이루어진 지역의 기후 특징으로 옳은 설명만을 〈보기〉에서 있는 대로 고른 것은?

우리는 의식주 대부분을 순록에 의존하고 있습니다. 순록의 털가죽으로 외투와 신발, 장갑, 천막집을 만들고, 순록의 고기는 중요한 식량으로 이용됩니다.

보기
ㄱ. 낙엽 활엽수가 넓게 분포한다.
ㄴ. 거의 매일 대류성 강수가 내린다.
ㄷ. 최난월 평균 기온이 0℃ 이상~10℃ 미만이다.
ㄹ. 여름철 땅이 녹으면 건물이 기울어지기도 한다.

① ㄱ, ㄴ ② ㄱ, ㄹ ③ ㄷ, ㄹ
④ ㄱ, ㄴ, ㄷ ⑤ ㄴ, ㄷ, ㄹ

06 그래프의 A~D 기후 지역에 대한 설명으로 옳은 것은?

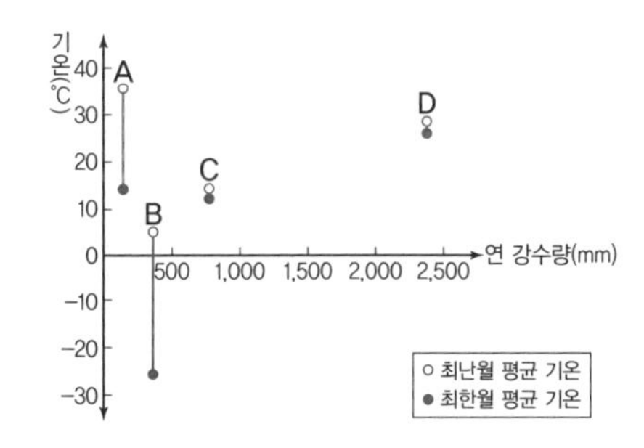

① A는 증발량보다 강수량이 더 많다.
② B는 남극 대륙에서 주로 나타난다.
③ C는 기온의 일교차보다 연교차가 크다.
④ D에서는 포도, 올리브 등을 주로 재배한다.
⑤ B는 D보다 수목 밀도가 낮다.

기출 변형

07 자료의 A~D 지형에 대한 설명으로 옳은 것은?

① A는 토양 속 수분의 동결과 융해가 반복되면서 형성된 다각형의 지형이다.
② B는 비가 내릴 때만 일시적으로 형성되는 호수로 염분 농도가 높다.
③ C는 융빙수에 의해 형성된 퇴적 지형으로 퇴적물의 분급이 양호하다.
④ D에는 빙하 퇴적물이 두껍게 쌓여 있다.
⑤ A~D 모두 한대 기후 지역에서만 볼 수 있다.

08 그림과 같은 과정을 통해 형성되는 지형이 발달한 지역을 지도의 A~E에서 고른 것은?

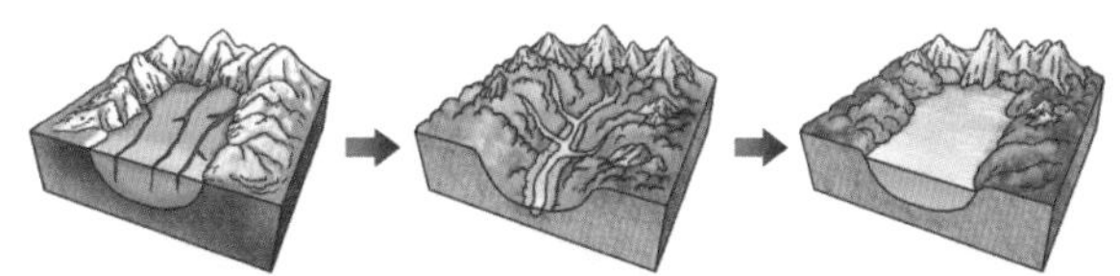

▲ 산골짜기를 가득 채운 거대한 빙하가 중력 방향으로 이동하면서 침식한다.

▲ 빙하가 기온 상승으로 녹아 사라지고 빙하가 깎아낸 U자형 골짜기가 나타난다.

▲ 해수면 상승으로 U자형 골짜기에 바닷물이 들어와 좁고 깊은 만을 형성한다.

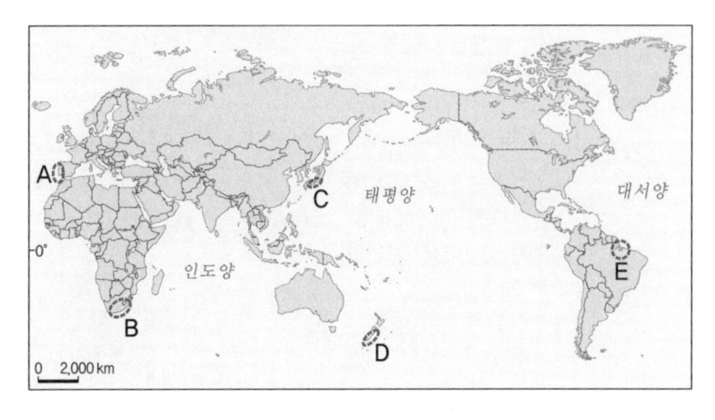

① A ② B ③ C ④ D ⑤ E

04 세계의 주요 대지형

❶ **조륙 운동**
넓은 범위에 걸쳐 지각이 서서히 솟아오르거나 가라앉는 운동으로, 융기와 침강을 말한다.

❷ **조산 운동**
판 경계부 지역에서 단층과 습곡 등에 의해 발생하는 급격한 지각 운동을 말한다. 이러한 조산 운동이 발생하는 지역을 조산대라고 한다.

❸ **해구**
대륙 사면과 심해저의 경계를 따라 형성된 수심이 깊은 V자형의 골짜기이다.

❹ **호상 열도(弧狀列島)**
호상 열도는 판의 수렴 경계선을 따라 나란히 생긴 화산섬을 의미한다. 대체로 바다 가운데에 활 모양의 굽은 모양으로 늘어선 열도를 형성하고 있다.

A 대지형의 형성 작용

1. 지형 형성 작용: 지구 내부의 힘에 의한 조륙 운동❶(예 융기, 침강이 해당돼.), 조산 운동❷(예 습곡, 단층이 해당돼.), 화산 활동 등으로 대규모의 지형이 형성됨 예 대산맥, 대평원, 고원 등

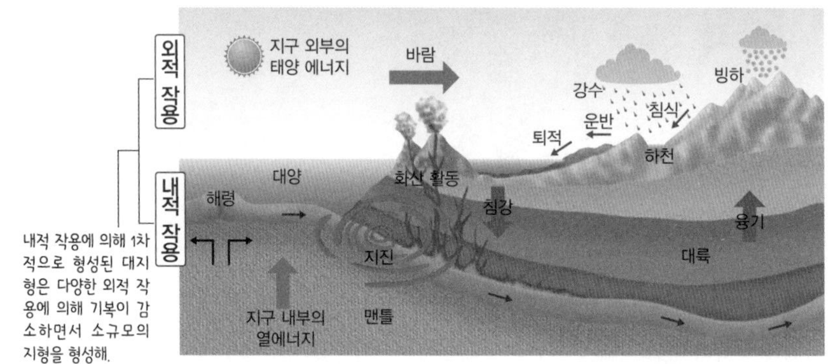

내적 작용에 의해 1차적으로 형성된 대지형은 다양한 외적 작용에 의해 기복이 감소하면서 소규모의 지형을 형성해.

▲ 지형 형성 작용: 내적 작용은 지구 내부 맨틀의 움직임에 의해 발생하며, 외적 작용은 지구 외부의 태양 에너지에 의해 물과 대기가 순환하면서 발생함

2. 판 구조 운동과 대지형의 형성 자료 1

(1) 두 개의 판이 어긋나서 미끄러지는 경계: 판과 판이 서로 미끄러질 때의 마찰로 지진 발생 예 샌안드레아스 단층

(2) 두 개의 판이 서로 갈라지는 경계

① 해양판이 갈라지는 경우, 판 사이로 마그마가 흘러나와 해령이 형성되고 지각을 확장시킴 예 아이슬란드의 대서양 중앙 해령

② 대륙 내부에서 판이 갈라지는 경우, 대규모의 지구대 형성 예 동아프리카 지구대

(3) 두 개의 판이 충돌하는 경계

① **대륙판이 서로 충돌하는 경우**: 대규모의 습곡 산지 형성 예 히말라야산맥

② **해양판과 대륙판이 충돌하는 경우**: 밀도가 큰 해양판이 대륙판 아래로 밀려들어가면서 해구❸, 호상 열도❹, 습곡 산지 형성 예 안데스산맥

B 세계의 주요 대지형 자료 2

1. 안정육괴: 시·원생대 조산 운동 이후 완만한 조륙 운동과 오랜 기간에 걸친 침식 작용으로 평탄해진 지형 (주로 대륙 내부에 넓게 분포하고, 기복이 작으며 안정된 지형이야. 철광석 매장량이 많아.)

순상지	방패를 엎어 놓은 모양의 완만한 고원이나 평원 예 아프리카·발트·시베리아·브라질·캐나다 순상지
구조 평야	오랜 지질 시대를 거치며 지각 운동을 거의 받지 않아 수평층 상태로 남아 있는 지형 예 유럽-러시아 대평원, 북아메리카 평원, 오스트레일리아 중앙 평원 등

구조 평야: 오랜 침식의 영향으로 기복이 거의 없게 된 평탄한 대평원이야.

2. 습곡 산지

고기 습곡 산지	오랜 기간 침식을 받아 해발 고도가 낮고 경사가 완만한 산지 예 스칸디나비아산맥, 우랄산맥, 그레이트디바이딩산맥 등
신기 습곡 산지	해발 고도가 높고 험준하며 지각이 불안정하여 지진과 화산 활동이 활발함 예 로키산맥, 안데스산맥, 알프스산맥, 히말라야산맥 등

고기 습곡 산지: 석탄이 많이 매장되어 있어.
신기 습곡 산지: 석유·천연가스·구리 등의 자원이 매장되어 있으며, 판이 충돌하는 지진대와 거의 일치해.
알프스산맥, 히말라야산맥: 알프스-히말라야 조산대에 속해.
로키산맥, 안데스산맥: 환태평양 조산대에 속해.

★ **한눈에 정리**

세계의 주요 대지형

안정 육괴	• 순상지: 방패를 엎어 놓은 모양으로 완만한 고원이나 평원을 이룸 • 구조 평야: 지각 운동을 거의 받지 않아 수평층 상태로 남아 있는 지형
습곡 산지	• 고기 습곡 산지: 오랜 기간 침식을 받아 해발 고도가 낮고 경사가 완만한 산지 • 신기 습곡 산지: 해발 고도가 높고 지각이 불안정한 산지

교과서 자료 모아 보기

자료 확인 문제

자료 1 세계의 판 구조와 대지형의 형성

〈세계의 판 구조〉

유라시아판, 아프리카판, 아라비아판, 필리핀판, 태평양판, 인도-오스트레일리아판, 북아메리카판, 카리브판, 코코스판, 남아메리카판, 나스카판, 남극판, 태평양, 대서양, 인도양

지구대 / 판의 경계 / 판의 이동 방향

(디르케 세계 지도, 2015)

〈판의 경계 유형〉

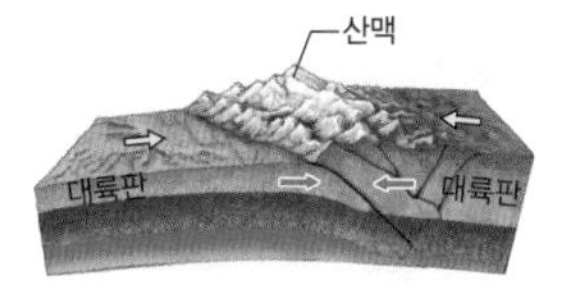

▲ 두 대륙판이 충돌하는 경계
대규모의 습곡 산지 예 히말라야산맥

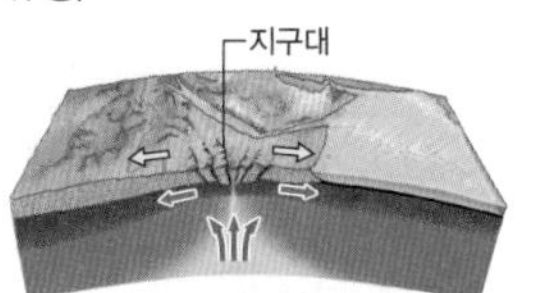

▲ 대륙판이 갈라지는 경계
└ 대규모의 지구대를 형성
예 동아프리카 지구대

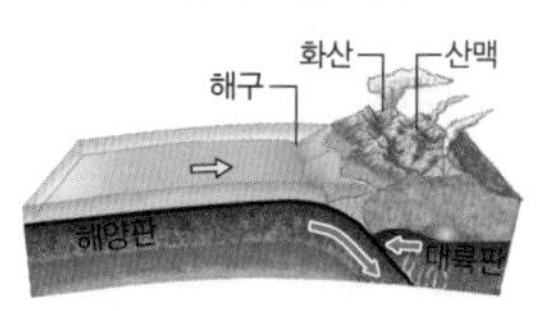

▲ 해양판과 대륙판이 충돌하는 경계
해구, 호상 열도, 습곡 산지 형성
예 안데스산맥

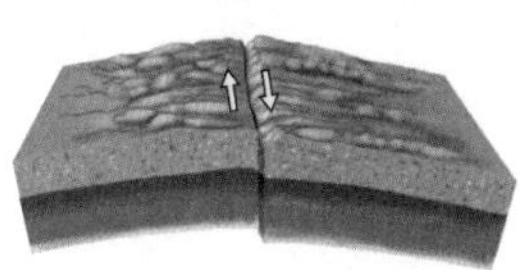

▲ 두 개의 판이 어긋나서 미끄러지는 경계 ─ 지진이 빈번하게 발생
예 샌안드레아스 단층

| 자료 분석 | 대규모의 산맥이나 고원, 평야와 같은 대지형의 분포 및 배열은 지각의 판 구조 운동에 의한 것이다. 판의 경계는 상대적으로 움직이는 방향에 따라 두 개의 판이 서로 갈라지는 경계 유형, 두 개의 판이 충돌하는 경계 유형, 두 개의 판이 어긋나서 미끄러지는 경계 유형으로 구분할 수 있다.

한줄 핵심 지각의 여러 판은 조금씩 이동하면서 서로 충돌하기도 하고 갈라지기도 하는데, 이러한 지각의 판 구조 운동으로 세계의 대지형이 형성된다.

❶ 히말라야산맥은 두 □□□이/가 충돌하면서 형성되었다.
(　　　　　　)

❷ 안데스산맥은 두 개의 판이 어긋나서 미끄러지는 경계 유형에 해당한다. ○ ×

자료 2 세계 대지형의 분포

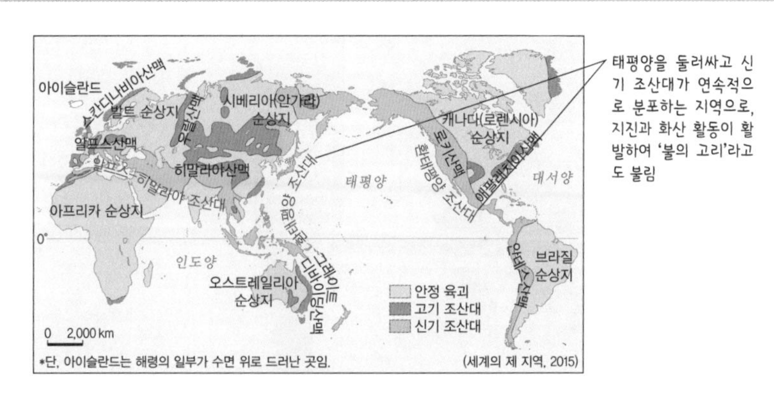

| 자료 분석 | 세계의 대지형은 조산 운동을 받은 시기에 따라 안정육괴, 고기 습곡 산지, 신기 습곡 산지로 구분된다. 안정육괴는 대체로 대륙 내부에 분포하며, 고기 습곡 산지는 안정육괴 주변에, 신기 습곡 산지는 판의 경계에 주로 분포한다.

한줄 핵심 세계의 대지형은 지각 변동에 의해 생긴 지형으로 형성 시기에 따라 안정육괴, 고기 습곡 산지, 신기 습곡 산지로 구분된다.

❸ 태평양을 둘러싸고 연속적으로 분포하는 신기 조산대의 이름은?
(　　　　　　)

❹ 세계의 대지형은 □□ □□을/를 받은 시기에 따라 안정육괴, 고기 습곡 산지, 신기 습곡 산지로 구분된다.
(　　　　　　)

정답 ❶ 대륙판 ❷ ×(안데스산맥은 해양판과 대륙판이 충돌하는 경계 유형이다.) ❸ 환태평양 조산대 ❹ 조산 운동

판 구조 운동

수능풀 Guide 산맥이나 고원, 평야와 같은 대지형의 분포 및 배열에 영향을 주는 판 구조 운동에 대해 알아보자.

1 신기 조산대 지역의 특징

판과 판이 갈라지는 경계로 대서양 중앙 해령임

해양판과 대륙판이 충돌하는 경계 부분임

대륙판과 대륙판이 충돌하는 경계 부분임

A B C 0° 0 2,000 km 판의 경계

PLUS분석 A는 화산 활동이 활발하지만 두 판이 충돌하는 경계에 위치하지 않는다. B는 두 판이 충돌하는 경계에 위치하지만 판이 두꺼워 화산 활동이 활발하지는 않다. C는 화산 활동이 활발하고 대륙판과 해양판이 충돌하는 경계이다.

기출 선택지로 확인하기

❶ A 지역에서는 화산 활동이 활발하다. ○ ×

❷ B 지역은 대륙판과 대륙판이 충돌하는 곳이다. ○ ×

❸ C 지역은 대륙판과 해양판이 충돌하는 곳이다. ○ ×

2 세계 주요 대지형의 분포와 특징

A: 판의 수렴대 지역, B: 동아프리카 지구대, C: 신기 습곡 산지, D: 고기 습곡 산지, E: 화산

— A — B — C ···· D • E

PLUS분석 A는 대륙판과 해양판이 만나는 판의 수렴대 지역, B는 동아프리카 지구대로 대륙판과 대륙판이 멀어지는 열곡대이다. C는 신기 습곡 산지, D는 고기 습곡 산지, E는 세계의 주요 화산을 나타낸다.

기출 선택지로 확인하기

❹ D 지역은 지각이 불안정하여 화산 활동이 활발하다. ○ ×

❺ E 지역은 온천 관광과 지열 발전에 유리한 자연적 조건을 갖추고 있다. ○ ×

3 판의 경계에 위치한 국가

남반구 중위도 지역에 위치하고 경도가 날짜 변경선의 서쪽 가까이에 위치 → 뉴질랜드

북반구 고위도 지역에 위치하고 본초 자오선으로부터 서쪽의 대서양상에 위치 → 아이슬란드

위도상 적도 부근에 위치하고 경도가 동남아시아에 해당하며, 인구 규모가 약 2억 6천만 명 이상임 → 인도네시아

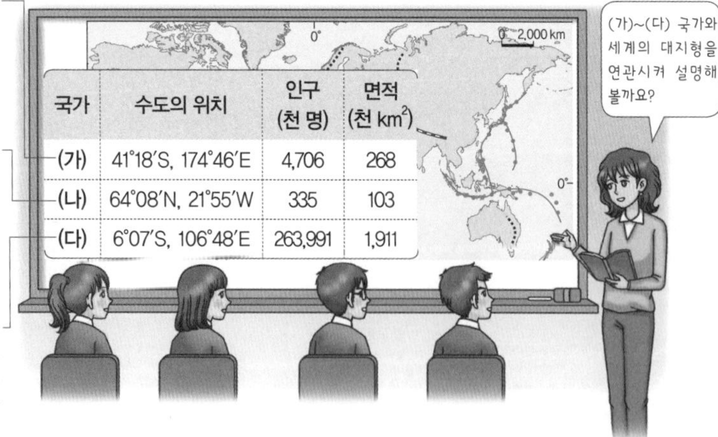

국가	수도의 위치	인구 (천 명)	면적 (천 km^2)
(가)	41°18′S, 174°46′E	4,706	268
(나)	64°08′N, 21°55′W	335	103
(다)	6°07′S, 106°48′E	263,991	1,911

기출 선택지로 확인하기

❻ (가)는 지각판의 경계에 위치하고 있어 지열 발전에 유리하다. ○ ×

❼ (나)는 지각판이 분리되는 경계에 위치하고 있다. ○ ×

❽ (다)는 지각판의 경계로부터 멀어 지진 발생 빈도가 낮다. ○ ×

PLUS분석 뉴질랜드(가)는 환태평양 조산대, 아이슬란드(나)는 대서양 중앙 해령, 인도네시아(다)는 알프스-히말라야 조산대에 위치한다. 인도네시아는 유라시아판과 인도-오스트레일리아판의 경계에 위치하여 지진이 자주 발생한다.

정답 ❶ ○ ❷ ○ ❸ ○ ❹ ×(D는 고기 습곡 산지이다.) ❺ ○ ❻ ○ ❼ ○ ❽ ×(인도네시아는 알프스-히말라야 조산대에 위치한다.)

정답과 해설 19쪽

A 대지형의 형성 작용

01 다음 내용이 옳으면 ○표, 틀리면 ×표를 하시오.

(1) 지구 표면의 기복 중 대륙 규모의 큰 산맥이나 고원 등을 대지형이라고 한다. ( )

(2) 판이 서로 만나는 경계부는 지각이 안정적이어서 지진과 화산 활동이 거의 발생하지 않는다. ( )

(3) 대지형은 지반의 융기·침강 작용, 습곡·단층 작용 등과 같은 지형 형성의 외적 작용에 의해 형성된다. ( )

(4) 내적 작용에 의해 1차적으로 형성된 대지형은 다양한 외적 작용에 의해 기복이 감소하면서 소규모의 지형을 형성한다. ( )

02 다음은 판의 경계 유형을 나타낸 모식도이다. (가)~(라)에 해당하는 사례 지역을 지도의 A~D에서 고르시오.

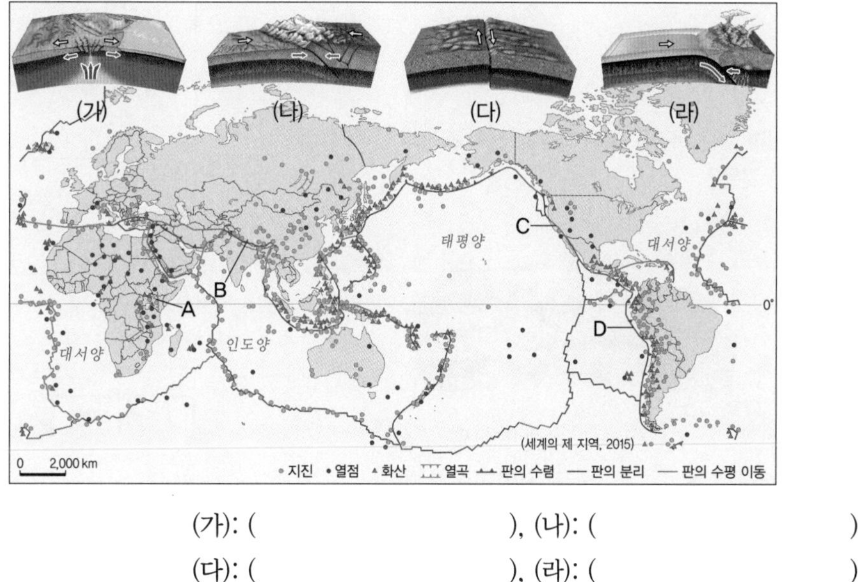

(가): ( ), (나): ( )
(다): ( ), (라): ( )

B 세계의 주요 대지형

03 지도의 A~C에 해당하는 알맞은 말을 쓰시오.

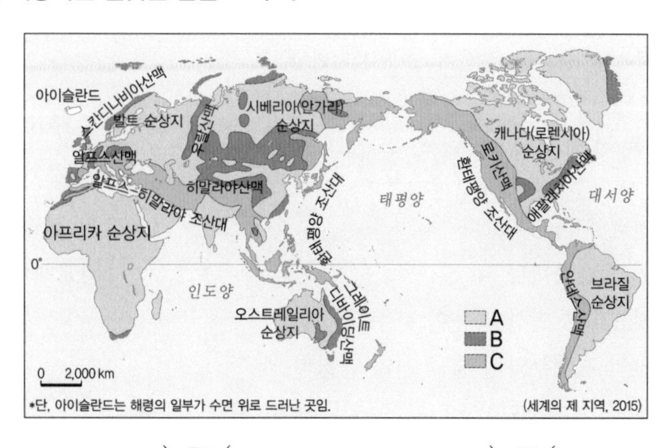

A: ( ), B: ( ), C: ( )

탄탄! 내신 다지기

정답과 해설 19쪽

A 대지형의 형성 작용

01 지형 형성 작용 중 내적 작용과 외적 작용의 종류를 바르게 연결한 것은?

	내적 작용	외적 작용
①	침식, 단층	풍화, 침강
②	침강, 단층	침식, 풍화
③	습곡, 퇴적	침강, 운반
④	단층, 풍화	습곡, 침강
⑤	습곡, 운반	퇴적, 단층

02 그림과 같은 과정을 통해 형성된 신기 조산대 산맥의 이름으로 옳은 것은?

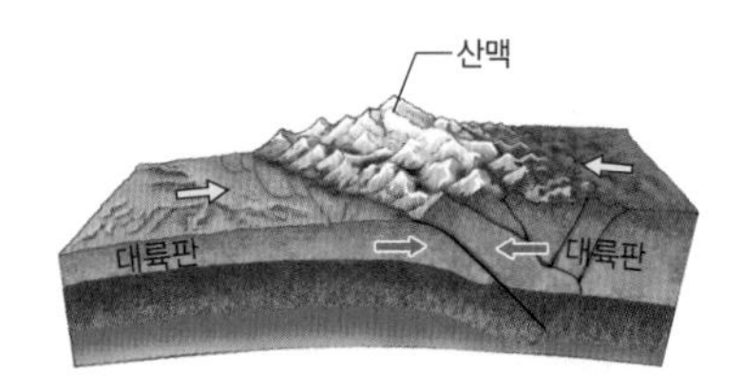

① 로키산맥　② 우랄산맥
③ 안데스산맥　④ 히말라야산맥
⑤ 애팔래치아산맥

B 세계의 주요 대지형

03 다음 글의 밑줄 친 ㉠, ㉡에 대한 설명으로 옳은 것은?

> 습곡 작용으로 형성된 산지는 ㉠ <u>신기 습곡 산지</u>와 ㉡ <u>고기 습곡 산지</u>로 나눌 수 있는데, 두 유형의 산지는 높이와 형태가 다르게 나타난다.

① ㉠은 고생대 이전에 형성되었다.
② ㉡은 대체로 높고 험준하다.
③ ㉠은 ㉡보다 지진이나 화산 활동이 자주 발생한다.
④ ㉡은 ㉠보다 판의 경계부와의 평균 거리가 짧다.
⑤ ㉠에는 석탄이 많이 매장되어 있고, ㉡에는 석유, 천연가스가 많이 매장되어 있다.

04 지도의 A~D 지형에 대한 옳은 설명만을 〈보기〉에서 고른 것은?

> 보기
> ㄱ. A는 B보다 형성 시기가 이르다.
> ㄴ. B와 C는 판의 경계부에 위치한다.
> ㄷ. D는 C보다 지진과 화산 활동이 자주 발생한다.
> ㄹ. D는 고기 습곡 산지, A와 B는 신기 습곡 산지에 해당한다.

① ㄱ, ㄴ　② ㄱ, ㄷ　③ ㄴ, ㄷ
④ ㄴ, ㄹ　⑤ ㄷ, ㄹ

서답형 문제

05 지도를 보고 물음에 답하시오.

(1) A, B 산맥의 이름을 쓰시오.
A: (　　　　　), B: (　　　　　)

(2) 두 산맥의 특징을 해발 고도와 지하자원을 중심으로 비교하여 서술하시오.

도전! 실력 올리기

정답과 해설 20쪽

기출 변형

01 두 학생이 이야기하는 지역에 대한 옳은 설명만을 〈보기〉에서 고른 것은?

강력한 지진이 발생했나 봐! 땅이 갈라지고 있어.
이곳은 두 개의 판이 어긋나 미끄러지는 경계에 있기 때문에 지진이 자주 발생해.

보기
ㄱ. 샌안드레아스 단층이 대표적이다.
ㄴ. 대륙판과 대륙판이 수렴하는 경계이다.
ㄷ. 태평양판과 북아메리카판의 경계부에 위치한 지역이다.
ㄹ. 두 개의 판 사이로 마그마가 흘러나와 해령을 형성한다.

① ㄱ, ㄴ ② ㄱ, ㄷ ③ ㄴ, ㄷ
④ ㄴ, ㄹ ⑤ ㄷ, ㄹ

기출 변형

02 지도에 표시된 A~C 지역에 대한 설명으로 옳은 것은?

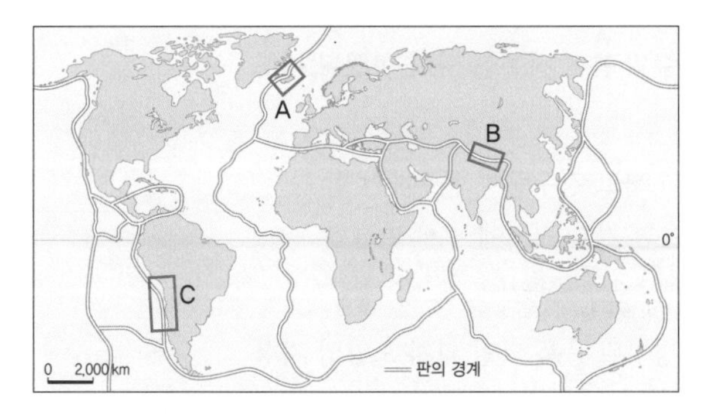

① A는 두 개의 판이 수렴하는 경계이다.
② B는 화산 활동이 활발하다.
③ C 지역에는 세계적인 구리 광산이 위치한다.
④ A는 B보다 평균 해발 고도가 높다.
⑤ A는 대서양 중앙 해령, B는 히말라야산맥, C는 로키산맥이다.

03 교사의 질문에 관해 옳게 대답한 학생만을 있는 대로 고른 것은?

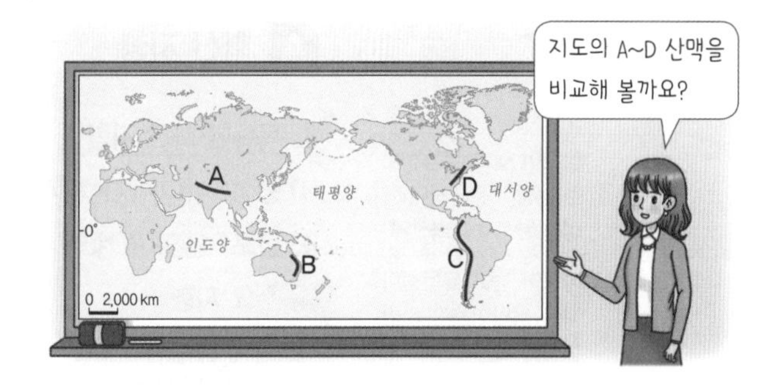

갑: A는 B보다 평균 해발 고도가 낮아요.
을: B는 C보다 석탄의 매장량이 많아요.
병: C는 D보다 지진과 화산 활동이 자주 발생해요.
정: D는 A보다 이른 시기에 형성되었어요.
무: A~D 모두 판의 경계부에서 멀리 떨어져 있어요.

① 갑, 을 ② 정, 무 ③ 갑, 을, 병
④ 을, 병, 정 ⑤ 병, 정, 무

04 지도의 A~D 지형에 대한 설명으로 옳지 않은 것은?

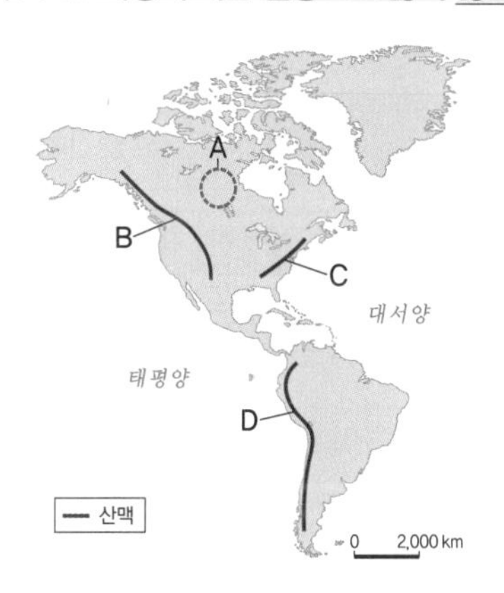

① A는 오랜 기간 침식을 받아 기복이 작고 안정된 지형이다.
② B는 해발 고도가 높고 매우 험준한 산지이다.
③ C는 석유, 천연가스 등의 지하자원이 많이 매장되어 있다.
④ D는 지각이 불안정해 지진과 화산 활동이 빈번하게 발생한다.
⑤ B와 D는 중생대 말~신생대에 조산 운동을 받아 형성되었다.

05 독특하고 특수한 지형들

한눈에 정리

화산체의 종류

순상 화산	점성이 낮고 유동성이 큰 용암이 분출하여 형성된 완경사의 화산체
용암 돔	점성이 높고 유동성이 작은 용암이 분출하여 형성된 화산체
성층 화산	용암과 화산 쇄설물이 지속적으로 쌓여 형성된 화산체

❶ 열하 분출
유동성이 큰 현무암질 용암이 지각의 갈라진 틈으로 분출하는 현상이다.

❷ 간헐천(아이슬란드 스트로쿠르)

간헐천은 온천수와 수증기가 압력에 의해 주기적으로 솟아오르는 온천을 말한다. 스트로쿠르 약 10분 간격으로 30m의 물기둥이 솟아올라 장관을 이룬다.

❸ 용식 작용
용식 작용은 빗물이나 지하수가 암석을 용해하여 침식하는 현상으로, 용식의 속도는 물의 양과 온도의 영향을 크게 받는다. 석회암은 탄산 칼슘($CaCO_3$)으로 구성되어 약산성의 빗물이나 지하수를 만나 용식 작용에 민감하게 반응하는 암석이다. 따라서 강수량이 풍부하고 이산화 탄소의 함량이 많으며, 지하수가 잘 흐르는 열대 및 아열대 기후 지역에서 카르스트 지형이 잘 발달한다.

A 화산 지형

1. 독특한 화산 지형

화산의 분출 양상이나 흘러나온 용암의 특성에 따라 화산 지형의 형태가 달라져.

(1) 형성: 마그마가 지각의 약한 부분을 뚫고 나와 분출하여 형성됨

(2) 분포: 판의 경계인 신기 습곡 산지 주변이나 해령에 주로 분포

(3) 주요 지형

순상 화산	현무암질 용암(유동성이 커.)이 분출하여 형성된 완만한 방패 모양의 화산체
용암 돔	유문암이나 안산암질 용암(유동성이 작아.)이 분출하여 형성된 가파른 모양의 화산체
성층 화산	용암과 화산 쇄설물이 지속적으로 쌓여 형성된 원추 모양의 화산체
칼데라	화산이 폭발하여 용암이 분출된 후 화구가 함몰되면서 형성된 분지 형태의 지형, 본래의 화구보다 규모가 큼 자료 1 칼데라에 물이 고여 호수가 형성되면 칼데라호라고 해.
용암 대지	현무암질 용암이 열하❶ 분출하여 형성된 평탄한 지형
주상 절리	뜨거운 용암이 식을 때 여러 방향으로 수축이 일어나면서 형성된 다각형 기둥 모양의 절리 유동성이 큰 현무암질 용암이 고도가 낮은 곳으로 이동하면서 빠르게 냉각되어 형성해.
용암동굴	용암이 분출할 때 상층의 용암은 굳고 내부의 용암은 계속 흘러가면서 형성

2. 화산 지대의 주민 생활

(1) 농업: 화산재가 쌓여 형성된 토양은 매우 비옥함 → 농업 발달 예 이탈리아에서의 포도·오렌지·올리브 등 재배, 인도네시아에서의 벼농사에 활용
화산재가 쌓여 만들어진 화산회토는 무기질이 풍부하여 농사에 도움이 돼.

(2) 광업: 은, 유황, 구리 등 지하자원의 보고

(3) 지열 발전: 뜨거운 지하수를 이용하여 전력 생산
예 아이슬란드는 지열 발전을 통해 난방열과 전력의 상당 부분을 얻고 있어.

(4) 관광 산업: 독특한 자연 경관과 온천 및 간헐천❷ 등을 이용

(5) 인간에게 불리한 점: 화산 쇄설류, 화산 이류, 화산재 등은 인간에게 큰 피해를 입힘
뜻 화산재와 물이 섞여 흘러내리는 것을 말해.

B 카르스트 지형

1. 의미: 석회암이 빗물이나 지하수의 용식❸ 작용을 받아 형성된 지형

2. 형성 조건 자료 2

(1) 석회암층이 넓고 깊게 분포해야 하고 강수량이 풍부해야 함

(2) 지하수의 순환이 원활하고 습윤한 기후 지역에서 잘 발달함

3. 주요 지형

카르스트 지형 주변에는 석회암이 용식된 후에 남은 철분이 산화되어 붉은색을 띠는 풍화토인 테라로사가 나타나.

(1) 돌리네: 석회암이 용식되면서 형성된 움푹 파인 와지 모양의 지형

(2) 카렌: 용식에 강한 석회암이 울퉁불퉁한 바위나 뾰족한 기둥 형태로 남게 된 지형

(3) 탑 카르스트: 차별적인 용식 및 침식 과정에서 남게 된 탑 모양의 봉우리
예 베트남 할롱베이, 중국의 구이린은 탑 카르스트 지형이 있는 대표적인 지역이야.

(4) 석회동굴: 지하수가 석회암층에 발달한 절리를 따라 스며들어 암석을 용식하여 만든 지형 자료 2
석회동굴은 내부에 독특한 지형이 발달하여 관광지로 개발되고 있어.

① **종유석**: 동굴의 천장에서 중력 방향으로 탄산 칼슘이 침전되어 발달한 지형

② **석순**: 동굴 바닥에서 위로 발달한 지형

③ **석주**: 종유석과 석순이 발달하여 서로 연결된 기둥 모양의 지형

그 밖에 탄산 칼슘이 함유된 온천수가 내려오면서 형성된 계단 모양의 독특한 지형인 석회화 단구가 있어.
예 터키의 파묵칼레

교과서 자료 모아 보기

자료 확인 문제

자료 1 칼데라 지형의 형성 과정

화산 폭발로 마그마 분출

마그마의 양 감소

화구 함몰로 칼데라 형성

물이 고여 칼데라호 형성

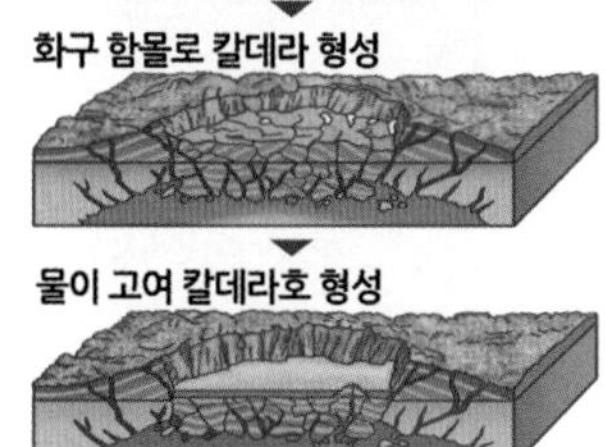

▲ 칼데라호의 형성 과정

▲ 백두산 천지

▲ 한라산 백록담

| 자료 분석 | 칼데라는 화산 폭발 및 분출로 형성된 화구가 하중을 이기지 못하고 함몰하여 형성된 지형으로 '칼데라'는 가마솥을 의미하는 라틴어 'caldaria'에서 유래되었다. 반면, 화구는 마그마가 분출하는 출구로 칼데라에 비해 상대적으로 규모가 작다. 화구에 물이 고여 형성된 것을 화구호라고 한다.

한줄 핵심 **칼데라는 화산 분출 이후 화구가 함몰하여 형성된 지형이다.**

❶ 화산 폭발 및 분출로 형성된 화구가 함몰하여 형성된 지형을 □□□(이)라고 한다.
(   )

❷ 한라산 백록담은 칼데라에 물이 고여 형성된 칼데라호이다.
○ ×

자료 2 카르스트 지형

〈카르스트 지형의 형성 과정〉

지하수면

빗물이나 지하수에 용식됨

빗물에 용식되어 지표면이 움푹 파인 지형

돌리네

우발라

석회동굴

지하수면

지하수면이 내려감

차별적인 용식 및 침식 과정에서 남게 된 탑 모양의 봉우리

탑 카르스트

빗물이나 지표수가 땅속으로 흘러들면서 지하에 있는 석회암층이 용식되어 형성

석회동굴

지하수면

〈석회동굴의 형성 과정〉

1단계

2단계

3단계

| 자료 분석 | • 석회암은 탄산 칼슘이 주성분인 암석으로 빗물이나 지하수에 잘 녹아 독특한 지형을 형성하는데, 이러한 지형을 카르스트 지형이라고 한다.

• 석회동굴의 형성 과정: 따뜻하고 얕은 바다에서 형성된 석회암이 지표로 올라오면서 절리가 발달한다. → 빗물과 지하수가 석회암 절리를 타고 흐르며 용식과 침전이 일어난다. → 지하수면이 내려가면서 또다른 석회동굴이 형성되고, 석회동굴의 천장이 붕괴되면서 지표에 돌리네가 나타난다.

한줄 핵심 **카르스트 지형은 석회암의 주성분인 탄산 칼슘이 오랫동안 빗물이나 지하수의 용식 작용을 받아 형성된 지형이다.**

❸ 석회암이 빗물이나 지하수에 녹아 만들어진 독특한 지형을 무엇이라고 하는가?
(   )

❹ 카르스트 지형은 □□□의 주성분인 탄산 칼슘이 오랫동안 용식 작용을 받아 형성된 지형이다.
(   )

정답 ❶ 칼데라 ❷ ×(백록담은 화구호이다.) ❸ 카르스트 지형 ❹ 석회암

❹ 곶과 만
파랑 에너지가 집중되는 곶에는 주로 암석 해안이 형성되고, 파랑 에너지가 분산되는 만에는 주로 모래 해안이나 갯벌 해안이 형성된다.

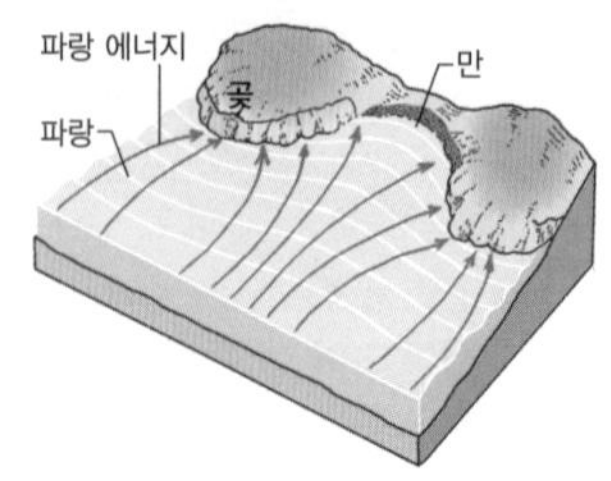

▲ 파랑의 집중과 분산

❺ 조수 간만의 차
만조와 간조의 수위 차를 말하며, 만조는 해수면이 가장 높아진 상태이고, 간조는 해수면이 가장 낮아진 상태를 의미한다.

C 해안 지형

1. 해안 지형의 형성 원인

지반 운동이나 기후 변화에 의한 해수면 변동도 해안의 침식 작용과 퇴적 작용에 영향을 줘.

파랑	• 해수면 위에서 부는 바람에 의해 형성 • 곶❹에서는 파랑의 침식 작용이 활발하고, 만❹에서는 파랑의 퇴적 작용이 활발함
연안류	해안을 따라 한 방향으로 이동하는 해수의 흐름으로 모래나 자갈 등을 운반
조류	• 조수 간만의 차❺에 의해 해수가 이동하는 현상 • 조차가 큰 지역이나 폭이 좁은 수로에서 특히 흐름이 빠름
바람	파랑의 형성에 작용, 해안의 모래를 이동시킴 → 해안 지형의 형성에 직접 관여해.

2. 다양한 해안 지형 자료 3

열대 기후 지역에서는 산호초 해안과 맹그로브 해안이 발달하기도 하며, 이러한 해안은 관광 산업에 많이 활용되기도 해.

암석 해안	• 파랑 에너지가 집중되어 침식이 이루어지는 곶에 주로 발달 • 시 스택, 시 아치, 해식애, 파식대, 해식동굴, 해안 단구 등이 발달
모래 해안	• 하천이나 배후의 기반암으로부터 공급된 모래가 파랑과 연안류에 의해 퇴적되는 만에 주로 발달 (파랑 에너지가 분산돼.) • 사빈, 해안 사구, 석호, 사주 등이 발달
갯벌 해안	• 만조 때는 침수되고 간조 때는 육지로 드러나는 해안 퇴적 지형 • 조수 간만의 차가 큰 곳에서 잘 발달함 • 우리나라의 서해안, 북해 연안, 캐나다의 동부 연안, 아마존강 하구, 미국의 조지아주 해안 등이 대표적임

갯벌 해안: 점토 등의 물질이 조류에 의해 퇴적되어 형성돼.

교과서 자료 모아 보기

자료 확인 문제

❺ 해식애, 파식대, 해식동굴 등은 파랑의 침식 작용을 많이 받는 □□ 해안에 주로 발달한다.
(　　　　　　　　)

❻ 모래 해안은 파랑과 연안류 및 바람의 작용으로 퇴적 지형이 발달해 있다. ○ | ×

정답 ❺ 암석 ❻ ○

자료 3 다양한 해안 지형

암석 해안 — 파랑의 침식 작용을 받아 기반암이 노출되어 있는 곳이 대부분임

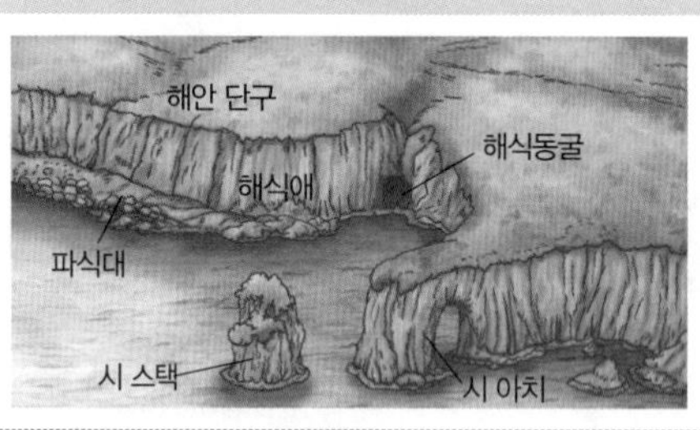

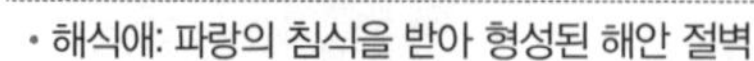

• 해식애: 파랑의 침식을 받아 형성된 해안 절벽
• 파식대: 해식애가 후퇴하면서 해식애 앞쪽에 발달하는 평탄면
• 시 스택: 해식애가 침식으로 후퇴할 때 차별 침식의 결과로 단단한 암석 부분이 남아 형성된 바위 기둥
• 시 아치: 파랑의 침식으로 형성된 아치 모양의 지형
• 해식동굴: 파랑의 침식으로 형성된 해안 동굴
• 해안 단구: 과거의 파식대 또는 퇴적 지형이 지반의 융기나 해수면 변동으로 현재의 해수면보다 높은 곳에 위치하게 된 계단 모양의 지형

모래 해안 — 파랑과 연안류 및 바람의 작용으로 퇴적 지형이 발달함

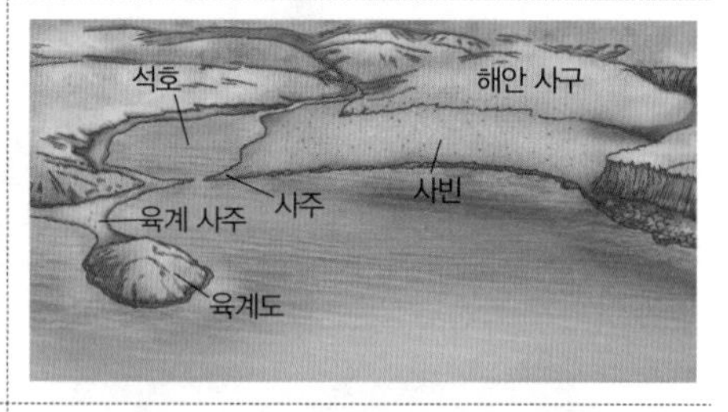

• 사빈: 하천이나 해안 침식으로 공급된 모래가 파랑과 연안류에 의해 해안을 따라 퇴적되어 형성된 지형
• 사주: 파랑과 연안류에 의해 운반된 모래가 둑처럼 길게 퇴적된 지형
• 해안 사구: 사빈의 모래가 바람에 날려 쌓인 모래 언덕
• 육계도: 사주의 성장으로 육지와 연결된 섬
• 육계 사주: 육지와 육계도를 연결한 사주
• 석호: 후빙기 해수면 상승으로 형성된 만의 입구에 사주가 발달하면서 만의 입구를 막아 형성된 호수

한줄 핵심 해안 지형은 해안을 이루고 있는 구성 물질에 따라 암석 해안과 모래 해안 등으로 구분되며, 해안에서는 파랑, 연안류, 조류, 바람 등의 작용과 해수면 변동 등으로 다양한 지형이 발달한다.

해안 지형의 특징

수능풀 Guide 해안 지형의 특징 및 종류와 각 지형의 형성 원인을 알아보자.

1 해안 지형의 특징

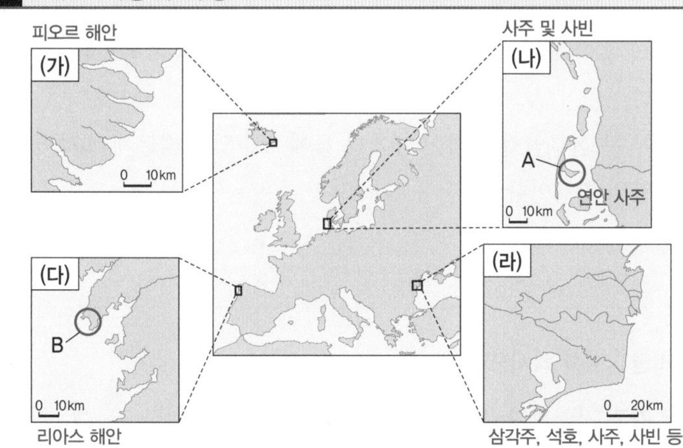

PLUS분석 연안 사주(A)는 곶(B)에 비해 파랑의 퇴적 작용이 우세하다. 파랑 에너지가 분산되어 퇴적 작용이 활발한 '만'과는 달리 '곶'은 파랑 에너지가 집중되어 침식 작용이 활발한 것이 특징이다. (가)의 피오르 해안과 (다)의 리아스 해안은 각각 빙하와 하천에 의해 형성된 골짜기가 후빙기 해수면 상승에 의해 침수되면서 형성되었다. (나)와 (라)에서는 사빈과 사주가 나타난다.

기출 선택지로 확인하기

❶ A는 B에 비해 파랑의 침식 작용이 우세하다. ○|×

❷ (가)에서는 빙하에 의한 침식곡이 나타난다. ○|×

❸ (가), (다)는 후빙기 해수면 상승에 따른 육지의 침수로 형성되었다. ○|×

❹ (나), (라)에서는 사빈과 사주가 나타난다. ○|×

❺ (라)는 (가)에 비해 하천에 의한 퇴적 작용이 활발하다. ○|×

2 해안 지형의 유형과 특징

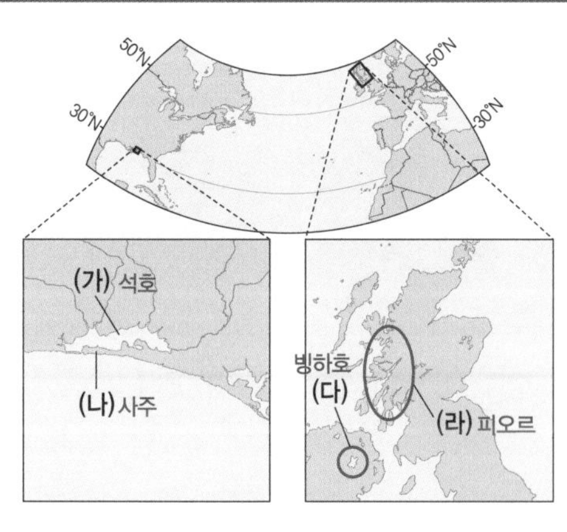

PLUS분석 (가)는 석호, (나)는 사주, (다)는 빙하호, (라)는 피오르 해안을 나타낸다. (가)의 석호는 후빙기 해수면 상승으로 형성된 만의 입구에 사주가 발달하여 만의 입구를 막으면서 만들어진 호수이다. (나)의 사주는 주로 파랑과 연안류에 의해 운반된 모래가 둑처럼 길게 퇴적된 지형이다. (다)의 빙하호는 빙하의 침식이나 퇴적 작용에 의해 형성되는 호수이다. (라)의 피오르 해안은 빙하의 침식 작용으로 형성된 U자곡이 침수된 해안으로, 좁고 긴 형태의 만이 많고 수심이 깊은 것이 특징이다.

기출 선택지로 확인하기

❻ (가)는 해수면 상승과 사주의 발달로 형성된 호수이다. ○|×

❼ (다)의 호수는 화산 폭발로 형성된 분화구에 물이 고여 형성되었다. ○|×

❽ (라)의 협만과 형성 과정이 유사한 지형은 칠레의 남부에서도 볼 수 있다. ○|×

정답 ❶ ×(퇴적 작용이 우세하다.) ❷ ○ ❸ ○ ❹ ○ ❺ ○ ❻ ○ ❼ ×(빙하의 침식이나 퇴적 작용에 의해 형성되었다.) ❽ ○

콕콕! 개념 확인하기

정답과 해설 21쪽

A 화산 지형

01 다음은 화산 지형에 대한 설명이다. 빈칸에 알맞은 말을 쓰시오.

(1) □□ □□은/는 유동성이 큰 현무암이 분출하여 만들어진 방패 모양의 화산이다.

(2) 화산재가 쌓여 만들어진 □□□□은/는 무기질이 풍부하여 농업 활동에 유리하다.

(3) □□□은/는 화구 부근이 함몰되면서 형성된 분지로 본래의 화구보다 규모가 큰 편이다.

(4) 현무암질 용암이 지표의 약한 부분을 뚫고 분출하여 형성된 평평한 대지를 □□ □□(이)라고 한다.

(5) □□ □□은/는 수차례의 용암 분출과 화산 쇄설물이 화구 주변에 지속적으로 쌓여 형성된 원추 모양의 화산이다.

(6) □□ □□은/는 유동성이 큰 현무암질 용암이 대기나 물에 노출되어 빠르게 냉각되면서 형성되는 다각형 기둥 모양의 지형이다.

B 카르스트 지형

02 다음 내용이 옳으면 ○표, 틀리면 ×표를 하시오.

(1) 카르스트 지형은 습윤한 기후 지역보다 건조한 기후 지역에서 잘 발달한다. ( )

(2) 석회암이 지표수에 용식되면 움푹 파인 웅덩이 모양의 돌리네가 형성된다. ( )

(3) 중국의 구이린, 베트남의 할롱베이 등은 탑 카르스트가 발달한 곳으로 세계적인 관광지가 되었다. ( )

(4) 석회암이 오랫동안 빗물이나 지하수의 용식 작용을 받아 형성된 지형을 카르스트 지형이라고 한다. ( )

C 해안 지형

03 A~E 해안 지형의 이름을 쓰시오.

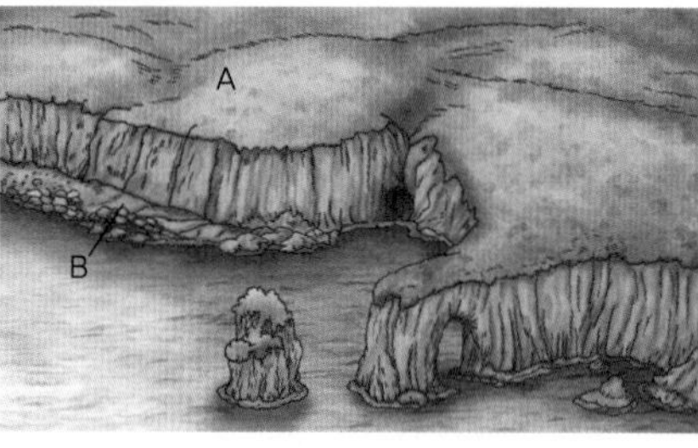

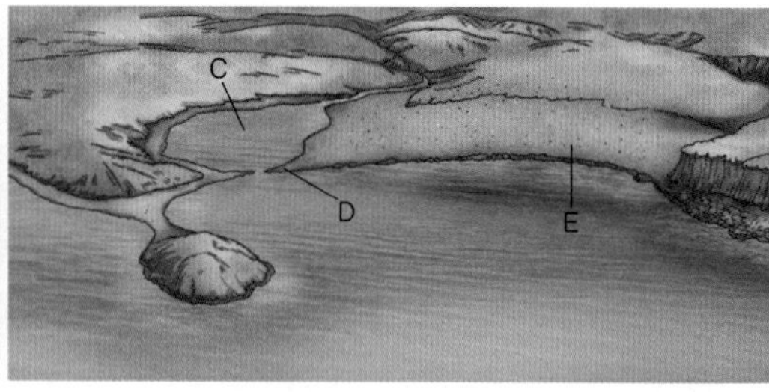

A: ( ), B: ( ), C: ( ), D: ( ), E: ( )

04 해안 지형에 대한 설명이다. 알맞은 말에 ○표를 하시오.

(1) 사주, 사빈 등은 (곶, 만)에 주로 발달한다.

(2) 시 스택, 시 아치, 해식동굴 등은 (암석 해안, 모래 해안)에서 주로 발달한다.

(3) (사구, 사주)는 파랑이나 연안류에 의해 운반된 모래가 만의 입구나 섬의 뒤쪽에 퇴적된 좁고 긴 모래 지형이다.

(4) (육계도, 석호)는 후빙기 해수면 상승으로 형성된 만의 입구에 사주가 발달하면서 만의 입구를 막아 형성된 호수이다.

탄탄! 내신 다지기

정답과 해설 21쪽

A 화산 지형

01 다음 글의 밑줄 친 ㉠에 해당하는 지형으로 옳은 것은?

> 미국 오리건주 마자마산 정상부에는 지름이 약 8km, 최대 수심이 약 600m인 '크레이터호'가 있다. 이 호수는 ㉠ 화산체가 형성된 후 분화구가 함몰되면서 생긴 분지에 물이 고여 형성된 호수이다.

① 플라야 ② 칼데라 ③ 우발라
④ 돌리네 ⑤ 주상 절리

02 순상 화산에 대한 설명으로 옳은 것은?

① 점성이 작고 유동성이 큰 현무암질 용암이 분출하여 형성된다.
② 현무암질 용암이 급격하게 식으면서 만들어진 기둥 모양의 지형이다.
③ 화산 쇄설물과 흘러내린 용암류가 여러 층으로 겹겹이 누적되어 형성된다.
④ 점성이 큰 유문암이나 안산암질 용암이 분출하여 형성된 지형으로 경사가 가파르다.
⑤ 유동성이 큰 현무암질 용암이 지각의 갈라진 틈새를 따라 대규모 열하 분출하여 형성된 평탄한 지형이다.

03 사진에 나타난 지형에 대한 설명으로 옳지 않은 것은?

▲ 영국 북아일랜드 북동부

① 주상 절리라고 부른다.
② 다각형의 구조를 띠고 있다.
③ 현무암질 용암에 의해 형성되었다.
④ 용암이 급속도로 식으면서 형성된다.
⑤ 순상지 등 안정육괴에서 흔히 볼 수 있다.

04 다음 글의 밑줄 친 '이 지형'이 발달한 지역만을 지도의 A~E에서 있는 대로 고른 것은?

> 이 지형의 독특하고 아름다운 경관은 그 자체만으로도 훌륭한 관광 자원이며, 온천과 간헐천 등을 이용한 관광 산업을 통해 많은 경제적 이익을 얻을 수 있다.

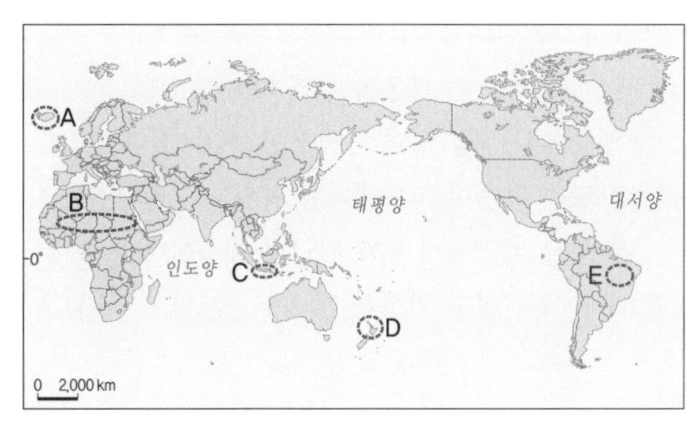

① A, B ② B, E ③ A, B, D
④ A, C, D ⑤ C, D, E

B 카르스트 지형

05 다음 글의 밑줄 친 '이 지형'에 대한 옳은 설명만을 〈보기〉에서 고른 것은?

> 이 지형은 탄산 칼슘 성분을 함유한 석회암이 오랜 세월 동안 빗물이나 지하수에 의해 녹으면서 형성된 독특한 지형이다.

〈보기〉
ㄱ. 점성이 작은 용암이 흘러내리면서 생겨난 동굴을 볼 수 있다.
ㄴ. 독특하고 아름다운 경관을 형성하여 관광 자원으로 많이 활용된다.
ㄷ. 카르스트 지형이라고 부르며 카렌, 돌리네, 우발라 등의 지형을 볼 수 있다.
ㄹ. 주변에 뜨거운 물과 수증기가 압력에 의해 주기적으로 솟아오르는 간헐천이 많다.

① ㄱ, ㄴ ② ㄱ, ㄷ ③ ㄴ, ㄷ
④ ㄴ, ㄹ ⑤ ㄷ, ㄹ

06 다음 글의 밑줄 친 ㉠~㉢에 대한 설명으로 옳지 않은 것은?

> 슬로베니아의 수도 류블랴나에서 남쪽으로 약 50km 떨어진 곳에는 세계적으로 유명한 포스토이나 동굴이 있다. ㉠이 동굴에는 다양한 모양의 ㉡종유석과 ㉢석순이 나타나 신비로운 장관을 이룬다.

① ㉠은 화학적 풍화 작용을 통해 형성되었다.
② ㉠ 일대에서는 움푹 파인 와지를 볼 수 있다.
③ ㉡은 탄산 칼슘이 고드름처럼 침전되어 발달한다.
④ ㉢은 동굴 바닥에서 위로 발달한 지형이다.
⑤ ㉡과 ㉢이 연결된 지형을 탑 카르스트라고 한다.

07 카르스트 지형에 대한 설명으로 옳은 것은?

① 돌리네는 화산 폭발로 인해 움푹 파인 와지이다.
② 탑 카르스트는 건조한 기후 환경에서 잘 발달한다.
③ 석회동굴은 열대 기후 지역보다 건조 기후 지역에서 잘 발달한다.
④ 우발라는 빗물의 배수가 잘 이루어지지 않아 습지를 이루는 경우가 많다.
⑤ 테라로사는 석회암이 용식된 후에 남은 철분이 산화되어 붉은색을 띠는 토양이다.

C 해안 지형

08 그림은 어느 지형의 형성 과정을 나타낸 것이다. 이 지형의 이름으로 옳은 것은?

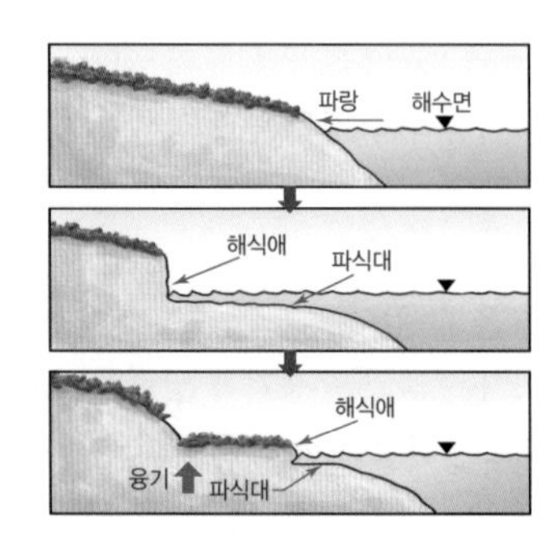

① 석호 ② 시 스택 ③ 시 아치
④ 육계 사주 ⑤ 해안 단구

09 (가), (나)에 발달한 해안에 대한 설명으로 옳은 것은?

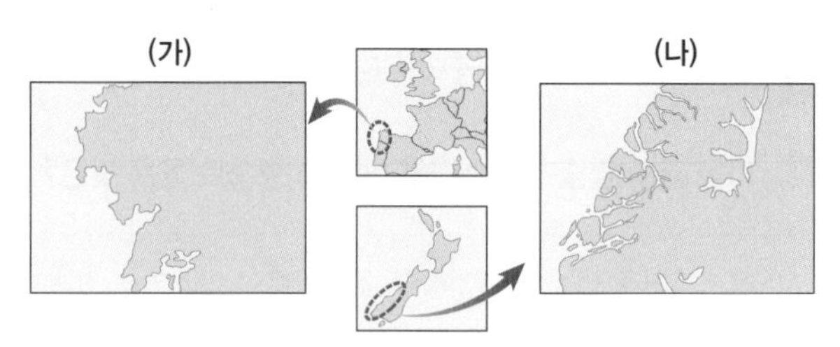

① (가)는 피오르 해안이다.
② (나)는 리아스 해안이다.
③ (가)는 (나)보다 빙하의 영향을 많이 받았다.
④ (나)는 (가)보다 만 지역의 평균 수심이 얕다.
⑤ (가), (나) 모두 후빙기 해수면 상승으로 형성되었다.

서답형 문제

10 그림을 보고 물음에 답하시오.

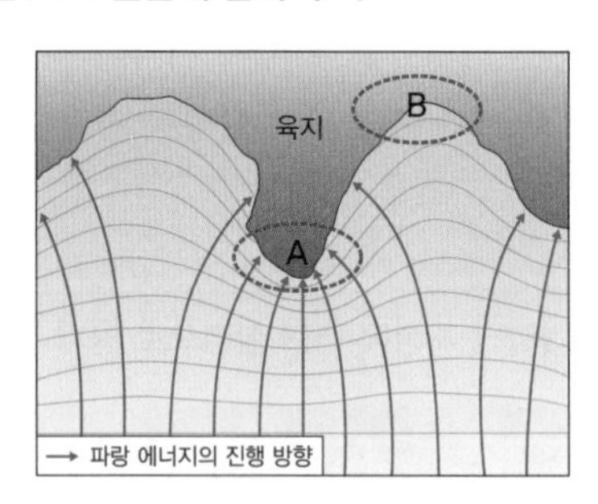

(1) A는 기반암이 바다 쪽으로 돌출된 해안, B는 육지 쪽으로 들어간 해안이다. A, B의 이름을 쓰시오.

A: (   ), B: (   )

(2) A와 B의 해안선 변화를 파랑 에너지와 관련지어 서술하시오.

도전! 실력 올리기

정답과 해설 23쪽

01 그림의 A~E에 대한 설명으로 옳은 것은?

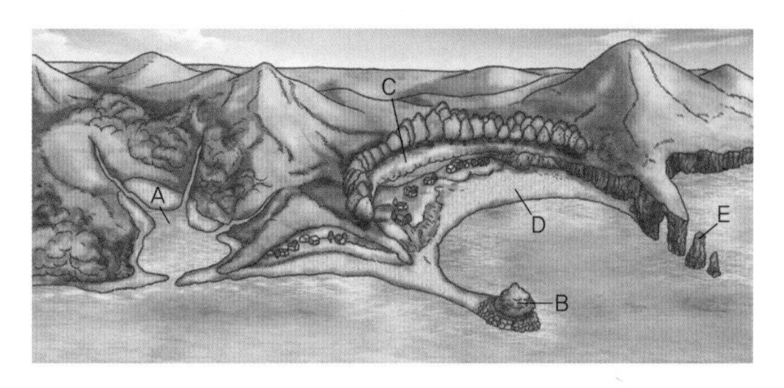

① A는 시간이 흐를수록 면적이 점차 축소된다.
② B는 파랑의 침식 작용을 받아 섬이 될 가능성이 높다.
③ D는 밀물 때 바닷물에 잠긴다.
④ E는 석회암이 굳어져 형성된 돌기둥이다.
⑤ C는 D보다 퇴적물의 평균 입자 크기가 크다.

02 사진은 터키의 파묵칼레이다. 이 지역에 대한 설명으로 옳지 않은 것은?

① 세계적인 카르스트 지형으로 관광 명소가 되었다.
② 석회 성분을 함유한 온천수가 경사면을 흐르면서 형성되었다.
③ 높이를 달리하며 계단 모양을 이루는 석회화 단구 지형이 발달하였다.
④ 여러 평탄면은 시기를 달리하여 이루어진 지반 융기 작용을 반영한다.
⑤ 최근 아름다운 지형을 보호하기 위해 온천의 일부 지역만 들어갈 수 있도록 제한하고 있다.

기출 변형

03 지도의 A~D에 대한 설명으로 옳은 것은?

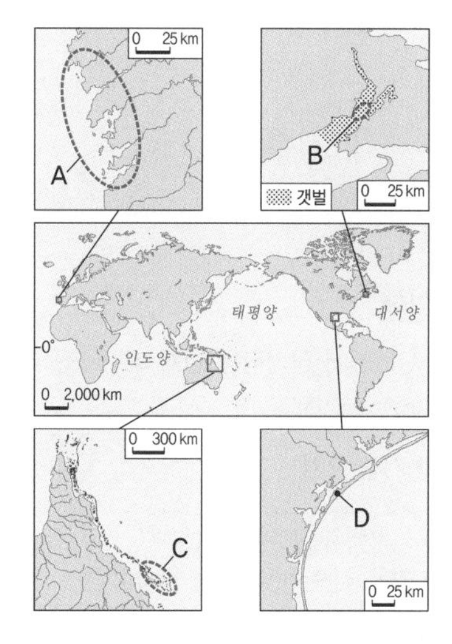

① A는 해수면 변동과 밀접한 관련이 있다.
② B는 파랑의 퇴적 작용이 활발히 이루어진다.
③ C에는 맹그로브 숲이 형성되어 독특한 생태계를 이룬다.
④ D는 조류의 퇴적 작용으로 형성되었다.
⑤ D와 육지 사이의 좁고 긴 호수는 시간이 흐를수록 면적이 커진다.

기출 변형

04 다음은 세계지리 수업 장면이다. 교사의 질문에 관한 대답으로 옳지 않은 것은?

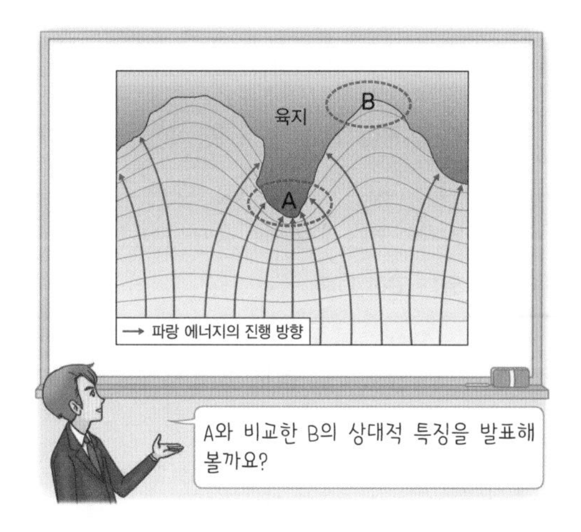

① 파랑 에너지가 분산되는 곳이다.
② 해안선이 바다 쪽으로 점차 이동한다.
③ 침식 작용보다는 퇴적 작용이 활발하다.
④ 사빈이 잘 발달하여 해수욕장으로 활용된다.
⑤ 해식애, 파식대, 시 스택 등의 지형이 잘 발달한다.

한눈에 보는

대단원 정리

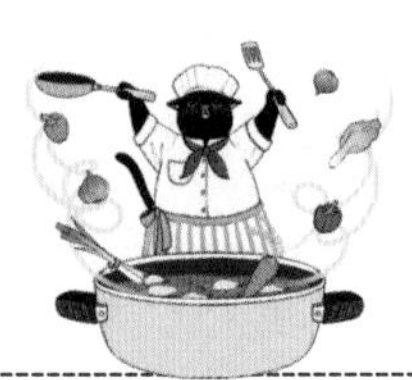

01 열대 기후 환경

A 기후의 이해

(1) **기후**: 어떤 지역에서 장기간에 걸쳐 매년 되풀이되는 대기 현상의 종합적인 평균 상태

(2) **기후 요소와 기후 요인**

기후 요소	• 기후를 구성하는 요소 • 기온, 강수, 바람, 습도, 일사량 등
기후 요인	• 기후 요소의 지역적 차이를 가져오는 다양한 원인 • 위도, 수륙 분포, 지형, 해발 고도, 해류 등

(3) **세계의 기후 구분(쾨펜의 기후 구분)**: 식생 분포에 영향을 주는 기온과 강수량을 기준으로 구분

수목 기후	• 열대 기후(A) – 열대 우림 기후, 열대 몬순(계절풍) 기후, 사바나 기후 • 온대 기후(C) – 온난 습윤 기후, 서안 해양성 기후, 지중해성 기후, 온대 겨울 건조 기후 • 냉대 기후(D) – 냉대 겨울 건조 기후, 냉대 습윤 기후
무수목 기후	• 건조 기후(B) – 스텝 기후, 사막 기후 • 한대 기후(E) – 툰드라 기후, 빙설 기후

B 열대 기후의 환경

(1) **열대 기후의 특징과 분포**

특징	최한월 평균 기온이 18℃ 이상, 기온의 연교차가 작고 강수량이 많음
분포	적도를 중심으로 남·북회귀선 사이의 저위도 지역에 주로 분포

(2) **열대 기후의 구분**: 열대 우림 기후, 사바나 기후, 열대 몬순(계절풍) 기후, 열대 고산 기후

C 열대 기후 지역의 주민 생활

열대 우림 기후 지역	• 간단한 의복 • 이동식 화전 농업, 플랜테이션 발달 • 고상 가옥, 경사가 급한 지붕
사바나 기후 지역	• 유목, 근래에는 플랜테이션 발달 • 풀이나 진흙으로 집을 지음
열대 몬순(계절풍) 기후 지역	• 전통적으로 벼농사 활발 • 고상 가옥이나 수상 가옥 발달

02 온대 기후 환경

A 온대 기후의 특징

서안 해양성 기후	연중 편서풍과 난류의 영향으로 여름에는 서늘하고 겨울에는 온화함
지중해성 기후	여름에는 아열대 고압대의 영향으로 고온 건조하고, 겨울에는 편서풍의 영향으로 온난 습윤함
온난 습윤 기후 및 온대 겨울 건조 기후	겨울에 대륙에서 불어오는 계절풍의 영향으로 비슷한 위도의 대륙 서안에 비해 추움

B 온대 기후 지역의 주민 생활

서안 해양성 기후	• 혼합 농업 발달 • 대도시 주변 지역은 원예 농업과 낙농업 발달
지중해성 기후	수목 농업 발달, 산지에서는 이목 발달
온난 습윤 기후 및 온대 겨울 건조 기후	• 아시아: 벼농사 발달 • 남아메리카: 대규모의 기업적 목축업과 밀농사 발달

03 건조 및 냉·한대 기후 환경과 지형

A 건조 기후의 구분 및 사막의 형성

구분	• 사막 기후: 연 강수량 250mm 미만 • 스텝 기후: 연 강수량 250~500mm 미만
사막의 형성 원인	• 아열대 고압대(사하라 사막, 룹알할리 사막 등) • 중위도 대륙 내부(타커라마간 사막 등) • 한류(아타카마 사막, 나미브 사막 등) • 비그늘 지역(파타고니아 사막 등)

B 건조 기후 지역의 지형과 주민 생활

주요 지형	• 바람에 의해 형성되는 지형: 삼릉석, 버섯바위, 사구 등 • 유수에 의해 형성되는 지형: 와디, 플라야, 선상지 등
주민 생활	• 사막 기후 지역: 오아시스 농업, 관개 농업 등 • 스텝 기후 지역: 유목, 토양이 비옥한 지역에서는 밀·목화 등을 재배, 대규모의 상업적 농업과 기업적 방목

C 냉대 및 한대 기후의 환경

냉대 기후	• 최한월 평균 기온 −3℃ 미만, 최난월 평균 기온이 10℃ 이상 • 겨울은 춥고 여름은 짧음, 기온의 연교차가 큼 • 타이가라고 불리는 침엽수림대 분포 • 냉대 습윤 기후와 냉대 겨울 건조 기후로 구분
한대 기후	• 최난월 평균 기온 10℃ 미만 • 기온이 매우 낮아 나무가 자라지 못함 • 툰드라 기후와 빙설 기후로 구분

D 냉대 및 한대 기후 지역의 지형과 주민 생활

(1) 주요 지형

빙하 지형	• 빙하 침식 지형: 권곡, 호른, 빙식곡, 현곡, 피오르 등 • 빙하 퇴적 지형: 모레인, 드럼린, 에스커, 빙력토 평원 등
주빙하 지형	• 빙하 주변 지역에서 한랭한 기후에 의해 형성 • 애추, 솔리플럭션, 구조토 등

(2) 주민 생활

냉대 기후 지역	• 남부 지역: 보리, 밀, 귀리 등을 재배 • 북부 지역: 목재 및 펄프 공업 발달(타이가 지대)
한대 기후 지역	• 기온이 낮아 농사 불가능, 순록 유목 • 고상 가옥 발달 • 오로라, 백야 현상 등을 체험하기 위한 관광객 증가

04 세계의 주요 대지형

A 대지형의 형성 작용

지형 형성 작용	• 내적 작용: 지구 내부의 힘에 의한 작용(조륙 운동, 조산 운동, 화산 활동 등) • 외적 작용: 지구 외부의 태양 에너지에서 비롯된 작용(하천, 바람, 파랑, 빙하에 의한 침식·운반·퇴적 작용)
판 구조 운동	• 두 개의 판이 어긋나서 미끄러지는 경계 • 두 개의 판이 서로 갈라지는 경계: 해양판이 갈라지는 경우 해령이 형성되고 지각이 확장됨, 대륙판이 갈라지는 경우 대규모의 지구대 형성 • 두 개의 판이 충돌하는 경계: 두 대륙판이 충돌하는 경우, 해양판과 대륙판이 충돌하는 경우

B 세계의 주요 대지형

안정 육괴	• 순상지: 방패를 엎어 놓은 모양으로 완만한 고원이나 평원을 이룸 • 구조 평야: 오랜 지질 시대를 거치며 지각 운동을 거의 받지 않아 수평층 상태로 남아 있는 지형
습곡 산지	• 고기 습곡 산지: 오랜 기간 침식을 받아 해발 고도가 낮고 경사가 완만한 산지 • 신기 습곡 산지: 해발 고도가 높고 험준하며 지각이 불안정하여 지진과 화산 활동이 활발함

05 독특하고 특수한 지형들

A 화산 지형

형성	마그마가 지각의 약한 부분을 뚫고 나와 분출하여 형성
주요 지형	• 순상 화산: 유동성이 큰 용암의 분출로 형성된 방패 모양의 화산체 • 용암 돔: 유동성이 작은 용암의 분출로 형성된 급경사의 화산체 • 칼데라: 화구의 함몰로 형성된 분지 형태의 지형 • 용암 대지: 유동성이 큰 현무암질 용암이 열하 분출하여 형성된 평탄한 지형

B 카르스트 지형

의미	석회암이 빗물이나 지하수의 용식 작용을 받아 형성된 지형
주요 지형	• 돌리네: 석회암의 용식 작용으로 형성된 움푹 파인 와지 모양의 지형 • 석회동굴: 지하수가 석회암층에 발달한 절리를 따라 스며들어 암석을 용식하여 만든 지형, 종유석·석순·석주 등의 지형이 나타남

C 해안 지형

암석 해안	• 파랑 에너지가 집중하는 곶에 주로 발달 • 해식애, 파식대, 시 아치, 시 스택, 해식동굴 등
모래 해안	• 파랑 에너지가 분산되는 만에 주로 발달 • 사빈, 사주, 석호, 해안 사구 등
갯벌 해안	• 만조 때 침수되고 간조 때 육지로 드러나는 지형 • 점토 등의 물질이 조류에 의해 퇴적되어 형성

한번에 끝내는 대단원 문제

정답과 해설 24쪽

01 지도에 표시된 지역에서 나타나는 기후 특색으로 옳은 것은?

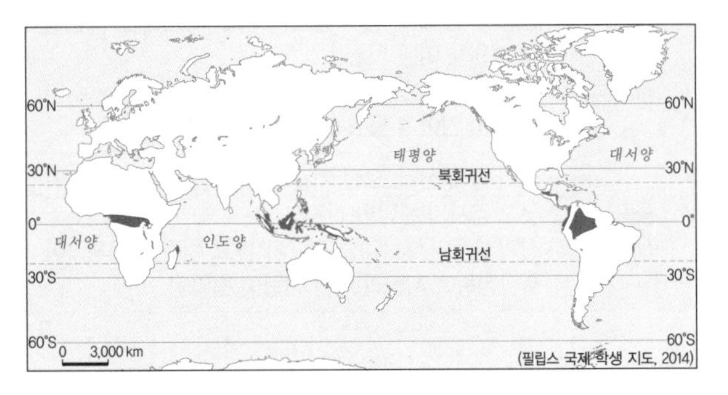

① 우기와 건기의 구분이 뚜렷하다.
② 사계절의 변화가 뚜렷하게 나타난다.
③ 강수량보다 증발량이 많아 건조하다.
④ 일 년 내내 기온이 높고 강수량이 많다.
⑤ 기온의 연교차가 일교차보다 크게 나타난다.

02 그림은 어느 지역의 전통 가옥과 주민 생활을 나타낸 것이다. 이 지역에 대한 옳은 설명만을 〈보기〉에서 고른 것은?

보기
ㄱ. 음식을 조리할 때 향신료를 많이 이용한다.
ㄴ. 야생 동물을 바탕으로 사파리 관광이 발달하였다.
ㄷ. 이동식 화전 농업으로 카사바, 얌 등을 재배한다.
ㄹ. 안개가 통과하는 지역에 그물망을 설치하여 물을 얻는다.

① ㄱ, ㄴ ② ㄱ, ㄷ ③ ㄴ, ㄷ
④ ㄴ, ㄹ ⑤ ㄷ, ㄹ

03 (가), (나) 그래프와 같은 기후 특성이 나타나는 지역에 대한 설명으로 옳은 것은?

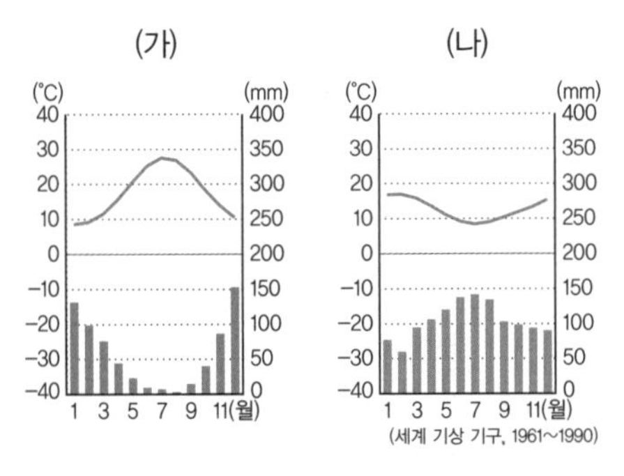

① (가)는 여름철 아열대 고압대의 영향을 받는다.
② (가)는 겨울보다 여름에 강수량이 많다.
③ (나) 지역에서는 수목 농업이 이루어진다.
④ (나)는 연중 계절풍의 영향을 많이 받는다.
⑤ (가)는 (나)보다 여름철 평균 기온이 낮다.

04 (가)~(다)의 농업 방식이 이루어지는 지역을 지도의 A~C에서 골라 바르게 연결한 것은?

(가) 여름철에 기온이 높고 강수량이 많아 주로 벼를 재배한다.
(나) 목초지 조성에 알맞아 곡물 재배와 가축 사육을 동시에 한다.
(다) 고온 건조한 여름철에 뿌리가 깊은 포도, 올리브 등을 재배한다.

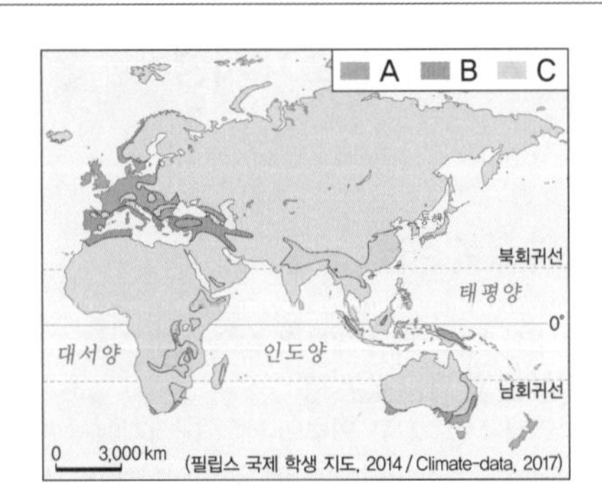

	(가)	(나)	(다)
①	A	B	C
②	A	C	B
③	B	A	C
④	C	A	B
⑤	C	B	A

05 다음 글과 밀접한 관련이 있는 지역을 지도의 A~E에서 고른 것은?

이 지역은 계절풍의 영향을 많이 받는다. 여름에는 바다에서 불어오는 바람의 영향으로 기온이 높고 습하며, 겨울에는 대륙에서 불어오는 바람의 영향으로 건조한 편이다. 또한 기온의 연교차가 큰 대륙성 기후가 나타난다.

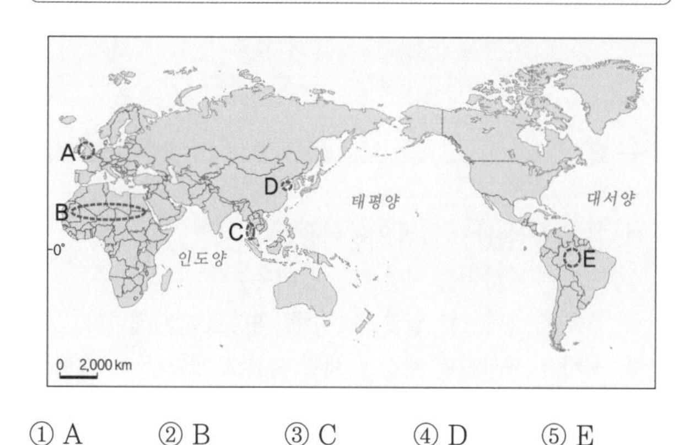

① A ② B ③ C ④ D ⑤ E

06 지도의 (가) 지역에서 나타나는 주민 생활 모습에 대한 옳은 설명만을 〈보기〉에서 고른 것은?

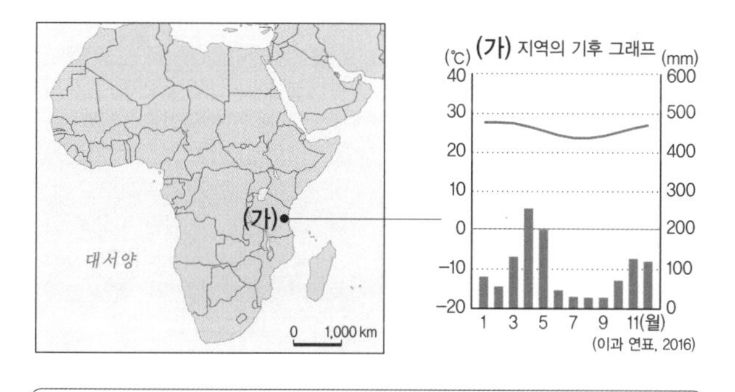

〈보기〉
ㄱ. 대부분의 주민들은 쌀을 주식으로 삼는다.
ㄴ. 초원에 서식하는 사자, 기린 등을 관광하는 산업이 발달하였다.
ㄷ. 상품 작물을 대규모로 재배하는 플랜테이션이 이루어지고 있다.
ㄹ. 타이가라고 불리는 식생이 울창하여 목재 산업과 펄프 산업이 발달하였다.

① ㄱ, ㄴ ② ㄱ, ㄷ ③ ㄴ, ㄷ
④ ㄴ, ㄹ ⑤ ㄷ, ㄹ

07 지도에 표시된 A, B 지역에서 강수량이 적게 나타나는 이유를 기후 요인과 관련하여 옳게 설명한 내용만을 〈보기〉에서 고른 것은?

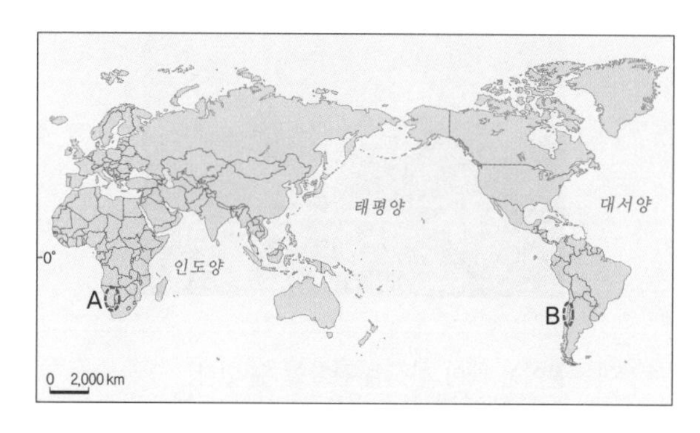

〈보기〉
ㄱ. 비슷한 위도에 있기 때문이다.
ㄴ. 한류의 영향을 많이 받기 때문이다.
ㄷ. 해발 고도가 높아 기온이 낮기 때문이다.
ㄹ. 상승 기류보다 하강 기류가 우세하기 때문이다.

① ㄱ, ㄴ ② ㄱ, ㄷ ③ ㄴ, ㄷ
④ ㄴ, ㄹ ⑤ ㄷ, ㄹ

08 (가), (나)와 같은 가옥이 나타나는 지역의 주민 생활 모습으로 옳은 것은?

(가)

(나)

① (가)에서는 날고기, 날생선 등을 즐겨 섭취한다.
② (가)에서는 집안으로 들어오는 일사량을 늘리기 위해 창을 크게 만든다.
③ (나)에서는 가축을 끌고 물과 풀을 찾아 이동하는 유목 생활을 한다.
④ (나)에서는 고기, 생선 등을 주로 불이나 연기를 이용하여 훈제한 후 저장한다.
⑤ (가), (나)에서는 모두 반바지와 반팔 차림의 간편한 옷을 주로 입는다.

09 사진과 같은 경관이 나타나는 지역의 자연환경에 대한 옳은 설명만을 〈보기〉에서 고른 것은?

보기
ㄱ. 여름철에는 백야 현상을 관찰할 수 있다.
ㄴ. 타이가라고 불리는 침엽수림이 넓게 분포한다.
ㄷ. 땅속에는 연중 얼어 있는 영구 동토층이 분포한다.
ㄹ. 연중 기온이 0℃ 미만이며, 기온의 일교차가 연교차보다 크다.

① ㄱ, ㄴ ② ㄱ, ㄷ ③ ㄴ, ㄷ
④ ㄴ, ㄹ ⑤ ㄷ, ㄹ

10 다음 글의 밑줄 친 ㉠, ㉡에 해당하는 산맥을 지도의 A~D에서 골라 바르게 연결한 것은?

습곡 작용으로 형성된 산지는 ㉠ 신기 습곡 산지와 ㉡ 고기 습곡 산지로 나눌 수 있는데, 이에 따라 높이와 형태가 다르게 나타난다.

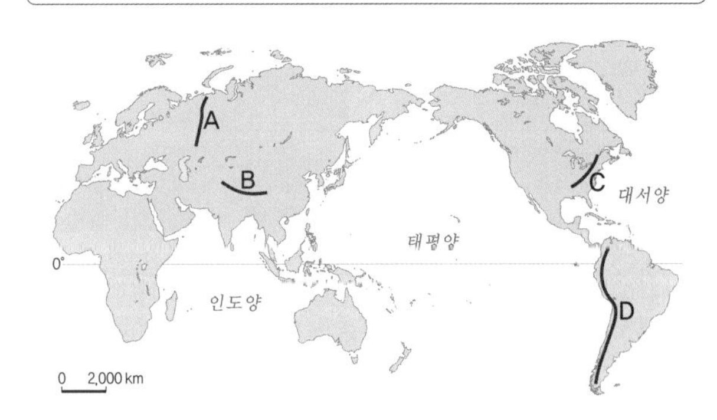

	㉠	㉡
①	A, B	C, D
②	A, C	B, D
③	B, C	A, D
④	B, D	A, C
⑤	C, D	A, B

11 지도에 표시된 지역에서 관찰할 수 있는 주민 생활 모습에 대한 옳은 설명만을 〈보기〉에서 고른 것은?

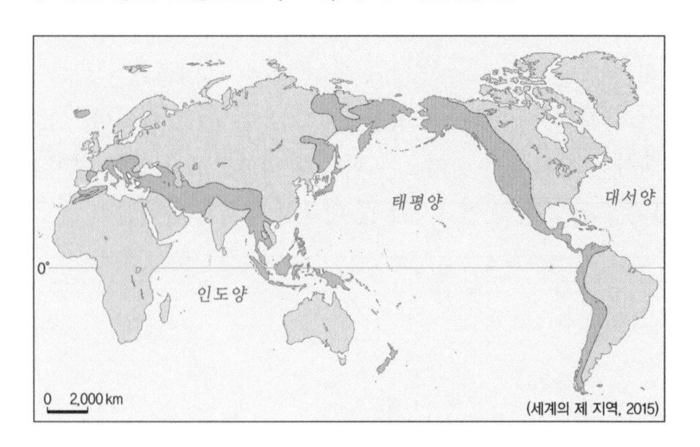

보기
ㄱ. 온천 등을 관광 자원으로 이용한다.
ㄴ. 뜨거운 지하수를 지열 발전에 이용한다.
ㄷ. 흑토를 바탕으로 밀과 옥수수를 대량으로 재배한다.
ㄹ. 석탄을 생산하던 광산을 체험 시설로 개발한 후 관광객을 유치한다.

① ㄱ, ㄴ ② ㄱ, ㄷ ③ ㄴ, ㄷ
④ ㄴ, ㄹ ⑤ ㄷ, ㄹ

12 다음 글의 ㉠~㉤에 대한 옳은 설명만을 〈보기〉에서 있는 대로 고른 것은?

나는 지금 오스트레일리아 시드니에 있고, 어제는 블루마운틴에 다녀왔어. 블루마운틴은 오스트레일리아 동쪽의 해안을 따라 뻗어 있는 ㉠ 그레이트디바이딩산맥의 일부였어. 이곳은 산업 발전의 원동력이었던 ㉡ 석탄이 많이 매장되어 있어. 내일은 해변에 가서 여름을 즐길 거야.

나는 ㉢ 아이슬란드의 수도 레이카비크에 있어. 이 나라에는 주기적으로 물과 수증기를 분출하는 ㉣ 간헐천이 있어. 어제는 레이캬비크로부터 벗어나 북쪽으로 갔어. 그곳에는 ㉤ 협만(피오르)이 있는데, 물에 비친 산의 그림자와 폭포가 정말 멋있었어. 내일 밤에는 오로라를 보러 갈 거야.

보기
ㄱ. ㉠은 신기 습곡 산지에 해당한다.
ㄴ. ㉡은 산업 혁명 시기의 주요 에너지 자원이었다.
ㄷ. ㉢은 환태평양 조산대에 위치한다.
ㄹ. ㉣은 독특한 화산 지형과 더불어 관광 자원으로 활용된다.
ㅁ. ㉤은 빙하의 침식 작용으로 형성된 계곡에 바닷물이 들어와 만들어진 해안이다.

① ㄱ, ㄴ ② ㄷ, ㅁ ③ ㄱ, ㄴ, ㄹ
④ ㄴ, ㄹ, ㅁ ⑤ ㄷ, ㄹ, ㅁ

13 다음 자료를 보고 물음에 답하시오.

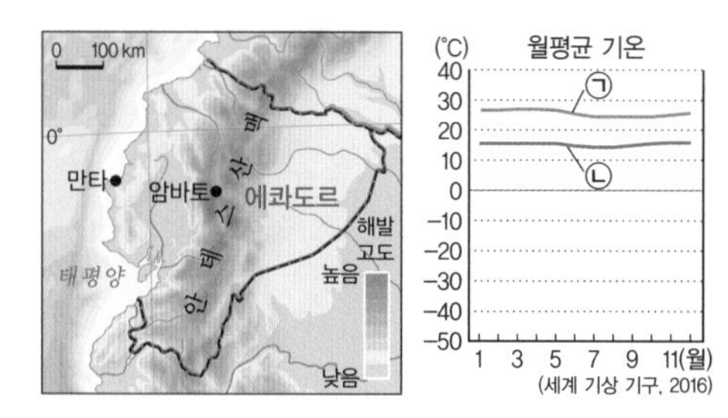

(1) ㉡에 해당하는 도시명과 기후를 쓰시오. (단, ㉠, ㉡은 만타와 암바토 중 하나임.)

( )

(2) ㉠과 ㉡이 기후 차이가 나타나는 이유를 기후 요소 및 기후 요인과 관련지어 서술하시오.

14 다음 자료를 보고 물음에 답하시오.

(가) 지역의 가옥

(가) 지역의 식생

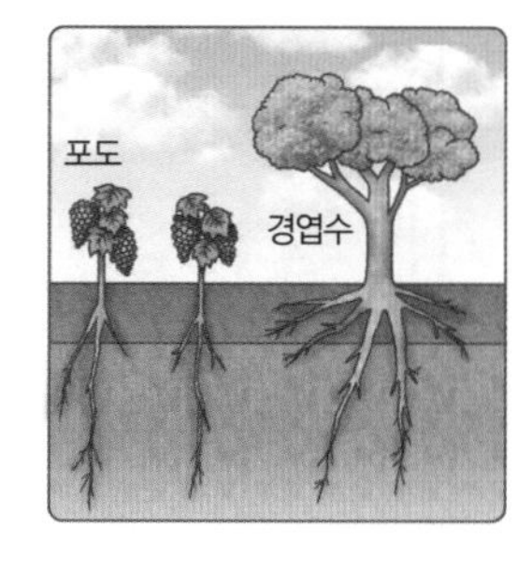

(1) (가) 지역에 나타나는 기후를 쓰시오.

( )

(2) (가) 지역의 농업의 특징을 식생과 여름 기후와 관련하여 서술하시오.

15 다음 그림을 보고 물음에 답하시오.

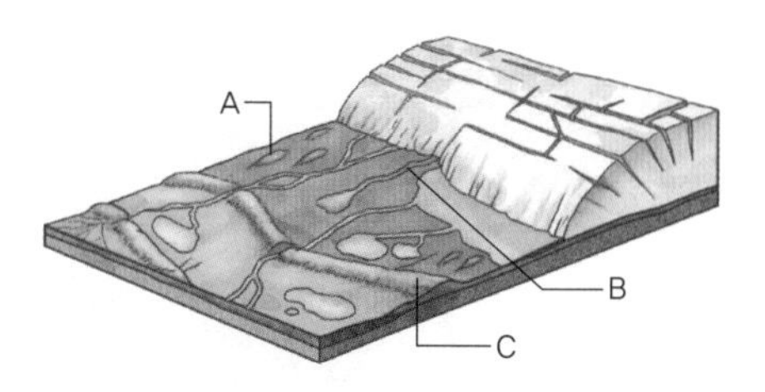

(1) 그림의 A~C에 해당하는 빙하 지형을 쓰시오.

A: ( ), B: ( ), C: ( )

(2) 그림과 같은 지형이 발달한 지역에서 농업 활동이 어려운 이유를 서술하시오.

16 다음 사진을 보고 물음에 답하시오.

(1) 사진과 같은 지형들이 있는 동굴의 명칭을 쓰시오.

( )

(2) 사진과 같은 동굴의 형성 과정 및 변화에 대해 서술하시오.

III 세계의 인문 환경과 인문 경관

배울 내용 한눈에 보기

01 주요 종교의 전파와 종교 경관

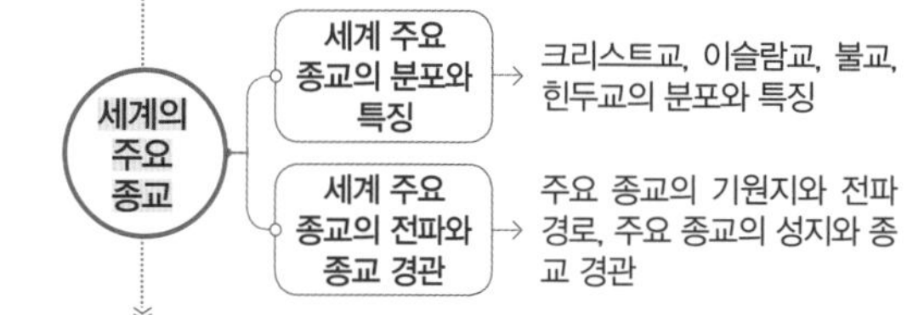

- **세계의 주요 종교**
  - 세계 주요 종교의 분포와 특징 → 크리스트교, 이슬람교, 불교, 힌두교의 분포와 특징
  - 세계 주요 종교의 전파와 종교 경관 → 주요 종교의 기원지와 전파 경로, 주요 종교의 성지와 종교 경관

02 세계의 인구 변천과 인구 이주

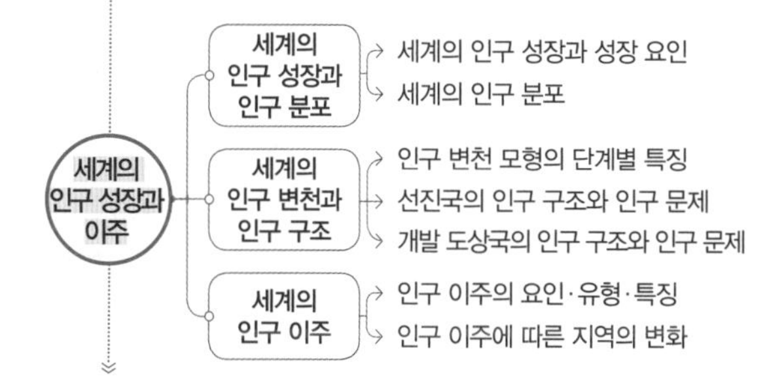

- **세계의 인구 성장과 이주**
  - 세계의 인구 성장과 인구 분포
    - 세계의 인구 성장과 성장 요인
    - 세계의 인구 분포
  - 세계의 인구 변천과 인구 구조
    - 인구 변천 모형의 단계별 특징
    - 선진국의 인구 구조와 인구 문제
    - 개발 도상국의 인구 구조와 인구 문제
  - 세계의 인구 이주
    - 인구 이주의 요인·유형·특징
    - 인구 이주에 따른 지역의 변화

03 세계의 도시화와 세계 도시 체계

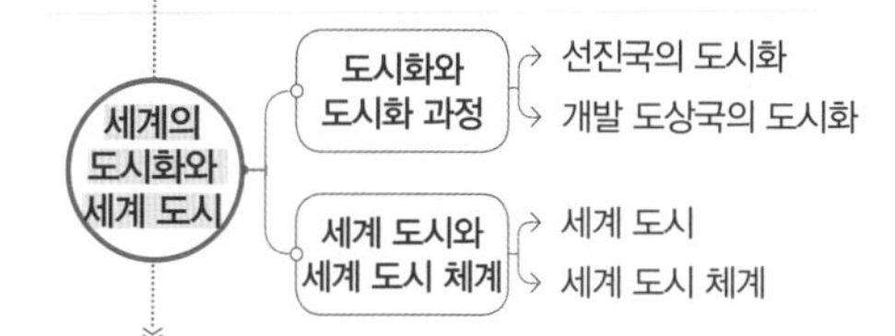

- **세계의 도시화와 세계 도시**
  - 도시화와 도시화 과정
    - 선진국의 도시화
    - 개발 도상국의 도시화
  - 세계 도시와 세계 도시 체계
    - 세계 도시
    - 세계 도시 체계

04 주요 식량 자원과 국제 이동

- **주요 곡물 자원과 축산물**
  - 곡물 자원 → 쌀, 밀, 옥수수
  - 축산물 → 소, 양, 돼지

05 주요 에너지 자원과 국제 이동

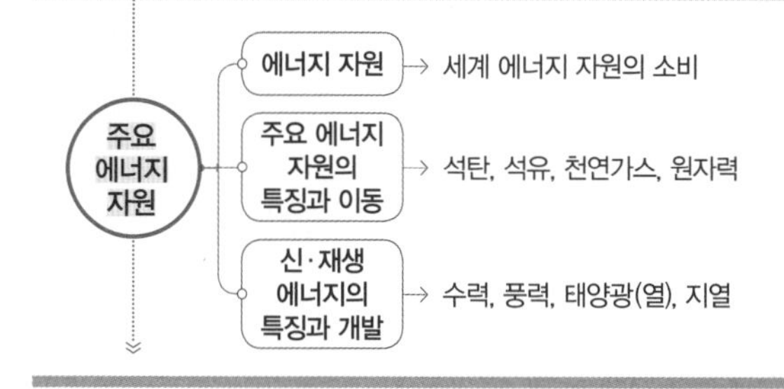

- **주요 에너지 자원**
  - 에너지 자원 → 세계 에너지 자원의 소비
  - 주요 에너지 자원의 특징과 이동 → 석탄, 석유, 천연가스, 원자력
  - 신·재생 에너지의 특징과 개발 → 수력, 풍력, 태양광(열), 지열

01 주요 종교의 전파와 종교 경관

❶ 세계의 종교 인구 구성

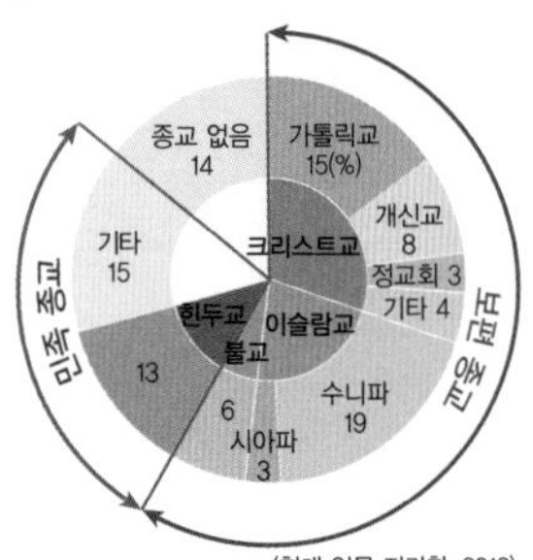

(현대 인문 지리학, 2012)

세계 인구의 절반 정도가 보편 종교를 믿으며, 이 중 크리스트교, 이슬람교, 불교의 순으로 신자 수가 많다.

A 세계 주요 종교의 분포와 특징

1. 세계 주요 종교의 분포❶ 자료 1 자료 2

(1) **크리스트교**: 유럽, 아메리카, 오세아니아, 아프리카 중·남부에 주로 분포

(2) **이슬람교**: 북부 아프리카, 서남아시아, 중앙아시아, 동남아시아에 주로 분포

(3) **불교**: 남부 아시아, 동남아시아, 동아시아에 주로 분포

예 부탄, 스리랑카 등에 신자 수가 많아.

(4) **힌두교**: 남부 아시아에 주로 분포

예 인도, 네팔 등에 신자 수가 많아.

2. 세계 주요 종교의 특징

(1) **크리스트교**

① 유일신교로 세계에서 신자 수가 가장 많음

② 하나님을 유일신으로 섬기고 그의 아들 예수를 구원자로 믿으며 이웃 사랑을 실천

(2) **이슬람교**

① 유일신교로 쿠란❷(경전)의 가르침에 따른 신앙 실천의 5대 의무가 있음

② 술과 돼지고기를 금기시하고, 여성들은 얼굴이나 몸 전체를 가리는 의복을 착용함

예 니캅, 차도르, 히잡, 부르카 등의 의복을 착용해.

(3) **불교**

뜻 인간의 영혼이 끊임없이 반복하여 태어난다는 불교와 힌두교의 사상을 말해.

① 윤회 사상을 믿으며, 개인의 수양 및 해탈과 자비를 강조함

② 살생을 금하고 육식을 대체로 금기시함

(4) **힌두교**

① 다신교로 선행과 고행을 통한 수련을 중시하고, 윤회 사상을 믿음

② 소를 신성시하여 소고기를 먹지 않음

❷ **쿠란**
이슬람교의 경전으로, 예언자 무함마드가 알라에게 받은 계시가 기록되어 있다. 의미가 왜곡되는 것을 막기 위해 다른 언어로 번역할 때는 아랍어 원본을 함께 표기한다.

B 세계 주요 종교의 전파와 종교 경관

1. 세계 주요 종교의 기원과 전파 자료 2

뜻 구약 성서를 성전으로 하여, 유일신을 믿는 유대교의 민족 종교를 말해. 돼지고기를 금기시하고 있어.

종교	기원	전파
크리스트교	유대교를 모체로 서남아시아의 팔레스타인 지역에서 발생	로마 제국의 국교가 되면서 유럽 전역으로 전파, 유럽 열강의 식민지 개척을 통해 세계로 전파
이슬람교	기원후 7세기 초 서남아시아의 메카에서 발생 (무함마드가 창시했어.)	군사적 정복과 상인의 무역 활동을 통해 아시아 및 북부 아프리카 등으로 전파
불교	기원전 6세기경 인도 북부 지방에서 발생 (석가모니가 창시했어.)	동남 및 동아시아 일대로 전파
힌두교	브라만교❸를 바탕으로 고대 인도에서 발생	인도 주변의 일부 지역으로 전파

2. 세계 주요 종교의 성지: 예루살렘(크리스트교), 메카(이슬람교), 부다가야(불교) 등

3. 세계 주요 종교의 종교 경관 자료 3

(1) **크리스트교**: 십자가·종탑 등이 보편적으로 나타나고, 종파별 예배 건물 모습이 다양함

가톨릭교, 개신교, 정교회로 종파가 구분돼.

(2) **이슬람교**: 모스크(돔형의 지붕, 주변의 첨탑), 아라베스크 문양❹이 대표적임

(3) **불교**: 불상이 있는 불당, 부처의 사리가 있는 탑이 나타남

(4) **힌두교**: 다양한 신들의 모습이 표현된 사원과 가트가 대표적임

뜻 갠지스강가의 목욕 의식을 준비하는 계단이야.

❸ **브라만교**
고대 인도에서 브라만 계급을 주축으로 성립된 민족 종교로, 카스트 신분 제도에 바탕을 두고 있다.

❹ **아라베스크 문양**
우상 숭배를 금지하는 이슬람교의 교리에 따라 사람이나 동물 대신 꽃, 나무 덩굴, 문자 등을 기하학적으로 배치한 문양을 말한다.

교과서 자료 모아 보기

자료 확인 문제

자료 1 지역별 종교 비율

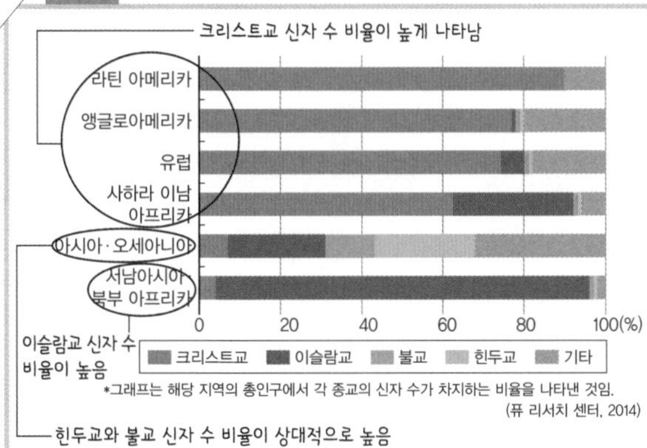

| 자료 분석 | 크리스트교는 유럽 열강에 의해 유럽 전역과 식민 지배를 받은 아메리카에 신자 수 비율이 높다. 이슬람교는 군사적 정복과 상인의 무역 활동으로 서남아시아와 북부 아프리카에 신자 수 비율이 높다. 힌두교와 불교는 인도가 속한 아시아·오세아니아에서 신자 수 비율이 높으며 세계의 신자 수는 불교보다 힌두교가 많다.

한줄 핵심 크리스트교는 아메리카·유럽·사하라 이남의 아프리카에서, 이슬람교는 서남아시아·북부 아프리카에서, 불교와 힌두교는 아시아·오세아니아에서 신자 수 비율이 높다.

❶ 라틴 아메리카, 앵글로아메리카, 유럽, 사하라 이남 아프리카에서는 □□□□□의 신자 수가 가장 많다.
(　　　　　　　)

❷ 북부 아프리카와 함께 이슬람교의 신자 수 비율이 가장 높게 나타나는 지역은 오세아니아이다.
○ ×

자료 2 세계 주요 종교의 분포와 전파

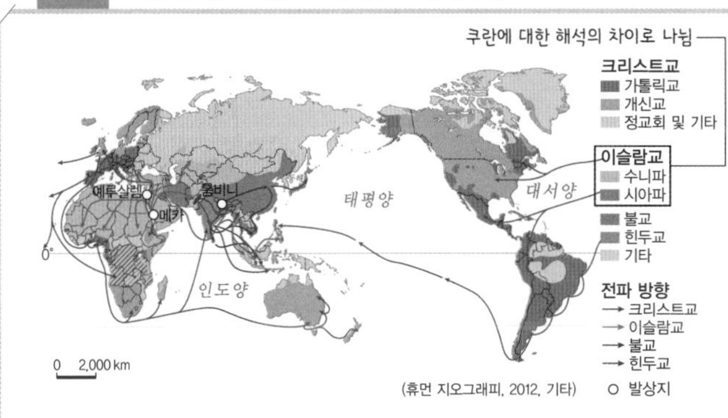

| 자료 분석 | 크리스트교는 팔레스타인 지역에서 기원하여 유럽으로 전파되었으며, 신항로 개척 이후 세계로 확산되었다. 이슬람교는 서남아시아에서 기원하여 북부 아프리카와 서남아시아로 전파되었으며, 불교는 인도에서 기원하여 동남 및 동아시아로 전파되었다.

한줄 핵심 크리스트교는 유럽으로, 이슬람교는 북부 아프리카와 서남아시아로, 불교는 동남 및 동아시아로 전파되었다.

❸ 크리스트교는 팔레스타인 지역에서 기원하여 □□(으)로 전파되었다.
(　　　　　　　)

❹ 불교는 동남 및 동아시아 일대로 전파되었다.
○ ×

자료 3 세계 주요 종교의 종교 경관

▲ 크리스트교

가톨릭교, 개신교, 정교회 등 종파에 따라 예배 건물 모습이 다양함

▲ 이슬람교 – 사원의 내부에서는 아라베스크를 볼 수 있음

▲ 불교 – 불상

다양한 신들의 모습이 그림이나 조각상으로 표현되어 있음

▲ 힌두교

| 자료 분석 | 크리스트교는 십자가와 종탑이 있는 예배 건물, 이슬람교는 중앙의 돔형 지붕과 주변의 첨탑을 갖춘 사원(모스크), 불교는 불상이 있는 불당과 부처의 사리가 있는 탑, 힌두교는 다양한 신들의 모습이 표현된 사원과 갠지스강가의 계단(가트)이 대표적인 종교 경관이다.

한줄 핵심 크리스트교는 십자가와 종탑, 이슬람교는 돔형 지붕과 첨탑, 불교는 불상이 있는 불당과 탑, 힌두교는 다양한 신들의 모습이 표현된 사원과 가트가 대표적인 종교 경관이다.

❺ 십자가와 종탑이 있는 예배 건물은 □□□□□의 대표적인 종교 경관이다.
(　　　　　　　)

❻ 중앙의 돔형 지붕과 첨탑을 갖춘 사원(모스크)은 힌두교의 종교 경관이다.
○ ×

정답 ❶ 크리스트교 ❷ × (서남아시아가 신자 수 비율이 높다.) ❸ 유럽 ❹ ○ ❺ 크리스트교 ❻ ×(이슬람교의 종교 경관이다.)

세계 주요 종교의 분포

수능풀 Guide 세계 주요 종교(크리스트교, 이슬람교, 불교, 힌두교 등)의 지역별·국가별 신자 수 비율과 종교별 특징을 알아보자.

1 각 지역의 종교별 신자 수 비율

〈지역별 총인구 대비 신자 수 비율〉 (단위: %)

불교 신자 수가 많음 / 크리스트교 신자 수가 많음 / 이슬람교 신자 수가 많음

종교 \ 지역	아시아·태평양	앵글로아메리카	서남아시아 및 북부 아프리카	유럽	중·남부 아프리카	라틴 아메리카
힌두교	25.3	0.7	0.5	0.2	0.2	0.1
(가)	24.3	1.0	93.0	5.9	30.2	0.1
(나)	11.9	1.1	0.1	0.2	0.0	0.0
(다)	7.1	77.4	3.7	75.2	62.9	90.0
기타	31.4	19.8	2.7	18.5	6.7	9.8
합계	100	100	100	100	100	100

* 오세아니아는 아시아·태평양에 포함되고 기타에는 무종교가 포함됨.

PLUS분석 (가)는 서남아시아 및 북부 아프리카에서 신자 수 비율이 높으므로 이슬람교, (나)는 다른 지역에 비해 아시아·태평양에서 신자 수 비율이 높으므로 불교, (다)는 앵글로아메리카, 유럽, 중·남부 아프리카, 라틴 아메리카에서 신자 수 비율이 높으므로 크리스트교이다.

기출 선택지로 확인하기

❶ (가)의 대표적 종교 경관으로는 모스크가 있다. ○ ×

❷ (나)의 주요 성지로는 룸비니, 부다가야 등이 있다. ○ ×

❸ (다)는 수많은 신을 인정하는 다신교이다. ○ ×

❹ (가)는 보편 종교, (나)는 민족 종교로 분류된다. ○ ×

2 국가별 주요 종교의 신자 수

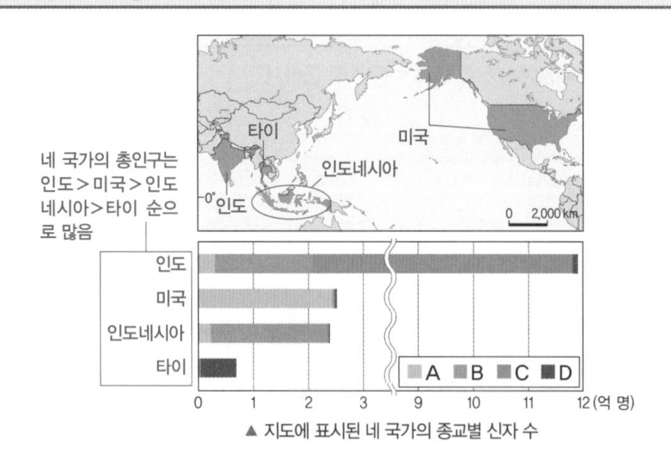

▲ 지도에 표시된 네 국가의 종교별 신자 수

PLUS분석 인도는 인구가 약 12억 명이 넘으므로 그래프에서 종교별 신자 수가 12억 명에 가까운 첫 번째 그래프에 해당한다. 인도는 힌두교(C) 신자 수가 가장 많으며 다음으로 이슬람교(B)가 많다. B(이슬람교)의 신자 수가 가장 많은 국가는 네 국가 중 인도네시아이다. 따라서 세 번째 그래프는 인도네시아이다. 미국은 인구가 약 3억 명이 넘는 국가로, 종교별 신자 수가 약 2억 5천 명이 넘는 두 번째 그래프에 해당한다. 미국은 세계 최대의 크리스트교(A) 국가이다. 나머지 네 번째 그래프에 해당하는 국가는 타이이다. 타이에서 신자 수가 가장 많은 종교는 불교(D)이다. 따라서 A는 크리스트교, B는 이슬람교, C는 힌두교, D는 불교이다.

기출 선택지로 확인하기

❺ A는 보편 종교, B는 민족 종교로 분류된다. ○ ×

❻ C는 하나의 신만을 믿는 유일신교이다. ○ ×

❼ D의 최대 성지에는 모스크와 카바 신전이 있다. ○ ×

정답 ❶ ○ ❷ ○ ❸ ×(크리스트교는 유일신교이다.) ❹ ×((가), (나)는 모두 보편 종교이다.) ❺ ×(A, B는 모두 보편 종교이다.) ❻ ×(힌두교는 다신교이다.) ❼ ×(이슬람교에 대한 설명이다.)

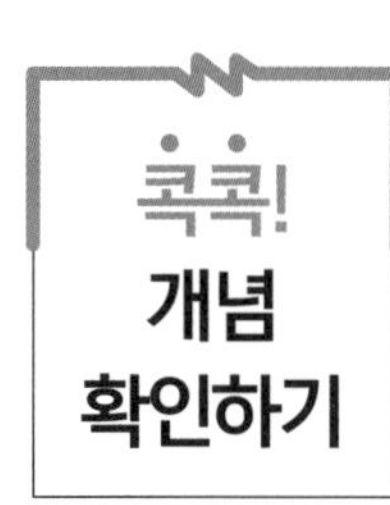

정답과 해설 27쪽

A 세계 주요 종교의 분포와 특징

01 그래프는 각 지역의 종교별 신자 수 비율을 나타낸 것이다. 다음 설명에 해당하는 종교의 기호를 있는 대로 쓰시오.

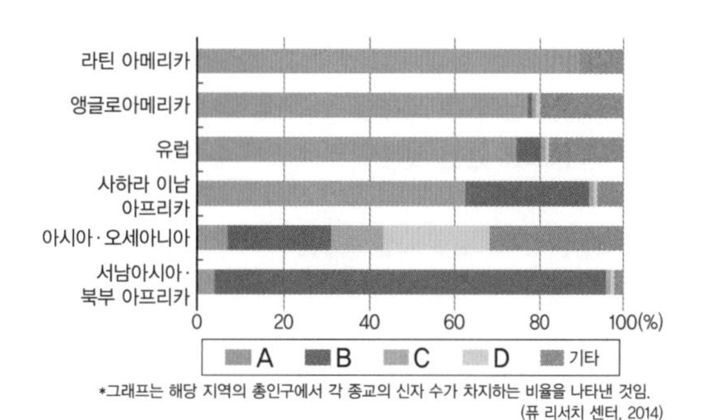

*그래프는 해당 지역의 총인구에서 각 종교의 신자 수가 차지하는 비율을 나타낸 것임.
(퓨 리서치 센터, 2014)

(1) 윤회 사상을 믿는 종교이다. (   )
(2) 세계에서 신자 수가 가장 많은 종교이다. (   )
(3) 특정한 민족을 중심으로 포교되는 종교이다. (   )
(4) 전 인류를 포교 대상으로 삼고 교리를 전파하는 종교이다. (   )
(5) 쿠란의 가르침에 따른 신앙 실천의 5대 의무가 있는 종교이다. (   )
(6) 수많은 신을 인정하는 다신교이며, 소를 매우 신성시하는 종교이다. (   )
(7) 개인의 수양 및 해탈과 자비를 강조하며, 육식을 대체로 금기시하는 종교이다. (   )

02 그래프는 세계의 종교 인구 구성을 나타낸 것이다. A~D에 해당하는 종교를 쓰시오.

(현대 인문 지리학, 2012)

A: (   ), B: (   )
C: (   ), D: (   )

B 세계 주요 종교의 전파와 종교 경관

03 지도는 세 보편 종교의 기원지와 전파 경로를 나타낸 것이다. (가)~(다) 종교에 대한 설명이 옳으면 ○표, 틀리면 ×표를 하시오.

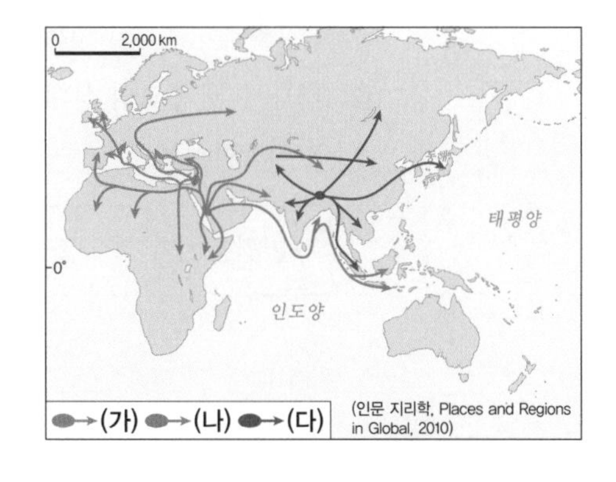

(인문 지리학, Places and Regions in Global, 2010)

(1) (가)의 종파로는 시아파와 수니파가 있다. (   )
(2) (나)의 신자들은 술과 돼지고기를 금기시한다. (   )
(3) (나)의 사원에는 다양한 신들의 모습이 그려져 있다. (   )
(4) (다)의 사원은 돔형의 지붕과 첨탑이 특징이다. (   )

탄탄! 내신 다지기

정답과 해설 27쪽

A 세계 주요 종교의 분포와 특징

01 그래프는 주요 종교의 지역별 신자 수 비율을 나타낸 것이다. (가)~(다) 종교에 대한 설명으로 옳은 것은?

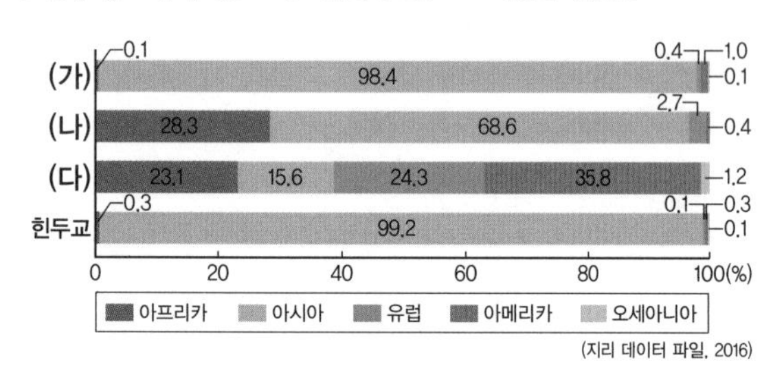

(지리 데이터 파일, 2016)

① (가)는 신앙 실천의 5대 의무가 있다.
② (나)는 개인의 수양 및 해탈과 자비를 강조한다.
③ (다)의 신자들은 술과 돼지고기를 먹지 않는다.
④ (가)는 (나)보다 세계의 신자 수가 많다.
⑤ (가)~(다)는 모두 보편 종교에 해당한다.

02 인도에서 주로 믿는 종교에 대한 설명으로 옳은 것은?

① 유일신교에 해당한다.
② 보편 종교에 해당한다.
③ 세계에서 신자 수가 가장 많다.
④ 다수의 수니파와 소수의 시아파로 구분된다.
⑤ 소를 신성시하여 신자들은 소고기를 먹지 않는다.

03 그래프는 세계의 종교별 신자 수 비율을 나타낸 것이다. (가)~(라) 종교에 대한 옳은 설명만을 〈보기〉에서 고른 것은?

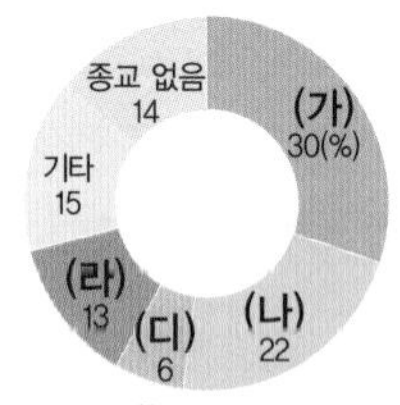

(현대 인문 지리학, 2012)

보기
ㄱ. (가) - 윤회 사상을 믿는다.
ㄴ. (나) - 쿠란의 가르침에 따라 생활한다.
ㄷ. (다) - 아메리카 내에서 신자 수가 가장 많다.
ㄹ. (라) - 민족 종교 중 세계 신자 수가 가장 많다.

① ㄱ, ㄴ ② ㄱ, ㄷ ③ ㄴ, ㄷ
④ ㄴ, ㄹ ⑤ ㄷ, ㄹ

B 세계 주요 종교의 전파와 종교 경관

04 지도는 아시아 주요 국가의 (가)~(다) 종교 신자 수를 나타낸 것이다. 이에 대한 설명으로 옳지 않은 것은?

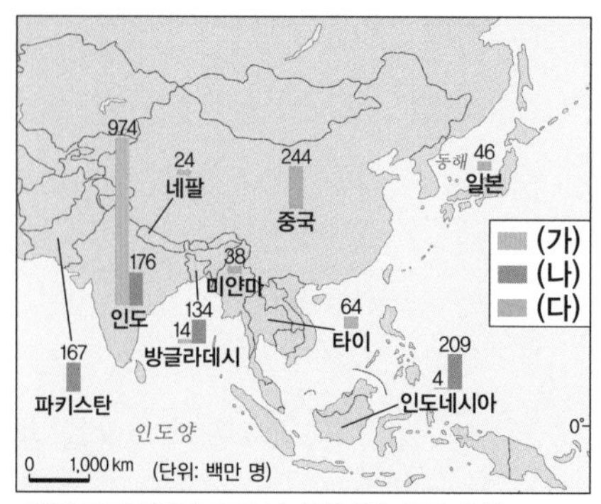

*아시아 국가 중 해당 종교의 신자 수가 많은 상위 4개국만 제시함.
(Pew Research Center, 2010)

① (가)는 팔레스타인 지역에서 기원하였다.
② (나)의 사원에서는 아라베스크 문양을 볼 수 있다.
③ (다)의 종교 경관으로 불상과 불탑을 들 수 있다.
④ (나)는 (가)보다 더 넓은 지역으로 전파되었다.
⑤ (다)는 (나)보다 기원한 시기가 이르다.

서답형 문제

05 (가)~(다) 종교의 종교 경관을 보고 물음에 답하시오.

(가) (나) (다)

(1) (가)~(다) 종교는 무엇인지 쓰시오.
(가): (　　　), (나): (　　　), (다): (　　　)

(2) (가)~(다) 종교의 상대적 특징을 다음 내용을 포함하여 서술하시오.

• 기원한 시기　　• 세계의 신자 수

도전! 실력 올리기

정답과 해설 28쪽

01 그래프의 (가)~(다) 종교에 대한 설명으로 옳은 것은?

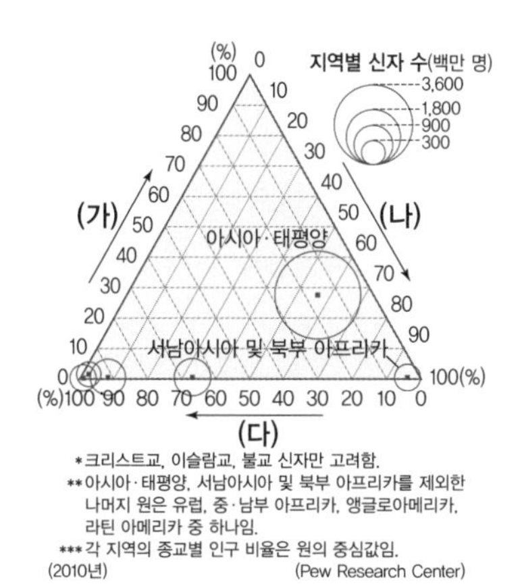

*크리스트교, 이슬람교, 불교 신자만 고려함.
**아시아·태평양, 서남아시아 및 북부 아프리카를 제외한 나머지 원은 유럽, 중·남부 아프리카, 앵글로아메리카, 라틴 아메리카 중 하나임.
***각 지역의 종교별 인구 비율은 원의 중심값임.
(2010년) (Pew Research Center)

① (가)의 신자 수가 세계에서 가장 많은 국가는 미국이다.
② (나)의 신자들은 윤회 사상을 믿는다.
③ (다)의 신자들은 술과 돼지고기를 금기시한다.
④ (가), (나)의 기원지는 모두 서남아시아에 위치한다.
⑤ 세계 신자 수는 (다)>(나)>(가) 순으로 많다.

기출 변형

02 그래프는 지도에 표시된 네 국가의 A~D 종교별 신자 수를 나타낸 것이다. 이에 대한 설명으로 옳은 것은? (단, A~D는 불교, 이슬람교, 크리스트교, 힌두교 중 하나임.)

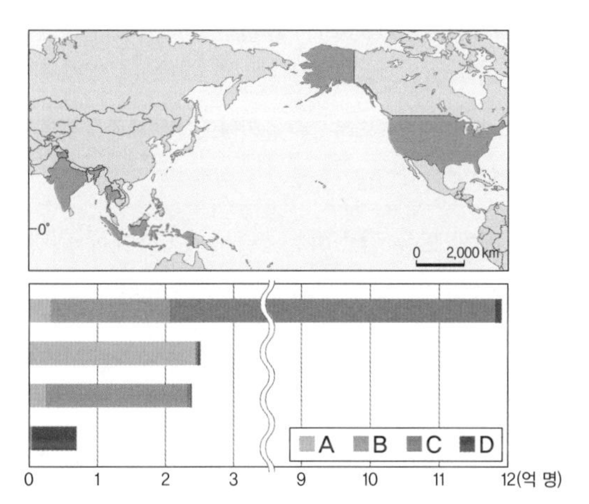

① A의 여성 신자들은 니캅, 부르카 등과 같이 몸을 가리는 의복을 착용한다.
② B의 신자들은 소고기를 먹지 않는다.
③ C는 세계에서 신자 수가 가장 많다.
④ D의 대표적인 종교 경관으로 둥근 지붕과 첨탑의 사원을 들 수 있다.
⑤ A~D 중에서 기원한 시기는 C가 가장 이르다.

03 그래프는 각 지역의 종교별 신자 수 비율을 나타낸 것이다. 이에 대한 설명으로 옳은 것은? (단, A~C는 앵글로아메리카, 유럽, 서남아시아·북부 아프리카 중 하나이고, (가)~(라)는 불교, 이슬람교, 크리스트교, 힌두교 중 하나임.)

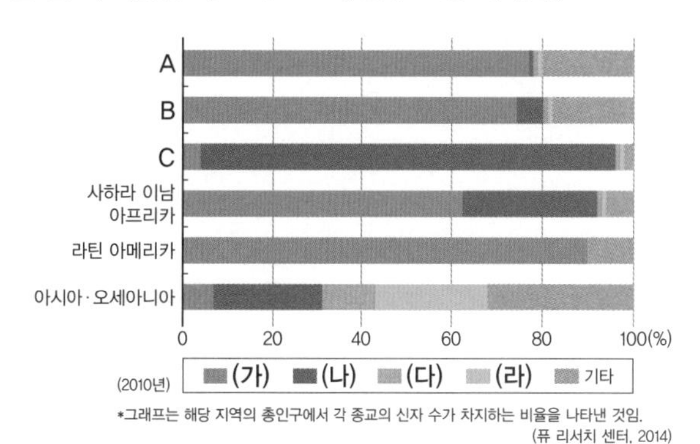

*그래프는 해당 지역의 총인구에서 각 종교의 신자 수가 차지하는 비율을 나타낸 것임.
(퓨 리서치 센터, 2014)

① (가)의 신자 수가 세계에서 가장 많은 국가는 A에 위치한다.
② (나)의 종교 경관으로 불상과 불탑을 들 수 있다.
③ (다)의 기원지는 C에 위치한다.
④ (나)는 (라)보다 기원한 시기가 이르다.
⑤ A는 B보다 지역 내 이슬람교 신자 수 비율이 높다.

04 다음 자료는 주요 국가 내 신자 수 비율 1위 종교를 나타낸 것이다. (가)~(마) 종교에 대한 설명으로 옳은 것은? (단, (가)~(마)는 불교, 유대교, 이슬람교, 크리스트교, 힌두교 중 하나임.)

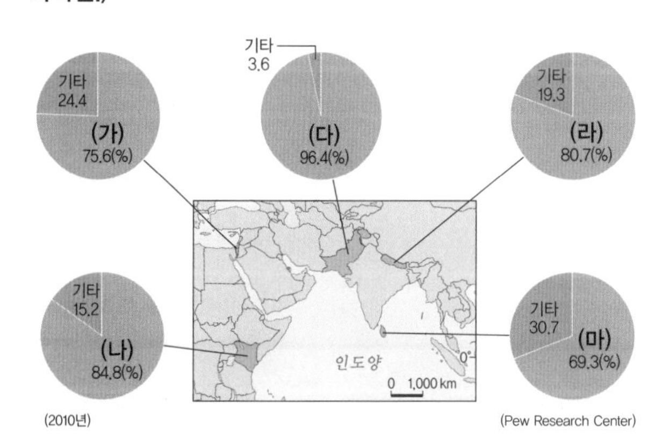

① (나)의 신자들은 쿠란의 가르침에 따른 신앙 실천의 5대 의무가 있다.
② (다)의 사원에서는 다양한 신들의 조각상을 볼 수 있다.
③ (라)는 팔레스타인 지역에서 기원하였다.
④ (가), (다)의 신자들은 돼지고기를 금기시한다.
⑤ (가), (나)는 민족 종교, (다), (라), (마)는 보편 종교에 해당한다.

02 세계의 인구 변천과 인구 이주

❶ **인구 부양력**
어느 지역이 얼마나 많은 인구를 수용할 수 있는가를 나타내는 척도로 경제 발달, 식량 생산 증대 등은 인구 부양력 상승의 원인이 된다.

❷ **인구 변천 모형**
출생률과 사망률의 변화에 따라 인구 성장을 단계별로 구분한 모형으로, 국가의 경제 발전 수준에 따른 인구 성장 과정을 파악하는 데 이용된다.

❸ **중위 연령**
전체 인구를 연령순으로 세웠을 때 정중앙에 있는 사람의 연령을 말한다. 노년층 인구 비율이 높은 지역일수록 중위 연령이 높아지는 경향이 나타난다.

A 세계의 인구 성장과 인구 분포

1. 세계의 인구 성장과 성장 요인

(1) 인구 성장: 1800년경 약 10억 명에서 2017년 약 75억 명으로 인구가 크게 성장함

(2) 인구 성장 요인: 생활 수준의 향상, 의료 기술의 발달, 공공 위생 시설의 개선 등으로 인한 사망률 감소, 인구 부양력❶ 증대 등

왜 식량 생산량이 증가하고 경제가 발달했기 때문이야.

2. 세계의 인구 분포 자료 1

(1) 인구 분포

① 세계 인구의 대부분이 북반구에 거주

② 해안 지역이나 해발 고도가 낮은 지역에 주로 거주

(2) 인구 밀집 지역과 인구 희박 지역

① **인구 밀집 지역:** 농업에 유리하거나 공업과 서비스업이 발달한 지역

② **인구 희박 지역:** 기후·지형 조건이 불리한 곳, 경제 활동이 어렵거나 교통 발달이 미약한 지역, 정치적으로 불안정한 지역

예 사막, 극지방 등에 인구가 희박해.

예 전쟁이나 내전 발생 지역에 인구가 희박해.

B 세계의 인구 변천과 인구 구조

1. 인구 변천❷

(1) 인구 변천 모형의 단계별 특징 자료 2

왜 질병, 자연재해, 식량 부족 문제가 심각하기 때문이야.

단계	특징
1단계(고위 정체기)	출생률과 사망률이 높아 인구 증가율이 낮음
2단계(초기 팽창기)	출생률이 높고 사망률이 빠르게 감소하여 인구가 급성장함 (왜 의학 발달, 생활 환경 개선 등이 원인이야.)
3단계(후기 팽창기)	출생률이 감소하면서 인구 증가가 둔화됨 (왜 여성의 사회 활동 증가, 산아 제한 정책 실시 등이 원인이야.)
4단계(저위 정체기)	낮은 수준의 출생률과 사망률이 유지되며 인구 증가율도 낮은 수준을 유지함
5단계(절대 감소기)	저출산으로 인구의 자연 감소가 나타남

(2) 선진국의 인구 변천 단계: 현재 인구가 정체 또는 감소하는 4단계나 5단계에 해당함

(3) 개발 도상국의 인구 변천 단계: 현재 2단계나 3단계에 속하는 경우가 많음

2. 선진국과 개발 도상국의 인구 구조와 인구 문제

(1) 연령층별 인구 구조 자료 3

① **선진국:** 저출산으로 유소년층 인구 비율은 낮은 반면, 노년층 인구 비율이 높아 중위❸ 연령이 높음

방추형이나 종형의 인구 구조가 나타나.

② **개발 도상국:** 출생률이 여전히 높아 유소년층 인구 비율은 높은 반면, 노년층 인구 비율이 낮아 고령화가 나타나고 중위 연령이 낮음

피라미드형의 인구 구조가 나타나.

(2) 산업별 인구 구조: 선진국은 개발 도상국보다 1차 산업 종사자 비율은 낮고, 3차 산업 종사자 비율은 높음

(3) 인구 문제

출산 장려 정책, 노년층 일자리 확충, 노인 복지 정책 강화, 연금 제도 등의 사회 보장 제도 강화 등으로 해결하려고 노력 중이야.

① **선진국:** 저출산, 고령화, 생산 연령 인구 감소에 따른 노동력 부족 등

② **개발 도상국:** 식량 및 자원 부족, 기아와 빈곤 등

산아 제한 정책 실시, 인구 부양력을 높이기 위한 노력 등이 필요해.

한눈에 정리

선진국과 개발 도상국의 연령층별 인구 구조

선진국	저출산·고령화로 유소년층 인구 비율이 낮고, 노년층 인구 비율이 높음(방추형이나 종형)
개발 도상국	출생률이 높아 유소년층 인구 비율이 높고, 노년층 인구 비율이 낮음(피라미드형)

교과서 자료 모아 보기

자료 확인 문제

자료 1 세계의 인구 분포와 대륙별 인구 변화

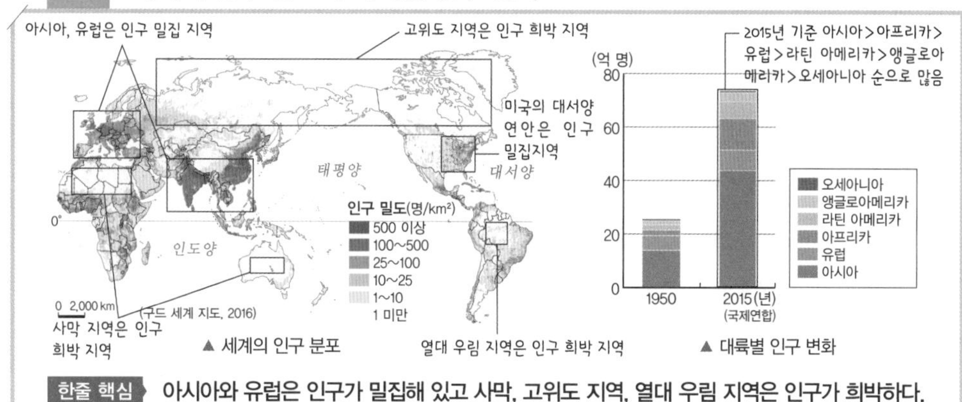

▲ 세계의 인구 분포 ▲ 대륙별 인구 변화

한줄 핵심 아시아와 유럽은 인구가 밀집해 있고 사막, 고위도 지역, 열대 우림 지역은 인구가 희박하다.

❶ 동아시아는 북부 아프리카보다 인구 밀도가 높다. ○ ×

❷ 오스트레일리아 내륙은 사막이 분포하여 있어 인구 밀도가 낮다. ○ ×

❸ 2015년 기준 인구가 가장 많은 대륙은? ( )

자료 2 인구 변천 모형

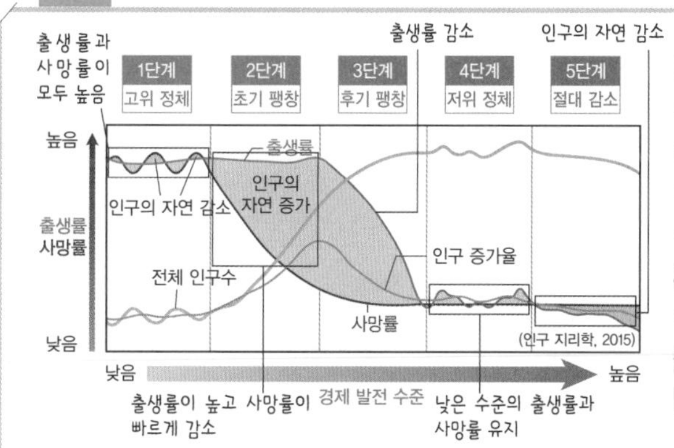

| 자료 분석 | 1단계는 출생률과 사망률이 높아 인구 증가율이 낮고, 2단계는 출생률이 높고 사망률이 빠르게 감소하여 인구가 급성장한다. 3단계는 출생률이 감소하면서 인구 증가가 둔화되고, 4단계는 낮은 수준의 출생률과 사망률이 유지되며 인구 증가율도 낮은 수준을 유지한다. 5단계는 저출산으로 인구의 자연 감소가 나타난다.

한줄 핵심 인구 변천 1단계는 인구 변화가 거의 없고, 2단계는 인구의 급성장, 3단계는 인구 성장의 둔화, 4단계는 인구 성장의 정체, 5단계는 인구 감소가 일어난다.

❹ 인구 변천 모형의 1단계는 2단계보다 인구의 자연 증가율이 높다. ○ ×

❺ 선진국은 현재 인구 변천 모형의 2단계나 3단계에 해당한다. ○ ×

❻ 인구 변천 모형의 4단계와 5단계에서는 저출산·고령화 문제가 심각하다. ○ ×

자료 3 선진국과 개발 도상국의 인구 구조

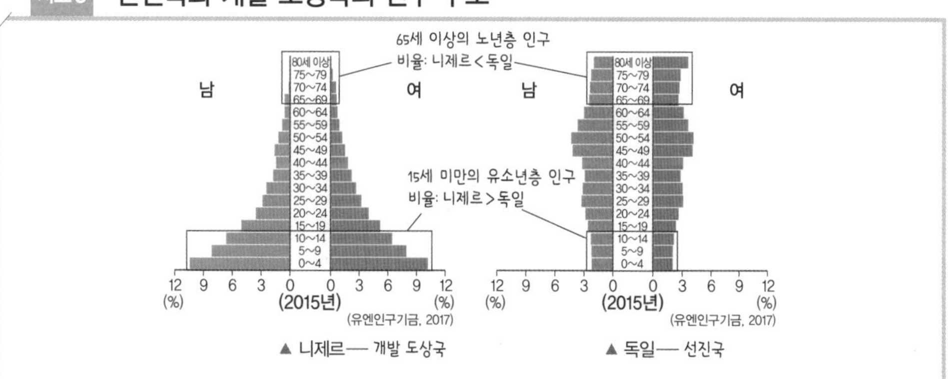

▲ 니제르— 개발 도상국 ▲ 독일— 선진국

| 자료 분석 | 개발 도상국은 출생률이 높아 유소년층 인구 비율이 높다. 선진국은 저출산으로 유소년층 인구 비율은 낮은 반면, 노년층 인구 비율이 높아 중위 연령이 높다.

한줄 핵심 선진국은 개발 도상국보다 노년층 인구 비율이 높은 반면, 유소년층 인구 비율은 낮다.

❼ (선진국, 개발 도상국)은 (선진국, 개발 도상국)보다 노년층 인구 비율이 높다.

❽ (선진국, 개발 도상국)은 (선진국, 개발 도상국)보다 중위 연령이 높다.

정답 ❶ ○ ❷ ○ ❸ 아시아 ❹ ×(2단계가 더 높다.) ❺ ×(4단계나 5단계에 해당한다.) ❻ ○ ❼ 선진국, 개발 도상국 ❽ 선진국, 개발 도상국

❹ 세계 인구의 경제적 이주
인구 이주의 대부분을 차지하는 경제적 이주는 아프리카에서 유럽, 라틴 아메리카에서 앵글로아메리카, 동남 및 남부 아시아에서 서남 아시아나 동아시아 등지로 이루어진다.

❺ 유럽으로의 난민 이주

유입 국가에 거주하는 인구 10,000명당 망명 신청자(2015년)
20명 이상 / 10~20 / 5~10 / 3~5 / 1~3 / 1명 미만
이주 난민 수(명, 2015년): 75,000 / 50,000 / 25,000 / 0
*이동자 수와 이동 방향: 100,000(명) / 50,000 / 25,000 / 10,000
*2015년 1월 한 달 동안 불법으로 국경을 넘은 인구를 말함.

난민은 전쟁, 테러, 빈곤 등을 피하기 위해 본인의 의사와 상관없이 다른 나라로 이주한 사람을 의미한다. 최근에 내전, 테러 등이 발생하거나 극심한 경제난을 겪고 있는 국가에서 난민이 발생하고 있다. 시리아, 아프가니스탄 등의 난민이 유럽으로 이주하는 경우가 늘었다.

C 세계의 인구 이주

1. 인구 이주의 요인과 유형

(1) 인구 이주의 요인

인구 배출 요인	특정 지역 인구를 다른 지역으로 밀어내 이주하게 만드는 요인 예 빈곤, 낮은 임금, 일자리 부족, 생활 시설의 부족 등
인구 흡인 요인	다른 지역으로부터 인구를 끌어들여 머무르게 하는 요인 예 높은 소득 및 임금 수준, 풍부한 일자리, 쾌적한 주거 환경 등

(2) 인구 이주의 유형: 이주 기간에 따라 일시적·영구적 이동, 이주 동기에 따라 자발적·강제적 이동, 공간 범위에 따라 국내·국외 이동, 이주 원인에 따라 경제적·종교적·정치적·환경적 이동으로 구분

2. 인구 이주의 특징 자료 4

예 아프리카에서 유럽으로, 멕시코에서 미국으로, 동남 및 남부 아시아에서 서남아시아·대한민국·일본 등으로의 미숙련 노동자의 이동이 나타나고 있어.

(1) 경제적 요인에 따른 국제 이주 증가❹: 개발 도상국에서 상대적으로 소득 수준이 높고 일자리가 풍부한 선진국으로 이동하는 경우가 많음

(2) 난민의 이동 발생: 내전, 테러, 경제난 등을 겪고 있는 지역에서 난민 발생

예 시리아, 아프가니스탄 등의 난민이 발생하였어.

3. 인구 이주에 따른 지역의 변화

구분	인구 유출 지역	인구 유입 지역
긍정적 변화	해외 이주 노동자들의 송금액 유입으로 지역 경제 활성화, 실업률 하락	노동력 부족 문제 해결, 문화적 다양성 증대
부정적 변화	생산 연령 인구의 유출 → 산업 성장 둔화, 사회 분위기 침체	문화적 차이 및 이주자의 집단 주거지 형성으로 인한 갈등 발생

4. 최근의 인구 이주 사례

이슬람교 신자의 비율이 높은 난민이 대거 유입되면서 크리스트교 전통이 강한 유럽에서 문화적·종교적 갈등이 고조되고 있어.

(1) 유럽으로의 인구 이주: 저출산·고령화로 노동력이 부족해지면서 인접한 지역에서 인구 유입, 북부 아프리카 및 서남아시아에서 발생한 민주화 시위와 내전으로 난민의 유입❺

(2) 서남아시아 산유국으로의 인구 유입: 석유, 천연가스 수출을 통해 획득한 자본으로 사회 간접 자본을 확충하면서 많은 노동력이 필요하게 됨 → 주변 국가로부터 남성 중심의 노동력 유입 증가

국가 경제 발전의 기초가 되는 도로, 항만, 철도, 통신, 전력 등의 공공 시설을 말해.

사우디아라비아의 경우 청장년층 인구의 성비가 매우 높게 나타나고 있어. 성비는 여자 100명당 남자 수를 말해.

교과서 자료 모아 보기

자료 확인 문제

❾ 세계의 대륙 중에서 인구 순 유출이 가장 많은 대륙은?
(　　　　　　)

❿ 오세아니아, 앵글로아메리카와 함께 인구 순 유입이 발생하고 있는 대륙은?
(　　　　　　)

자료 4 인구 유입 지역과 유출 지역

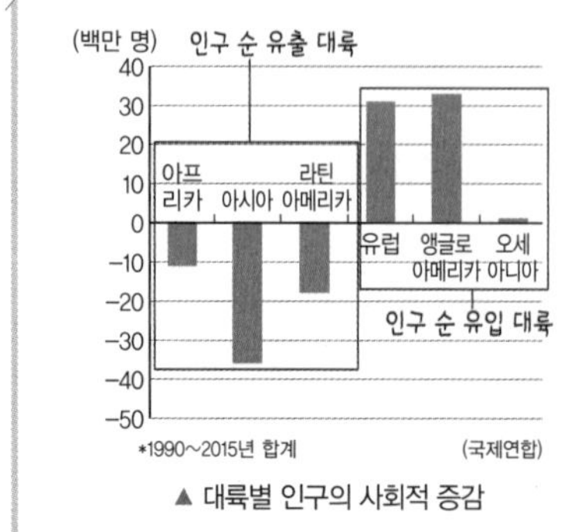

▲ 대륙별 인구의 사회적 증감

| 자료 분석 | 경제 발달 수준이 낮은 아프리카, 아시아, 라틴 아메리카는 인구 순 유출 대륙에 해당하고, 경제 발달 수준이 높은 유럽, 앵글로아메리카, 오세아니아는 인구 순 유입 대륙에 해당한다.

한줄 핵심 경제 발달 수준이 높은 지역은 인구 순 유입이 발생하고, 경제 발달 수준이 낮은 지역은 인구 순 유출이 발생한다.

정답 ❾ 아시아 ❿ 유럽

세계의 인구 구조

수능풀 Guide 대륙 간 인구 구조 차이와 선진국과 개발 도상국 간 인구 구조 차이에 대해 알아보자.

1 대륙의 연령별 인구 비율

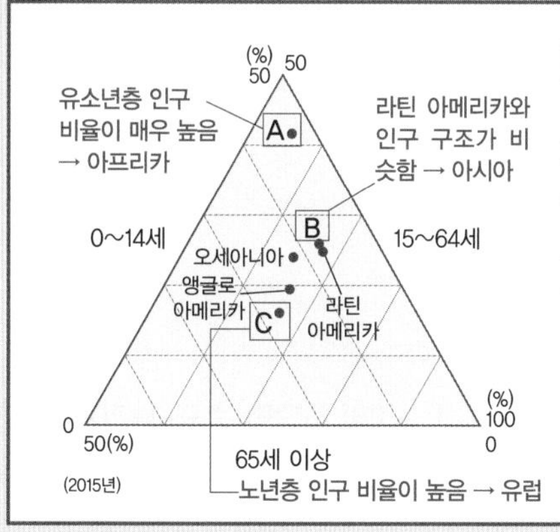

PLUS분석 A는 모든 대륙 중에서 유소년층 인구 비율이 가장 높으므로 출생률이 높은 아프리카이다. B는 비교적 유소년층 인구 비율이 높은 편이며, 라틴 아메리카와 인구 구조가 비슷하므로 아시아이다. C는 모든 대륙 중에서 노년층 인구 비율이 가장 높으므로 인구 고령화가 심각한 유럽이다.

$$*\text{총 부양비}: \frac{\text{0~14세 인구}+\text{65세 이상 인구}}{\text{15~64세 인구}}\times 100$$

기출 선택지로 확인하기

❶ 총 부양비가 가장 높은 대륙은 A이다. ○ ×

❷ B는 유소년 부양비가 노년 부양비보다 높다. ○ ×

2 선진국과 개발 도상국의 인구 구조

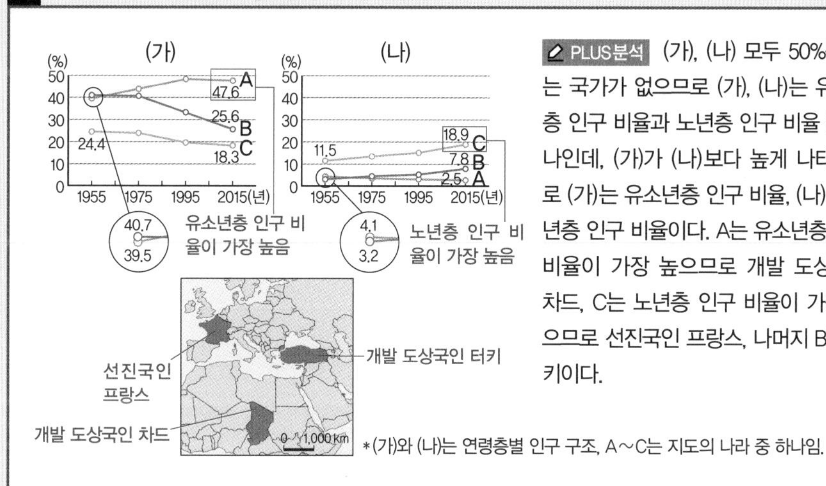

*(가)와 (나)는 연령층별 인구 구조, A~C는 지도의 나라 중 하나임.

PLUS분석 (가), (나) 모두 50%를 넘는 국가가 없으므로 (가), (나)는 유소년층 인구 비율과 노년층 인구 비율 중 하나인데, (가)가 (나)보다 높게 나타나므로 (가)는 유소년층 인구 비율, (나)는 노년층 인구 비율이다. A는 유소년층 인구 비율이 가장 높으므로 개발 도상국인 차드, C는 노년층 인구 비율이 가장 높으므로 선진국인 프랑스, 나머지 B는 터키이다.

기출 선택지로 확인하기

❸ A는 유럽, C는 아프리카에 위치한다. ○ ×

❹ 1955년 대비 2015년 A의 총 부양비는 감소하였다. ○ ×

3 아시아, 아프리카, 유럽의 출생률과 사망률 변화

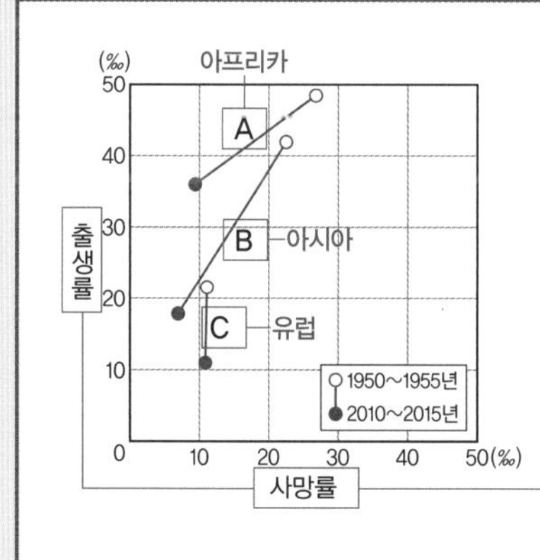

PLUS분석 A는 두 기간 모두 출생률이 가장 높고, 인구의 자연 증가율도 가장 높으므로 아프리카이다. B는 두 기간 사이에 출생률이 크게 감소하였지만 2010~2015년에 아프리카 다음으로 출생률이 높으므로 아시아이다. C는 두 기간 모두 출생률이 가장 낮고 2010~2015년에는 인구의 자연 감소가 나타나고 있으므로 유럽이다.

출생률-사망률 = 인구의 자연 증가율(인구의 자연 증가율이 '+'이면 인구의 자연 증가, '-'이면 인구의 자연 감소)

기출 선택지로 확인하기

❺ A는 아시아에 해당한다. ○ ×

❻ 1950~1955년 인구의 자연 증가율은 A가 C보다 낮다. ○ ×

❼ 2010~2015년 인구 1,000명당 출생자 수는 B가 C보다 많다. ○ ×

정답 ❶ ○ ❷ ○ ❸ ×(A는 아프리카, C는 유럽에 위치한다.) ❹ ×(차드의 유소년층과 노년층 인구 비율의 합이 증가하였으므로 총 부양비는 증가한다.) ❺ ×(A는 아프리카이다.) ❻ ×(아프리카가 유럽보다 인구의 자연 증가율이 높다.) ❼ ○

콕콕! 개념 확인하기

정답과 해설 29쪽

A 세계의 인구 성장과 인구 분포

01 그래프는 대륙별 인구 변화를 나타낸 것이다. (가)~(다) 대륙의 명칭을 쓰시오.

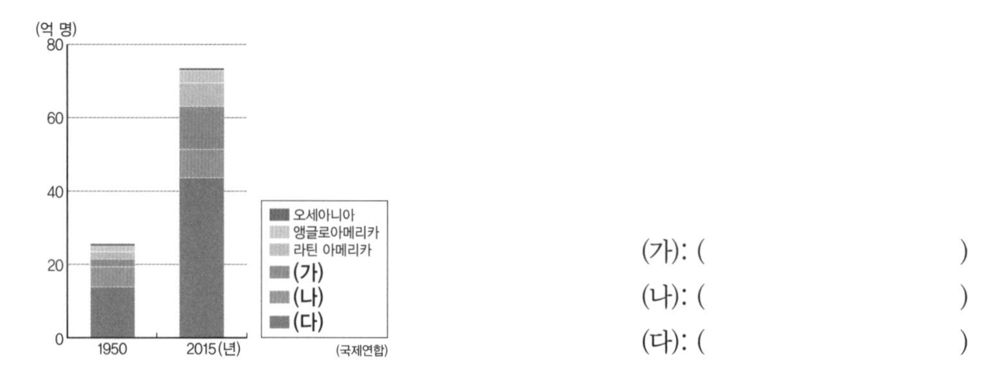

(가): (　　　　　　　　)

(나): (　　　　　　　　)

(다): (　　　　　　　　)

B 세계의 인구 변천과 인구 구조

02 그래프는 (가), (나) 국가의 인구 구조를 나타낸 것이다. 이에 대한 설명이 옳으면 ○표, 틀리면 ×표를 하시오. (단, (가), (나)는 니제르, 독일 중 하나임.)

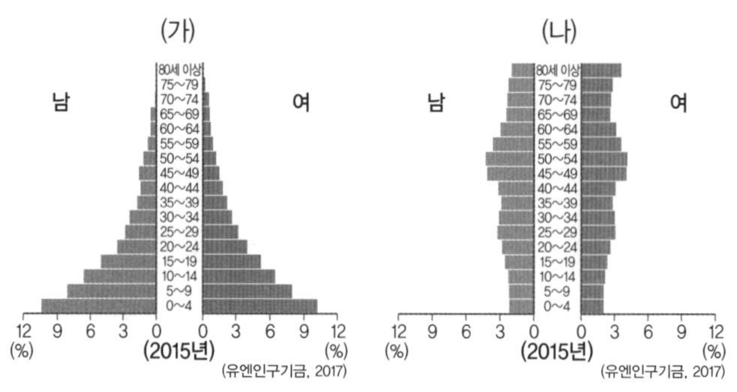

(1) (가)는 유럽, (나)는 아프리카에 위치한다. (　　)

(2) (가)는 (나)보다 중위 연령이 낮다. (　　)

(3) (가)는 (나)보다 1인당 국내 총생산이 많다. (　　)

(4) (나)는 (가)보다 고령화 지수가 높다. (　　)

(5) (나)는 (가)보다 저출산 · 고령화 문제가 심각하다. (　　)

(6) (나)는 (가)보다 인구 변천 모형의 2단계에 진입한 시기가 이르다. (　　)

C 세계의 인구 이주

03 그래프는 대륙별 인구의 사회적 증감을 나타낸 것이다. 다음 설명에 해당하는 대륙의 기호를 있는 대로 쓰시오. (단, A~C는 아시아, 아프리카, 유럽 중 하나임.)

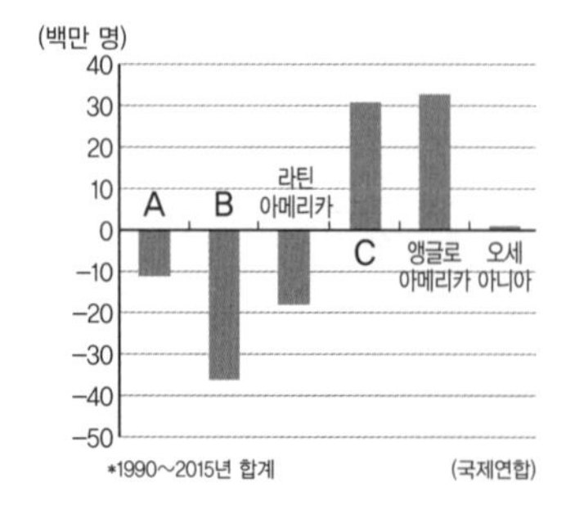

(1) 총인구가 가장 많은 대륙 (　　)

(2) 유입 인구보다 유출 인구가 많은 대륙 (　　)

(3) 산업 혁명이 가장 먼저 발생하여 경제 발달 수준이 높은 대륙 (　　)

(4) 서남아시아와 북부 아프리카로부터 많은 인구가 유입되어 문화적·종교적 갈등이 심화되고 있는 대륙 (　　)

탄탄! 내신 다지기

정답과 해설 29쪽

A 세계의 인구 성장과 인구 분포

01 세계의 인구 분포에 대한 설명으로 옳은 것은?

① 북반구보다 남반구에 인구가 많다.
② 세계에서 인구가 가장 많은 대륙은 아프리카이다.
③ 북부 아프리카와 브라질 내륙은 인구 밀집 지역에 해당한다.
④ 해안 지역보다 내륙의 산악 지대에서 인구 밀도가 높게 나타난다.
⑤ 중국의 해안 지역은 오스트레일리아의 내륙 지역보다 인구 밀도가 높다.

[02~03] 그래프는 대륙별 인구 비율 변화를 나타낸 것이다. 이를 보고 물음에 답하시오.

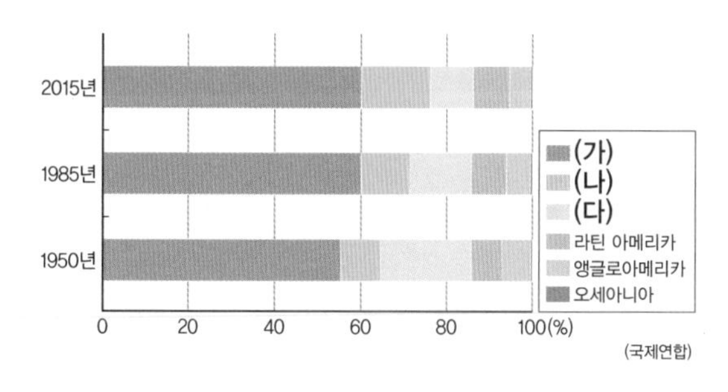

02 (가)~(다) 대륙을 바르게 연결한 것은?

	(가)	(나)	(다)
①	아시아	아프리카	유럽
②	아시아	유럽	아프리카
③	아프리카	아시아	유럽
④	아프리카	유럽	아시아
⑤	유럽	아프리카	아시아

03 (가)~(다) 대륙에 대한 설명으로 옳은 것은?

① (가)는 (나)보다 1985~2015년의 인구 증가율이 높다.
② (나)는 (다)보다 2015년에 3차 산업 종사자 수 비율이 높다.
③ (다)는 (가)보다 산업 혁명이 발생한 시기가 이르다.
④ (다)는 (나)보다 개발 도상국이 많다.
⑤ (가)~(다) 중에서 경제 발달 수준은 (다)가 가장 낮다.

B 세계의 인구 변천과 인구 구조

04 지도의 (가) 국가군과 비교한 (나) 국가군의 상대적인 인구 특징만을 〈보기〉에서 고른 것은?

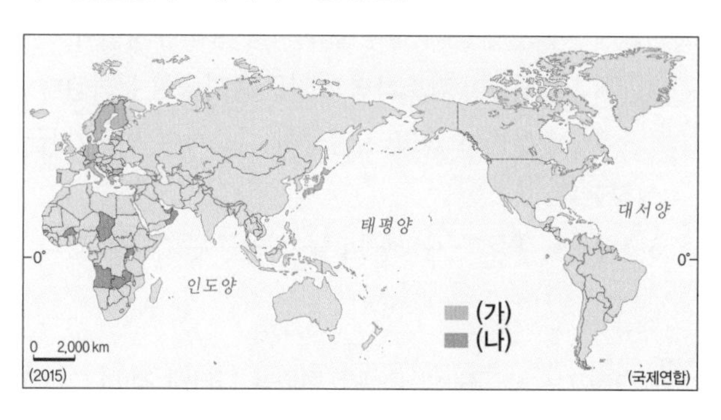

보기
ㄱ. 기대 수명이 길다.
ㄴ. 고령화 지수가 높다.
ㄷ. 인구의 자연 증가율이 높다.
ㄹ. 유소년층 인구 비율이 높다.

① ㄱ, ㄴ
② ㄱ, ㄷ
③ ㄴ, ㄷ
④ ㄴ, ㄹ
⑤ ㄷ, ㄹ

05 그래프는 세 국가의 연령대별 인구 구조를 나타낸 것이다. (가)~(다) 국가에 대한 설명으로 옳은 것은? (단, (가)~(다)는 니제르, 스웨덴, 터키 중 하나임.)

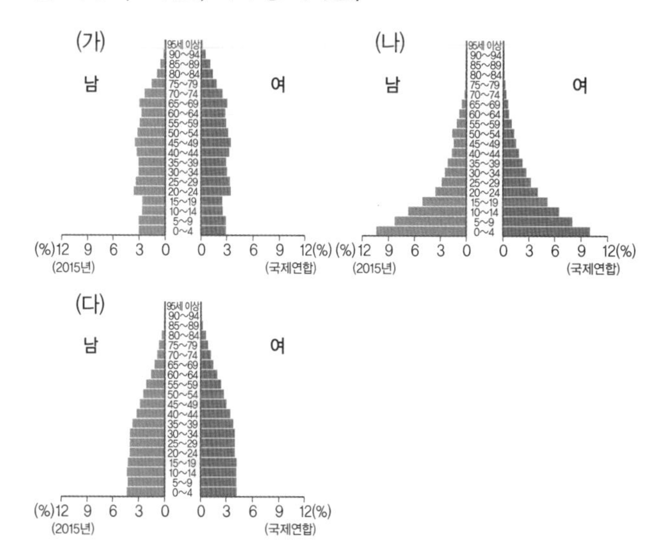

① (가)는 (나)보다 인구 변천 모형의 2단계에 진입한 시기가 이르다.
② (나)는 (다)보다 중위 연령이 높다.
③ (다)는 (가)보다 1인당 국내 총생산이 많다.
④ (가)는 아시아, (나)는 아프리카에 위치한다.
⑤ (가)~(다) 중에서 산아 제한 정책의 필요성은 (가)가 가장 높다.

06 인구 변천 모형의 단계별 특징에 대한 설명으로 옳은 것은?

① 1단계 – 저출산으로 인구의 자연 감소가 나타난다.
② 2단계 – 낮은 수준의 출생률과 사망률이 유지된다.
③ 3단계 – 출생률이 감소하면서 인구 증가율이 둔화된다.
④ 4단계 – 출생률이 높고 사망률이 감소하여 인구가 급성장한다.
⑤ 5단계 – 출생률과 사망률이 높아 인구 증가율이 낮다.

07 그래프는 세 국가의 출생률 변화를 나타낸 것이다. (가)~(다) 국가에 대한 설명으로 옳은 것은? (단, (가)~(다)는 영국, 사우디아라비아, 수단 중 하나임.)

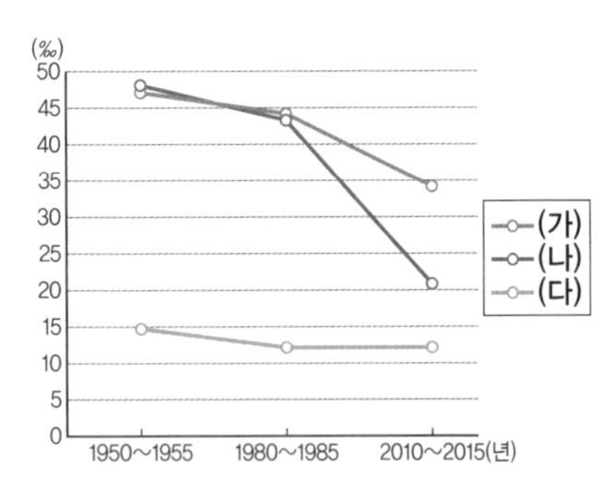

① (나)는 (다)보다 인구 밀도가 높다.
② (다)는 (가)보다 중위 연령이 높다.
③ (가)는 아시아, (나)는 아프리카에 위치한다.
④ (가), (나)는 인구 순 유출국, (다)는 인구 순 유입국이다.
⑤ (가)~(다) 중에서 노년층 인구 비율은 (가)가 가장 높다.

C 세계의 인구 이주

08 세계의 인구 이동에 대한 설명으로 옳은 것은?

① 선진국에서 개발 도상국으로의 인구 이동이 대부분을 차지한다.
② 아시아와 아프리카는 유출 인구보다 유입 인구가 많은 대륙이다.
③ 인구 이주로 인해 인구 유입 지역에서는 노동력 부족 문제가 심화되고 있다.
④ 서남아시아의 산유국은 남성 중심의 노동력이 유입되면서 남초 현상이 나타나고 있다.
⑤ 유럽으로 유입되는 북부 아프리카와 서남아시아 출신의 난민들은 대부분 크리스트교를 믿는다.

09 그래프는 인구의 순 유입 및 순 유출 상위 10개국을 나타낸 것이다. (나) 국가군과 비교한 (가) 국가군의 상대적 특징만을 〈보기〉에서 고른 것은?

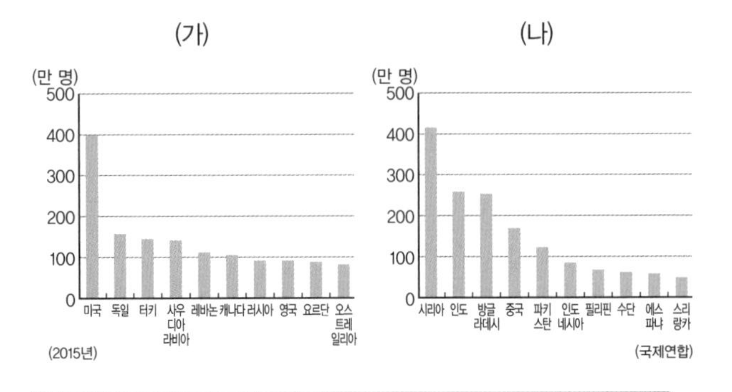

〈보기〉
ㄱ. 시간당 임금 수준이 높다.
ㄴ. 산업화가 시작된 시기가 이르다.
ㄷ. 1차 산업 종사자 수 비율이 높다.
ㄹ. 총인구 대비 도시 거주 인구 비율이 낮다.

① ㄱ, ㄴ ② ㄱ, ㄷ ③ ㄴ, ㄷ
④ ㄴ, ㄹ ⑤ ㄷ, ㄹ

서답형 문제

10 그래프는 유럽 주요 국가의 이슬람 인구 변화를 나타낸 것이다. 이를 보고 물음에 답하시오.

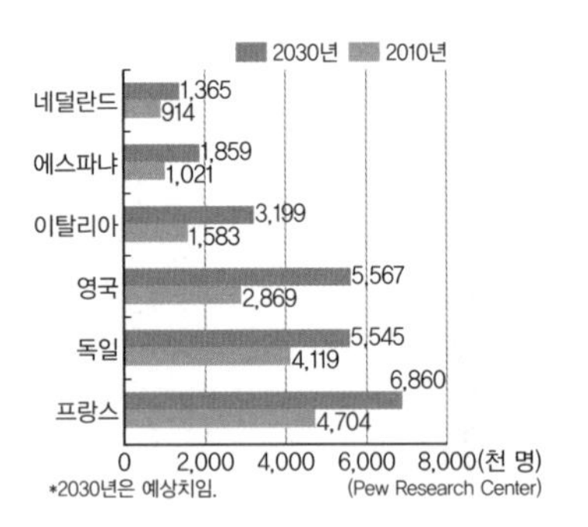

(1) 유럽에 거주하는 이슬람 인구의 주요 출신 지역을 쓰시오.

( )

(2) 2010~2030년에 예상되는 유럽 주요 국가의 이슬람 인구 변화 경향과 변화의 원인을 서술하시오.

도전! 실력 올리기

정답과 해설 31쪽

01 그래프는 네 국가의 인구 변화를 나타낸 것이다. (가)~(라) 국가에 대한 옳은 설명만을 〈보기〉에서 고른 것은? (단, (가)~(라)는 지도에 표시된 네 국가 중 하나임.)

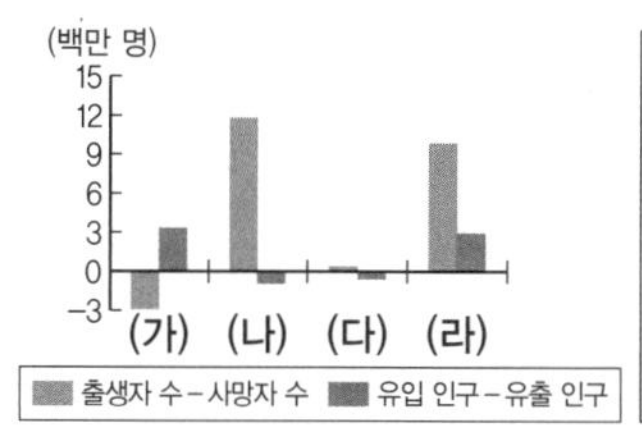

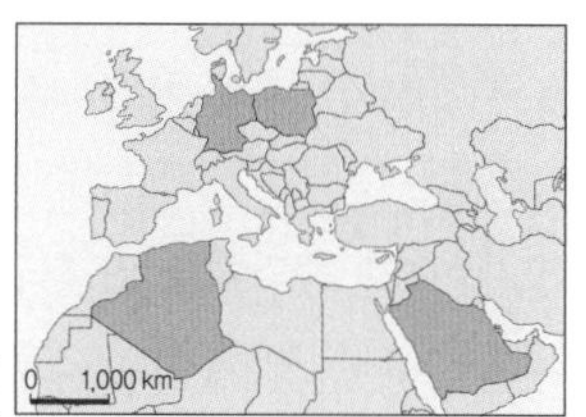

*1995~2015년 기간 누적값임.

보기
ㄱ. (가)는 (나)보다 시간당 임금 수준이 높다.
ㄴ. (다)는 (라)보다 이슬람교 신자 수 비율이 높다.
ㄷ. (라)는 (가)보다 청장년층 인구의 성비가 높다.
ㄹ. (나)는 아프리카, (다)는 아시아에 위치한다.

① ㄱ, ㄴ ② ㄱ, ㄷ ③ ㄴ, ㄷ
④ ㄴ, ㄹ ⑤ ㄷ, ㄹ

기출 변형

02 그래프는 지도에 표시된 세 국가의 연령별 인구 비율 변화를 나타낸 것이다. 이에 대한 설명으로 옳은 것은? (단, (가), (나)는 0~14세, 15~64세, 65세 이상 인구 비율 중 하나이고, A~C는 지도에 표시된 세 국가 중 하나임.)

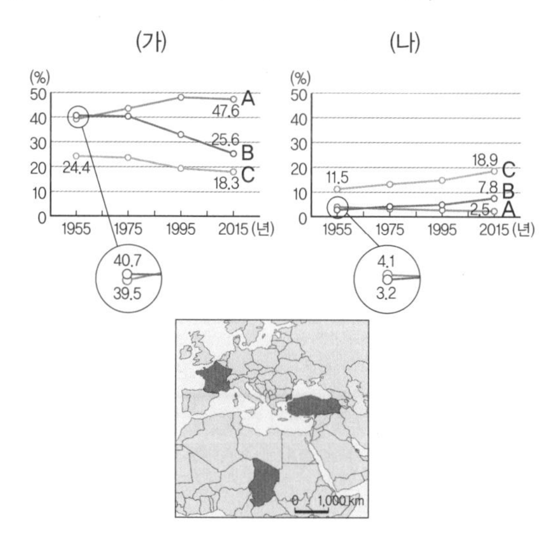

① (가)는 노년층 인구 비율, (나)는 유소년층 인구 비율이다.
② A는 B보다 2015년에 고령화 지수가 높다.
③ B는 C보다 2015년에 중위 연령이 높다.
④ C는 A보다 2015년에 총 부양비가 낮다.
⑤ A는 유럽, B는 아시아, C는 아프리카에 위치한다.

03 그래프에 대한 설명으로 옳은 것은? (단, (가)~(다)와 A~C는 각각 아시아, 아프리카, 유럽 중 하나임.)

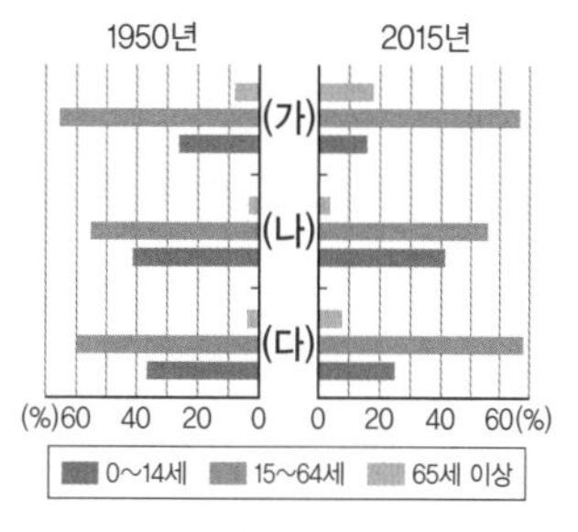

▲ 대륙별 인구 구조 변화

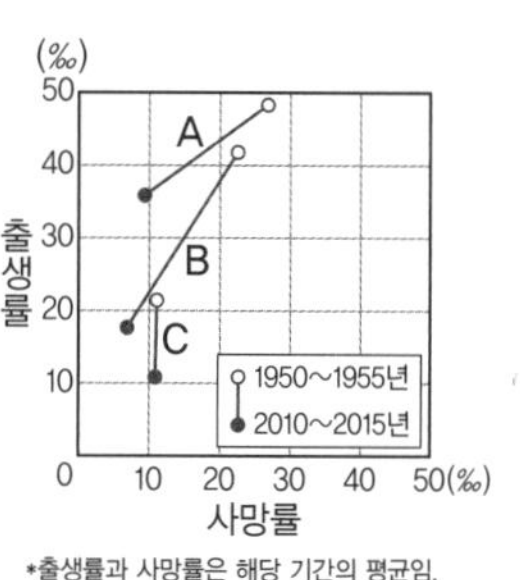

*출생률과 사망률은 해당 기간의 평균임.

▲ 대륙별 출생률과 사망률 변화

① (가)는 (나)보다 2010~2015년에 인구의 자연 증가율이 높다.
② (나)는 (다)보다 2015년에 유소년층 인구가 많다.
③ A는 B보다 2015년에 총 부양비가 높다.
④ B는 C보다 인구의 순 유입이 많다.
⑤ (가)는 C, (나)는 B, (다)는 A에 해당한다.

04 그래프는 대륙별 인구 특징을 나타낸 것이다. (가)~(마) 대륙에 대한 설명으로 옳은 것은? (단, 아메리카는 앵글로아메리카와 라틴 아메리카로 구분함.)

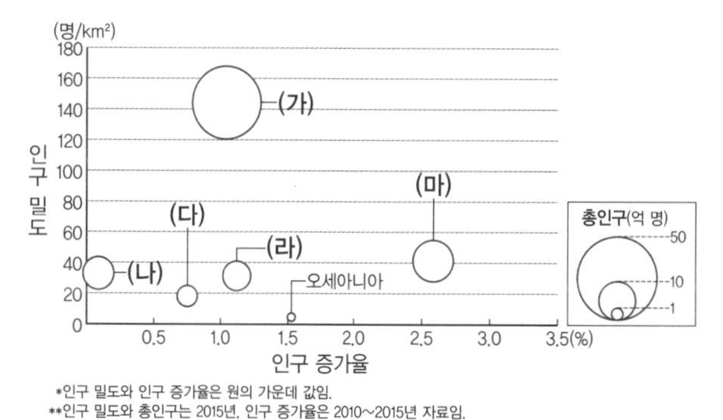

*인구 밀도와 인구 증가율은 원의 가운데 값임.
**인구 밀도와 총인구는 2015년, 인구 증가율은 2010~2015년 자료임.

(국제연합)

① (가)는 (나)보다 중위 연령이 높다.
② (나)는 (다)보다 영어 사용자의 비율이 낮다.
③ (다)는 (라)보다 국가 수가 많다.
④ (라)는 (마)보다 유소년층 인구 비율이 높다.
⑤ (마)는 (다)보다 인구 순 유입이 많다.

03 세계의 도시화와 세계 도시 체계

A 도시화와 도시화 과정

1. 도시와 도시화

(1) 도시: 사람들의 중요한 생활 공간이자 정치·경제·사회·문화의 중심지

(2) 도시화: 도시 거주 인구와 도시 수가 증가하고 도시권이 확대되며, 촌락에 도시적 요소가 확대되는 과정

도시화는 총 3단계(초기·가속화·종착 단계)로 진행돼.

(%) 100, 0, 도시화율, 시간, 초기 단계, 가속화 단계, 종착 단계

▲ 도시화 곡선과 도시화 과정

2. 세계의 도시화 과정

(1) 세계의 도시 발달 자료 1

① 1950년에는 세계 인구의 약 30%가 도시에 거주했으나, 2015년에는 세계 인구의 약 54%가 도시에 거주함

② 도시의 인구 규모가 커지고 있음

(2) 선진국과 개발 도상국의 도시화 과정 자료 2

선진국	산업 혁명 이후 점진적으로 도시화가 진행되어 현재 도시화의 종착 단계에 도달
개발 도상국	• 제2차 세계 대전 이후 급속한 도시화가 진행되어 현재 도시화의 가속화 단계에 있는 경우가 많음 • 급격한 도시화가 진행되면서 여러 가지 도시 문제 발생

예 주택 부족, 기반 시설 부족, 환경 오염 등의 문제가 발생하고 있어.

B 세계 도시와 세계 도시 체계

1. 세계 도시

(1) 의미: 세계화 시대에 국가의 경계를 넘어 세계적인 중심지 역할을 수행하는 대도시, 전 세계의 경제 활동을 조절하고 통제할 수 있는 중심지, 세계의 자본이 집적되는 장소 등으로 정의됨 예 런던, 뉴욕, 도쿄❶

(2) 등장 배경: 교통과 통신의 발달에 따른 경제 활동의 세계화, 경제 개방 및 자유 무역의 확대, 다국적 기업의 성장 및 금융의 국제화 등

(3) 선정 기준: 경제적 측면, 정치적 측면, 문화적 측면, 도시 기반 시설 측면 등의 지표에 따라 다양하게 선정됨

- 경제적 측면: 예 다국적 기업의 본사 수, 금융 기관 수 등이 기준이야.
- 정치적 측면: 예 국제기구의 본부 수, 국제회의 개최 수 등이 기준이야.
- 도시 기반 시설 측면: 예 국제공항, 첨단 정보 통신 시스템 구비 정도 등이 기준이야.

(4) 특징: 다국적 기업❷의 본사 및 기능 집중, 생산자 서비스업❸ 발달, 고도의 정보 통신 네트워크와 최신 교통 체계 발달

(5) 문제점: 도시 내 양극화 현상, 도시 간 양극화 현상 유발

- 도시 내 양극화 현상: 고소득층과 저소득층 간의 거주지 분리 현상이 나타나고 있어.
- 도시 간 양극화 현상: 선진국과 개발 도상국의 세계 도시 간 불균형 현상이 나타나고 있어.

2. 세계 도시 체계 자료 3

(1) 의미: 세계 도시들 간에 기능적으로 연계된 체계

(2) 형성 배경: 교통과 통신의 발달

(3) 계층: 최상위 세계 도시는 주로 선진국에 위치하고, 상위 및 하위 세계 도시는 선진국과 개발 도상국의 도시들로 구성됨

- 최상위 세계 도시: 예 런던, 뉴욕, 도쿄가 해당돼.
- 상위: 예 파리, 로스앤젤레스 등이 해당돼.
- 하위: 예 뭄바이, 마닐라, 리우데자네이루 등이 해당돼.

(4) 특징: 최상위 세계 도시로 갈수록 도시의 수는 적어지나, 기능이 많아지고 영향력이 커지며 도시 간 평균 거리가 멀어짐

왜 최상위 세계 도시는 배후 지역의 범위가 넓고 도시의 수가 적기 때문이야.

★ 한눈에 정리

도시화 단계별 특징

단계	특징
초기 단계	농업 사회(1차 산업 중심)
가속화 단계	산업화와 함께 이촌 향도가 발생하여 도시 인구 급증, 도시 문제 발생
종착 단계	도시화율 증가 둔화, 교외화 및 대도시권 확대

❶ 런던, 뉴욕, 도쿄
주요 세계 도시로 영국의 런던, 미국의 뉴욕, 일본의 도쿄가 손꼽히고 있다. 런던은 금융 중심지 '더시티'를 중심으로 많은 다국적 기업과 금융 기업의 본사가 입지해 있다. 뉴욕은 세계 금융의 중심지 '월가(Wall Street)'가 유명하고 국제 연합(UN)의 본부가 위치해 있다. 도쿄는 주요 무역업체의 본사와 관련 서비스 산업 등이 지역 내 분업 체계를 형성하며 성장하였다.

❷ 다국적 기업
두 개 이상의 국가에 제조 공장, 계열 회사 등의 법인을 설립하고 세계적인 범위에서 경제 활동을 수행하는 기업을 말한다.

❸ 생산자 서비스업
상품이나 서비스의 생산 및 유통 과정에 투입되는 서비스를 말하며, 주로 기업에게 제공된다. 금융, 보험, 회계, 연구 개발, 광고업 등이 생산자 서비스업에 해당한다.

교과서 자료 모아 보기

자료 확인 문제

자료 1 세계의 도시화

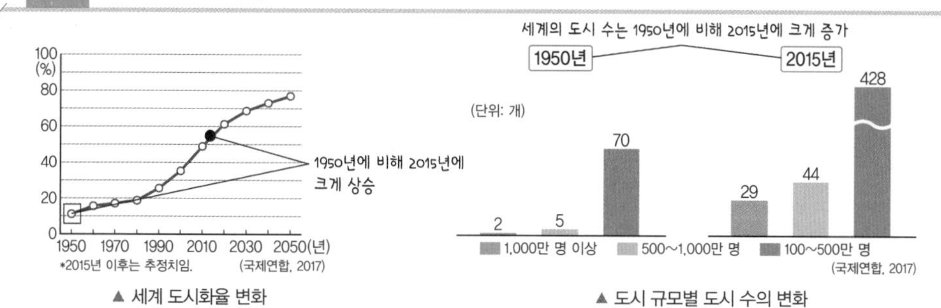

▲ 세계 도시화율 변화 ▲ 도시 규모별 도시 수의 변화

| 자료 분석 | 세계의 도시화율은 1950년 이후 크게 상승하여 2015년 현재 세계 인구의 약 54%가 도시에 거주하고 있다. 세계의 도시 수는 크게 증가하였으며 특히 인구 1,000만 명 이상의 대도시 수 증가율이 높게 나타나 도시 인구 규모도 커지고 있음을 알 수 있다.

한줄 핵심 세계의 도시화율은 크게 상승하였으며, 도시 수가 증가하고 도시 인구 규모도 커지고 있다.

❶ 과거에 비해 현재 세계의 도시화율은 높아졌다. ○ ×

❷ 1950~2015년에 세계의 도시 수는 감소하였다. ○ ×

❸ 1950~2015년에 1,000만 명 이상의 도시 수 증가율은 100~500만 명의 도시 수 증가율보다 높다. ○ ×

자료 2 선진국과 개발 도상국의 도시화

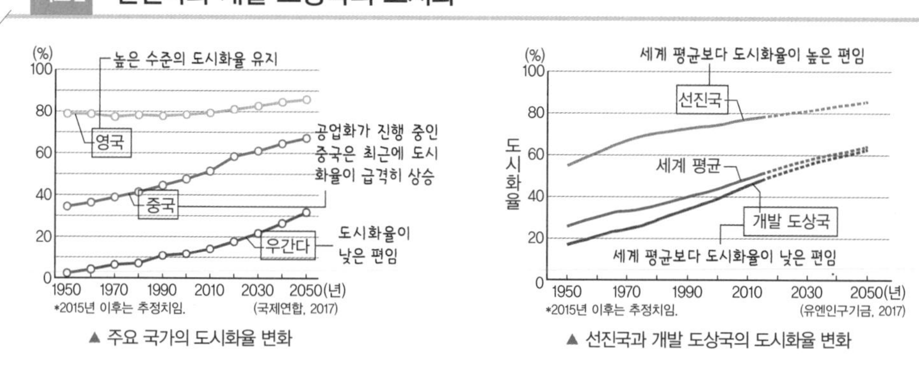

▲ 주요 국가의 도시화율 변화 ▲ 선진국과 개발 도상국의 도시화율 변화

| 자료 분석 | 선진국은 일찍부터 도시화가 진행되어 현재 도시화율이 높은 편이고, 개발 도상국은 도시화율의 상승률은 높으나 현재의 도시화율은 낮은 편이다.

한줄 핵심 선진국은 개발 도상국보다 도시화가 먼저 시작되었으며, 현재의 도시화율도 더 높다.

❹ 선진국인 (영국, 우간다)은/는 개발 도상국인 (영국, 우간다)보다 일찍부터 도시화가 진행되어 현재 도시화율이 높다.

❺ 공업화가 진행 중인 (미국, 중국)은 최근 도시화율이 빠르게 높아지고 있다.

자료 3 세계 도시 체계

| 자료 분석 | 세계 도시 체계에서 최상위 세계 도시는 선진국의 도시인 런던, 뉴욕, 도쿄이며, 개발 도상국의 도시인 뭄바이, 리우데자네이루 등은 하위 세계 도시에 해당한다. 최상위 세계 도시는 하위 세계 도시보다 영향력이 크고 도시 수가 적다.

한줄 핵심 최상위 세계 도시(런던, 뉴욕, 도쿄)는 하위 세계 도시보다 영향력이 크고 도시 수가 적다.

❻ 세계 도시 체계에서 최상위 세계 도시는?
( )

❼ 세계 도시 체계에서 최상위 세계 도시는 (선진국, 개발 도상국)에 주로 위치한다.

정답 ❶ ○ ❷ ×(도시 수는 증가하였다.) ❸ ○ ❹ 영국, 우간다 ❺ 중국 ❻ 런던, 뉴욕, 도쿄 ❼ 선진국

세계의 도시화 과정

수능풀 Guide 선진국과 개발 도상국의 도시화 및 도시화 과정의 차이에 대해 알아보자.

1 아시아, 아프리카, 유럽의 도시화 특성

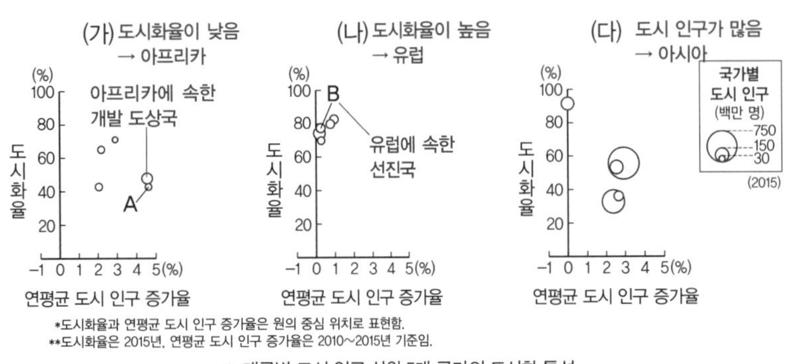

*도시화율과 연평균 도시 인구 증가율은 원의 중심 위치로 표현함.
**도시화율은 2015년, 연평균 도시 인구 증가율은 2010~2015년 기준임.

▲ 대륙별 도시 인구 상위 5개 국가의 도시화 특성

PLUS분석 (가)는 (나)에 비해 도시 인구 상위 5개 국가의 도시화율이 낮은 편이고, 연평균 도시 인구 증가율이 높으므로 아프리카이다. (나)는 (가), (다)보다 도시 인구 상위 5개 국가의 도시화율이 높으므로 유럽이다. (다)는 (가), (나)보다 도시 인구 상위 5개 국가의 도시 인구가 많으므로 아시아이다.

기출 선택지로 확인하기

❶ (가)는 (나)보다 세계 인구에서 차지하는 비중이 높다. ○ ×

❷ (나)는 (다)보다 산업화 시작 시기가 이르다. ○ ×

❸ A는 B보다 1인당 국내 총생산(GDP)이 적다. ○ ×

2 선진국과 개발 도상국의 도시화 특성

구분	(가)	(나)	(다)
도시 인구(백만 명)	99.8	63.1	31.6
연평균 도시 인구 증가율(%)	1.8	0.3	3.2
도시화율(%)	79.3	77.2	33.8

(가)>(나)>(다) — 도시 인구 / (다)>(가)>(나) — 연평균 도시 인구 증가율 / 33.8 — 도시화율이 가장 낮음

*도시 인구와 도시화율은 2015년, 연평균 도시 인구 증가율은 2010~2015년 기준임.

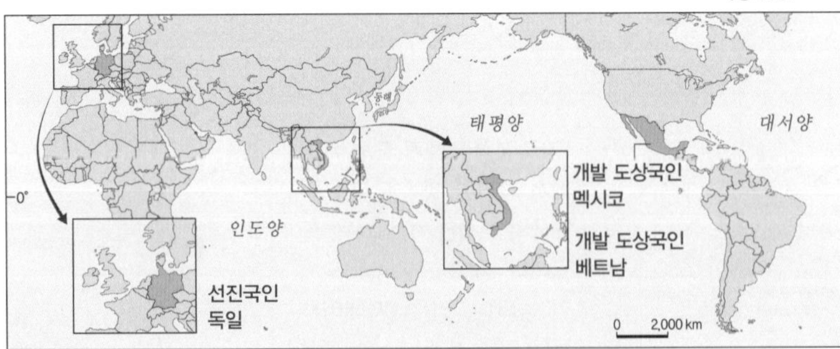

PLUS분석 (가), (나)는 도시화율이 비슷하지만 (가)는 (나)보다 도시 인구가 많고 연평균 도시 인구 증가율이 높으므로 (가)는 라틴 아메리카의 개발 도상국인 멕시코이고, (나)는 유럽의 선진국인 독일이다. 세 국가 중 도시화율이 가장 낮은 (다)는 동남아시아의 개발 도상국인 베트남이다.

기출 선택지로 확인하기

❹ (가)는 도시화 과정의 초기 단계에 있다. ○ ×

❺ (가)는 (나)보다 1인당 국내 총생산(GDP)이 많다. ○ ×

❻ (다)는 1차 산업 종사자 비율이 가장 낮다. ○ ×

정답 ❶ ○ ❷ ○ ❸ ○ ❹ ×(가속화 단계에 해당한다.) ❺ ×(1인당 국내 총생산이 적다.) ❻ ×(1차 산업 종사자 수 비율이 가장 높다.)

콕콕! 개념 확인하기

정답과 해설 32쪽

A 도시화와 도시화 과정

01 그래프는 도시화 곡선과 도시화 과정을 나타낸 것이다. (가)~(다) 단계의 명칭을 쓰시오.

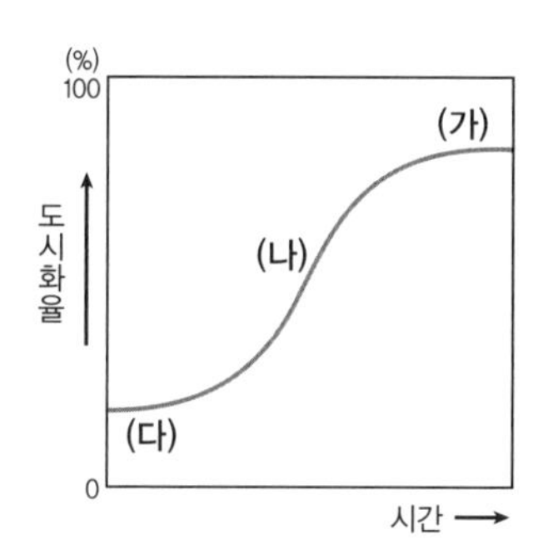

(가): (　　　　　　　　)
(나): (　　　　　　　　)
(다): (　　　　　　　　)

02 그래프는 주요 국가의 도시화율 변화를 나타낸 것이다. 다음 설명에 해당하는 국가의 기호를 쓰시오. (단, A~C는 영국, 우간다, 중국 중 하나임.)

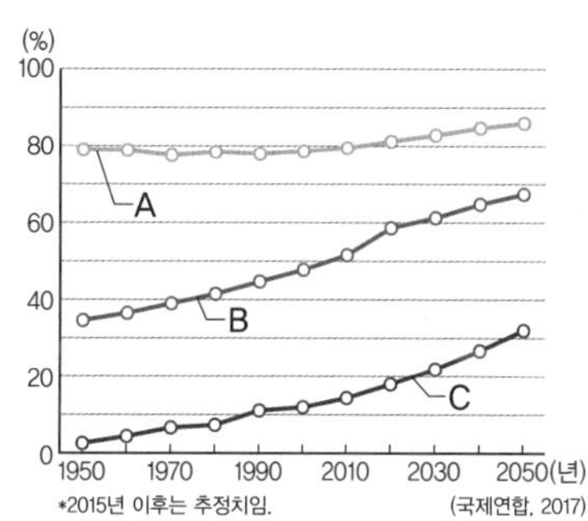

(1) 유럽의 선진국에 해당하는 국가 (　　)
(2) 최근 공업화가 진행되면서 도시화율이 빠르게 상승 중인 국가 (　　)
(3) 아프리카의 개발 도상국으로 도시 인구보다 촌락 인구가 많은 국가 (　　)
(4) 세계에서 도시 인구와 총인구가 가장 많은 국가 (　　)

B 세계 도시와 세계 도시 체계

03 지도는 세계 도시 체계를 나타낸 것이다. 이에 대한 설명이 옳으면 ○표, 틀리면 ×표를 하시오.

(1) A에는 국제 연합의 본부가 위치한다. (　　)
(2) A는 B보다 생산자 서비스업의 사업체 수 비율이 높다. (　　)
(3) B는 C보다 연평균 도시 인구 증가율이 높다. (　　)
(4) 세계 도시 체계에서 B가 속한 도시군은 A가 속한 도시군보다 도시 간 평균 거리가 멀다. (　　)
(5) 세계 도시 체계에서 C가 속한 도시군은 B가 속한 도시군보다 영향력이 크다. (　　)

탄탄! 내신 다지기

정답과 해설 32쪽

A 도시화와 도시화 과정

01 도시화 과정에 대한 설명으로 옳은 것은?

① 개발 도상국은 현재 대부분 종착 단계에 해당한다.
② 종착 단계에는 교외화 및 대도시권 확대가 나타난다.
③ 초기 단계에는 인구의 대부분이 3차 산업에 종사한다.
④ 가속화 단계는 종착 단계보다 도시 인구 증가율이 낮다.
⑤ 선진국은 개발 도상국보다 도시화의 가속화 단계에 진입한 시기가 늦다.

02 그래프는 주요 국가의 도시화율 변화를 나타낸 것이다. (가)~(다) 국가에 대한 설명으로 옳은 것은? (단, (가)~(다)는 독일, 브라질, 차드 중 하나임.)

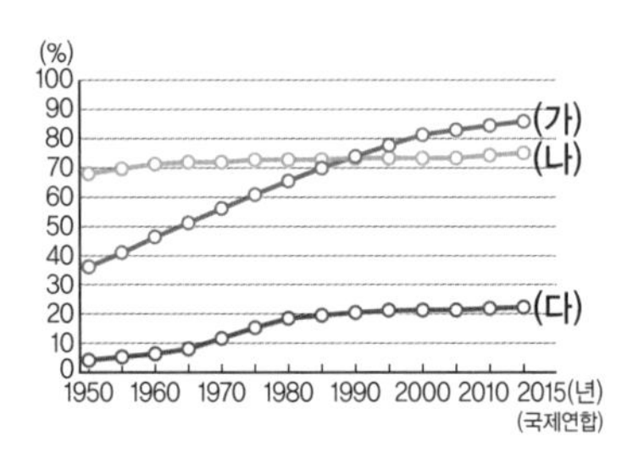

① (가)는 유럽에 위치한다.
② (나)는 2015년에 도시화의 가속화 단계에 해당한다.
③ (다)는 세 국가 중 3차 산업 취업자 수 비율이 가장 높다.
④ (가)는 (나)보다 2015년에 도시 인구가 많다.
⑤ (나)는 (다)보다 연평균 도시 인구 증가율이 높다.

03 그래프는 대륙별 도시 인구 변화를 나타낸 것이다. (가)~(다) 대륙에 대한 설명으로 옳은 것은?

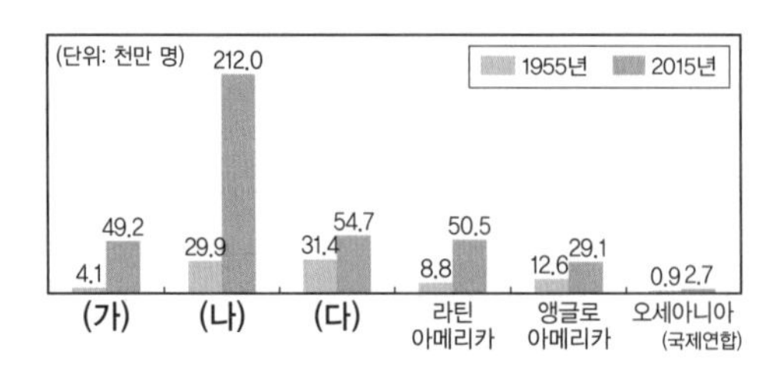

① (가)는 (나)보다 2015년에 도시화율이 높다.
② (나)는 (다)보다 2015년에 총인구가 적다.
③ (다)는 (가)보다 1955~2015년의 도시 인구 증가율이 높다.
④ (가)는 아프리카, (나)는 유럽, (다)는 아시아이다.
⑤ 2015년에 1인당 지역 내 총생산은 (다)가 가장 많다.

B 세계 도시와 세계 도시 체계

04 (가) 도시군과 (나) 도시군에 대한 설명으로 옳은 것은?

> (가) 런던, 뉴욕, 도쿄
> (나) 서울, 로마, 마닐라, 부에노스아이레스

① (가)는 (나)보다 생산자 서비스업 종사자 비중이 낮다.
② (나)는 (가)보다 도시당 다국적 기업 본사의 수가 많다.
③ (나)는 (가)보다 동일 계층의 도시 간 평균 거리가 멀다.
④ (가)와 (나)를 구분하는 가장 중요한 기준은 인구수이다.
⑤ 교통과 통신이 발달할수록 (나)에 대한 (가)의 영향력이 커진다.

서답형 문제

05 지도는 세계 도시 체계를 나타낸 것이다. 이를 보고 물음에 답하시오.

(1) (가), (나)에 들어갈 용어를 쓰시오.

(가): (   ), (나): (   )

(2) (나)와 비교한 (가)의 상대적 특징을 다음 내용을 포함하여 서술하시오.

> • 세계의 도시 수 • 도시 간 평균 거리
> • 생산자 서비스업의 발달 수준

도전! 실력 올리기

정답과 해설 33쪽

01 그래프는 세 국가의 도시화 특징을 나타낸 것이다. (가)~(다) 국가에 대한 설명으로 옳은 것은? (단, (가)~(다)는 독일, 방글라데시, 브라질 중 하나임.)

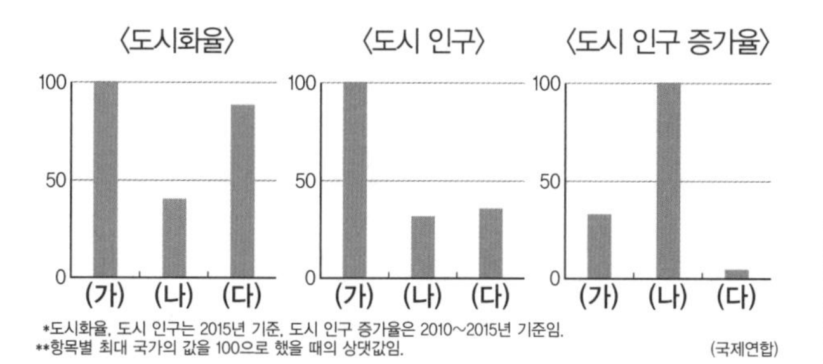

*도시화율, 도시 인구는 2015년 기준, 도시 인구 증가율은 2010~2015년 기준임.
**항목별 최대 국가의 값을 100으로 했을 때의 상댓값임.
(국제연합)

① (가)는 에스파냐어를 공용어로 사용한다.
② (나)는 (다)보다 수위 도시의 과밀화 문제가 심각하다.
③ (다)는 (가)보다 산업화가 시작된 시기가 늦다.
④ (나)는 아시아, (다)는 라틴 아메리카에 위치한다.
⑤ (가)~(다) 중에서 생산자 서비스업의 종사자 비율은 (가)가 가장 높다.

02 그래프의 (가)~(마) 대륙에 대한 설명으로 옳은 것은? (단, A, B는 도시와 촌락 중 하나이고, 아메리카는 앵글로아메리카와 라틴 아메리카로 구분함.)

〈대륙별 도시 및 촌락 인구〉

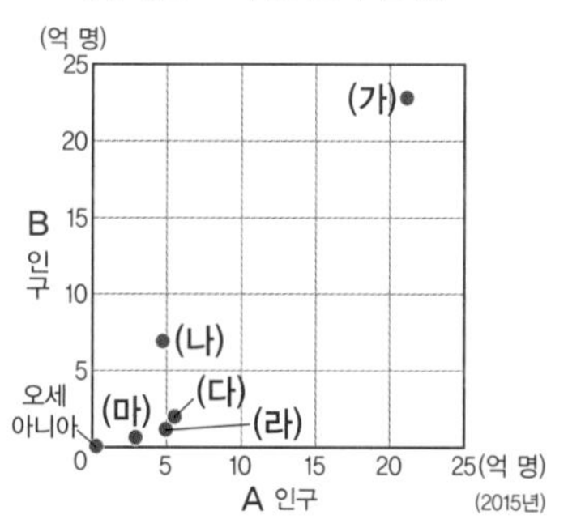

① (가)는 (나)보다 도시화율이 낮다.
② (나)는 (다)보다 3차 산업 종사자 수 비율이 높다.
③ (다)는 (라)보다 1인당 지역 내 총생산이 적다.
④ (라)는 (마)보다 영어 사용자의 비율이 낮다.
⑤ 2015년 기준 총인구는 (가)>(나)>(라)>(다)>(마) 순으로 많다.

기출 변형

03 그래프는 대륙별 도시 인구 상위 5개 국가의 도시화 특성을 나타낸 것이다. 이에 대한 설명으로 옳은 것은? (단, (가)~(다)는 아시아, 아프리카, 유럽 중 하나임.)

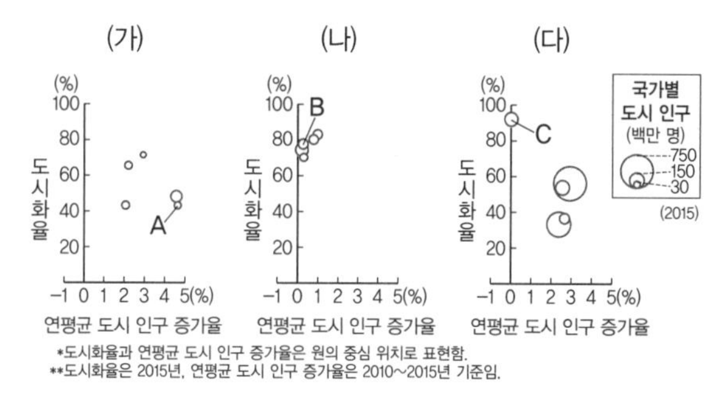

*도시화율과 연평균 도시 인구 증가율은 원의 중심 위치로 표현함.
**도시화율은 2015년, 연평균 도시 인구 증가율은 2010~2015년 기준임.

① (가)는 (나)보다 도시화의 가속화 단계에 진입한 시기가 이르다.
② 도시 인구는 (가)>(나)>(다) 순으로 많다.
③ C의 수도는 세계 도시 체계의 최상위 세계 도시에 해당한다.
④ A는 B보다 1차 산업 종사자의 노동 생산성이 높다.
⑤ A~C는 모두 촌락 인구보다 도시 인구가 많다.

04 그래프는 세 국가의 도시권 인구 규모별 비율 변화를 나타낸 것이다. (가)~(다) 국가에 대한 설명으로 옳은 것은? (단, (가)~(다)는 나이지리아, 미국, 사우디아라비아 중 하나임.)

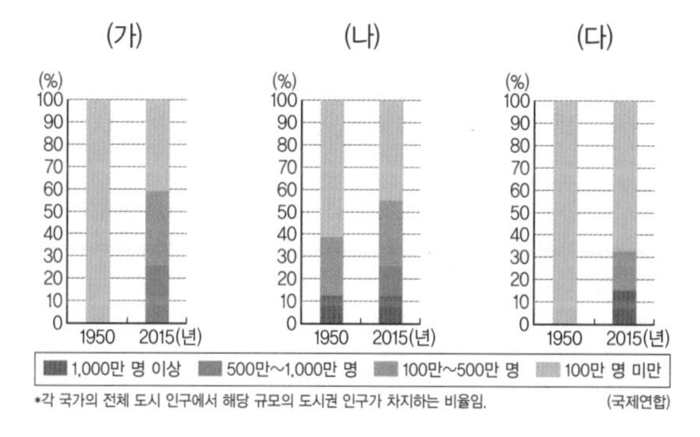

*각 국가의 전체 도시 인구에서 해당 규모의 도시권 인구가 차지하는 비율임.
(국제연합)

① (나)의 수도는 최상위 세계 도시에 해당한다.
② (가)는 (나)보다 크리스트교 신자의 비율이 높다.
③ (나)는 (다)보다 도시 인구가 많다.
④ (다)는 (나)보다 다국적 기업의 본사 수가 많다.
⑤ (가)는 아프리카, (나)는 아메리카, (다)는 아시아에 위치한다.

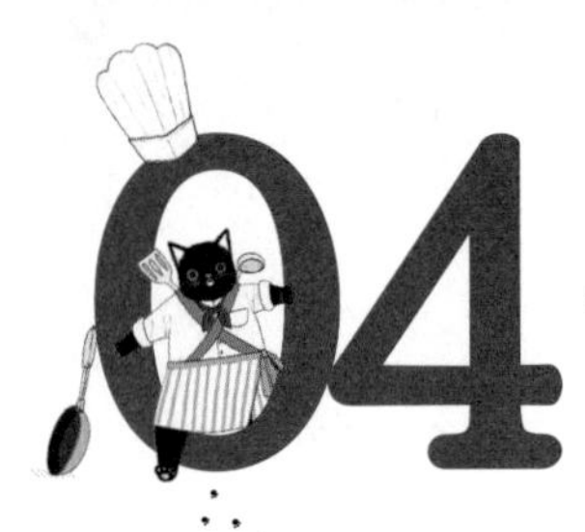

04 주요 식량 자원과 국제 이동

A 주요 곡물 자원의 특징과 이동

★ 한눈에 정리

주요 곡물 자원의 특징

쌀	아시아 계절풍 기후 지역에서 주로 재배, 단위 면적당 생산량 많음
밀	내건성·내한성 큼, 단위 면적당 생산량 적음
옥수수	기후 적응력이 큼, 미국에서 많이 생산, 가축 사료와 바이오 에탄올의 원료로 이용

1. 주요 곡물 자원❶의 특징 자료 1 자료 2

(1) 쌀

① **기원지:** 중국 남부 및 동남아시아 지역

② **재배 조건:** 성장기에 고온 다습하고 수확기에 건조한 기후 지역의 충적 평야에서 잘 자람

③ **주요 재배지:** 아시아의 계절풍 기후 지역, 미국 캘리포니아 일대, 브라질 남부 등

④ **특징:** 단위 면적당 생산량❷이 많음 (인구 부양력이 높아.)

(2) 밀

① **기원지:** 서남아시아의 건조 기후 지역

② **재배 조건:** 내건성과 내한성이 커서 기온이 낮고 건조한 기후 조건에서도 잘 자람

③ **주요 재배지:** 중국 화북, 인도 펀자브, 미국, 캐나다, 오스트레일리아 등 (기계화된 영농 방식으로 상업적 농업이 이루어지고 있어.)

④ **특징:** 단위 면적당 생산량❷이 적음

쌀과 밀은 중국의 생산량이 가장 많아.

쌀 생산량 총 741백만 톤 (2014년)	
중국	28.1
인도	21.2
인도네시아	9.6
방글라데시	7.1
베트남	6.1
기타	27.9(%)

밀 생산량 총 729백만 톤 (2014년)	
중국	17.3
인도	13.1
러시아	8.2
미국	7.6
프랑스	5.3
기타	48.5(%)

옥수수는 미국의 생산량이 가장 많아.

옥수수 생산량 총 1,038백만 톤 (2014년)	
미국	34.8
중국	20.8
브라질	7.7
아르헨티나	3.2
우크라이나	2.7
기타	30.8(%)

(유엔식량농업기구, 2017)

▲ 주요 곡물 자원의 국가별 생산량 비율

(3) 옥수수

① **기원지:** 아메리카

② **재배 조건:** 기후 적응력이 큰 편임 (다양한 기후 지역에서 재배되고 있어.)

③ **주요 재배지:** 미국, 중국, 브라질, 아르헨티나 등

④ **특징:** 가축의 사료와 바이오 에탄올의 원료로 많이 이용됨 (옥수수 수요가 급증하게 된 원인이야.)

2. 주요 곡물 자원의 국제 이동 자료 2

쌀	대체로 생산지와 소비지가 일치하여 국제 이동량이 적은 편임
밀	주요 생산지와 소비지가 다른 경우가 많아 국제 이동량이 많음
옥수수	아메리카에서 절반 정도를 생산하고 수출하고 있어 아메리카에서 아시아·아프리카로의 국제 이동량이 많음

❶ 식량 자원

식용이 가능하며 인간이 생존하는 데 필요한 영양소를 공급해 주는 자원이다. 식량 자원의 종류에는 곡물 자원(쌀, 밀, 옥수수 등), 육류 자원(돼지고기, 소고기, 닭고기 등), 각종 채소, 과실, 임산물, 수산물 등이 있다.

❷ 주요 곡물 자원의 단위 면적당 생산량과 생산량 대비 수출량 비율

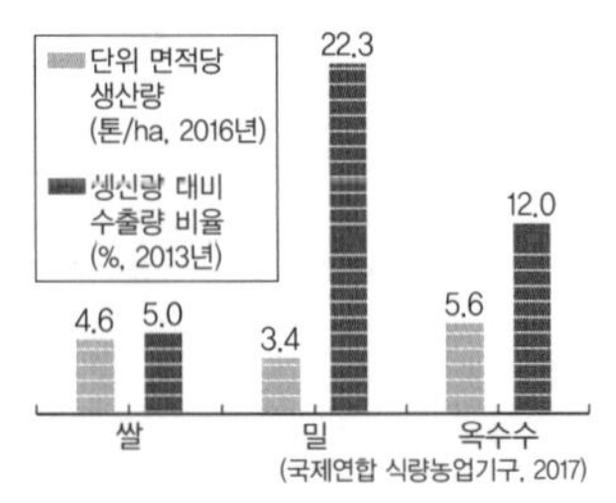

(국제연합 식량농업기구, 2017)

단위 면적당 생산량은 옥수수>쌀>밀 순으로 많다. 이는 옥수수와 쌀의 인구 부양력은 높은 반면, 밀의 인구 부양력은 낮다는 것을 의미한다. 생산량 대비 수출량 비율은 밀>옥수수>쌀 순으로 높다. 이는 밀의 국제 이동량은 많은 반면, 쌀의 국제 이동량은 적다는 것을 의미한다.

B 주요 축산물의 특징과 이동

1. 주요 가축의 특징 자료 3

소	• 농경 사회에서 노동력을 대신하는 동물로 일찍부터 가축화됨, 고기와 유제품 제공 • 아메리카, 오스트레일리아에서 대규모로 사육됨 (대규모 목장에서 기업적 방목의 형태로 사육되고 있어.)
양	• 고기, 젖 이외에 양털의 수요가 증가하면서 가치가 높아짐 • 아시아에서는 유목, 오스트레일리아·아메리카에서는 방목의 형태로 주로 사육됨 (뜻 가축과 함께 물과 풀을 찾아 이동하는 목축 방식이야.)
돼지	• 유목 생활에 부적합하여 정착 생활을 하는 지역에서 주로 사육됨 • 서남아시아와 북부 아프리카에서는 종교적인 이유로 거의 사육되지 않음 (왜 서남아시아와 북부 아프리카에서는 돼지고기를 금기시하는 이슬람교 신자 수 비율이 높기 때문이야.)

2. 주요 가축의 이동: 소득 수준의 향상과 식생활의 변화에 따라 개발 도상국을 중심으로 육류의 소비량이 증가 → 육류의 국제 이동량이 증가

교과서 자료 모아 보기

자료 확인 문제

자료 1 주요 곡물 자원의 생산량과 재배 면적

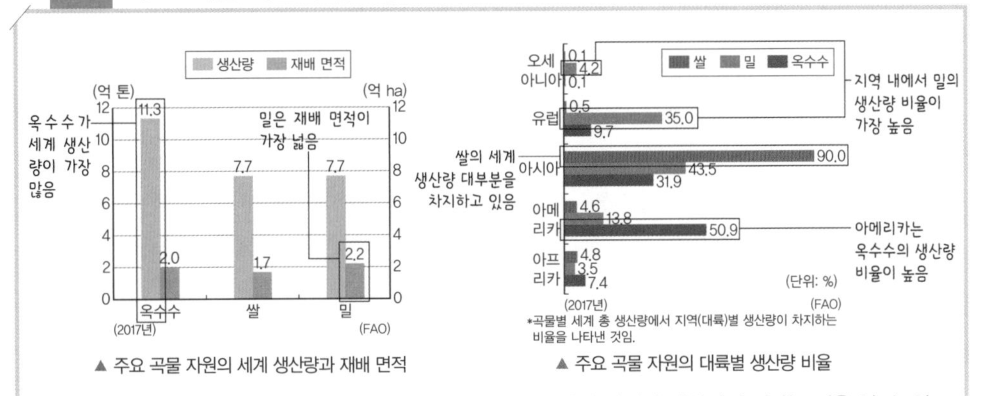

▲ 주요 곡물 자원의 세계 생산량과 재배 면적 ▲ 주요 곡물 자원의 대륙별 생산량 비율

| 자료 분석 | 밀은 재배 면적이 가장 넓지만 생산량이 적어 단위 면적당 생산량이 적다는 것을 알 수 있다. 오세아니아와 유럽은 지역 내에서 밀의 생산량 비율이 높다. 아시아는 쌀의 세계 생산량 대부분을 차지하고 있으며, 아메리카는 옥수수의 생산량 비율이 높다.

한줄 핵심 오세아니아와 유럽은 밀, 아시아는 쌀, 아메리카는 옥수수의 생산량이 많다.

❶ 쌀, 밀, 옥수수 중에서 세계 생산량은 옥수수가 가장 많다. ○ ×

❷ 밀은 쌀보다 단위 면적당 생산량이 많다. ○ ×

❸ 유럽은 쌀보다 밀 생산량이 많다. ○ ×

자료 2 주요 곡물 자원의 생산과 이동

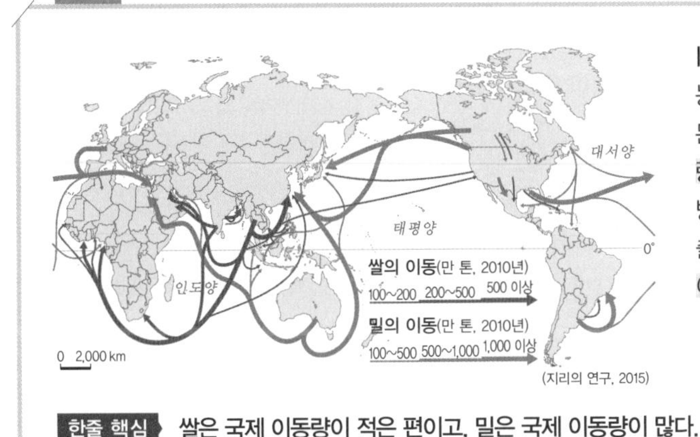

| 자료 분석 | 쌀은 전통적인 벼농사 지역에서 주로 소비되기 때문에 밀과 옥수수보다 국제 이동량이 적다. 밀은 기계화된 영농 방식으로 밀을 대량 생산하여 수출하는 지역이 많아 국제 이동량이 많다.

한줄 핵심 쌀은 국제 이동량이 적은 편이고, 밀은 국제 이동량이 많다.

❹ 쌀은 아시아 계절풍 지역에 생산되어 전 세계로 수출되기 때문에 국제 이동량이 많은 편이다. ○ ×

❺ 밀은 주요 생산지와 소비지가 다른 경우가 많아 국제 이동량이 많다. ○ ×

자료 3 주요 가축의 국가별 사육 두수 비율

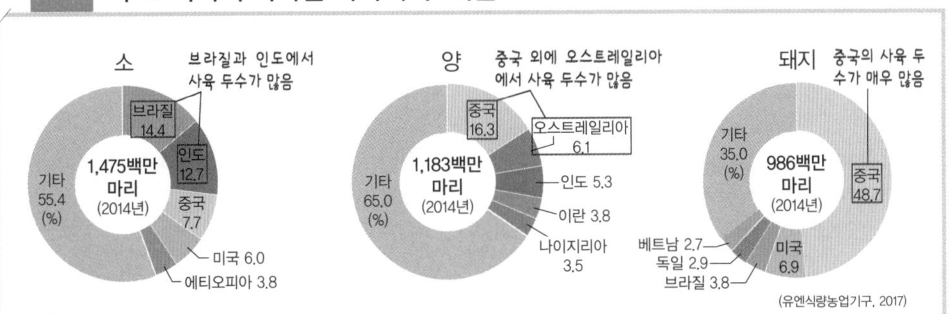

한줄 핵심 소는 브라질과 인도, 양은 중국과 오스트레일리아, 돼지는 중국의 사육 두수가 많다.

❻ 소의 사육 두수가 세계에서 가장 많은 국가는? ( )

❼ 양과 돼지의 사육 두수가 세계에서 가장 많은 국가는? ( )

정답 ❶ ○ ❷ ×(단위 면적당 생산량이 적다.) ❸ ○ ❹ ×(국제 이동량이 적은 편이다.) ❺ ○ ❻ 브라질 ❼ 중국

수능 자료로 개념 완성 수능 POOL

세계 주요 곡물 자원과 축산물의 생산

수능풀 Guide 주요 곡물 자원과 축산물의 국가별·대륙별 생산량과 특징에 대해 알아보자.

1 밀과 옥수수의 대륙별 생산량과 수출량 비율

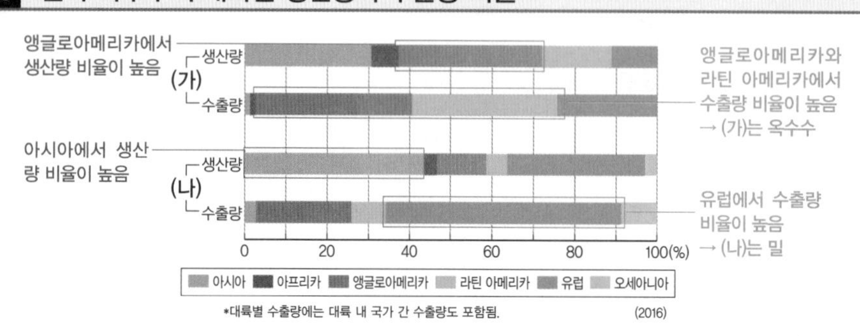

PLUS분석 (가)는 앵글로아메리카에서 생산량 비율이 높고, 수출량에서는 앵글로아메리카와 라틴 아메리카의 비율이 높으므로 옥수수이다. (나)는 중국, 인도가 속한 아시아의 생산량 비율이 높지만, 수출량에서는 유럽의 비율이 높게 나타나므로 밀이다.

기출 선택지로 확인하기

❶ (가)는 대부분 아시아의 계절풍 기후 지역에서 재배된다. ○ ×

❷ (가)는 (나)보다 가축의 사료로 이용되는 비율이 높다. ○ ×

❸ (가)와 (나)의 기원지는 동일한 대륙에 위치한다. ○ ×

2 쌀, 밀, 옥수수의 국가별 생산량 비율

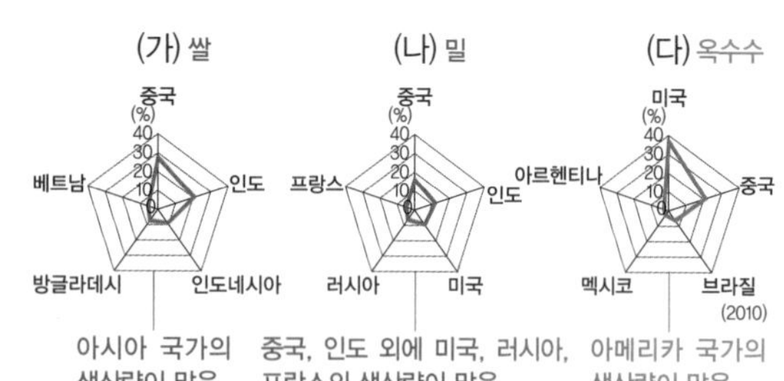

PLUS분석 (가)는 아시아 국가의 생산량이 많으므로 쌀이다. (나)는 중국, 인도 외에 미국, 러시아, 프랑스의 생산량이 많으므로 밀이다. (다)는 아메리카 국가의 생산량이 많으므로 옥수수이다.

기출 선택지로 확인하기

❹ (가)~(다) 중 단위 면적당 생산량은 (나)가 가장 많다. ○ ×

❺ (다)는 사료용으로의 수요가 증가하고 있다. ○ ×

3 주요 국가의 가축별 사육 두수 비율

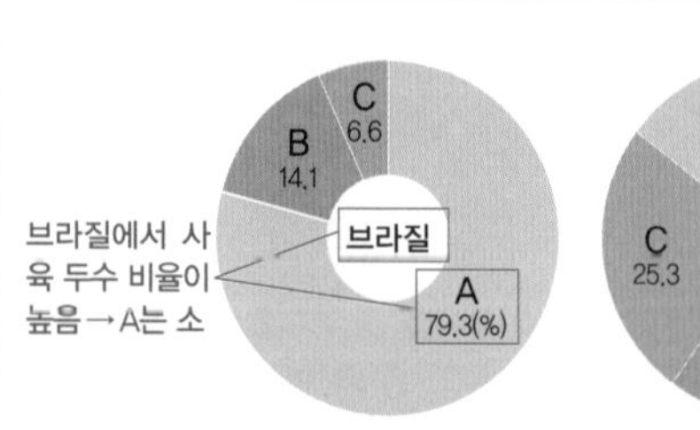

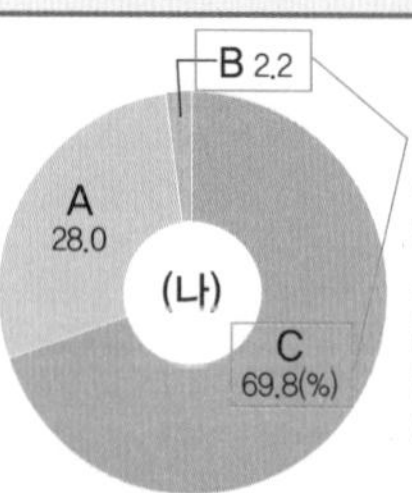

B 2.2
A 28.0
(나)
C 69.8(%)
C의 사육 두수 비율이 매우 높고, B의 사육 두수 비율이 매우 낮음, B는 돼지, C는 양

*각 국가별 소, 양, 돼지의 사육 두수 합을 100%로 한 각 가축별 비율을 나타낸 것임. (2014)
*(가), (나)는 인도, 오스트레일리아, 중국 중 하나임.

PLUS분석 (가), (나) 두 국가 모두 국가 내에서 소(A)의 사육 두수 비율이 가장 높지 않으므로 인도는 아니다. 오스트레일리아는 양과 소의 사육은 활발하나 돼지 사육은 활발하지 않다. 따라서 B의 사육 두수 비율이 매우 낮은 (나)는 오스트레일리아이고, B는 돼지이다. 나머지 C는 양이고, 돼지의 사육 두수 비율이 높은 (가)는 중국이다.

기출 선택지로 확인하기

❻ (가)에서는 B를 주로 유목 형태로 사육하고 있다. ○ ×

❼ (나)에서는 C를 주로 방목 형태로 사육하고 있다. ○ ×

정답 ❶ ×(쌀에 대한 설명이다.) ❷ ○ ❸ ×(옥수수의 기원지는 아메리카, 밀의 기원지는 서남아시아이다.) ❹ ×(옥수수(다)가 가장 많다.) ❺ ○ ❻ ×(돼지는 유목의 형태로 사육되는 경우가 거의 없다.) ❼ ○

콕콕! 개념 확인하기

정답과 해설 34쪽

A 주요 곡물 자원의 특징과 이동

01 그래프는 주요 곡물 자원의 국가별 생산량 비율을 나타낸 것이다. (가)~(다) 작물의 명칭을 쓰시오. (단, (가)~(다)는 밀, 쌀, 옥수수 중 하나임.)

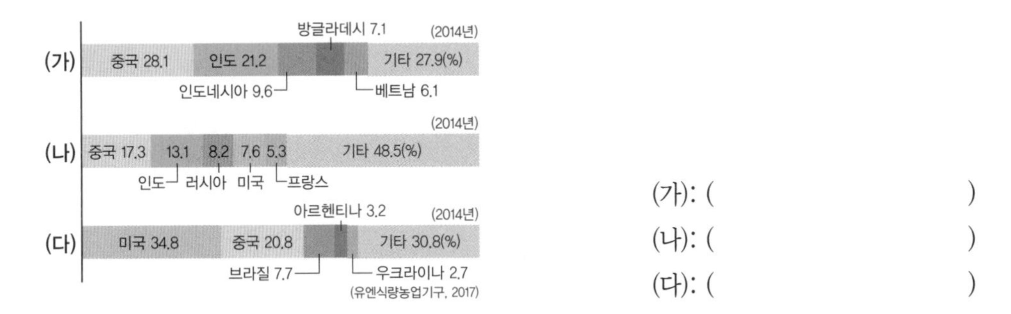

(가): (   )
(나): (   )
(다): (   )

02 그래프는 주요 곡물 자원의 세계 생산량과 재배 면적을 나타낸 것이다. 다음 설명에 해당하는 곡물의 기호를 있는 대로 쓰시오. (단, A~C는 밀, 쌀, 옥수수 중 하나임.)

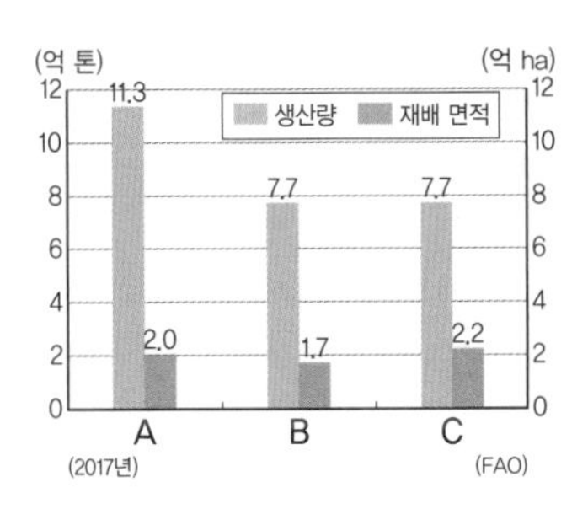

(1) 세 작물 중에서 국제 이동량이 가장 적은 작물 (   )
(2) 세계에서 생산량이 가장 많은 국가가 중국인 작물 (   )
(3) 바이오 에탄올의 원료로 사용되면서 수요가 급증한 작물 (   )
(4) 주로 아시아 계절풍 기후 지역의 충적 평야에서 생산되는 작물 (   )

B 주요 축산물의 특징과 이동

03 그래프는 주요 가축의 국가별 사육 두수 비율을 나타낸 것이다. 이에 대한 설명이 옳으면 ○표, 틀리면 ×표를 하시오. (단, (가)~(다)는 돼지, 소, 양 중 하나임.)

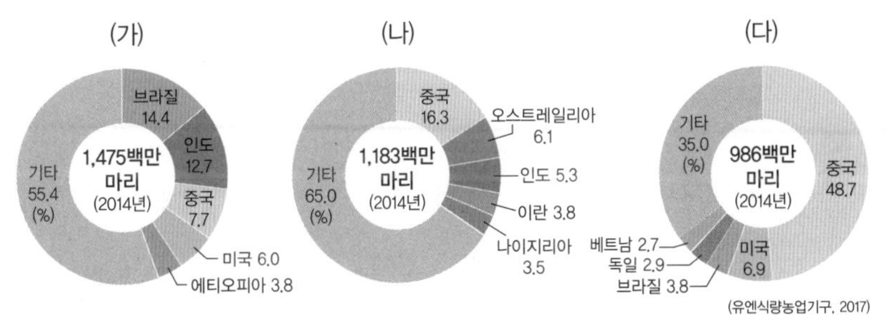

(1) (가)는 아메리카, 오스트레일리아에서 기업적 방목의 형태로 사육된다. (   )
(2) (나)는 털에 대한 수요가 증가하면서 가치가 높아졌다. (   )
(3) (다)는 농경 사회에서 노동력을 대신하는 동물로 일찍부터 가축화되었다. (   )
(4) (가)의 고기는 이슬람교, (다)의 고기는 힌두교에서 금기시한다. (   )
(5) (나)는 (가)보다 건조 기후 지역에서 사육되는 비율이 높다. (   )

탄탄! 내신 다지기

정답과 해설 34쪽

A 주요 곡물 자원의 특징과 이동

01 밀, 쌀, 옥수수에 대한 설명으로 옳은 것은?

① 밀은 쌀보다 국제 이동량이 많다.
② 쌀은 밀보다 내건성과 내한성이 우수하다.
③ 세 작물 중 세계 생산량은 밀이 가장 많다.
④ 옥수수는 밀보다 단위 면적당 생산량이 적다.
⑤ 쌀의 기원지는 아시아, 밀의 기원지는 아메리카이다.

02 그래프의 (가)~(다)에 대한 설명으로 옳은 것은? (단, (가)~(다)는 밀, 쌀, 옥수수 중 하나임.)

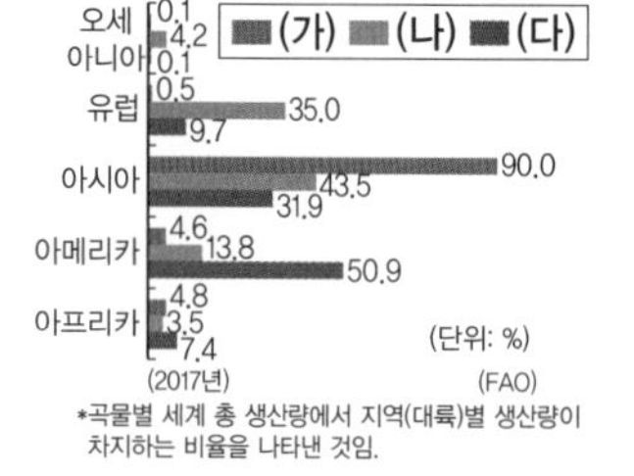

▲ 대륙별 생산량 비율

① (가)의 세계 최대 생산국은 미국이다.
② (나)는 바이오 에탄올의 원료로 이용된다.
③ (다)의 기원지는 아메리카에 위치한다.
④ (가)는 (나)보다 국제 이동량이 많다.
⑤ (나)는 (다)보다 가축의 사료로 이용되는 비율이 높다.

B 주요 축산물의 특징과 이동

03 그래프는 세 가축의 주요 사육 국가를 나타낸 것이다. (가)~(다) 가축에 대한 옳은 설명만을 〈보기〉에서 고른 것은? (단, (가)~(다)는 돼지, 소, 양 중 하나임.)

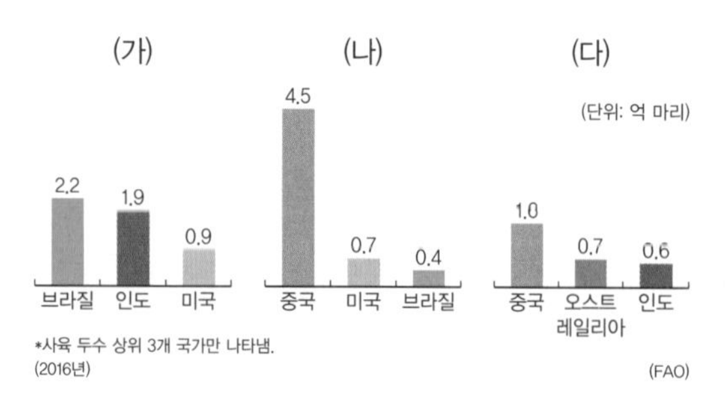

보기
ㄱ. (가)의 고기는 이슬람교에서 금기시된다.
ㄴ. (나)는 농경 사회에서 노동력을 대신한 가축이다.
ㄷ. (다)는 털에 대한 수요가 증가하면서 가치가 높아졌다.
ㄹ. (가)~(다) 중에서 세계의 사육 두수는 (가)가 가장 많다.

① ㄱ, ㄴ ② ㄱ, ㄷ ③ ㄴ, ㄷ ④ ㄴ, ㄹ ⑤ ㄷ, ㄹ

04 지도는 두 가축의 주요 사육지와 육류의 이동을 나타낸 것이다. (가), (나) 가축에 대한 옳은 설명만을 〈보기〉에서 고른 것은? (단, (가), (나)는 돼지, 소, 양 중 하나임.)

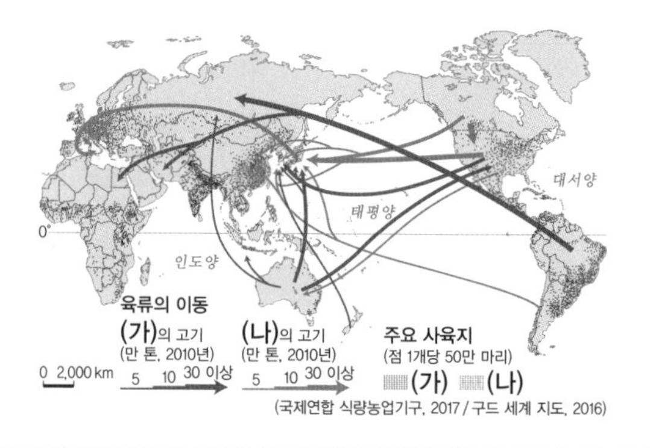

보기
ㄱ. (가)의 사육 두수가 가장 많은 국가는 아시아에 있다.
ㄴ. (나)는 아시아에서 주로 유목의 형태로 사육된다.
ㄷ. (가)는 (나)보다 가축의 힘을 농경에 많이 이용한다.
ㄹ. (가)는 힌두교, (나)는 이슬람교 신자들이 먹지 않는다.

① ㄱ, ㄴ ② ㄱ, ㄷ ③ ㄴ, ㄷ
④ ㄴ, ㄹ ⑤ ㄷ, ㄹ

서답형 문제

05 지도는 두 작물의 국제 이동을 나타낸 것이다. 이를 보고 물음에 답하시오.

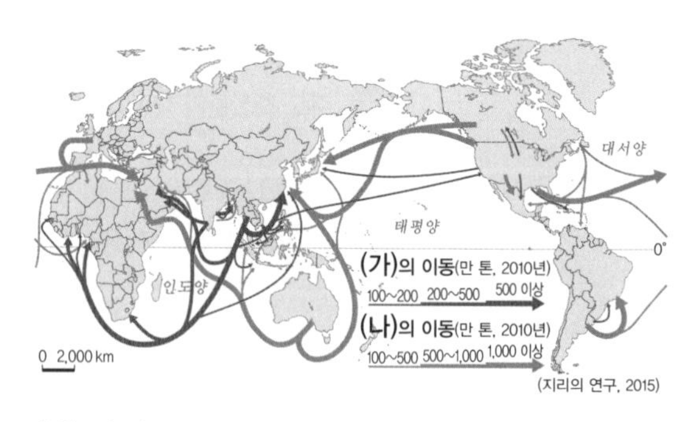

(1) (가), (나) 작물의 명칭을 쓰시오.
(가): (   ), (나): (   )

(2) (가), (나) 작물의 국제 이동의 특징을 다음 내용을 포함하여 서술하시오.

• 생산지와 소비지 • 국제 이동량

도전! 실력 올리기

정답과 해설 34쪽

01 그래프는 세계 3대 식량 작물의 수출량을 대륙별로 나타낸 것이다. (가)~(다) 작물에 대한 설명으로 옳은 것은?

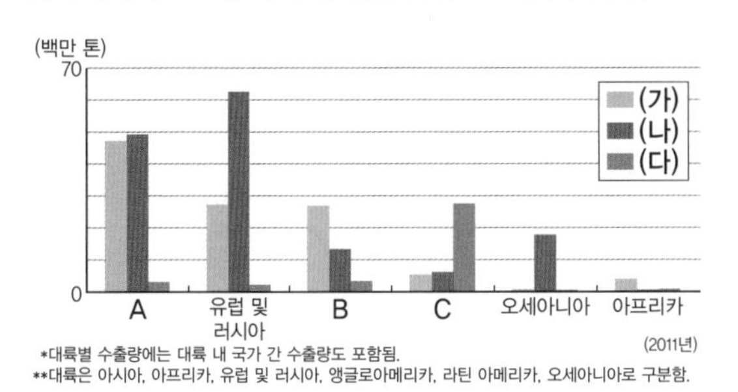

*대륙별 수출량에는 대륙 내 국가 간 수출량도 포함됨.
**대륙은 아시아, 아프리카, 유럽 및 러시아, 앵글로아메리카, 라틴 아메리카, 오세아니아로 구분함.

① (가)의 세계 최대 생산국은 B에 위치한다.
② (나)의 기원지는 C에 위치한다.
③ (가)는 (다)보다 단위 면적당 생산량이 적다.
④ (나)는 (다)보다 세계 생산량에서 수출량이 차지하는 비율이 낮다.
⑤ A는 아시아, C는 앵글로아메리카이다.

02 그래프는 세계 3대 식량 작물의 수출량 비율 상위 5개국을 나타낸 것이다. (가)~(다) 작물에 대한 설명으로 옳은 것은?

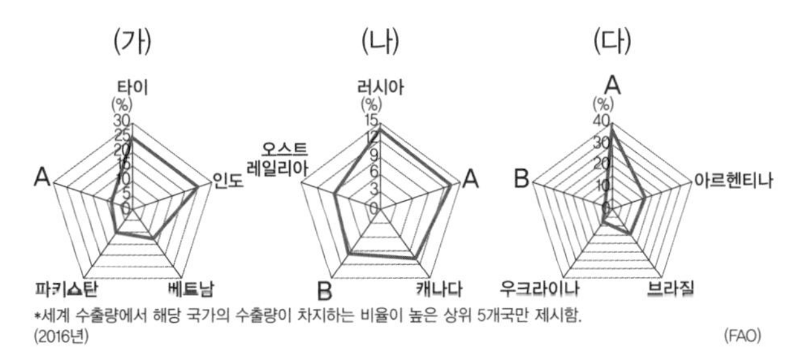

*세계 수출량에서 해당 국가의 수출량이 차지하는 비율이 높은 상위 5개국만 제시함.
(2016년) (FAO)

① (가)는 내한성과 내건성이 커서 재배 범위가 넓은 편이다.
② (나)는 바이오 에탄올의 원료로 이용되면서 수요가 급증하였다.
③ (다)는 세계 3대 식량 작물 중에서 세계 수출량이 가장 많다.
④ A는 B보다 옥수수 생산량이 많다.
⑤ A, B는 모두 유럽에 위치한다.

03 그래프는 세 가축의 아시아 지역별 사육 두수 비율을 나타낸 것이다. (가)~(다)에 대한 설명으로 옳은 것은? (단, (가)~(다)는 돼지, 소, 양 중 하나임.)

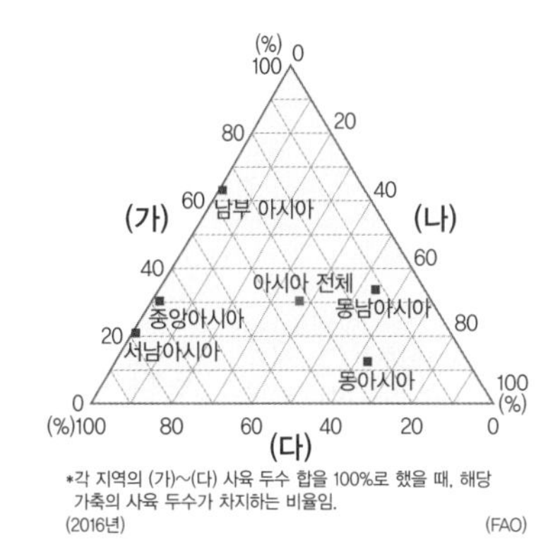

*각 지역의 (가)~(다) 사육 두수 합을 100%로 했을 때, 해당 가축의 사육 두수가 차지하는 비율임.
(2016년) (FAO)

① (가)는 힌두교 신자들이 신성시한다.
② (나)는 털의 수요가 증가하면서 가치가 높아졌다.
③ (다)의 사육 두수가 세계에서 가장 많은 국가는 오스트레일리아이다.
④ 세계의 사육 두수에서 아시아가 차지하는 비율은 (나)보다 (다)가 높다.
⑤ 아메리카에서는 (다)보다 (나)를 기업적 방목 형태로 많이 사육한다.

기출 변형

04 그래프는 세 국가의 가축별 사육 두수 비율을 나타낸 것이다. 이에 대한 설명으로 옳은 것은? (단, (가), (나)는 각 오스트레일리아, 인도, 중국 중 하나임.)

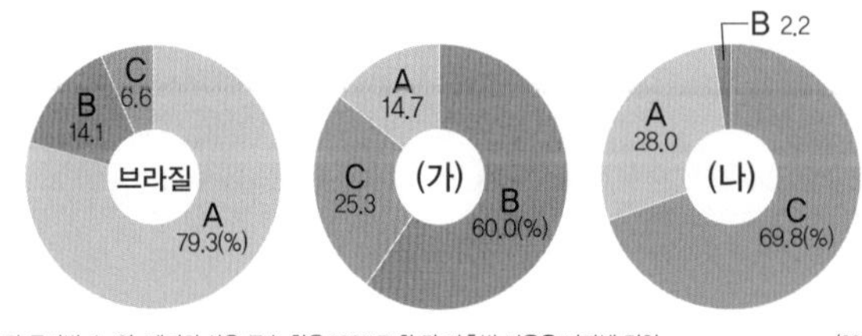

*각 국가별 소, 양, 돼지의 사육 두수 합을 100%로 한 각 가축별 비율을 나타낸 것임. (2014)

① (가)는 (나)보다 C의 사육 두수가 많다.
② (가), (나)는 모두 아시아에 속한다.
③ A는 B보다 세계의 사육 두수가 적다.
④ B는 C보다 털을 공업 원료로 이용하는 비율이 높다.
⑤ C는 A보다 건조 기후 지역에서 사육하기에 불리하다.

05 주요 에너지 자원과 국제 이동

❶ 자원의 특성

유한성	대부분의 자원은 매장량이 한정되어 있어 언젠가는 고갈되는 특성
편재성	자원이 특정 지역에 편중되어 분포하는 특성
가변성	자원의 의미와 가치가 기술·경제·문화적 조건 등에 따라 달라지는 특성

A 에너지 자원

1. 자원의 의미: 인간에게 이용 가치가 있고 기술적·경제적으로 이용 가능한 것

2. 자원의 특성❶: 유한성, 편재성, 가변성

3. 에너지 자원의 의미: 인간 생활과 경제 활동에 필요한 동력을 생산할 수 있는 자원

└ 화석 에너지에는 석유, 석탄, 천연가스 등이 있고, 신·재생 에너지에는 수력, 풍력, 태양광(열) 등이 있어.

4. 세계 에너지 자원의 생산과 소비 자료 1

(1) 에너지 자원의 소비량: 인구 증가, 산업 발달로 증가 추세에 있음

└ 화석 에너지의 소비량 증가가 두드러져.

(2) 세계 1차 에너지 자원별 소비량: 석유>석탄>천연가스>수력>원자력 순으로 많음

(3) 에너지 자원의 생산과 이동: 에너지 생산량이 많은 지역에서 소비량이 많은 지역으로 국제 이동이 활발함

└ 세계에서 소비량이 가장 많은 석유는 편재성이 커서 국제 이동량이 많아.

B 주요 에너지 자원의 특징과 이동

★ 한눈에 정리

주요 에너지 자원의 특징

석탄	산업용, 산업 혁명의 주요 에너지원, 고기 조산대에 매장, 국제 이동량 적음
석유	수송용, 신생대 제3기층 배사 구조에 주로 매장, 국제 이동량 많음
천연가스	산업용 및 가정용, 냉동 액화 기술 발달로 소비량 급증, 연소 시 대기 오염 물질 배출량 적음

1. 석탄 자료 2

(1) 특징: 산업용으로 이용되는 비율이 높음, 산업 혁명기의 주요 에너지원이었음

(2) 매장 및 분포: 주로 고기 조산대에 매장되어 있음

└ 예 애팔래치아산맥(미국), 그레이트디바이딩산맥(오스트레일리아), 푸순(중국) 등에 매장되어 있어.

(3) 국제 이동: 자원의 편재성이 작아 국제 이동량이 적은 편임 자료 3

① **주요 수출 국가:** 인도네시아, 오스트레일리아, 러시아 등

② **주요 수입 국가:** 중국, 인도, 일본 등

2. 석유 자료 2

(1) 특징: 수송용으로 이용되는 비율이 높음, 19세기 내연 기관의 발명과 자동차의 보급으로 소비량이 급증함

(2) 매장 및 분포: 신생대 제3기층의 배사 구조❷에 주로 매장되어 있음

└ 예 서남아시아의 페르시아만 일대에 세계 매장량의 약 47%가 분포해 있어 편재성이 매우 커.

(3) 국제 이동: 자원의 편재성이 커서 국제 이동량이 많음 자료 3

① **주요 수출 국가:** 사우디아라비아, 러시아, 이라크 등

② **주요 수입 국가:** 중국, 미국, 인도 등

3. 천연가스 자료 2

(1) 특징: 산업용 및 가정용으로 이용되는 비율이 높음, 냉동 액화 기술❸의 발달로 소비량이 급증한, 연소 시 대기 오염 물질 배출량이 적은 편임

└ 왜 천연가스의 운반과 사용이 편리해졌기 때문이야.

(2) 매장 및 분포: 신생대 제3기층의 배사 구조에 주로 매장되어 있음

(3) 국제 이동: 육상 구간은 파이프라인, 해상 구간은 액화 천연가스 수송선을 이용함

└ 예 러시아에서 유럽으로 이어지는 구간이야.

└ 예 서남아시아 및 동남아시아에서 동아시아로 이어지는 구간이야.

① **주요 수출 국가:** 러시아, 노르웨이, 카타르 등

② **주요 수입 국가:** 일본, 중국, 독일 등

4. 원자력: 우라늄이나 플루토늄의 핵분열 시 발생하는 열에너지

└ 프랑스는 국가별 전력 생산에서 원자력 발전이 차지하는 비율이 가장 높고, 미국은 원자력 소비량 비율이 가장 높아.

(1) 특징: 적은 양의 에너지원으로 많은 양의 전력 생산 가능, 화력 발전에 비해 대기 오염 물질 배출량이 적음, 방사능 유출의 위험이 있고, 방사성 폐기물 처리에 많은 비용이 듦

(2) 원자력 발전소의 입지: 지반이 안정되고 냉각수가 풍부한 지역에 주로 입지함

❷ 배사 구조

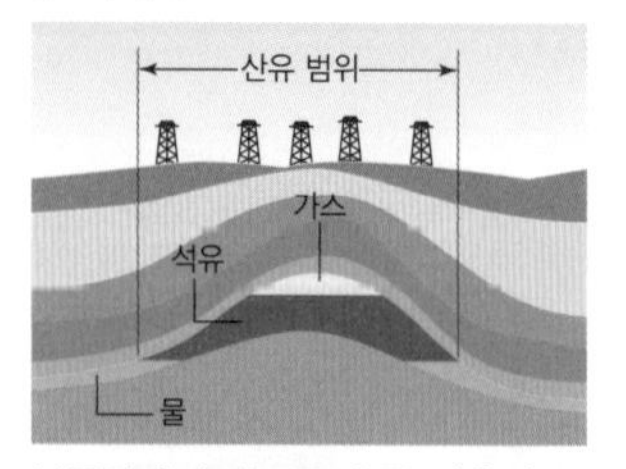

볼록하게 솟아오른 습곡 지층의 구조를 말하며, 물보다 가벼운 석유와 천연가스는 배사 구조의 윗부분에 매장되어 있다.

❸ 냉동 액화 기술

기체 상태의 천연가스를 냉각하여 액체로 만드는 기술을 말한다.

교과서 자료 모아 보기

자료 확인 문제

자료 1 세계 주요 에너지 자원별 소비량 변화

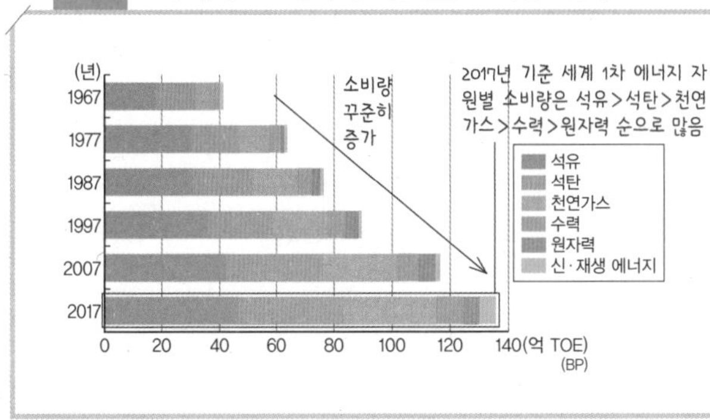

| 자료 분석 | 세계 1차 에너지 자원의 총 소비량에서 화석 연료(석유, 석탄, 천연가스)가 차지하는 비율이 여전히 높은 수준을 유지하고 있다.

한줄 핵심 세계 1차 에너지 자원의 소비량은 석유, 석탄, 천연가스, 수력, 원자력 순으로 많다.

❶ 2017년 기준 세계에서 소비량이 가장 많은 에너지 자원은 □□이다.
( )

❷ 2017년 천연가스는 석탄보다 세계 소비량이 많다. ○|×

자료 2 석탄, 석유, 천연가스의 국가별 생산량과 소비량 비율

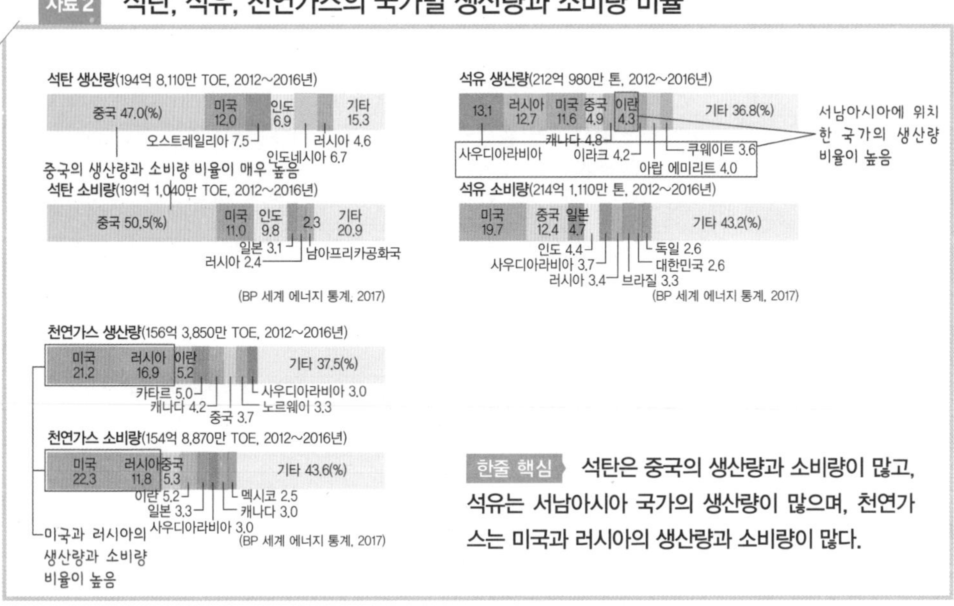

한줄 핵심 석탄은 중국의 생산량과 소비량이 많고, 석유는 서남아시아 국가의 생산량이 많으며, 천연가스는 미국과 러시아의 생산량과 소비량이 많다.

❸ □□은/는 석탄의 생산량과 소비량이 세계에서 가장 많은 국가이다.
( )

❹ 미국과 러시아는 천연가스의 생산량과 소비량이 모두 많은 국가이다. ○|×

자료 3 석탄과 석유의 생산과 이동

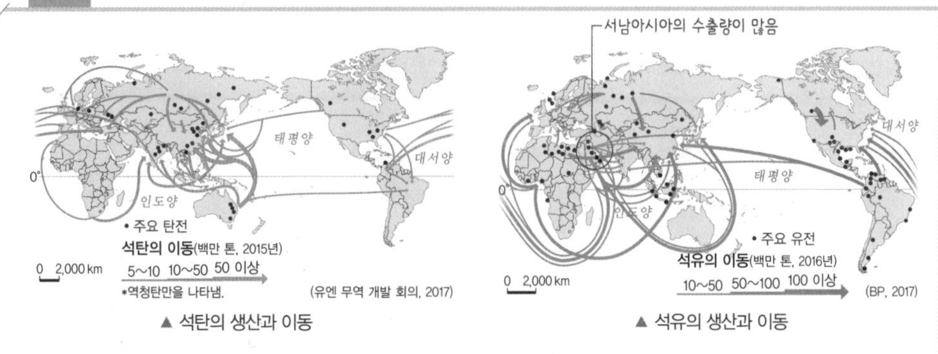

▲ 석탄의 생산과 이동

▲ 석유의 생산과 이동

| 자료 분석 | 석탄은 비교적 세계 여러 나라에 고르게 매장되어 있어 국제 이동량이 적은 편이다. 석유는 다른 자원보다 매장 지역의 편재성이 크기 때문에 국제 이동량이 많은 편이다.

한줄 핵심 석탄의 국제 이동량은 적은 편이고, 석유의 국제 이동량은 많은 편이다.

❺ (석탄, 석유)은/는 (석탄, 석유)에 비해 편재성이 크다.

❻ (석탄, 석유)은/는 (석탄, 석유)보다 국제 이동량이 적은 편이다.

정답 ❶ 석유 ❷ ×(석탄이 많다) ❸ 중국 ❹ ○ ❺ 석유, 석탄 ❻ 석탄, 석유

❹ 바이오 에너지
식물이나 미생물을 에너지원으로 이용하는 바이오 에탄올, 바이오 디젤 등을 말한다. 특히 주요 곡물 자원인 옥수수를 바이오 에너지 생산에 원료로 이용하면서 옥수수 수요가 급증하였고, 이로 인해 옥수수를 주식으로 하는 국가에서는 옥수수 가격 상승으로 식량난을 겪기도 하였다.

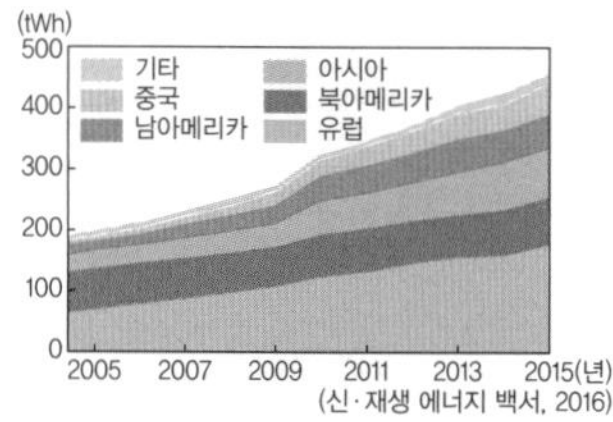

▲ 세계 바이오 에너지 발전량 변화

❺ 지열 에너지
지열은 판의 경계부에 위치하여 화산 활동이 활발한 국가에서 많이 이용된다.

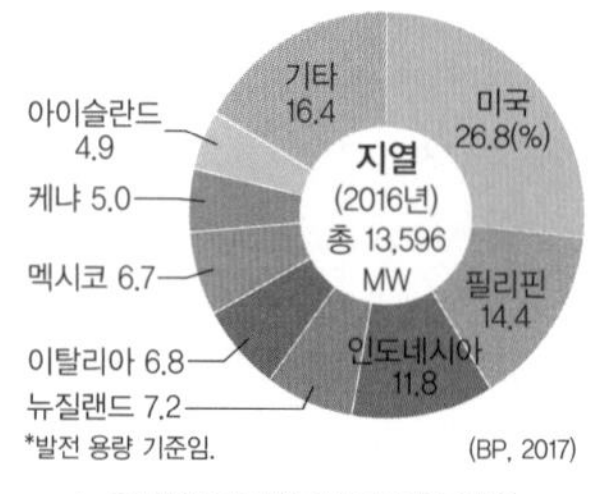

▲ 지열의 국가별 발전 용량 비율

C 신·재생 에너지의 특징과 개발

1. 신·재생 에너지의 의미와 특징

(1) 의미: 기존의 화석 에너지를 변화시키거나 햇빛·물·지열 등과 같이 재생이 가능한 에너지를 변환하여 이용하는 에너지를 말함

(2) 종류

신 에너지	수소 에너지, 연료 전지 에너지, 석탄 액화·가스화 에너지
재생 에너지	태양광(열)·풍력·바이오❹·폐기물·지열❺·수력·해양 에너지

(3) 특징

① 대기 오염 물질 배출량이 적음

② 재생이 가능하여 고갈 가능성이 낮음

③ 국제 유가 불안, 환경 규제 강화 등으로 인해 신·재생 에너지에 대한 관심과 투자가 증가하고 있음

④ 경제성이 낮으나, 최근 기술 발달로 경제성이 크게 높아지고 있음 (왜 규모가 작고 에너지 효율이 낮기 때문이야.)

2. 주요 신·재생 에너지의 개발 지역 자료 4

수력	• 유량이 풍부하고 큰 낙차를 얻을 수 있는 지역, 빙하의 침식을 받은 골짜기가 많아 댐 건설에 유리한 지역 • 강수량이 풍부한 열대 기후 지역(브라질), 빙하 지형 발달 지역(캐나다, 노르웨이 등)
풍력	• 일정하면서도 강한 바람이 지속적으로 부는 산지나 해안 지역 • 중국, 미국, 독일, 영국, 덴마크 등
태양광(열)	• 일사량이 많은 지역 • 중국, 미국, 이탈리아, 에스파냐 등
지열	• 판의 경계부에 위치하여 지열이 풍부한 지역 (예 신기 조산대, 해령 등에서 지열이 풍부해.) • 미국, 필리핀, 인도네시아, 뉴질랜드, 멕시코, 아이슬란드 등

교과서 자료 모아 보기

자료 확인 문제

❼ 수력, 풍력, 태양광(열) 모두 소비량이 세계에서 가장 많은 국가는?
(　　　　　　　)

❽ 강수량이 많은 열대 우림 기후가 넓게 나타나 수력 소비량이 많은 국가는?
(　　　　　　　)

자료 4 주요 신·재생 에너지의 국가별 소비량 비율

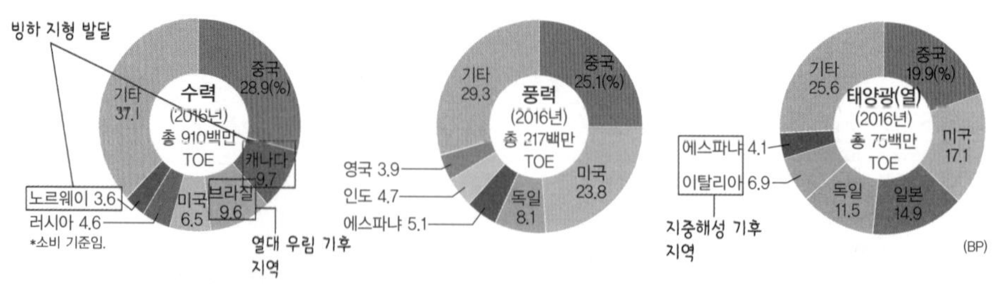

| 자료 분석 | 수력 소비량은 중국이 가장 많고 빙하 지형이 발달한 캐나다와 노르웨이, 열대 우림 기후가 나타나는 브라질의 소비량이 많다. 풍력은 중국과 미국의 소비량이 많다. 태양광(열)은 중국과 미국의 소비량이 많고 지중해성 기후가 나타나 여름에 일사량이 많은 이탈리아, 에스파냐의 소비량이 많다.

한줄 핵심 수력은 중국·캐나다·브라질·노르웨이에서, 풍력은 중국·미국에서, 태양광(열)은 중국·미국·이탈리아·에스파냐에서 소비량이 많다.

정답 ❼ 중국 ❽ 브라질

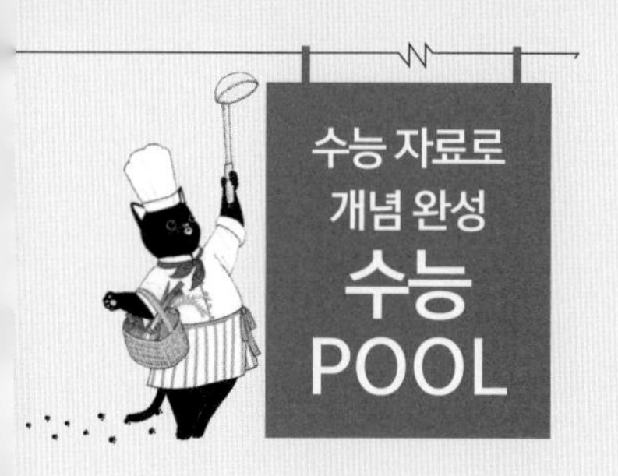

주요 에너지 자원의 생산량과 소비량

수능풀 Guide 주요 에너지 자원의 국가별·대륙별 생산량과 소비량 및 공급량 비율을 파악해 보고, 각 에너지 자원별 특징에 대해 알아보자.

1 주요 화석 에너지의 지역별 생산량과 소비량 비율

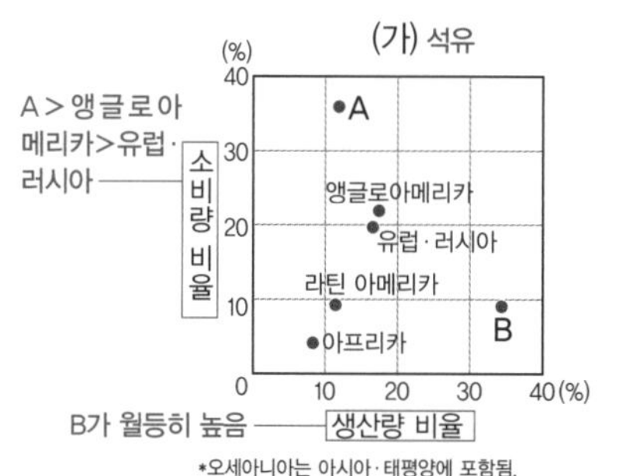

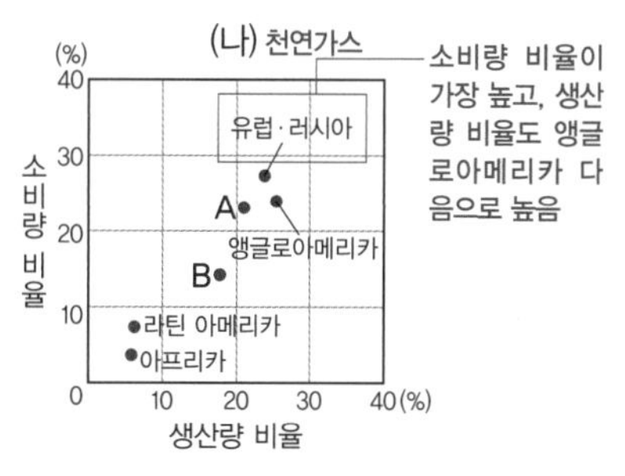

*오세아니아는 아시아·태평양에 포함됨.
**구소련 중 중앙아시아 국가는 아시아·태평양에 포함되며, 그 밖의 국가는 유럽·러시아에 포함됨. (2016년)

PLUS분석 (가), (나)에서 A는 B보다 소비량 비율이 높으므로, A는 아시아·태평양이고 B는 서남아시아이다. 서남아시아(B)의 생산량 비율이 가장 높게 나타나는 (가)는 석유이다. (나)는 유럽·러시아의 소비량 비율이 가장 높게 나타나므로 천연가스이다.

기출 선택지로 확인하기

❶ (가)는 냉동 액화 기술이 개발된 이후 소비가 급증하였다. ○ ×

❷ (나)는 세계 1차 에너지 소비 구조에서 차지하는 비중이 가장 높다. ○ ×

❸ (가)는 (나)보다 공업에 본격적으로 이용된 시기가 늦다. ○ ×

2 주요 국가의 1차 에너지 자원별 소비량

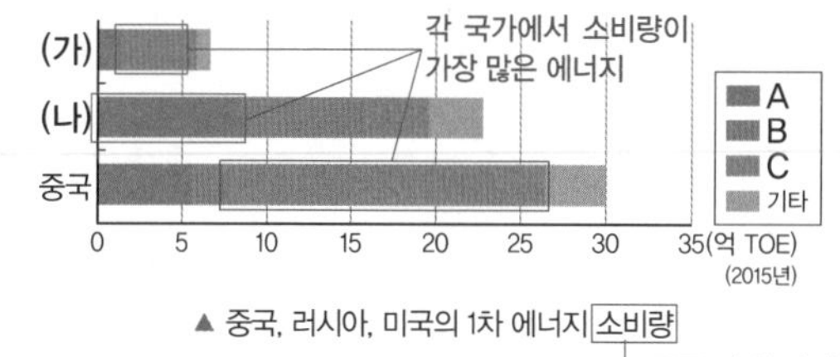

▲ 중국, 러시아, 미국의 1차 에너지 소비량
중국>(나)>(가)

PLUS분석 1차 에너지 총 소비량이 가장 적은 (가)는 러시아이고, 러시아 내에서 소비량 비율이 높은 B는 천연가스이다. (나)는 미국이고, 미국 내에서 소비량 비율이 높은 A는 석유이다. 중국 내에서 소비량 비율이 높은 C는 석탄이다.

기출 선택지로 확인하기

❹ A는 C보다 매장 지역이 편재되어 있어 국제 이동량이 많다. ○ ×

❺ C는 B보다 연소 시 대기 오염 물질의 배출량이 적다. ○ ×

3 유럽 주요 국가의 신·재생 에너지별 공급량 비율

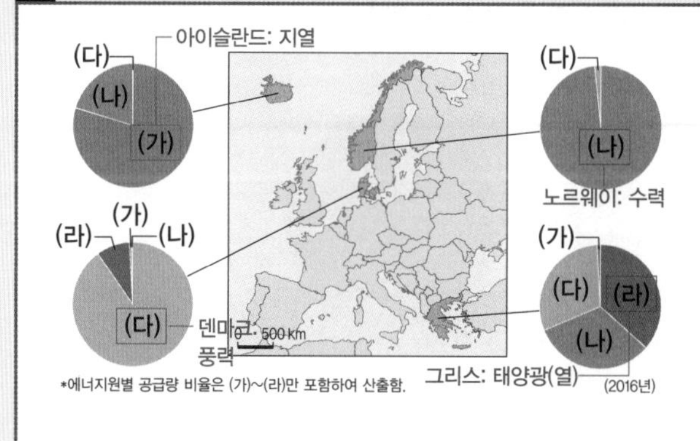

*에너지원별 공급량 비율은 (가)~(라)만 포함하여 산출함.

PLUS분석 (가)는 판의 경계부에 위치한 아이슬란드에서 공급량 비율이 높은 지열, (나)는 빙하 지형이 많아 큰 낙차를 얻을 수 있고 빙하 녹은 물을 확보할 수 있는 노르웨이에서 공급량 비율이 높은 수력, (다)는 덴마크에서 공급량 비율이 높은 풍력, (라)는 지중해성 기후 지역인 그리스에서 공급량 비율이 높은 태양광(열)이다.

기출 선택지로 확인하기

❻ (가)는 낙차가 크고 수량이 풍부한 지역이 유리하다. ○ ×

❼ (나)는 연간 일사량이 많은 지역이 유리하다. ○ ×

❽ (다)는 바람이 지속적으로 많이 부는 지역이 유리하다. ○ ×

❾ (라)는 해령이 위치한 곳에서 이용이 활발하다. ○ ×

정답 ❶ ×(천연가스에 대한 설명이다.) ❷ ×(석유에 대한 설명이다.) ❸ ×(이용된 시기가 이르다.) ❹ ○ ❺ ×(대기 오염 물질의 배출량이 많다.) ❻ ×(수력에 대한 설명이다.) ❼ ×(태양광(열)에 대한 설명이다.) ❽ ○ ❾ ×(지열에 대한 설명이다.)

콕콕! 개념 확인하기

정답과 해설 36쪽

A 에너지 자원

01 그래프는 세계 주요 에너지 자원별 소비량 변화를 나타낸 것이다. (가)~(다) 에너지 자원을 쓰시오.

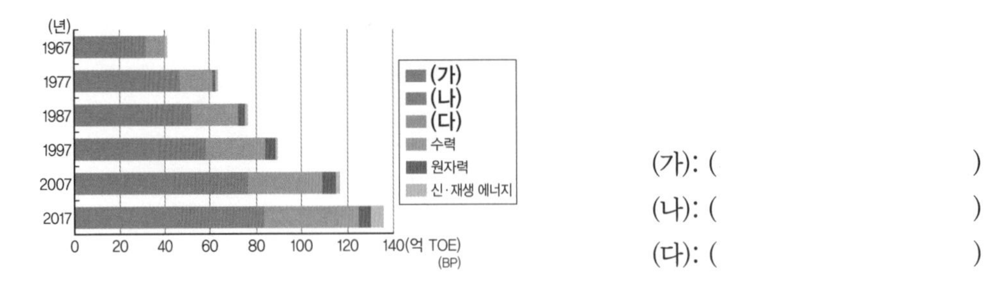

(가): (　　　　　　　　)
(나): (　　　　　　　　)
(다): (　　　　　　　　)

B 주요 에너지 자원의 특징과 이동

02 그래프는 A~C 에너지 자원의 국가별 생산량 비율을 나타낸 것이다. 다음 설명에 해당하는 에너지 자원의 기호를 있는 대로 쓰시오. (단, A~C는 석유, 석탄, 천연가스 중 하나임.)

생산량(194억 8,110만 TOE, 2012~2016년)
A 중국 47.0(%) / 미국 12.0 / 오스트레일리아 7.5 / 인도 6.9 / 인도네시아 6.7 / 러시아 4.6 / 기타 15.3

생산량(212억 980만 톤, 2012~2016년)
B 사우디아라비아 13.1 / 러시아 12.7 / 미국 11.6 / 캐나다 4.8 / 중국 4.9 / 이라크 4.2 / 이란 4.3 / 아랍 에미리트 4.0 / 쿠웨이트 3.6 / 기타 36.8(%)

생산량(156억 3,850만 TOE, 2012~2016년)
C 미국 21.2 / 러시아 16.9 / 이란 5.2 / 카타르 5.0 / 캐나다 4.2 / 중국 3.7 / 노르웨이 3.3 / 사우디아라비아 3.0 / 기타 37.5(%)

(BP 세계 에너지 통계, 2017)

(1) 주로 신생대 제3기층의 배사 구조에 매장되어 있는 에너지 (　　)
(2) 냉동 액화 기술의 발달로 소비량이 크게 증가한 에너지 (　　)
(3) 수송용으로 가장 많이 이용되고 있는 에너지 (　　)
(4) 세계 1차 에너지 소비 구조에서 차지하는 비율이 가장 높은 에너지 (　　)
(5) 연소 시 대기 오염 물질 배출량이 가장 많은 에너지 (　　)

C 신·재생 에너지의 특징과 개발

03 그래프는 (가), (나) 에너지 자원의 국가별 소비량(발전량) 비율을 나타낸 것이다. 이에 대한 설명이 옳으면 ○표, 틀리면 ×표를 하시오. (단, (가), (나)는 수력, 지열 중 하나임.)

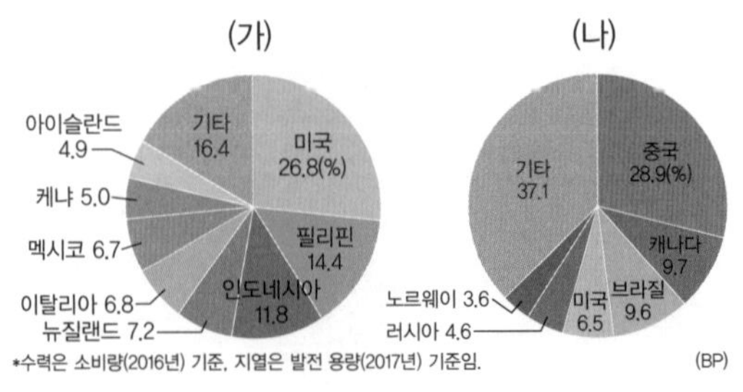

*수력은 소비량(2016년) 기준, 지열은 발전 용량(2017년) 기준임.

(1) (가)는 유량이 풍부하고 큰 낙차를 얻을 수 있는 지역이 발전에 유리하다. (　　)
(2) (가)는 (나)보다 판의 경계부에 발전소가 입지하는 경우가 많다. (　　)
(3) (나)는 (가)보다 세계 1차 에너지 소비 구조에서 차지하는 비율이 높다. (　　)
(4) (가), (나)는 모두 신·재생 에너지에 해당한다. (　　)

탄탄! 내신 다지기

정답과 해설 36쪽

A 에너지 자원

01 세계의 에너지 자원에 대한 설명으로 옳은 것은?

① 원자력은 수력보다 세계 소비량이 많다.
② 세계의 에너지 자원 소비량은 감소 추세에 있다.
③ 석유는 편재성이 작아 국제 이동량이 매우 적다.
④ 세계의 에너지 자원 소비량은 화석 에너지보다 신·재생 에너지가 많다.
⑤ 세계 1차 에너지 자원의 소비 구조에서 차지하는 비율이 가장 높은 에너지는 석유이다.

B 주요 에너지 자원의 특징과 이동

[02~03] 그래프는 세계 주요 에너지 자원별 소비량 변화를 나타낸 것이다. 이를 보고 물음에 답하시오.

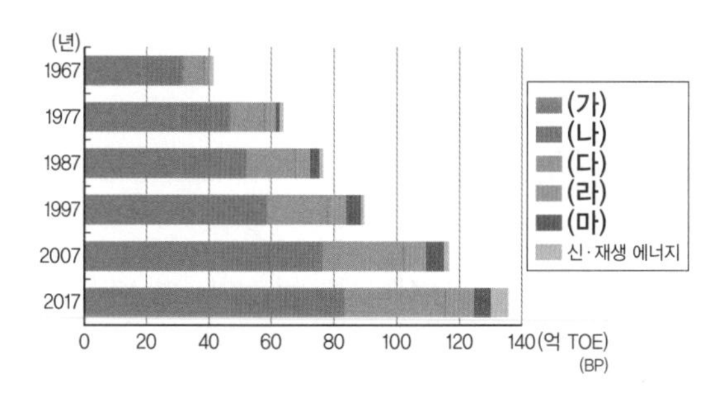

02 (가)~(다) 에너지에 대한 설명으로 옳은 것은?

① (가)는 주로 고기 조산대 주변에 매장되어 있다.
② (나)는 냉동 액화 기술의 발달로 소비량이 급증하였다.
③ (다)는 산업 혁명기의 주요 에너지원이었다.
④ (가)는 (나)보다 수송용으로 이용되는 비율이 높다.
⑤ (다)는 (나)보다 연소 시 대기 오염 물질 배출량이 많다.

03 (라), (마) 에너지에 대한 옳은 설명만을 〈보기〉에서 고른 것은?

> 보기
> ㄱ. (라)는 일사량이 풍부한 지역이 발전에 유리하다.
> ㄴ. (마)는 발전 후 방사성 폐기물이 발생한다.
> ㄷ. (마)는 (라)보다 발전소가 해안에 입지하는 경우가 많다.
> ㄹ. (라), (마)는 모두 신·재생 에너지에 해당한다.

① ㄱ, ㄴ ② ㄱ, ㄷ ③ ㄴ, ㄷ
④ ㄴ, ㄹ ⑤ ㄷ, ㄹ

04 그래프는 어떤 에너지 자원의 국가별 생산량과 소비량 비율을 나타낸 것이다. 이 에너지에 대한 설명으로 옳은 것은?

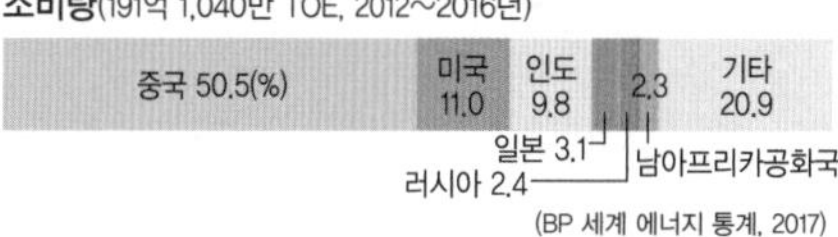

① 자원의 재생 가능성이 높아 고갈 위험이 낮다.
② 제철 공업용, 발전용으로 이용되는 비율이 높다.
③ 신생대 제3기층의 배사 구조에 주로 매장되어 있다.
④ 세계 1차 에너지 소비 구조에서 차지하는 비율이 가장 높다.
⑤ 개발 도상국의 1차 에너지 소비 구조보다 선진국의 1차 에너지 소비 구조에서 비율이 높다.

05 지도는 (가), (나) 에너지 자원의 생산 지역과 국제 이동을 나타낸 것이다. (가), (나) 에너지에 대한 설명으로 옳은 것은?

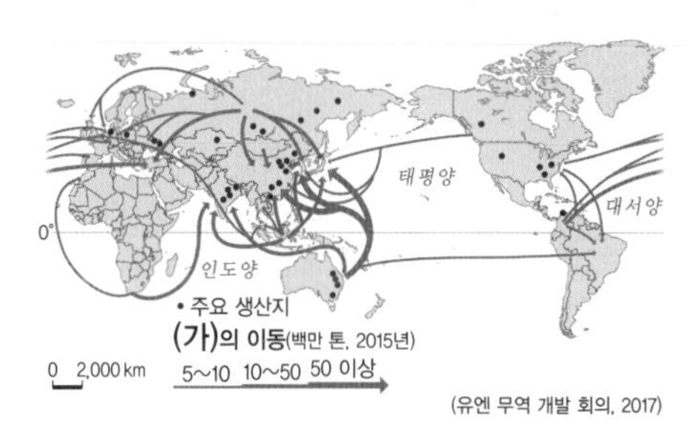

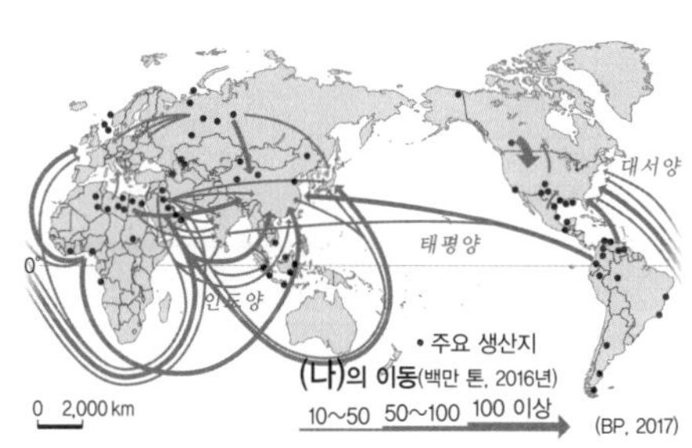

① (가)의 최대 수출 국가는 아시아에 위치한다.
② (나)를 가장 많이 수입하는 국가는 일본이다.
③ (나)는 (가)보다 편재성이 작다.
④ (나)는 (가)보다 국제 이동량이 많다.
⑤ (가)는 신생대 제3기층 배사 구조에, (나)는 고기 조산대 주변에 주로 매장되어 있다.

06 그래프는 두 에너지 자원의 용도별 소비 비율을 나타낸 것이다. (가), (나) 에너지에 대한 옳은 설명만을 〈보기〉에서 고른 것은?

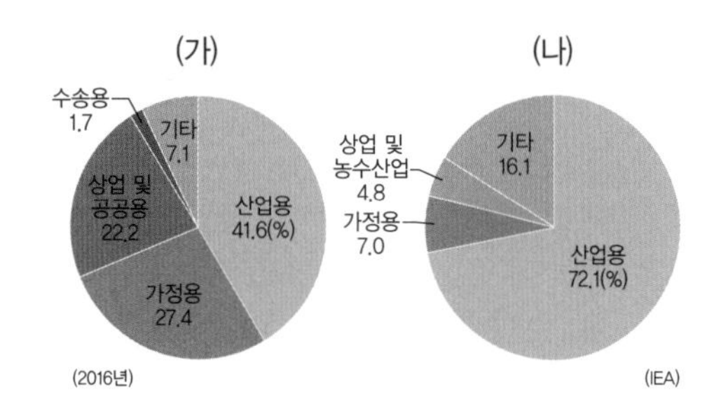

보기
ㄱ. (가)의 세계 최대 생산국은 중국이다.
ㄴ. (나)는 육상 구간에서 주로 파이프라인을 통해 수송된다.
ㄷ. (가)는 (나)보다 세계의 총 발전량에서 차지하는 비율이 낮다.
ㄹ. (나)는 (가)보다 연소 시 대기 오염 물질 배출량이 많다.

① ㄱ, ㄴ ② ㄱ, ㄷ ③ ㄴ, ㄷ
④ ㄴ, ㄹ ⑤ ㄷ, ㄹ

07 그래프는 국가별 전력 생산에서 A 발전이 차지하는 비율을 나타낸 것이다. A 에너지 자원에 대한 설명으로 옳은 것은?

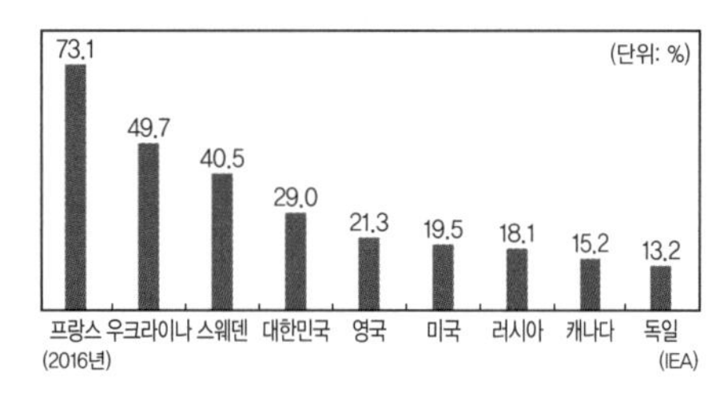

① 주로 가정용으로 이용된다.
② 화력 발전의 주요 연료로 이용된다.
③ 발전에 이용 시 온실가스가 다량 배출된다.
④ 선진국보다 개발 도상국에서 주로 이용한다.
⑤ 발전소는 냉각수를 얻기 쉬운 곳에 주로 입지한다.

08 주요 에너지 자원에 대한 설명으로 옳은 것은?

① 석유는 수력보다 재생 가능성이 높다.
② 유럽보다 석탄은 아시아의 소비량이 많다.
③ 석탄은 화석 연료 중 국제 이동량이 가장 많다.
④ 원자력 소비량이 가장 많은 국가는 프랑스이다.
⑤ 개발 도상국은 선진국보다 1인당 에너지 소비량이 많다.

C 신·재생 에너지의 특징과 개발

09 그래프는 두 신·재생 에너지의 국가별 소비량 비율을 나타낸 것이다. (가), (나) 에너지에 대한 옳은 설명만을 〈보기〉에서 고른 것은? (단, (가), (나)는 수력, 태양광(열), 풍력 중 하나임.)

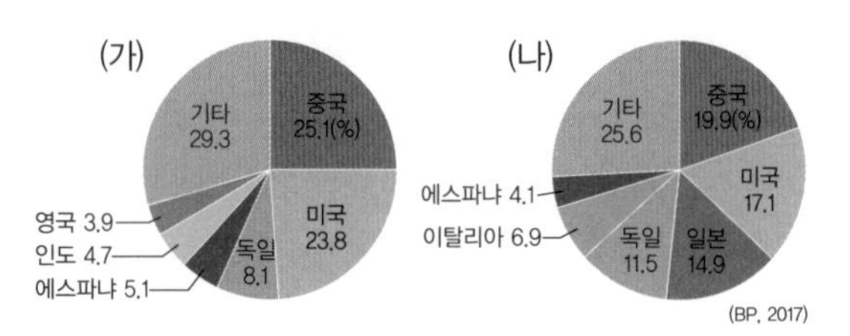

보기
ㄱ. (가) 발전소는 유량이 풍부하고 큰 낙차를 얻을 수 있는 지역에 주로 입지한다.
ㄴ. (나)는 일사량이 많은 지역이 발전에 유리하다.
ㄷ. (가)는 (나)보다 발전 시 소음 발생량이 많다.
ㄹ. (나)는 (가)보다 밤 시간대 발전량 비율이 높다.

① ㄱ, ㄴ ② ㄱ, ㄷ ③ ㄴ, ㄷ
④ ㄴ, ㄹ ⑤ ㄷ, ㄹ

서답형 문제

10 지도는 두 신·재생 에너지의 발전 양식별 설비 용량 상위 5개 국가를 나타낸 것이다. 이를 보고 물음에 답하시오.

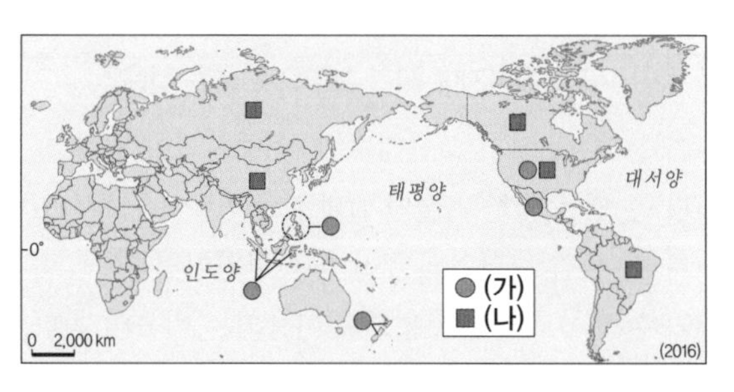

(1) (가), (나) 에너지는 무엇에 해당하는지 쓰시오.
(가): (   ), (나): (   )

(2) (나)와 비교한 (가)의 상대적 특징을 다음 내용을 포함하여 서술하시오.

- 상업적 발전이 시작된 시기
- 판 경계부에서의 발전 잠재력
- 세계의 발전량에서 차지하는 비율

도전! 실력 올리기

정답과 해설 37쪽

01 그래프는 (가)~(다) 에너지 자원의 지역별 생산량 비율 변화를 나타낸 것이다. 이에 대한 설명으로 옳은 것은? (단, (가)~(다)는 석유, 석탄, 천연가스 중 하나임.)

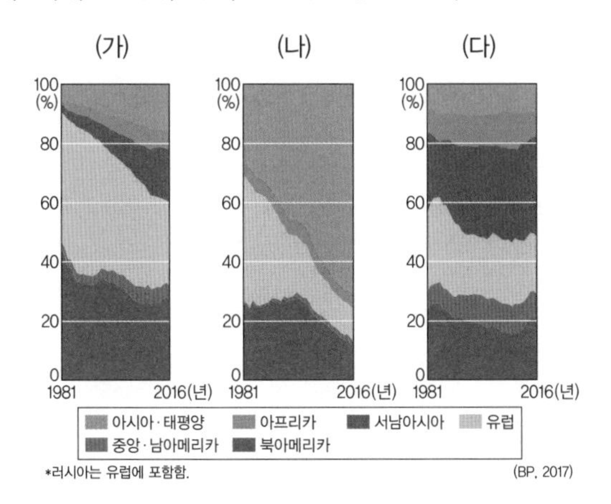

*러시아는 유럽에 포함함. (BP, 2017)

① (가)는 산업 혁명기의 주요 에너지원이었다.
② (나)는 내연 기관의 발명으로 소비량이 급증하였다.
③ (다)는 주로 고기 조산대 주변에 매장되어 있다.
④ (가)는 (나)보다 연소 시 대기 오염 물질 배출량이 적다.
⑤ (나)는 (다)보다 수송용으로 이용되는 비율이 높다.

기출 변형

02 그래프는 (가), (나) 화석 에너지의 지역별 생산량과 소비량 비율을 나타낸 것이다. 이에 대한 설명으로 옳은 것은? (단, A, B는 서남아시아, 아시아 · 태평양 중 하나임.)

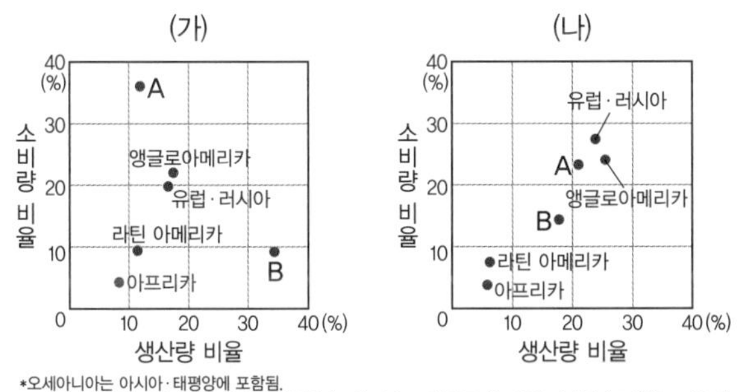

*오세아니아는 아시아·태평양에 포함됨.
**구소련 중 중앙아시아 국가는 아시아·태평양에 포함되며, 그 밖의 국가는 유럽·러시아에 포함됨. (2016)

① (가)는 (나)보다 세계 소비량이 적다.
② (나)는 (가)보다 산업에 본격적으로 이용하기 시작한 시기가 이르다.
③ (가)는 고기 조산대 주변, (나)는 신생대 제3기층 배사 구조에 주로 매장되어 있다.
④ A는 B보다 1차 에너지 소비 구조에서 석탄이 차지하는 비율이 높다.
⑤ A는 서남아시아, B는 아시아·태평양이다.

03 자료는 세 국가의 1인당 1차 에너지원별 소비량을 나타낸 것이다. A~E 에너지에 대한 설명으로 옳은 것은? (단, A~E는 석유, 석탄, 수력, 원자력, 천연가스 중 하나임.)

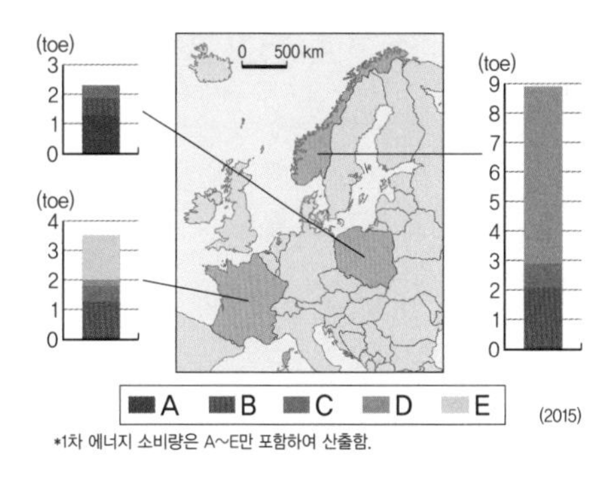

*1차 에너지 소비량은 A~E만 포함하여 산출함.

① A는 B보다 국제 이동량이 적다.
② C는 A보다 세계의 총 발전량에서 차지하는 비율이 높다.
③ C는 D보다 자원의 재생 가능성이 높다.
④ D는 E보다 상업적 발전에 이용되기 시작한 시기가 늦다.
⑤ E는 A보다 발전에 이용 시 온실가스 배출량이 많다.

04 그래프는 두 신 · 재생 에너지의 국가별 생산량 비율을 나타낸 것이다. (가), (나) 에너지에 대한 옳은 설명만을 〈보기〉에서 고른 것은? (단, (가), (나)는 바이오 에탄올, 수력, 지열, 태양광(열), 풍력 중 하나임.)

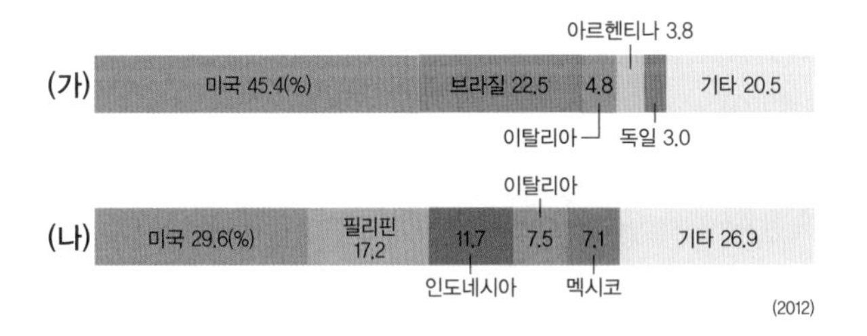

〈보기〉
ㄱ. (가)는 유량이 풍부하고 큰 낙차를 얻을 수 있는 곳에서 개발 잠재력이 높게 나타난다.
ㄴ. (나)의 발전량은 기후 조건의 영향을 많이 받는다.
ㄷ. (가)는 (나)보다 생산량이 식량 작물의 가격 변동에 끼치는 영향이 크다.
ㄹ. (나)는 (가)보다 판의 경계부에서 발전 잠재력이 높게 나타난다.

① ㄱ, ㄴ ② ㄱ, ㄷ ③ ㄴ, ㄷ
④ ㄴ, ㄹ ⑤ ㄷ, ㄹ

한눈에 보는
대단원 정리

01 주요 종교의 전파와 종교 경관

A 세계 주요 종교의 분포와 특징

크리스트교	• 유럽, 아메리카, 오세아니아, 아프리카 중·남부에 주로 분포 • 유일신교로 세계에서 신자 수가 가장 많음 • 이웃 사랑을 실천
이슬람교	• 북부 아프리카, 서남아시아, 중앙아시아, 동남아시아에 주로 분포 • 유일신교로 쿠란(경전)의 가르침에 따른 신앙 실천의 5대 의무가 있음 • 술과 돼지고기를 금기시하고, 여성들은 얼굴이나 몸 전체를 가리는 의복을 착용함
불교	• 남부 아시아, 동남아시아, 동아시아에 주로 분포 • 윤회 사상을 믿음 • 개인의 수양 및 해탈과 자비를 강조함 • 살생을 금하고 육식을 대체로 금기시함
힌두교	• 남부 아시아에 주로 분포 • 다신교로 선행과 고행을 통한 수련을 중시함 • 윤회 사상을 믿음 • 소를 신성시하여 소고기를 먹지 않음

B 세계 주요 종교의 전파와 종교 경관

크리스트교	• 기원: 유대교를 바탕으로 서남아시아의 팔레스타인 지역에서 발생 • 전파: 유럽 열강의 식민지 개척을 통해 세계로 전파 • 종교 경관: 십자가, 종탑 등이 보편적으로 나타나며, 종파별 예배 건물의 모습이 다양함
이슬람교	• 기원: 기원후 7세기 초 서남아시아의 메카에서 발생 • 전파: 군사적 정복과 상인의 무역 활동을 통해 아시아 및 북부 아프리카 등으로 전파 • 종교 경관: 모스크(돔형의 지붕, 첨탑), 아라베스크
불교	• 기원: 기원전 6세기경 인도 북부 지방에서 발생 • 전파: 동남 및 동아시아 일대로 전파 • 종교 경관: 불상이 있는 불당, 부처의 사리가 있는 탑
힌두교	• 기원: 브라만교를 바탕으로 고대 인도에서 발생 • 전파: 인도 주변의 일부 지역으로 전파 • 종교 경관: 다양한 신들의 모습이 표현된 사원과 가트

02 세계의 인구 변천과 인구 이주

A 세계의 인구 성장과 인구 분포

세계의 인구 성장과 성장 요인	생활 수준의 향상, 의료 기술의 발달, 공공 위생 시설의 개선 → 사망률 감소, 인구 부양력 증대 등 → 인구가 빠르게 증가하고 있음
세계의 인구 분포	• 인구 밀집 지역: 농업에 유리하거나 공업과 서비스업이 발달한 지역 • 인구 희박 지역: 기후·지형 조건이 불리한 곳, 경제 활동이 어렵거나 교통 발달이 미약한 곳, 정치적으로 불안정한 지역

B 세계의 인구 변천과 인구 구조

(1) 인구 변천 모형의 단계별 특징

1단계	출생률과 사망률이 높아 인구 증가율이 낮음
2단계	출생률이 높고 사망률이 빠르게 감소하여 인구 급성장
3단계	출생률이 감소하면서 인구 증가가 둔화됨
4단계	낮은 수준의 출생률과 사망률이 유지되며 인구 증가율도 낮은 수준을 유지함
5단계	저출산으로 인구의 자연 감소가 나타남

(2) 선진국과 개발 도상국의 인구 구조와 인구 문제

선진국	• 인구 구조: 저출산으로 유소년층 인구 비율은 낮은 반면, 노년층 인구 비율이 높음 • 인구 문제: 저출산, 고령화, 생산 연령 인구 감소에 따른 노동력 부족 등
개발 도상국	• 인구 구조: 출생률이 높아 유소년층 인구 비율은 높은 반면, 노년층 인구 비율이 낮음 • 인구 문제: 식량 및 자원 부족, 기아와 빈곤 등

C 세계의 인구 이주

인구 이주의 특징	• 경제적 요인에 따른 국제 이주 증가: 개발 도상국에서 선진국으로 이동 • 난민의 이동
인구 이주에 따른 지역 변화	• 인구 유출 지역: 해외 이주 노동자들의 송금액 유입으로 인한 지역 경제 활성화, 실업률 하락(긍정적 영향), 생산 연령 인구의 유출로 인한 산업 성장 둔화, 사회 분위기 침체(부정적 영향) • 인구 유입 지역: 노동력 부족 문제 해결, 문화적 다양성 증대(긍정적 영향), 문화적 차이 및 이주자의 집단 주거지 형성으로 인한 갈등(부정적 영향)

03 세계의 도시화와 세계 도시 체계

A 도시화와 도시화 과정

도시화	도시 거주 인구와 도시 수가 증가하고 도시권이 확대되며, 촌락에 도시적 요소가 확대되는 과정
세계의 도시화 과정	• 선진국: 산업 혁명 이후 점진적으로 도시화가 진행되어 현재 도시화의 종착 단계에 도달 • 개발 도상국: 제2차 세계 대전 이후 급속한 도시화가 진행되어 현재 도시화의 가속화 단계가 많음

B 세계 도시와 세계 도시 체계

세계 도시	• 의미: 세계화 시대에 국가의 경계를 넘어 세계적인 중심지 역할을 수행하는 대도시 예 런던, 뉴욕, 도쿄 • 등장 배경: 교통과 통신의 발달 • 특징: 다국적 기업의 본사 및 기능 집중, 생산자 서비스업 발달, 고도의 정보 통신 네트워크와 최신 교통 체계 발달
세계 도시 체계	• 의미: 세계 도시들 간에 기능적으로 연계된 체계 • 계층: 최상위 세계 도시는 주로 선진국에 위치, 상위 및 하위 세계 도시는 선진국과 개발 도상국의 도시임

04 주요 식량 자원과 국제 이동

A 주요 곡물 자원의 특징과 이동

쌀	• 기원지와 재배 조건: 기원지는 중국 남부 및 동남아시아 지역이며, 성장기에 고온 다습하고 수확기에 건조한 기후 조건 • 주요 재배지: 아시아의 계절풍 기후 지역, 미국 캘리포니아 일대, 브라질 남부 등 • 특징: 단위 면적당 생산량이 많음, 국제 이동량이 적음
밀	• 기원지와 재배 조건: 기원지는 서남아시아의 건조 기후 지역이며, 내건성과 내한성이 큰 편임 • 주요 재배지: 중국 화북, 인도 펀자브, 미국, 캐나다, 오스트레일리아 등 • 특징: 단위 면적당 생산량이 적고, 국제 이동량이 많음
옥수수	• 기원지와 재배 조건: 기원지는 아메리카 지역이며, 기후 적응력이 큰 편임 • 주요 재배지: 미국, 중국, 브라질, 아르헨티나 등 • 특징: 가축의 사료와 바이오 에탄올의 원료로 이용됨

B 주요 축산물의 특징과 이동

소	• 농경 사회에서 노동력을 대신하는 동물로 일찍부터 가축화됨, 고기와 유제품 제공 • 아메리카, 오스트레일리아에서 대규모로 사육
양	• 양털의 수요가 증가하면서 가치가 높아짐 • 아시아에서는 주로 유목, 오스트레일리아·아메리카에서는 방목의 형태로 주로 사육됨
돼지	• 정착 생활을 하는 지역에서 주로 사육됨 • 서남아시아와 북부 아프리카에서는 종교적인 이유로 거의 사육되지 않음

05 주요 에너지 자원과 국제 이동

A 에너지 자원

자원의 특성	유한성, 편재성, 가변성
세계 1차 에너지 자원별 소비량	석유>석탄>천연가스>수력>원자력 순으로 많음

B 주요 에너지 자원의 특징과 이동

석탄	• 주로 산업용으로 이용, 산업 혁명기의 주요 에너지원 • 국제 이동량이 적은 편임
석유	• 주로 수송용으로 이용, 19세기 내연 기관의 발명과 자동차의 보급으로 소비량이 급증함 • 자원의 편재성이 커서 국제 이동량이 많음
천연 가스	• 주로 산업용 및 가정용으로 이용, 냉동 액화 기술의 발달로 소비량 급증, 연소 시 대기 오염 물질 배출량이 적은 편임 • 파이프라인(육상 구간), 액화 천연가스 수송선(해상 구간)으로 운송됨

C 신·재생 에너지의 특징과 개발

수력	유량이 풍부하고 큰 낙차를 얻을 수 있는 지역에서 개발
풍력	일정하고 강한 바람이 지속적으로 부는 산지나 해안 지역에서 개발
태양광(열)	일사량이 많은 지역에서 개발
지열	지열이 풍부한 지역(판 경계부)에서 개발

한번에 끝내는
대단원 문제

정답과 해설 38쪽

01 지도는 세 종교의 전파 경로를 나타낸 것이다. (가)~(다) 종교에 대한 설명으로 옳은 것은? (단, (가)~(다)는 불교, 이슬람교, 크리스트교 중 하나임.)

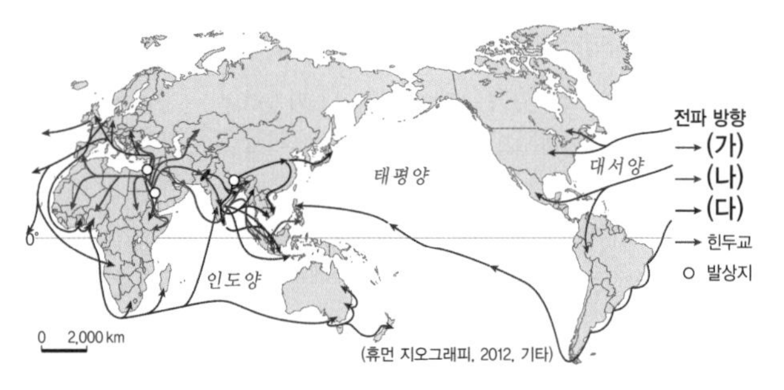

① (가)의 신자들은 술과 돼지고기를 먹지 않는다.
② (나)의 종교 경관으로 불상과 불탑을 들 수 있다.
③ (다)는 수니파와 시아파로 구분된다.
④ (가)는 (나)보다 기원한 시기가 이르다.
⑤ (나)는 (다)보다 세계의 신자 수가 적다.

02 다음 자료는 네 국가의 종교별 신자 수 비율을 나타낸 것이다. A~D 종교에 대한 설명으로 옳은 것은? (단, A~D는 불교, 이슬람교, 크리스트교, 힌두교 중 하나임.)

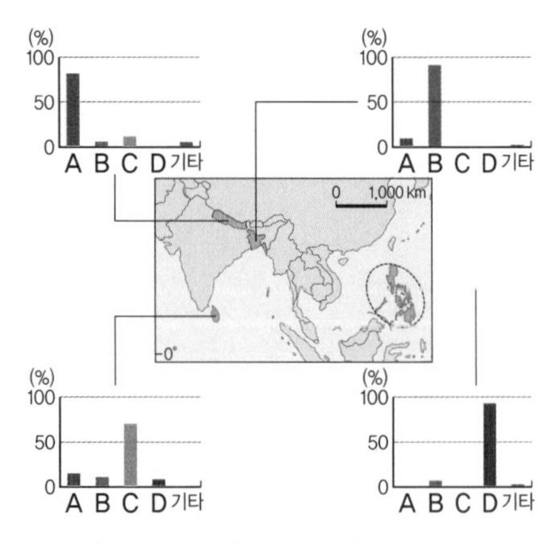

① A는 유일신을 믿는 민족 종교이다.
② B의 신자들은 소를 신성시하여 소고기를 먹지 않는다.
③ C는 윤회 사상을 믿고 자비를 강조한다.
④ D의 최대 성지는 사우디아라비아의 메카이다.
⑤ 세계의 신자 수는 D>B>C>A 순으로 많다.

03 그래프는 각 대륙의 연령층별 인구 비율을 나타낸 것이다. A~D 대륙에 대한 설명으로 옳은 것은? (단, A~D는 아시아, 아프리카, 앵글로아메리카, 유럽 중 하나임.)

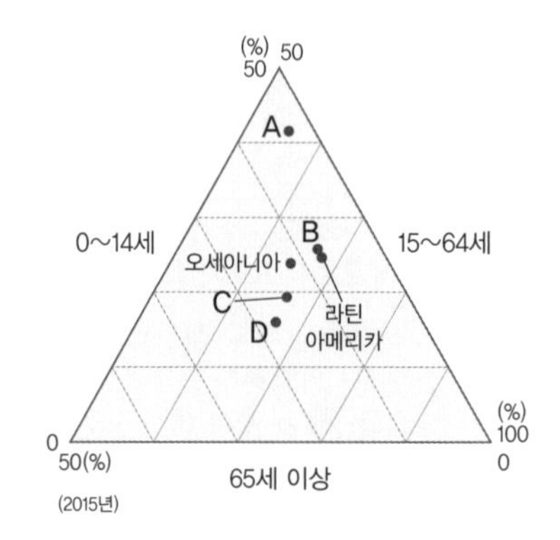

① A는 B보다 총 부양비가 낮다.
② B는 C보다 중위 연령이 높다.
③ C는 D보다 영어 사용자 수 비율이 낮다.
④ D는 A보다 인구의 자연 증가율이 높다.
⑤ A~D 중에서 총인구는 B가 가장 많다.

04 그래프는 두 국가의 연령대별 인구 비율을 나타낸 것이다. (가), (나) 국가에 대한 설명으로 옳은 것은? (단, (가), (나)는 독일, 니제르 중 하나임.)

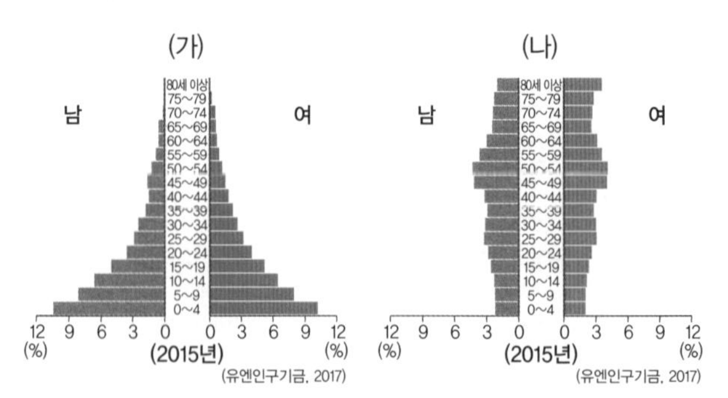

① (가)는 노령화 지수가 100을 넘는다.
② (나)는 인구 변천 모형의 3단계에 해당한다.
③ (가)는 (나)보다 중위 연령이 높다.
④ (나)는 (가)보다 1인당 국내 총생산이 많다.
⑤ (가)는 유럽, (나)는 아프리카에 위치한다.

05 그래프는 대륙별 인구 순 이동을 나타낸 것이다. (가)~(다) 대륙을 바르게 연결한 것은? (단, 인구 순 이동은 유입 인구에서 유출 인구를 뺀 값임.)

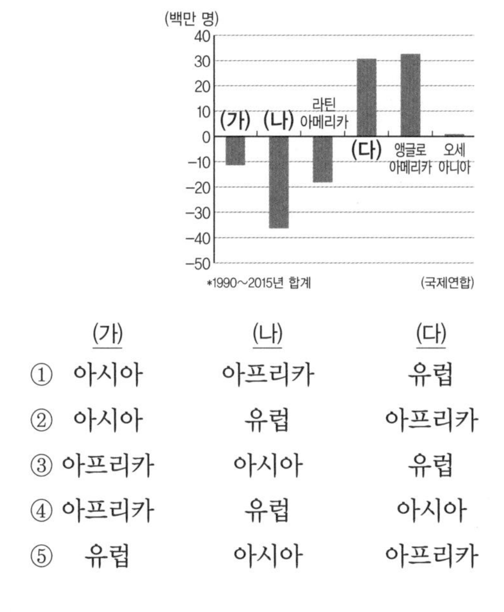

	(가)	(나)	(다)
①	아시아	아프리카	유럽
②	아시아	유럽	아프리카
③	아프리카	아시아	유럽
④	아프리카	유럽	아시아
⑤	유럽	아시아	아프리카

06 그래프의 (가)~(라) 대륙에 대한 설명으로 옳은 것은? (단, (가)~(라)는 아시아, 아프리카, 라틴 아메리카, 앵글로아메리카 중 하나이고, A, B는 도시, 촌락 중 하나임.)

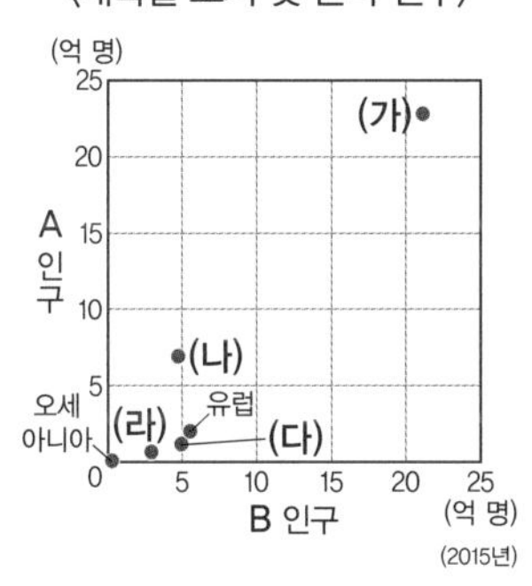

① (가)는 (나)보다 도시화율이 높다.
② (나)는 (다)보다 촌락 인구가 적다.
③ (다)는 (라)보다 1차 산업 종사자 수 비율이 낮다.
④ (라)는 (가)보다 도시화의 가속화 단계에 진입한 시기가 늦다.
⑤ (가)~(라) 중에서 총인구는 (나)가 가장 많다.

07 지도는 세계 도시 체계를 나타낸 것이다. (나) 도시와 비교한 (가) 도시의 상대적 특징을 그림의 A~E에서 고른 것은?

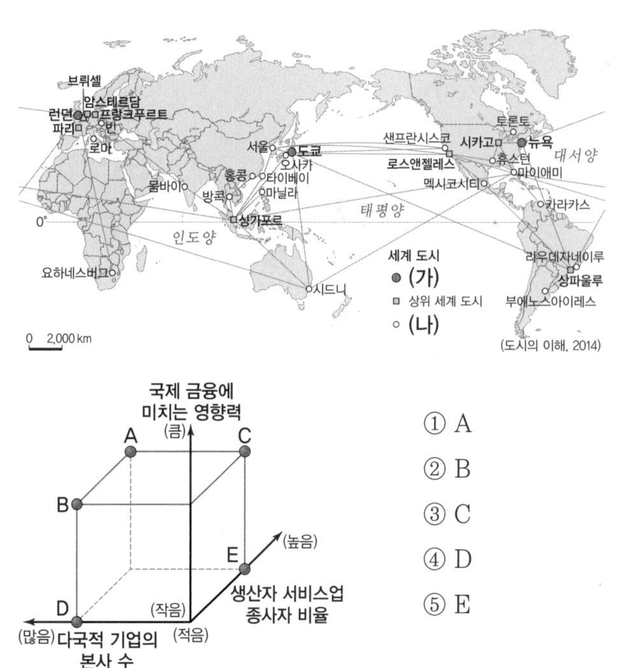

① A
② B
③ C
④ D
⑤ E

08 그래프는 세계 3대 식량 작물의 국가별 생산량 비율을 나타낸 것이다. (가)~(다) 작물에 대한 설명으로 옳은 것은?

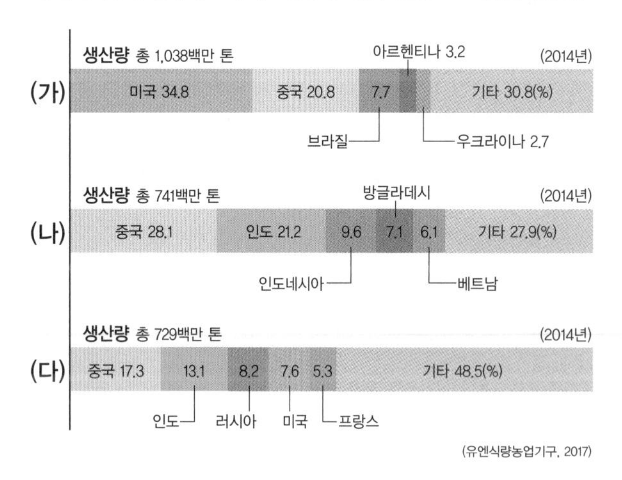

① (가)의 기원지는 아시아에 위치한다.
② (나)는 바이오 에탄올 생산의 원료로 이용되면서 수요가 급증하였다.
③ (다)는 주로 아시아 계절풍 기후 지역에서 재배된다.
④ (가)는 (나)보다 가축의 사료로 이용되는 비율이 낮다.
⑤ (나)는 (다)보다 국제 이동량이 적다.

09 그래프는 세 가축의 국가별 사육 두수 비율을 나타낸 것이다. (가)~(다) 가축에 대한 설명으로 옳지 않은 것은? (단, (가)~(다)는 돼지, 소, 양 중 하나임.)

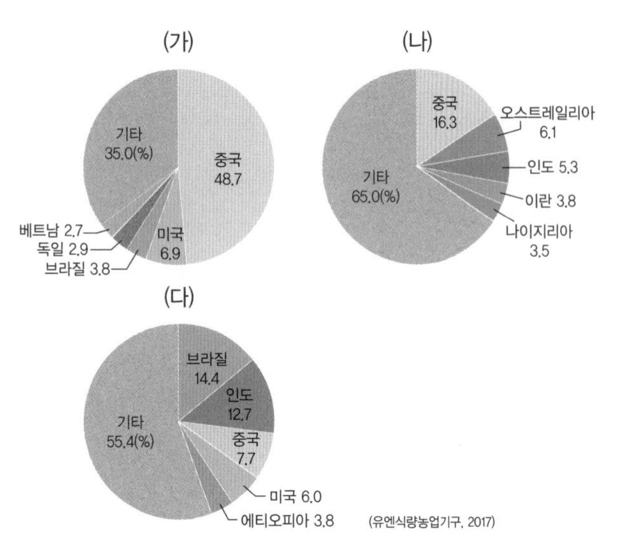

① (가)는 (나)보다 털을 섬유 공업의 원료로 이용하는 경우가 많다.
② (나)는 (다)보다 건조 기후 지역에서 사육하기에 유리하다.
③ (다)는 (가)보다 가축의 힘을 농경에 이용하는 경우가 많다.
④ 이슬람교 신자는 (가)의 고기를, 힌두교 신자는 (다)의 고기를 먹지 않는다.
⑤ 세계의 사육 두수는 (다)>(나)>(가) 순으로 많다.

10 그래프는 세 국가의 1차 에너지 자원별 소비량을 나타낸 것이다. (가)~(다) 에너지에 대한 설명으로 옳은 것은?

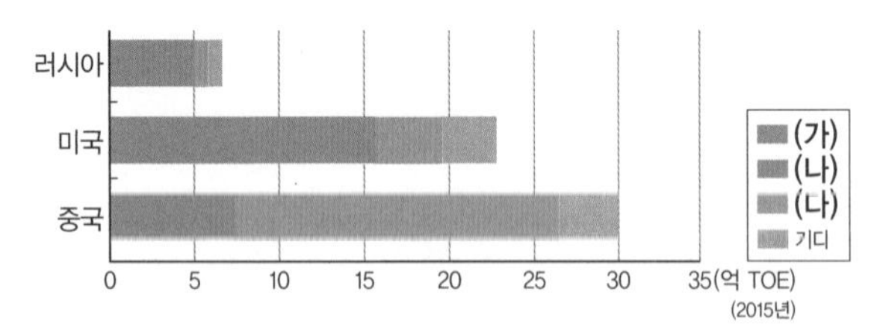

① (가)는 산업 혁명기의 주요 에너지원이었다.
② (나)는 냉동 액화 기술의 발달로 소비량이 급증하였다.
③ (다)는 주로 신생대 제3기층의 배사 구조에 매장되어 있다.
④ (가)는 (나)보다 세계 1차 에너지 소비 구조에서 차지하는 비율이 낮다.
⑤ (나)는 (다)보다 연소 시 대기 오염 물질 배출량이 많다.

11 그래프는 두 화석 에너지의 국가별 생산량 비율을 나타낸 것이다. (가), (나) 에너지에 대한 옳은 설명만을 〈보기〉에서 고른 것은?

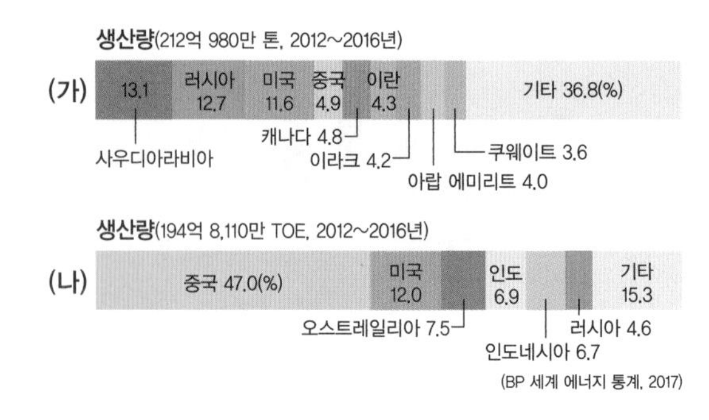

보기
ㄱ. (가)는 화석 에너지 중 연소 시 대기 오염 물질 배출량이 가장 적다.
ㄴ. (나)는 주로 고기 조산대 주변에 매장되어 있다.
ㄷ. (가)는 (나)보다 수송용으로 이용되는 비율이 높다.
ㄹ. (나)는 (가)보다 국제 이동량이 많다.

① ㄱ, ㄴ ② ㄱ, ㄷ ③ ㄴ, ㄷ
④ ㄴ, ㄹ ⑤ ㄷ, ㄹ

12 그래프는 두 에너지 자원의 국가별 소비량(발전량) 비율을 나타낸 것이다. (가) 에너지와 비교한 (나) 에너지의 상대적 특징을 그림의 A~E에서 고른 것은? (단, (가), (나)는 수력, 지열, 풍력 중 하나임.)

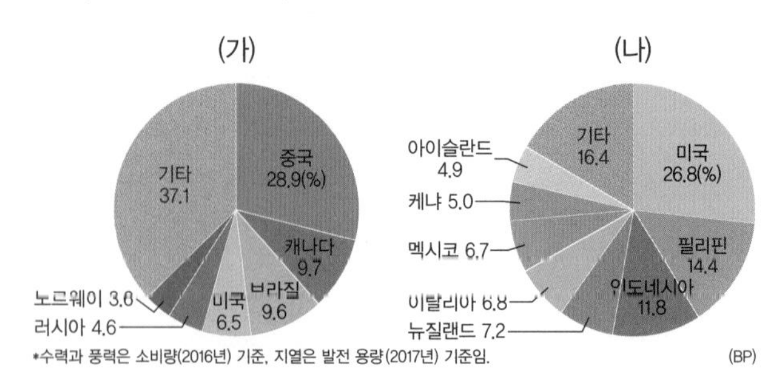

*수력과 풍력은 소비량(2016년) 기준, 지열은 발전 용량(2017년) 기준임. (BP)

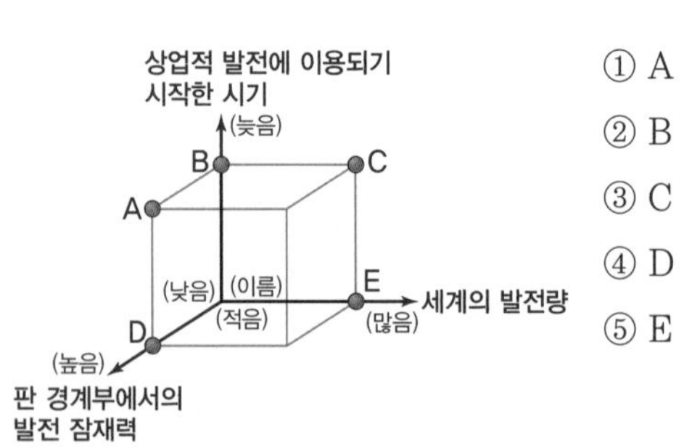

① A
② B
③ C
④ D
⑤ E

13 그래프는 인구 변천 모형을 나타낸 것이다. 이를 보고 물음에 답하시오.

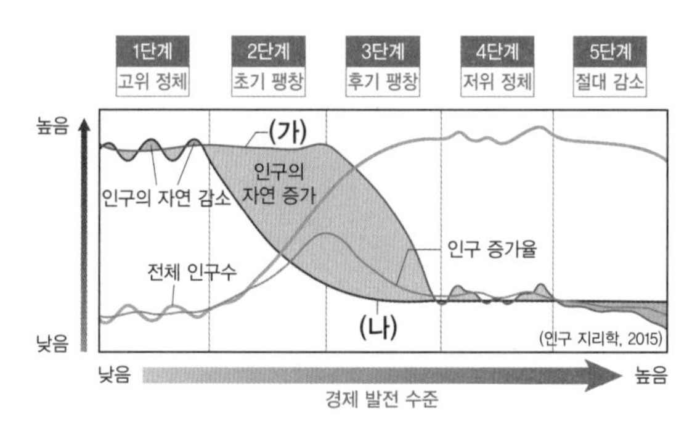

(1) (가), (나)에 해당하는 인구 지표를 쓰시오.

(가): (   ), (나): (   )

(2) 2단계에서 (나)가 감소하는 원인과 3단계에서 (가)가 감소하는 원인을 각각 한 가지씩 서술하시오.

14 그래프는 대륙별 도시화율 변화를 나타낸 것이다. 이를 보고 물음에 답하시오.

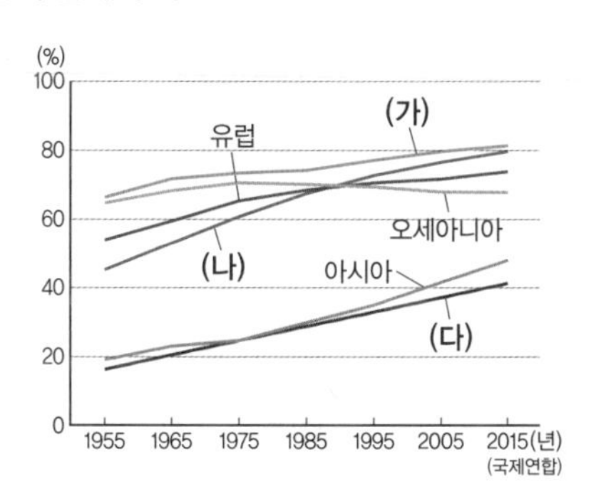

(1) (가)~(다) 대륙의 이름을 쓰시오.

(가): (   )

(나): (   )

(다): (   )

(2) (다) 대륙과 비교한 (가) 대륙의 상대적 특징을 제시된 내용을 모두 포함하여 서술하시오.

• 최근 10년간 도시 인구 증가율 • 소득 수준
• 3차 산업 종사자 수 비율

15 그래프는 세계 3대 식량 작물의 단위 면적당 생산량과 생산량 대비 수출량 비율을 나타낸 것이다. 이를 보고 물음에 답하시오.

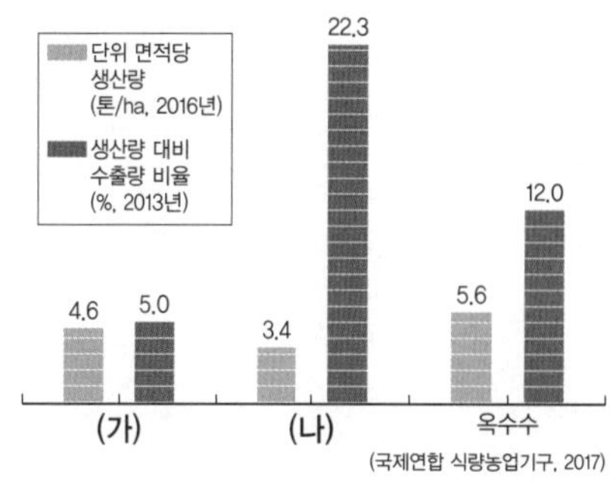

(1) (가), (나) 작물의 이름을 쓰시오.

(가): (   ), (나): (   )

(2) (가) 작물과 비교한 (나) 작물의 상대적 특징을 제시된 내용을 모두 포함하여 서술하시오.

• 아시아 생산량 • 내한성과 내건성 • 국제 이동량

16 그래프는 어떤 에너지의 국가별 소비량 비율과 국가 내 발전량에서 차지하는 비율을 나타낸 것이다. 이를 보고 물음에 답하시오.

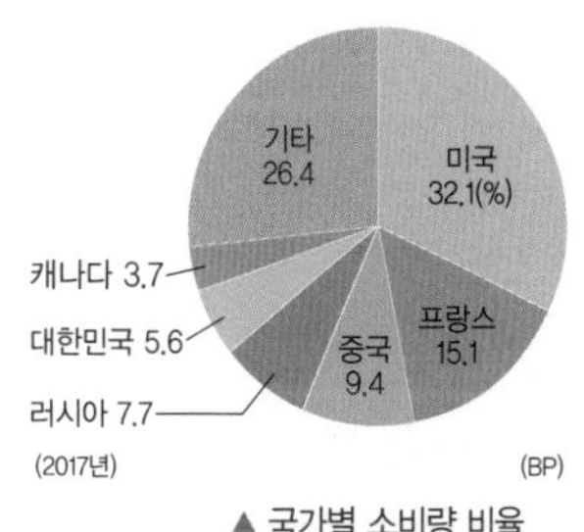

▲ 국가별 소비량 비율

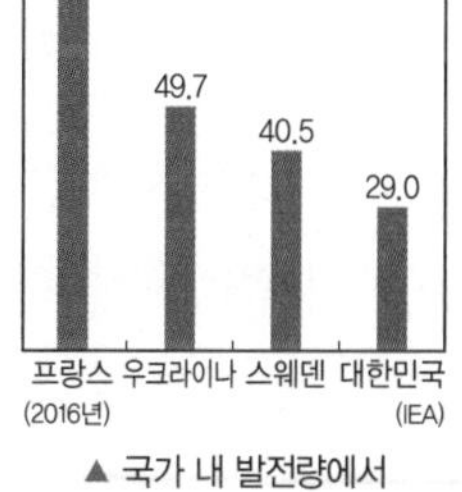

▲ 국가 내 발전량에서 차지하는 비율

(1) 위 그래프에 해당하는 에너지는 무엇인지 쓰시오.

(   )

(2) 위 그래프에 해당하는 에너지의 장점과 단점을 각각 한 가지씩 서술하시오.

Ⅳ

몬순 아시아와 오세아니아

배울 내용 한눈에 보기

01 자연환경에 적응한 생활 모습

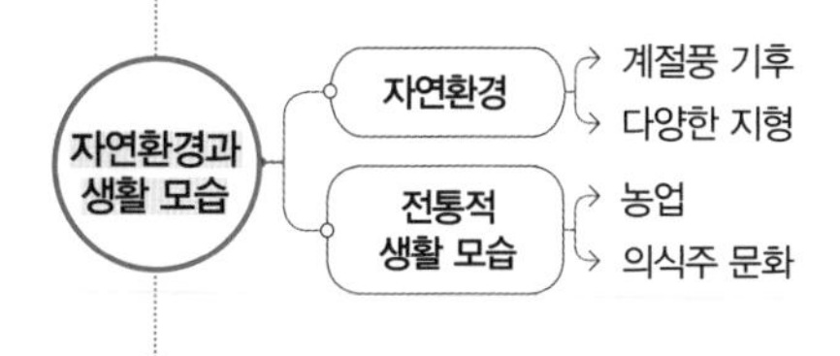

02 주요 자원의 분포 및 이동과 산업 구조

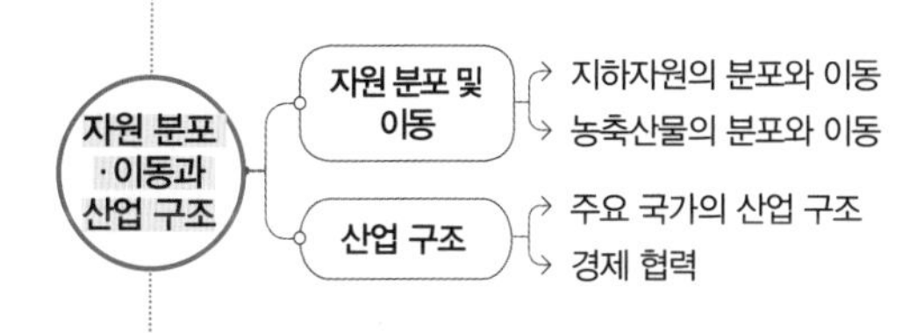

03 민족(인종) 및 종교적 차이

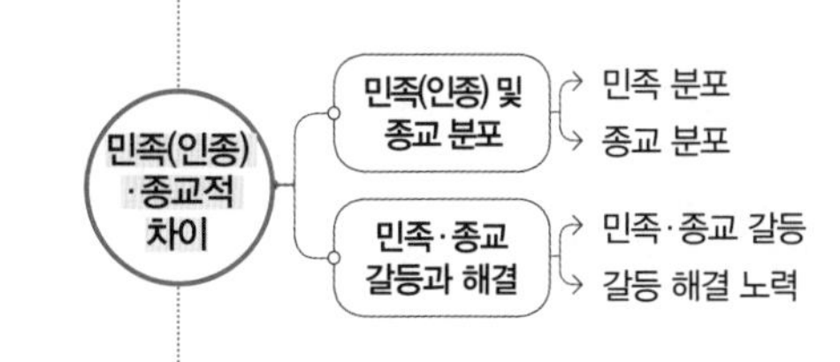

01 자연환경에 적응한 생활 모습

한눈에 정리

몬순 아시아의 계절풍

겨울	대륙에서 바다로 붊 (한랭 건조) → 건기
여름	바다에서 대륙으로 붊 (고온 다습) → 우기

A 몬순❶ 아시아의 자연환경

예 남부 아시아(인도, 방글라데시 등), 동남아시아(말레이시아, 베트남, 타이 등), 동부 아시아(우리나라, 중국, 일본 등)를 말해.

1. 계절풍의 영향이 큰 기후 자료 1

겨울 계절풍	• 대륙 내부에서 바다 쪽으로 바람이 불어 나감 → 기온이 낮고 강수량이 적음 • 동남 및 남부 아시아의 건기에 해당함 (11월~4월의 기간에 해당해.)
여름 계절풍	• 바다에서 대륙 내부로 바람이 불어 들어옴 → 기온이 높고 강수량이 많음 • 동남 및 남부 아시아의 우기에 해당함 (5월~10월의 기간에 해당해.) • 여름철 잦은 홍수 발생, 풍부한 강수량을 이용하여 벼농사 발달

2. 다양한 지형

(1) **해발 고도가 높은 산맥과 고원**: 문물 교류의 장애물로 작용하여 문화권의 경계를 이룸 예 인도-중국 접경 지역의 히말라야산맥, 티베트고원

(2) **빈번한 지진과 화산 활동**: 지각판의 경계에 있는 지역 예 인도네시아, 필리핀, 일본 등 → 비옥한 화산재 토양은 농업에 유리한 조건을 제공함

(3) **대하천 주변의 평야 발달**: 강수량이 풍부하여 대하천 발달 예 갠지스강, 메콩강, 창장강 → 여름철 홍수로 잦은 범람이 발생하여 토양이 비옥한 충적 평야 발달

왜 몬순의 영향으로 강수의 계절적 차이가 크기 때문이야.

B 몬순 아시아의 전통적인 생활 모습

1. 자연환경에 적응한 농업 자료 2

(1) 몬순의 영향이 강한 지역

① **벼농사**: 하천 주변의 비옥한 충적 평야 → 기온이 높고 강수량이 풍부함(동남아시아의 경우 벼의 2기작❷이 가능)

② 쌀은 인구 부양력이 높아 몬순 아시아는 세계적인 인구 밀집 지역을 형성함

뜻 한 지역에서 주어진 자원을 이용하여 인구를 얼마나 부양할 수 있는가를 나타내는 지표야.

왜 쌀은 다른 작물에 비해 단위 면적당 생산량이 많기 때문이야.

(2) 몬순의 영향이 적은 지역

① **밭농사**: 화베이·둥베이 지방(밀, 옥수수, 콩 등) → 강수량이 적고 겨울이 추움

② **유목**: 티베트고원, 몽골 일대 → 건조 기후가 나타남

③ **플랜테이션**: 열대 기후 지역, 차·목화·커피 등의 기호 작물 재배

2. 자연환경에 적응한 의식주 문화

(1) 지역마다 다른 음식 문화

① **동부 아시아**: 점성❸이 큰 쌀로 만든 쌀밥

② **동남·남부 아시아**: 점성이 작은 쌀밥을 향신료와 함께 볶아 먹는 문화 발달

(2) 기후 환경을 반영한 전통 가옥

① **동남아시아**: 고온 다습한 기후의 영향 → 통풍이 잘되며 개방적인 가옥 구조, 비나 햇볕을 피할 수 있는 구조

예 고상 가옥은 지면의 열기와 습기를 막아 줘.

② **동부 아시아**: 겨울철 추위와 여름철 더위에 대비한 가옥 구조(온돌, 다다미 등), 폭설 피해에 대비한 가옥 구조(합장❹ 가옥)

(3) 다양한 전통 의복

① **여름철**: 더위를 극복하기 위해 얇고 통풍이 잘되는 천을 사용함

② **겨울철**: 보온이 잘되는 두꺼운 옷을 입음

예 베트남의 아오자이 등이 있어.

---

❶ **몬순(monsoon)**
계절을 의미하는 아랍어 '마우심'에서 유래한 말로, 대륙과 해양의 비열차로 계절에 따라 풍향이 바뀌는 바람을 말한다.

❷ **2기작**
한 농지에서 1년에 두 번 같은 작물을 재배하는 것으로, 2기작이 가능하기 위해서는 겨울이 따뜻하고 강수량이 풍부해야 한다.

❸ **점성이 큰 쌀**
쌀의 품종은 크게 모양이 둥글고 굵은 자포니카와 모양이 긴 인디카로 나뉜다. 자포니카는 인디카에 비해 점성(끈기)이 높아서 밥을 지으면 윤기가 흐르면서 찰진 식감을 준다.

❹ **합장 가옥**

▲ 일본 시라카와고의 합장 가옥
겨울철 폭설에 대비해 지붕의 경사를 급하게 하였다.

교과서 자료
모아 보기

자료 확인 문제

자료 1 몬순 아시아의 계절풍

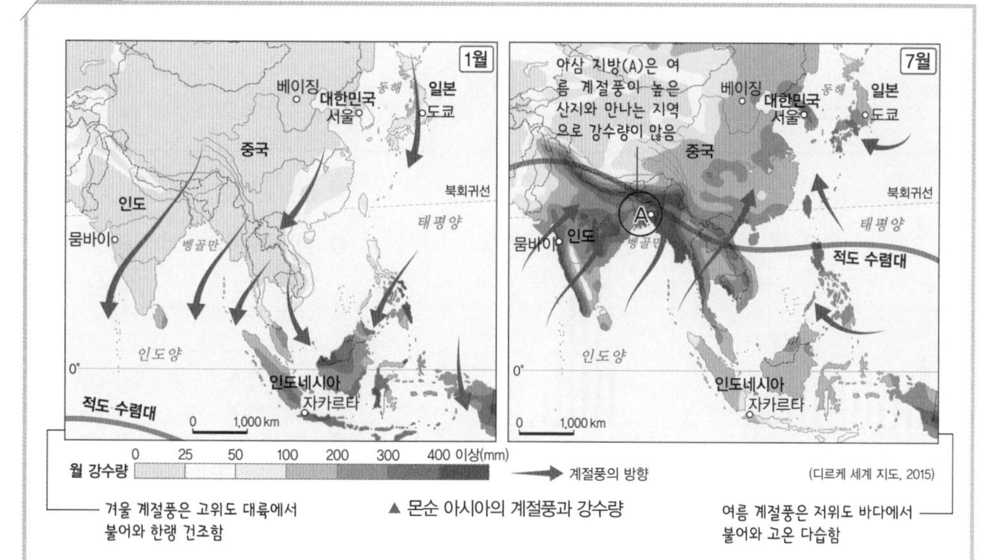

▲ 몬순 아시아의 계절풍과 강수량

| 자료 분석 | 몬순 아시아는 계절풍의 영향을 크게 받는다. 북반구가 여름인 7월에는 적도 수렴대가 북쪽으로 이동하게 된다. 이때 벵골만으로 유입된 여름 계절풍이 높은 산지(히말라야산맥)와 만나는 바람받이 지역은 특히 강수량이 많은데, 인도의 아삼 지방(A)이 대표적이다.

한줄 핵심 **몬순 아시아는 계절풍의 영향으로 강수의 계절적 차이가 크다.**

❶ 몬순 아시아에서 바다에서 대륙으로 바람이 불고 많은 양의 비가 내리는 계절은 (여름 / 겨울)이다.
( )

❷ 몬순 아시아에서는 1월이 7월에 비해 기온이 (높고 / 낮고), 강수량이 (많다 / 적다).
( )

자료 2 몬순 아시아의 농업

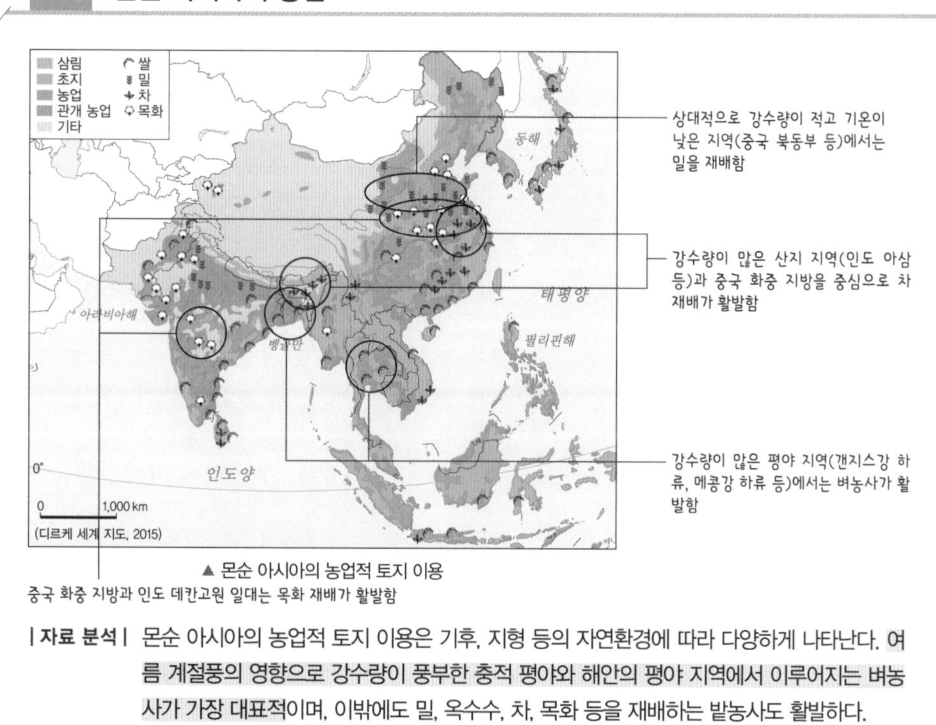

▲ 몬순 아시아의 농업적 토지 이용

중국 화중 지방과 인도 데칸고원 일대는 목화 재배가 활발함

| 자료 분석 | 몬순 아시아의 농업적 토지 이용은 기후, 지형 등의 자연환경에 따라 다양하게 나타난다. 여름 계절풍의 영향으로 강수량이 풍부한 충적 평야와 해안의 평야 지역에서 이루어지는 벼농사가 가장 대표적이며, 이밖에도 밀, 옥수수, 차, 목화 등을 재배하는 밭농사도 활발하다.

한줄 핵심 **여름 계절풍의 영향으로 강수량이 풍부한 지역에서는 벼농사가 활발하게 이루어진다.**

❸ 여름철 강수량이 풍부한 몬순 아시아의 해안 평야 지역에서 주로 재배되는 작물은 □이다.
( )

❹ 인도의 아삼 지방, 중국의 화중 지방, 스리랑카 등에서 주로 재배되는 기호 작물은 □이다.
( )

정답 ❶ 여름 ❷ 낮고, 적다 ❸ 벼(쌀) ❹ 차

몬순 아시아의 계절풍과 주민 생활

수능풀 Guide 몬순 아시아에 많은 영향을 주는 계절풍과 그에 따른 주민 생활의 특징을 'Ⅱ-02 열대 기후 환경' 단원의 내용과 연결지어 알아보자.

1 몬순 아시아의 계절풍

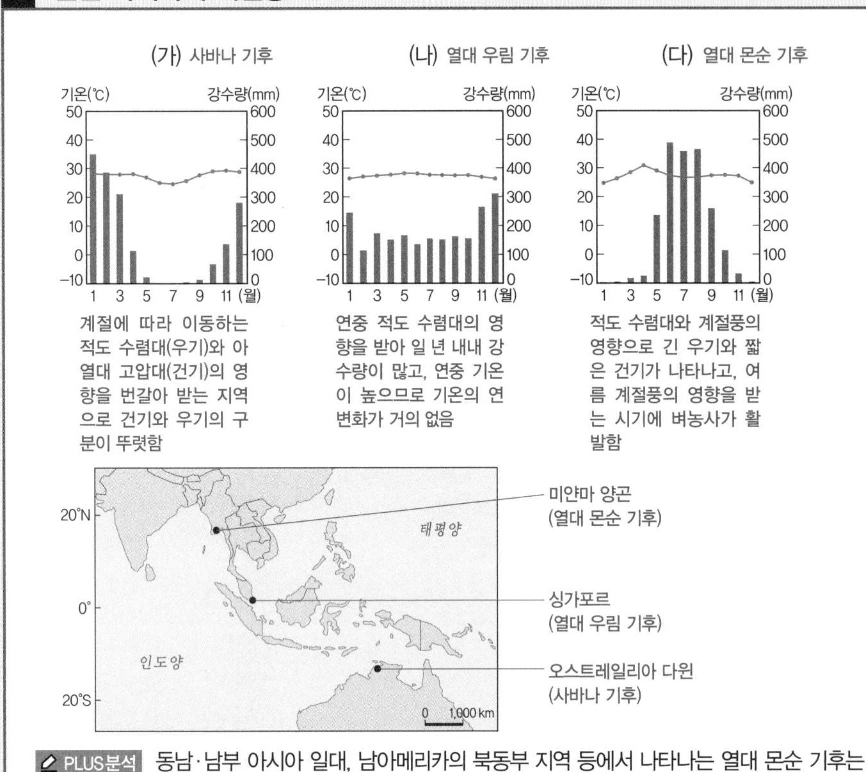

PLUS분석 동남·남부 아시아 일대, 남아메리카의 북동부 지역 등에서 나타나는 열대 몬순 기후는 열대 우림 기후와 사바나 기후의 중간형이다.

기출 선택지로 확인하기

❶ (가)는 건기와 우기의 구분이 뚜렷하다. ○ ×

❷ (나)는 기온의 연교차가 일교차보다 크게 나타난다. ○ ×

❸ (다) 주변에서는 벼농사가 활발히 이루어진다. ○ ×

❹ (가)는 (나)보다 적도 수렴대의 영향을 받는 기간이 짧다. ○ ×

❺ (나)는 (다)보다 북회귀선으로부터 멀리 떨어져 있다. ○ ×

2 몬순 아시아의 주민 생활

(가) 지역의 생활 모습

- 쌀로 만든 음식 문화 발달 예 퍼(베트남)(쌀국수), 팟타이(타이)(볶음 쌀국수) 등
- 기후 조건을 극복하기 위한 전통 의복
  - 얇고 통기성이 좋은 긴 소매의 옷
    예 론지(미얀마), 아오자이(베트남), 바롱(필리핀) 등
  - 뜨거운 햇볕과 잦은 비에 대비한 모자 예 농(베트남)
- 물과 관련된 축제 발달 예 송끄란(타이)(매년 설날인 4월 13일 전후로 개최함), 본옴뚝(캄보디아)(우기가 끝나는 11월 보름에 개최함) 등

(가) 지역은 쌀을 주재료로 하는 음식 문화 발달, 통기성이 좋은 의복 착용, 물 관련 축제 발달 등 → 여름에 불어오는 고온 다습한 계절풍의 영향을 받는 몬순 아시아

기출 선택지로 확인하기

❻ (가) 지역은 대기가 건조하고 기온의 일교차가 크다. ○ ×

❼ (가) 지역은 계절풍의 영향으로 여름이 고온 다습하다. ○ ×

❽ (가) 지역은 겨울이 길고 추우며 여름이 짧고 냉량하다. ○ ×

❾ (가) 지역은 봄과 같은 온화한 날씨가 일 년 내내 지속된다. ○ ×

❿ (가) 지역은 연중 편서풍의 영향으로 기온의 연교차가 작다. ○ ×

정답 ❶ ○ ❷ ×((나)는 열대 우림 기후로, 연교차가 일교차보다 작게 나타난다.) ❸ ○ ❹ ○ ❺ ○ ❻ ×(건조 기후 지역의 특징이다.) ❼ ○ ❽ ×(툰드라 기후 지역의 특징이다.) ❾ ×(열대 고산 기후 지역의 특징이다.) ❿ ×(서안 해양성 기후 지역의 특징이다.)

콕콕! 개념 확인하기

정답과 해설 42쪽

A 몬순 아시아의 자연환경

01 몬순 아시아의 계절풍 지도를 보고 빈칸에 알맞은 말을 쓰시오.

(가) (나)

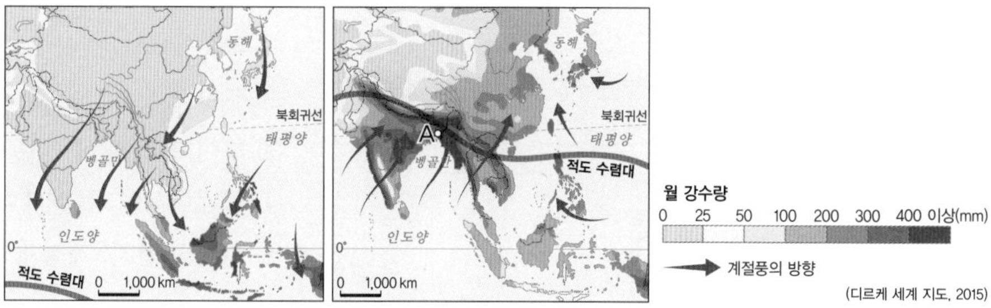

동해, 북회귀선, 태평양, 벵골만, 인도양, 적도 수렴대, 0°, 0 1,000 km, A

월 강수량 0 25 50 100 200 300 400 이상(mm)

계절풍의 방향

(디르케 세계 지도, 2015)

(1) 몬순 아시아는 □□□의 영향으로 강수의 계절적 차이가 크다.
(2) 계절풍으로 인해 □□에는 우기, □□에는 건기가 나타난다.
(3) (가) 시기의 계절풍은 북풍 계열로 □□ □□한 특성이 나타난다.
(4) (나) 시기에는 □□에서 □□으로 부는 남풍 계열의 바람이 분다.
(5) 적도 수렴대가 북쪽으로 이동하는 시기에는 □□ 계절풍이 우세하다.
(6) A는 여름 계절풍이 산지와 만나 많은 비가 내리는 □□ 지방이다.

02 다음 내용이 옳으면 ○표, 틀리면 ×표를 하시오.

(1) 몬순 아시아에 해당하는 지역은 동부 아시아, 동남아시아, 남부 아시아이다. ( )
(2) 몬순 아시아는 남동부 지역이 북서부 지역에 비해 해발 고도가 높다. ( )
(3) 인도와 중국의 접경 지대에서는 화산 활동이 빈번하게 나타난다. ( )
(4) 갠지스강, 메콩강 유역의 평야 지역은 토양이 비옥하여 곡창 지대를 이룬다. ( )

B 몬순 아시아의 전통적인 생활 모습

03 다음 내용을 읽고 알맞은 말에 ○표를 하시오.

(1) 몬순 아시아는 여름 계절풍의 영향으로 (벼농사, 밀농사)가 매우 활발하다.
(2) 티베트고원과 몽골 일대는 건조 기후가 나타나 (플랜테이션, 유목)이 발달하였다.
(3) 몬순 아시아에서는 쌀을 이용한 음식이 발달하였는데, 특히 기온이 (낮은, 높은) 지역에서는 향신료를 사용한 음식이 발달하였다.
(4) (동남아시아, 동부 아시아)에서는 고온 다습한 기후의 영향으로 통풍이 잘되며 개방적인 고상 가옥이 발달하였다.
(5) 동부 아시아의 특정 국가에서 나타나는 다다미 문화는 (추운 겨울, 다습한 여름)을 극복하기 위한 것이다.
(6) 베트남의 전통 의상인 아오자이는 (보온, 통풍)이 잘되는 특성이 있다.

04 몬순 아시아의 각 지역에서 생산되는 주요 농작물을 바르게 연결하시오.

(1) 둥베이 · 화베이 지방 • • ㉠ 쌀
(2) 데칸고원, 화중 지방 • • ㉡ 밀
(3) 대하천 주변 충적 평야 • • ㉢ 목화

탄탄! 내신 다지기

정답과 해설 42쪽

A 몬순 아시아의 자연환경

01 다음 자료와 같은 바람이 주로 부는 시기와 관련된 내용으로 옳지 않은 것은?

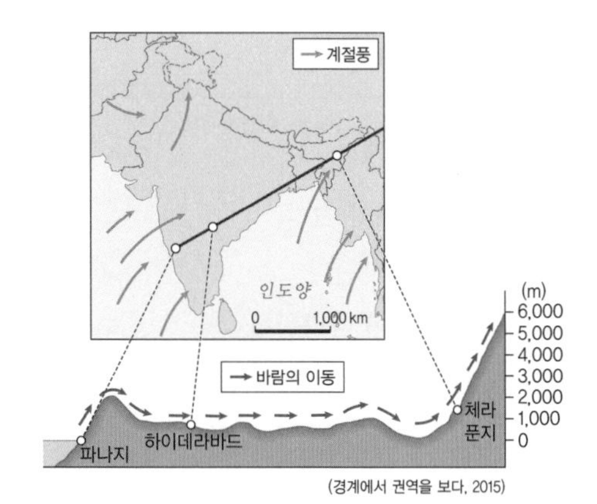

(경계에서 권역을 보다, 2015)

① 남풍 계열의 바람이 우세하다.
② 한랭 건조한 기후가 나타난다.
③ 벼농사가 활발하게 이루어진다.
④ 많은 비가 내려 홍수가 발생한다.
⑤ 적도 수렴대가 적도의 북쪽에 위치한다.

02 다음 글의 밑줄 친 ㉠~㉤에 대한 설명으로 옳은 것은?

> 인도의 ㉠아삼주와 메갈라야주 일대는 세계적인 다우지이다. 히말라야산맥에서 발원한 갠지스강을 따라서는 비옥한 충적 평야인 ㉡힌두스탄 평원이 형성되어 있다. 동남아시아 북부 지역에는 ㉢히말라야산맥에서 뻗어 나온 산지가 분포하고 있다. ㉣중국의 북서부 지역에는 고원이나 산지가 분포하며, ㉤일본은 화산 활동과 지진이 활발하다.

① ㉠: 겨울 계절풍의 바람받이 사면에 해당한다.
② ㉡: 주로 하천의 상류에 분포한다.
③ ㉢: 이 산지의 영향으로 메콩강은 남쪽으로 흘러간다.
④ ㉣: 고도가 낮고 평탄하여 벼농사가 활발하다.
⑤ ㉤: 두 대륙판이 서로 충돌하는 경계에 위치한다.

B 몬순 아시아의 전통적인 생활 모습

03 몬순 아시아의 농목업 모습으로 옳지 않은 것은?

① 중국 티베트고원: 양, 염소 등을 기른다.
② 중국 북동부: 밀, 옥수수 등을 재배한다.
③ 타이 충적 평야: 벼농사가 활발하게 이루어진다.
④ 말레이시아: 플랜테이션으로 천연고무를 재배한다.
⑤ 필리핀 산지: 계절에 따라 이동하는 유목 생활을 한다.

04 다음과 같은 주민 생활이 나타나는 국가를 지도의 A~E에서 고른 것은?

▲ 바닥을 지면에서 띄워 지은 가옥

▲ 통풍에 유리하도록 얇은 천으로 만든 옷

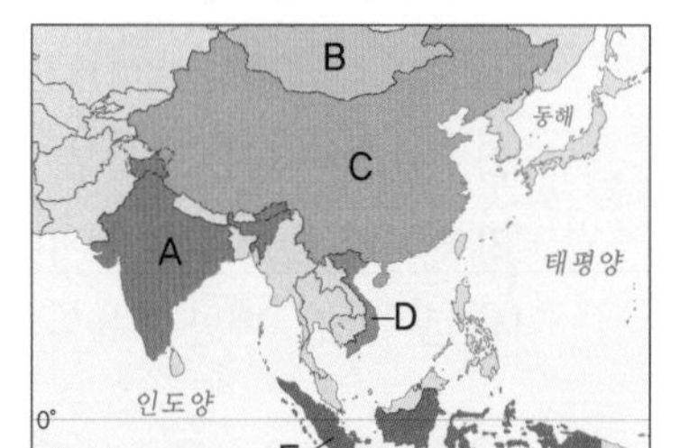

① A
② B
③ C
④ D
⑤ E

서술형 문제

05 다음 글을 읽고 물음에 답하시오.

> [A]은/는 몬순 아시아의 주된 식량 작물이다. 지역에 따라 종류·조리법이 다른데, 특히 동남아시아에서는 이 작물을 향신료와 함께 볶아 먹는 음식 문화가 발달하였다.

(1) 윗글의 A에 해당하는 식량 작물을 쓰시오. (   )
(2) 몬순 아시아에 인구가 밀집하여 분포하는 이유를 다음 제시어를 활용하여 서술하시오.

> • [A] • 단위 면적당 생산량 • 인구 부양력

도전! 실력 올리기

정답과 해설 43쪽

01 지도는 몬순 아시아의 계절풍을 나타낸 것이다. (가), (나) 시기에 대한 설명으로 옳은 것은?

(가)

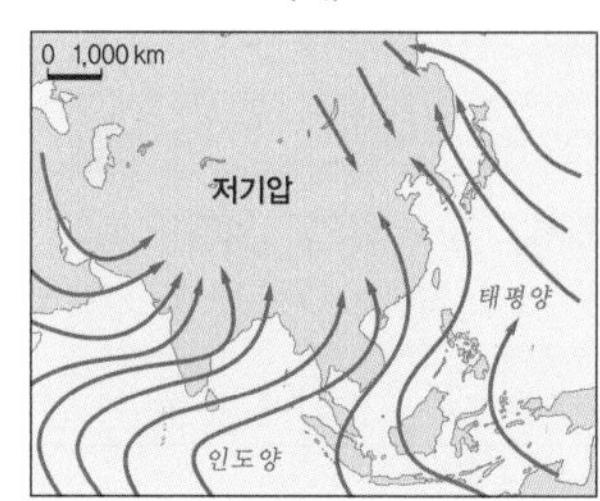

(나)

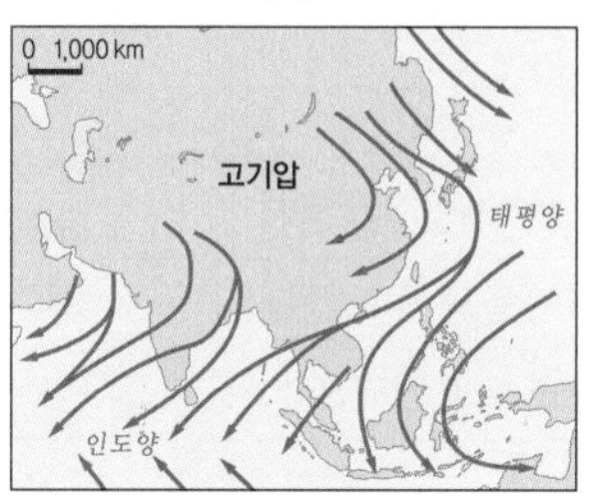

① (가)는 11~4월에 해당하는 기간에 해당한다.
② (나)는 5~10월에 해당하는 기간에 해당한다.
③ (나) 시기에는 적도 수렴대가 적도 위로 북상한다.
④ (가) 시기는 여름으로, (나) 시기에 비해 기온이 높다.
⑤ 총강수량은 (가)보다 (나) 시기에 더 많다.

기출 변형

02 다음은 세계지리 수업 노트의 일부이다. (가) 지역의 특징으로 옳은 것은?

> (가) 지역의 생활 모습
> - 쌀로 만든 음식 문화 발달
>   예 퍼(베트남), 팟타이(타이) 등
> - 기후 조건을 극복하기 위한 전통 의복
>   - ○ 얇고 통기성이 좋은 긴 소매의 옷
>   예 론지(미얀마), 아오자이(베트남), 바롱(필리핀) 등
>   - ○ 뜨거운 햇볕과 잦은 비에 대비한 모자
>   예 농(베트남)
> - 물과 관련된 축제 발달
>   예 송끄란(타이), 본옴뜩(캄보디아) 등

① 피오르 해안을 관광 자원으로 이용한다.
② 계절풍의 영향으로 건기와 우기가 뚜렷하다.
③ 카나트라는 지하 관개 수로를 만들어 농업에 이용한다.
④ 창문이 작고 벽이 두꺼우며, 지붕이 평평한 가옥이 많다.
⑤ 토양층이 녹아 집이 무너지는 것을 막기 위해 고상 가옥 형태로 집을 짓는다.

03 (가)~(다)의 농목업이 이루어지는 지역을 지도의 A~C에서 고른 것은?

> (가) 연 강수량이 상대적으로 적으며 밀, 옥수수 등이 주로 재배된다.
> (나) 농업 활동에 불리하여 양, 염소 등을 기르는 유목이 이루어진다.
> (다) 몬순의 영향을 강하게 받는 지역으로 쌀을 주로 재배한다.

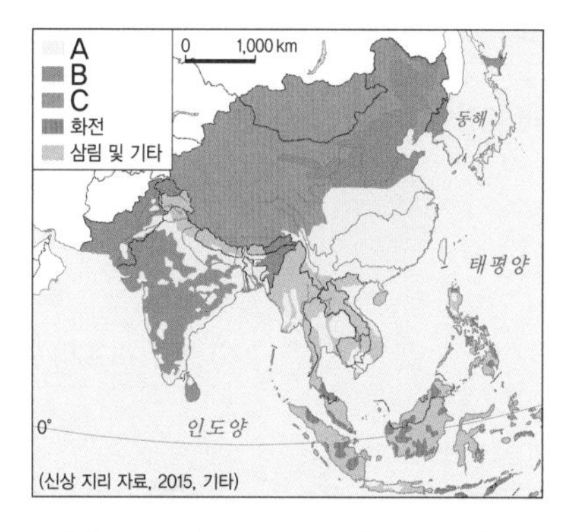

	(가)	(나)	(다)		(가)	(나)	(다)
①	A	B	C	②	A	C	B
③	B	A	C	④	B	C	A
⑤	C	A	B				

04 다음과 같은 특징이 나타나는 지역을 지도의 A~E에서 고른 것은?

> 신기 조산대에 속하는 이 지역은 경사가 급한 곳이 많고 넓은 평야가 적지만 풍부한 강수량과 화산 활동으로 형성된 비옥한 화산회토를 바탕으로 벼농사가 가능하다. 따라서 이 지역에 사는 사람들은 경사지를 계단식 논으로 개간하여 벼농사를 짓는다.

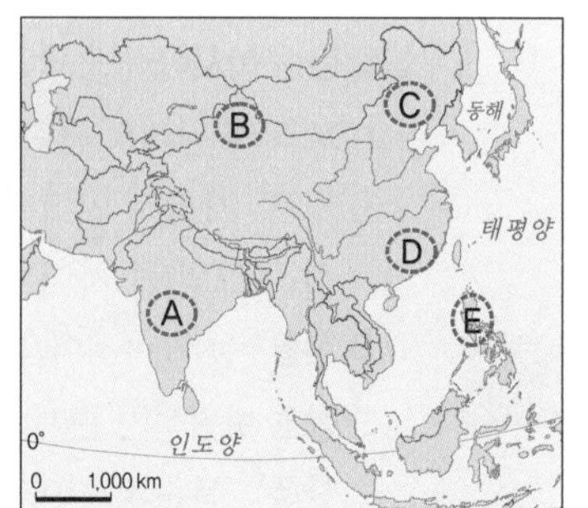

① A
② B
③ C
④ D
⑤ E

02 주요 자원의 분포 및 이동과 산업 구조

❶ 오스트레일리아의 철광석 수출

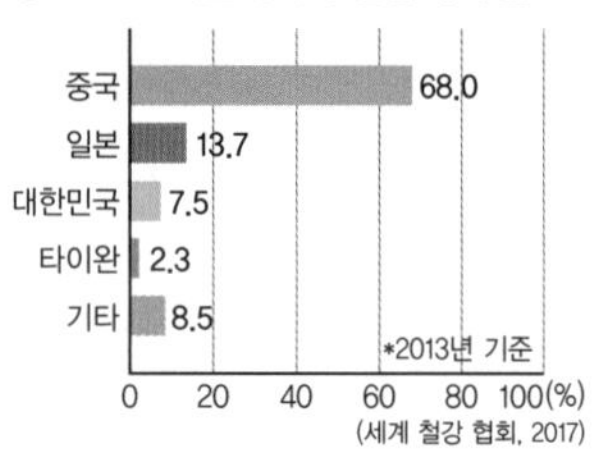

▲ 수출 상대국별 비중

아시아에서 산업이 발달한 중국, 일본, 우리나라 등이 주로 오스트레일리아의 철광석을 수입한다.

❷ 경제특구

중국이 1979년부터 외국 자본과 기술의 도입을 목적으로 설치한 중국의 특별 구역이다.

❸ 비즈니스 프로세스 아웃소싱(BPO) 서비스 산업

회사의 업무 처리의 전 과정을 외부 업체에 맡기는 것을 의미한다. 영어가 공용어 중 하나인 인도에서는 콜센터나 소프트웨어 프로그래밍 등의 BPO 산업이 발달하였다. 또한 영어를 공용어로 사용하는 필리핀에는 최근 전 세계의 콜센터가 집중되면서 BPO 서비스 산업이 빠르게 성장하고 있다.

A 몬순 아시아와 오세아니아의 자원 분포 및 이동

1. 지하자원의 분포와 이동 자료 1

(석탄: 주로 산업용 연료로 이용되므로 공업이 발달한 국가에 수요가 많아.)

지하자원	분포	이동
석탄	중국, 인도, 오스트레일리아 등지	오스트레일리아 → 산업이 발달한 동아시아
철광석❶	오스트레일리아, 중국, 인도 등지	
천연가스	중국, 오스트레일리아, 인도네시아 등지	인도네시아 → 동부 아시아

2. 농축산물의 분포와 이동

(동남 및 남부 아시아에서는 플랜테이션을 통해 커피, 바나나 등의 기호 작물과 천연고무 등의 원료 작물을 많이 생산하고 있어.)

농축산물	분포	이동
쌀	몬순 아시아	국제적 이동량이 적음 (왜 생산지와 소비지가 일치하기 때문이야.)
밀	인도, 중국, 오스트레일리아	오스트레일리아 → 동남·동부 아시아
소고기, 유제품	오스트레일리아, 뉴질랜드	동부 아시아로 수출

B 몬순 아시아와 오세아니아 주요 국가의 산업 구조 자료 2

1. 몬순 아시아의 산업 구조 — 산업화의 시기 및 발달 과정이 서로 달라 산업 구조에 차이가 나타나.

(1) **일본**: 원료를 해외에 의존하는 가공 무역 발달, 태평양 연안을 중심으로 중화학 공업 발달, 최근 내륙 지역을 중심으로 첨단 산업 발달

(2) **중국**: 넓은 영토와 풍부한 지하자원 및 노동력을 바탕으로 경제 개방 정책 이후 빠르게 성장함, 경제특구❷와 개방 도시 등을 중심으로 외국 자본을 유치함, 최근 중화학 공업과 첨단 산업 발달

(3) **인도**: 노동 집약형 산업 발달, 정보 통신 기술의 발달로 벵갈루루·뭄바이 등지에 첨단 산업 단지 입지, 최근 비즈니스 프로세스 아웃소싱 서비스 산업(BPO)❸ 등 발달

(4) **타이, 베트남, 인도네시아 등 동남아시아 국가**: 산업화 초기에 풍부한 천연자원과 플랜테이션을 바탕으로 1차 산업 발달, 최근 노동 집약적 제조업 발달

(예 커피, 사탕수수, 천연고무 등이 있어.)
(왜 다국적 기업의 생산 공장이 동남아시아 국가에 입지하고 있기 때문이야.)

2. 오세아니아의 산업 구조

(1) **오스트레일리아**: 지하자원이 풍부하여 광업 발달, 제조업 발달 미약(공업 제품은 수입에 의존), 기업적 농목업 발달(밀농사, 소·양 등 가축 사육), 최근 관광 산업이 발달하여 산업 구조가 다변화하고 있음

(2) **뉴질랜드**: 축산물을 주로 수출하며 산업이 성장함, 최근 어업·목재·관광 산업 발달

3. 몬순 아시아와 오세아니아의 경제 협력

(1) **지역 내 경제적 협력 증가**

① **원인**: 지리적 인접성, 지역에 따른 다양한 자원 분포, 국가 간 경제 발전 수준 및 산업 구조의 큰 차이 (지리적 인접성: 오스트레일리아와 몬순 아시아 국가들의 경제·문화·인적 교류가 증가하고 있어.)

② **현황**: 동부 아시아의 자본과 기술+동남 및 남부 아시아의 노동력+오세아니아의 자원

(2) **상호 보완적인 관계**: 오세아니아 → 몬순 아시아(석탄, 철광석 등의 지하자원 및 농축산품), 몬순 아시아 → 오세아니아(각종 공산품)

한눈에 정리

몬순 아시아와 오세아니아의 상호 보완적 관계

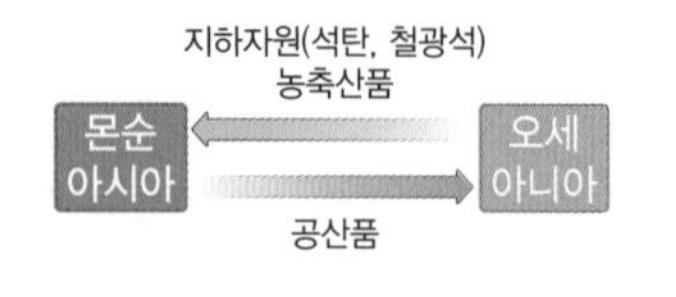

교과서 자료 모아 보기

자료 확인 문제

자료 1 몬순 아시아와 오세아니아의 지하자원 분포 및 이동

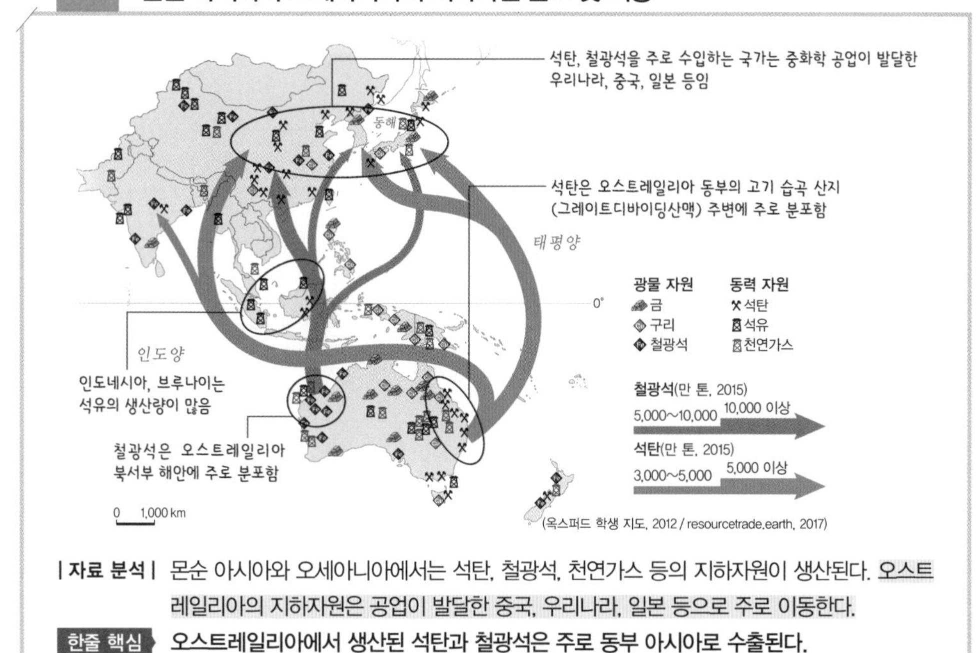

| 자료 분석 | 몬순 아시아와 오세아니아에서는 석탄, 철광석, 천연가스 등의 지하자원이 생산된다. 오스트레일리아의 지하자원은 공업이 발달한 중국, 우리나라, 일본 등으로 주로 이동한다.

한줄 핵심 오스트레일리아에서 생산된 석탄과 철광석은 주로 동부 아시아로 수출된다.

❶ 오스트레일리아에서 수출량이 많은 대표적인 광물 자원은?
( )

❷ 오스트레일리아에서 생산된 지하자원이 주로 수출되는 국가는 □□, 일본, 우리나라이다.
( )

자료 2 몬순 아시아와 오세아니아의 산업 및 무역 구조

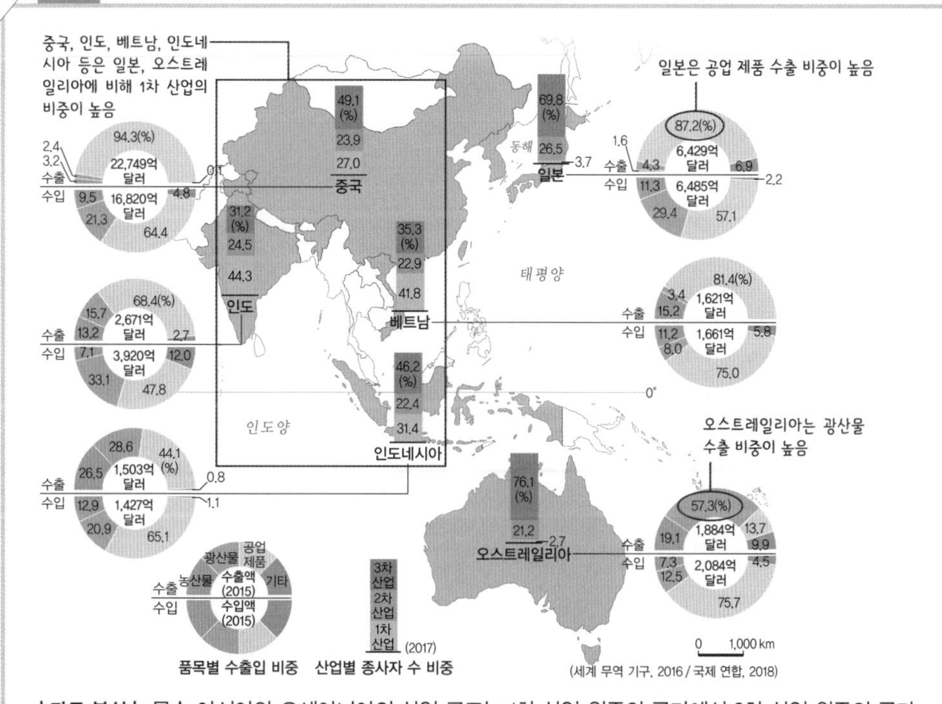

| 자료 분석 | 몬순 아시아와 오세아니아의 산업 구조는 1차 산업 위주의 국가에서 3차 산업 위주의 국가까지 다양하게 나타난다. 중국, 우리나라, 일본 등은 오스트레일리아로부터 광산물을 수입하고, 오스트레일리아는 공업 제품을 주로 수입한다.

한줄 핵심 오스트레일리아는 광산물 수출 및 공업 제품 수입의 비중이 높다.

❸ 오스트레일리아에서 수출 비중이 가장 큰 품목은 (농산물 / 광산물 / 공업 제품)이다.
( )

❹ 일본에서 수출 비중이 가장 큰 품목은 (농산물 / 광산물 / 공업 제품)이다.
( )

정답 ❶ 철광석 ❷ 중국 ❸ 광산물 ❹ 공업 제품

몬순 아시아와 오세아니아의 자원 이동 및 산업 구조

수능풀 Guide 몬순 아시아와 오세아니아의 자원 이동을 국가별 산업 구조와 연관지어 알아보자.

1 몬순 아시아와 오세아니아의 철광석 및 석탄 이동

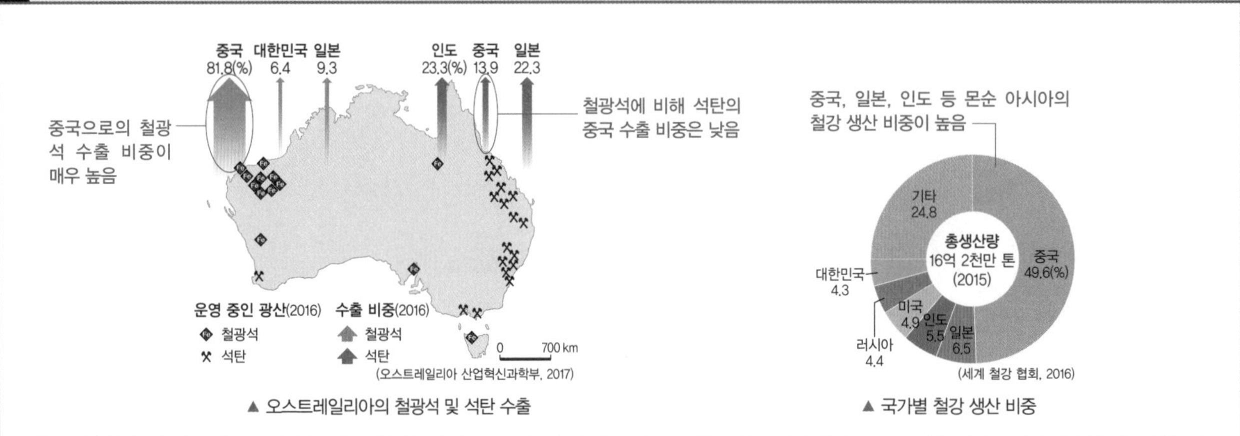

▲ 오스트레일리아의 철광석 및 석탄 수출 ▲ 국가별 철강 생산 비중

PLUS분석 철강을 생산하기 위해서는 철광석과 석탄이 필요하다. 중국, 일본, 인도, 우리나라 등은 오스트레일리아로부터 철광석과 석탄을 수입하여 철강을 생산한다. 한편, 중국은 석탄의 상당 부분을 국내에서 생산하기 때문에 오스트레일리아로부터 수입하는 양은 철광석에 비해 적다.

2 몬순 아시아와 오세아니아 주요 국가의 산업 및 수출입 구조

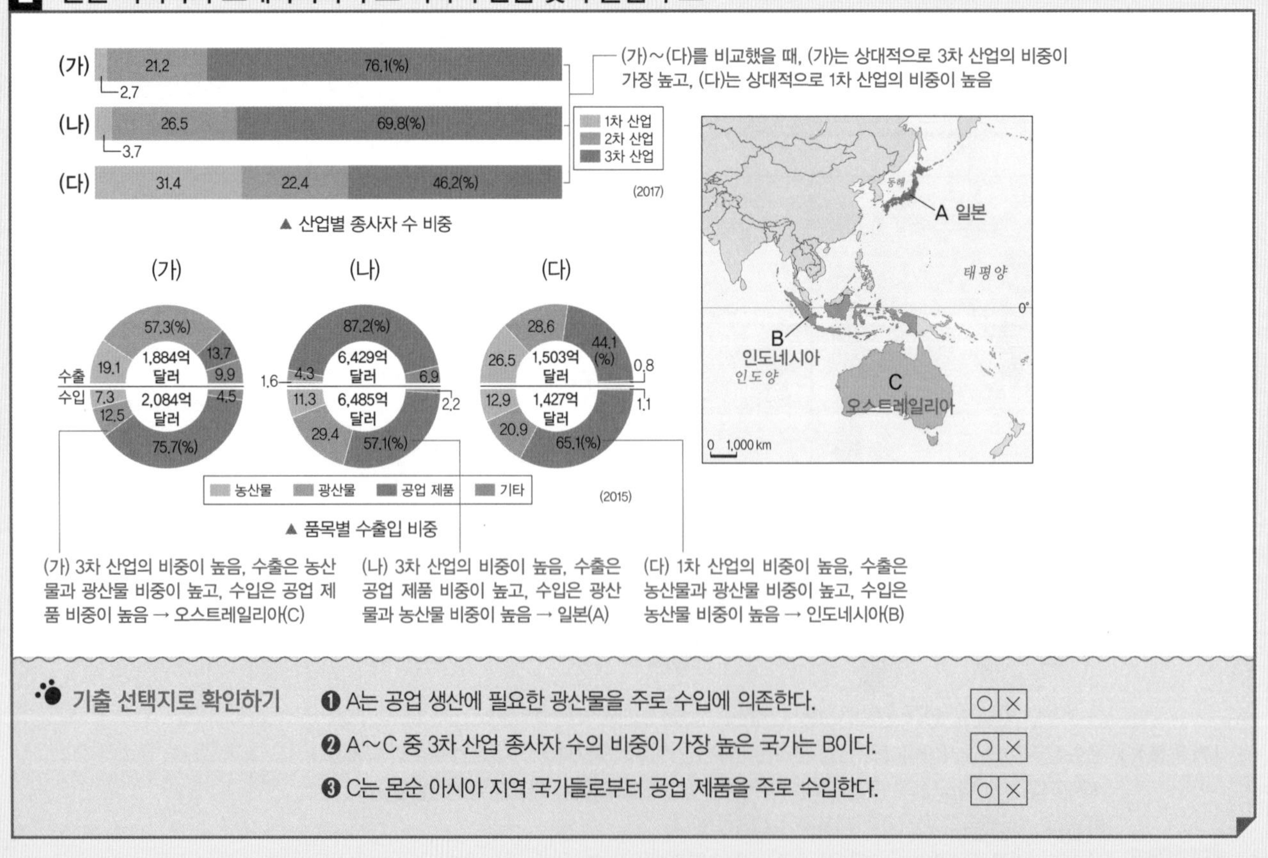

▲ 산업별 종사자 수 비중

▲ 품목별 수출입 비중

(가) 3차 산업의 비중이 높음, 수출은 농산물과 광산물 비중이 높고, 수입은 공업 제품 비중이 높음 → 오스트레일리아(C)

(나) 3차 산업의 비중이 높음, 수출은 공업 제품 비중이 높고, 수입은 광산물과 농산물 비중이 높음 → 일본(A)

(다) 1차 산업의 비중이 높음, 수출은 농산물과 광산물 비중이 높고, 수입은 농산물 비중이 높음 → 인도네시아(B)

기출 선택지로 확인하기

❶ A는 공업 생산에 필요한 광산물을 주로 수입에 의존한다. ○|×

❷ A~C 중 3차 산업 종사자 수의 비중이 가장 높은 국가는 B이다. ○|×

❸ C는 몬순 아시아 지역 국가들로부터 공업 제품을 주로 수입한다. ○|×

정답 ❶ ○ ❷ ×(3차 산업 종사자 수의 비중은 C의 오스트레일리아가 가장 높고, B의 인도네시아가 가장 낮다.) ❸ ○

콕콕! 개념 확인하기

정답과 해설 43쪽

A 몬순 아시아와 오세아니아의 자원 분포 및 이동

01 몬순 아시아와 오세아니아의 자원 분포 및 이동을 나타낸 지도를 보고 물음에 답하시오.

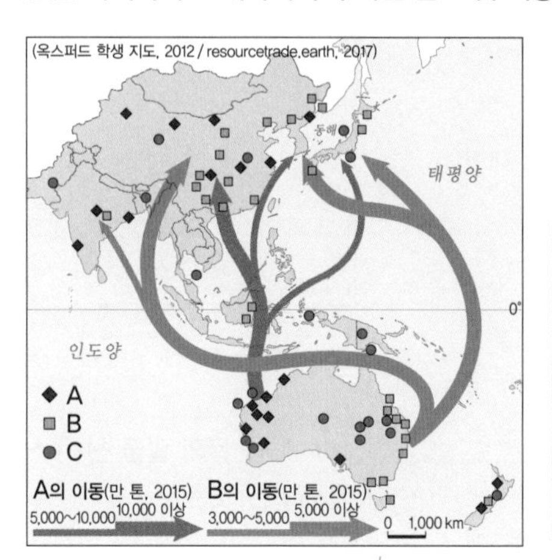

(1) A~C에 해당하는 자원의 이름을 쓰시오.

A: (　　　　), B: (　　　　), C: (　　　　)

(2) 알맞은 말에 ○표를 하시오.

> 오스트레일리아에서 생산된 (석탄, 석유)은/는 주로 산업용 원료로 사용되는데, 공업이 발달한 동아시아 지역으로 많이 수출되고 있다. 또한 오스트레일리아에서 생산된 (철광석, 구리)은/는 중화학 공업이 발달한 중국, 일본, 우리나라 등지로 많이 수출되고 있다.

02 다음 내용이 옳으면 ○표, 틀리면 ×표를 하시오.

(1) 쌀은 주로 몬순 아시아에서 생산되어 오세아니아로 수출된다. (　　)

(2) 몬순 아시아에서는 커피, 사탕수수 등의 기호 작물이 재배된다. (　　)

(3) 오스트레일리아는 몬순 아시아에 소고기, 유제품을 수출한다. (　　)

B 몬순 아시아와 오세아니아 주요 국가의 산업 구조

03 다음 설명에 해당하는 몬순 아시아와 오세아니아의 국가를 쓰시오.

(1) 원료 수입과 제품 수출에 유리한 태평양 연안 지대에 중화학 공업이 발달하였으며, 최근 내륙 지역을 중심으로 첨단 산업이 발달하고 있다. (　　　　)

(2) 경제특구, 개방 도시, 경제 개방구 등을 중심으로 외국 자본을 유치하였으며, 경공업 중심에서 중화학 공업 중심으로 공업 구조가 변화하고 있다. (　　　　)

(3) 최근 정보 기술 서비스, 비즈니스 아웃소싱 서비스 및 소프트웨어 노동력의 주요 수출국으로 발돋움하고 있다. (　　　　)

(4) 지하자원이 풍부하여 광업이 발달하였으나 노동력 부족으로 공업 발달이 미약하며, 소고기 · 양고기 · 양모 등의 축산물로 유명하다. (　　　　)

04 다음 내용을 읽고 알맞은 말에 ○표를 하시오.

(1) 저렴한 노동력과 풍부한 자원을 이용하여 최근 2차 산업이 성장하고 있는 국가는 (베트남, 오스트레일리아)이다.

(2) 인도의 벵갈루루, 뭄바이 등은 대표적인 (중화학 공업 단지, 첨단 산업 단지)이다.

(3) 영어를 공용어로 사용하는 (필리핀, 오스트레일리아)에 전 세계의 콜센터가 집중하면서 BPO 서비스 산업이 발달하고 있다.

(4) 몬순 아시아는 오세아니아에서 (지하자원, 공산품)을 수입하고, 오세아니아는 몬순 아시아에서 (지하자원, 공산품)을 수입한다.

탄탄! 내신 다지기

정답과 해설 44쪽

A 몬순 아시아와 오세아니아의 자원 분포 및 이동

01 몬순 아시아와 오세아니아의 자원 분포 및 이동에 대한 설명으로 옳지 않은 것은?

① 동부 아시아는 자원의 공급이 수요보다 많다.
② 인도네시아, 브루나이에서는 석유가 생산된다.
③ 오스트레일리아의 자원은 주로 동부 아시아로 수출된다.
④ 동남아시아에서는 기호 작물의 재배가 활발하다.
⑤ 오스트레일리아의 철광석은 서북부 지역에 주로 매장되어 있다.

02 그래프는 몬순 아시아와 오세아니아 주요 국가의 석탄과 철광석 생산량 변화를 나타낸 것이다. A, B 국가에 대한 설명으로 옳은 것은?

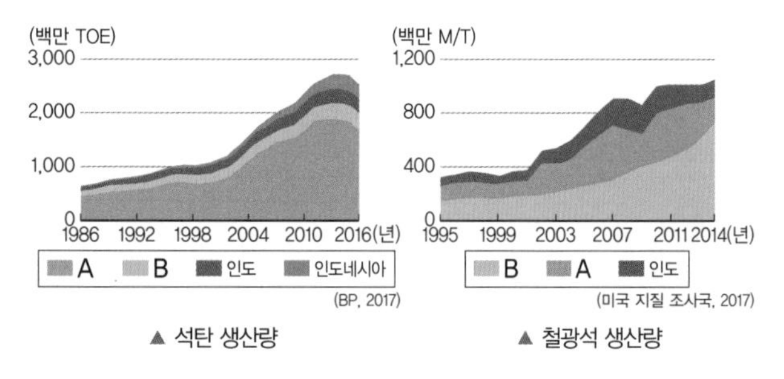

▲ 석탄 생산량 ▲ 철광석 생산량

① A는 세계의 공장으로 불리며, 많은 자원을 수입한다.
② B는 가공 무역이 발달하였으며, 자동차가 주요 수출품 중 하나이다.
③ A에서 생산된 지하자원은 주로 B로 수출된다.
④ A는 B보다 1인당 국내 총생산(GDP)이 많다.
⑤ B는 A보다 무역 규모가 크다.

B 몬순 아시아와 오세아니아 주요 국가의 산업 구조

03 다음 글의 (가), (나)에 해당하는 국가를 지도의 A~D에서 고른 것은?

> (가) 지하자원이 풍부하여 광업이 발달하였으나 노동력 부족으로 공업 발달에 어려움을 겪고 있으며, 소고기·양고기 등의 축산물로 유명하다.
> (나) 최근 정보 기술 서비스, 비즈니스 프로세스 아웃소싱 서비스 노동력의 주요 수출국으로 발돋움하고 있다.

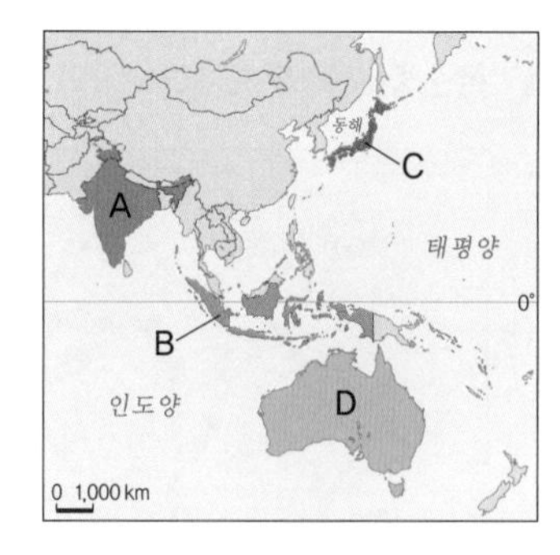

	(가)	(나)
①	A	B
②	B	C
③	C	A
④	C	D
⑤	D	A

04 다음 글의 밑줄 친 ㉠~㉣에 대한 옳은 설명만을 〈보기〉에서 고른 것은?

> ㉠몬순 아시아와 오세아니아의 국가들은 산업 구조가 다양하다. 국가별 산업 구조는 자원 분포와 경제 발달 수준과 관련이 있는데, 경제 발전 수준이 낮은 국가는 ㉡1차 산업 비중이 높은 편이다. 또한 자원 개발이나 제조업이 발달한 국가는 ㉢2차 산업 종사자의 비중이 높은 편이고, ㉣탈공업화 과정을 겪었거나 관광업의 비중이 높은 국가는 3차 산업 종사자의 비중이 높은 편이다.

〈보기〉
ㄱ. ㉠: 산업화의 시기 및 발달 과정이 다르기 때문이다.
ㄴ. ㉡: 중국이 인도에 비해 높다.
ㄷ. ㉢: 일본은 3차 산업 종사자의 비중보다 작다.
ㄹ. ㉣: 대표적인 사례 지역으로 베트남을 들 수 있다.

① ㄱ, ㄴ ② ㄱ, ㄷ ③ ㄴ, ㄷ ④ ㄴ, ㄹ ⑤ ㄷ, ㄹ

서술형 문제

05 그래프는 오스트레일리아에서 생산된 A 자원의 수출 상대국을 나타낸 것이다. 이를 보고 물음에 답하시오.

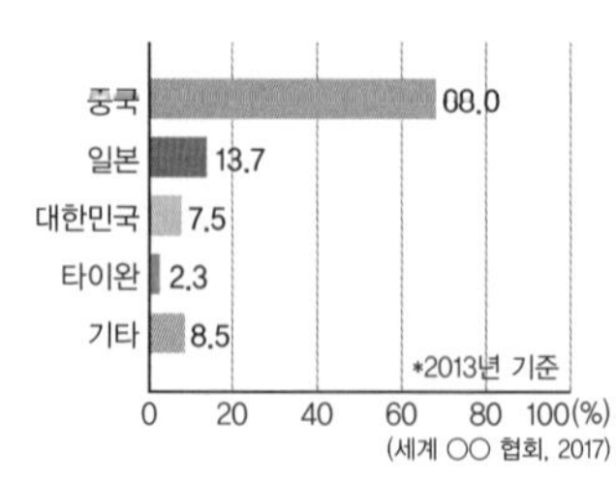

▲ A의 수출 상대국별 비중

(1) A 자원이 무엇인지 쓰시오.
( )

(2) A 자원의 수출 상대국이 주로 몬순 아시아 국가들에 집중된 이유를 서술하시오.

도전! 실력 올리기

정답과 해설 44쪽

01 다음 자료의 설명에 해당하는 국가를 지도의 A~E에서 고른 것은?

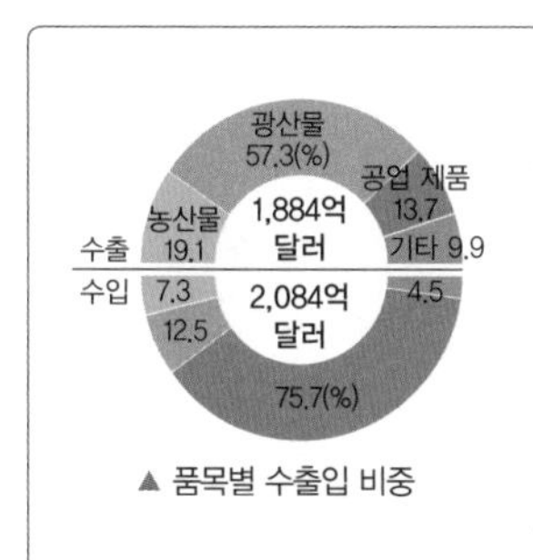

▲ 품목별 수출입 비중

철광석 수출액이 국가 총상품 수출액의 약 20%를 차지할 정도로 광물 자원에 대한 수출 의존도가 높다. 반면 전반적으로 임금이 높고, 국내 시장의 규모가 작아 제조업의 경쟁력은 비교적 낮은 편이다.

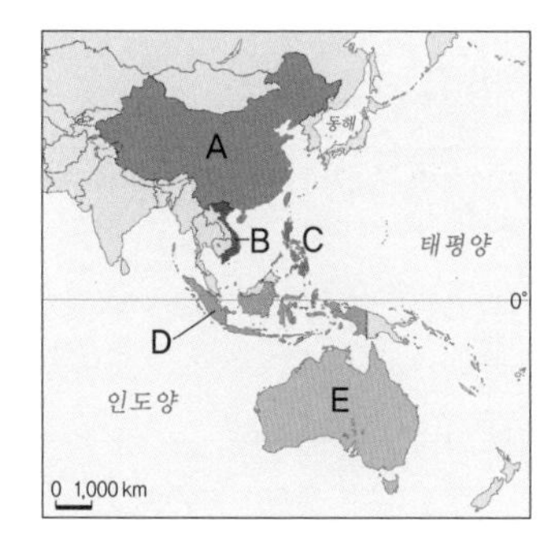

① A
② B
③ C
④ D
⑤ E

02 지도는 몬순 아시아와 오세아니아의 자원 분포 및 이동을 나타낸 것이다. A~C 자원에 대한 설명으로 옳지 않은 것은? (단, A~C는 석유, 석탄, 철광석 중 하나임.)

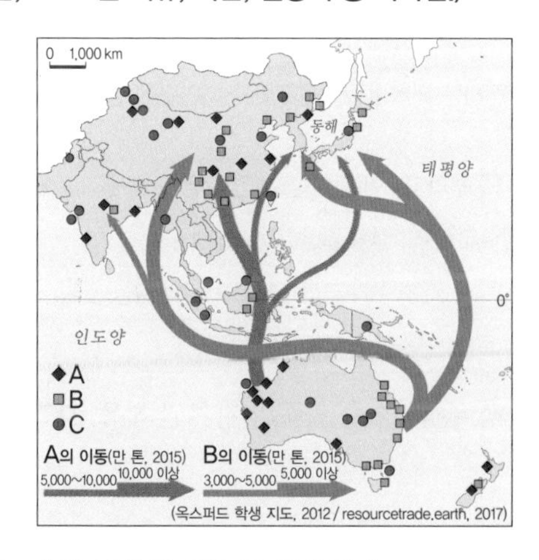

① A는 제철 공업의 원료로 사용된다.
② B는 에너지 자원에 해당한다.
③ C는 주로 수송용으로 사용되는 화석 연료이다.
④ B의 생산량은 오스트레일리아가 중국보다 많다.
⑤ C는 B보다 세계에서의 소비 비중이 높은 자원이다.

기출 변형

03 그래프는 (가)~(다) 국가의 산업 및 무역 구조를 나타낸 것이다. (가)~(다)에 해당하는 국가를 바르게 연결한 것은? (단, (가)~(다)는 일본, 인도네시아, 오스트레일리아 중 하나임.)

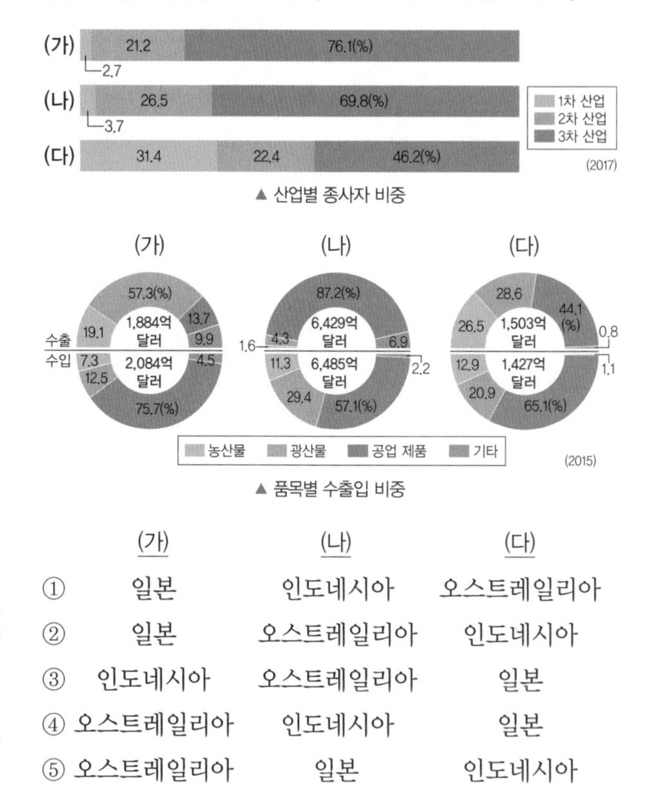

	(가)	(나)	(다)
①	일본	인도네시아	오스트레일리아
②	일본	오스트레일리아	인도네시아
③	인도네시아	오스트레일리아	일본
④	오스트레일리아	인도네시아	일본
⑤	오스트레일리아	일본	인도네시아

04 그래프는 오스트레일리아의 철광석 수출 상대국의 변화를 나타낸 것이다. A~C 국가에 대한 설명으로 옳지 않은 것은? (단, A~C는 동부 아시아에 속하는 국가임.)

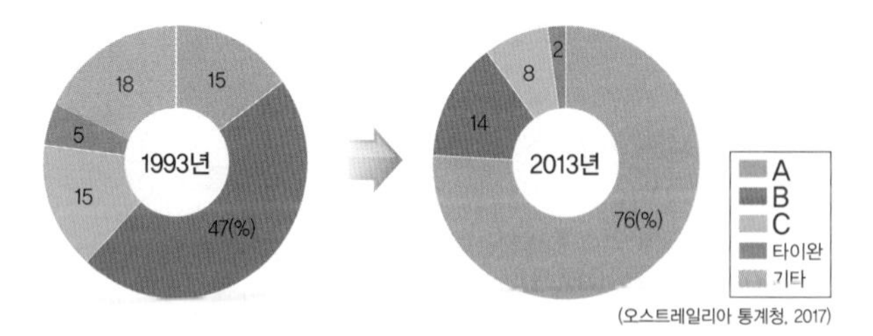

① A는 풍부한 노동력을 바탕으로 공업이 빠르게 성장하였다.
② B는 비즈니스 프로세스 아웃소싱 서비스 및 소프트웨어 노동력의 주요 수출국으로 발전하고 있다.
③ C는 A, B 국가와 인접해 있으며, 가공 무역이 발달하였다.
④ A는 B보다 영토가 넓으며 노동력이 풍부하다.
⑤ C는 A보다 총무역액이 적다.

03 민족(인종) 및 종교적 차이

A 몬순 아시아와 오세아니아의 다양한 민족(인종)과 종교 자료 1

1. 몬순 아시아의 민족(인종)과 종교

(1) **민족(인종) 분포**: 많은 인구 거주, 다양한 민족(인종) 분포

① **중국**[1]: 다수 민족인 한족과 55개의 소수 민족 분포 → 자치구·자치주를 설정하여 소수 민족의 고유성을 인정함

② **동남아시아**: 지리적으로 중국과 인도 사이에 위치함 → 다양한 민족과 인종이 뒤섞여 사는 다민족 국가 형성, 중국 출신의 주민(화교)[2] 거주

③ **남부 아시아**: 식민 지배 및 활발한 인구 이동 → 복잡한 민족과 인종 구성 예 아리안족, 드라비다족, 타밀족 등 700개 이상의 민족 분포

아리안족은 인도 중·북부에, 드라비다족은 인도 남부에 주로 분포해.

(2) **종교 분포**: 국가에 따라 다양한 종교 분포

불교	타이, 미얀마, 캄보디아, 라오스, 베트남
이슬람교	파키스탄, 방글라데시, 말레이시아, 인도네시아
힌두교	인도
크리스트교	필리핀

동부 아시아에서는 공통적으로 불교문화가 나타나.

2. 오세아니아의 민족(인종)과 종교

(1) **민족(인종)**: 유럽계 백인, 아시아계, 원주민(오스트레일리아의 애버리지니, 뉴질랜드의 마오리족)

적극적인 이민 정책으로 아시아계의 비중이 증가하고 있어.

(2) **종교**: 크리스트교

B 지역 갈등과 해결 노력 자료 2

1. 몬순 아시아의 갈등과 해결 노력

(1) **민족 및 종교 갈등**

중국	중국으로부터 분리 독립을 주장하는 티베트족(시짱 자치구) 및 위구르족(신장 웨이우얼 자치구)과 정부 간의 갈등 발생
인도	카슈미르 지역에서 인도(힌두교)와 파키스탄(이슬람교) 간의 영토 및 종교 갈등 발생
스리랑카	신할리즈족(불교)과 타밀족(힌두교) 간의 갈등 발생
필리핀	민다나오섬에서 다수의 이슬람교도와 소수의 크리스트교도 간의 갈등 발생
미얀마	이슬람교를 믿는 소수 민족인 로힝야족을 탄압하면서 갈등 발생

(2) **해결을 위한 노력**: 문화와 종교의 다양성 존중[3], 소수 민족의 자치권 허용, 대화와 타협 시도 등

2. 오세아니아의 갈등과 해결 노력

(1) **오스트레일리아**: 유럽인 진출 이후 원주민 거주지 무단 점령, 원주민 수 급격히 감소 → 최근 원주민 보호 및 지원 정책 실시 → 여전히 원주민 차별, 아시아계 이주민 차별 등 인종 차별 문제 발생

원주민은 건조하거나 기온이 높은 열악한 지역으로 이주하였어.

예 원주민의 토지 소유권을 일부 인정해 주고 있으며, 퀸즐랜드 북부와 서부 지역에 대규모 원주민 보호 구역을 지정하고 있어.

(2) **뉴질랜드**: 유럽인의 정착 이후 1870년대까지 마오리족과 유럽인 간의 전쟁 발생 → 마오리족은 거주지의 대부분을 상실함 → 국민의 통합을 강조하는 정책 시행

예 마오리족의 언어를 국가 공용어로 채택, 마오리족 전통문화의 보호 등을 시행하고 있어.

---

❶ **중국의 주요 소수 민족 분포**

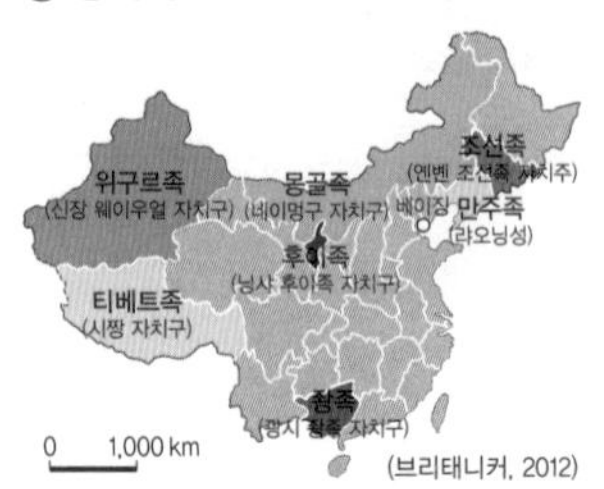

(브리태니커, 2012)

중국 내에서 전체 인구의 약 92%를 차지하는 한족은 동부 평야 지대에 주로 거주하고, 소수 민족은 국경 인근에 주로 거주한다.

❷ **화교**

본국을 떠나 해외 각지로 이주하여 현지에 정착, 경제 활동을 하면서 본국과 유기적인 연관을 유지하고 있는 중국인으로, 90% 이상이 동남아시아에 분포하고 있다.

한눈에 정리

몬순 아시아의 민족 및 종교 갈등

중국	티베트족 및 위구르족의 독립 운동
인도	카슈미르 분쟁 → 인도(힌두교)와 파키스탄(이슬람교) 간 갈등
스리랑카	신할리즈족(불교)과 타밀족(힌두교) 간 갈등

❸ **문화 공존을 위한 노력 사례**

말레이시아는 다양한 종교 축제일을 공휴일로 지정하고 있고, 싱가포르는 중국어·타밀어·말레이어·영어를 공용어로 사용하고 있다.

교과서 자료 모아 보기

자료 확인 문제

자료 1 몬순 아시아와 오세아니아의 종교

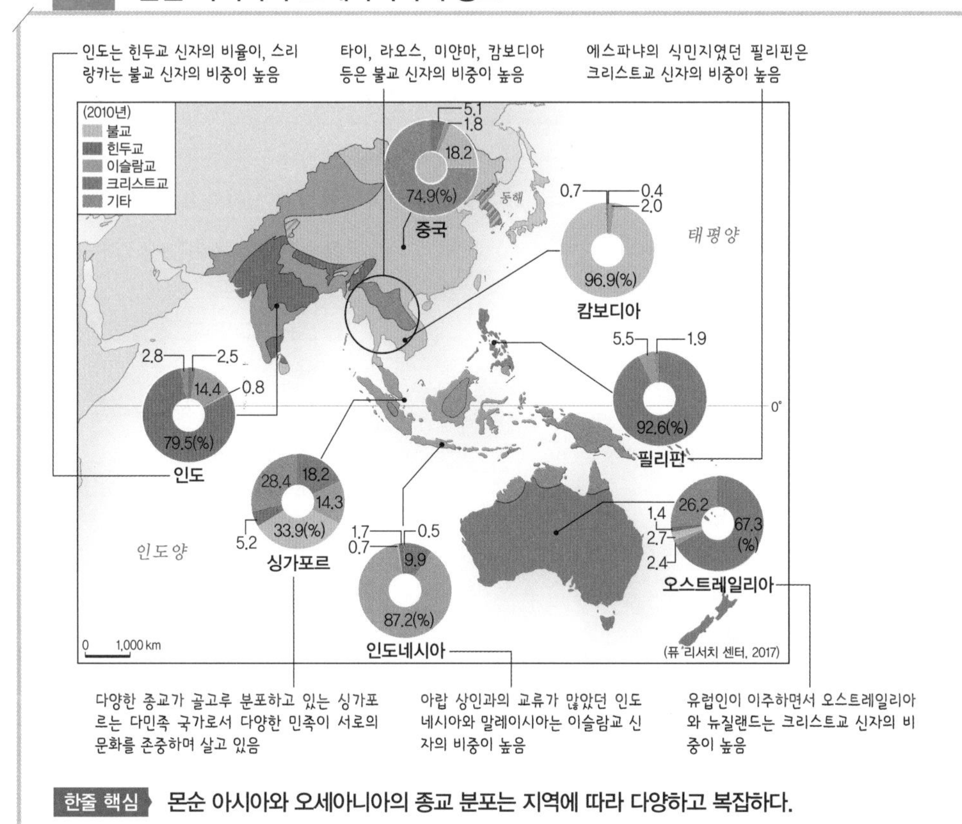

한줄 핵심 몬순 아시아와 오세아니아의 종교 분포는 지역에 따라 다양하고 복잡하다.

❶ 인도네시아에서 신자 수 비중이 가장 높은 종교는?
( )

❷ 몬순 아시아의 대표적인 다민족 국가로서 다양한 민족이 서로의 문화를 존중하며 살아가는 국가는?
( )

자료 2 몬순 아시아와 오세아니아의 민족(인종) 및 종교 갈등

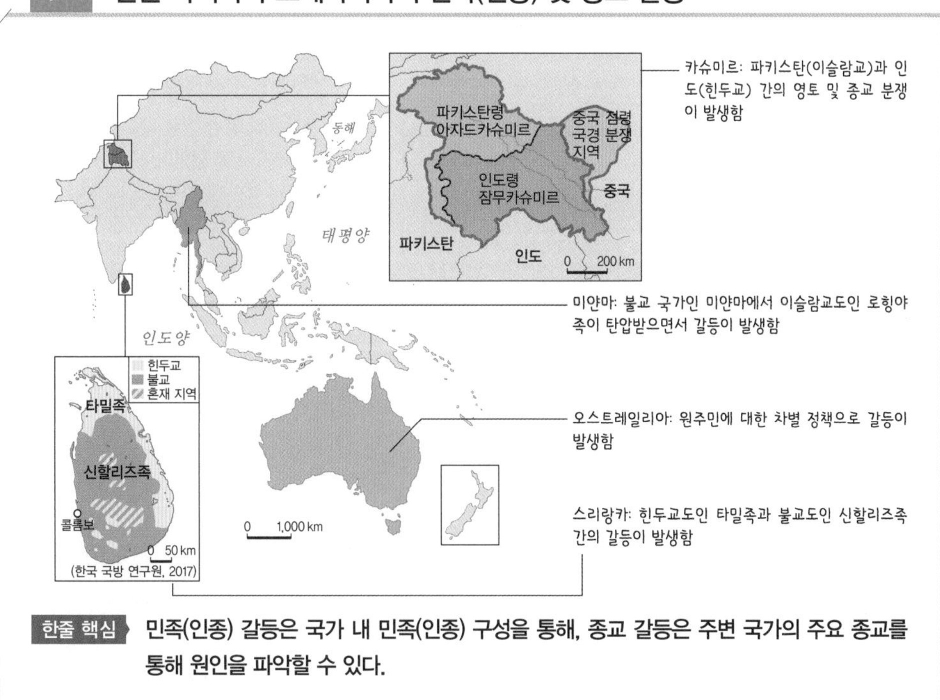

한줄 핵심 민족(인종) 갈등은 국가 내 민족(인종) 구성을 통해, 종교 갈등은 주변 국가의 주요 종교를 통해 원인을 파악할 수 있다.

❸ 카슈미르 분쟁과 관련 있는 종교 두 가지는?
( )

❹ 미얀마에서 탄압받고 있는 소수 민족으로, 이슬람교를 신봉하고 있는 민족은?
( )

정답 ❶ 이슬람교 ❷ 싱가포르 ❸ 이슬람교, 힌두교 ❹ 로힝야족

몬순 아시아의 종교 분포와 지역 갈등

수능풀 Guide 몬순 아시아의 종교 분포를 'Ⅲ-01 세계 주요 종교의 전파와 종교 경관' 단원과 관련지어 이해하고 몬순 아시아의 지역 갈등에 대해 알아보자.

1 몬순 아시아의 종교 분포

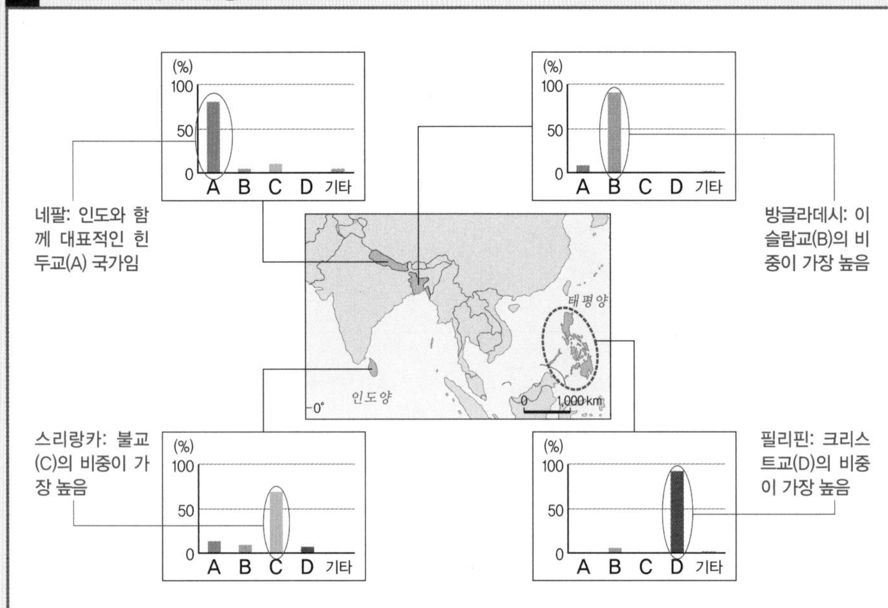

PLUS분석 네팔은 한때 힌두교를 국교로 인정했을 정도로 힌두교 신자의 비중이 높고, 필리핀은 에스파냐·미국 등의 식민 통치의 영향으로 크리스트교의 비중이 높다.

기출 선택지로 확인하기

❶ A의 신자 수가 가장 많은 국가는 인도이다. ○ ×

❷ B는 쇠고기 먹는 것을 금기시한다. ○ ×

❸ C는 메카로의 성지 순례를 종교적 의무로 한다. ○ ×

❹ D의 종교 경관으로는 사리가 봉안된 탑과 불상이 있다. ○ ×

❺ A와 C의 발상지는 남부 아시아에 위치한다. ○ ×

2 몬순 아시아의 지역 갈등

B 카슈미르 분쟁: 인도(힌두교)와 파키스탄(이슬람교) 간의 종교 갈등

D 시사 군도(파라셀 제도, 호앙사 군도) 분쟁: 중국, 타이완, 베트남 간의 영토 분쟁

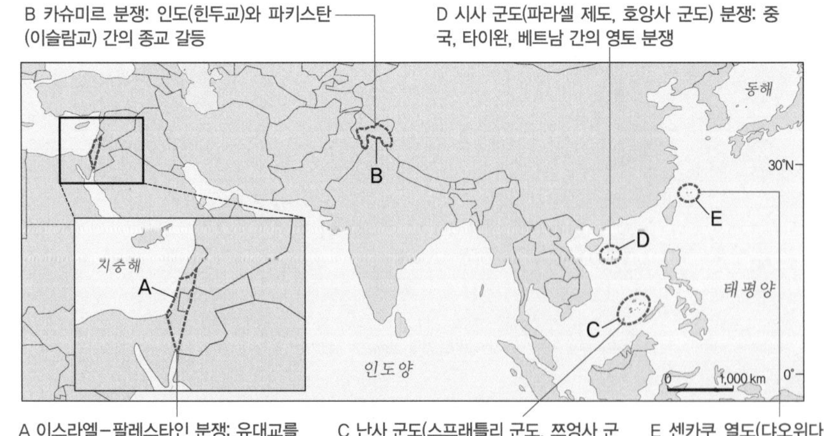

A 이스라엘-팔레스타인 분쟁: 유대교를 믿는 이스라엘(유대인)과 이슬람교를 믿는 팔레스타인(아랍인) 간의 영토 분쟁

C 난사 군도(스프래틀리 군도, 쯔엉사 군도) 분쟁: 중국, 타이완, 베트남, 브루나이, 말레이시아, 필리핀 간의 영토 분쟁

E 센카쿠 열도(댜오위다오) 분쟁: 중국, 타이완, 일본 간의 영토 분쟁

기출 선택지로 확인하기

❻ A에서의 분쟁은 종교 및 영토 문제가 주요 원인이다. ○ ×

❼ B에서는 분쟁의 주요 요인이 크리스트교와 이슬람교 간의 갈등이다. ○ ×

❽ C는 D보다 분쟁 당사국의 수가 많다. ○ ×

❾ C, D, E에서의 분쟁은 모두 중국과 관련되어 있다. ○ ×

정답 ❶ ○ ❷ ×(이슬람교는 돼지고기 먹는 것을 금기시한다.) ❸ ×(메카 성지 순례는 이슬람교에 해당한다.) ❹ ×(탑과 불상은 불교의 경관이다.) ❺ ○ ❻ ○ ❼ ×(힌두교와 이슬람교 간의 갈등이 주요 원인이다.) ❽ ○ ❾ ○

콕콕! 개념 확인하기

정답과 해설 45쪽

A 몬순 아시아와 오세아니아의 다양한 민족(인종)과 종교

01 다음은 몬순 아시아의 국가별 종교 분포를 나타낸 지도이다. A~D에 해당하는 종교를 쓰시오.

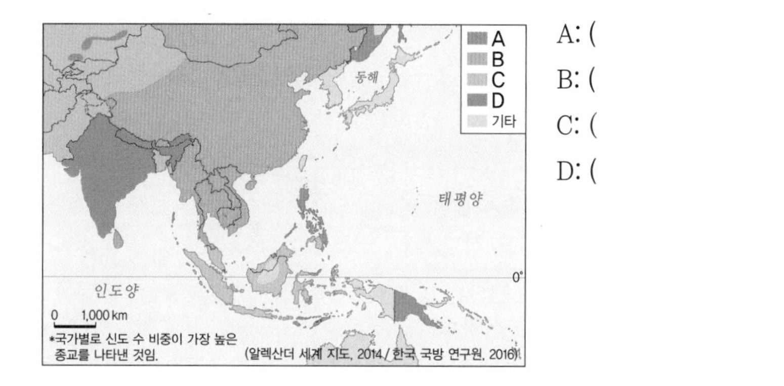

A: (　　　　　　　　)

B: (　　　　　　　　)

C: (　　　　　　　　)

D: (　　　　　　　　)

02 동부 아시아의 민족 분포를 나타낸 지도를 보고 알맞은 말에 ○표를 하시오.

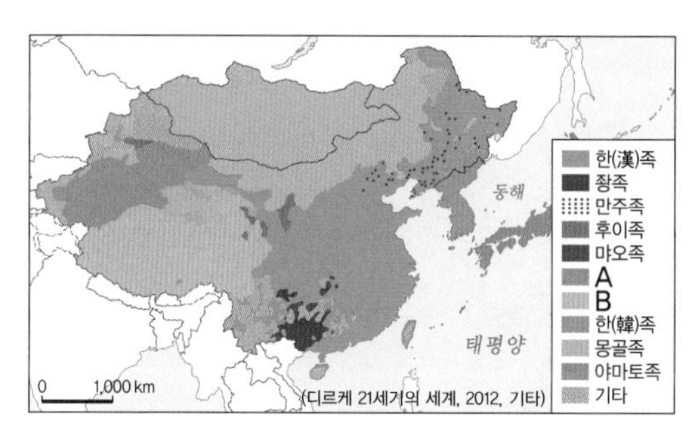

(1) 중국은 대부분을 차지하는 (한족, 좡족)과 소수 민족으로 구성되어 있다.

(2) A 민족은 (위구르족, 티베트족)이고, B 민족은 (위구르족, 티베트족)이다.

(3) (A, B) 민족은 신장 웨이우얼 자치구에, (A, B) 민족은 시짱 자치구에 주로 거주한다.

03 다음 내용을 읽고 알맞은 말에 ○표를 하시오.

(1) 인도의 남부에는 (드라비다족, 아리안족)이, 중 · 북부에는 (드라비다족, 아리안족)이 주로 분포한다.

(2) 오스트레일리아는 유럽계 백인과 원주민인 (타이족, 애버리지니)이/가 토지 소유권을 두고 갈등이 발생하고 있다.

(3) 뉴질랜드는 원주민인 (마오리족, 타밀족)의 언어를 공용어로 채택하는 등 원주민 문화를 존중하는 정책을 펼치고 있다.

B 지역 갈등과 해결 노력

04 지도의 A~F에 알맞은 말을 〈보기〉에서 골라 쓰시오.

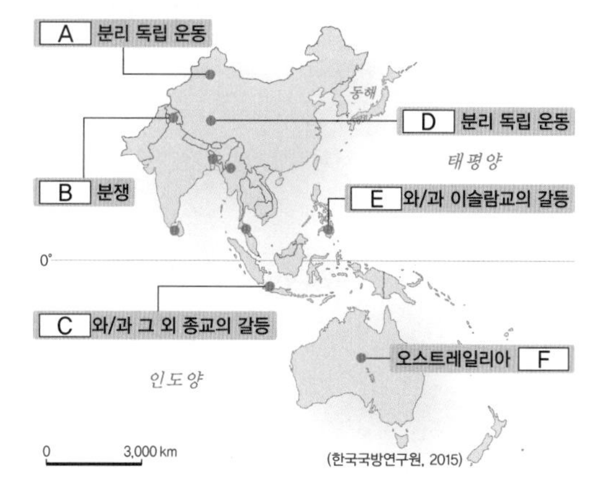

〈보기〉
- 티베트족
- 이슬람교
- 크리스트교
- 위구르족
- 카슈미르
- 인종 차별

A: (　　　　)　B: (　　　　)

C: (　　　　)　D: (　　　　)

E: (　　　　)　F: (　　　　)

탄탄! 내신 다지기

정답과 해설 45쪽

A 몬순 아시아와 오세아니아의 다양한 민족(인종)과 종교

[01~02] 다음 자료를 보고 물음에 답하시오.

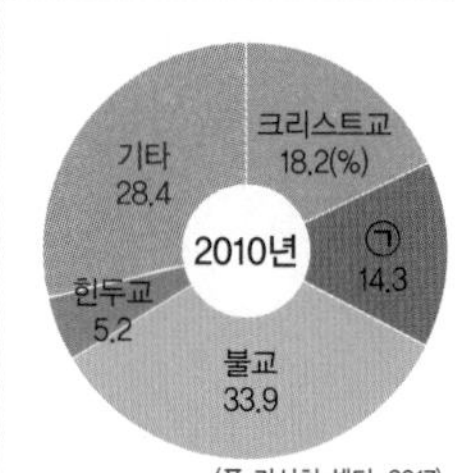

(퓨 리서치 센터, 2017)

▲ (가)의 종교별 인구 비중

한 국가에서 다양한 민족과 종교가 조화롭게 공존하기도 한다. 몬순 아시아에 위치한 (가) 은/는 대표적인 다민족 국가로, 다양한 민족이 서로의 문화를 존중하며 살아가고 있는 나라이다.

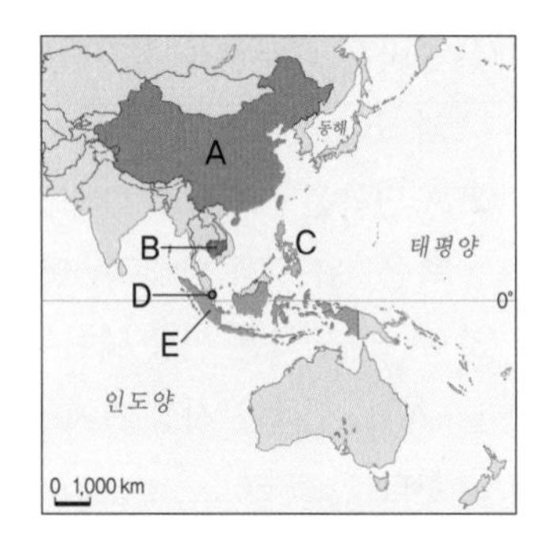

01 (가) 국가를 지도의 A~E에서 고른 것은?

① A ② B ③ C ④ D ⑤ E

02 ㉠에 해당하는 종교의 인구 비중이 상대적으로 가장 높게 나타나는 국가를 지도의 A~E에서 고른 것은?

① A ② B ③ C ④ D ⑤ E

03 다음에서 설명하고 있는 민족은?

> 유럽인이 이주하기 전부터 거주했던 원주민으로 뉴질랜드에 분포한다. 현재 뉴질랜드에서는 영어와 함께 이 민족의 언어가 국가 공용어로 사용되고 있다.

① 마오리족 ② 위구르족 ③ 티베트족
④ 로힝야족 ⑤ 애버리지니

B 지역 갈등과 해결 노력

04 (가), (나) 지도에 표시된 지역에서 나타나는 갈등의 공통적인 원인이 되는 종교에 대한 설명으로 옳은 것은?

(가)

(나)

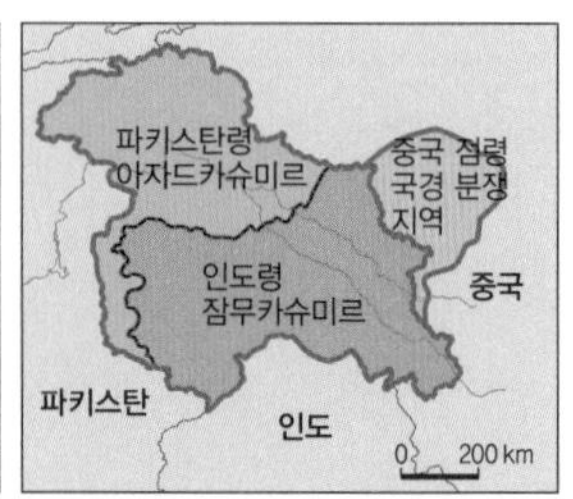

① 인도 북부에서 기원한 종교이다.
② 인도에서 신자 수가 가장 많은 종교이다.
③ 에스파냐의 식민 지배로 필리핀에 전파된 종교이다.
④ 인도네시아에서 신자 수 비중이 가장 높은 종교이다.
⑤ 중국으로부터 독립을 요구하는 티베트족이 신봉하는 종교이다.

서술형 문제

05 다음 자료를 보고 물음에 답하시오.

(가) 비중 (%, 2010년)
30 이상
20~30
10~20
1~10
1 미만
0 300 km
(필리핀 통계청, 2017)

필리핀에서 두 번째로 큰 섬인 민다나오섬은 (가) 를 믿는 주민들이 살던 곳이었다.
… (중략) …
민다나오섬에서는 최근 갈등이 심화되면서 정부군과 반군 간에 산발적인 국지전이 이어지고 있다.
- ○○일보, 2017년 5월 25일

(1) (가)에 해당하는 종교를 쓰시오.

( )

(2) 민다나오섬에서 갈등이 일어나게 된 이유를 필리핀의 식민지 역사와 관련지어 서술하시오.

도전! 실력 올리기

정답과 해설 46쪽

01 자료는 어떤 국가의 공휴일을 나타낸 것이다. (가)~(다)와 관련된 종교를 A~C에서 고른 것은?

날짜	기념 내용
5월 10일	(가) 석가모니 탄신일
6월 27일	(나) 라마단 축제 종료일
10월 18일	힌두교의 불의 축제일
12월 25일	(다) 크리스마스

* 날짜는 2017년 양력 기준임.

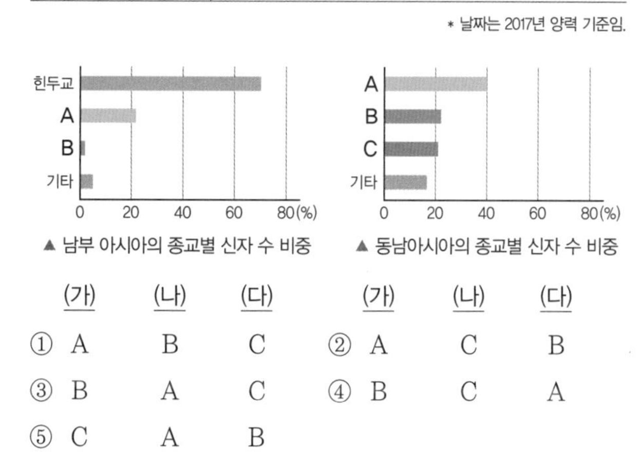

▲ 남부 아시아의 종교별 신자 수 비중 ▲ 동남아시아의 종교별 신자 수 비중

	(가)	(나)	(다)		(가)	(나)	(다)
①	A	B	C	②	A	C	B
③	B	A	C	④	B	C	A
⑤	C	A	B				

기출 변형

02 자료는 몬순 아시아 지역 네 국가의 종교별 신자 수 비중을 나타낸 것이다. A~D에 해당하는 종교를 옳게 연결한 것은?

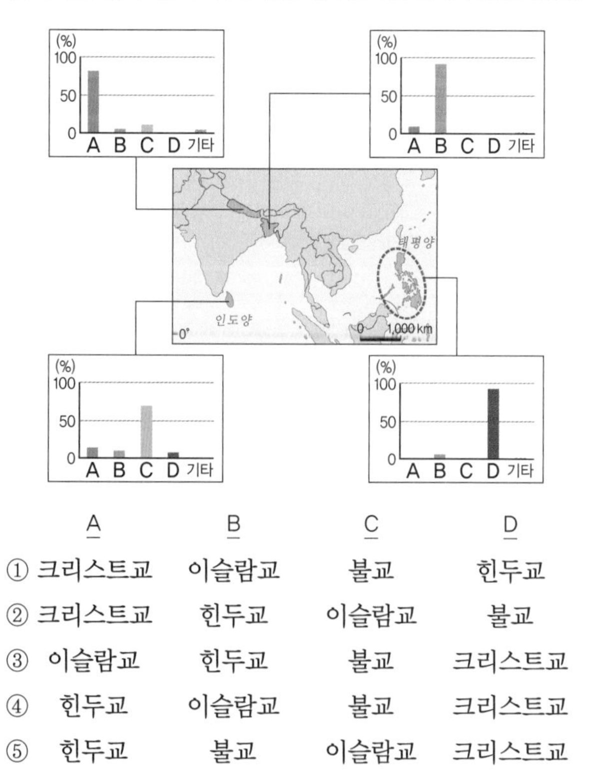

	A	B	C	D
①	크리스트교	이슬람교	불교	힌두교
②	크리스트교	힌두교	이슬람교	불교
③	이슬람교	힌두교	불교	크리스트교
④	힌두교	이슬람교	불교	크리스트교
⑤	힌두교	불교	이슬람교	크리스트교

03 (가), (나)에 해당하는 지역(국가)을 지도의 A~D에서 고른 것은?

> (가) 이 지역의 북부에서는 불교를 믿는 신할리즈족과 힌두교를 믿는 타밀족 간의 갈등이 26년 동안 지속되었다.
> (나) 한때는 독립국이었던 이 지역은 현재 자치구로 설정되어 있으며, 불교를 주로 믿는 소수 민족이 종교적 차이를 이유로 독립을 시도하고 있다.

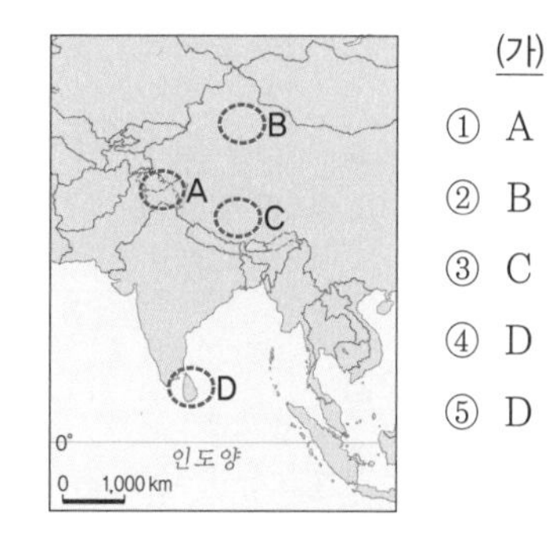

	(가)	(나)
①	A	B
②	B	C
③	C	D
④	D	A
⑤	D	C

04 다음 글의 (가)~(다)에 해당하는 국가를 지도의 A~C에서 고른 것은?

> 인도와 (가) 은/는 카슈미르의 평화를 위해 양자 간 회담을 마련하여 대화를 이어 가고 있으며, 무슬림 인구 1위 국가인 동남아시아의 (나) 은/는 '통일 속의 다양성'을 내세우며 문화와 종교의 다양성을 존중하고 있다. 또한, (다) 은/는 문화의 공존을 위해 다양한 종교 축제일을 공휴일로 지정하였다.

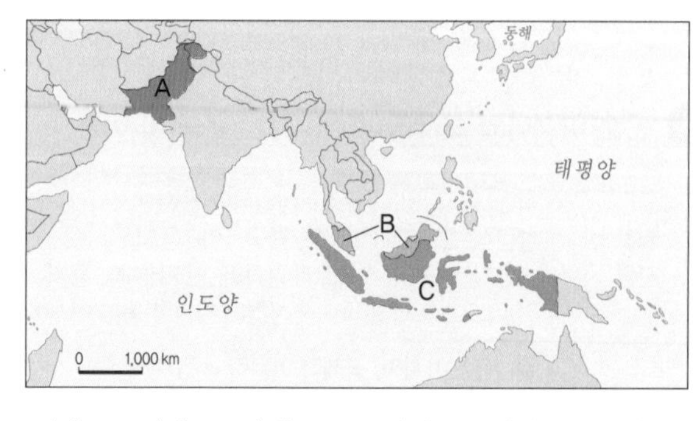

	(가)	(나)	(다)		(가)	(나)	(다)
①	A	B	C	②	A	C	B
③	B	A	C	④	B	C	A
⑤	C	A	B				

한눈에 보는
대단원 정리

01 자연환경에 적응한 생활 모습

A 몬순 아시아의 자연환경

기후	• 겨울 계절풍: 대륙 → 해양(기온이 낮고 강수량이 적음), 건기에 해당 • 여름 계절풍: 해양 → 대륙(기온이 높고 강수량이 많음), 우기에 해당
지형	• 높은 산맥과 고원: 히말라야산맥, 티베트고원 • 지진과 화산 활동: 인도네시아, 필리핀, 일본 등 • 대하천 주변의 평야: 갠지스강, 메콩강, 창장강 등

B 몬순 아시아의 전통적인 생활 모습

농업	• 몬순 영향이 강한 지역: 벼농사 발달(하천 주변의 충적 평야), 높은 인구 부양력으로 인구 밀집 지역 형성 • 몬순 영향이 적은 지역: 밭농사(화베이·둥베이 지방), 유목(티베트고원, 몽골 일대), 플랜테이션(열대 기후 지역)
음식	• 동부 아시아: 점성이 큰 쌀로 만든 쌀밥 • 동남아시아, 남부 아시아: 점성이 작은 쌀밥에 향신료를 사용한 볶음밥
가옥	• 동남아시아: 개방적인 가옥 구조, 고상 가옥 • 동부 아시아: 추위 및 더위에 대비한 가옥 구조(온돌, 다다미 등)
의복	• 여름철: 얇고 통풍이 잘되는 천 사용 • 겨울철: 보온이 잘되는 두꺼운 옷

02 주요 자원의 분포 및 이동과 산업 구조

A 몬순 아시아와 오세아니아의 자원 분포 및 이동

지하 자원	• 석탄: 중국, 인도, 오스트레일리아 등지 • 철광석: 오스트레일리아, 중국, 인도 등지 • 천연가스: 중국, 오스트레일리아, 인도네시아 등지 • 이동: 오스트레일리아 → 산업이 발달한 동부 아시아
농축산물	• 쌀: 몬순 아시아, 국제적 이동량 적음 • 밀: 인도·중국·오스트레일리아, 오스트레일리아에서 동남·동부 아시아로 이동 • 소고기, 유제품: 오스트레일리아·뉴질랜드, 동아시아로 이동

B 몬순 아시아와 오세아니아 주요 국가의 산업 구조

일본	가공 무역 발달, 태평양 연안에 중화학 공업 발달, 최근 내륙에 첨단 산업 발달
중국	넓은 영토와 풍부한 지하자원·노동력을 바탕으로 경제 개방 정책 이후 빠르게 성장, 최근 중화학 공업과 첨단 산업 발달
인도	노동 집약형 산업 발달, 첨단 산업 발달(벵갈루루, 뭄바이 등), 최근 비즈니스 아웃소싱 서비스 산업 발달
동남 아시아	타이, 베트남, 인도네시아 – 천연자원과 플랜테이션 중심의 1차 산업 발달, 최근 노동 집약적 제조업 발달
오세아니아	• 오스트레일리아: 광업 발달(풍부한 지하자원), 공업 제품은 수입에 의존, 목축업 발달, 관광 산업 발달 • 뉴질랜드: 축산물 수출, 최근 어업·관광 산업 발달
경제 협력	• 지역 내 경제적 협력 증가 • 상호 보완적인 관계: 오세아니아 → 몬순 아시아(지하자원 및 농축산품), 몬순 아시아 → 오세아니아(공산품)

03 민족(인종) 및 종교적 차이

A 몬순 아시아와 오세아니아의 다양한 민족(인종)과 종교

몬순 아시아	• 민족: 중국(한족과 여러 소수 민족), 동남 및 남부 아시아(다민족 국가) • 종교: 불교(타이, 미얀마, 캄보디아, 라오스, 베트남), 이슬람교(말레이시아, 인도네시아, 파키스탄, 방글라데시), 힌두교(인도, 네팔), 크리스트교(필리핀)
오세 아니아	• 민족: 유럽계 백인, 최근 아시아계 비중 증가, 원주민(오스트레일리아의 애버리지니, 뉴질랜드의 마오리족) • 종교: 크리스트교

B 지역 갈등과 해결 노력

민족·종교 갈등	• 중국: 소수 민족 분리 독립 운동(티베트족, 위구르족) • 인도–파키스탄: 카슈미르 지역에서 인도(힌두교)와 파키스탄(이슬람교) 간의 갈등 • 스리랑카: 신할리즈족(불교)과 타밀족(힌두교) 간의 갈등 • 필리핀: 민다나오섬에서 이슬람교와 크리스트교 간의 갈등 • 미얀마: 이슬람교를 믿는 소수 민족인 로힝야족 탄압 • 오스트레일리아: 원주민·인종 차별
해결 노력	문화와 종교의 다양성 존중, 소수 민족의 자치권 허용, 대화와 타협 시도 등

한번에 끝내는 대단원 문제

정답과 해설 47쪽

01 지도는 몬순 아시아의 (가), (나) 시기의 풍향을 나타낸 것이다. 이에 대한 설명으로 옳은 것은? (단, (가), (나)는 1월, 7월 중 하나임.)

(가)

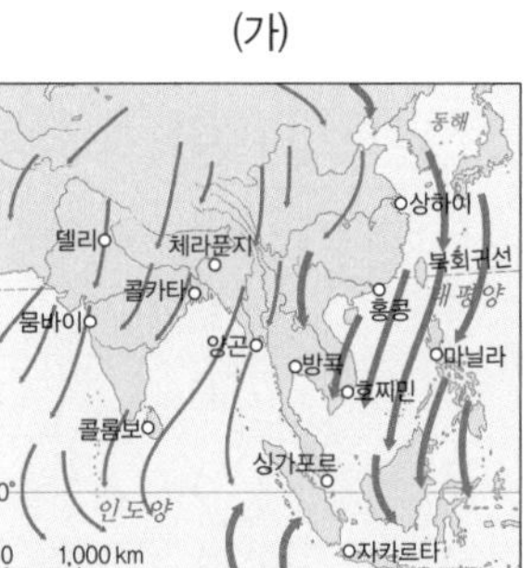

(나)

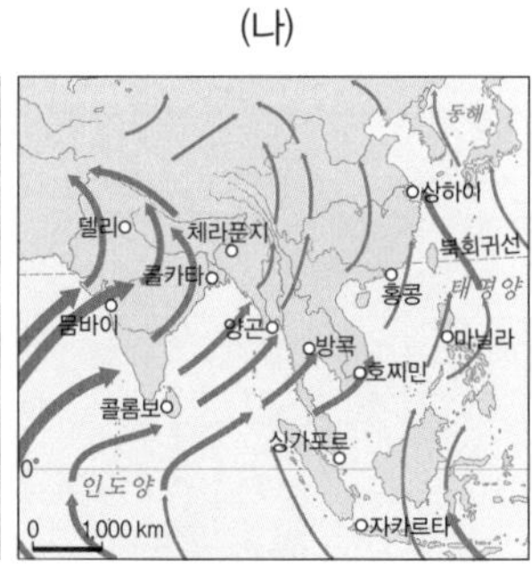

① (가) 시기에는 적도 수렴대가 적도 위로 북상한다.
② (나) 시기에는 계절풍의 영향으로 강수량이 감소한다.
③ (가) 시기는 (나) 시기보다 벼의 생육에 유리하다.
④ (나) 시기는 (가) 시기보다 풍속이 약하고 습도가 낮다.
⑤ (가) 시기는 1월, (나) 시기는 7월이다.

02 자료의 (가) 국가에 대한 옳은 설명만을 〈보기〉에서 있는 대로 고른 것은?

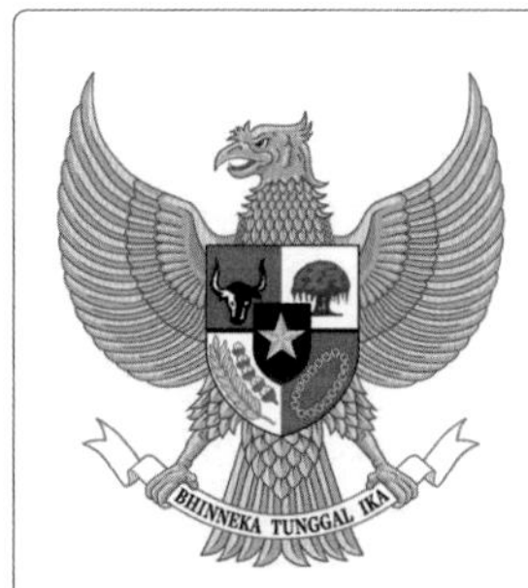

▲ (가) 국가의 국장

[(가) 국가의 특징]
- 수많은 섬들로 이루어진 세계 최대의 도서 국가
- 인종, 언어, 문화가 다양하며 '다양성 속의 통일'을 추구
- 세계 최대의 무슬림 국가
- 최근 자연재해가 적은 지역으로 수도 이전을 결정함

보기
ㄱ. 화산 활동과 지진이 빈번하게 일어난다.
ㄴ. 플랜테이션을 통한 커피 생산이 활발하다.
ㄷ. 나시고렝이라는 볶음밥 요리가 발달하였다.
ㄹ. ㅁ자 형태의 폐쇄적인 가옥 구조가 나타난다.

① ㄱ, ㄴ　② ㄱ, ㄷ　③ ㄱ, ㄴ, ㄷ
④ ㄱ, ㄴ, ㄹ　⑤ ㄴ, ㄷ, ㄹ

03 (가), (나)와 같은 가옥이 발달한 국가를 지도의 A~D에서 고른 것은?

(가)

지면에서 올라오는 열기와 습기를 피하고 해충의 침입을 막기 위해 지면으로부터 바닥을 띄운 가옥

(나)

지붕에 쌓인 눈이 쉽게 흘러내릴 수 있도록 지붕의 경사를 가파르게 만든 가옥

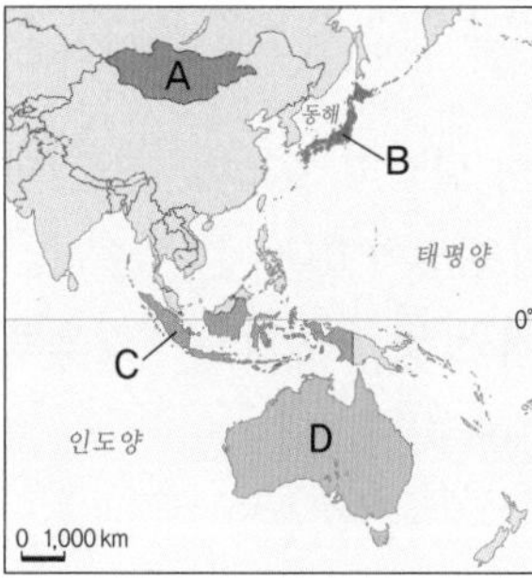

	(가)	(나)
①	A	B
②	B	C
③	C	B
④	C	D
⑤	D	A

04 지도는 오스트레일리아 주요 자원의 이동을 나타낸 것이다. A, B 자원에 대한 옳은 설명만을 〈보기〉에서 고른 것은?

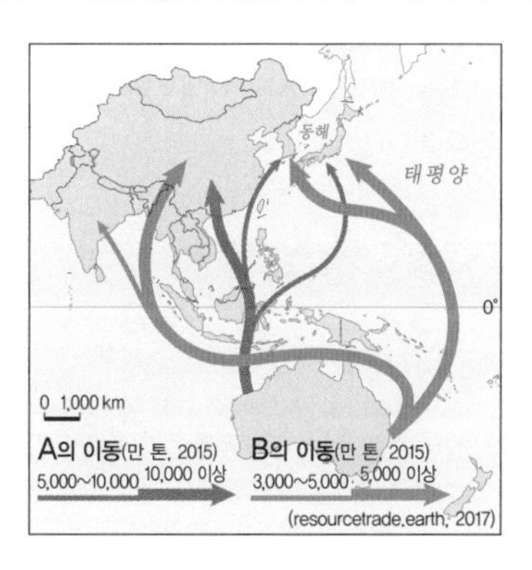

보기
ㄱ. A는 제철 공업의 원료 자원이다.
ㄴ. A는 주로 수송용 연료로 활용된다.
ㄷ. B의 생산량은 중국이 오스트레일리아보다 많다.
ㄹ. B는 세계에서 소비 비중이 가장 높은 에너지 자원이다.

① ㄱ, ㄴ　② ㄱ, ㄷ　③ ㄴ, ㄷ
④ ㄴ, ㄹ　⑤ ㄷ, ㄹ

05 자료의 A에 해당하는 몬순 아시아의 국가에 대한 설명으로 옳은 것은?

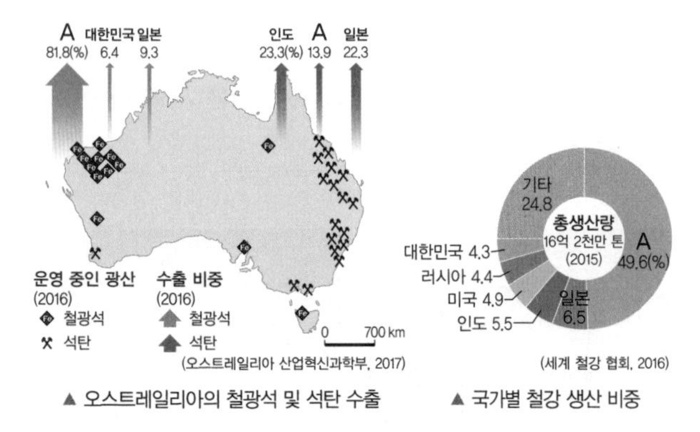

▲ 오스트레일리아의 철광석 및 석탄 수출 ▲ 국가별 철강 생산 비중

① 벵갈루루 등을 중심으로 첨단 산업이 발달하였다.
② 사탕수수, 천연고무 등의 플랜테이션이 발달하였다.
③ 농축산물의 세계적인 수출 국가이며, 관광 산업이 발달하였다.
④ 태평양 연안에 공업 지역이 밀집해 있으며, 최근 내륙을 중심으로 첨단 산업이 발달하였다.
⑤ 넓은 영토와 풍부한 지하자원 및 노동력을 바탕으로 빠르게 산업이 성장하였다.

06 그래프는 주석, 천연고무, 식물성 지방 및 기름의 국가별 수출 비중을 나타낸 것이다. A 국가에 대한 옳은 설명만을 <보기>에서 고른 것은?

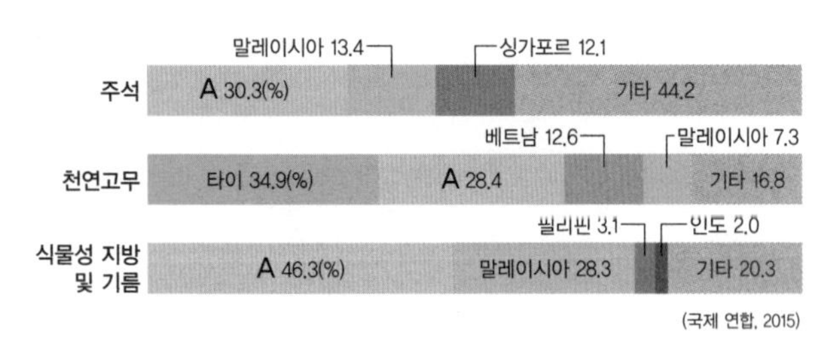

보기
ㄱ. 세계의 공장이라고 불린다.
ㄴ. 플랜테이션을 바탕으로 한 1차 산업이 발달하였다.
ㄷ. 2000년대 이후 노동 집약적 제조업이 발달하고 있다.
ㄹ. 영어를 공용어로 사용하며 콜센터 산업이 발달하였다.

① ㄱ, ㄴ ② ㄱ, ㄷ ③ ㄴ, ㄷ
④ ㄴ, ㄹ ⑤ ㄷ, ㄹ

07 그래프는 어느 두 나라의 품목별 수출 비중을 나타낸 것이다. (가), (나) 국가를 지도의 A~D에서 고른 것은?

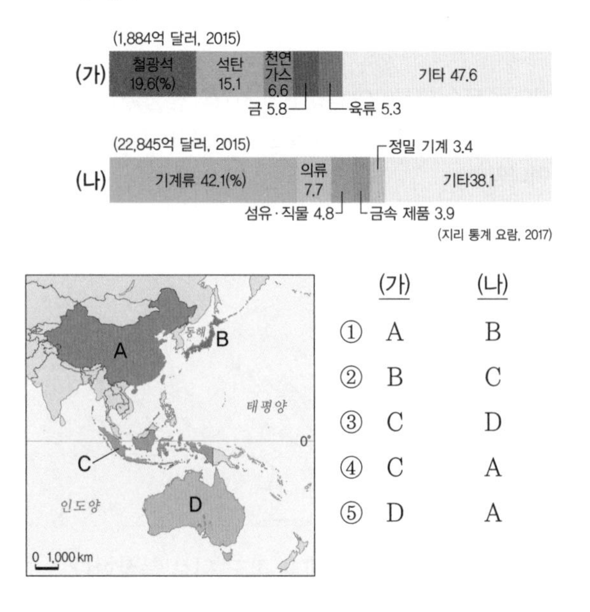

	(가)	(나)
①	A	B
②	B	C
③	C	D
④	C	A
⑤	D	A

08 다음 글의 (가)와 (나) 종교 간의 갈등이 나타나는 지역을 지도의 A~E에서 고른 것은?

> 몬순 아시아는 종교의 다양성이 두드러지는 지역으로 힌두교와 (가) 의 발상지가 있으며, 다양한 종교 인구가 거주하고 있다. 종교 분포 특징을 살펴보면 힌두교는 남부 아시아에서, (나) 는 남부 아시아 일부와 동남아시아의 섬 지역에서, (가) 는 동부 아시아와 동남아시아의 반도 지역에서, 크리스트교는 필리핀에서 주로 신봉하고 있다.

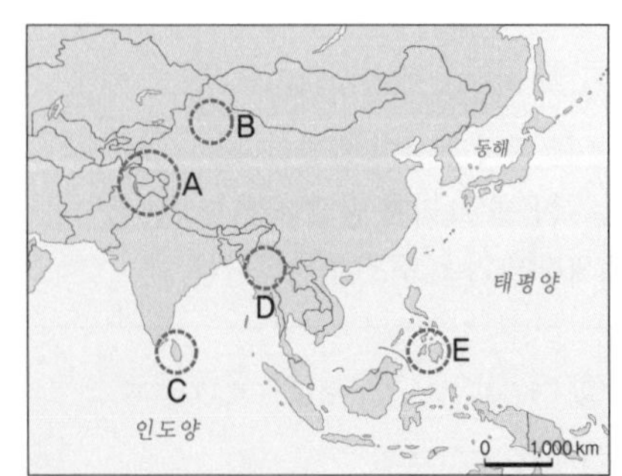

① A
② B
③ C
④ D
⑤ E

09 (가), (나)에 해당하는 민족이 주로 거주하는 국가를 지도의 A~D에서 고른 것은?

(가) 주로 이슬람교를 신봉하는 이들은 석유와 천연가스 개발을 둘러싼 중앙 정부의 간섭 증가, 열악한 경제 여건, 억압적 사회 분위기 등에 분노하며 분리 독립을 주장하고 있다.
(나) 유럽인이 유입되면서 생활의 터전을 잃고 오지로 쫓겨난 이들은 최근 과거 자신이 살던 지역의 토지 소유권을 주장하고 있고, 이들에게 가해졌던 학대에 관한 배상도 요구하고 있다.

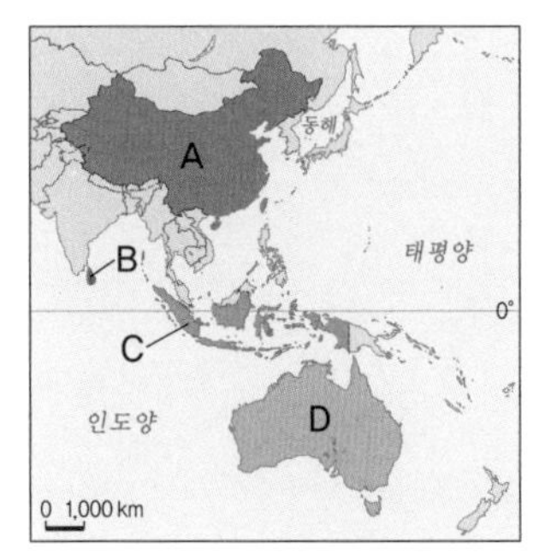

	(가)	(나)
①	A	B
②	A	D
③	C	B
④	C	D
⑤	D	C

10 지도의 (가), (나) 지역에서 발생하고 있는 분쟁에 대한 설명으로 옳은 것만을 〈보기〉에서 고른 것은?

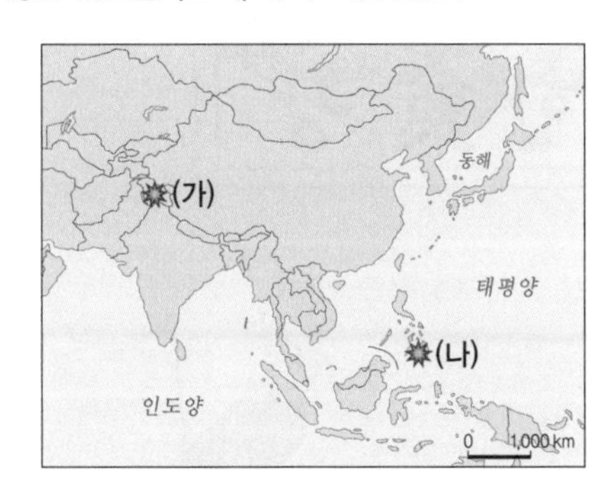

보기
ㄱ. (가)는 자원 확보를 둘러싼 영토 분쟁이다.
ㄴ. (나)는 국가 내에서 분리 독립을 원하고 있다.
ㄷ. (가), (나) 분쟁의 공통적인 원인은 종교의 차이이다.
ㄹ. (가), (나) 분쟁 모두 영국의 식민 지배와 관련이 있다.

① ㄱ, ㄴ ② ㄱ, ㄷ ③ ㄴ, ㄷ
④ ㄴ, ㄹ ⑤ ㄷ, ㄹ

11 다음 자료를 보고 물음에 답하시오.

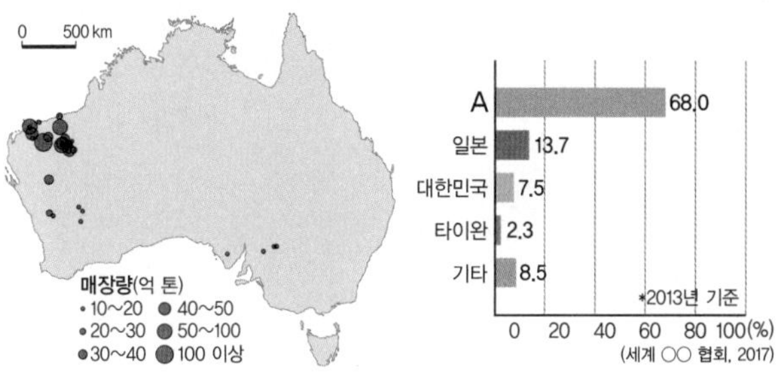

▲ 오스트레일리아의 주요 (가) 매장지 ▲ 오스트레일리아의 (가) 수출 대상국

(1) (가)에 해당하는 자원을 쓰시오. ( )

(2) A에 해당하는 국가를 쓰시오. ( )

(3) (가) 자원이 A 국가로 주로 수출되는 이유를 A 국가의 산업 구조 및 발달한 주요 공업과 관련지어 서술하시오.

12 몬순 아시아의 종교 분포 표를 보고 물음에 답하시오.

구분	A	B	C	D	기타(%)
싱가포르	33.9	5.2	14.3	18.2	28.4
인도	0.8	79.5	14.4	2.5	2.8
인도네시아	0.7	1.7	87.2	9.9	0.5
캄보디아	96.9	–	2.0	0.4	0.7
필리핀	–	–	5.5	92.6	1.9

(1) A~D에 해당하는 종교를 쓰시오.
A: ( ), B: ( ), C: ( ), D: ( )

(2) B와 C, C와 D 간의 대표적인 갈등 지역을 쓰시오.
① B와 C 간의 갈등 지역: ( )
② C와 D 간의 갈등 지역: ( )

(3) C를 주로 믿으며 중국에서 분리 독립을 요구하고 있는 민족의 이름을 쓰시오. ( )

(4) 싱가포르의 종교 분포 특징을 표에 제시된 다른 국가들과 비교하고, 이를 싱가포르의 민족 분포와 연관지어 서술하시오.

Ⅴ

건조 아시아와 북부 아프리카

배울 내용 한눈에 보기

01 자연환경에 적응한 생활 모습

02 주요 자원의 분포 및 이동과 산업 구조

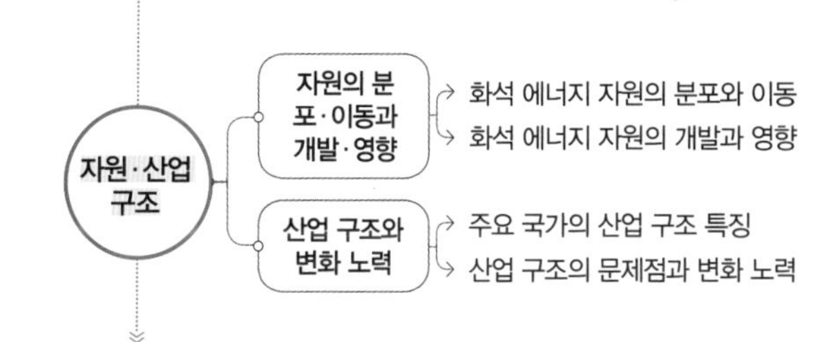

03 사막화의 진행

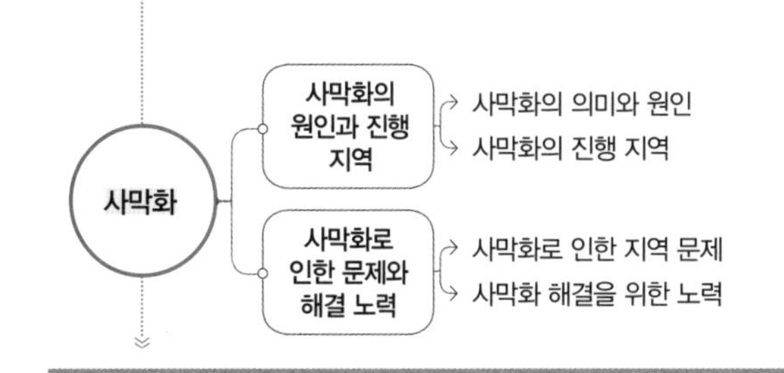

01 자연환경에 적응한 생활 모습

A 건조 아시아와 북부 아프리카의 자연환경 특성

1. 기후 자료 1

(1) **건조 기후**: 건조 아시아와 북부 아프리카는 대부분 건조 기후에 속함 → 강수량<증발량, 큰 일교차 → 인간 거주에 불리함

지중해와 흑해 연안 지역 등 일부 지역에는 여름은 고온 건조하고 겨울은 온난 습윤한 지중해성 기후가 나타나.

(2) **건조 기후 분포 지역**

① **사막 기후**❶: 북부 아프리카, 아라비아반도, 중앙아시아 등

② **스텝 기후**❷: 아라비아반도와 북부 아프리카의 사막 주변 지역, 터키와 이란의 고원 지대, 중앙아시아의 사막 주변 지역 등

2. 지형

(1) **사막과 산지**

① **대규모 사막**: 사하라 사막, 룹알할리 사막, 카라쿰 사막 등

② **높고 험준한 산지**: 아틀라스산맥, 아나톨리아고원, 이란고원, 파미르고원, 알타이·톈산산맥 등

(2) **하천과 평야**

① **나일강 하구**: 주기적인 강물의 범람으로 비옥한 삼각주 평야 형성

습윤 지역에서 발원하여 사막을 통과하는 외래 하천이야.

② **티그리스강·유프라테스강 중·하류**: 메소포타미아 평원 분포

❶ 사막 기후

연 강수량이 250㎜ 미만인 곳으로, 대체로 사막 경관이 나타난다.

❷ 스텝 기후

연 강수량이 250~500㎜인 곳으로, 주로 초원 경관이 나타난다.

B 건조 아시아와 북부 아프리카의 전통적인 생활 모습

1. 의식주 생활 모습

구분	특징
의(衣)	강한 햇볕과 모래바람을 막기 위해 온몸을 감싸는 형태의 헐렁한 옷과 베일 착용 자료 2
식(食)	• 가축에서 얻은 고기나 유제품: 돼지고기 금기, 주로 양고기 등을 먹음 • 밀로 만든 빵, 대추야자(대표적인 식량 작물)
주(住)	• 사막 기후 지역: 큰 일교차를 조절하고, 강한 일사와 모래바람을 막기 위해 창문이 작고 벽이 두꺼운 흙집을 지어 생활함, 강수량이 적어 가옥의 지붕이 평평함, 햇볕을 가려 그늘을 만들기 위해 가옥들을 촘촘하게 붙여서 지음 • 스텝 기후 지역: 한곳에 정착하지 않고 물과 풀을 찾아 이동하기 때문에 이동식 가옥에서 생활함

사막의 오아시스에서 가장 많이 재배하는 작물로, 염분에 잘 견디는 작물이기 때문에 건조 기후 지역 주민의 중요한 식량 자원이 되고 있어.

왜 기후적인 요인과 종교적인 요인이 결합되어 이들 지역에서는 돼지고기 먹는 것이 금기시되고 있어.

왜 사막 기후 지역에서는 나무를 구하기 어렵기 때문이야.

왜 조립과 분해가 쉽기 때문이야.

한눈에 정리

건조 아시아와 북부 아프리카의 의식주

의	온몸을 감싸는 헐렁한 옷과 베일 착용
식	양고기, 빵, 대추야자 등
주	• 사막 지역: 흙집 • 스텝 지역: 이동식 가옥

2. 토지 이용 방식

(1) **농업**

① **오아시스 농업**: 외래 하천❸과 오아시스를 중심으로 대추야자, 밀, 보리 등을 재배함

② **관개 농업**: 대하천 주변에서 관개를 통해 작물을 재배함, 높은 산지를 끼고 있는 지역에서는 지하 관개 수로(카나트)를 만들어 농업 및 생활용수로 활용함 자료 3

(2) **유목**: 사막 주변의 초원 지대에서는 물과 풀을 찾아 이동하며 가축을 사육하는 유목이 이루어짐 → 양, 낙타 등의 가축을 길러 털과 가죽을 얻고, 젖과 고기를 식량으로 이용함

예 유목민들은 동물의 젖을 발효시켜 유제품을 만들어 먹고, 가죽이나 털로 옷이나 양탄자 등을 만들어 사용해.

오늘날에는 국경 설정으로 이동이 제한되고, 도시화로 정착이 늘어 유목민 수가 감소하고 있어.

(3) **대상(隊商) 발달**: 유목민들이 구할 수 없는 생활필수품을 거래함

뜻 사막이나 초원처럼 교통이 발달하지 않은 지역에서 낙타나 말에 짐을 싣고 다니면서 교역하는 상인의 집단을 말해.

❸ 외래 하천

환경이 다른 지역에서 발원하는 하천으로, 주로 습윤 지역에서 발원하여 사막을 통과한다.

교과서 자료 모아 보기

자료 확인 문제

자료 1 건조 아시아와 북부 아프리카의 기후 특성

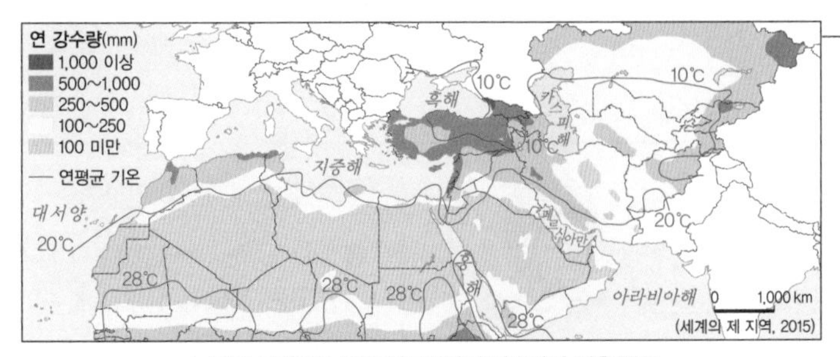

건조 아시아와 북부 아프리카 지역의 강수량 분포를 보면 대부분 지역이 연 강수량 500㎜ 이내임

▲ 건조 아시아와 북부 아프리카의 강수량과 기온 분포

| 자료 분석 | 건조 아시아와 북부 아프리카 지역은 대부분 건조 기후에 속하여 인간 거주에 불리하다. 북부 아프리카와 아라비아반도 일대에 사막 기후가 나타나고, 사막 기후 주변 지역에 연 강수량 250~500㎜의 스텝 기후가 나타나며, 지중해와 흑해 연안 지역에 지중해성 기후가 나타난다.

한줄 핵심 **건조 아시아와 북부 아프리카는 대부분 건조 기후 지역으로 인간 거주에 불리하다.**

❶ 건조 아시아와 북부 아프리카 지역에 가장 넓게 분포하는 기후는?
( )

자료 2 건조 기후 지역의 전통 의복

건조 기후 지역에서 긴 소매 옷을 입는 이유는 통풍이 잘 되고, 큰 일교차에 대비할 수 있으며, 모래바람을 막는 데 유리하기 때문임

▲ 건조 기후 지역의 전통 의상

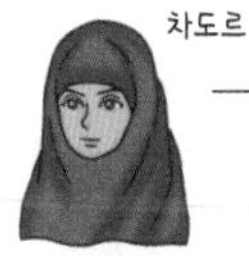

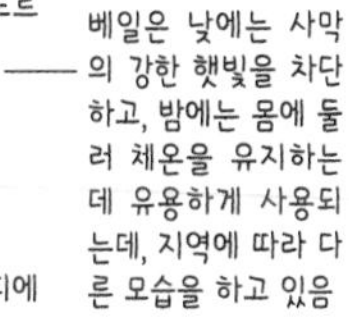

베일은 낮에는 사막의 강한 햇빛을 차단하고, 밤에는 몸에 둘러 체온을 유지하는 데 유용하게 사용되는데, 지역에 따라 다른 모습을 하고 있음

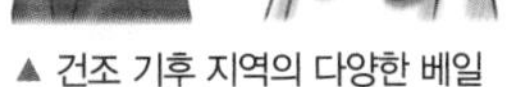

▲ 건조 기후 지역의 다양한 베일

한줄 핵심 **건조 기후 지역 주민들의 의복은 긴 천으로 온몸을 감싸는 형태이다.**

❷ 건조 기후 지역의 주민들은 전통적으로 온몸을 감싸는 형태의 긴소매 옷을 입는다. ○ ×

❸ □□은/는 낮에는 사막의 강한 햇빛을 차단하고, 밤에는 몸에 둘러 체온을 유지하는 데 유용하게 사용된다.
( )

자료 3 지하 관개 수로(카나트)

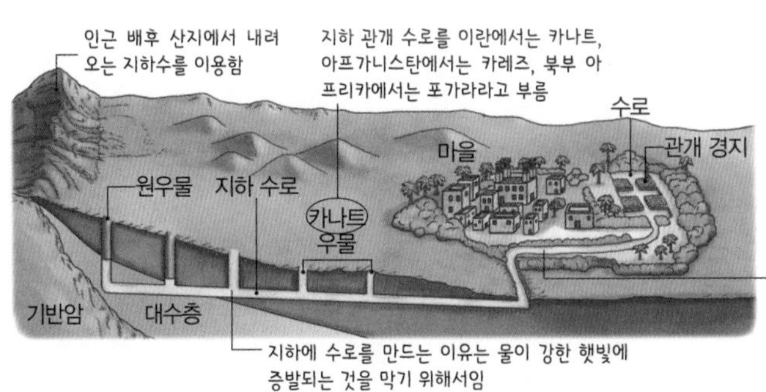

◀ 카나트의 구조

한줄 핵심 **강수량이 적고 증발량이 많은 건조 기후 지역에서는 지하 관개 수로인 카나트가 발달하였다.**

❹ 이란에서는 지하 관개 수로를 카나트라고 부른다. ○ ×

❺ 건조 기후 지역에서 □□에 수로를 만드는 이유는 물이 강한 햇빛에 증발되는 것을 막기 위해서이다.
( )

정답 ❶ 건조 기후 ❷ ○ ❸ 베일 ❹ ○ ❺ 지하

건조 기후 지역 주민들의 생활 방식

수능풀 Guide 건조 기후 지역 주민들의 식생활과 지하 관개 수로 이용 방식에 대해 알아보자.

1 서남아시아의 식생활

오늘은 서남아시아에서 주로 사용하는 음식 재료에 대해 말씀해 주신다고 했는데요?

네, 그중 대표적인 작물인 [A]은/는 서남아시아의 비옥한 초승달 지대에서 기원하였다고 전해지는데요. 다양한 면 요리와 넌(난) 등의 음식 재료로 활용됩니다.

- 서남아시아에서 기원하고 다양한 면 요리의 음식 재료로 활용됨 → A는 밀
- 비옥한 초승달 지대: 이집트의 나일강 유역에서 티그리스·유프라테스강 유역의 메소포타미아에 이르는 지역
- 넌(난): 밀가루 반죽을 둥글고 평평하게 빚은 후 화덕에 구워 먹는 발효 빵

그럼, 서남아시아의 이슬람 문화권에서는 어떤 고기를 주로 먹나요?

이곳에서는 과거 유목민들이 그랬던 것처럼 지금도 양고기를 즐겨 먹습니다. 다만 종교적 관습에 따라 [B]고기를 먹는 것은 금기시되고 있습니다.

- 서남아시아의 종교적 관습에 따라 금시기되고 있는 고기 → B는 돼지

PLUS분석 밀은 건조하고 척박한 환경에서도 잘 자라며 빵은 저장과 운반이 편리해 이동 생활을 하는 유목민들에게 적합하다. 서남아시아 주민들의 대부분이 이슬람교를 믿고 있기 때문에 종교적 관습에 따라 돼지고기를 금기시하고, 대신 양고기를 활용한 음식과 유제품을 많이 먹는다.

기출 선택지로 확인하기

❶ 양고기 케밥은 돼지고기가 금기시되는 지역에서 발달해 주변 지역으로 전파되었다. ○ ×

❷ 서남아시아 지역에서 양은 거의 사육되지 않는다. ○ ×

❸ 서남아시아의 전통 농업 방식은 밀과 돼지를 결합한 혼합 농업이다. ○ ×

2 건조 기후 지역의 지하 관개 수로, 카나트

- 인공 우물(수직굴)이 줄지어 있는 모습
- 물의 증발을 막기 위해 지하에 수로를 건설함
- 수직 우물을 판 뒤 지하에는 수평 수로를 연결하여 필요한 지점까지 물을 보냄

이 지역은 강수량보다 증발량이 많은 지역으로, 인근 산지의 지하수를 마을까지 운반하기 위해 지하 수로를 건설하는데, 이 과정에서 파 놓은 수직굴이 줄지어 있는 모습을 볼 수 있었다.

- 강수량보다 증발량이 많은 지역: 건조 기후 지역에 해당함

PLUS분석 이러한 지하 관개 수로를 이란에서는 카나트, 아프가니스탄에서는 카레즈, 북부 아프리카에서는 포가라라고 부른다.

기출 선택지로 확인하기

❹ 이 지역의 땅속에는 영구 동토층이 분포한다. ○ ×

❺ 이 지역에서는 관개 농업으로 대추야자를 재배한다. ○ ×

❻ 이 지역은 물리적 풍화보다 화학적 풍화 작용이 우세하다. ○ ×

정답 ❶ ○ ❷ ×(서남아시아 지역에서는 돼지가 많이 사육되지 않는다.) ❸ ×(혼합 농업은 서부 유럽의 전통 농업 방식이다.) ❹ ×(영구 동토층은 주로 한대 기후 지역에 분포한다.) ❺ ○ ❻ ×(건조 기후 지역은 바람에 의한 물리적 풍화 작용이 우세하다.)

콕콕! 개념 확인하기

정답과 해설 49쪽

A 건조 아시아와 북부 아프리카의 자연환경 특성

01 건조 아시아와 북부 아프리카의 기후도이다. 이를 보고 내용이 옳으면 ○표, 틀리면 ×표를 하시오.

(세계의 제 지역, 2015)

(1) 건조 아시아와 북부 아프리카는 대부분 건조 기후 지역에 속한다. ( )

(2) 건조 아시아와 북부 아프리카는 증발량보다 강수량이 많다. ( )

(3) 지중해와 흑해 연안에는 연 강수량이 1,000㎜ 이상인 곳도 있다. ( )

(4) 건조 아시아와 북부 아프리카에는 세계적으로 큰 사막이 분포하고, 사막 지역 주변에는 초원이 분포한다. ( )

(5) 건조 아시아와 북부 아프리카는 인간 거주에 매우 유리한 곳이다. ( )

B 건조 아시아와 북부 아프리카의 전통적인 생활 모습

02 (가), (나)의 전통 가옥을 보고 알맞은 말에 ○표를 하시오.

(가)

(나)

(1) (가)는 주로 (사막 기후, 스텝 기후) 지역에서 볼 수 있다.

(2) (가)의 지붕이 평평한 것은 강수량이 (많은, 적은) 것과 관련이 깊다.

(3) (나)는 주로 (사막 기후, 스텝 기후) 지역에서 볼 수 있다.

(4) (나)는 중앙아시아에서 (게르, 유르트)라고 불린다.

(5) (나)는 (가)보다 유목 생활에 (유리, 불리)하다.

03 건조 아시아와 북부 아프리카 주민들의 생활 모습을 설명한 것이다. 빈칸에 알맞은 말을 쓰시오.

(1) 주민들은 헐렁하게 늘어지는 천으로 온몸을 감싸는 형태의 옷을 주로 입는데, 이는 통풍이 잘되면서도 보온 기능이 뛰어나 기온의 □□□이/가 큰 환경에 적합하기 때문이다.

(2) 주민들은 얼굴이나 머리를 감싸 그늘을 만들 수 있는 □□을/를 착용하기도 한다.

(3) 전통 음식은 가축의 고기, 특히 □□□을/를 활용한 것이 많다.

(4) 사막의 오아시스에서 가장 많이 재배되는 □□□□은/는 주민들의 중요한 식량 자원이다.

(5) 물이 부족한 지역에서는 주로 지하수를 이용하여 작물을 경작하는 □□ 농업을 한다.

(6) 초원 지역에서는 물과 풀을 찾아 이동하며 가축을 기르는 □□ 생활을 주로 한다.

탄탄! 내신 다지기

정답과 해설 49쪽

A 건조 아시아와 북부 아프리카의 자연환경 특성

01 다음 기후 그래프가 나타나는 지역에 대한 설명으로 옳은 것은?

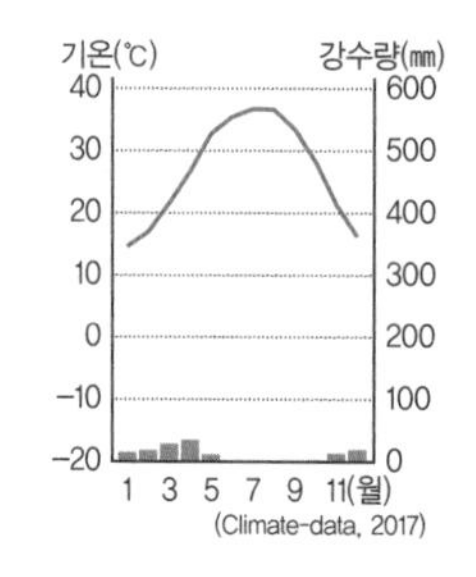

① 인간 거주에 유리하다.
② 강수량보다 증발량이 많다.
③ 연중 편서풍의 영향을 강하게 받는다.
④ 기온의 일교차보다 연교차가 크게 나타난다.
⑤ 일사량이 풍부하여 태양광(열) 발전에 불리하다.

02 건조 아시아와 북부 아프리카의 지형적 특징으로 옳은 것은?

① 대부분의 지역이 고기 조산대에 속한다.
② 사막과 높고 험준한 산지는 보기 어렵다.
③ 나일강 하구에는 비옥한 삼각주 평야가 형성되어 있다.
④ 지중해와 흑해 연안에는 대부분 사막이 형성되어 있다.
⑤ 티그리스·유프라테스강 중·하류에는 농경지 발달이 어렵다.

B 건조 아시아와 북부 아프리카의 전통적 생활 방식

03 다음과 같은 전통 복장이 발달한 기후 지역은?

① 열대 기후 지역
② 건조 기후 지역
③ 온대 기후 지역
④ 냉대 기후 지역
⑤ 한대 기후 지역

04 (가), (나) 전통 가옥에 대한 설명으로 옳은 것만을 〈보기〉에서 고른 것은?

(가) (나)

보기
ㄱ. (가)는 창문이 작고 벽이 두껍다.
ㄴ. (나)는 주로 사막 기후 지역에서 볼 수 있다.
ㄷ. (가)는 (나)보다 유목 생활에 불리하다.
ㄹ. (나)가 나타나는 기후 지역은 (가)가 나타나는 기후 지역보다 강수량이 적다.

① ㄱ, ㄴ ② ㄱ, ㄷ ③ ㄴ, ㄷ
④ ㄴ, ㄹ ⑤ ㄷ, ㄹ

서술형 문제

05 다음 그림을 보고 물음에 답하시오.

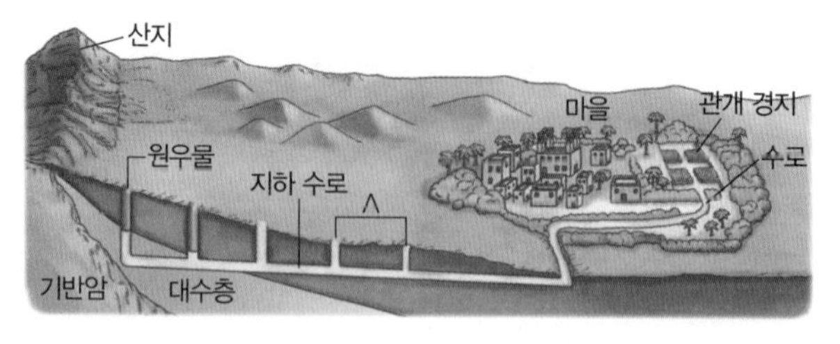

(1) A 시설을 이란에서는 무엇이라고 하는지 쓰시오.
(   )

(2) A 시설을 지하에 설치하는 이유를 해당 지역의 자연환경과 관련지어 서술하시오.

도전! 실력 올리기

정답과 해설 50쪽

01 지도는 건조 아시아와 북부 아프리카의 인구 분포를 나타낸 것이다. 이에 대한 옳은 설명만을 고른 것은?

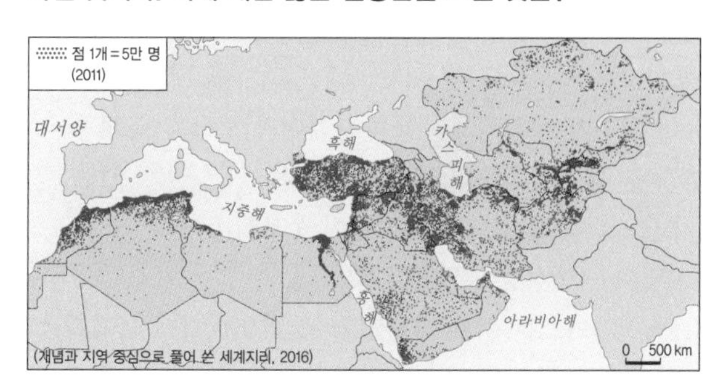

보기
ㄱ. 나일강 하류 일대는 인구 밀도가 높다.
ㄴ. 사막 기후 지역은 대체로 인구 밀도가 높다.
ㄷ. 티그리스·유프라테스강 유역은 인구 밀도가 높다.
ㄹ. 지중해와 흑해 연안 지역은 홍해 연안 지역보다 대체로 인구 밀도가 낮게 나타난다.

① ㄱ, ㄴ ② ㄱ, ㄷ ③ ㄴ, ㄷ
④ ㄴ, ㄹ ⑤ ㄷ, ㄹ

기출 변형

02 다음은 건조 기후 지역에서 볼 수 있는 경관과 그 경관을 설명한 자료이다. ㉠에 대한 옳은 설명만을 고른 것은?

이 지역에는 인근 산지의 지하수를 마을까지 운반하기 위해 ㉠지하 관개 수로가 건설되어 있다. 사진을 보면 지하수를 따라 파놓은 수직굴이 열을 지어 나타나는 것을 관찰할 수 있다.

보기
ㄱ. ㉠이 설치된 지역은 대체로 강수량이 많다.
ㄴ. ㉠을 이용하여 대추야자를 재배하기도 한다.
ㄷ. 중앙아시아 일대에서는 ㉠을 유르트라고 부른다.
ㄹ. ㉠을 이용하여 밀 경작지를 조성하기도 한다.

① ㄱ, ㄴ ② ㄱ, ㄷ ③ ㄴ, ㄷ
④ ㄴ, ㄹ ⑤ ㄷ, ㄹ

03 다음 자료에서 설명하고 있는 시설을 관찰할 수 있는 국가를 지도의 A~E에서 고른 것은?

바드기르는 일사량이 풍부해 기온이 높은 여름철에 자연 바람을 활용하여 실내의 공기를 냉각시키고자 만든 시설이다. 바드기르는 탑을 통해 내려간 공기가 분수나 지하수에 의해 냉각되고, 상대적으로 더워진 공기는 밖으로 배출되면서 실내 온도가 낮아지는 원리를 이용한 시설물이다.

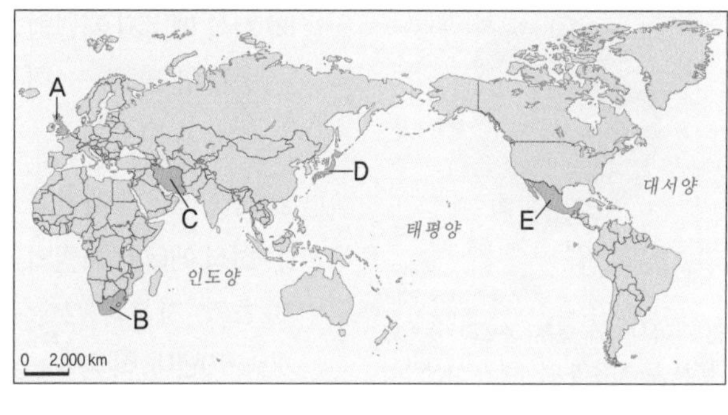

① A ② B ③ C ④ D ⑤ E

기출 변형

04 자료의 ㉠~㉤ 중 건조 아시아와 북부 아프리카의 전통적인 생활 모습으로 적절하지 않은 것은?

① ㉠ ② ㉡ ③ ㉢ ④ ㉣ ⑤ ㉤

02 주요 자원의 분포 및 이동과 산업 구조

❶ 지역별 석유 매장량과 생산량

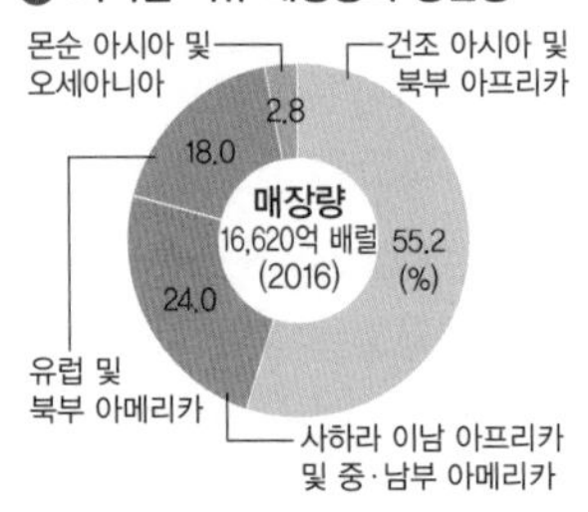

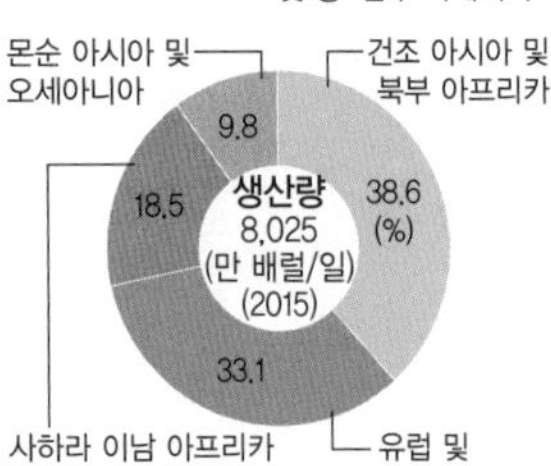

(미국 중앙 정보국, 2017)

건조 아시아와 북부 아프리카는 세계적으로 석유의 매장량과 생산량이 많다.

❷ 자원 민족주의
자원을 많이 보유하고 있는 개발 도상국들이 자원을 국유화하거나 국제 정치에서 영향력을 행사하기 위한 수단으로 삼는 것을 말한다.

❸ 석유 수출국 기구(OPEC)
회원국들 간 석유 정책을 서로 조율하여 생산국의 이익을 증대시키며, 국제 석유 시장의 생산량·가격 등을 조절하여 안정을 유지하기 위해 결성되었다.

A 화석 에너지 자원의 분포 및 이동과 개발 및 영향

1. 화석 에너지 자원의 분포와 이동

(1) 화석 에너지 자원의 분포: 석유와 천연가스의 세계적인❶ 매장지이자 생산지 자료 1

예 사우디아라비아, 이란, 이라크, 쿠웨이트 등은 세계적인 석유 수출국이며, 카타르와 이란은 세계적인 천연가스 수출국이야.

① **페르시아만 일대**: 세계 석유 매장량의 절반 정도가 집중되어 있음

인근에 산유국이 많고, 원유 수송의 길목에 해당해서 세계적으로 중요한 곳이야.

② **카스피해 연안**: 제2의 페르시아만으로 불릴 정도로 매장량이 풍부함

③ **북부 아프리카**: 알제리, 리비아의 석유 매장량이 많음

왜 석유와 천연가스는 자원의 편재성이 큰 대표적인 자원이야.

(2) 화석 에너지 자원의 이동: 석유와 천연가스는 주요 생산지와 소비지가 달라 국제적 이동량이 많음 → 대부분 동부 아시아와 주요 선진국으로 유조선과 송유관을 통해 이동하고 수출됨

2. 화석 에너지 자원의 개발과 영향

(1) 화석 에너지 자원의 개발

① **초기**: 자본과 기술 부족으로 선진국의 다국적 기업을 중심으로 개발

② **1970년대 이후**: 자원 민족주의❷를 내세우며 석유 산업을 국유화함 → 석유 수출국 기구(OPEC)❸를 결성하여 국제적인 영향력 행사

1970년대 두 번의 오일 쇼크를 일으키며 세계의 많은 나라에 영향력을 행사했고, 지금도 막강한 힘을 가지고 있어.

(2) 화석 에너지 자원의 개발에 따른 영향

① **긍정적 영향**: 사회 간접 자본 확충, 급격한 경제 발전, 생활 수준의 향상

② **부정적 영향**: 도시와 농촌 간의 빈부 격차, 전통적 농목업 쇠퇴, 해외 경제 의존도의 심화, 석유를 둘러싼 지역 분쟁 발생

B 주요 국가의 산업 구조와 변화를 위한 노력

1. 산업 구조의 특징과 주요 국가의 산업 구조

(1) 산업 구조의 특징 자료 2

① **화석 에너지 자원이 풍부한 국가**: 2차 산업 위주

② **화석 에너지 자원이 풍부하지 않은 국가**: 1·3차 산업 위주

예 이집트와 터키는 자원 매장량이 적어 에너지 자원을 대부분 수입에 의존하며, 국가 수입의 많은 부분을 관광 산업을 통해 얻고 있어.

(2) 주요 국가의 산업 구조

국가	산업 구조
사우디아라비아	• 석유, 천연가스 등 에너지 자원 관련 산업 발달 • 2차 산업의 비중이 절반 가량 차지, 에너지 자연 관련 사업에 대한 의존도가 높음
카자흐스탄	석유 및 천연가스 관련 산업과 광물의 채굴 및 가공 산업 위주의 산업 구조
이집트	• 고대 문명의 유적을 바탕으로 관광 산업 발달 • 최근 석유와 천연가스가 생산되면서 경제 성장
터키	• 농업 발달, 최근 제조업의 성장이 두드러짐 • 많은 유적과 아름다운 자연 경관을 활용한 관광 산업 발달

2. 산업 구조의 문제점과 변화를 위한 노력

산업 구조의 문제점	• 산업 및 수출 구조에서 석유가 차지하는 비중이 큼 • 화석 에너지 자원 고갈과 가격 변동에 따라 국가 재정 및 경제 상황의 변화가 큼
변화를 위한 노력	• 걸프 협력 회의 구성, 산업 구조의 다변화 추구(금융 및 물류 산업, 신·재생 에너지 산업과 관광 산업 육성) 자료 3

★ 한눈에 정리

건조 아시아와 북부 아프리카 주요 국가의 산업 구조

특징	에너지 자원 관련 산업에 대한 의존도가 높음
문제점	가격 변동에 따른 경제 상황의 변화가 큼
변화 노력	산업 구조의 다변화

교과서 자료 모아 보기

자료 확인 문제

자료 1 화석 에너지 자원의 분포

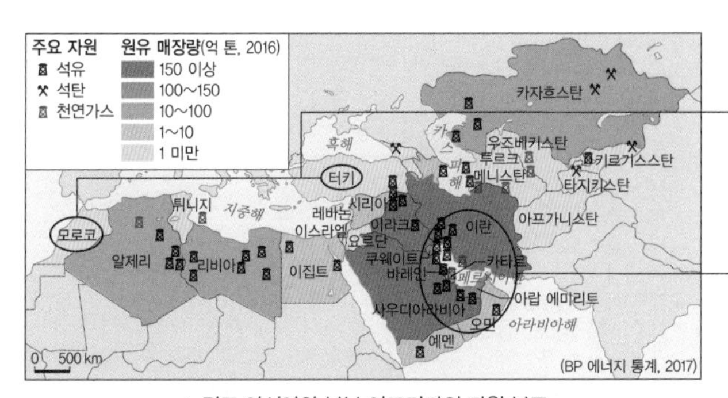

▲ 건조 아시아와 북부 아프리카의 자원 분포

한줄 핵심 건조 아시아와 북부 아프리카는 전 세계 석유 매장량의 절반 이상을 차지한다.

❶ 전 세계 석유 매장량의 절반 정도가 집중되어 있는 지역은?
( )

❷ 건조 아시아와 북부 아프리카에서 석유 매장량이 가장 많은 나라는 터키이다. ○ ×

자료 2 주요 국가의 산업 구조와 무역 구조

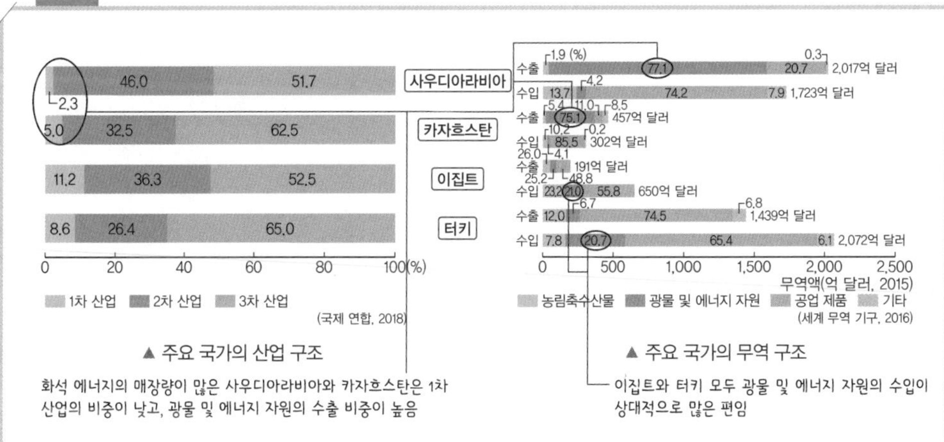

▲ 주요 국가의 산업 구조 ▲ 주요 국가의 무역 구조

화석 에너지의 매장량이 많은 사우디아라비아와 카자흐스탄은 1차 산업의 비중이 낮고, 광물 및 에너지 자원의 수출 비중이 높음

이집트와 터키 모두 광물 및 에너지 자원의 수입이 상대적으로 많은 편임

한줄 핵심 건조 아시아와 북부 아프리카 주요 국가의 산업 구조는 화석 에너지 자원의 분포 및 개발과 관련이 깊다.

❸ 사우디아라비아, 카자흐스탄, 이집트, 터키 모두 2차 산업의 비중이 가장 크다. ○ ×

❹ 사우디아라비아와 카자흐스탄에서 수출 비중이 가장 높은 품목은?
( )

자료 3 아랍 에미리트의 변화

두바이는 주메이라 해안에 건설된 인공섬, 면세 혜택이 있는 각종 상점, 인공 눈으로 만든 스키장 등을 통해 꾸준하게 관광객을 늘려 관광 수입을 올리고 있음

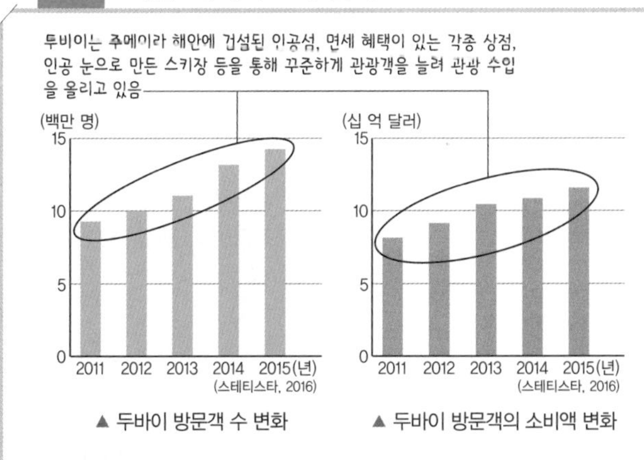

▲ 두바이 방문객 수 변화 ▲ 두바이 방문객의 소비액 변화

| 자료 분석 | 아랍 에미리트는 화석 에너지 자원을 바탕으로 축적한 부를 통해 정치적 안정과 매력적인 투자 환경을 제공하며 전 세계 무역·금융·교통·관광 산업의 중심지로 거듭나고 있다. 특히 두바이는 소규모 어촌에서 최첨단 도시로 탈바꿈하였다.

한줄 핵심 아랍 에미리트를 포함한 여러 국가들은 산업 구조의 다변화를 위해 노력하고 있다.

❺ 소규모 어촌에서 최첨단 도시로 탈바꿈하고 있는 아랍 에미리트의 도시는?
( )

정답 ❶ 페르시아만 ❷ ×(사우디아라비아이다.) ❸ ×(3차 산업의 비중이 가장 크다.) ❹ 광물 및 에너지 자원 ❺ 두바이

에너지 자원의 생산과 소비

수능풀 Guide 건조 기후 지역에서 주로 생산되는 석유의 분포 및 이동을 살펴보고, 'Ⅲ-05 주요 에너지 자원과 국제 이동' 단원과 연계하여 1차 에너지 자원의 특성을 같이 알아보자.

1 1차 에너지 자원의 생산량과 소비량 비중

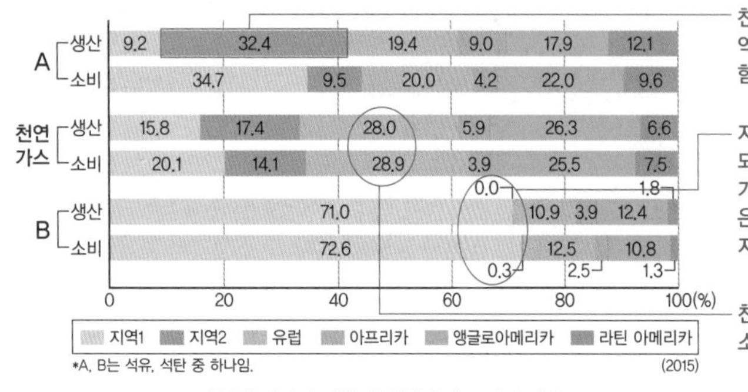

천연가스나 B에 비해 생산 지역과 소비 지역의 구분이 확연함 → A는 석유

지역1에서 대부분 생산·소비되고, 지역2에서는 생산과 소비가 미미함 → B는 석탄, 지역1은 몬순 아시아와 오세아니아, 지역2는 서남아시아임

천연가스는 유럽에서 생산과 소비 비중이 높음

▲ 지역별 에너지 자원의 생산량과 소비량 비중

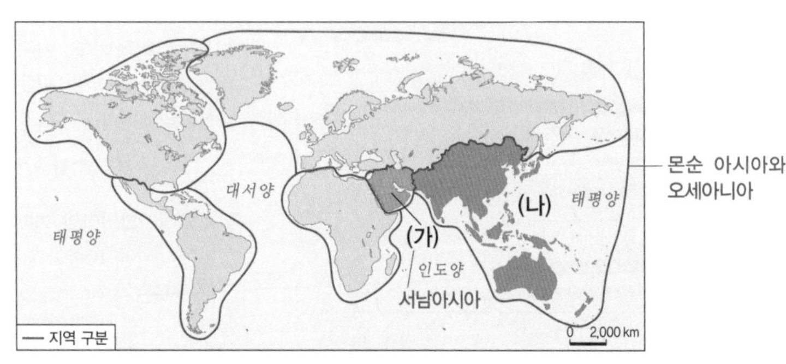

몬순 아시아와 오세아니아

PLUS분석 석유는 서남아시아 지역에서 많이 생산되는 자원이며, 생산 지역과 소비 지역이 달라 국제적 이동량이 많다. 천연가스는 러시아를 포함한 유럽에서, 석탄은 몬순 아시아와 오세아니아에서 생산과 소비가 많이 이루어진다.

기출 선택지로 확인하기

❶ A는 주요 생산지와 소비지가 다르다. ○ ×

❷ B는 A보다 매장 지역이 편재되어 있어 국제 이동량이 많다. ○ ×

❸ A는 (나) 지역보다 (가) 지역에 많이 매장되어 있다. ○ ×

2 1차 에너지 자원의 소비 구조

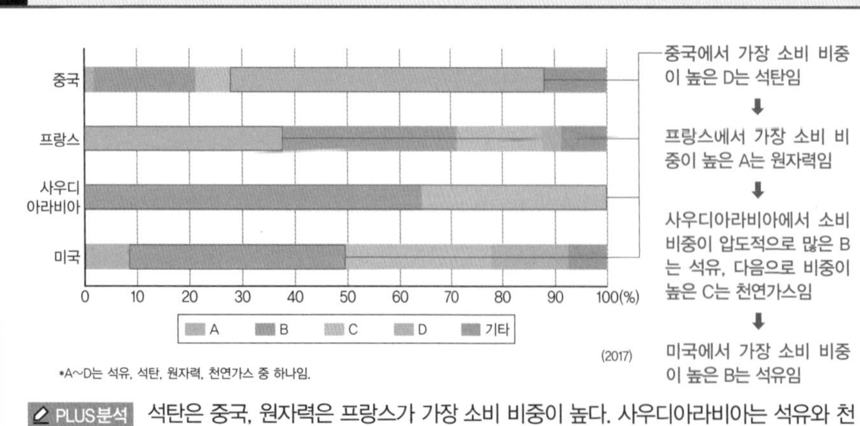

중국에서 가장 소비 비중이 높은 D는 석탄임
⬇
프랑스에서 가장 소비 비중이 높은 A는 원자력임
⬇
사우디아라비아에서 소비 비중이 압도적으로 많은 B는 석유, 다음으로 비중이 높은 C는 천연가스임
⬇
미국에서 가장 소비 비중이 높은 B는 석유임

PLUS분석 석탄은 중국, 원자력은 프랑스가 가장 소비 비중이 높다. 사우디아라비아는 석유와 천연가스의 생산이 많아 두 자원이 소비의 대부분을 차지한다.

기출 선택지로 확인하기

❹ 사우디아라비아는 세계적인 A의 매장 지역이다. ○ ×

❺ B는 D보다 국제적 이동량이 많다. ○ ×

❻ C는 B보다 연소 시 대기 오염 물질 배출량이 적다. ○ ×

정답 ❶ ○ ❷ ×(석유(A)가 석탄(B)보다 편재되어 있어 국제 이동량이 많다.) ❸ ○ ❹ ×(사우디아라비아는 세계적인 석유(B)의 매장 지역이다.) ❺ ○ ❻ ○

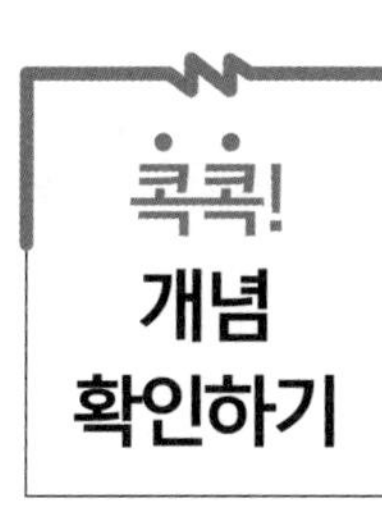

정답과 해설 51쪽

A 화석 에너지 자원의 분포 및 이동과 개발 및 영향

01 다음 그래프를 참고하여 내용이 옳으면 ○표, 틀리면 ×표를 하시오.

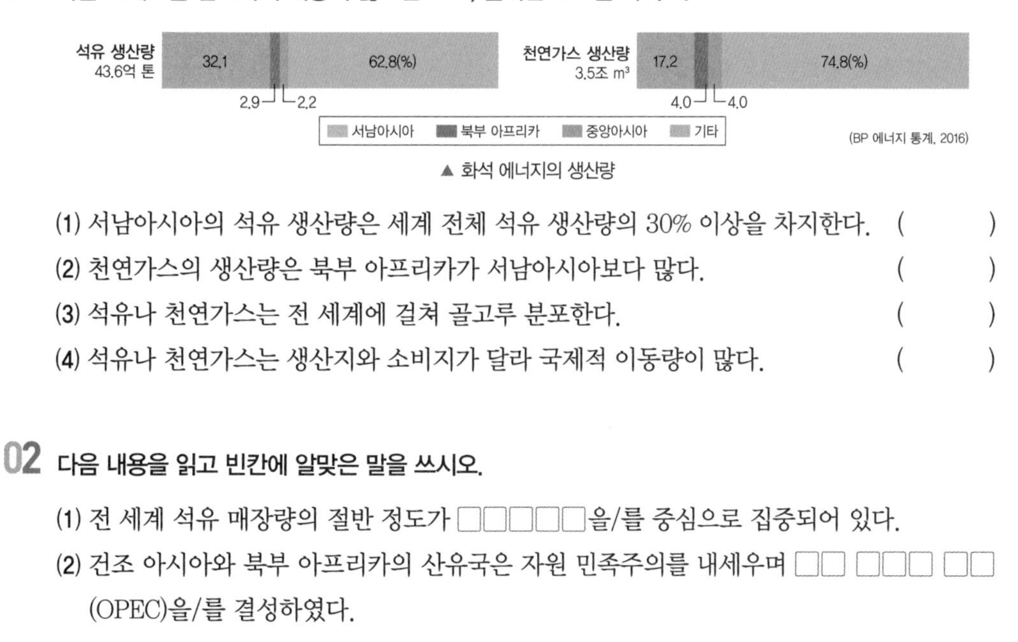

▲ 화석 에너지의 생산량

(1) 서남아시아의 석유 생산량은 세계 전체 석유 생산량의 30% 이상을 차지한다. ( )
(2) 천연가스의 생산량은 북부 아프리카가 서남아시아보다 많다. ( )
(3) 석유나 천연가스는 전 세계에 걸쳐 골고루 분포한다. ( )
(4) 석유나 천연가스는 생산지와 소비지가 달라 국제적 이동량이 많다. ( )

02 다음 내용을 읽고 빈칸에 알맞은 말을 쓰시오.

(1) 전 세계 석유 매장량의 절반 정도가 □□□□□을/를 중심으로 집중되어 있다.
(2) 건조 아시아와 북부 아프리카의 산유국은 자원 민족주의를 내세우며 □□ □□□ □□(OPEC)을/를 결성하였다.

B 주요 국가의 산업 구조와 변화를 위한 노력

03 다음 두 그래프를 참고하여 알맞은 말에 ○표를 하시오.

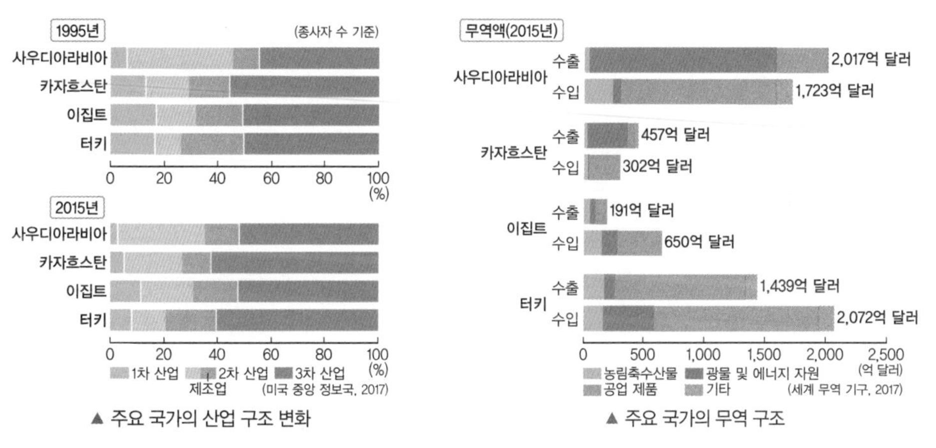

▲ 주요 국가의 산업 구조 변화 ▲ 주요 국가의 무역 구조

(1) 사우디아라비아의 1차 산업의 비중은 1995년보다 2015년에 (증가, 감소)하였다.
(2) 2015년 1차 산업의 비중이 가장 높은 국가는 (이집트, 터키)이다.
(3) 2015년 수출액은 (사우디아라비아, 카자흐스탄)이/가 가장 많다.
(4) 2015년 수출보다 수입이 더 많은 국가는 (카자흐스탄, 이집트)이다.

04 건조 아시아와 북부 아프리카의 산업 구조 변화에 대한 설명이다. 빈칸에 알맞은 말을 쓰시오.

(1) 건조 아시아와 북부 아프리카의 주요 국가는 석유 의존도가 높은 산업 구조를 벗어나기 위해 산업 구조의 □□□을/를 꾀하고 있다.
(2) □□ □□□□은/는 금융 산업과 관광 산업에 투자를 늘리고 두바이, 아부다비 등에 국제공항, 쇼핑몰, 휴양 시설 등을 건설하였다.
(3) □□□은/는 고대 문명의 유적을 바탕으로 관광 산업이 발달하였다.

탄탄! 내신 다지기

정답과 해설 51쪽

A 화석 에너지 자원의 분포 및 이동과 개발 및 영향

01 건조 아시아와 북부 아프리카의 화석 에너지 자원의 분포 및 석유 매장량을 나타낸 지도이다. 이에 대한 설명으로 옳은 것은?

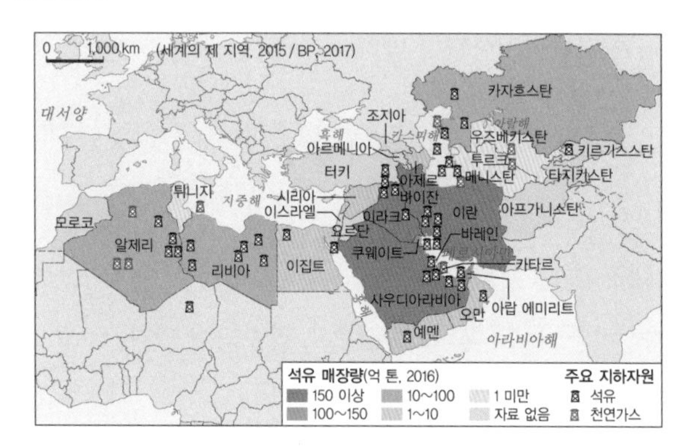

① 알제리의 석유 매장량은 이란보다 많다.
② 지중해 동부 연안에는 석유가 많이 매장되어 있다.
③ 흑해 연안은 페르시아만보다 천연가스 생산이 많다.
④ 페르시아만 일대 국가들의 석유 매장량이 가장 많다.
⑤ 북부 아프리카에서는 모로코와 튀니지의 석유 매장량이 가장 많다.

02 건조 아시아와 북부 아프리카에서 화석 에너지 자원의 개발에 따른 영향으로 옳지 않은 것은?

① 주민들의 생활 수준이 향상되었다.
② 화석 에너지를 둘러싼 분쟁이 빈번해졌다.
③ 인구가 농촌으로 집중되는 현상이 발생하였다.
④ 경제 발전을 이룬 국가의 소득 불평등이 심화되었다.
⑤ 일부 자원 개발국의 해외 경제 의존도가 심화되었다.

B 주요 국가의 산업 구조와 변화를 위한 노력

03 그래프는 건조 아시아와 북부 아프리카 주요 국가의 산업 구조를 나타낸 것이다. 이에 대한 설명으로 옳은 것은?

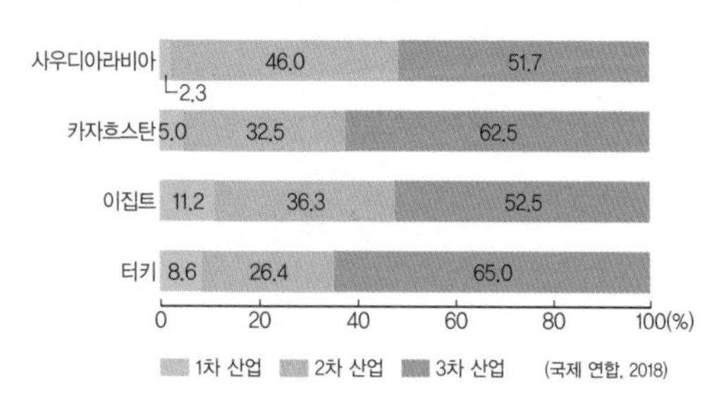

① 터키는 2차 산업의 비중이 가장 크다.
② 3차 산업의 비중은 카자흐스탄이 가장 작다.
③ 이집트는 터키보다 3차 산업의 비중이 크다.
④ 1차 산업의 비중은 사우디아라비아가 가장 작다.
⑤ 이집트는 1차 산업의 비중이 2차 산업보다 크다.

04 그래프는 사우디아라비아의 인구 구조를 나타낸 것이다. 이에 대한 설명으로 옳은 것만을 <보기>에서 고른 것은?

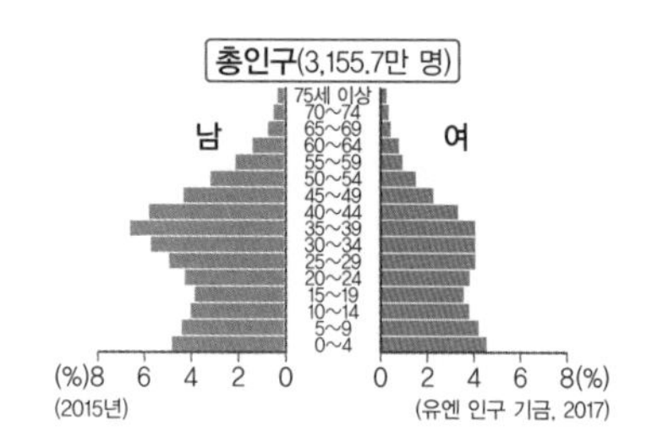

보기
ㄱ. 유소년층 인구의 비중이 노년층 인구 비중보다 작다.
ㄴ. 노년층에서는 여초 현상이 나타난다.
ㄷ. 청장년층의 남초 현상은 외국인 노동자의 유입과 관련이 깊다.
ㄹ. 청장년층의 인구 비중은 유소년층과 노년층의 인구 비중을 합한 것보다 크다.

① ㄱ, ㄴ ② ㄱ, ㄷ ③ ㄴ, ㄷ ④ ㄴ, ㄹ ⑤ ㄷ, ㄹ

서술형 문제

05 그래프는 건조 아시아와 북부 아프리카 주요 국가의 무역 구조를 나타낸 것이다. 이를 보고 물음에 답하시오.

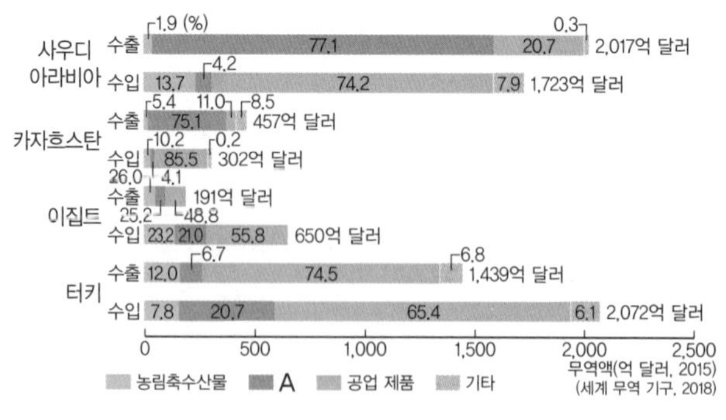

(1) A에 들어갈 알맞은 말을 쓰시오. (　　　　　　)

(2) A와 관련하여 사우디아라비아와 터키의 무역 구조를 비교하시오.

도전! 실력 올리기

정답과 해설 52쪽

01 그래프는 세계의 석유와 천연가스의 매장량 및 생산량을 나타낸 것이다. 이에 대한 설명으로 옳은 것은?

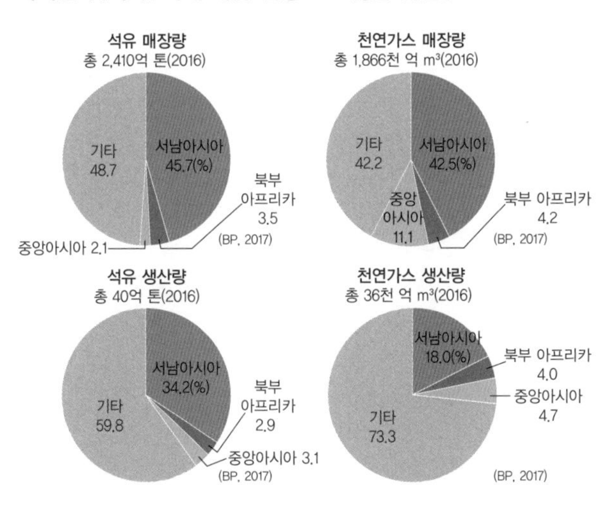

① 북부 아프리카의 석유 매장량은 10%가 넘는다.
② 석유 생산량은 북부 아프리카가 중앙아시아보다 많다.
③ 천연가스 생산량은 중앙아시아가 서남아시아보다 많다.
④ 중앙아시아의 천연가스 매장량 비중은 석유의 5배가 넘는다.
⑤ 서남아시아, 중앙아시아, 북부 아프리카를 합한 석유 매장량은 전 세계의 50% 미만이다.

기출 변형

02 그래프는 네 국가의 1차 에너지 소비 구조를 나타낸 것이다. 이에 대한 설명으로 옳은 것은? (단, (가)~(다)는 중국, 프랑스, 사우디아라비아 중 하나이고, A~D는 석유, 석탄, 원자력, 천연가스 중 하나임.)

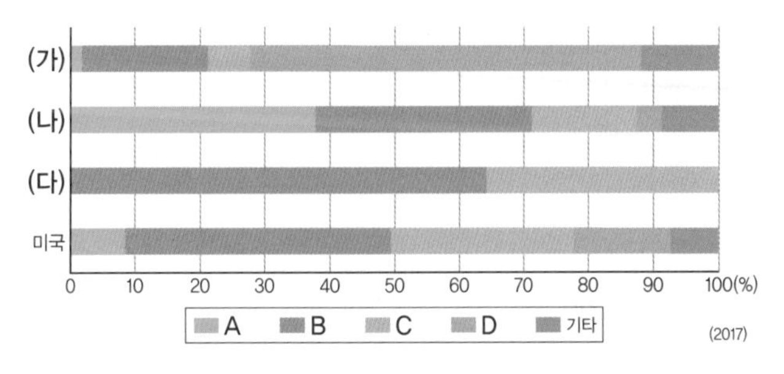

① (가)는 중국이고, 석유를 가장 많이 소비한다.
② (나)는 프랑스이고, 석탄의 소비가 가장 많다.
③ (다)는 사우디아라비아이고, 석유의 소비가 가장 많다.
④ (가)는 (나)보다 천연가스의 소비 비중이 크다.
⑤ (다)는 (가)보다 석탄의 소비 비중이 크다.

03 그래프는 건조 아시아에 속하는 두 국가의 산업 및 무역 구조를 나타낸 것이다. (가), (나) 국가에 대한 옳은 설명만을 〈보기〉에서 고른 것은?

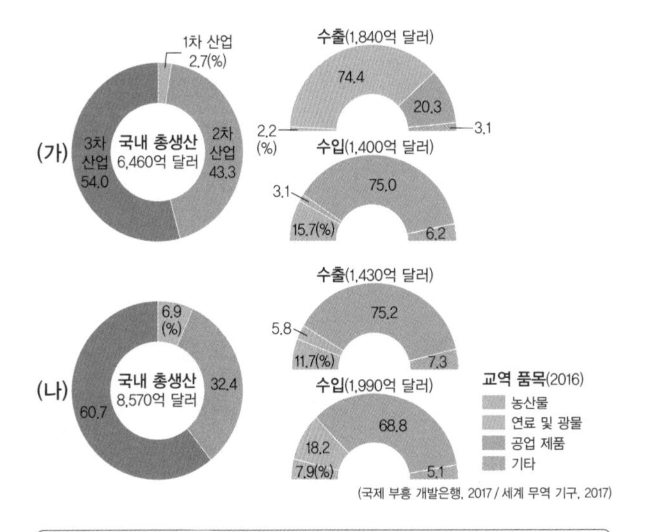

보기
ㄱ. (가)는 (나)보다 수출액이 많다.
ㄴ. (가)는 (나)보다 국내 총생산이 많다.
ㄷ. (나)는 (가)보다 2차 산업의 비중이 작다.
ㄹ. (가), (나) 모두 1차 산업의 비중이 가장 크다.

① ㄱ, ㄴ ② ㄱ, ㄷ ③ ㄴ, ㄷ
④ ㄴ, ㄹ ⑤ ㄷ, ㄹ

04 다음 글의 (가) 도시가 속한 나라를 지도의 A~E에서 고른 것은?

(가) 은/는 1990년대 초부터 관광, 물류, 금융, 항공 등의 산업을 통해 성장하고 있다. 현재 (가) 에는 유럽과 아프리카를 연결하는 지리적 이점을 적극적으로 활용하여 세계적인 수준의 항만과 공항이 건설되었다. (가) 의 인공섬 팜 주메이라에는 관광객을 위한 호텔과 쇼핑몰 등이 즐비하다.

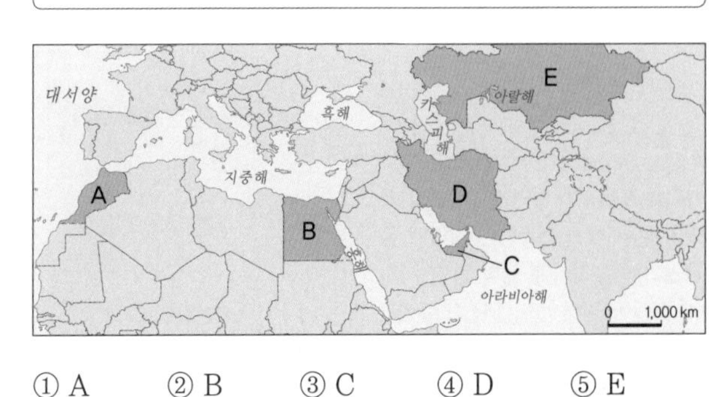

① A ② B ③ C ④ D ⑤ E

03 사막화의 진행

한눈에 정리

사막화의 과정

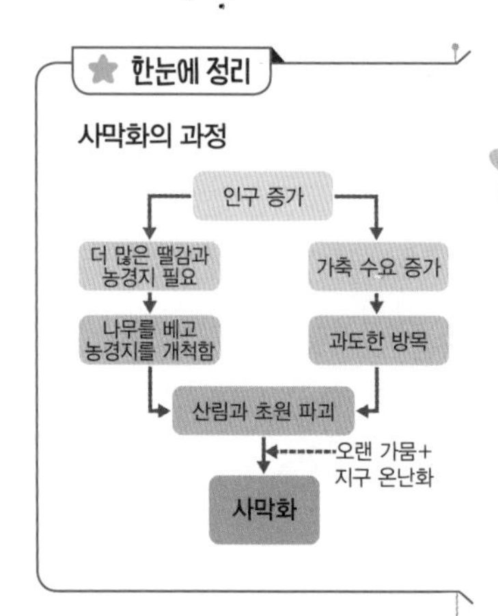

A 사막화의 원인과 진행 지역

1. 사막화의 의미와 원인

(1) 의미: 건조 또는 반건조 지역에서 자연적·인위적 요인에 의해 식생이 감소하고 토양이 황폐화되는 현상

뜻 반건조 지역: 사막 주변에 위치한 초원 지역을 말해.

(2) 원인

① 자연적 요인: 장기간의 가뭄과 지구 온난화 현상의 지속

지구 온난화 현상으로 대기의 기온이 상승하여 사막화가 더욱 가속화되고 있어.

② 인위적 요인: 무분별한 벌목, 경작지와 방목지의 확대, 지나친 관개로 인한 토지의 염도 상승 등

2. 사막화의 진행 지역

(1) 사헬 지대❶ 자료 1

사헬 지대는 인구의 급격한 증가로 숲과 초지가 주거지 및 경작지로 바뀌었고, 가축의 수도 증가하면서 초원이 점차 사라지고 있어.

① 급격한 인구 증가: 1960년대 이후 인구 급증으로 사막화가 진행되고 있음

② 가축 방목과 삼림 벌채: 토양이 침식되고 초원이 황폐해지면서 사막화가 가속화되고 있음

(2) 아랄해 연안 자료 2

① 목화 관개 농업 확대: 아랄해❷로 흘러드는 하천 물의 양이 줄어듦

② 지나친 물 자원 개발과 관개 농업: 토양의 염분 농도가 높아져 사막화가 가속화되고 있음

과거 호수였던 지역이 사막으로 변하고 소금으로 뒤덮이게 되었어.

❶ 사헬 지대
사헬은 아랍어로 '가장자리'를 뜻하며, 사헬 지대는 사하라 사막 남쪽에 위치하여 빠르게 사막화가 진행되는 지역을 일컫는다. 사헬 지대는 북위 12°~20° 사이에 분포하며, 대서양 연안의 세네갈부터 홍해 연안의 지부티까지 여러 나라에 걸쳐 있다.

❷ 아랄해
우즈베키스탄 북부와 카자흐스탄 남부에 위치하고 있는 아랄해는 한때 면적 세계 4위의 호수였으나, 강물의 유입이 해마다 줄어들면서 호수의 면적이 급격히 좁아지고 있다.

B 사막화의 진행으로 인한 지역 문제와 해결 노력

1. 사막화로 인한 지역 문제

(1) 사막화의 진행에 따른 지역 문제

① 경작지의 황폐화로 토양의 식량 생산 능력이 떨어져 기근 발생 → 식량 확보를 둘러싼 갈등 발생, 주민들이 삶의 터전을 잃어 난민으로 전락

주민들이 삶의 터전을 잃고 난민이 되어 이웃 국가로 몰려들면서 지역민과 분쟁을 일으키기도 해.

② 하천 유량과 지하수 감소로 물 부족 현상 발생

③ 토양의 결합력 약화로 모래 먼지 발생 → 주민 건강에 악영향, 주변 지역이나 멀리 떨어진 지역에도 피해

예 수막염, 호흡기 질환이 증가하고 있어.

④ 생태계 균형 파괴, 생물 종 다양성 감소에 영향

(2) 대표적인 지역 문제

① 수단의 다르푸르❸ 분쟁: 환경적 문제가 민족 갈등의 요인이 됨

② 소말리아의 환경 난민: 사막화가 진행되면서 삶터를 잃어 환경 난민으로 전락함

❸ 다르푸르 분쟁

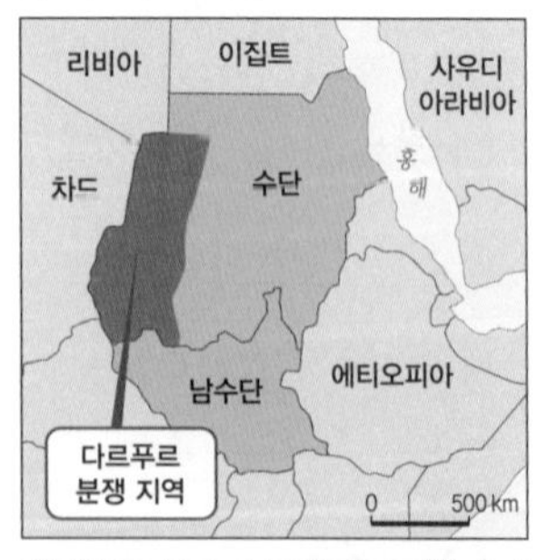

사막화로 초지가 사라지자, 가축에게 먹일 풀을 찾아 이동하던 아랍계 유목민과 아프리카계 정착 농민 사이에 갈등이 발생했고, 내전으로까지 번져 많은 사람이 죽거나 난민으로 전락했다.

2. 사막화 해결을 위한 노력

국제 연합의 노력	• 사막화 방지 협약(UNCCD) 체결 • 사막화 방지와 사막화가 진행 중인 개발 도상국에 대한 재정적·기술적 지원 • 매년 6월 17일을 사막화 방지의 날로 지정
주변 국가의 노력	사헬 지대의 녹색 장벽 사업 → 사헬 지대의 사막화를 막기 위해 아프리카 서쪽 끝에서 동쪽 끝까지 긴 숲을 만드는 사업 자료 3
그 밖의 다양한 노력들	• 재래종 풀 보존 사업 • 관개 방식 개선 사업 • 연료용 목재 채취를 줄이기 위한 태양광 시설 보급 등

교과서 자료 모아 보기

자료 확인 문제

자료 1 사막화가 빠르게 진행되고 있는 사헬 지대

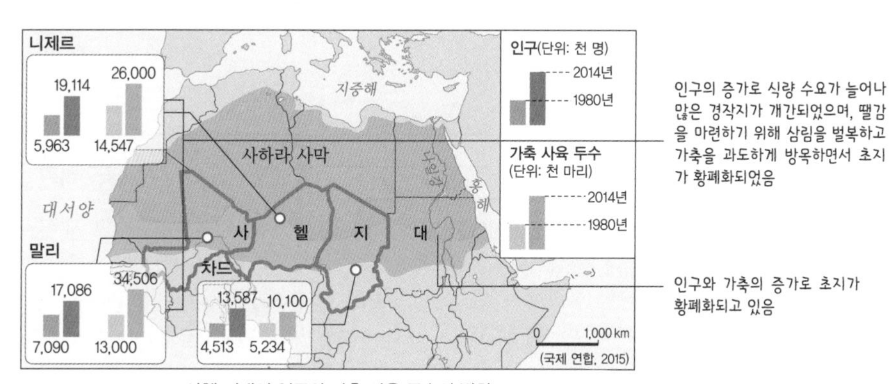

인구의 증가로 식량 수요가 늘어나 많은 경작지가 개간되었으며, 땔감을 마련하기 위해 삼림을 벌목하고 가축을 과도하게 방목하면서 초지가 황폐화되었음

인구와 가축의 증가로 초지가 황폐화되고 있음

▲ 사헬 지대의 인구와 가축 사육 두수의 변화

| 자료 분석 | 한 번 황폐화된 땅은 비가 오더라도 수분이 땅속에 저장되지 않고 오히려 토양 침식이 증가되어 사막화는 더욱 가속화된다.

한줄 핵심 사헬 지대의 사막화는 가뭄에 인간의 활동이 더해지면서 빠르게 진행되었다.

❶ 사하라 사막의 남쪽 가장자리를 일컫는 말로, 사막화가 빠르게 진행되고 있는 곳은?
( )

❷ 사헬 지대 사막화의 주요 원인은 □□와/과 □□의 빠른 증가이다.
( )

자료 2 죽음의 사막으로 변한 아랄해

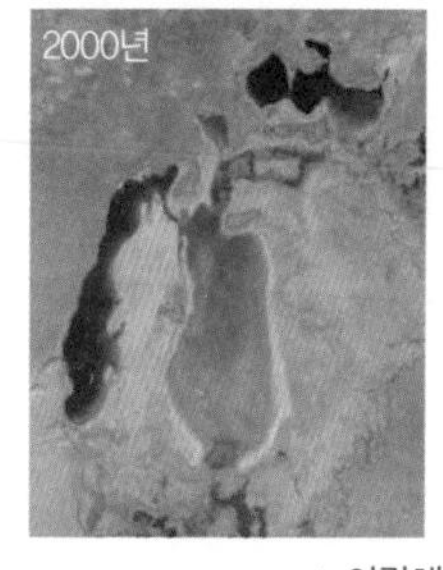

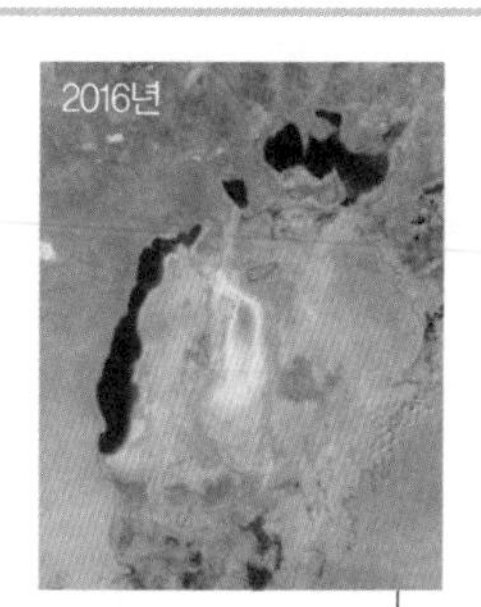

▲ 아랄해의 면적 감소

관개 시설의 증가로 하천의 수량이 감소하면서 과거 세계에서 네 번째로 큰 호수였던 아랄해의 면적이 크게 줄어들었음

▲ 사막으로 변한 우즈베키스탄의 옛 항구

무이나크는 과거 아랄해와 접한 우즈베키스탄 유일의 항구 도시였으나, 지금은 황폐해졌음

한줄 핵심 아랄해는 과도한 관개 농업으로 인해 빠르게 사막화가 진행되었다.

❸ 세계에서 네 번째로 큰 호수였으나, 사막화로 그 면적이 축소된 호수는?
( )

❹ 아랄해의 사막화는 과도한 □□ 농업이 주요 원인이다.
( )

자료 3 사헬 지대의 녹색 장벽 사업

사헬 지대의 사막화를 막기 위해 아프리카를 가로질러 폭 약 15km, 길이 약 7,700km에 달하는 거대한 숲을 만들려는 계획으로, 이 사업이 성공적으로 진행되면 토양의 질 향상, 식량 재배지 증가 등의 효과가 나타날 수 있음

한줄 핵심 그레이트 그린 월(Great Green Wall) 사업은 사헬 지대의 사막화를 막기 위한 것이다.

❺ 그레이트 그린 월 사업은 사헬 지대의 □□□을/를 막기 위해 숲의 장벽을 만들려는 계획이다.
( )

정답 ❶ 사헬 지대 ❷ 인구, 가축 ❸ 아랄해 ❹ 관개 ❺ 사막화

사막화가 진행되고 있는 지역들

수능풀 Guide 건조 아시아와 북부 아프리카에서 사막화가 진행되고 있는 지역과 원인 및 대책에 대해 알아보자.

1 사헬 지대의 사막화와 방지 대책

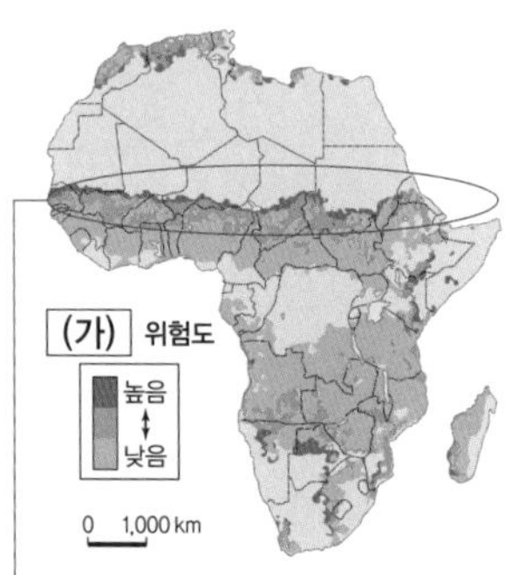

사하라 사막 남부의 사헬 지대는 오랜 가뭄, 지구 온난화 현상과 같은 자연적 요인과 경작지 및 방목지 확대 등의 인위적 요인으로 인해 빠르게 (가) 사막화가 진행되고 있음 → 사막화를 방지하기 위한 사막화 방지 협약(UNCCD) 체결

ㅇㅇ신문 2017년 □월 △일

녹색 장벽[Great Green Wall] 조성 현장에 가다!

사헬 지역 국가들은 (가) 에 공동 대응하고 있다. 사헬의 서쪽 끝 세네갈부터 동쪽 끝 지부티까지 폭 약 15km, 길이 약 7,700km의 숲을 조성하여 (가) 을/를 막기 위한 사업이 진행 중이다.

사헬 지역 국가들이 공동 대응, 사헬의 서쪽 끝에서 동쪽 끝까지 숲 조성 사업 진행 → (가)는 사막화

PLUS분석 사헬 지대의 사막화가 빠르게 진행되는 것을 막기 위해 사헬 지역의 에티오피아, 말리, 세네갈, 니제르, 수단 등 20개 국가들은 녹색 장벽 건설에 나서고 있다.

기출 선택지로 확인하기

❶ (가)는 사막 주변 지역에서 주로 발생한다. ○ ×

❷ (가)는 장기간의 가뭄, 과도한 경작과 방목이 주요 원인이다. ○ ×

❸ (가)는 호수의 산성화와 건물 부식 피해를 일으킨다. ○ ×

❹ (가) 문제 해결을 위해 몬트리올 의정서가 채택되었다. ○ ×

2 아랄해의 사막화

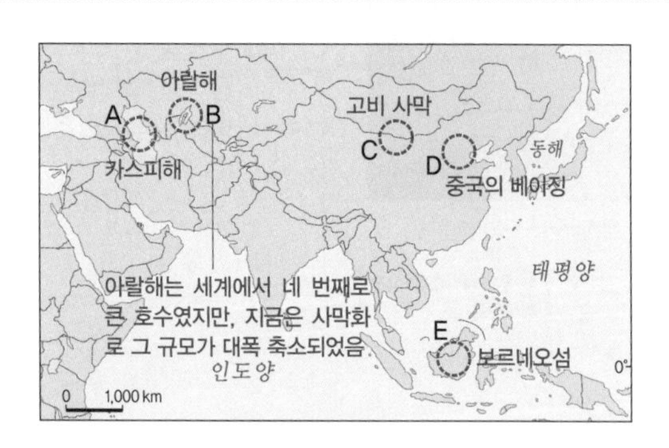

아랄해는 세계에서 네 번째로 큰 호수였지만, 지금은 사막화로 그 규모가 대폭 축소되었음

PLUS분석 세계는 사막화 이에도 여러 가지 환경 문제가 발생하고 있다. 카스피해(A)에서는 석유 자원 개발에 따른 해양 오염이, 고비 사막(C)에서는 황사가, 중국의 주요 공업 지역(D)에서는 대기 중 미세 먼지가 많이 발생한다. 보르네오섬(E)은 벌목과 농경지 확대로 인해 열대림이 감소하고 있다.

기출 선택지로 확인하기

❺ B에서는 관개 농업의 확대로 호수 면적이 감소하고 있다. ○ ×

3 그 밖의 사막화 지역

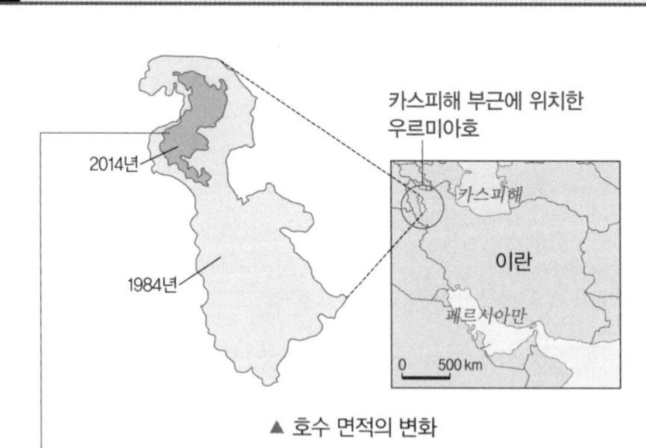

▲ 호수 면적의 변화

1984년에 비해 2014년 현재 그 규모가 약 10% 수준으로 축소되었음 → 사막화와 대규모 관개 농업의 실시로 호수의 면적이 줄어듦

기출 선택지로 확인하기

❻ 지도에 나타난 환경 문제는 지속된 가뭄, 과도한 경작과 방목이 주요 원인이다. ○ ×

❼ 지도에 나타난 환경 문제로 인해 피부암과 백내장 발병률이 증가한다. ○ ×

정답 ❶ ○ ❷ ○ ❸ ×(산성비의 피해이다.) ❹ ×(사막화 방지 협약이 채택되었다. 몬트리올 의정서는 오존층 보호를 위한 국제 협약이다.) ❺ ○ ❻ ○ ❼ ×(피부암과 백내장 등은 오존층 파괴와 관련 있다.)

콕콕! 개념 확인하기

정답과 해설 53쪽

A 사막화의 원인과 진행 지역

01 건조 아시아와 북부 아프리카의 사막화에 대한 설명이다. 빈칸에 알맞은 말을 쓰시오.

(1) □□□은/는 건조 또는 반건조 지역에서 식생이 감소하고 토양이 황폐화되는 현상이다.

(2) 사막화는 오랜 가뭄, 지구 온난화와 같은 □□□ 요인과 인구 증가, 가축 사육 증가, 삼림 훼손, 관개 농업 확대 등의 □□□ 요인으로 발생하고 있다.

(3) 사막화는 아프리카 사하라 사막 남쪽의 □□ □□와/과 중앙 아시아의 아랄해 주변에서 급속히 진행되고 있다.

(4) 아프리카의 사헬 지대는 급격한 □□ 증가와 이에 따른 지나친 □□ 방목 및 삼림 벌채 등으로 사막화가 빠르게 진행되고 있다.

(5) 중앙 아시아의 □□□ 연안은 과도한 관개 농업과 물 자원의 남용으로 사막화가 진행되면서 호수 주변의 토양이 황폐해졌다.

02 다음은 사막화의 과정을 나타낸 것이다. A~C에 알맞은 말을 쓰시오.

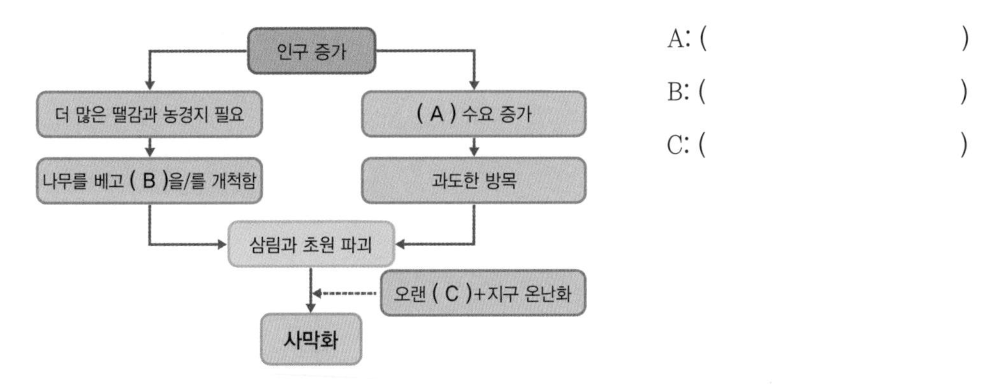

A: (   )

B: (   )

C: (   )

B 사막화의 진행으로 인한 지역 문제와 해결 노력

03 사막화의 진행으로 발생하는 지역 문제에 대한 내용이 옳으면 ○표, 틀리면 ×표를 하시오.

(1) 생태계가 파괴되고 생물 종이 증가하고 있다. (   )

(2) 토양의 식량 생산 능력이 떨어져 기근이 발생하고 있다. (   )

(3) 토양의 결합력이 약해지면서 모래 먼지가 자주 발생하고 있다. (   )

(4) 용수가 부족해지면 물 자원의 확보를 두고 인접 국가나 부족 간 갈등이 일어나기도 한다. (   )

04 사막화를 막기 위한 노력을 설명한 것이다. 알맞은 말에 ○표를 하시오.

(1) 국제 연합은 사막화를 방지하기 위해 (사막화 방지 협약, 몬트리올 의정서)을/를 체결하였다.

(2) 사헬 지대에서는 사막화를 막기 위해 (녹색 장벽, 철의 장벽) 사업을 추진하고 있다.

(3) 사막화를 막기 위해 (전통적, 점적) 관개 농업 방식을 추진하는 나라들이 늘어나고 있다.

(4) 세계 각국의 정부, 비정부 기구, 기업 등은 사막화가 진행되는 지역에 나무를 (심는, 베는) 등의 노력을 하고 있다.

탄탄! 내신 다지기

정답과 해설 53쪽

A 사막화의 원인과 진행 지역

01 다음 중 사막화의 인위적인 요인으로 옳지 않은 것은?

① 급격한 인구 증가
② 가축의 과다한 방목
③ 지나친 관개 농업 실시
④ 땔감을 얻기 위한 삼림 벌채
⑤ 기후 변화로 인한 기상 이변

02 지도에 표시된 지역에 대한 설명으로 옳은 것은?

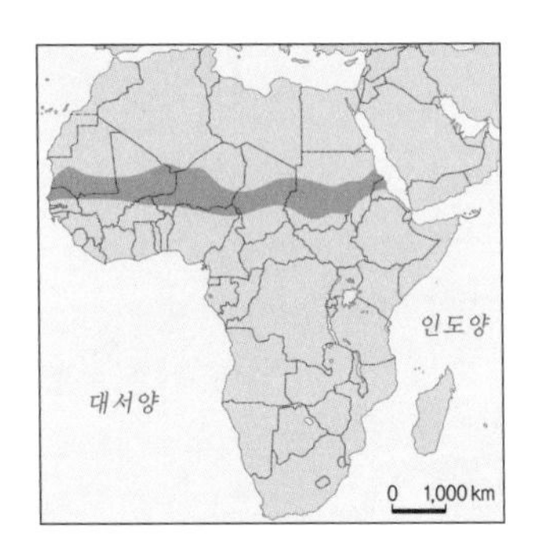

① 아랍어로 '중심부'라는 뜻이다.
② 사하라 사막의 북쪽 지역이다.
③ 급격한 인구 감소의 문제가 발생하고 있다.
④ 장기간의 홍수로 주민들의 피해가 증가하고 있다.
⑤ 가축의 과다한 방목과 삼림 벌채 등으로 토양이 침식되고 있다.

03 다음 글과 관련 있는 지역을 지도의 A~E에서 고른 것은?

> 세계에서 네 번째로 큰 호수였지만, 목화 관개 농업이 확대됨에 따라 호수로 흘러드는 하천 물의 양이 줄어들면서 호수가 있던 자리가 점차 사막으로 변하였다.

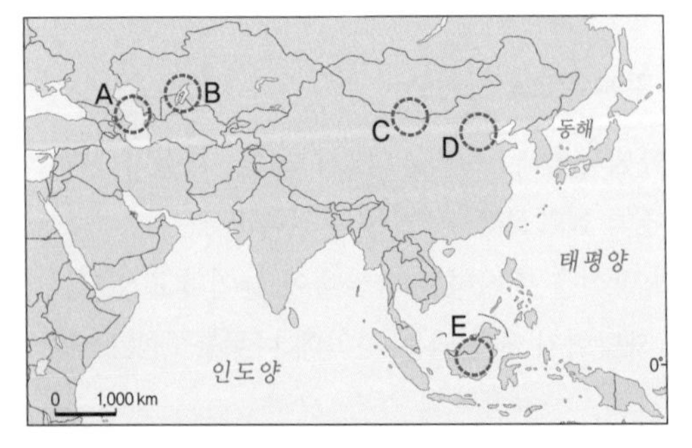

① A
② B
③ C
④ D
⑤ E

B 사막화의 진행으로 인한 지역 문제와 해결 노력

04 지도에 표시된 A 지역에 대한 설명으로 옳은 것은?

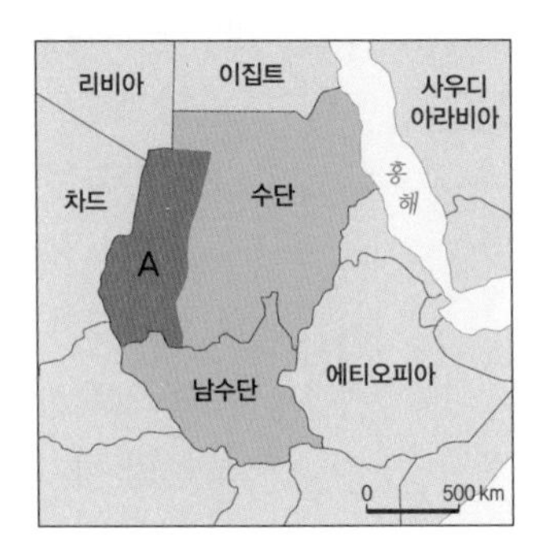

① 카슈미르 분쟁 지역이다.
② 흑인과 백인 간의 갈등이 심하다.
③ 자원을 바탕으로 경제 성장을 이루었다.
④ 환경적 문제가 민족 갈등의 요인 중 하나이다.
⑤ 사헬 지대의 과도한 홍수로 분쟁이 발생하였다.

서술형 문제

05 세계지리 수업 시간에 학생이 정리한 노트의 일부이다. 이를 보고 물음에 답하시오.

> 1. (가) 의 원인과 방지를 위한 노력
> ① 원인: 장기간의 가뭄, 무분별한 벌목, 경작지와 방목지의 확대, 지나친 관개 등
> ② 방지를 위한 노력: (나)

(1) (가)에 해당하는 환경 문제와 이를 해결하기 위해 국제 연합이 체결한 협약의 명칭을 쓰시오.

( )

(2) (나)에 들어갈 내용을 서술하시오.(단, 방지를 위한 노력이 세 가지 이상 제시되어야 함.)

도전! 실력 올리기

정답과 해설 54쪽

기출 변형

01 다음은 ○○해의 면적 변화를 나타낸 지도이다. 이에 대한 옳은 설명만을 〈보기〉에서 있는 대로 고른 것은?

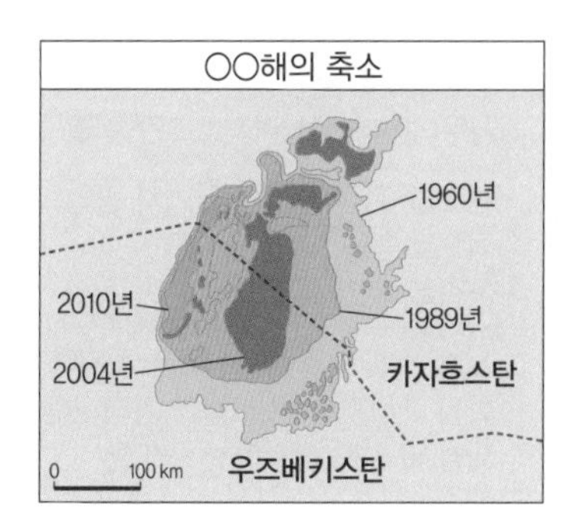

보기
ㄱ. 과도한 관개 농업 및 물 자원의 남용으로 사막화가 진행되었다.
ㄴ. 호수 주변국들은 녹색 장벽 사업(Great Green Wa ll)을 시행하고 있다.
ㄷ. 호수 면적의 축소에는 인위적인 요인보다 자연적인 요인이 크게 작용하였다.
ㄹ. 토양 염류화로 인해 생겨난 소금은 바람을 타고 인근 경작지로 이동하여 2차 피해를 주고 있다.

① ㄱ, ㄷ ② ㄱ, ㄹ ③ ㄴ, ㄹ
④ ㄱ, ㄴ, ㄷ ⑤ ㄴ, ㄷ, ㄹ

02 지도를 통해 추론할 수 있는 내용으로 가장 타당한 것은?

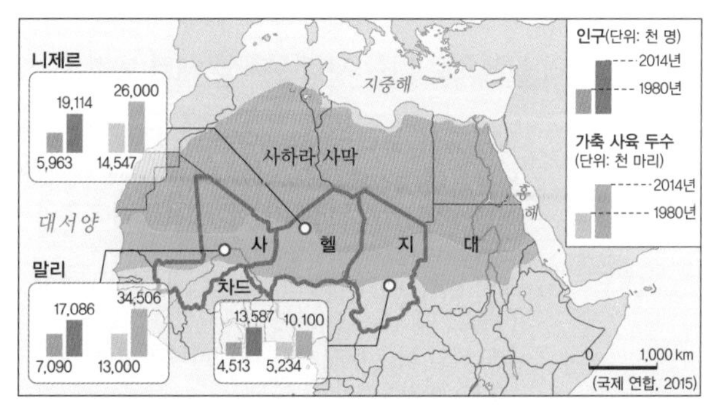

① 사막화의 주요 원인은 가뭄일 것이다.
② 차드보다 니제르의 인구가 크게 감소할 것이다.
③ 인구와 가축의 증가로 인해 초지가 황폐해질 것이다.
④ 가축 사육 두수의 증가로 토양 침식이 완화될 것이다.
⑤ 분쟁과 갈등으로 사헬 지대의 인구는 점차 감소할 것이다.

기출 변형

03 자료에 대한 옳은 설명만을 〈보기〉에서 고른 것은?

○○신문 2017년 □월 △일

녹색 장벽[Great Green Wall] 조성 현장에 가다!

사헬 지역 국가들은 (가) 에 공동 대응하고 있다. 사헬의 서쪽 끝 세네갈부터 동쪽 끝 지부티까지 폭 약 15km, 길이 약 7,700km의 숲을 조성하여 (가) 을/를 막기 위한 사업이 진행 중이다.

보기
ㄱ. (가)에 들어갈 용어는 지구 온난화이다.
ㄴ. 녹색 장벽 조성은 세계 무역 기구의 주도로 진행 중이다.
ㄷ. 사하라 사막 남쪽 지역의 사막화를 방지하기 위한 사업이다.
ㄹ. 녹색 장벽 조성 사업에는 아프리카 사헬 지대 국가들이 참여하고 있다.

① ㄱ, ㄴ ② ㄱ, ㄷ ③ ㄴ, ㄷ
④ ㄴ, ㄹ ⑤ ㄷ, ㄹ

04 다음은 건조 기후 지역에서 볼 수 있는 관개 방식이다. 이에 대한 옳은 설명만을 〈보기〉에서 고른 것은?

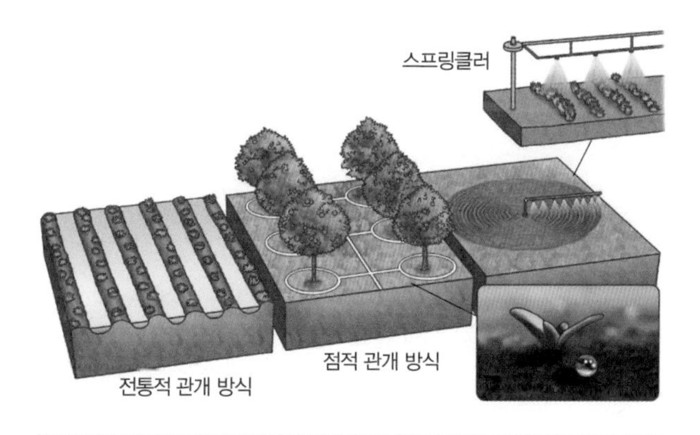

보기
ㄱ. 점적 관개 방식은 물 절약에 불리하다.
ㄴ. 점적 관개 방식은 사막화를 억제하는 효과가 있다.
ㄷ. 물 이용의 효율성은 전통적 관개 방식>점적 관개 방식>스프링클러 순으로 높다.
ㄹ. 점적 관개 방식은 땅속에 호스를 묻어 식물 뿌리에 필요한 만큼의 물만 공급하는 방식이다.

① ㄱ, ㄴ ② ㄱ, ㄷ ③ ㄴ, ㄷ
④ ㄴ, ㄹ ⑤ ㄷ, ㄹ

한눈에 보는
대단원 정리

01 자연환경에 적응한 생활 모습

A 건조 아시아와 북부 아프리카의 자연환경 특성

기후	• 대부분 건조 기후 → 사막과 스텝 기후 발달 • 강수량<증발량, 큰 일교차
지형	대규모 사막(사하라 사막 등), 높고 험준한 산지, 나일강·티그리스강·유프라테스강 등 대하천 발달

B 건조 아시아와 북부 아프리카의 전통적인 생활 모습

(1) 의식주 생활 모습

의	온몸을 감싸는 형태의 헐렁한 옷, 베일
식	가축에게서 얻은 고기와 유제품, 밀로 만든 빵, 대추야자
주	• 사막 기후 지역: 흙집·흙벽돌집, 작은 창문, 두꺼운 벽, 평평한 지붕, 건물 사이의 좁은 골목 • 스텝 기후 지역: 이동식 가옥

(2) 토지 이용 방식

농업	• 오아시스 농업: 외래 하천·오아시스를 중심으로 이루어짐 • 관개 농업: 지하 관개 수로(카나트 등) 발달 • 대추야자, 밀, 목화 재배
유목	사막 주변의 초원 지대에서 이루어짐

02 주요 자원의 분포 및 이동과 산업 구조

A 화석 에너지 자원의 분포 및 이동과 개발 및 영향

자원의 분포	세계적인 석유와 천연가스의 매장지·생산지 → 페르시아만 일대, 카스피해 연안에 집중
자원의 이동	주요 생산지와 소비지가 달라 국제적 이동량이 많음 → 대부분 동부 아시아, 유럽, 북아메리카 등으로 수출
자원 개발	자원 민족주의 → 석유 수출국 기구(OPEC)를 결성하여 국제적 영향력 행사
자원 개발의 영향	• 긍정적 영향: 사회 간접 자본 확충, 급격한 경제 발전, 생활 수준의 향상 • 부정적 영향: 도시·농촌 간 격차, 빈부 격차, 전통적 농목업 쇠퇴, 해외 경제 의존도의 심화, 자원 분쟁 발생

B 주요 국가의 산업 구조와 변화를 위한 노력

화석 에너지 자원이 풍부한 국가	• 에너지 자원 관련 산업 발달, 2차 산업의 비중이 상대적으로 높음 • 사우디아라비아, 카자흐스탄, 아랍 에미리트 등
화석 에너지 자원이 부족한 국가	• 제조업·관광 산업 발달, 1차 산업의 비중이 상대적으로 높음 • 이집트, 터키 등
산업 구조의 문제점	• 산업·수출 구조에서 석유가 차지하는 비중이 큼 • 화석 에너지 자원 고갈과 가격 변동에 따른 국가 재정 및 경제 상황의 변화가 큼
변화 노력	• 걸프 협력 회의 구성 • 산업 구조의 다변화 추구: 금융 및 물류 산업, 정보 기술 산업, 신·재생 에너지 산업, 관광 산업 육성

03 사막화의 진행

A 사막화의 원인과 진행 지역

의미	건조 또는 반건조 지역에서 식생이 감소하고 토양이 황폐화되는 현상
원인	자연적 요인(오랜 가뭄, 지구 온난화)과 인위적 요인(인구 증가로 인한 경작지와 방목지 확대 등)이 결합됨
진행 지역	• 사헬 지대: 급격한 인구 증가, 가축 방목, 삼림 벌채 등이 원인 • 아랄해 연안: 지나친 물 자원 개발과 관개 농업이 원인

B 사막화의 진행으로 인한 지역 문제와 해결 노력

지역 문제	• 난민 발생: 물과 식량이 부족해지면서 다른 지역이나 다른 국가로 이주 • 분쟁 발생: 환경 난민이 발생하면서 인접 주민과 분쟁 발생 • 모래 먼지 발생: 주민 건강에 악영향, 주변 지역이나 멀리 떨어진 지역에도 피해 • 대표적인 지역 문제: 수단의 다르푸르 분쟁, 소말리아의 환경 난민
해결 노력	• 국제 연합: 사막화 방지 협약 체결, 사막화 방지와 사막화가 진행 중인 개발 도상국에 대한 재정적·기술적 지원 • 주변 국가 간 협력: 아프리카를 가로질러 거대한 숲을 만들려는 사헬 지대의 녹색 장벽 사업 진행 중 • 재래종 풀 보존 사업, 관개 방식 개선 사업 등

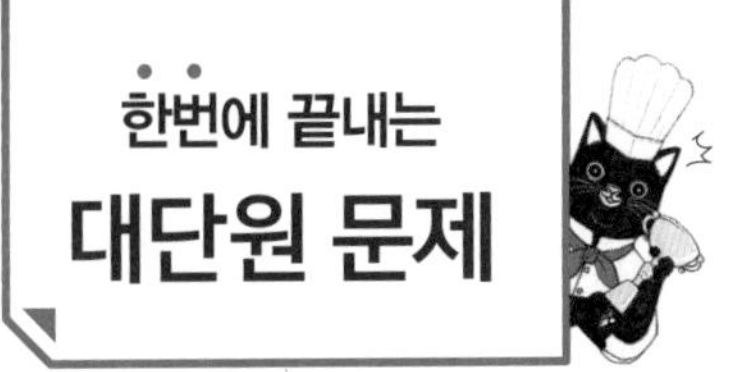

정답과 해설 55쪽

01 다음 지도에 표시된 지역의 기후 특성으로 옳은 설명만을 〈보기〉에서 고른 것은?

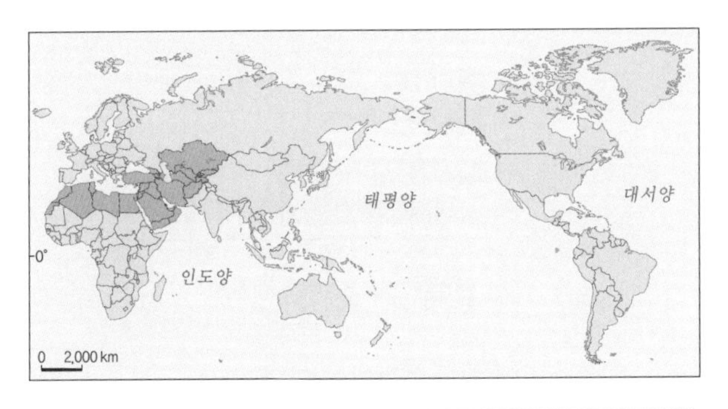

보기
ㄱ. 대부분 건조 기후가 나타난다.
ㄴ. 기온의 일교차가 매우 작게 나타난다.
ㄷ. 지중해와 흑해 연안 대부분 지역은 지중해성 기후에 속한다.
ㄹ. 사막 주변에는 비가 내리는 시기에 짧은 풀이 자라는 사바나 기후가 나타난다.

① ㄱ, ㄴ ② ㄱ, ㄷ ③ ㄴ, ㄷ
④ ㄴ, ㄹ ⑤ ㄷ, ㄹ

02 다음 사진은 건조 기후에 속하는 어느 지역을 위에서 본 모습이다. 이러한 가옥 구조가 나타나는 이유로 가장 타당한 것은?

① 보온 효과를 극대화하기 위해서
② 가옥이 붕괴되는 것을 막기 위해서
③ 햇볕을 가려 그늘을 만들기 위해서
④ 비가 많이 오기 때문에 홍수를 대비하기 위해서
⑤ 지면으로부터 올라오는 습기와 열을 차단하기 위해서

03 다음 자료에서 밑줄 친 '이것'은 무엇인가?

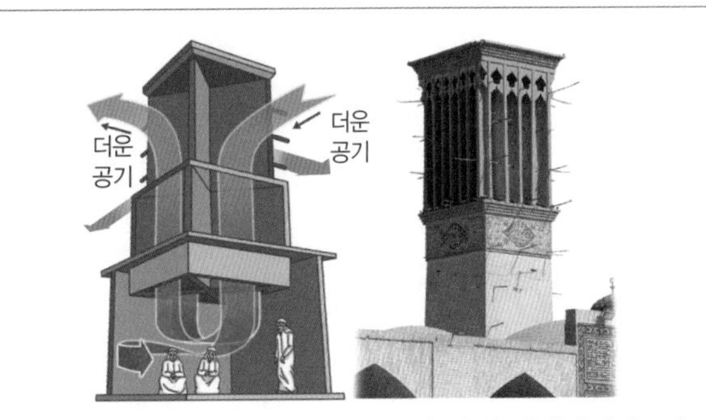

이것은 서남아시아 지역에서 고안된 천연 에어컨이다. 전통 가옥의 공기 정화와 냉방을 위해 수천 년 전 페르시아에서 발명되어 지금까지 이용되고 있다.

① 찬정 ② 카나트 ③ 모스크
④ 유르트 ⑤ 바드기르

04 그래프는 건조 아시아와 북부 아프리카 주요 국가의 작물별 경지 이용 비중을 나타낸 것이다. 이에 대한 분석으로 옳은 것만을 〈보기〉에서 고른 것은?

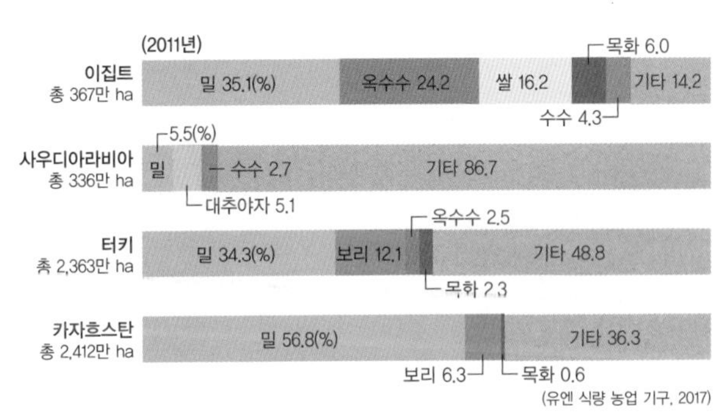

보기
ㄱ. 벼농사가 이루어지는 지역은 없다.
ㄴ. 경지 면적은 카자흐스탄이 가장 넓다.
ㄷ. 옥수수 재배 비중은 이집트가 가장 크다.
ㄹ. 사우디아라비아는 이집트보다 밀의 생산량이 많다.

① ㄱ, ㄴ ② ㄱ, ㄷ ③ ㄴ, ㄷ
④ ㄴ, ㄹ ⑤ ㄷ, ㄹ

05 지도는 건조 아시아와 북부 아프리카의 주요 자원 분포 및 석유 매장량을 나타낸 것이다. 이에 대한 설명으로 옳은 것은?

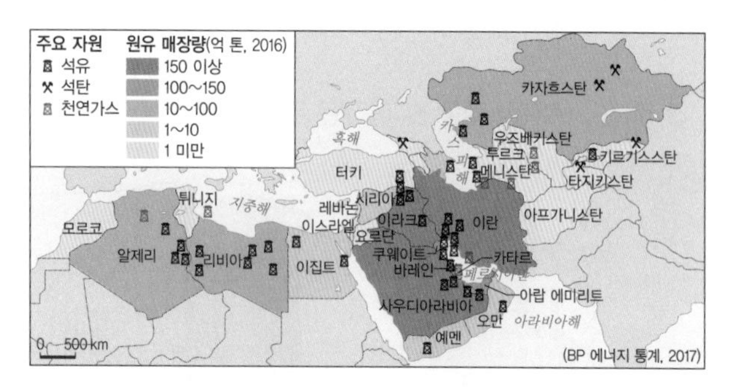

① 터키는 세계 최대 석유 매장국이다.
② 흑해와 면한 지역의 석유 매장량이 가장 많다.
③ 지중해 연안 국가 중에는 석유 생산국이 없다.
④ 카스피해 연안에는 석탄 광산이 집중해 있다.
⑤ 페르시아만 연안국들은 대체로 석유 매장량이 많다.

06 석유와 천연가스의 매장량 및 국가별 비중을 나타낸 그래프이다. 이에 대한 옳은 설명만을 <보기>에서 고른 것은?

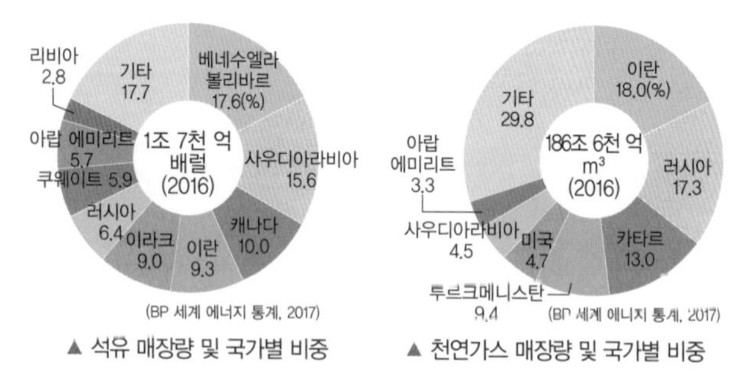

▲ 석유 매장량 및 국가별 비중
▲ 천연가스 매장량 및 국가별 비중

보기
ㄱ. 석유의 매장량은 이란이 러시아보다 적다.
ㄴ. 천연가스의 매장량은 러시아가 미국보다 많다.
ㄷ. 이란은 석유보다 천연가스의 매장량 비중이 크다.
ㄹ. 사우디아라비아는 석유보다 천연가스의 매장량 비중이 크다.

① ㄱ, ㄴ ② ㄱ, ㄷ ③ ㄴ, ㄷ
④ ㄴ, ㄹ ⑤ ㄷ, ㄹ

07 그래프는 건조 아시아와 북부 아프리카 주요 국가의 무역 구조를 나타낸 것이다. 이에 대한 해석으로 옳은 것은?

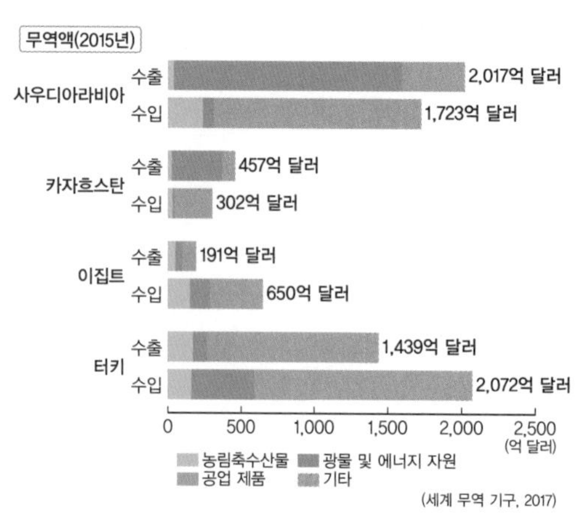

① 터키는 수입액보다 수출액이 많다.
② 네 국가 중 이집트의 수입액이 가장 적다.
③ 카자흐스탄은 이집트보다 수입액이 많다.
④ 무역액이 가장 큰 나라는 사우디아라비아이다.
⑤ 광물 및 에너지 자원의 수출이 가장 많은 나라는 터키이다.

08 다음 글의 (가)에 해당하는 지역을 지도의 A~E에서 고른 것은?

(가) 로 흘러드는 아무다리야강과 시르다리야강 주변에 목화를 재배하는 관개 농업이 발달하면서 대규모 댐과 운하 및 관개 시설이 건설되었다. 관개 시설 확대의 영향으로 (가) 로 들어오는 물의 양은 70% 이상 감소하였고, 호수에는 염분이 증가하였다. 이후 (가) 의 생태계는 점차 파괴되어 동식물이 살 수 없게 되었고, 주민들은 어업 활동도 할 수 없어 생계에 큰 타격을 입었다.

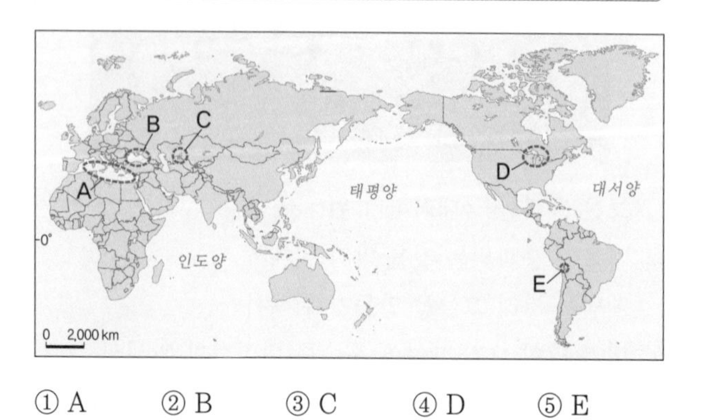

① A ② B ③ C ④ D ⑤ E

09 (가), (나)의 기후 그래프를 보고 물음에 답하시오. (단, (가), (나) 모두 건조 기후에 속함.)

(가)

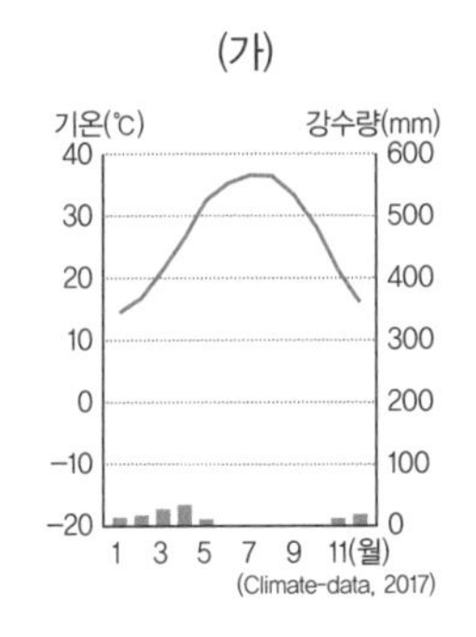

(나)

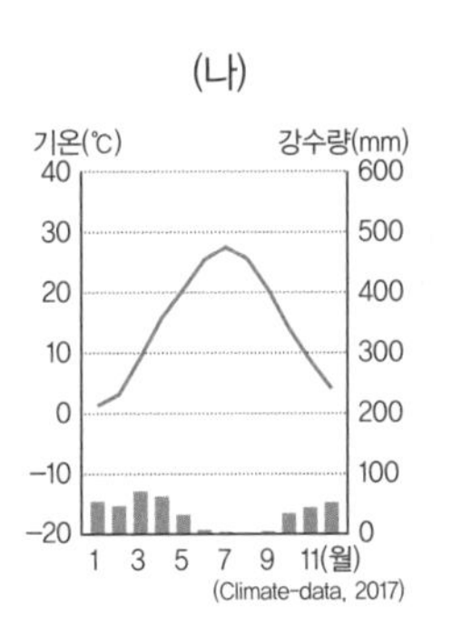

(1) (가), (나) 기후 그래프가 나타나는 기후 지역을 쓰시오.

(가): (　　　　　　), (나): (　　　　　　)

(2) (가), (나) 지역의 주민 생활 모습을 각각 두 가지만 서술하시오.

10 다음 사진을 보고 물음에 답하시오.

(1) 위 사진과 같은 형태의 가옥을 중앙아시아에서 부르는 명칭을 쓰시오. (　　　　　　)

(2) 위 가옥이 발달한 기후 지역을 쓰고, 이와 같은 가옥을 이용하는 이유를 서술하시오.

11 다음은 어느 기후 지역에서 인기를 끌고 있는 우리나라의 수출품이다. 이를 보고 물음에 답하시오.

▲ 담수 플랜트

▲ 공기 청정기

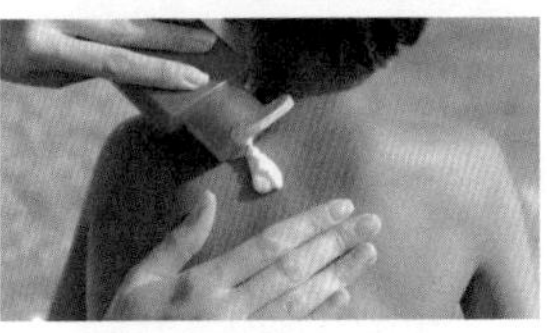
▲ 선크림

▲ 강한 바람에 잘 견디는 텐트

(1) 위 상품이 공통적으로 인기를 끌고 있는 기후 지역을 쓰시오. (　　　　　　)

(2) (1)의 기후 지역에서 위 상품이 인기를 끌고 있는 이유를 서술하시오.

12 다음 글을 읽고 물음에 답하시오.

> 아프리카 사헬 지대에 인접한 국가들은 사하라 사막의 남쪽 가장자리를 가로지르는 '나무 벽'을 세우고 있다. 이 나무 장벽은 무려 길이 7,700km, 폭 15km 정도의 규모를 자랑한다. 이 사업은 [(가)]에 목적이 있다.

(1) 밑줄 친 '이 사업'의 명칭을 쓰시오.

(　　　　　　)

(2) (가)에 들어갈 사업의 목적을 두 가지 이상 서술하시오.

Ⅵ
유럽과 북부 아메리카

배울 내용 한눈에 보기

01 주요 공업 지역의 형성과 최근 변화

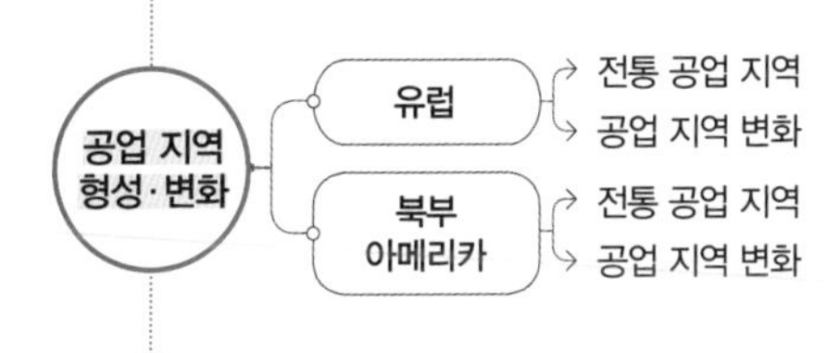

02 현대 도시의 내부 구조와 특징

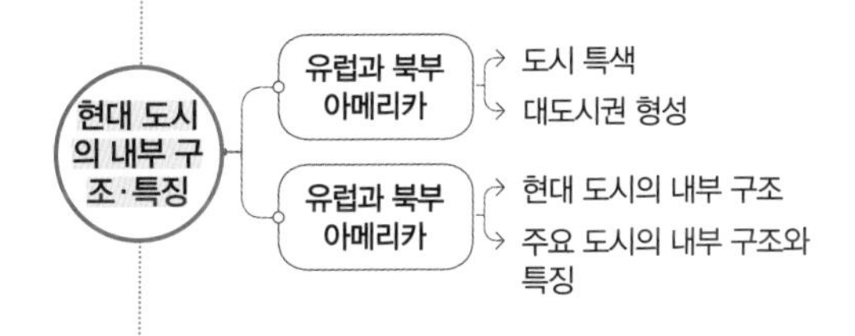

03 지역의 통합과 분리 운동

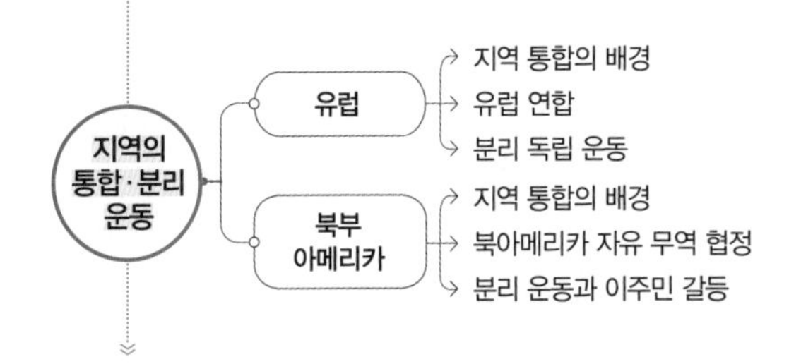

주요 공업 지역의 형성과 최근 변화

❶ **유럽의 전통 공업 지역**
영국의 랭커셔·요크셔 지방, 독일의 루르 지방 등은 주요 탄광 지대를 중심으로 공업 지역이 형성되었고, 프랑스의 로렌 지방은 풍부한 철광석을 바탕으로 공업 지역이 형성되었다.

❷ **공업 지역의 변화 – 독일 루르**
1970년대 이후 석탄 생산 감소와 환경 문제 등으로 쇠퇴하였으나, 부가가치가 높은 첨단 산업과 전기·전자 공업이 발달하면서 새로운 공업 지역으로 탈바꿈하고 있다.

❸ **디트로이트의 변화**
미국 미시간주의 최대 도시인 디트로이트는 20세기 초부터 세계적인 자동차 산업의 중심지로 급성장하였다. 그러나 1970년대 이후 일본, 한국산 자동차 수입으로 판매량이 감소하고, 자동차 공장의 해외 이전 등으로 자동차 산업이 쇠퇴하면서 경제가 어려워지고 인구가 감소하였다.

❹ **실리콘 밸리**
미국 샌프란시스코 주변에 위치한 실리콘 밸리는 살기 좋은 자연환경과 기업이 성장할 수 있는 조건을 두루 갖춘 곳으로 반도체, 인터넷, 이동 통신, 인공 지능에 이르기까지 정보 통신 기반 산업의 중심이 되고 있다.

A 유럽의 공업 지역 형성과 변화 자료 1

1. 유럽의 전통 공업 지역❶: 산업 혁명의 발상지(18세기 후반), 서부 유럽 공업 지역이 산업 혁명 주도, 지하자원 산지를 중심으로 공업 지역 형성
(산업 혁명은 영국에서 시작되어 동쪽으로 전파되었어.)

2. 유럽 공업 지역의 변화

(1) 전통 공업 지역의 쇠퇴: 오랜 채굴에 따른 석탄·철광석의 고갈, 채광 시설 노후화에 따른 채굴 비용 상승, 선박의 대형화로 해외 자원의 수입량 증가, 석유 등 새로운 에너지 자원의 영향 확대 등이 원인
(왜 유럽 내 광산의 생산량 저하, 시설 낙후 등과 결합되었기 때문이야.)

(2) 공업 중심지의 변화
(예 영국의 카디프·미들즈브러, 프랑스의 됭케르크, 네덜란드의 로테르담 등이 발달하였어.)

① **임해 공업 지역 발달**: 원료 수입과 제품 수출에 유리한 지역으로 공업 중심지 이동

② **전통 공업 지역의 변화**❷: 산업 시설을 재활용하여 관광·문화 산업 지역으로의 변화

(3) 첨단 산업 지역의 성장: 기술 집약적 산업으로 전문 기술 인력 확보가 중요함, 기업·대학·연구소 등이 인접하여 상호 협력하는 산업 클러스터 형성
(예 영국의 케임브리지 사이언스 파크, 프랑스의 소피아 앙티폴리스, 스웨덴의 시스타 사이언스 시티, 핀란드의 오울루 테크노폴리스 등이 있어.)

B 북부 아메리카의 공업 지역 형성과 변화

1. 북부 아메리카의 전통 공업 지역

(1) 미국의 전통 공업 지역

(왜 대서양 연안 지역이기 때문이야.)

공업 지역	특징
뉴잉글랜드	공업화 초기 유럽과의 인접성과 이민자들의 저렴하고 풍부한 노동력을 바탕으로 보스턴을 중심으로 경공업 발달
중부 대서양 연안	뉴욕, 필라델피아 등 대도시를 중심으로 발달
오대호 연안	• 시카고·피츠버그(제철), 디트로이트❸(자동차) 등을 중심으로 중화학 공업 발달 • 풍부한 지하자원: 메사비 광산의 철광석, 애팔래치아 탄전의 석탄 • 편리한 수운 교통: 오대호–세인트로렌스강–대서양을 잇는 수운 발달 • 대도시 분포: 넓은 소비 시장, 저렴하고 풍부한 노동력

(2) 캐나다의 전통 공업 지역: 몬트리올·토론토 중심, 자동차·전기·펄프 공업 등 발달

2. 북부 아메리카 공업 지역의 변화 자료 2

(1) 전통 공업 지역의 쇠퇴: 해외 자원 수입 증가, 신흥 공업 지역 성장에 따른 산업 구조 변화, 산업 시설 노후화 등이 원인

(2) 공업 구조의 변화: 철강·화학 등 중화학 공업 중심에서 컴퓨터·항공 우주 등 첨단 산업 중심으로 변화
(선벨트 지역을 중심으로 발달했어.)

(3) 공업 중심지의 이동: 북동부 러스트벨트 → 남부 및 서부의 선벨트(온화한 기후, 저렴한 노동력, 넓은 공업 용지 등)
(뜻 부식된 금속의 녹을 뜻하는 러스트(rust)와 벨트(지대)의 합성어야.)

(4) 기술 집약적 첨단 산업의 성장

① **태평양 연안 공업 지역**: 샌프란시스코 인근 실리콘 밸리❹(컴퓨터 관련 산업), 로스앤젤레스(영화 산업), 시애틀(항공 산업) 등

② **멕시코만 연안 공업 지역**: 휴스턴(항공 우주 산업), 멕시코만(석유 화학 산업) 등
(NASA(미국 항공 우주국)가 위치한 도시야.)

한눈에 정리

미국의 공업 중심지 이동

러스트벨트	북동부 지역	중공업 중심	쇠퇴
↓			
선벨트	남부·서부 지역	첨단 산업 중심	급성장

교과서 자료 모아 보기

자료 확인 문제

자료1 유럽의 공업 지역 변화

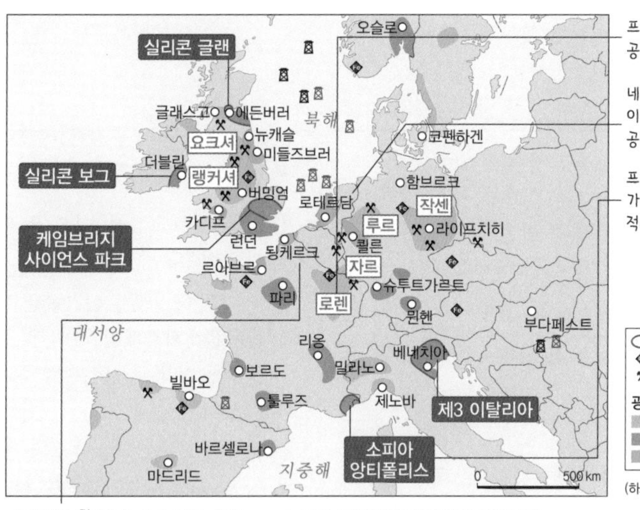

▲ 주요 공업 지역의 변화와 클러스터

| 자료 분석 | 유럽의 전통 공업 지역은 지하자원을 바탕으로 발달하였고, 해안 및 하운 교통 발달 지역은 편리한 교통을 바탕으로 발달하였으며, 첨단 기술 산업 지역은 고급 연구 인력을 바탕으로 발달하였다.

한줄 핵심 유럽의 공업 지역은 전통 공업 지역 → 해안 및 하운 교통 발달 지역 → 첨단 기술 산업 지역의 순으로 발달하였다.

❶ 풍부한 철광석을 바탕으로 산업이 발달하게 된 프랑스 동부의 공업 지역은?
( )

❷ 영국의 케임브리지 사이언스 파크와 프랑스의 소피아 앙티폴리스는 공통적으로 □□ □□이 발달하였다.
( )

자료2 미국의 공업 지역 이동

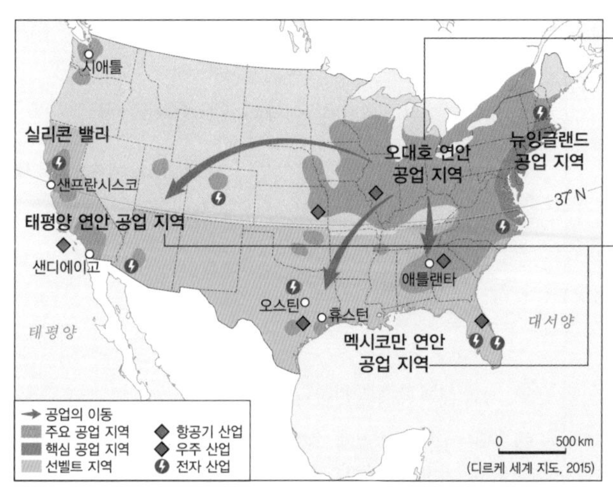

◀ 미국 공업 지역의 이동

| 자료 분석 | 미국의 공업은 철광석·석탄 등이 풍부하고 수운에 유리한 오대호 연안 공업 지역을 중심으로 발달하였으나, 산업 구조의 변화 등으로 인해 태평양 연안 및 멕시코만 연안 공업 지역의 선벨트 지역으로 공업의 중심이 이동하게 되었다.

한줄 핵심 미국의 공업 중심은 러스트벨트 지역에서 선벨트 지역으로 이동하였다.

❸ 오대호 연안 공업 지역은 미국 최대의 중화학 공업 지역이다. ○ ×

❹ 태평양 연안 공업 지역과 멕시코만 연안 공업 지역은 모두 선벨트에 위치한다. ○ ×

답 ❶ 로렌 ❷ 첨단 산업 ❸ ○ ❹ ○

유럽과 북부 아메리카의 공업 지역

수능풀 Guide 유럽과 북부 아메리카 공업 지역의 발달 배경과 특징, 최근의 변화에 대해 알아보자.

1 유럽 공업 지역의 특징

(가) 소규모 관광 도시였던 지역이 정보 통신 및 생명 과학 분야의 연구소, 대학, 산업체 등이 집중된 첨단 산업 단지로 변모하였다. 이 지역은 연중 맑은 날이 많아 연구 환경이 쾌적하다. (가) 지역은 연중 맑은 날이 많은 지역으로 소규모 관광 도시였던 곳이 첨단 산업 단지로 탈바꿈한 곳 → 소피아 앙티폴리스(C)

(나) 교통이 발달하고 석탄을 대신하여 석유가 주요 에너지원으로 사용되면서 등장한 공업 지역이다. 해운과 수운을 이용한 무역의 중심지이며 석유 정제 및 석유 화학 공업이 크게 발달하였다. (나) 지역은 해운 교통의 발달을 배경으로 수입한 석유를 이용하여 중화학 공업이 발달한 곳 → 로테르담(B)

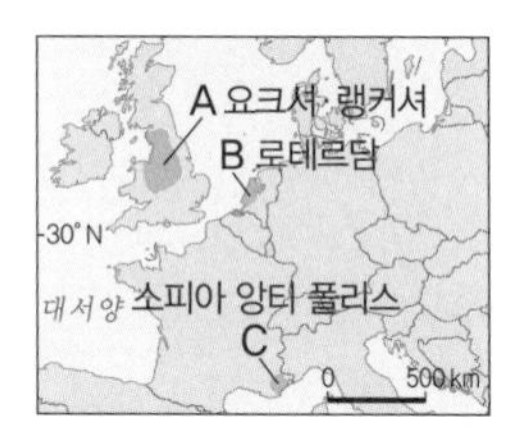

PLUS분석 (가) 소피아 앙티폴리스(C)는 세계적인 다국적 기업의 입주가 증가하고 국제 네트워크가 잘 구축된 혁신 클러스터를 형성하고 있다. (나) 로테르담(B)은 유럽 최대의 무역항으로 대형 정유업체들이 입주해 있고, 석유 화학 클러스터를 형성하고 있다. A(요크셔·랭커셔)는 탄광 지대를 중심으로 공업이 발달했었던 전통 공업 지역이다.

기출 선택지로 확인하기

❶ (가)는 (나)보다 공업 발달의 역사가 이르다. ○ ×

❷ (가) 지역에 발달한 산업 관련 제품은 (나) 지역에 발달한 산업 관련 제품보다 제품의 수명 주기가 짧다. ○ ×

❸ 지도의 A 지역은 최근 자원 고갈 및 시설 노후화로 첨단 산업이 쇠퇴하고 있다. ○ ×

2 북부 아메리카 공업 지역의 변화

(가) 도시의 특징 — 편리한 수운과 풍부한 지하자원을 바탕으로 자동차 산업 등 중화학 공업이 발달하였으나 쇠퇴함 → 오대호 연안 공업 지역의 디트로이트

- 편리한 수운과 지하자원을 바탕으로 중화학 공업 발달
- 1900년대 초 ○○사 설립 이후 자동차 산업 성장
- 제조업 침체 지역인 '러스트벨트'에 위치

(나) 도시의 특징 — 석유 발견 이후 석유 화학 산업의 중심지로 성장하였고, 우주 항공 산업도 발달함 → 멕시코만 연안 공업 지역의 휴스턴

- 면화 집산지와 선적 항구로 발달
- 1900년대 초 주변에서 석유가 발견된 이후 석유 화학 산업의 중심지로 성장
- 항공 우주국을 중심으로 첨단 우주 항공 산업 발달

PLUS분석 (가)는 디트로이트로, 자동차 산업이 쇠퇴하면서 인구가 감소하는 등의 변화를 겪었다. (나)는 휴스턴으로, 석유 화학 산업과 항공·우주 등의 기술 집약적인 첨단 산업이 발달하고 있다.

기출 선택지로 확인하기

❹ (가)는 오대호 연안에, (나)는 멕시코만 연안에 위치한다. ○ ×

❺ (가)는 (나)보다 고위도에 위치한다. ○ ×

3 미국 주요 공업 지역의 공업 구조

기계 및 운송 장비 업종의 출하액 비율이 가장 높음 → 자동차 공업이 발달한 오하이오주(C)

상대적으로 컴퓨터 및 전자 업종의 출하액 비율이 가장 높음 → IT 산업이 발달한 캘리포니아주(A)

(가) 출하액 3,201억 달러 (컴퓨터 및 전자, 기타, 석유 화학, 금속, 기계 및 운송 장비)

(나) 출하액 5,245억 달러

(다) 출하액 7,317억 달러

(2013)

▲ 미국 내 세 주의 제조업 업종별 출하액 비율

오하이오주 C
A 캘리포니아주
B 텍사스주
0 600 km

석유 화학 업종의 출하액 비율이 가장 높음 → 석유 화학 산업이 발달한 텍사스주(B)

기출 선택지로 확인하기

❻ (가)는 러스트벨트에 속하는 주의 제조업 업종별 출하액 비율을 나타낸 것이다. ○ ×

❼ (나)는 텍사스주의 제조업 업종별 출하액 비율을 나타낸 것이다. ○ ×

정답 ❶ ×(중화학 공업이 발달한 로테르담 지역이 첨단 산업이 발달한 소피아 앙티폴리스보다 공업 발달의 역사가 이르다.) ❷ ○ ❸ ×(A는 전통 공업 지역으로, 중화학 공업이 쇠퇴하고 있다.) ❹ ○ ❺ ○ ❻ ○ ❼ ×((나)는 캘리포니아주의 제조업 업종별 출하액 비율을 나타낸 것이다.)

콕콕! 개념 확인하기

정답과 해설 57쪽

A 유럽의 공업 지역 형성과 변화

01 유럽의 공업 지역을 나타낸 지도를 보고 물음에 답하시오.

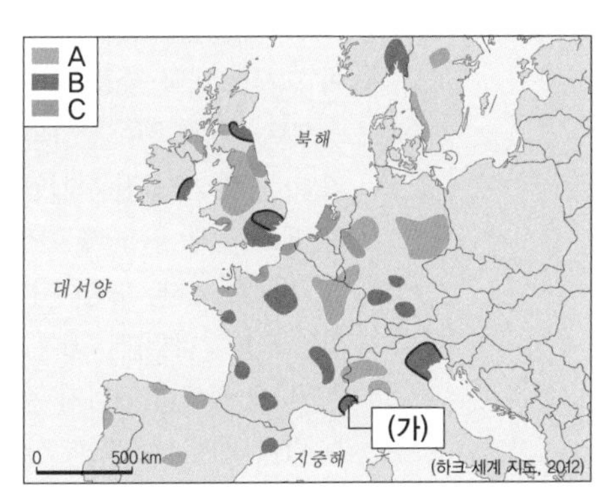

(1) A~C 중에서 첨단 산업이 발달하고 있는 지역을 쓰시오. (　　　)

(2) A~C 중에서 자원 고갈 등으로 쇠퇴하고 있는 지역을 쓰시오. (　　　)

(3) A~C 중에서 해운이나 하운이 편리한 지역을 쓰시오. (　　　)

(4) 프랑스의 첨단 산업 지구인 (가)의 명칭을 쓰시오. (　　　)

02 유럽의 공업 지역 형성과 변화에 대해 설명한 것이다. 알맞은 말에 ○표를 하시오.

(1) 산업 혁명은 (영국의 랭커셔 · 요크셔 지방, 독일의 루르 지방)에서 먼저 시작되었다.

(2) 유럽의 전통 공업 지역은 (원료 산지, 임해) 지역에 입지하였으나, 최근에는 원료 수입과 제품 수출에 유리한 (원료 산지, 임해) 지역으로 공업의 입지가 변화하였다.

(3) 영국의 카디프와 미들즈브러, 프랑스의 됭케르크, 네덜란드의 로테르담은 (내륙, 해안)에 위치한다.

(4) 영국의 첨단 산업 단지는 (케임브리지 사이언스 파크, 시스타 사이언스 시티)이다.

B 북부 아메리카의 공업 지역 형성과 변화

03 다음 내용에 해당하는 미국의 공업 지역을 지도의 A~D에서 고르시오.

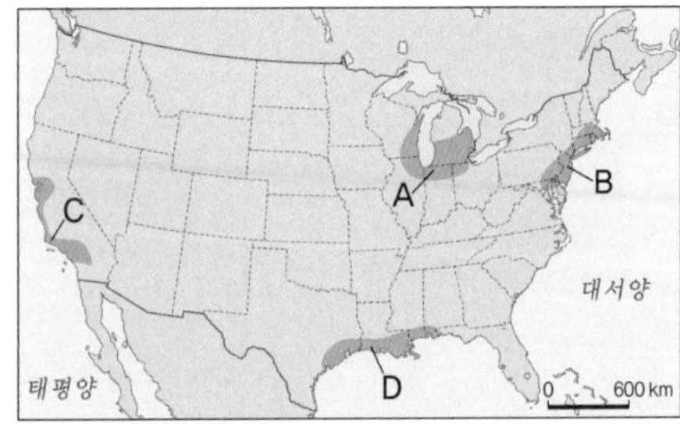

(1) 뉴욕, 필라델피아를 중심으로 의류 · 기계 · 제철 공업 발달 (　　)

(2) 시카고, 디트로이트, 피츠버그를 중심으로 자동차 · 제철 공업 발달 (　　)

(3) 휴스턴을 중심으로 우주 항공 · 석유 화학 공업 발달 (　　)

(4) 샌프란시스코, 로스앤젤레스를 중심으로 반도체 · 정보 통신 기술 산업 발달 (　　)

04 러스트벨트 지역의 특징에는 '러', 선벨트 지역의 특징에는 '선'이라고 쓰시오.

(1) 중화학 공업 중심 (　　)

(2) 쾌적한 기후 환경 (　　)

(3) 편리한 수운 (　　)

(4) 실리콘 밸리 (　　)

(5) 풍부한 석유와 천연가스 (　　)

(6) 환경 오염과 시설 노후화 (　　)

탄탄! 내신 다지기

정답과 해설 57쪽

A 유럽의 공업 지역 형성과 변화

01 산업 혁명에 대한 설명으로 옳은 것은?

① 산업 혁명의 발상지는 독일이다.
② 산업 혁명기의 주된 연료는 석유였다.
③ 산업 혁명은 항만 지역을 중심으로 발생하였다.
④ 런던은 파리보다 산업 혁명의 영향을 먼저 받았다.
⑤ 산업 혁명은 유럽의 동쪽에서 서쪽으로 확산되었다.

02 지도는 프랑스의 공업 지역 분포를 나타낸 것이다. A~C 공업 지역에 대한 설명으로 옳은 것은?

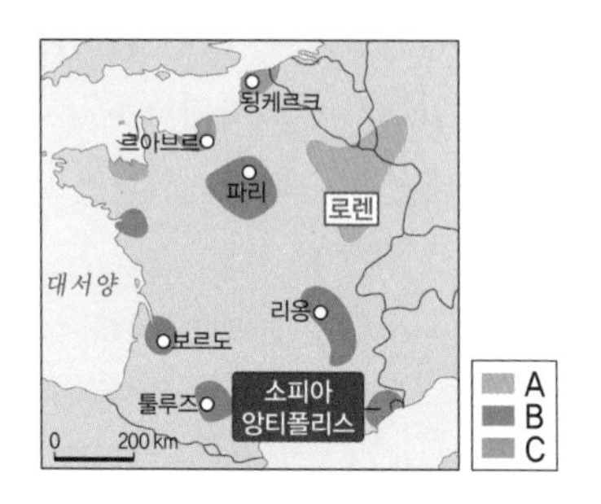

① A에서는 첨단 산업이 발달하고 있다.
② B는 내륙 수운이 편리한 곳이다.
③ C는 과거 철광석 생산량이 많았다.
④ 공업 지역의 형성 시기는 A>C>B 순으로 이르다.
⑤ B 지역의 생산 제품은 C 지역의 생산 제품보다 제품의 수명 주기가 긴 편이다.

B 북부 아메리카의 공업 지역 형성과 변화

03 지도의 (가) 지역에서 공업이 발달할 수 있었던 배경으로 가장 거리가 먼 것은?

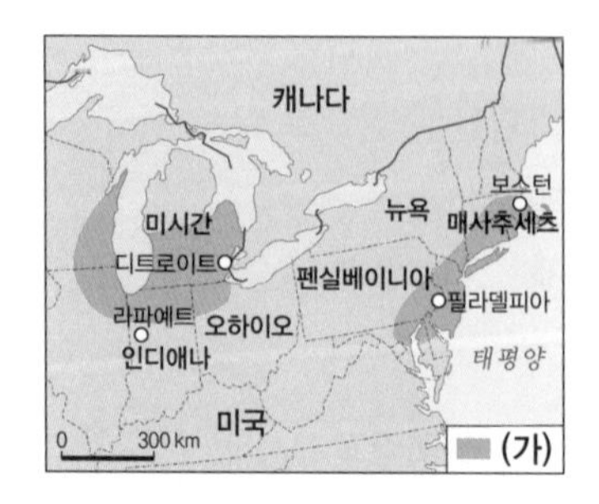

① 풍부한 노동력
② 넓은 소비 시장
③ 겨울철 온화한 기후
④ 풍부한 철광석·석탄
⑤ 편리한 수운 교통

04 자료의 밑줄 친 '이 도시'를 지도의 A~E에서 고른 것은?

> 이 도시는 미국 항공 우주국(NASA)의 우주 센터가 있는 곳으로, 항공·우주 산업의 중심지이다. 우주 왕복선 발사 기업, 로켓 개발 전문 기업을 비롯하여 항공기 및 우주 차량 제조 업체 등 50개 이상의 우주 연구 및 기술 관련 협력 업체가 있다. 또한, 이 도시에서는 석유 및 가스 화학 산업도 발달하였다. 30여 개의 석유 기업 본사가 있으며, 3,700개 정도의 에너지 관련 기업들과 연구 시설이 밀집해 있어 세계 석유 화학 산업의 중심지 역할을 하고 있다.

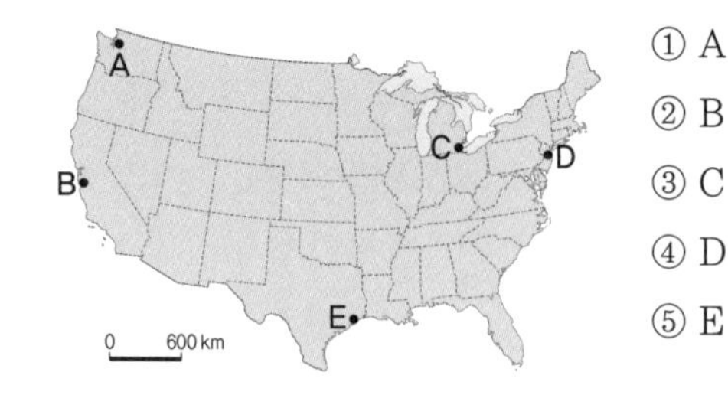

① A
② B
③ C
④ D
⑤ E

서술형 문제

05 다음은 유럽 공업 지역의 이동을 나타낸 지도이다. 물음에 답하시오.

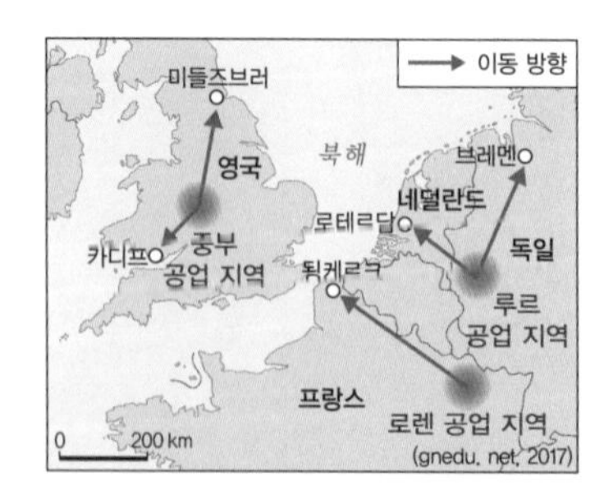

(1) 프랑스 로렌 공업 지역에 매장된 주요 자원의 이름을 쓰시오. (   )

(2) 유럽의 공업 지역이 지도와 같이 이동하게 된 이유를 서술하시오.

도전! 실력 올리기

정답과 해설 58쪽

01 (가) 공업 지역과 비교한 (나) 공업 지역의 상대적 특징을 그림의 A~E에서 고른 것은?

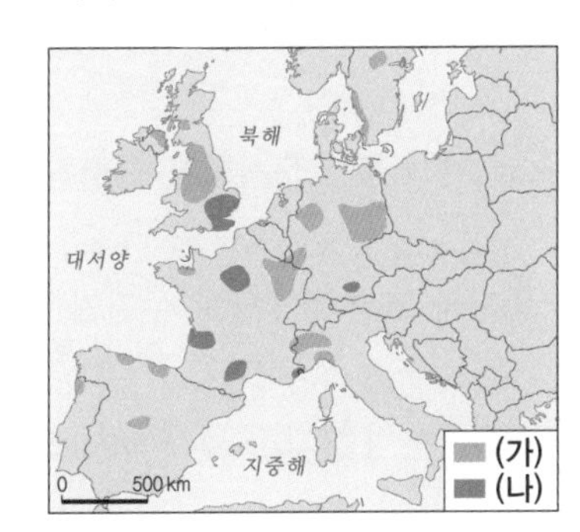

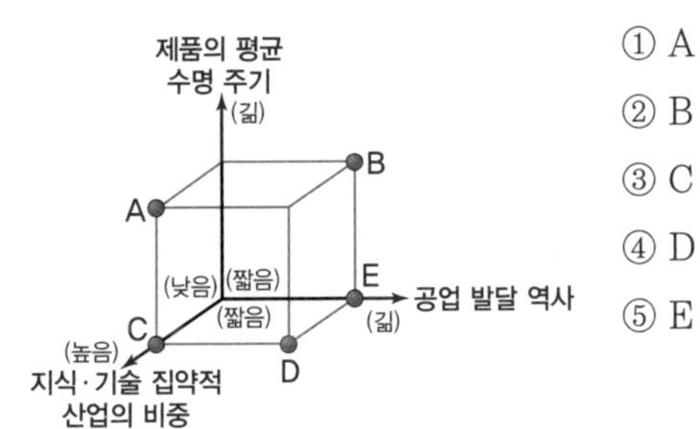

① A
② B
③ C
④ D
⑤ E

02 지도에 표시된 지역에서 공통적으로 발달한 산업에 대한 옳은 설명만을 〈보기〉에서 있는 대로 고른 것은?

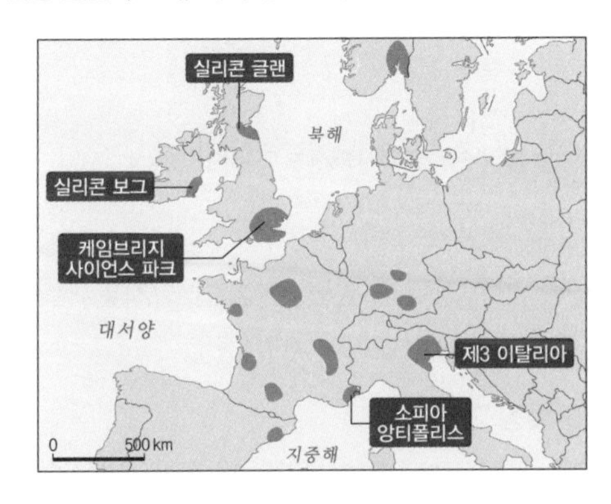

〈보기〉
ㄱ. 대학 및 연구 시설의 밀집도가 높다.
ㄴ. 저렴한 노동력을 대량으로 확보하기 쉽다.
ㄷ. 전통적 소비재를 중심으로 공업이 발달하였다.
ㄹ. 관련 업종 간 정보 교류가 활발하게 이루어진다.

① ㄱ, ㄷ ② ㄱ, ㄹ ③ ㄴ, ㄷ
④ ㄱ, ㄴ, ㄹ ⑤ ㄴ, ㄷ, ㄹ

기출 변형

03 자료는 미국 세 주(州)의 제조업 구성 비율을 나타낸 것이다. A~C 공업에 대한 설명으로 옳은 것은? (단, A~C는 기계 및 운송 장비, 석유 화학, 컴퓨터 및 전자 공업 중 하나임.)

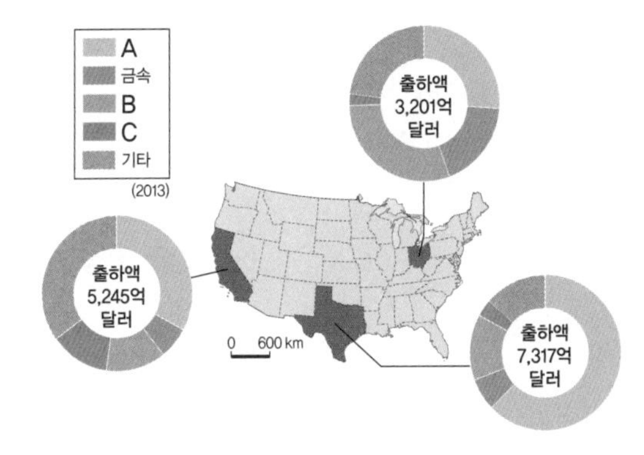

① A는 러스트벨트 지역을 중심으로 발달하였다.
② B는 많은 부품을 조립하는 공업으로, 관련 공장의 집적이 이루어진다.
③ C는 대규모 장치 산업이다.
④ A는 B보다 사업체당 종사자 수가 많다.
⑤ B는 C보다 최종 제품의 부피가 작다.

04 다음은 미국 (가)시에 대한 자료이다. 이에 대한 옳은 설명만을 〈보기〉에서 있는 대로 고른 것은?

(가) 시는 자동차 및 부품 제조사 등이 입지하면서 급속히 성장하였다. 그러나 (나) 자동차 기업이 떠나자 지역 경제가 무너지고 인구가 감소하였다.

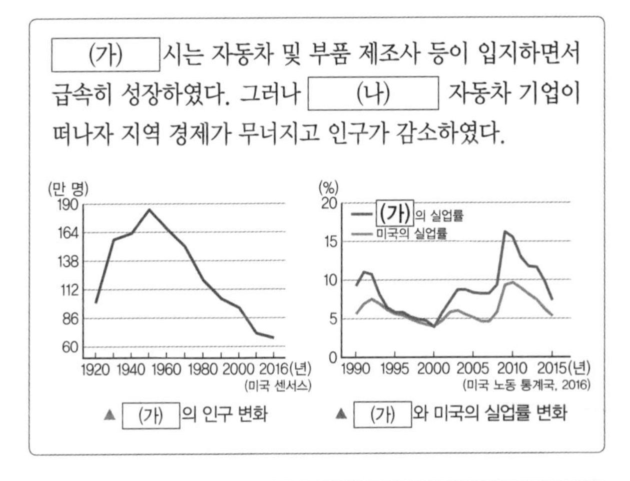

▲ (가)의 인구 변화 ▲ (가)와 미국의 실업률 변화

〈보기〉
ㄱ. (가)는 오대호 연안에 위치한다.
ㄴ. (가)는 1960년대 미국의 금융 중심지였다.
ㄷ. (가)의 실업률은 미국 전체 실업률보다 높은 편이다.
ㄹ. (나)에는 '신흥국과의 경쟁에 뒤처지면서'가 들어갈 수 있다.

① ㄱ, ㄴ ② ㄱ, ㄹ ③ ㄴ, ㄷ
④ ㄱ, ㄷ, ㄹ ⑤ ㄴ, ㄷ, ㄹ

02 현대 도시의 내부 구조와 특징

❶ 도시화 단계

초기 단계	도시 인구 비율이 약 30% 미만으로 낮은 단계
가속화 단계	도시 인구 비율이 급증하여 도시화가 급속히 이루어지는 단계
종착 단계	도시 인구 비율이 약 80%를 넘어 도시화가 최고 수준에 이르는 단계

❷ 메갈로폴리스
프랑스 지리학자 고트만이 미국 북동부의 거대 도시와 이들을 잇는 연속적 대도시권을 가리켜 사용한 말로, 인구 100만 명 이상의 거대 도시들이 결합하여 다핵적 구조를 형성한 지역을 말한다. 일본의 도카이도(도쿄-나고야-오사카) 지역도 메갈로폴리스로 잘 알려져 있다.

A 유럽과 북부 아메리카의 도시 특색과 대도시권

1. 유럽과 북부 아메리카의 도시 특색

(1) **높은 도시화율❶**: 산업화가 일찍 시작되어 오랜 기간 동안 도시화가 진행됨 → 현재 도시화의 종착 단계에 해당함

(2) **교외화 현상 발생 및 확대**: 대도시의 인구 증가와 교통의 발달로 주거지 및 상업지의 교외화 현상이 나타남

(3) **세계 도시 발달**: 뉴욕, 런던, 파리 등 세계적인 영향력을 가진 세계 도시 발달

2. 유럽과 북부 아메리카의 대도시권 형성

(1) **대도시권 형성**: 대도시의 통근·통학권, 상권 등이 확대되어 주변 지역과 기능적으로 연결되는 대도시권 형성

(2) **메갈로폴리스❷ 발달**: 도시 지역이 서로 연결되어 거대 도시를 이룸 예 미국 북동부의 보스턴~워싱턴, 영국의 런던~리버풀 지역 등 뜻 메가(크다)+폴리스(도시)라는 뜻이야.

B 유럽과 북부 아메리카의 도시 내부 구조와 특징 자료 1 자료 2

1. 현대 도시의 내부 구조

뜻 공동은 텅 빈 동굴을 말해. 낮에는 사람들이 많았다가 밤에는 대부분 빠져나가 공동처럼 된다는 현상으로, 도심의 주거 기능 약화와 관련이 있어.

도심	높은 지가, 중심 업무 지구(CBD) 형성, 상주인구 감소로 인구 공동화 현상 발생
주변(외곽) 지역	저급 주택·공장 혼재, 시설의 노후화로 저소득층 거주

2. 유럽 주요 도시의 내부 구조와 특징

(1) **도시 내부 구조**: 도심에 광장·교회 등 역사적 도시 건축물이 남아 있음, 성벽이 도심과 주변 지역의 경계에 남아 있기도 함, 도심과 주변 지역 간 건물의 높이 차이가 작음, 도로망이 복잡함 (성벽: 중세 시대의 도시로부터 유래해.)

(2) **거주지 분리 현상**: 경제력 및 민족(인종) 차이 반영 왜 비슷한 부류의 사람들끼리 모여 살면서 발생해.

① **도심**: 고소득층 거주 지역 형성

② **도심 주변부**: 저소득층 이민자 거주 지역 형성

(3) **교외화 현상**: 도시 확대 과정에서 도시 외곽 지역에 첨단 산업 연구 개발 단지, 쇼핑센터 등이 발달한 새로운 중심지가 형성되기도 함

★ 한눈에 정리

유럽과 미국 도시의 도심 비교

유럽 도시의 도심	· 형성 역사가 길 · 건물의 높이가 낮음 · 역사 유적 지구가 많음 · 고소득층이 많이 거주함
미국 도시의 도심	· 형성 역사가 짧음 · 초고층 빌딩이 마천루를 이룸 · 주거 기능이 약함

3. 북부 아메리카 주요 도시의 내부 구조와 특징

(1) **도시 내부 구조**: 도심에 중심 업무 지구 형성, 주변 지역에 주거·공업 지역 분포

(2) **거주지 분리 현상**: 경제력 및 민족(인종) 차이 반영

① **도심 주변**: 저소득층 및 소수 민족(인종)의 주거지 형성

② **주변(외곽) 지역**: 쾌적한 주거 환경을 선호하는 고소득층의 고급 주택지 형성

(3) **교외화 현상❸**: 도시의 인구 성장과 교통 발달로 교외화가 진행됨 → 도심의 주거 기능과 업무 기능이 분산됨, 에지 시티 발달

(4) **젠트리피케이션**: 낙후된 도시 내부 지역을 재개발하는 도시 재생 사업이 활발함 → 상업·업무 기능 발달, 문화 및 여가 공간 발달, 고급 주거지 발달 등

❸ 교외화와 미국의 도시 문제
교외화로 도심의 인구가 유출되면서 도심의 인구 공동화 현상이 나타났다. 도심에서는 시설의 노후화와 저소득층의 비율 증가로 불량 주거 지역, 즉 슬럼이 나타나 범죄 발생률 증가, 실업률 증가 등의 각종 도시 문제가 발생하였다.

교과서 자료 모아 보기

자료 확인 문제

자료 1 런던과 뉴욕의 도시 내부 구조 비교

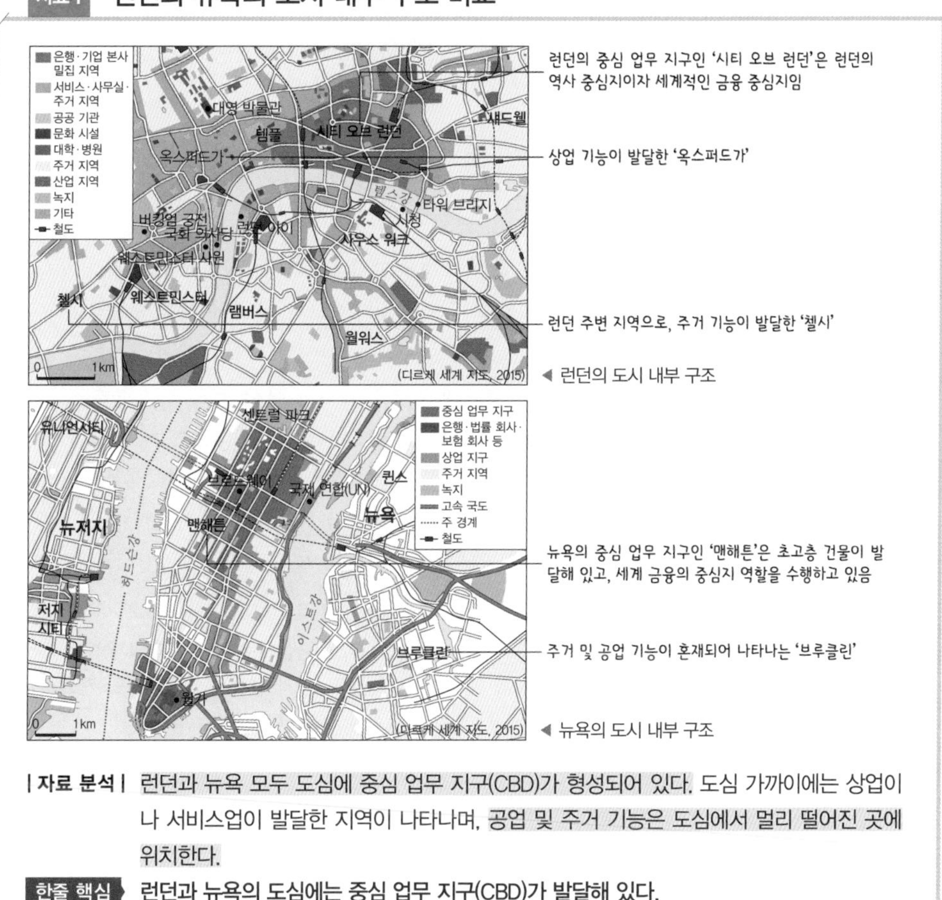

(디르케 세계 지도, 2015) ◀ 런던의 도시 내부 구조

(디르케 세계 지도, 2015) ◀ 뉴욕의 도시 내부 구조

| 자료 분석 | 런던과 뉴욕 모두 도심에 중심 업무 지구(CBD)가 형성되어 있다. 도심 가까이에는 상업이나 서비스업이 발달한 지역이 나타나며, 공업 및 주거 기능은 도심에서 멀리 떨어진 곳에 위치한다.

한줄 핵심 런던과 뉴욕의 도심에는 중심 업무 지구(CBD)가 발달해 있다.

❶ 런던의 '시티 오브 런던'은 중심 업무 지구이다. ○ ×

❷ 뉴욕의 중심 업무 지구는 □□□이다.
(　　　　　　)

자료 2 유럽과 북부 아메리카의 도시 구조 특징

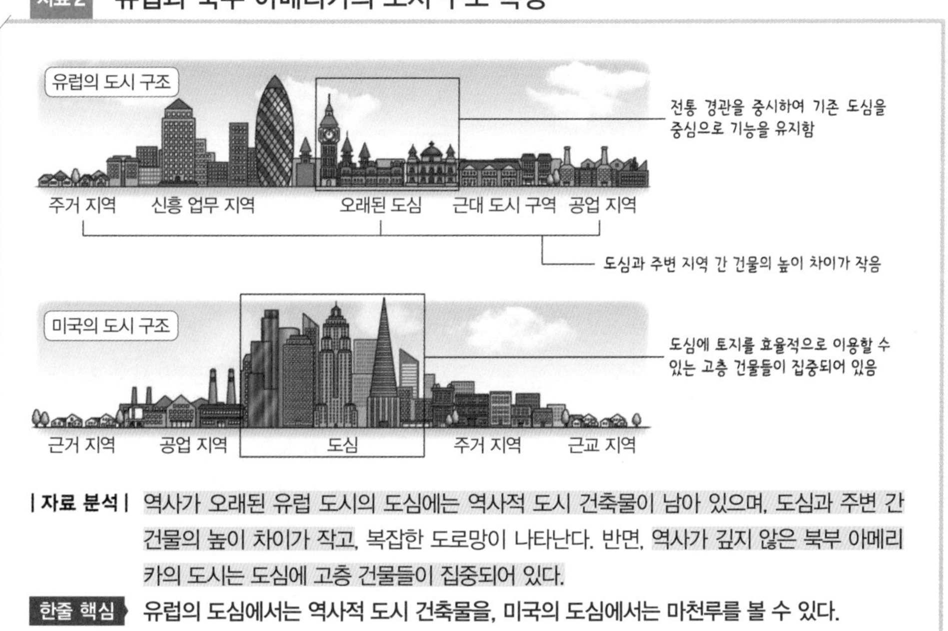

| 자료 분석 | 역사가 오래된 유럽 도시의 도심에는 역사적 도시 건축물이 남아 있으며, 도심과 주변 간 건물의 높이 차이가 작고, 복잡한 도로망이 나타난다. 반면, 역사가 깊지 않은 북부 아메리카의 도시는 도심에 고층 건물들이 집중되어 있다.

한줄 핵심 유럽의 도심에서는 역사적 도시 건축물을, 미국의 도심에서는 마천루를 볼 수 있다.

❸ 유럽과 미국 중 도심의 고층 건물 밀도가 높은 곳은?
(　　　　　　)

❹ 도심과 근교 지역 중 시가지 형성 역사가 이른 곳은?
(　　　　　　)

유럽과 북부 아메리카 주요 도시의 특색

수능풀 Guide 유럽과 북부 아메리카 주요 도시의 지리적 특색을 'Ⅲ-03 세계의 도시화와 세계 도시 체계' 단원과 관련지어 알아보자.

1 세계 도시 체계에서의 유럽 도시

(가) 이 도시는 세계 3대 금융 중심지의 하나이다. 특히 금융 회사들의 진출이 급증하면서 기존 중심지 외에 '카나리 워프'라는 새로운 금융 중심 지구를 개발하여 최고의 국제 금융 도시라는 위상을 공고히 하였다. (뉴욕, 도쿄와 함께 최상의 세계 도시)

(나) 이 도시는 이웃한 두 나라의 국경과 가까워 상업과 교통의 중심지 역할을 하고 있으며, 세계 최대의 시계 박람회가 열리는 곳이다. 전통적으로 이 도시는 시계 산업으로 유명하였고, 최근에는 판매의 중심지로도 부상하고 있다. (스위스 상업·교통의 중심지)

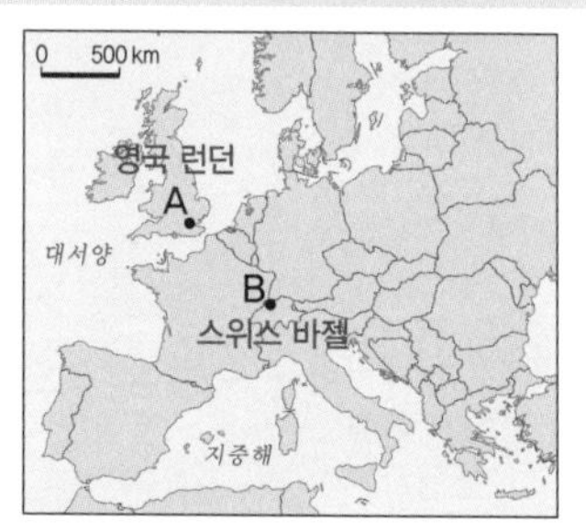

기출 선택지로 확인하기

❶ (가)는 세계적인 영향력을 가진 도시이다. ○|×

❷ (가)는 (나)보다 고차 중심지이다. ○|×

❸ (나)는 (가)보다 국제공항의 하루 이용객이 많다. ○|×

2 세계 도시 체계에서의 뉴욕

대표적인 ㉠ 세계 도시 뉴욕은 ㉡ 세계적인 경제·정치·문화의 중심지 역할을 수행하고 있다. 맨해튼과 브루클린을 중심으로 증권 거래소, 다국적 기업의 본사, 국제적 금융 기관, 법률 회사 등이 밀집된 ㉢ 대규모 상업·업무 지구가 형성되어 있다. 또한 국제 연합(UN)의 본부가 있어 많은 국제회의가 개최되며, 세계 각지에서 온 관광객들은 ㉣ 뉴욕의 상징인 브로드웨이를 비롯하여 자유의 여신상, 타임스퀘어 등을 찾고 있다.

(㉠: 뉴욕은 런던, 도쿄와 함께 최상위 세계 도시 / 맨해튼: 뉴욕의 중심 업무 지구 → 고층 빌딩 밀집 / 국제적 금융 기관, 법률 회사: 생산자 서비스업 / ㉣: 뛰어난 관광 자원임)

PLUS분석 뉴욕은 월가를 중심으로 세계 경제의 중심이 되었고, 국제 연합 본부가 들어서면서 정치적인 영향력도 커졌으며, 문화의 중심지인 브로드웨이도 있다.

기출 선택지로 확인하기

❹ ㉠은 도시의 기능과 영향력에 따라 계층 체계가 형성된다. ○|×

❺ ㉡은 교통·통신의 발달에 따른 세계화의 사례로 볼 수 있다. ○|×

❻ ㉢에는 전문화된 생산자 서비스업이 발달해 있다. ○|×

❼ ㉣은 지역화 전략 중 지리적 표시제의 사례이다. ○|×

3 유럽의 도시와 중국 남부의 도시 비교

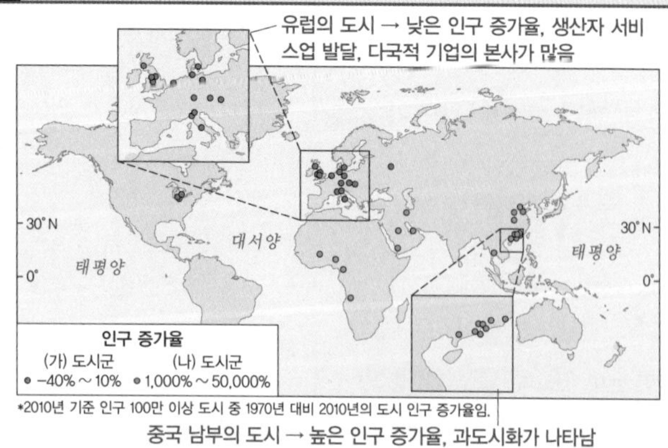

*2010년 기준 인구 100만 이상 도시 중 1970년 대비 2010년의 도시 인구 증가율임.

PLUS분석 유럽은 도시화의 종착 단계에 도달하였으므로 도시 인구 증가율이 낮은 반면, 중국은 도시화의 가속화 단계에 해당하므로 도시 인구 증가율이 높다.

기출 선택지로 확인하기

❽ (가) 도시군은 (나) 도시군보다 다국적 기업의 본사 수가 많다. ○|×

❾ (가) 도시군은 도시 인구가 급증할 것이다. ○|×

❿ (가) 도시군은 (나) 도시군보다 생산자 서비스업 종사자 비중이 높다. ○|×

정답 ❶ ○ ❷ ○ ❸ ×(저차 중심지인 바젤이 런던보다 국제공항의 하루 이용객이 적다.) ❹ ○ ❺ ○ ❻ ○ ❼ ×(장소 마케팅의 사례이다.) ❽ ○ ❾ ×(도시 인구가 감소하고 교외화 현상이 나타난다.) ❿ ○

콕콕! 개념 확인하기

정답과 해설 59쪽

A 유럽과 북부 아메리카의 도시 특색과 대도시권

01 다음은 세 도시의 랜드마크이다. (가)~(다) 도시에 대한 내용이 옳으면 ○표, 틀리면 ×표를 하시오.

(가) (나) (다)

(1) (가)~(다)는 모두 세계 도시이다. ( )

(2) (가)는 유럽에, (나)와 (다)는 북부 아메리카에 위치한다. ( )

(3) (가)는 (다)보다 역사적인 건축물과 유명한 미술품이 많다. ( )

02 다음 용어에 해당하는 내용을 바르게 연결하시오.

(1) 교외화 • • ㉠ 도시 인구가 주변 지역으로 이동하는 현상

(2) 메갈로폴리스 • • ㉡ 도심의 낙후 지역을 새롭게 개발하는 도심 재활성화 현상

(3) 젠트리피케이션 • • ㉢ 보스턴~워싱턴까지 거대 도시가 연결된 대도시권

B 유럽과 북부 아메리카의 도시 내부 구조와 특징

03 〈보기〉는 현대 도시 내부 구조의 특징을 나열한 것이다. 각 구조에 맞는 특징을 골라 기호를 쓰시오.

보기

ㄱ. 높은 지가 ㄴ. 중심 업무 지구 형성

ㄷ. 저급 주택과 공장 혼재 ㄹ. 인구 공동화 현상 발생

(1) 도심: ( ) (2) 주변 지역: ( )

04 다음은 유럽과 북부 아메리카 주요 도시의 내부 구조를 설명한 것이다. 알맞은 말에 ○표를 하시오.

(1) (유럽, 북부 아메리카) 주요 도시의 도심에는 광장 · 교회 등 역사적 도시 건축물이 남아 있다.

(2) 유럽의 도시들은 도심과 주변 지역 간 건물의 높이 차이가 (큰, 작은) 편이다.

(3) 북부 아메리카에서 도시의 저급 주택지는 주로 (도심 주변부, 도시 외곽)에 위치하고, 고급 주택지는 주로 (도심 주변부, 도시 외곽)에 위치한다.

탄탄! 내신 다지기

정답과 해설 59쪽

A 유럽과 북부 아메리카의 도시 특색과 대도시권

01 다음 글의 (가), (나)에 해당하는 도시를 지도의 A～D에서 고른 것은?

> • (가) 은/는 오대호의 운하가 개통됨에 따라 내륙 농산물의 유럽 수출항으로 성장하였다. 제2차 세계 대전 이후에는 월가(Wall Street)를 중심으로 세계 경제의 중심이 되었으며, 국제 연합 본부가 설치되면서 정치적 영향력도 커졌다.
> • (나) 은/는 19세기 이후 산업화를 통해 크게 성장하였고, 도시 개조 사업을 통해 근대적 도시로 발돋움하였다. 역사적인 건축물과 유명한 미술품이 많아 세계 문화·예술의 중심지로 불리며, 도시의 중심에 에펠탑이 위치한다.

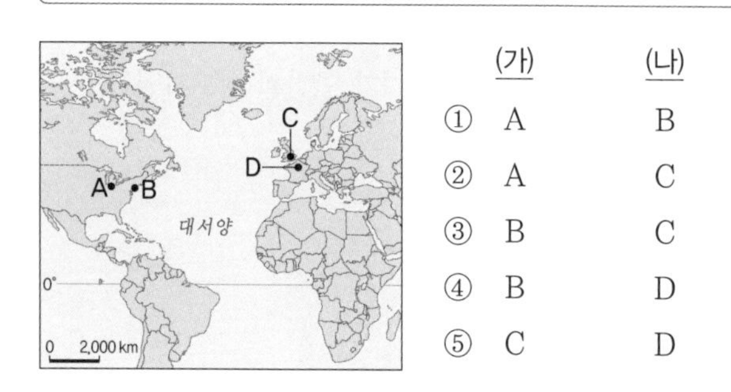

	(가)	(나)
①	A	B
②	A	C
③	B	C
④	B	D
⑤	C	D

02 지도의 (가) 지역에 대한 옳은 설명을 〈보기〉에서 고른 것은?

〈보기〉
ㄱ. 미국 최대의 첨단 산업 지역이다.
ㄴ. 도시 간 도로 및 철도 교통망이 잘 갖추어져 있다.
ㄷ. 시가지가 연결된 곳으로, 메갈로폴리스에 해당한다.
ㄹ. 지역 내 2차 산업 생산액이 3차 산업 생산액보다 많다.

① ㄱ, ㄴ ② ㄱ, ㄷ ③ ㄴ, ㄷ ④ ㄴ, ㄹ ⑤ ㄷ, ㄹ

B 유럽과 북부 아메리카의 도시 내부 구조와 특징

03 다음은 유럽과 북부 아메리카의 주요 도시를 여행하면서 작성한 글의 일부이다. 밑줄 친 '이곳'에 대해 유추한 내용으로 옳은 것은?

> <u>이곳</u>은 오래전에 만들어진 역사적 도시 건축물과 새롭게 만들어진 높은 건물들이 조화를 이루고 있다.

① 북부 아메리카의 도시일 것이다.
② 주로 저소득층이 거주할 것이다.
③ 도시의 외곽 지역에 해당할 것이다.
④ 도로망이 복잡하게 발달하였을 것이다.
⑤ 주로 도시의 공업 기능을 담당할 것이다.

04 (가), (나)에 대한 설명으로 옳은 것은? (단, A～C는 공업 지역, 근교 지역, 도심 중 하나임.)

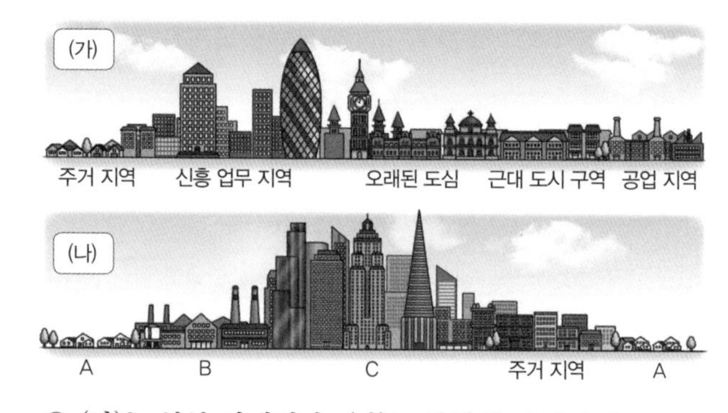

① (가)는 북부 아메리카, (나)는 유럽의 도시이다.
② (가)는 (나)보다 도심 건물의 평균 층수가 높다.
③ (나)는 (가)보다 시가지 형성 시기가 이르다.
④ A는 B보다 접근성이 높은 곳에 위치한다.
⑤ C는 A보다 주간과 야간의 인구 차가 크다.

서술형 문제

05 다음 글을 읽고 물음에 답하시오.

> 대도시의 도심 지역은 거주하던 주민들이 주변 지역으로 빠져 나가면서 인구 (가) 현상이 발생하기도 한다.

(1) (가)에 들어갈 알맞은 용어를 쓰시오. (　　　　)

(2) (가)와 관련된 대도시 도심의 경관 특징을 서술하시오.

도전! 실력 올리기

정답과 해설 60쪽

기출 변형

01 다음 자료는 지도에 표시된 두 도시의 특징을 나타낸 것이다. 이에 대한 설명으로 옳은 것은?

(가) 이 도시는 상업과 교통의 중심지 역할을 하고 있으며, 세계 최대의 시계 박람회가 열리는 곳이다. 이 도시는 전통적으로 시계 산업으로 유명하였고, 최근에는 판매의 중심지로도 부상하고 있다.
(나) 이 도시는 세계 3대 금융 중심지의 하나로, 금융 회사들의 진출이 급증하면서 '카나리 워프'라는 새로운 금융 중심지를 개발하였다. 최근 브렉시트 이후 금융 기능의 약화를 우려하고 있다.

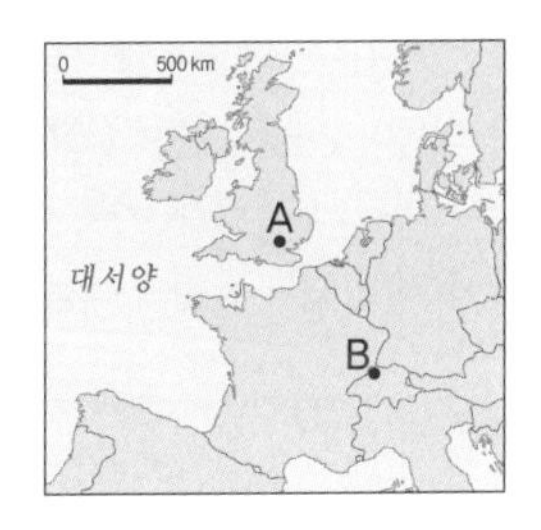

① (가)는 A, (나)는 B이다.
② (가)는 (나)보다 다국적 기업의 본사 수가 많다.
③ (나)는 (가)보다 생산자 서비스업 종사자 수가 많다.
④ A는 B보다 도시의 인구수가 적다.
⑤ B는 A보다 일평균 외환 거래 규모가 크다.

02 다음 글의 밑줄 친 ㉠~㉤에 대한 옳은 설명만을 〈보기〉에서 고른 것은?

㉠ 파리는 역사 경관과 현대 경관이 조화를 이룬다. 도심에는 상업 기능이 발달한 ㉡ 샹젤리제가 오래전에 형성되었고, 도심 외곽에는 새롭게 건설된 업무 단지인 ㉢ 라데팡스가 위치한다. 19세기 파리는 ㉣ 인구가 급격히 증가하였으며, 전염병이 만연하여 도시 개조 사업을 실시하였다. 또한 개선문을 중심으로 대로를 ㉤ 방사형으로 건설하였다.

보기
ㄱ. ㉠은 프랑스의 인구 규모 1위 도시이다.
ㄴ. ㉡은 ㉢보다 건물의 평균 층수가 높다.
ㄷ. ㉣로 인해 집적의 불이익 현상이 나타났다.
ㄹ. ㉤은 미국 대도시에서 흔히 볼 수 있는 가로망 유형이다.

① ㄱ, ㄴ ② ㄱ, ㄷ ③ ㄴ, ㄷ ④ ㄴ, ㄹ ⑤ ㄷ, ㄹ

03 다음 자료는 런던의 도시 내부 구조와 두 지역의 경관을 나타낸 것이다. (가), (나) 지역에 대한 설명으로 옳은 것은?

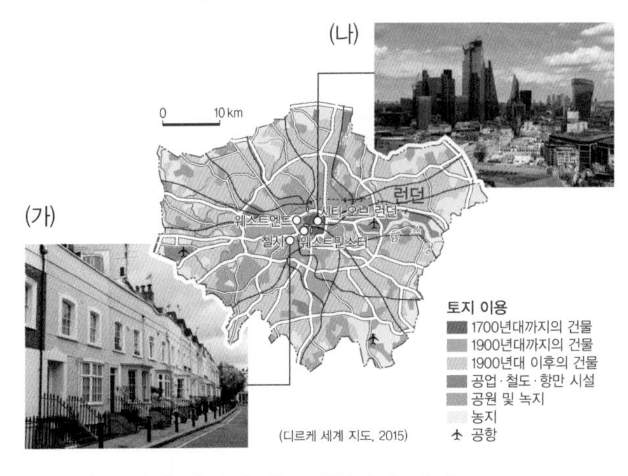

① (가)는 주간 인구가 상주인구보다 많다.
② (나)는 점이 지대에 해당한다.
③ (가)는 (나)보다 통근자들의 평균 통근 거리가 멀다.
④ (나)는 (가)보다 대중교통 이용이 불편하다.
⑤ 고급 쇼핑 상가는 (가)에, 슈퍼마켓은 (나)에 주로 위치한다.

04 그래프는 지도에 나타난 뉴욕 맨해튼 지역의 인구 변화를 나타낸 것이다. A~C 시기에 대한 설명으로 옳은 것은?

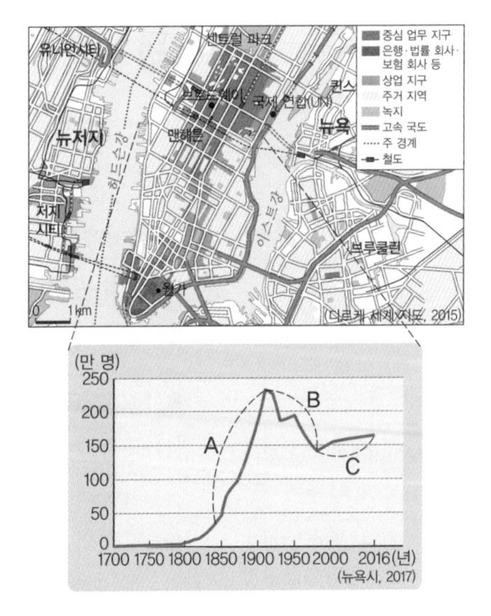

① A 시기에는 인구 공동화 현상이 나타났다.
② B 시기에는 경제 불황이 지속되었다.
③ C 시기의 인구 증가는 젠트리피케이션 현상을 통해 설명할 수 있다.
④ A 시기는 B 시기보다 토지 이용의 효율성이 높았다.
⑤ C 시기는 A 시기보다 상업 및 업무 지역의 비율이 낮다.

03 지역의 통합과 분리 운동

A 유럽의 지역 통합과 분리 운동

1. 지역 통합의 배경: 두 차례의 세계 대전 이후 유럽 국가들 간 통합의 공감대 형성, 경제 발전을 위한 자원의 공동 이용 필요성 증대

2. 유럽 연합(EU)의 형성 과정과 확대

형성 과정	유럽 석탄 철강 공동체(ECSC) → 유럽 경제 공동체(EEC), 유럽 원자력 공동체(EURATOM) → 유럽 공동체(EC) → 유럽 연합(EU)
확대	1993년 영국, 프랑스, 독일, 이탈리아 등 12개국으로 출범 → 2019년 현재 28개 국가(영국 탈퇴 논의 중)

뜻 '브렉시트'라고 하는데, 영국(Britain)과 탈퇴(Exit)의 합성어야.

3. 유럽 연합의 특징과 과제

뜻 유로화 사용 국가를 말해. 영국·덴마크·스웨덴 등 유로화를 사용하지 않는 나라도 있어.

특징	역내 노동력·자본·상품의 자유로운 이동이 가능한 단일 시장 형성, 유로화 단일 화폐 사용(유로존 국가), 독자적인 입법·사법·행정 체계 갖춤
과제	동부 유럽과 서부 유럽 지역의 경제적 격차, 남부 유럽의 재정 적자 문제, 대규모 난민 유입에 따른 문화적 갈등 등

4. 유럽의 분리 독립 운동 자료 1

(1) **지역 정체성이 강한 지역을 중심으로 분리 독립 운동**: 북아일랜드 및 스코틀랜드(영국), 카탈루냐 및 바스크(에스파냐), 플랑드르(벨기에) 등

(2) **지역 간 경제적 차이에 따른 분리 독립 운동**: 파다니아(이탈리아)

❶ 유럽 지역 통합의 배경
유럽은 국가들이 서로 인접해 있으면서도 언어, 문화, 화폐 등이 서로 달라 무역조차도 쉽지 않았다. 또한 두 차례의 세계 대전을 겪으며 폐허가 된 삶의 터전을 복구하고, 국가 간 적대 요인을 해소하기 위해 유럽의 결속과 통합의 필요성이 대두되었다.

❷ 유럽의 분리 독립 운동
유럽은 민족, 언어, 종교, 관습 등이 다양하며 지역마다 역사적 배경도 다르다. 이에 한 국가 내에서조차 지역별로 서로 다른 문화적 차이에 따른 갈등이 나타나기도 한다. 문화적 차이에 따른 갈등이 심화될 경우 정치적·경제적 갈등으로 이어져 지역 내 분리 독립 운동이 벌어지기도 한다.

B 북부 아메리카의 지역 통합과 분리 운동

1. 지역 통합의 배경: 유럽 연합의 형성으로 유럽의 경제적 영향력 강화, 한국과 중국 등 동부 아시아 신흥 공업국의 성장으로 무역 환경 변화

2. 북아메리카 자유 무역 협정(NAFTA)의 체결 자료 2

유럽 연합과 달리 생산 요소(토지, 노동, 자본)의 자유로운 이동은 이루어지지 않아.

(1) **역내 관세와 무역 장벽 폐지**: 상품·서비스 교역, 투자, 지적 재산권의 자유 무역 시행

(2) **국제 경쟁력 강화**: 미국(자본·기술), 캐나다(자원·자본), 멕시코(풍부한 노동력)의 결합

3. 북아메리카 자유 무역 협정의 영향

뜻 미국으로부터 들여온 부품 등을 가공하여 완성품을 미국으로 다시 보내는 조립 가공업체를 말해.

(1) **긍정적 측면**: 역내 교역 증가, 세계 시장에서의 경쟁력 확보, 해외 자본 유입의 확대, 미국과 멕시코의 국경선 남쪽에 마킬라도라 공업 지역 발달

(2) **부정적 측면**: 미국 제조업의 국외 이전에 따른 일자리 감소, 멕시코 공장 주변의 환경 오염, 멕시코 경제의 미국 의존도 증가

4. 북부 아메리카의 분리 독립 운동과 이주민 갈등

(1) **다문화 사회 형성**: 인구 유입이 활발해 유럽계, 아프리카계, 아시아계, 원주민 등 다양한 민족(인종)이 어우러져 생활하게 됨

(2) **캐나다 퀘벡주의 분리 독립 운동**: 프랑스의 식민 지배를 받아 프랑스어 사용 인구가 많음 → 영어를 사용하는 캐나다로부터 분리 독립을 주장하고 있음

(3) **민족(인종) 간 갈등 확대**: 히스패닉 인구의 증가로 미국에서 갈등이 확대됨

뜻 미국에 거주하는 라틴 아메리카 출신 사람들을 말해.

❸ NAFTA와 해외 자본 유입
북아메리카 자유 무역 협정을 통해 회원국 간 무역이 활성화되자, 미국 시장을 확보하기 위해 해외로부터의 자본 유입이 확대되었다. 특히 상대적으로 저렴한 멕시코의 노동력을 이용하기 위한 아시아 및 유럽 기업의 멕시코 투자가 증가하였다.

★ 한눈에 정리

유럽 연합과 북아메리카 자유 무역 협정

유럽 연합	• 2019년 현재 28개국 • 완전 경제 통합 단계 • 단일 화폐 사용 추구
북아메리카 자유 무역 협정	• 2019년 현재 3개국 • 자유 무역 협정 단계

교과서 자료 모아 보기

자료 확인 문제

자료 1 유럽과 북부 아메리카의 분리 독립 운동

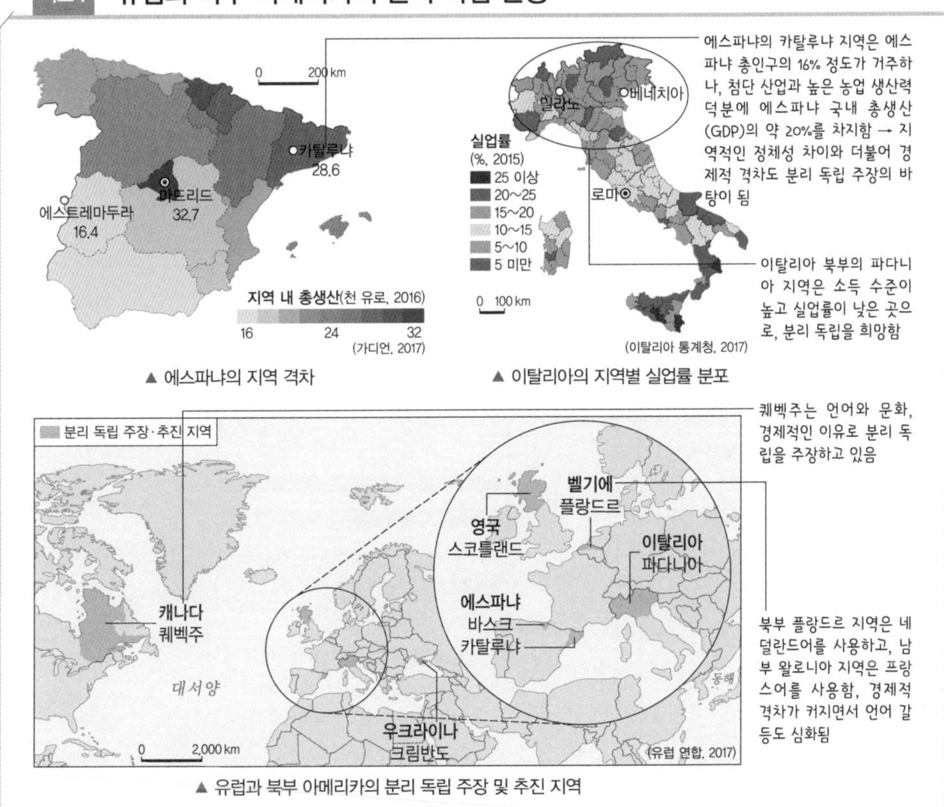

0 200 km
카탈루냐
28.6
마드리드
32.7
에스트레마두라
16.4
지역 내 총생산(천 유로, 2016)
16
24
32
(가디언, 2017)
밀라노
베네치아
로마
실업률 (%, 2015)
25 이상
20~25
15~20
10~15
5~10
5 미만
0 100 km
(이탈리아 통계청, 2017)
에스파냐의 카탈루냐 지역은 에스파냐 총인구의 16% 정도가 거주하나, 첨단 산업과 높은 농업 생산력 덕분에 에스파냐 국내 총생산(GDP)의 약 20%를 차지함 → 지역적인 정체성 차이와 더불어 경제적 격차도 분리 독립 주장의 바탕이 됨
이탈리아 북부의 파다니아 지역은 소득 수준이 높고 실업률이 낮은 곳으로, 분리 독립을 희망함
분리 독립 주장·추진 지역
캐나다 퀘벡주
대서양
0 2,000 km
영국 스코틀랜드
벨기에 플랑드르
이탈리아 파다니아
에스파냐 바스크 카탈루냐
우크라이나 크림반도
동해
(유럽 연합, 2017)
퀘벡주는 언어와 문화, 경제적인 이유로 분리 독립을 주장하고 있음
북부 플랑드르 지역은 네덜란드어를 사용하고, 남부 왈로니아 지역은 프랑스어를 사용함. 경제적 격차가 커지면서 언어 갈등도 심화됨

▲ 에스파냐의 지역 격차 ▲ 이탈리아의 지역별 실업률 분포

▲ 유럽과 북부 아메리카의 분리 독립 주장 및 추진 지역

| 자료 분석 | 유럽과 북부 아메리카에는 종교, 언어, 민족 등의 지역적 정체성 차이와 경제적 격차 때문에 분리 독립을 추진하고 있는 지역이 많다.

한줄 핵심 유럽과 북부 아메리카는 정체성의 차이와 경제적 격차가 분리 독립 운동의 바탕이 되고 있다.

❶ 카탈루냐의 소득 수준은 에스파냐 전체의 평균 소득 수준보다 높다. (○ | ×)

❷ 이탈리아에서 남부 지역과 북부 지역 간의 경제적 차이로 분리 독립 운동을 벌이는 지역은?
( )

자료 2 북부 아메리카의 지역 통합 – 북아메리카 자유 무역 협정

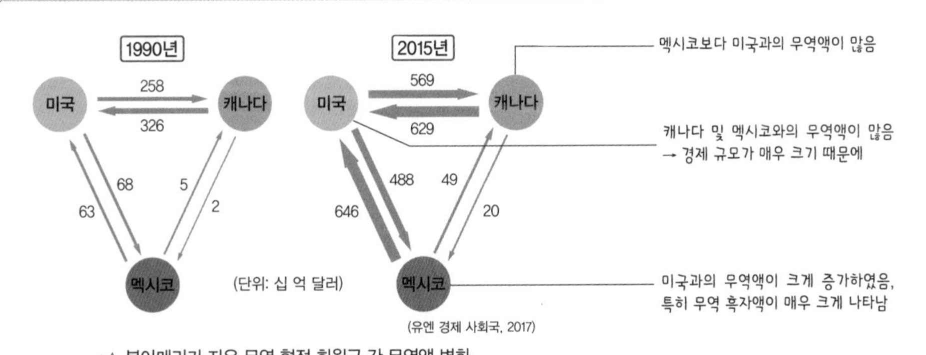

1990년
미국
캐나다
258
326
68
63
5
2
멕시코
(단위: 십 억 달러)
2015년
미국
캐나다
569
629
488
646
49
20
멕시코
(유엔 경제 사회국, 2017)
멕시코보다 미국과의 무역액이 많음
캐나다 및 멕시코와의 무역액이 많음 → 경제 규모가 매우 크기 때문에
미국과의 무역액이 크게 증가하였음. 특히 무역 흑자액이 매우 크게 나타남

▲ 북아메리카 자유 무역 협정 회원국 간 무역액 변화

| 자료 분석 | 북아메리카 자유 무역 협정 체결(1994년) 이후 미국, 캐나다, 멕시코 간 무역량이 크게 증가하였다. 특히, 멕시코는 미국과의 무역에서 흑자액이 매우 크게 나타나고 있다.

한줄 핵심 미국 기업의 멕시코 투자로 멕시코는 미국에 대해 많은 흑자를 기록하고 있다.

❸ 미국, 캐나다, 멕시코 간 무역량이 크게 증가한 이유는 북아메리카 □□ □□ □□의 체결 때문이다.
( )

❹ 북아메리카 자유 무역 협정 회원국 간 무역에서 흑자 규모가 가장 큰 나라는?
( )

정답 ❶ ○ ❷ 파다니아 ❸ 자유 무역 협정 ❹ 멕시코

유럽과 북부 아메리카의 통합과 분리

수능풀 Guide 유럽과 북부 아메리카에서 나타나고 있는 통합과 분리 운동에 대해 알아보자.

1 유럽 연합의 형성 과정과 특징

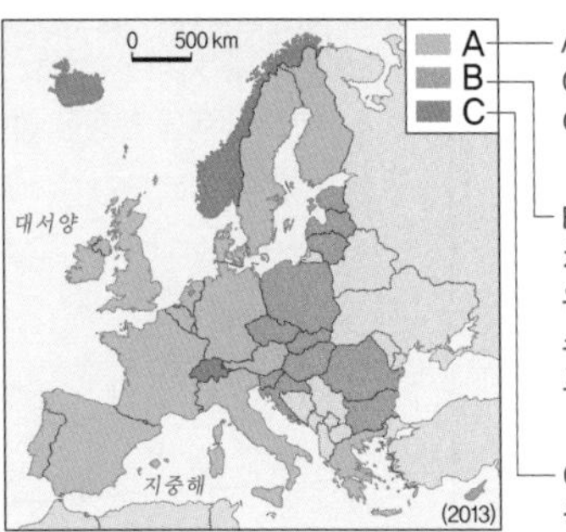

A는 2004년 이전에 유럽 연합에 가입한 국가들 → 소득 수준이 높은 편임

B는 주로 동부 유럽 지역에 위치한 국가들 → 2004년 이후에 유럽 연합에 가입한 국가들 → 소득 수준이 낮은 편이며, 대체로 과거 사회주의를 경험함

C는 유럽 연합에 속하지 않은 국가들

PLUS분석 A와 B는 유럽 연합 가입국이고, C는 유럽 연합 미가입국으로 유럽 자유 무역 연합(EFTA)을 이루고 있는 나라들이다.

기출 선택지로 확인하기

❶ A는 B보다 유럽 연합에 먼저 가입한 국가들이다. ○ ×

❷ B는 유럽 연합에 가입한 이후, A로의 노동력 이동 증가가 나타났다. ○ ×

❸ C는 유럽 연합 출범 시기부터 회원국 지위를 유지하고 있다. ○ ×

❹ A와 C의 모든 국가들은 국가 단일 통화로서 유로화를 사용하고 있다. ○ ×

2 지역 경제 협력체의 상품 수출·수입액 비교

(가)는 상품 수출·수입액이 가장 적음 → 동남아시아 국가 연합(ASEAN)

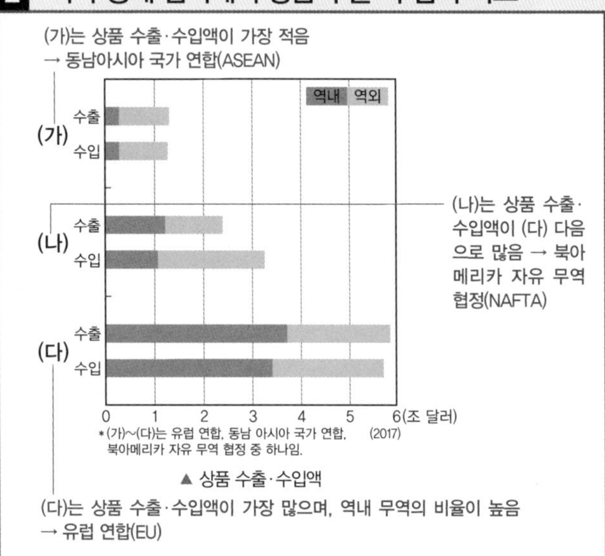

▲ 상품 수출·수입액

(나)는 상품 수출·수입액이 (다) 다음으로 많음 → 북아메리카 자유 무역 협정(NAFTA)

(다)는 상품 수출·수입액이 가장 많으며, 역내 무역의 비율이 높음 → 유럽 연합(EU)

기출 선택지로 확인하기

❺ (나)는 (가)보다 회원국 수가 많다. ○ ×

❻ (다) 회원국 간에는 상품, 자본, 노동력의 이동이 제한적이다. ○ ×

❼ (다)는 (나)보다 역내 무역의 비율이 높다. ○ ×

3 퀘벡주와 스코틀랜드의 분리 독립 추구

- 서로 다른 언어를 사용하는 주민들 사이에서 오랜 긴장과 갈등을 겪고 있는 (가) 에서는 프랑스어 사용자가 많은 □주의 분리 독립을 놓고 1980년과 1995년 두 차례 주민 투표가 실시된 바 있다. 그러나 모두 근소한 표차로 부결되었으며, 1995년 주민 투표에서는 그 차이가 2%p 미만이었다. - △△일보, 2006년 △월 △일자 -
- 가톨릭교와 개신교 간의 분쟁에 시달리던 (나) 에서 또 다른 지역 갈등 문제가 대두되었다. 분리 독립을 추진하던 ○자치 정부의 시도는 주민 투표 결과 찬성 44.7%, 반대 55.3%로 무산되었는데, 현지 언론은 앵글로·색슨족에 대한 켈트족의 민족적 반감보다 경제적인 문제가 투표 결과에 크게 작용한 것으로 분석했다. - ◇◇신문, 2014년 ◇월 ◇일자 -

주로 켈트족으로 구성되어 있고, 앵글로·색슨족의 구성 비율이 높은 잉글랜드로부터 분리 독립을 추구함 → (나)는 영국 북부의 스코틀랜드

영어를 주로 사용하는 캐나다에서 프랑스어를 사용하는 인구 비율이 높은 퀘벡주 주민들은 분리 독립을 추구함 → (가)는 캐나다 동부의 퀘벡주

기출 선택지로 확인하기

❽ (가)는 캐나다 동부, (나)는 영국 북부에 위치한다. ○ ×

❾ 캐나다 퀘벡주의 주민들과 영국 스코틀랜드의 주민들은 같은 언어를 공용어로 사용한다. ○ ×

정답 ❶ ○ ❷ ○ ❸ ×(노르웨이, 아이슬란드, 스위스 등은 유럽 연합 미가입국이다.) ❹ ×(C에는 유로 사용국이 없으며, A에도 유로를 사용하지 않는 나라들이 있다.) ❺ ×(북아메리카 자유 무역 협정은 3개국, 동남아시아 국가 연합은 10개국이다.) ❻ ×(유럽 연합은 회원국 간 상품, 자본, 노동력의 이동이 자유롭다.) ❼ ○ ❽ ○ ❾ ×(퀘벡주는 프랑스어, 스코틀랜드는 영어가 공용어이다.)

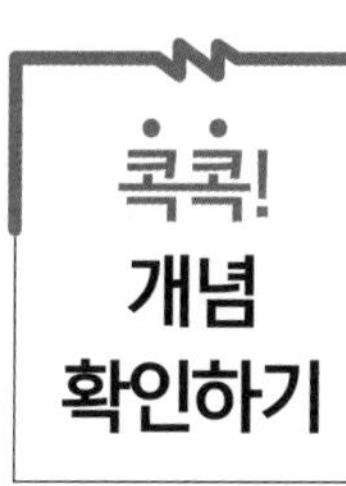

정답과 해설 61쪽

A 유럽의 지역 통합과 분리 운동

01 지도는 유럽 연합에 가입한 국가들을 세 국가군으로 나눈 것이다. A~C 국가군에 대한 내용이 옳으면 ○표, 틀리면 ×표를 하시오.

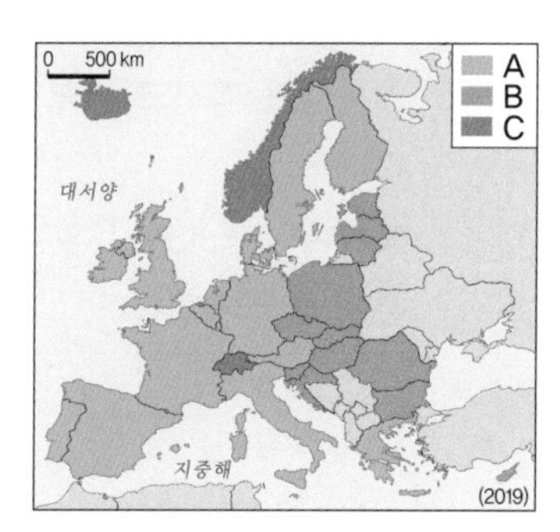

(1) A의 모든 국가에서는 단일 화폐로 유로화를 사용한다. ( )

(2) C는 유럽 연합에 가입했다가 탈퇴한 국가들이다. ( )

(3) B는 A보다 유럽 연합에 가입한 시기가 늦다. ( )

02 유럽의 각국에서 분리 독립 운동이 일어나고 있는 지역을 〈보기〉에서 고르시오.

〈보기〉

ㄱ. 바스크	ㄴ. 북아일랜드	ㄷ. 스코틀랜드
ㄹ. 파다니아	ㅁ. 플랑드르	ㅂ. 카탈루냐

(1) 영국 ( ) (2) 벨기에 ( )

(3) 에스파냐 ( ) (4) 이탈리아 ( )

B 북부 아메리카의 지역 통합과 분리 운동

03 다음 내용이 북아메리카 자유 무역 협정의 회원국 중 미국에 해당하면 '미', 멕시코에 해당하면 '멕', 캐나다에 해당하면 '캐'라고 쓰시오.

(1) 에스파냐어 사용자 비율이 가장 높음 ( ) (2) 첨단 기술 산업 가장 발달 ( )

(3) 인구 대비 많은 자원 ( ) (4) 마킬라도라 ( )

(5) 역외 무역 비율이 가장 높음 ( )

04 자료는 캐나다 A주와 B주의 범위와 주의 깃발을 나타낸 것이다. A·B주에 대한 내용이 옳으면 ○표, 틀리면 ×표를 하시오.

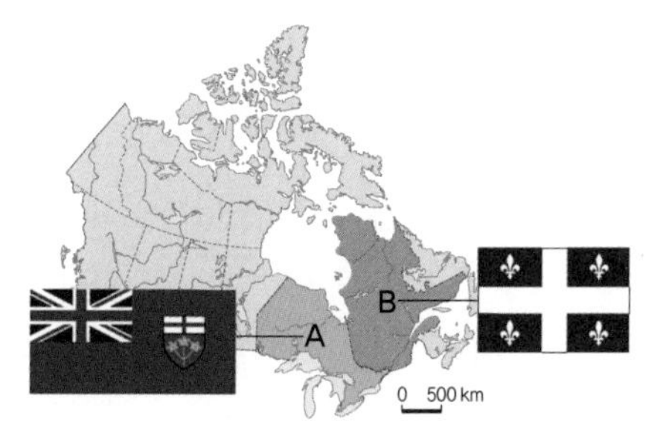

(1) A주는 B주보다 영어 사용자의 비율이 높다. ( )

(2) B주의 깃발에는 프랑스를 상징하는 깃발이 들어 있다. ( )

(3) A주는 B주와의 갈등으로 분리 독립을 추구하고 있다. ( )

탄탄! 내신 다지기

정답과 해설 61쪽

A 유럽의 지역 통합과 분리 운동

01 지도는 유럽 연합 가입국을 가입 시기에 따라 분류한 것이다. (가), (나) 국가군에 대한 설명으로 옳은 것은?

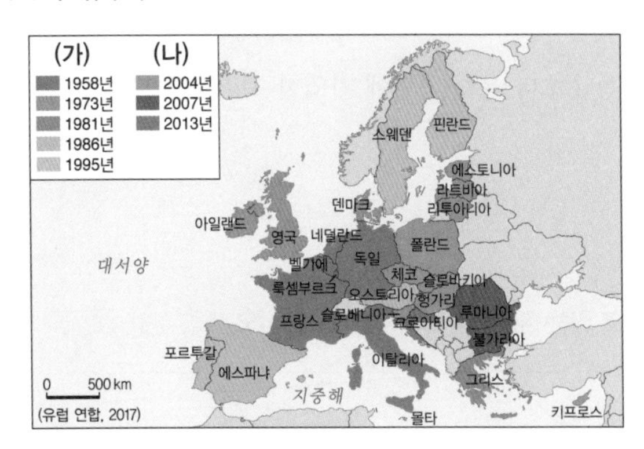

① (가)는 (나)보다 유로화의 이용 비율이 낮다.
② (가)는 (나)보다 사회주의를 경험한 국가가 많다.
③ (나)는 (가)보다 농업 의존도가 대체로 낮다.
④ (나)는 (가)보다 1인당 지역 내 총생산이 많다.
⑤ (가)에서 (나)보다 (나)에서 (가)로의 인구 이동이 많다.

02 지도에 표시된 지역의 지리적인 공통점으로 옳은 것은?

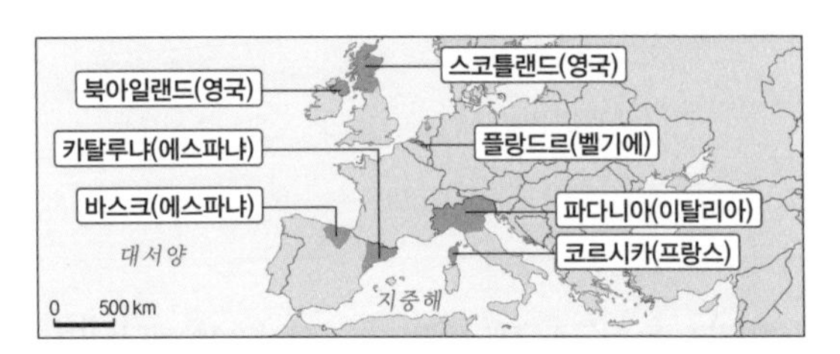

① 낮은 소득 수준　　② 주로 이슬람교 신봉
③ 첨단 산업의 중심지　　④ 분리 독립 운동 지역
⑤ 인구 규모 1위 도시 위치

B 북부 아메리카의 지역 통합과 분리 운동

03 그래프는 북아메리카 자유 무역 협정 회원국의 무역 상대국 비율을 나타낸 것이다. 이에 대한 설명으로 옳은 것은?

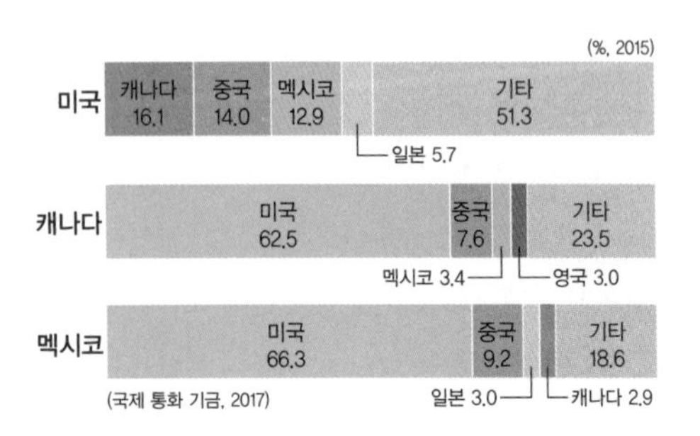

① 미국은 역외 무역량보다 역내 무역량이 많다.
② 미국과의 무역량은 멕시코가 캐나다보다 많다.
③ 세 국가 모두 최대 역외 무역국은 아시아에 위치한다.
④ 캐나다와 멕시코는 역내 무역량보다 역외 무역량이 많다.
⑤ 북아메리카 자유 무역 협정 회원국과의 무역량은 일본이 중국보다 많다.

04 지도의 (가) 지역에 대한 옳은 설명을 〈보기〉에서 고른 것은?

보기
ㄱ. 이누이트의 비율이 가장 높다. ㄴ. 프랑스어를 공용어로 사용하고 있다. ㄷ. 개신교도의 비율이 캐나다 평균보다 높다. ㄹ. 캐나다로부터 분리 독립을 추구하고 있다.

① ㄱ, ㄴ　② ㄱ, ㄷ　③ ㄴ, ㄷ　④ ㄴ, ㄹ　⑤ ㄷ, ㄹ

서술형 문제

05 다음 자료를 보고 물음에 답하시오.

(1) 위 자료와 관련된 신조어를 쓰시오. (　　　　　　)

(2) 위 자료가 나타내고자 하는 바를 서술하시오.

도전! 실력 올리기

정답과 해설 62쪽

01 다음은 스무고개 놀이를 활용한 수업 장면이다. (가)에 해당하는 국가를 지도의 A~E에서 고른 것은?

단계	학생	교사
한 고개	2019년 현재 유럽 연합의 가입국입니까?	예
두 고개	유로화를 자국의 통화로 사용합니까?	예
세 고개	민족 갈등으로 분리 독립 요구가 있습니까?	예
네 고개	2000년 이후 금융 지원을 받은 적이 있습니까?	예
다섯 고개	이 국가는 (가) 입니까?	예

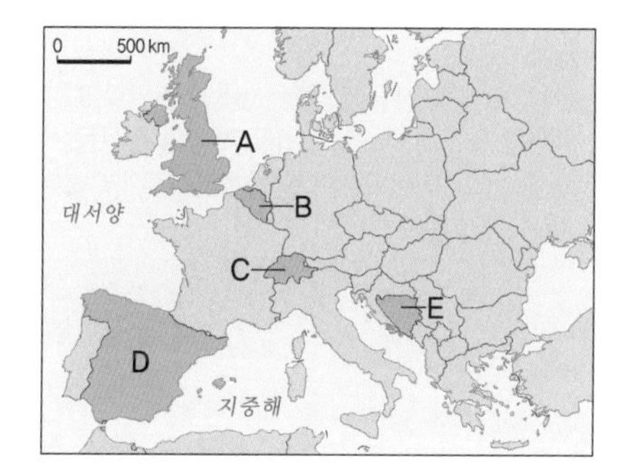

① A
② B
③ C
④ D
⑤ E

02 자료는 유럽 연합의 통합 및 확대 과정을 나타낸 것이다. 이에 대한 설명으로 옳은 것은?

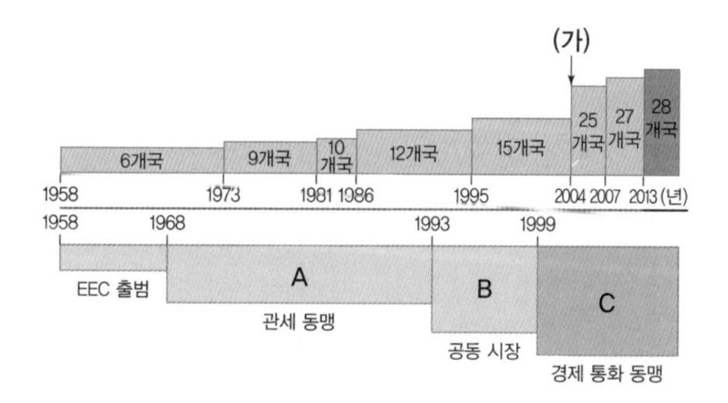

① (가) 시기 이후 가입국은 대체로 남부 유럽에 위치한다.
② (가) 시기 이전 가입국은 이후 가입국보다 소득 수준이 낮다.
③ A 단계에서 단일 통화인 유로가 도입되었다.
④ B 단계에서 생산 요소의 국가 간 이동이 자유로워졌다.
⑤ C 단계 이후 회원국 간 경제적 격차는 꾸준히 축소되고 있다.

03 그래프는 북아메리카 자유 무역 협정 체결 전후의 세 국가 간 무역액의 변화를 나타낸 것이다. 이에 대한 설명으로 옳은 것은? (단, A~C는 멕시코, 미국, 캐나다 중 하나임.)

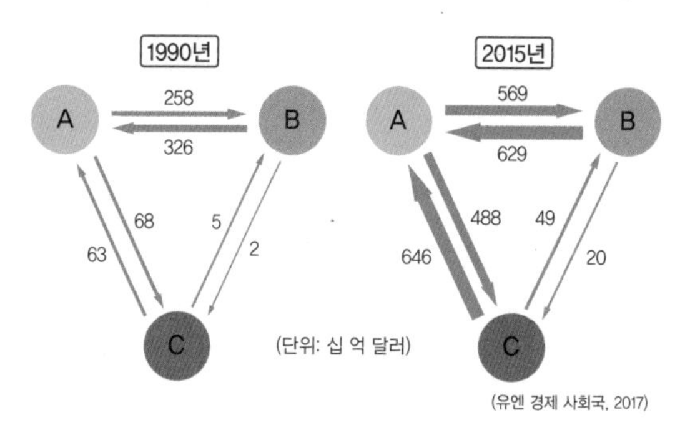

(유엔 경제 사회국, 2017)

① A는 B보다 대체로 고위도에 위치한다.
② B는 C보다 총인구수가 많다.
③ C는 A보다 영어 사용 인구 비율이 높다.
④ A와 C 국경 지역 중 C쪽에 공업 도시들이 발달하였다.
⑤ A와 B는 인구 순 유출, C는 인구 순 유입이 나타난다.

기출 변형

04 다음 자료의 ㉠~㉤에 대한 설명으로 옳은 것은?

> (가) ㉠ 가톨릭교와 개신교 간의 분쟁에 시달리던 [㉡]에서 또 다른 지역 갈등 문제가 대두되었다. 분리 독립을 추진하던 ㉢ ○○ 자치 정부의 시도는 주민 투표 결과 찬성 44.7%, 반대 55.3%로 무산되었지만, 앵글로·색슨족에 대한 켈트족의 반감은 여전히 남아 있다.
>
> (나) 서로 다른 언어를 사용하는 주민들 사이에서 오랜 긴장과 결등을 겪고 있는 [㉣]에서는 프랑스어 사용자가 많은 ㉤ □□주의 분리 독립을 놓고 1980년과 1995년 두 차례 주민 투표가 실시되었으나 부결되었다.

① ㉠은 웨일스 지역에서 주로 발생하였다.
② ㉡은 2019년 현재 북아메리카 자유 무역 협정으로부터 탈퇴를 도모하고 있다.
③ ㉢은 주로 켈트족으로 구성되어 있다.
④ ㉣은 ㉡보다 인구 밀도가 높다.
⑤ ㉤에서는 에스파냐어와 프랑스어를 공용어로 사용하고 있다.

한눈에 보는 대단원 정리

01 주요 공업 지역의 형성과 최근 변화

A 유럽의 공업 지역 형성과 변화

전통 공업 지역	산업 혁명의 발상지, 자원 산지를 중심으로 공업 지역 형성
변화 내용	• 전통 공업 지역 쇠퇴: 자원 고갈, 자원 수입 증가, 새로운 에너지 자원 확대 등이 원인 • 원료 수입·제품 수출이 편리한 임해 공업 지역 발달 • 전통 공업 지역의 변화: 지역 재활성화 및 관광 산업 발달
첨단 산업 지역 성장	기업, 대학, 연구소가 인접하여 상호 협력하는 산업 클러스터 형성

B 북부 아메리카의 공업 지역 형성과 변화

전통 공업 지역	뉴잉글랜드, 중부 대서양 연안, 오대호 연안 지역을 중심으로 발달
변화 내용	• 전통 공업 지역 쇠퇴: 자원 수입 증가, 신흥 공업 지역 성장에 따른 산업 구조 변화, 시설 노후화 등이 원인 • 중화학 공업 중심에서 첨단 산업 중심으로 변화 • 공업 지역이 북동부 러스트벨트에서 남부 및 서부의 선벨트로 이동
첨단 산업 성장	• 태평양 연안 공업 지역: 실리콘 밸리 • 멕시코만 연안 공업 지역: 휴스턴(항공 우주·석유 화학)

02 현대 도시의 내부 구조와 특징

A 유럽과 북부 아메리카의 도시 특색과 대도시권

높은 도시화율	산업화가 일찍 시작되어 오랜 기간 동안 도시화가 진행됨 → 도시화의 종착 단계
세계 도시 발달	뉴욕, 런던, 파리 등 세계적인 영향력을 가진 세계 도시 발달
교외화 현상	대도시의 인구 증가와 교통의 발달로 주거지 및 상업지의 교외화 현상이 나타남
대도시권 형성	대도시의 통근·통학권, 상권 등이 확대되어 주변 지역과 기능적으로 연결되는 대도시권 형성
메갈로폴리스 발달	도시 지역이 서로 연결되어 거대 도시를 이룸 예 미국 북동부의 보스턴~워싱턴, 영국의 런던~리버풀 등

B 유럽과 북부 아메리카의 도시 내부 구조와 특징

유럽	• 도시 내부 구조: 도심과 주변 지역 간 건물의 높이 차이가 작음, 복잡한 도로망 • 거주지 분리 현상: 도심에 고소득층 거주 지역 형성, 도심 주변부에 저소득층 이민자 거주 지역 형성 • 교외화 현상: 도시 외곽 지역에 첨단 산업 연구 개발 단지, 쇼핑센터 등이 발달한 새로운 중심지 형성
북부 아메리카	• 도시 내부 구조: 도심에 중심 업무 지구 형성, 주변 지역에 주거·공업 지역 분포 • 거주지 분리 현상: 도심 주변에 저소득층·소수 민족(인종)의 주거지 형성, 주변 지역에 고소득층의 고급 주택지 형성 • 교외화 현상: 도시의 인구 성장과 교통의 발달로 교외화가 진행됨 → 도심의 주거·업무 기능이 분산됨 • 젠트리피케이션: 낙후된 도시 내부 지역을 재개발하는 도시 재생 사업 활발

03 지역의 통합과 분리 운동

A 유럽의 지역 통합과 분리 운동

유럽 연합(EU)	• 형성 과정: 유럽 석탄 철강 공동체(ECSC)로 시작 → 1993년 12개국으로 출범 → 2019년 현재 28개 국가 • 특징: 단일 시장 형성, 유로화 단일 화폐 사용(유로존 국가), 독자적인 입법·사법·행정 체계 • 과제: 회원국 간 경제적 격차, 난민 유입에 따른 문화적 갈등 등
분리 독립 운동	• 문화 차이: 북아일랜드·스코틀랜드(영국), 카탈루냐·바스크(에스파냐), 플랑드르(벨기에) 등 • 경제 차이: 파다니아(이탈리아)

B 북부 아메리카의 지역 통합과 분리 운동

북아메리카 자유 무역 협정(NAFTA)	• 체결: 역내 관세와 무역 장벽 폐지, 국제 경쟁력 강화(미국의 자본·기술+캐나다의 자원·자본+멕시코의 노동력) • 긍정적 측면: 역내 교역 증가, 세계 시장에서의 경쟁력 확보, 해외 자본 유입의 확대 등 • 부정적 측면: 미국 제조업의 국외 이전에 따른 일자리 감소, 멕시코 경제의 미국 의존도 증가 등
분리 독립 운동과 이주민 갈등	• 캐나다 퀘벡주: 프랑스의 식민 지배를 받아 프랑스어 사용 인구가 많음 → 캐나다로부터 분리 독립 주장 • 민족(인종) 간 갈등 확대: 히스패닉 인구의 증가로 미국에서 갈등 확대

한번에 끝내는 대단원 문제

정답과 해설 63쪽

01 (가), (나) 공업 지역의 공통점을 〈보기〉에서 고른 것은?

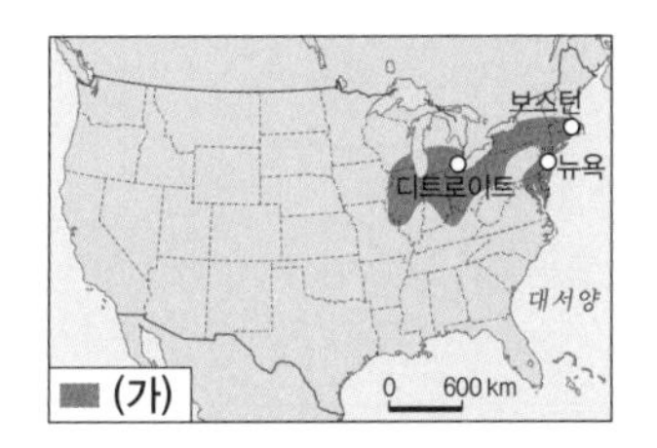

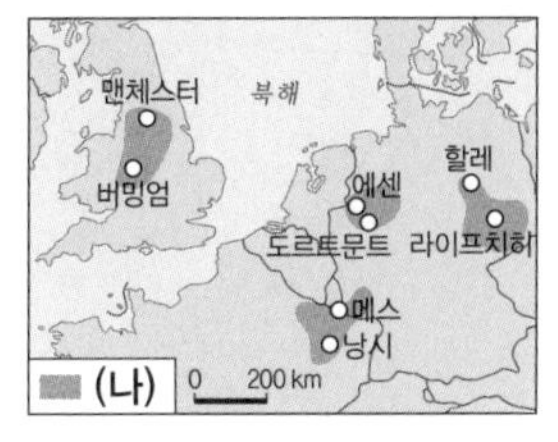

〈보기〉
ㄱ. 다국적 기업의 국내 공장이 주로 입지한다.
ㄴ. 기업은 연구소 및 대학과의 협력이 활발하다.
ㄷ. 과거 인근에 철광석 또는 석탄 산지가 입지하였다.
ㄹ. 산업 구조 개편, 생산 시설 노후화 등으로 쇠퇴하였다.

① ㄱ, ㄴ ② ㄱ, ㄷ ③ ㄴ, ㄷ
④ ㄴ, ㄹ ⑤ ㄷ, ㄹ

02 다음은 도시와 관련된 낱말 퍼즐이다. (가)에 들어갈 내용으로 가장 적절한 것은?

※ 질문 1~3에 해당하는 용어의 글자를 모두 지운 후, 남는 글자를 전부 사용하여 4의 (가)에 들어갈 용어에 대한 설명을 쓰시오.
1. 대도시의 도심에는 고급 전문 상가, 은행 및 기업의 본점 등 주요 기능이 집중된 □□ □□ 지구가 발달함
2. 북부 아메리카에 위치한 세계 최고차 도시
3. 도심의 낙후된 지역이 주거, 여가, 문화 공간으로 재개발되어 중산층의 생활 공간으로 변화하는 젠□□□□□□ 현상
4. (가)

갈	뉴	로	리	리	메
무	션	스	심	업	욕
이	피	중	케	트	폴

① 도심의 기온이 주변(외곽) 지역보다 높은 현상
② 도심과 주변 지역 사이의 여러 기능이 혼재된 지역
③ 도시의 주거·공업 기능이 교외 지역으로 이전하는 현상
④ 도시 내 여러 기능이 서로 모이고 분산되며 분화되는 현상
⑤ 대도시권의 시가지들이 띠 모양으로 연결되어 있는 거대한 도시 집중 지대

03 (가) 드라마와 (나) 영화의 배경이 되는 도시를 포함하고 있는 공업 지역을 지도의 A~D에서 고른 것은?

(가) 주인공인 프로그래머 리처드는 테크 인큐베이터인 '해커스 호텔'에서 프로그래밍을 하던 중 새로운 알고리즘을 발견한다. 그는 이 기술을 활용하여 동종업계 친구들과 스타트업을 시작하게 된다. …(중략)… 픽션이지만 더욱 현실적이기도 한 스타트업 초기의 이야기를 다룬다.
(나) 한때 최고의 자동차 도시로 경제적인 호황을 누렸지만, 이제는 쇠잔하여 암울하게 변한 도시에 사는 지미 스미스 주니어는 다른 빈민 흑인들과 마찬가지로 힙합을 암울한 생활의 탈출구이자 삶의 에너지로 삼고 있다. 결손 가정 출신의 지미는 생계를 위해 낮에는 폐차장에서 일을 하지만 …(하략)…

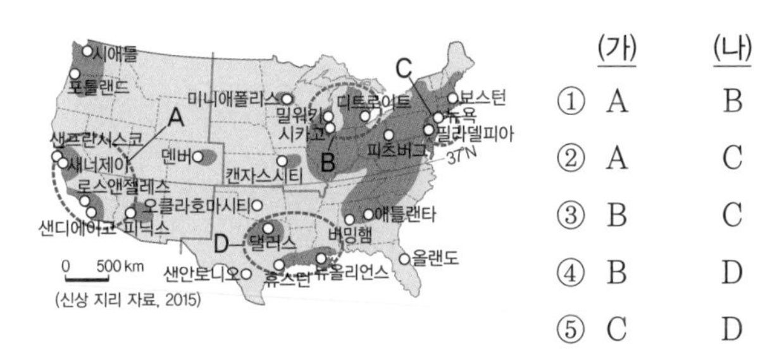

(신상 지리 자료, 2015)

	(가)	(나)
①	A	B
②	A	C
③	B	C
④	B	D
⑤	C	D

04 (가)~(라) 국가군에 대한 옳은 설명만을 〈보기〉에서 있는 대로 고른 것은?

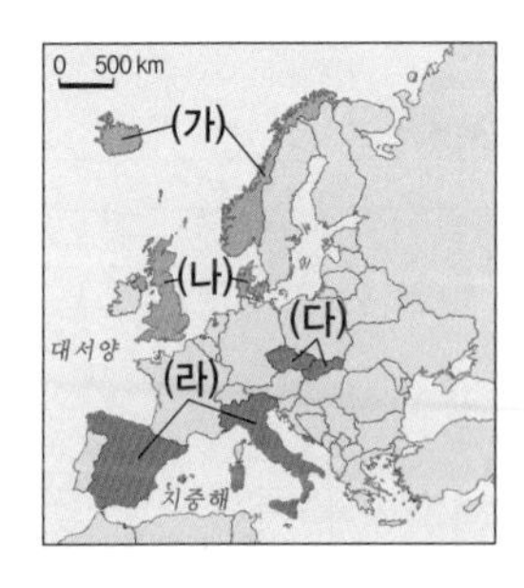

〈보기〉
ㄱ. (가)-유럽 연합에 가입된 국가가 아니다.
ㄴ. (나)-유로화를 단일 화폐로 사용한다.
ㄷ. (다)-두 국가의 통합 움직임이 활발하다.
ㄹ. (라)-경제 수준이 높은 일부 지역이 분리 독립을 추구하고 있다.

① ㄱ, ㄴ ② ㄱ, ㄹ ③ ㄴ, ㄷ
④ ㄱ, ㄷ, ㄹ ⑤ ㄴ, ㄷ, ㄹ

05 지도는 어느 도시의 지역 분화를 나타낸 것이다. 이 도시에 대한 옳은 설명만을 〈보기〉에서 있는 대로 고른 것은?

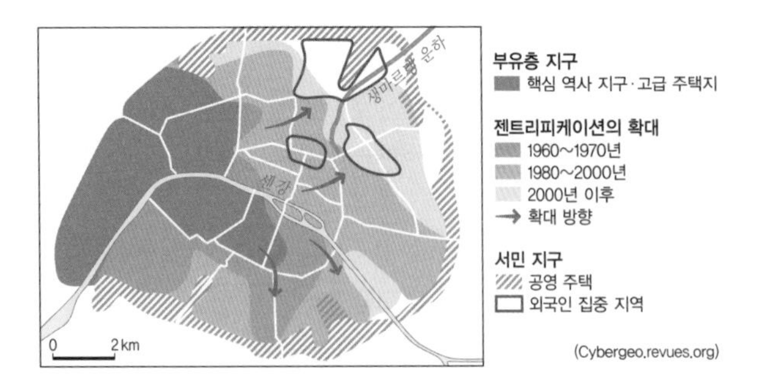

보기
ㄱ. 프랑스 정치·경제의 중심지이다.
ㄴ. 이민자들은 핵심 역사 지구에 주로 거주한다.
ㄷ. 바둑판무늬 형태의 직교형 가로망이 발달하였다.
ㄹ. 젠트리피케이션은 주로 서쪽에서 동쪽으로 확대되었다.

① ㄱ, ㄷ ② ㄱ, ㄹ ③ ㄴ, ㄷ
④ ㄱ, ㄴ, ㄹ ⑤ ㄴ, ㄷ, ㄹ

06 지도는 어느 세계 도시의 내부 구조를 나타낸 것이다. (가), (나) 도시에 대한 설명으로 옳지 않은 것은?

(가)

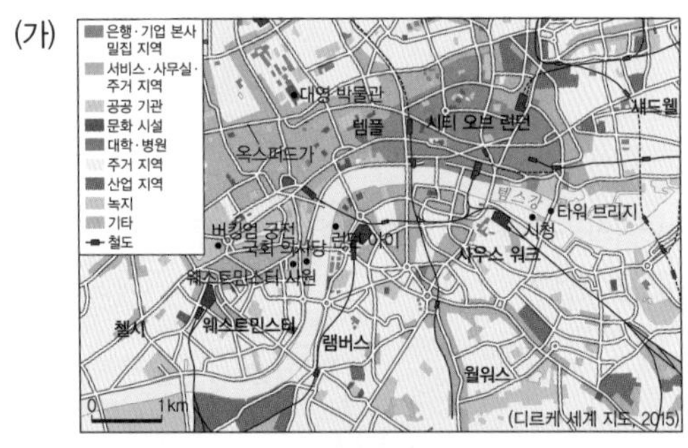

(나)

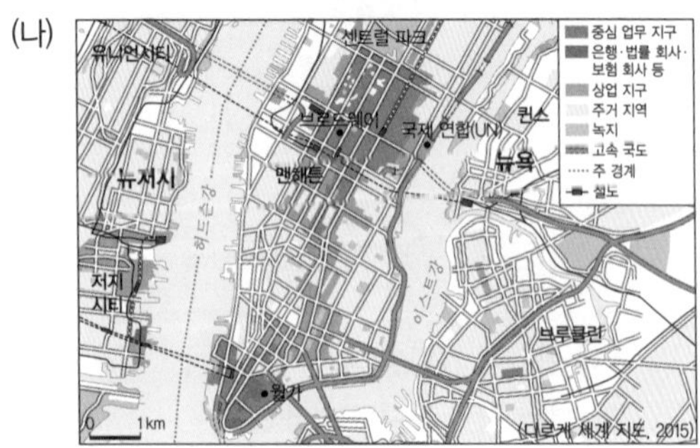

① (가)는 (나)보다 도시의 형성 시기가 이르다.
② (가)는 (나)보다 도심 빌딩의 평균 층수가 높다.
③ (나)는 (가)보다 격자형 가로망이 발달하였다.
④ (나)는 (가)보다 세계 경제에 끼치는 영향력이 크다.
⑤ (가), (나) 모두 젠트리피케이션 현상이 나타나고 있다.

07 (가) 지역 경제 협력체와 비교한 (나) 지역 경제 협력체의 상대적인 특징을 그림의 A~E에서 고른 것은?

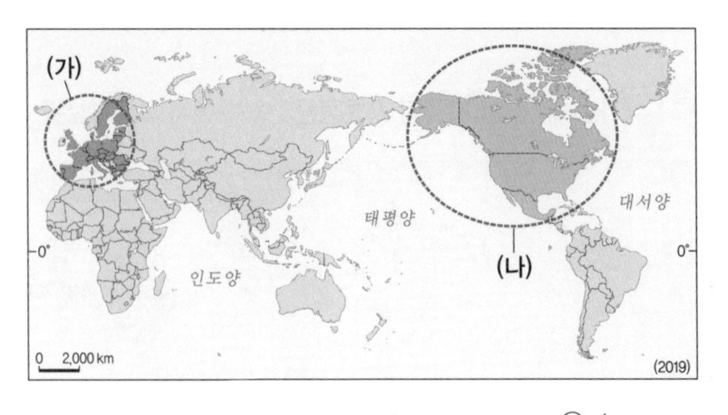

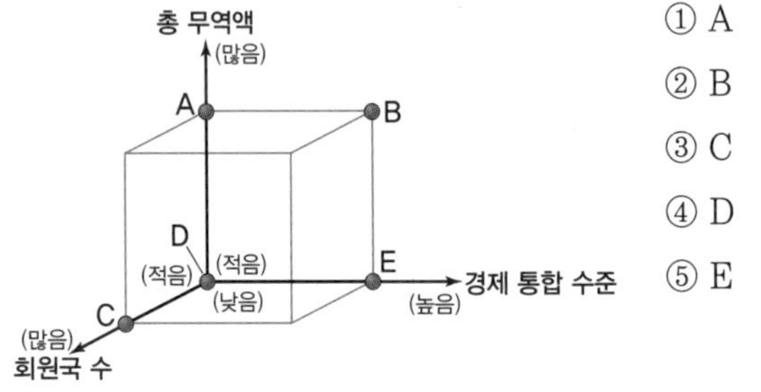

① A
② B
③ C
④ D
⑤ E

08 (가), (나) 지역의 공통점으로 옳은 것은?

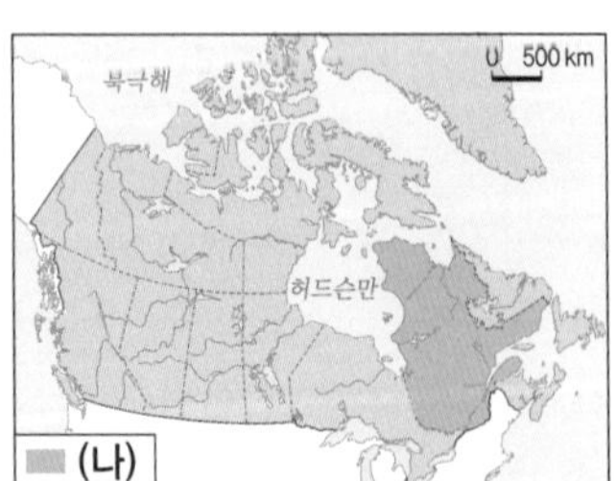

① 첨단 산업이 발달해 있다.
② 국가의 평균보다 인구 밀도가 높다.
③ 주민들이 분리 독립을 추구하고 있다.
④ 대부분의 주민들이 이슬람교를 신봉한다.
⑤ 내전으로 인해 난민이 많이 발생하고 있다.

09 다음 글의 밑줄 친 '이 나라'를 지도의 A~E에서 고른 것은?

> 이 나라에서는 네덜란드어를 사용하는 플랑드르 지역과 프랑스어를 사용하는 왈로니아 지역 간 언어 갈등이 발생한다. 또한, 플랑드르 지역에는 부가 가치가 높은 지식 산업이 발달한 반면, 왈로니아 지역에서는 농업과 광산업 중심의 산업 구조가 나타나면서 두 지역 간 경제적 격차가 커져 갈등이 심해지고 있다.

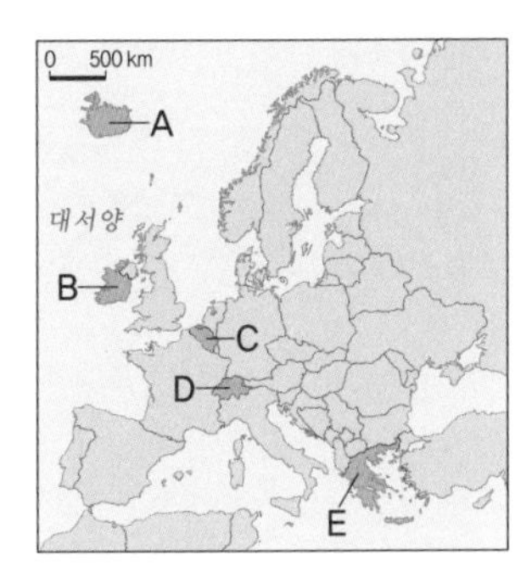

① A
② B
③ C
④ D
⑤ E

10 다음 글의 ㉠~㉢에 대한 설명으로 옳은 것은?

> [㉠]은/는 일반적으로 멕시코 북부의 미국 접경 지대에 있으면서 ㉡ 수출을 중심으로 하는 조립 가공 업체를 말한다. [㉠]는 1990년대 ㉢ 북아메리카 자유 무역 협정(NAFTA)의 시행 이후 급속하게 성장하였다. [㉠]의 발달로 멕시코 북부 지역의 도시들이 매우 빠르게 성장하였으며, 미국의 국경 지대는 유통업이 발달하고 세금으로 거둔 수입이 확대되었다.

① ㉠에는 '마킬라도라'가 들어갈 수 있다.
② ㉡의 '수출'은 주로 캐나다로의 수출을 의미한다.
③ ㉡의 조립 가공 업체는 고급 노동력을 활용한다.
④ ㉢의 회원국 수는 유럽 연합보다 많다.
⑤ ㉢ 시행 이후 멕시코 식량 수출이 늘어났다.

서답형 문제

11 다음 자료를 보고 물음에 답하시오.

> 축구로 유명한 영국의 [(가)]은/는 과거 산업 혁명의 중심지였으며, 면직 공업이 발달한 세계적인 공업 지역이었다. 1970년대 정부가 값싼 외국산 직물 수입을 장려하면서 직물 산업이 사양길로 접어들어 경제가 쇠퇴하였다. 그러나 1990년대부터 2000년대 초를 거치면서 산업 구조 전환을 시도해 금융 기관, 언론 기관, 연구소 및 각종 기업 등이 입지하였고, 민간 투자를 창출하여 부흥에 성공하였다.

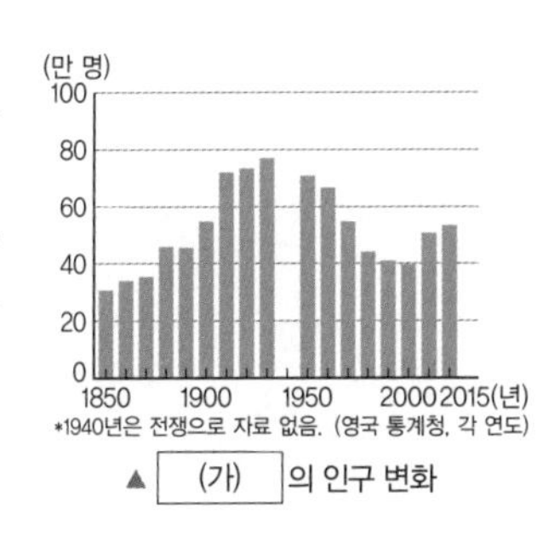

*1940년은 전쟁으로 자료 없음. (영국 통계청, 각 연도)
▲ (가) 의 인구 변화

(1) (가)에 들어갈 도시의 이름을 쓰시오. (   )

(2) 산업 변화에 따른 (가)의 인구 변화에 대해 서술하시오.

12 다음은 선진국의 대도시를 중심으로 나타나는 어떤 현상의 진행 과정을 나타낸 것이다. 이를 보고 물음에 답하시오.

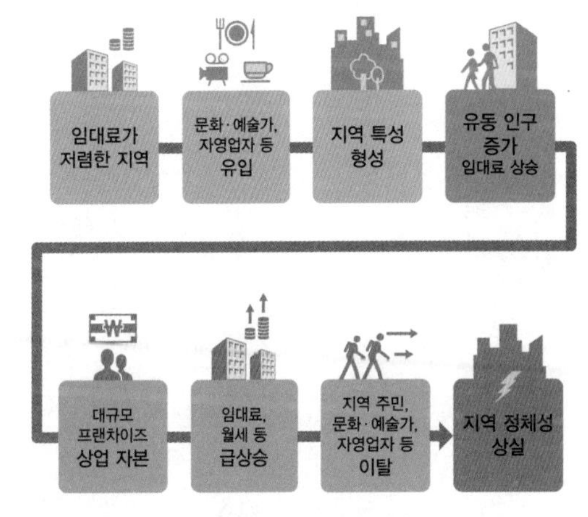

(1) 위 그림이 나타내는 현상이 무엇인지 쓰시오.
(   )

(2) 위 현상의 진행 과정에서 나타나는 지역의 지가 변화와 그 원인에 대해 서술하시오.

VIII

사하라 이남 아프리카와 중·남부 아메리카

배울 내용 한눈에 보기

01 도시 구조에 나타난 도시화 과정의 특징

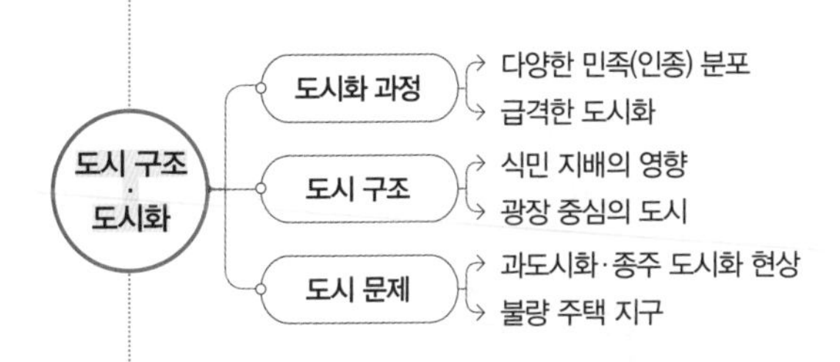

02 다양한 지역 분쟁과 저개발 문제

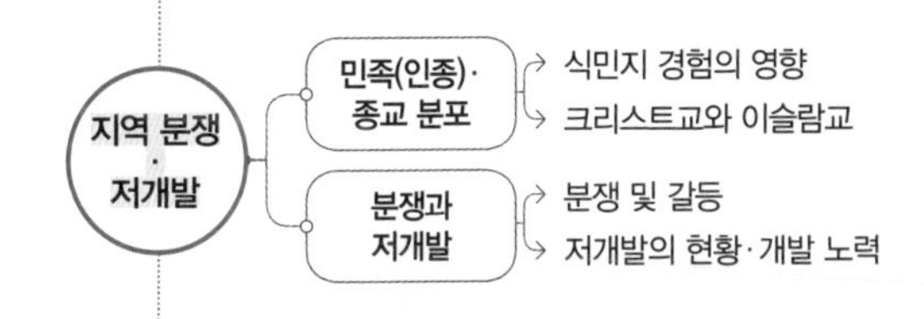

03 자원 개발을 둘러싼 과제

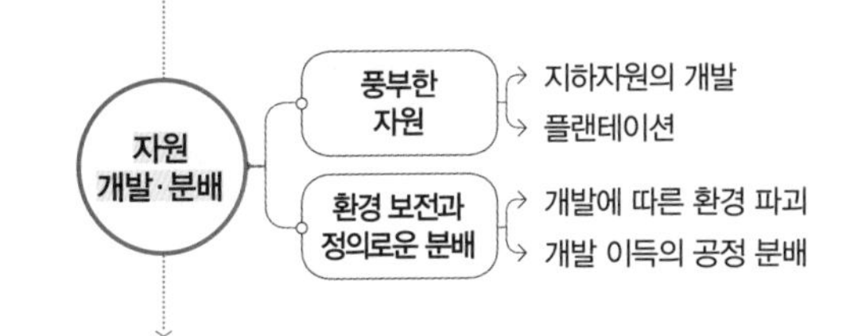

도시 구조에 나타난 도시화 과정의 특징

❶ 도시화율 변화

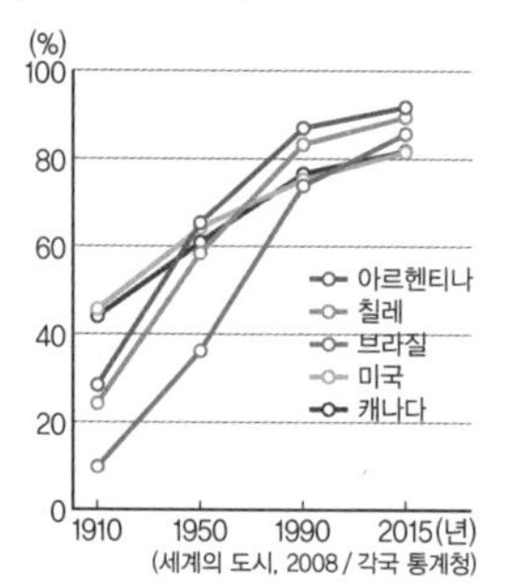

오늘날 중·남부 아메리카 대부분의 국가는 도시화율이 선진국 수준에 이른다. 하지만 급격한 도시화로 인해 풀어야 할 문제점이 많다.

A 중·남부 아메리카의 도시화 과정 특징

1. 다양한 민족(인종)이 분포하는 도시

뜻 노예를 상품으로 거래한 무역으로, 아메리카 대륙으로의 이동에 큰 역할을 했어.

(1) **식민 지배의 영향**: 라틴계 유럽인의 식민 지배와 노예 무역이 성행하여 원주민·유럽인·아프리카계의 혼혈이 이루어짐, 원주민과 이주민의 문화가 융합되어 문화 다양성이 높음 자료 1

포르투갈과 에스파냐의 식민 지배를 받아 포르투갈의 식민 지배를 받은 브라질은 포르투갈어를, 나머지 대부분의 국가에서는 에스파냐어를 사용하고 가톨릭교를 믿어.

(2) **식민 도시 건설**: 통치를 효과적으로 하기 위해 해안, 무역 거점, 고산 지역에 건설함

2. 도시화 과정의 특징

(1) **급격한 도시화**❶: 인구 배출 요인(농촌 인구 과잉, 일자리 부족 등)이 많은 농촌에서 인구 흡인 요인(일자리, 좋은 생활 여건 등)이 많은 도시로의 이동 → 이촌 향도 현상 활발 → 도시 인구 급증 → 비공식 부문 경제 활동 인구 비중이 증가함

(2) **대도시 중심의 성장**: 수도, 대도시, 식민지를 중심으로 도시가 발달함

B 중·남부 아메리카의 도시 구조와 도시 문제

1. 도시 구조

(1) 도시 구조의 특징

① **식민 지배의 영향이 반영된 도시 구조**: 에스파냐와 포르투갈의 식민 지배 영향으로 대부분의 도시 구조가 비슷한 패턴을 보임

② **도시 구조의 기본 패턴**: 광장을 중심으로 격자망의 도로를 건설함

(2) **도시 구조**: 거주지 분리 현상❷이 나타남 자료 2

왜 경제적·민족(인종)적 차이에 따라 나타나.

도심	교통 중심지, 광장, 상업 지구, 상류층인 백인의 주거지 분포
외곽	교통 발달 미약, 원주민과 아프리카계 등 빈민층의 주거지 분포

▲ 중·남부 아메리카의 도시 구조

2. 도시 문제

(1) **원인**: 급속한 도시화에 따른 대도시의 과밀화로 사회 기반 시설이 부족함

뜻 각종 생산 활동의 기반이 되는 시설(인프라)로 도로, 항만, 철도, 상·하수도 등의 시설이 있어.

(2) **현상**

① **과도시화 현상**: 급속한 도시화로 도시의 기반 시설에 비해 지나치게 많은 인구가 도시에 집중하는 현상이 나타남 → 소수 대도시 중심의 공간적 불균형 심화

② **종주 도시화 현상**❸: 국가에서 인구가 가장 많은 수위 도시에 과다하게 집중하는 현상이 나타남 예 멕시코시티, 부에노스아이레스, 산티아고 등

뜻 한 국가에서 인구가 가장 많은 도시로, 수위 도시가 수도인 경우가 많아.

③ **스프롤 현상**: 도시가 무계획적이고 무질서하게 확장되는 현상이 나타남

(3) **문제**: 불량 주택 지구 형성, 도시 빈민 문제·교통 혼잡·환경 오염 등의 심화

(4) **해결 노력**: 사회 기반 시설 보완, 도시 재생 사업, 국토 균형 발전 등

예 브라질 쿠리치바, 콜롬비아 메데인

❷ 거주지 분리 현상

▲ 브라질 리우데자네이루의 거주지 분리

도심부에 중심 업무 지구와 고급 주택 지구가 있고, 외곽 지역에 불량 주택 지구인 파벨라가 있다.

❸ 종주 도시화

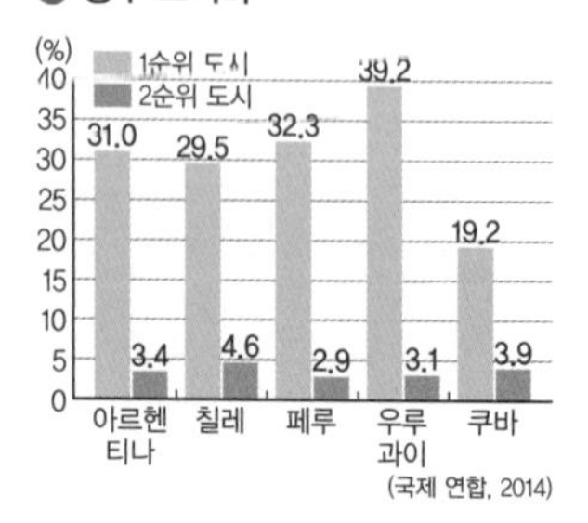

▲ 인구 규모 1순위·2순위 도시의 인구 비율

중·남부 아메리카의 대부분 국가에서는 1위 도시 인구가 2위 도시 인구의 2배 이상인 종주 도시화 현상이 나타나고 있다.

교과서 자료
모아 보기

자료 확인 문제

자료 1 중·남부 아메리카의 언어와 민족(인종) 구성

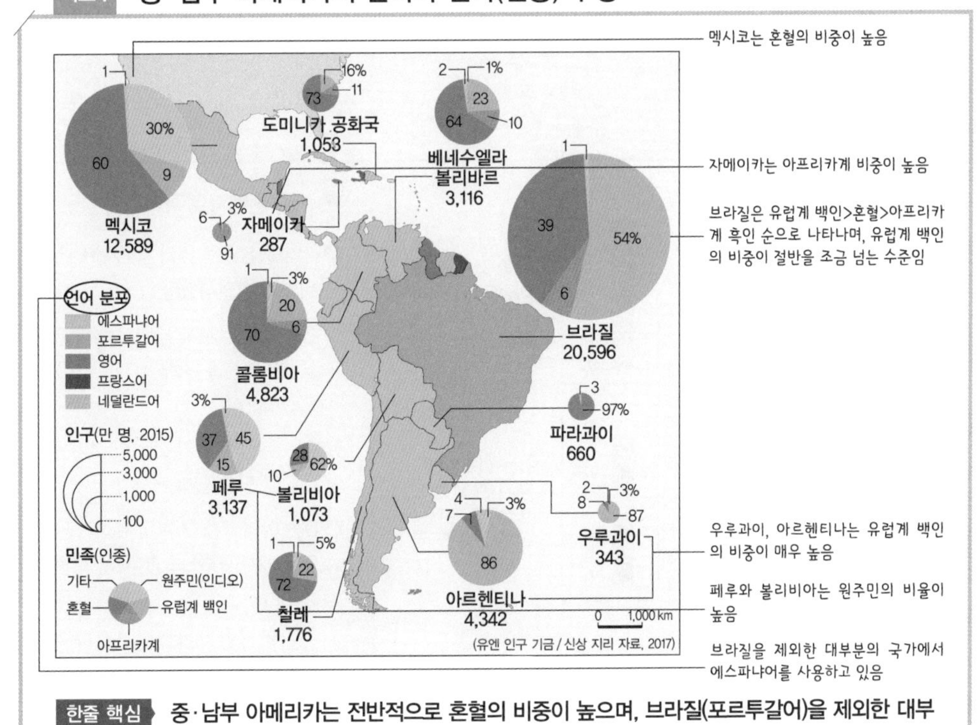

한줄 핵심 중·남부 아메리카는 전반적으로 혼혈의 비중이 높으며, 브라질(포르투갈어)을 제외한 대부분의 국가에서 에스파냐어를 사용한다.

❶ 중·남부 아메리카에서 가장 많은 비중을 차지하는 민족(인종)은?
( )

❷ 브라질에서 사용하는 언어는 □□□□□이다.
( )

❸ 중·남부 아메리카의 아르헨티나, 우루과이는 유럽계 백인의 비중이 높다. ○ ×

자료 2 중·남부 아메리카의 도시 발달 과정과 내부 구조

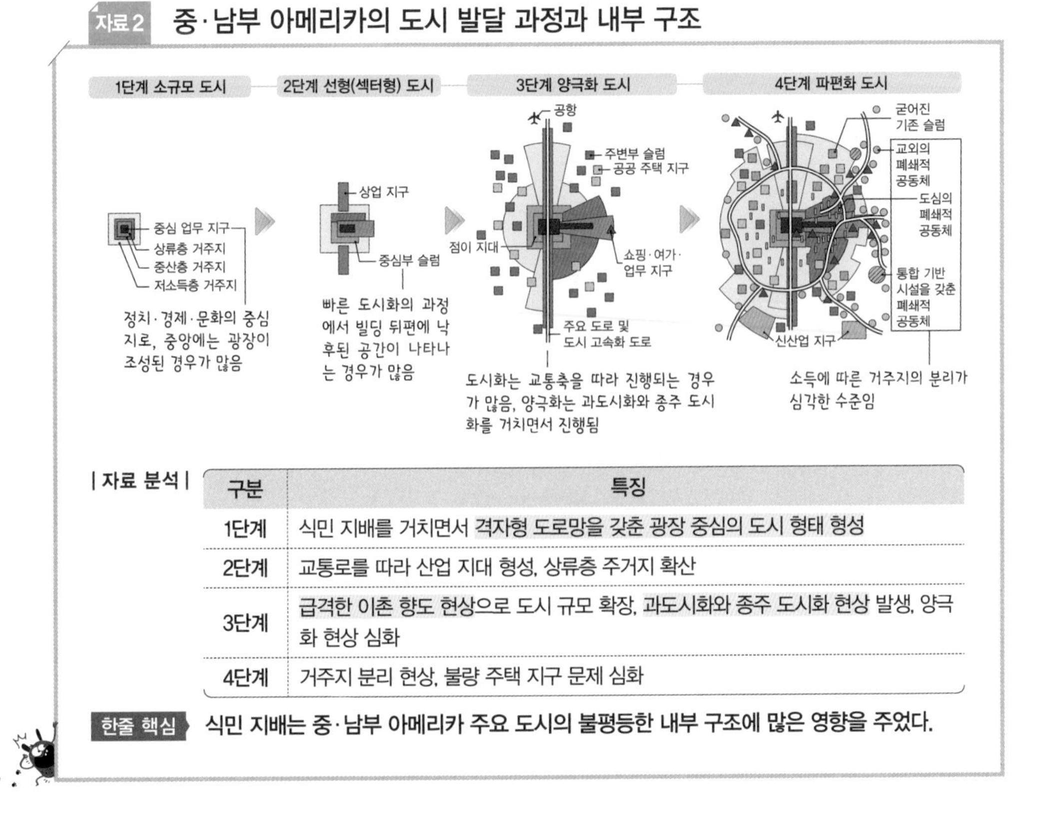

| 자료 분석 |

구분	특징
1단계	식민 지배를 거치면서 격자형 도로망을 갖춘 광장 중심의 도시 형태 형성
2단계	교통로를 따라 산업 지대 형성, 상류층 주거지 확산
3단계	급격한 이촌 향도 현상으로 도시 규모 확장, 과도시화와 종주 도시화 현상 발생, 양극화 현상 심화
4단계	거주지 분리 현상, 불량 주택 지구 문제 심화

한줄 핵심 식민 지배는 중·남부 아메리카 주요 도시의 불평등한 내부 구조에 많은 영향을 주었다.

❹ 유럽의 식민 지배 영향으로 중·남부 아메리카 주요 도시의 중앙에는 □□이/가 나타난다.
( )

❺ 중·남부 아메리카의 주요 국가에서는 도시 기반 시설보다 많은 인구가 도시에 집중되는 □□□□ 현상이 나타난다.
( )

정답 ❶ 혼혈 ❷ 포르투갈어 ❸ ○ ❹ 광장 ❺ 과도시화

중·남부 아메리카의 민족(인종)과 언어

수능풀 Guide 중·남부 아메리카의 민족(인종)과 언어 분포 특징을 유럽 열강의 식민 지배와 연관지어 알아보자.

1 중·남부 아메리카의 민족(인종) 분포 특징

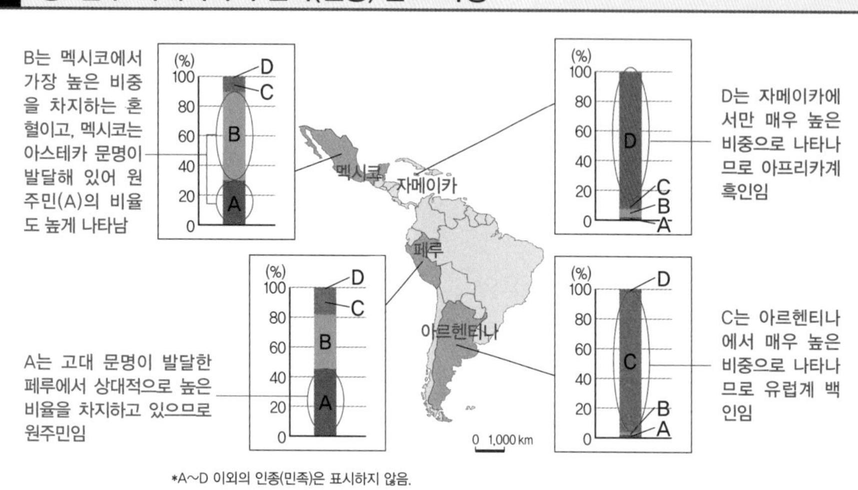

B는 멕시코에서 가장 높은 비중을 차지하는 혼혈이고, 멕시코는 아스테카 문명이 발달해 있어 원주민(A)의 비율도 높게 나타남
D는 자메이카에서만 매우 높은 비중으로 나타나므로 아프리카계 흑인임
A는 고대 문명이 발달한 페루에서 상대적으로 높은 비율을 차지하고 있으므로 원주민임
C는 아르헨티나에서 매우 높은 비중으로 나타나므로 유럽계 백인임
멕시코
자메이카
페루
아르헨티나
(%)
100
80
60
40
20
0
A
B
C
D
0 1,000 km

*A~D 이외의 인종(민족)은 표시하지 않음.

PLUS분석 중·남부 아메리카는 유럽 열강의 식민 지배 영향으로 대부분의 국가에서 원주민, 유럽인, 아프리카계 간의 혼혈 인종 비중이 높은 편이다. 원주민은 주로 안데스 산지에 거주하고, 유럽계 백인은 아르헨티나와 우루과이, 브라질 등에 주로 거주하며, 아프리카계는 카리브해 연안과 브라질 북동부 지역에 주로 거주한다.

기출 선택지로 확인하기

❶ A의 조상들은 잉카 및 아스테카 문명을 발달시켰다. ○ ×

❷ B는 아프리카계 흑인으로 과거 플랜테이션을 위해 강제로 이주되었다. ○ ×

❸ C는 유럽계 백인으로 주로 가톨릭교를 믿고 있다. ○ ×

❹ D는 아메리카 원주민, 유럽계 백인, 아프리카계 흑인 사이의 혼혈이다. ○ ×

2 중·남부 아메리카의 언어 분포 특징

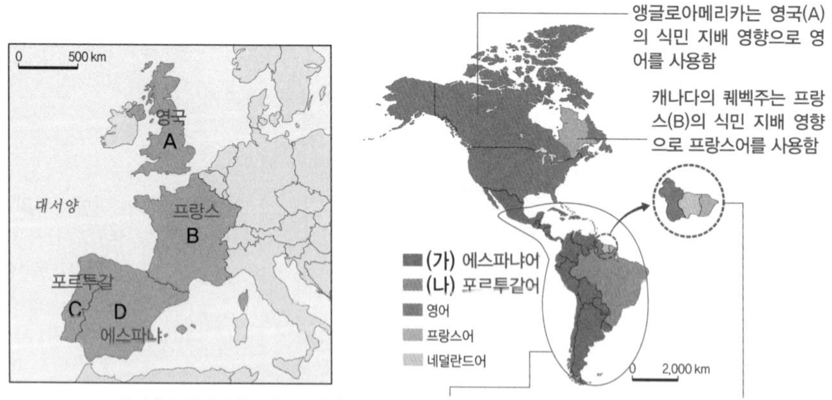

PLUS분석 영국(A), 프랑스(B), 포르투갈(C), 에스파냐(D)에서 주로 사용되는 언어가 세계적으로 전파된 것은 유럽의 식민지 개척 역사와 관련이 깊다. 이들 국가들은 대항해 시대 이후 해외 식민지를 주도적으로 건설하였다. 특히 라틴 아메리카 대륙에서 사용되는 (가), (나) 공용어의 분포는 라틴계 유럽인의 식민 지배 영향을 받은 것을 잘 보여 준다.

기출 선택지로 확인하기

❺ 앵글로아메리카 지역은 에스파냐의 식민 지배 영향으로 에스파냐어를 주로 사용한다. ○ ×

❻ 캐나다의 퀘벡주에서는 프랑스어를 공용어로 사용한다. ○ ×

❼ 중·남부 아메리카는 브라질을 제외한 대부분의 국가에서 포르투갈어를 사용한다. ○ ×

정답 ❶ ○ ❷ ×(B는 중·남부 아메리카에서 상대적으로 비중이 높게 나타나는 혼혈이다.) ❸ ○ ❹ ×(D는 아프리카계 흑인이다.) ❺ ×(주로 영어를 사용한다.) ❻ ○ ❼ ×(에스파냐어를 사용한다.)

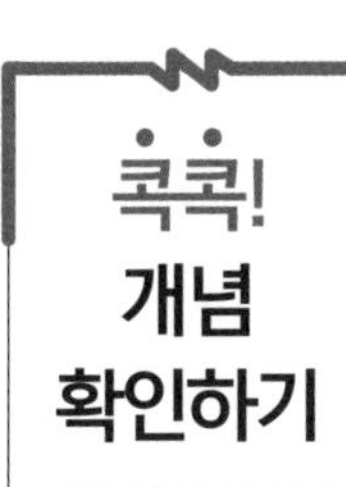

정답과 해설 65쪽

A 중·남부 아메리카의 도시화 과정 특징

01 다음 내용을 읽고 빈칸에 알맞은 말을 쓰시오.

(1) 중 · 남부 아메리카는 □□□ 유럽인의 식민 지배 영향으로 원주민, 유럽인, 아프리카계 간의 혼혈이 이루어졌다.

(2) 중 · 남부 아메리카는 브라질을 제외한 대부분의 국가에서 □□□□어를 사용하고, □□□교를 믿는다.

(3) 중 · 남부 아메리카는 인구 □□ 요인이 많은 농촌에서 인구 흡인 요인이 많은 □□□로의 인구 이동이 활발한데, 이를 □□ □□ 현상이라고 한다.

(4) 중 · 남부 아메리카는 대도시 중심의 성장으로 도시 인구가 급증하면서 □□□ □□ 경제 활동 인구의 비중이 증가하였다.

02 다음 도시화율 변화 그래프를 해석한 내용이 옳으면 ○표, 틀리면 ×표를 하시오.

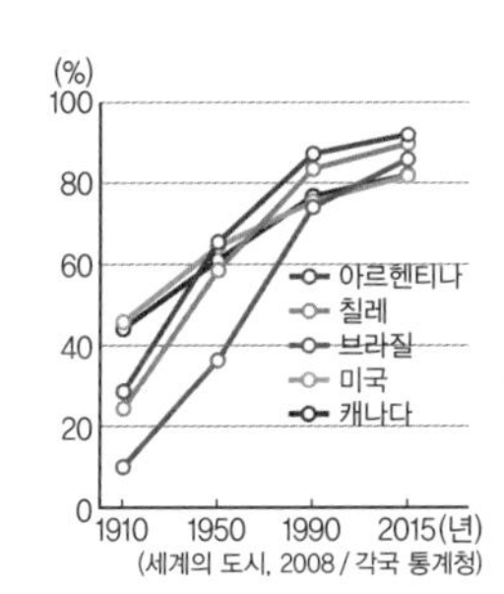

(세계의 도시, 2008 / 각국 통계청)

(1) 브라질의 도시화가 가장 빠른 속도로 진행되었다. ( )

(2) 중 · 남부 아메리카와 앵글로아메리카는 점진적으로 도시화가 이루어졌다. ( )

(3) 칠레와 브라질은 도시화율이 선진국 수준에 이르렀다. ( )

B 중·남부 아메리카의 도시 구조와 도시 문제

03 중·남부 아메리카의 도시 구조를 설명한 것이다. 알맞은 말에 ○표를 하시오.

(1) 중·남부 아메리카 대부분의 대도시는 광장을 중심으로 (격자형, 방사형) 도로가 건설되어 있다.

(2) 중·남부 아메리카의 대도시 (도심, 외곽)에는 광장, 상업 지구 및 상류층의 주거지가 분포하고, (도심, 외곽)에는 빈민층의 주거지가 분포한다.

04 중·남부 아메리카의 도시에서 나타나는 현상에 해당하는 용어를 바르게 연결하시오.

(1) 급속한 도시화로 도시의 기반 시설에 비해 지나치게 많은 인구가 도시에 집중하는 현상 • • ㉠ 종주 도시화

(2) 도시 계획이나 정비 사업의 미숙함으로 무계획적이고 무질서하게 시가지가 확장되는 현상 • • ㉡ 스프롤 현상

(3) 인구 규모 1위 도시의 인구가 2위 도시 인구의 2배 이상이 되는 현상 • • ㉢ 과도시화

탄탄! 내신 다지기

정답과 해설 65쪽

A 중·남부 아메리카의 도시화 과정 특징

01 중·남부 아메리카에 대한 설명으로 옳지 않은 것은?

① 라틴계 유럽인의 식민 지배를 받았다.
② 대부분 에스파냐어와 포르투갈어를 사용한다.
③ 아프리카계와 아시아계의 혼혈인이 가장 높은 비중을 차지한다.
④ 식민 도시는 통치를 효율적으로 하기 위해 주로 해안, 무역 거점 등에 건설되었다.
⑤ 대서양 삼각 무역으로 노예 무역이 활발해지면서 아프리카계 흑인의 비중이 높아졌다.

02 다음 글의 밑줄 친 ㉠~㉤에 대한 설명으로 옳은 것은?

> ㉠ 중·남부 아메리카는 1900년대 이후 경제 발전에 따른 사망률 감소, ㉡ 유럽계 백인의 도시 유입, 대규모의 이촌향도로 도시 인구가 빠르게 증가하였다. 이후 ㉢ 식민 도시, 대도시를 중심으로 산업화와 경제 성장이 이루어졌다. 이를 통해 ㉣ 공간적 불균형이 나타났고, 이후 도시 내 ㉤ 인구의 자연적 증가로 도시화율은 더욱 높아졌다.

① ㉠: 주로 영국과 프랑스의 식민 지배를 받았다.
② ㉡: 중·남부 아메리카에 거주한 최초의 민족(인종)이다.
③ ㉢: 도시 내 민족(인종) 간의 거주 공간이 통합되어 있다.
④ ㉣: 소수의 대도시 위주로 성장하는 패턴을 뜻한다.
⑤ ㉤: 농촌에서 도시로 유입하는 인구 이동 때문이다.

B 중·남부 아메리카의 도시 구조와 도시 문제

03 (가)와 (나)의 A, B에 대한 옳은 설명만을 〈보기〉에서 고른 것은? (단, A, B는 원주민과 혼혈 중 하나임.)

(가)

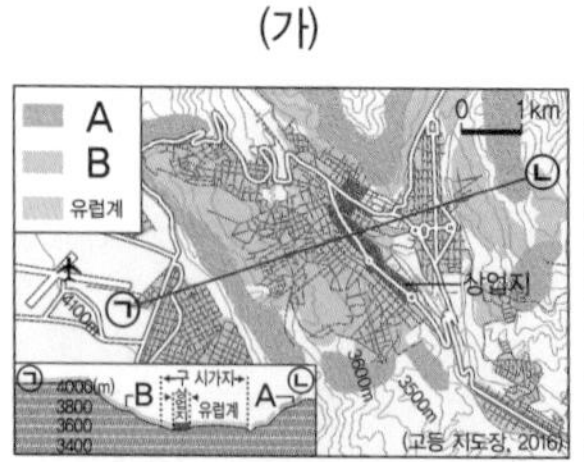

▲ 볼리비아 라파스의 도시 구조

(나)

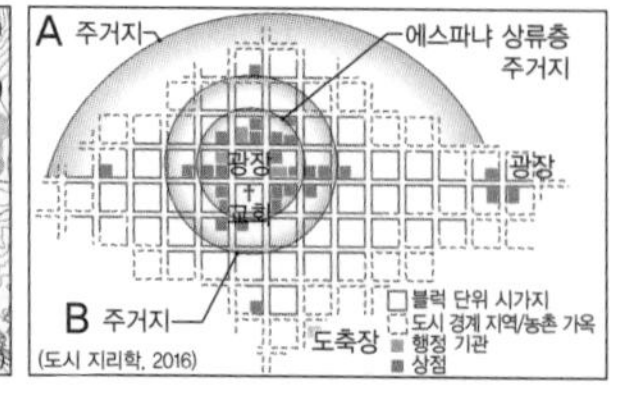

▲ 에스파냐의 식민지 도시 계획

> 보기
> ㄱ. (가)의 A는 (나)의 B에 해당한다.
> ㄴ. (가)는 (나)의 계획이 반영된 결과이다.
> ㄷ. (가)의 A는 B보다 평균 소득 수준이 높다.
> ㄹ. (나)의 B는 A보다 해당 지역에서의 거주 기간이 짧다.

① ㄱ, ㄴ ② ㄱ, ㄷ ③ ㄴ, ㄷ ④ ㄴ, ㄹ ⑤ ㄷ, ㄹ

04 그래프는 중·남부 아메리카의 도시 인구 비율을 나타낸 것이다. 이에 대한 옳은 설명만을 〈보기〉에서 고른 것은?

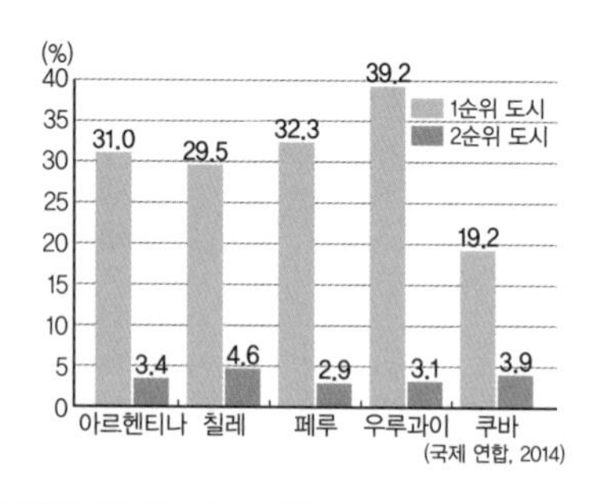

> 보기
> ㄱ. 모든 국가에서 종주 도시화 현상이 나타나고 있다.
> ㄴ. 수위 도시의 인구 비중이 가장 높은 국가는 쿠바이다.
> ㄷ. 우루과이는 1순위와 2순위 도시 간의 인구 비율 격차가 가장 크다.
> ㄹ. 전국에서 1·2순위 도시의 인구가 차지하는 비율이 가장 높은 국가는 아르헨티나이다.

① ㄱ, ㄴ ② ㄱ, ㄷ ③ ㄴ, ㄷ ④ ㄴ, ㄹ ⑤ ㄷ, ㄹ

서답형 문제

05 그래프는 아메리카 대륙 주요 국가의 도시화율을 나타낸 것이다. 물음에 답하시오. (단, A, B는 앵글로아메리카, 중·남부 아메리카 중 하나임.)

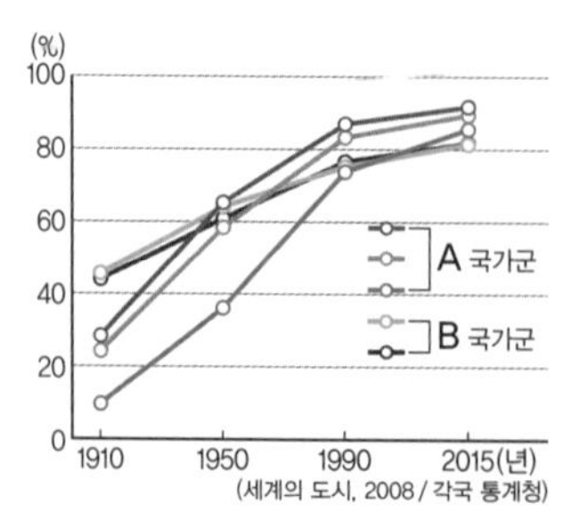

(1) A, B 지역을 각각 쓰시오.
A: (   )
B: (   )

(2) 도시화율의 관점에서 B 국가군에 대한 A 국가군의 상대적 특징을 한 가지만 서술하시오.

도전! 실력 올리기

정답과 해설 66쪽

기출 변형

01 지도는 중 · 남부 아메리카 일부 국가의 민족(인종) 비율을 나타낸 것이다. A~D에 대한 설명으로 옳지 않은 것은?

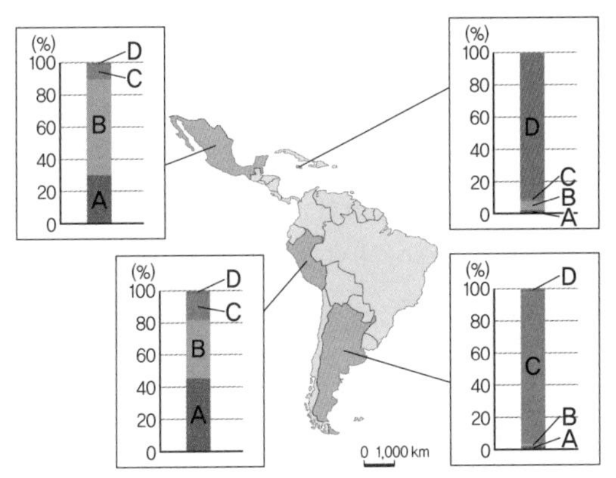

*A~D 이외의 인종(민족)은 표시하지 않음.

① A는 B보다 정착 시기가 이르다.
② B는 C보다 중·남부 아메리카에서의 비중이 높다.
③ C는 D보다 대체로 소득 수준이 높다.
④ D는 C보다 이주의 자발성이 높다.
⑤ A는 원주민, B는 혼혈, C는 유럽계, D는 아프리카계이다.

02 그래프는 중 · 남부 아메리카에 속하는 세 국가의 도시 인구를 나타낸 것이다. 이에 대한 옳은 설명만을 〈보기〉에서 고른 것은?

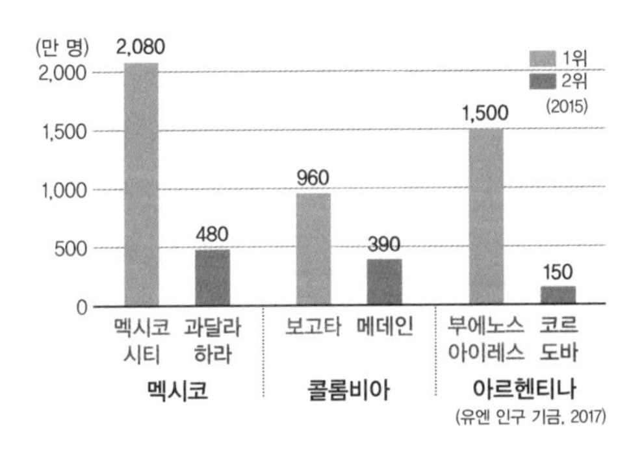

보기
ㄱ. 모든 국가의 수위 도시는 해당국의 수도이다.
ㄴ. 모든 국가의 수위 도시는 고산 도시이다.
ㄷ. 모든 국가에서 종주 도시화 현상이 나타나고 있다.
ㄹ. 아르헨티나는 1위 도시 대비 2위 도시의 인구 비율이 가장 높다.

① ㄱ, ㄴ ② ㄱ, ㄷ ③ ㄴ, ㄷ
④ ㄴ, ㄹ ⑤ ㄷ, ㄹ

03 그래프는 세 국가의 도시화율 변화를 나타낸 것이다. (가)~(다)에 해당하는 국가를 지도의 A~C에서 고른 것은?

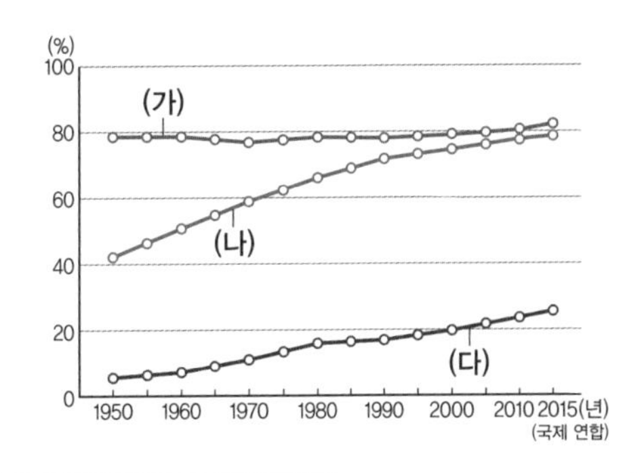

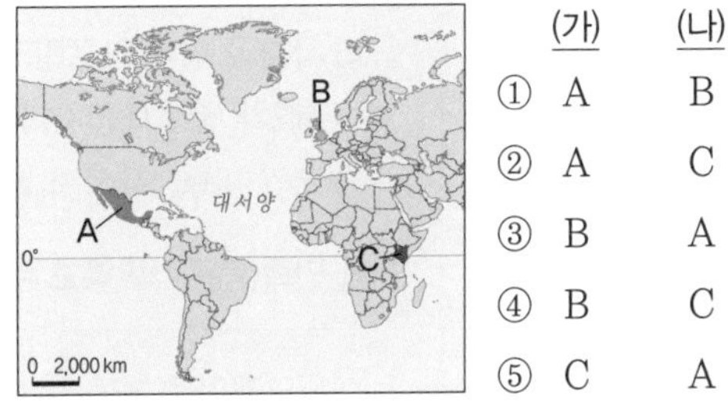

	(가)	(나)	(다)
①	A	B	C
②	A	C	B
③	B	A	C
④	B	C	A
⑤	C	A	B

04 다음은 중 · 남부 아메리카의 도시 발달 과정을 나타낸 것이다. 이에 대한 옳은 설명만을 〈보기〉에서 고른 것은?

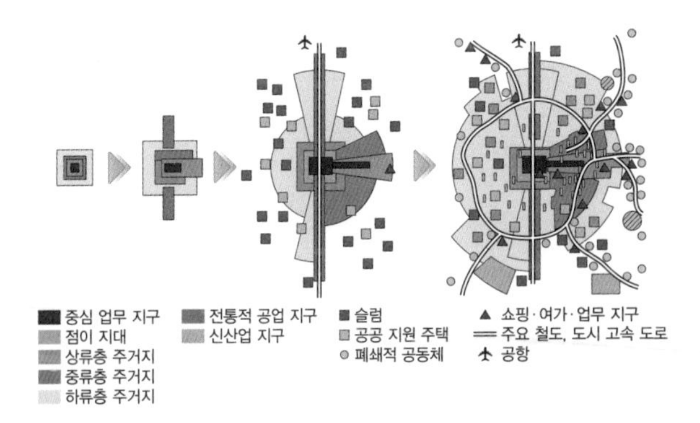

보기
ㄱ. 서구 열강의 식민 지배 영향이 반영되어 있다.
ㄴ. 불량 주택 지구는 중심 업무 지구에 밀집해 있다.
ㄷ. 상류층의 주거지에는 주로 유럽계 백인이 거주한다.
ㄹ. 신산업 지구는 주로 교통이 발달한 도심 지역에 분포한다.

① ㄱ, ㄴ ② ㄱ, ㄷ ③ ㄴ, ㄷ
④ ㄴ, ㄹ ⑤ ㄷ, ㄹ

02 다양한 지역 분쟁과 저개발 문제

A 사하라 이남 아프리카의 식민지 경험과 민족(인종) 및 종교 분포

1. 식민지 경험

(1) 사하라 이남 아프리카의 식민지 경험: 유럽인의 진출로 정치·사회·경제적으로 큰 변화를 겪음

① **유럽인의 진출 초기:** 서부 해안 지역을 중심으로 금, 상아, 농산물 반출

② **대항해 시대 이후:** 노예 삼각 무역을 통해 플랜테이션 노동력을 착취 당함

뜻 열대 기후 지역에서 원주민의 노동력, 선진국의 기술과 자본을 결합하여 대규모로 상품 작물을 재배하는 농업 방식이야.

③ **19세기 이후:** 대부분 지역이 유럽의 식민지로 전락 → 자원과 노동력 착취

(2) 사하라 이남 아프리카의 독립

① **제2차 세계 대전 이후:** 서구 열강으로부터 독립 → 제3세계❶의 한 축이 됨

② **독립 이후:** 식민지 경험에 따른 정치적 불안과 분쟁 → 내전, 빈곤 심화

2. 민족(인종) 및 종교 분포 자료 1

민족(인종) 분포	• 아프리카계 비중이 가장 높음 • 부족 중심: 독특한 원시 문화 발달 → 부족 간 종교와 언어, 생활 양식이 다양함
종교 분포	• 토속 신앙: 전통적으로 지역별로 다양함 • 크리스트교(중·남부 지역)와 이슬람교(북부 지역): 20세기에 접어들면서 신봉자가 증가함

예 셈족, 햄족, 반투족, 코이산족, 피그미족, 말레이족 등이 있어.

아프리카 원주민의 상당수는 토속 신앙을 신봉하고, 토속 신앙은 지역마다 환경 조건을 반영하는 경우가 많아.

B 사하라 이남 아프리카의 분쟁과 저개발 자료 2

1. 분쟁 및 갈등

(1) 원인

① 유럽 열강이 부족 중심의 생활권을 무시한 채 국경선❷을 설정함 → 민족·종교 간 분쟁 및 갈등 발생

② 독립 후 불안한 정치 체제, 정권 유지를 위한 독재와 부정부패, 자원 배분 등

(2) 결과

① **난민 발생:** 내전과 정치적 혼란 야기 예 수단·남수단(이슬람교의 아랍계와 크리스트교의 아프리카계 간 갈등), 시에라리온(자원을 둘러싼 내전), 나이지리아(이슬람교도와 크리스트교도 간의 갈등), 르완다(투치족과 후투족 간의 갈등) 등

② **인종 차별:** 유럽계 백인에 의한 아프리카계 흑인 인종 차별 심화 예 남아프리카 공화국의 아파르트헤이트❸

2. 저개발의 현황과 개발 노력

(1) 저개발의 현황

① **식민지 시절:** 광물 자원 채굴과 플랜테이션 작물 생산 등으로 착취됨

② **독립 이후:** 광물과 농산물 위주인 수출 구조의 한계로 국가 경쟁력이 취약함 → 빈곤과 기아가 심하고 교육 환경과 수준이 매우 열악한 악순환이 반복되고 있음

예 석유, 천연가스, 금, 은, 콜탄 등의 광물 자원과 카카오, 커피 등의 열대 농산물 의존도가 높아.

(2) 개발을 위한 노력

① **경제 성장:** 천연자원과 풍부한 노동력을 활용하여 경제 성장의 기회 모색

② **아프리카 연합(AU) 창설:** 경제 발전과 협력을 도모하기 위해 경제 공동체 창설

---

❶ 제3세계
아시아, 아프리카, 라틴 아메리카의 개발 도상국을 뜻하는 용어이다. 일반적으로 미국 중심의 제1세계와 소련 중심의 제2세계에 속하지 않은 국가를 총칭하는 말이다.

❷ 아프리카의 국경선과 부족 경계

(경계에서 권역을 보다, 2015)

아프리카는 현재의 국경선과 부족(종족)의 분포 경계가 다르다. 이는 아프리카 갈등의 근본적인 원인으로 작용하고 있다.

❸ 아파르트헤이트

▲ 남아프리카 공화국의 거주지 분리

남아프리카 공화국에서 실시된 인종 차별 정책인 아파르트헤이트의 영향으로 인종 간 거주지 분리가 뚜렷하다. 아파르트헤이트는 40여 년 동안 인종 간의 실질적인 신분 제도의 역할을 하였다. 넬슨 만델라 대통령의 당선으로 폐지되었지만, 여전히 그 후유증은 남아 있는 상태이다.

교과서 자료 모아 보기

자료 확인 문제

자료 1 사하라 이남 아프리카의 민족(인종) 및 종교 분포

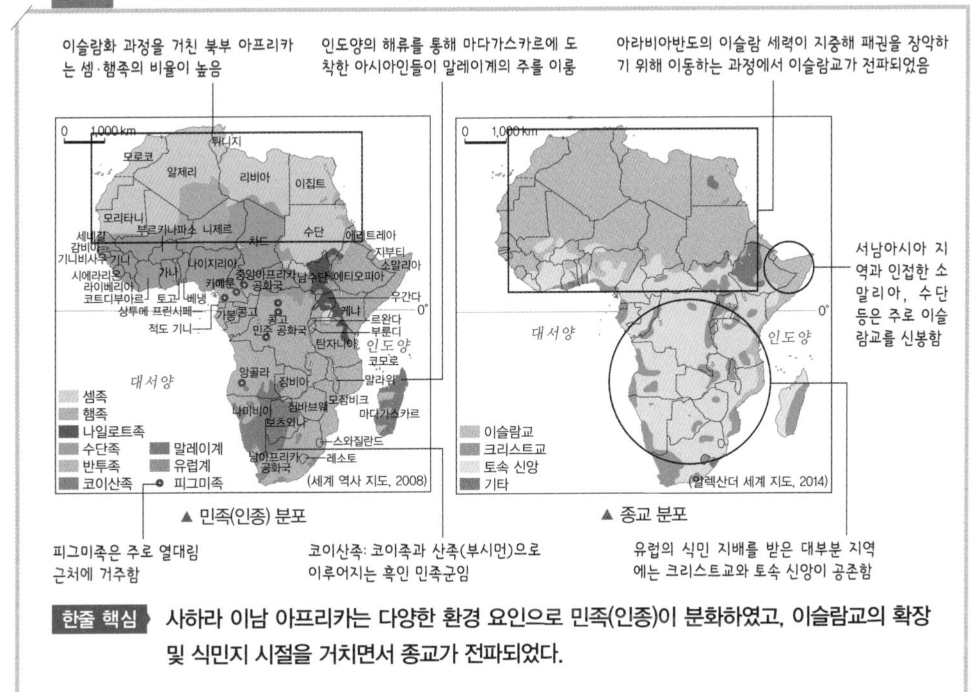

이슬람화 과정을 거친 북부 아프리카는 셈·햄족의 비율이 높음
인도양의 해류를 통해 마다가스카르에 도착한 아시아인들이 말레이계의 주를 이룸
아라비아반도의 이슬람 세력이 지중해 패권을 장악하기 위해 이동하는 과정에서 이슬람교가 전파되었음
서남아시아 지역과 인접한 소말리아, 수단 등은 주로 이슬람교를 신봉함
대서양
인도양
셈족
햄족
나일로트족
수단족
반투족
코이산족
말레이계
유럽계
피그미족
(세계 역사 지도, 2008)
이슬람교
크리스트교
토속 신앙
기타
(알렉산더 세계 지도, 2014)
피그미족은 주로 열대림 근처에 거주함
코이산족: 코이족과 산족(부시먼)으로 이루어지는 흑인 민족군임
유럽의 식민 지배를 받은 대부분 지역에는 크리스트교와 토속 신앙이 공존함

▲ 민족(인종) 분포 ▲ 종교 분포

한줄 핵심 사하라 이남 아프리카는 다양한 환경 요인으로 민족(인종)이 분화하였고, 이슬람교의 확장 및 식민지 시절을 거치면서 종교가 전파되었다.

❶ 사하라 이남 아프리카에서 가장 넓게 분포하는 민족(인종)은?
( )

❷ 사하라 이남 아프리카에서 식민 지배의 영향으로 전파된 대표적인 종교는?
( )

자료 2 사하라 이남 아프리카의 주요 분쟁 지역과 저개발 실태

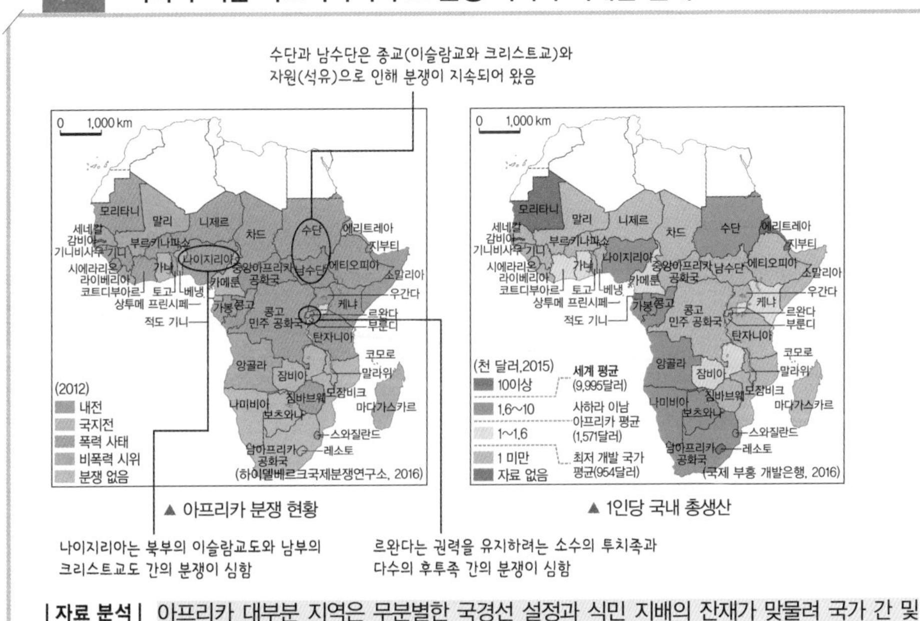

수단과 남수단은 종교(이슬람교와 크리스트교)와 자원(석유)으로 인해 분쟁이 지속되어 왔음
(2012)
내전
국지전
폭력 사태
비폭력 시위
분쟁 없음
(하이델베르크국제분쟁연구소, 2016)
(천 달러, 2015)
10 이상
1.6~10
1~1.6
1 미만
자료 없음
세계 평균 (9,995달러)
사하라 이남 아프리카 평균 (1,571달러)
최저 개발 국가 평균(954달러)
(국제 부흥 개발은행, 2016)
나이지리아는 북부의 이슬람교도와 남부의 크리스트교도 간의 분쟁이 심함
르완다는 권력을 유지하려는 소수의 투치족과 다수의 후투족 간의 분쟁이 심함

▲ 아프리카 분쟁 현황 ▲ 1인당 국내 총생산

| 자료 분석 | 아프리카 대부분 지역은 무분별한 국경선 설정과 식민 지배의 잔재가 맞물려 국가 간 및 국내 분쟁이 빈발하고 있다. 또한, 유럽의 식민 지배를 거치면서 자립적인 경제 국가로 성장하지 못해 세계적으로 낙후된 국가가 많고, 농산물과 광물 위주의 수출 구조를 벗어나지 못하여 1인당 국내 총생산이 매우 적다.

한줄 핵심 사하라 이남 아프리카는 유럽 열강의 식민 지배 이후 다양한 분쟁과 갈등을 겪고 있으며, 이러한 정치적 혼란으로 경제 발전도 매우 낮은 수준이다.

❸ 사하라 이남 아프리카 지역 분쟁의 근본적인 원인은 유럽 열강의 무분별한 □□□ 설정 때문이다.
( )

❹ 권력을 유지하려는 소수의 투치족과 다수의 후투족 간의 갈등을 빚고 있는 국가는?
( )

정답 ❶ 반투족 ❷ 크리스트교 ❸ 국경선 ❹ 르완다

아프리카의 종교와 분쟁 지역

수능풀 Guide 아프리카 주요 국가의 종교를 'Ⅲ-01 세계 주요 종교의 전파와 종교 경관' 단원과 관련지어 이해하고, 아프리카의 분쟁 지역에 대해 알아보자.

1 아프리카와 아시아의 종교 분포

이집트는 이슬람교가 북부 아프리카 일대로 확산되는 교두보의 역할을 한 지역으로, 이슬람교(A)의 신자 수 비중이 가장 높게 나타남

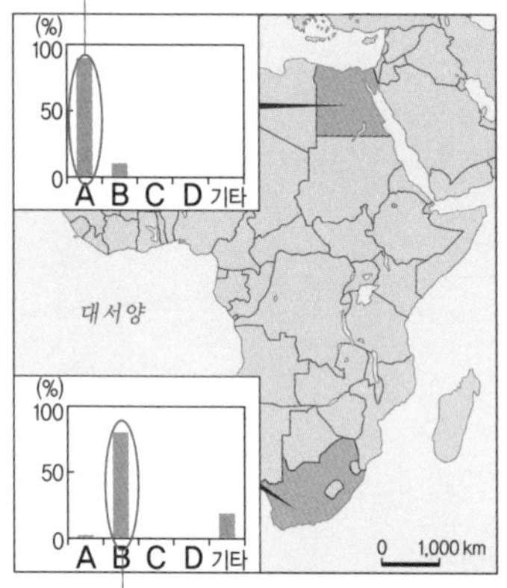

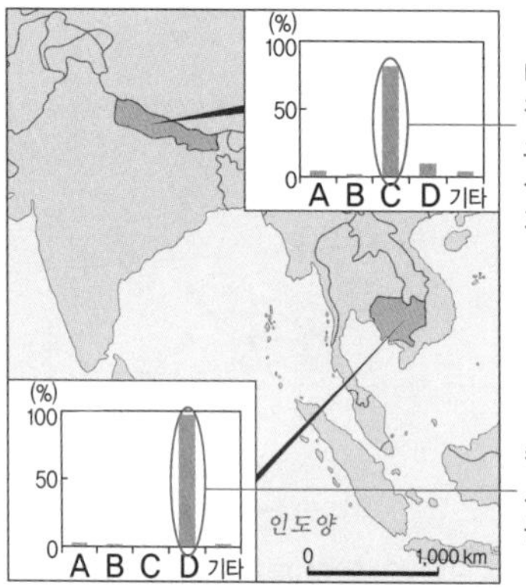

네팔은 인도와 인접한 지리적 특징으로 힌두교(C)의 신자 수 비중이 높게 나타남

캄보디아는 동남아시아의 대표적인 불교(D) 국가임

남아프리카 공화국은 영국의 식민 지배를 받아 크리스트교(B) 신자 수의 비중이 높음

PLUS분석 아프리카는 토속 신앙을 제외하고는 이슬람교와 크리스트교의 비중이 가장 높다. 북부 아프리카를 비롯하여 이집트, 소말리아, 수단 등 서남아시아와 인접한 지역은 이슬람교의 비중이 높고, 크리스트교는 유럽인의 식민지 개척 과정에서 아프리카 중부 및 남부 지역으로 전파되었다.

기출 선택지로 확인하기

❶ A는 북부 아프리카의 주요 종교이다. ○|×

❷ B는 식민 지배의 영향으로 전파되었다. ○|×

❸ 사하라 이남 아프리카에서는 C 종교를 많이 믿는다. ○|×

❹ D는 아시아 각지로 전파되었으나, 기원지인 인도 북부에서는 쇠퇴하였다. ○|×

2 사하라 이남 아프리카의 주요 분쟁 지역 – 수단·남수단

수단은 아랍의 영향으로 주로 이슬람교를 신봉하고 아랍어를 사용하는 아랍계 민족(인종)이 분포함. 석유를 수출할 수 있는 홍해에 인접한 항만을 가지고 있음

□□일보

제○○○호 2011년 ○월 ○일

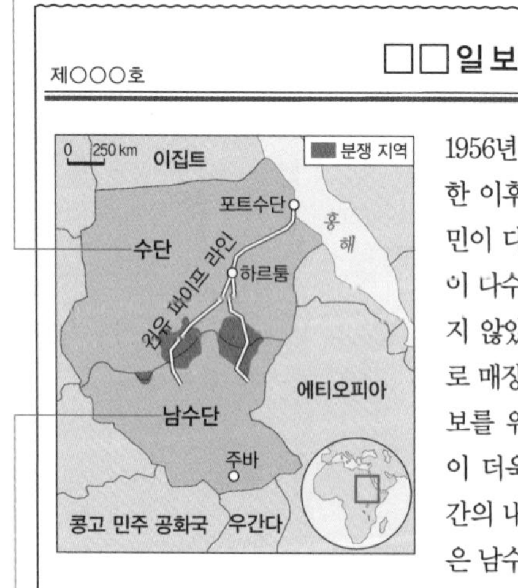

1956년 영국의 식민 지배로부터 독립한 이후, 수단에서는 아프리카계 원주민이 다수인 남부 지역과 아랍계 민족이 다수인 북부 지역 간의 갈등이 끊이지 않았다. 특히 수단 남부 지역에 주로 매장되어 있는 석유 자원의 이권 확보를 위한 각축전이 더해지면서 내전이 더욱 심화하였다. …(중략)… 장기간의 내전 끝에 2011년 수단 남부 지역은 남수단으로 분리·독립하였다.

남수단은 영국의 식민 지배를 받아 크리스트교를 신봉하고 영어를 사용하는 아프리카계 민족(인종)이 주를 이룸. 대규모의 유전이 발굴되어 석유 생산량이 많지만 내륙에 위치하기 때문에 석유를 수출하기 위해서는 수단과의 협력이 필요함

기출 선택지로 확인하기

❺ 이 분쟁은 이슬람교 종파 간의 대립이 원인이다. ○|×

❻ 이 분쟁은 종교 분쟁뿐 아니라 자원 분쟁이기도 하다. ○|×

❼ 남수단이 석유를 수출하기 위해서는 수단과의 협력이 필요하다. ○|×

❽ 식민 지배 당시 종족 분포 범위를 고려하지 않고 국경을 설정한 것도 분쟁 배경 중 하나이다. ○|×

정답 ❶ ○ ❷ ○ ❸ ×(사하라 이남 아프리카에서는 토속 신앙을 신봉하며, 크리스트교와 이슬람교의 신도 비중이 증가하고 있다.) ❹ ○ ❺ ×(이슬람교와 크리스트교 간의 갈등 이다.) ❻ ○ ❼ ○ ❽ ○

콕콕! 개념 확인하기

정답과 해설 67쪽

A 사하라 이남 아프리카의 식민지 경험과 민족(인종) 및 종교 분포

01 **다음 내용을 읽고 빈칸에 알맞은 말을 쓰시오.**

(1) 사하라 이남 아프리카에서는 대항해 시대 이후, 아메리카 지역의 □□ □□ 무역을 통해 □□□□□에 필요한 노동력을 착취 당하는 일이 발생했다.

(2) 사하라 이남 아프리카는 유럽의 식민 지배 이후 20세기에 접어들면서 □□□□□ 신자가 증가하였다.

(3) 사하라 이남 아프리카에는 □□□□□ 흑인의 비중이 가장 높다.

02 **다음 그래프를 해석한 내용이 옳으면 ○표, 틀리면 ×표를 하시오.**

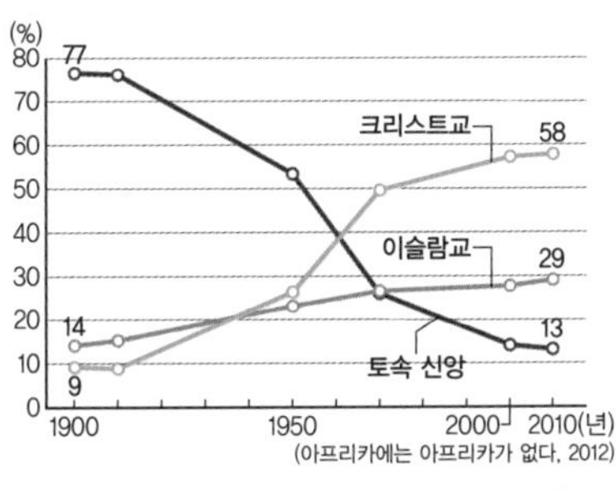

▲ 사하라 이남 아프리카의 종교별 비중 변화

(1) 크리스트교는 유럽의 식민 지배를 통해 아프리카에 전파되었다. ( )

(2) 이슬람교는 서남아시아 지역과 인접한 지역에서 주로 신봉한다. ( )

(3) 토속 신앙은 아시아계의 유입으로 전파되었다. ( )

B 사하라 이남 아프리카의 분쟁과 저개발

03 **다음 내용을 읽고 알맞은 말에 ○표를 하시오.**

(1) 사하라 이남 아프리카에서는 유럽 열강이 (국가, 부족) 중심의 생활권을 무시한 채 국경선을 설정하여 분쟁과 갈등이 증가하였다.

(2) 수단, 나이지리아, 르완다 등에서 발생한 (내전, 인종 차별 정책)으로 많은 사람들이 살던 곳을 떠나 난민이 되었다.

04 **다음 내용을 읽고 빈칸에 알맞은 말을 쓰시오.**

(1) □□□□은/는 주로 개발 도상국을 뜻하는 용어이다.

(2) 남아프리카 공화국에서 실시된 인종 차별 정책을 □□□□□□□(이)라고 한다.

(3) □□□□ □□은/는 아프리카 국가의 단결과 경제적 협력을 증진하기 위해 조직된 국제기구이다.

05 **다음 그래프를 보고 알맞은 말에 ○표를 하시오.**

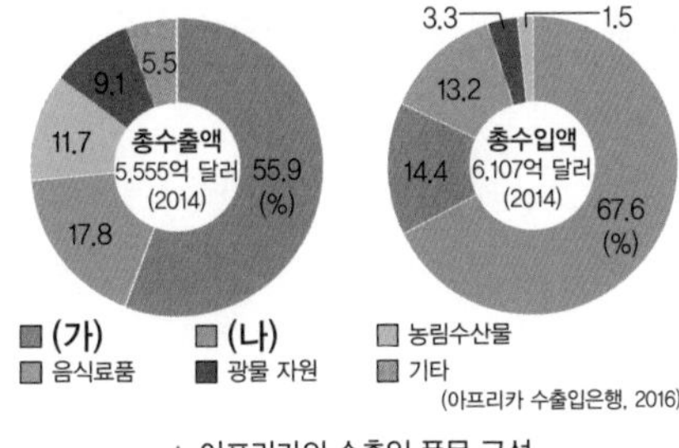

▲ 아프리카의 수출입 품목 구성

(1) 수출 품목에서 절반 이상을 차지하는 품목 (가)는 (에너지 자원, 공업 제품), 수입 품목에서 절반 이상을 차지하는 (나)는 (에너지 자원, 공업 제품)이다.

(2) 아프리카의 무역 구조를 볼 때, 아프리카 국가들의 경제 상황은 (국내 시장, 국제 시장)의 영향을 크게 받는다고 할 수 있다.

탄탄! 내신 다지기

정답과 해설 67쪽

A 사하라 이남 아프리카의 식민지 경험과 민족(인종) 및 종교 분포

01 사하라 이남 아프리카의 민족(인종) 분포에 대한 설명으로 옳지 않은 것은?

① 대체로 아프리카계 흑인의 비중이 높다.
② 부족 중심의 독특한 원시 문화가 발달해 왔다.
③ 피부색, 신장 등에 따라 민족(인종)이 구분된다.
④ 말레이계는 기니만에 인접한 국가에 주로 분포한다.
⑤ 남아프리카 공화국은 유럽인의 이주로 백인의 비율이 다른 국가보다 높은 편이다.

02 그래프는 사하라 이남 아프리카의 종교별 비중 변화를 나타낸 것이다. A, B에 대한 옳은 설명만을 〈보기〉에서 고른 것은?

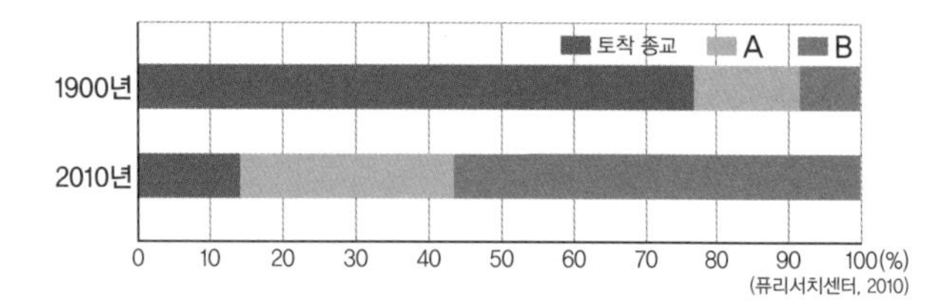

보기
ㄱ. A는 크리스트교, B는 이슬람교이다.
ㄴ. A, B는 모두 민족 종교이다.
ㄷ. A, B 종교의 기원지는 모두 아시아이다.
ㄹ. A는 B보다 북부 아프리카에서의 비중이 높다.

① ㄱ, ㄴ ② ㄱ, ㄷ ③ ㄴ, ㄷ ④ ㄴ, ㄹ ⑤ ㄷ, ㄹ

B 사하라 이남 아프리카의 분쟁과 저개발

03 다음 왜상 통계 지도에 사용된 지표로 가장 적절한 것은?

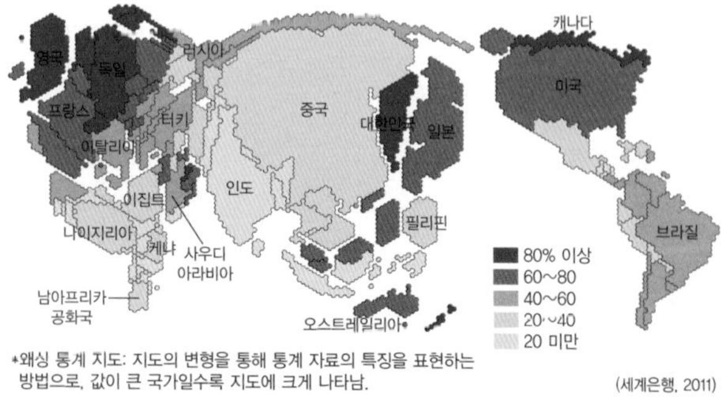

*왜상 통계 지도: 지도의 변형을 통해 통계 자료의 특징을 표현하는 방법으로, 값이 큰 국가일수록 지도에 크게 나타남.
(세계은행, 2011)

① 합계 출산율 ② 인구 밀도
③ 인구 증가율 ④ 난민 비율
⑤ 인터넷 보급률

04 자료의 (가), (나)에 해당하는 종교를 지도의 A~C에서 고른 것은?

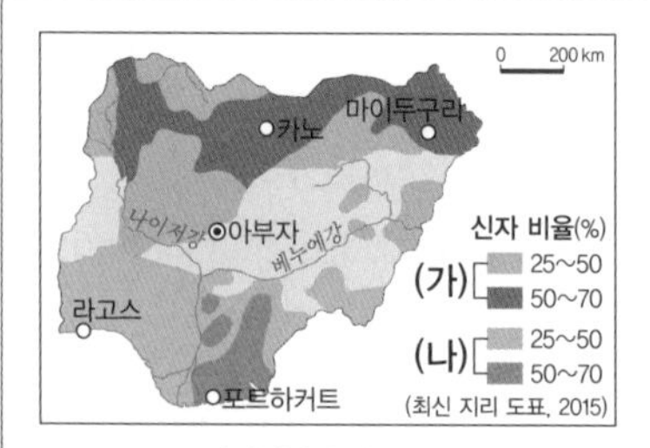

▲ 나이지리아의 종교 분포

나이지리아의 북부 지역은 사하라 사막을 넘어온 (가) 교도들이 주로 거주하며, 남부 지역은 19세기 선교사들이 활동한 영향으로 (나) 교도들이 주로 거주한다. 이러한 종교적 차이 때문에 크고 작은 분쟁이 발생하고 있다.

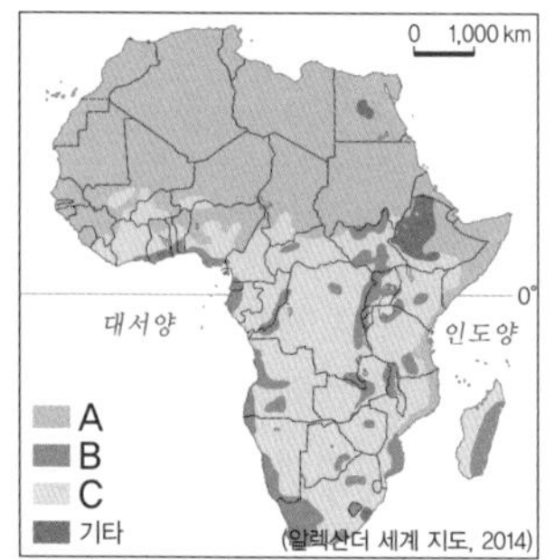

	(가)	(나)
①	A	B
②	A	C
③	B	A
④	B	C
⑤	C	A

서답형 문제

05 사진은 남아프리카 공화국의 민족(인종)별 거주지를 보여 주고 있다. 이를 보고 물음에 답하시오.

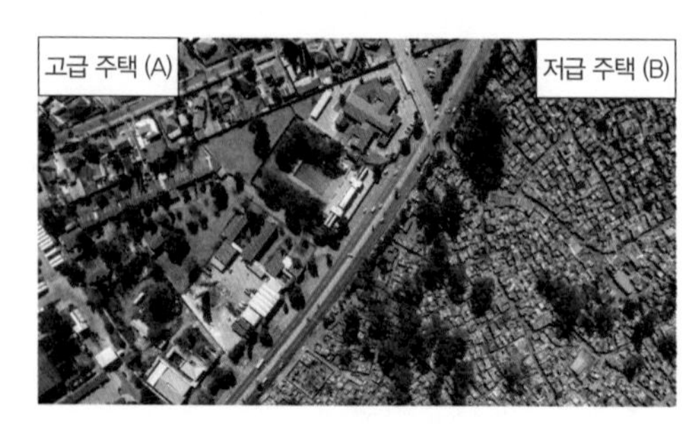

(1) A, B에 주로 거주하는 민족(인종)을 쓰시오.
A: ( ), B: ( )

(2) 위의 분리 현상과 관련이 깊은 남아프리카 공화국의 정책명을 쓰고, 해당 정책으로 인한 결과를 서술하시오.

도전! 실력 올리기

정답과 해설 68쪽

기출 변형

01 지도의 A~D 종교에 대한 옳은 설명만을 〈보기〉에서 고른 것은?

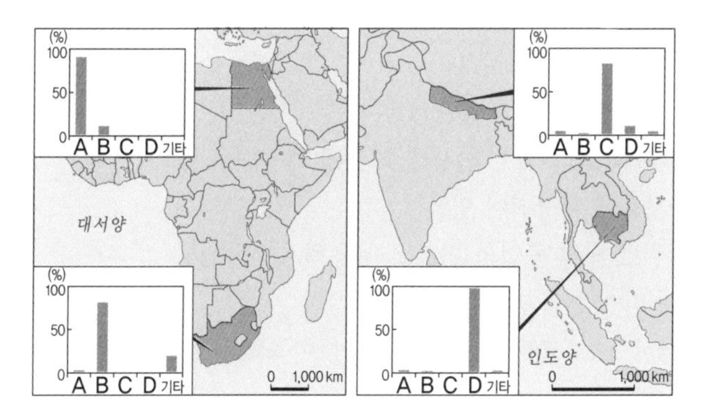

〈보기〉
ㄱ. A, B, D는 보편 종교, C는 민족 종교이다.
ㄴ. A는 B보다 기원의 시기가 이르다.
ㄷ. B는 C보다 세계의 신자 수가 많다.
ㄹ. C는 D보다 아시아에서의 신자 수 비중이 낮다.

① ㄱ, ㄴ ② ㄱ, ㄷ ③ ㄴ, ㄷ
④ ㄴ, ㄹ ⑤ ㄷ, ㄹ

02 다음 글의 (가)~(다)에 해당하는 지역을 지도의 A~E에서 고른 것은?

(가) 북부 지역은 사하라 사막을 넘어온 이슬람교도들이 주로 거주하며, 남부 지역은 19세기 선교사들이 활동한 영역으로 주로 크리스트교를 신봉한다. 아프리카의 주요 산유국으로서 자원 갈등도 심화하고 있다.
(나) 다이아몬드 채굴로 유명한 국가로, 1991년 혁명 연합 전선이 정부에 반기를 들고 군사 쿠데타로 집권하면서 내전이 시작되었다.
(다) 백인의 비중이 높은 국가로, 악명 높은 인종 차별 정책인 아파르트헤이트를 시행하여 국제적으로 큰 비난을 받은 국가이다.

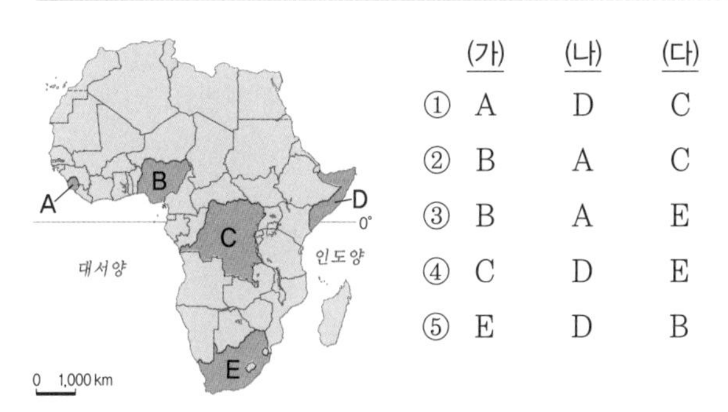

	(가)	(나)	(다)
①	A	D	C
②	B	A	C
③	B	A	E
④	C	D	E
⑤	E	D	B

03 지도에 표시된 (가), (나) 국가에 대한 비교가 옳은 것만을 〈보기〉에서 고른 것은?

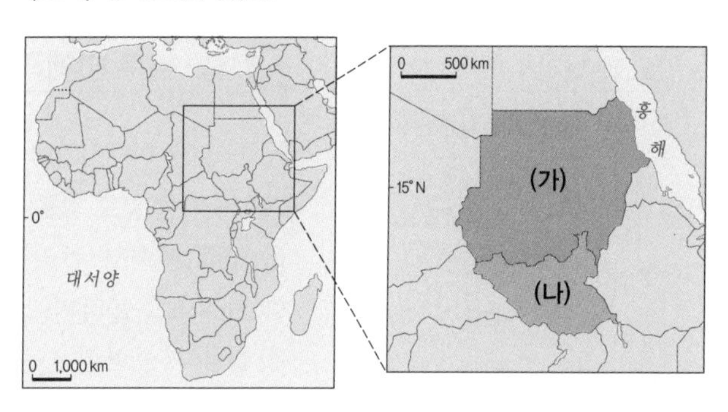

〈보기〉
ㄱ. (가)는 (나)보다 이슬람 세력의 영향을 적게 받았다.
ㄴ. (가)는 (나)보다 영어를 사용하는 인구 비중이 높다.
ㄷ. (나)는 (가)보다 석유 생산량이 많다.
ㄹ. (나)는 (가)보다 민족(인종)적으로 아프리카계의 인구 비중이 높다.

① ㄱ, ㄴ ② ㄱ, ㄷ ③ ㄴ, ㄷ
④ ㄴ, ㄹ ⑤ ㄷ, ㄹ

04 그래프는 사하라 이남 아프리카와 선진국을 비교한 통계 지표이다. 이에 대한 옳은 설명만을 〈보기〉에서 고른 것은?

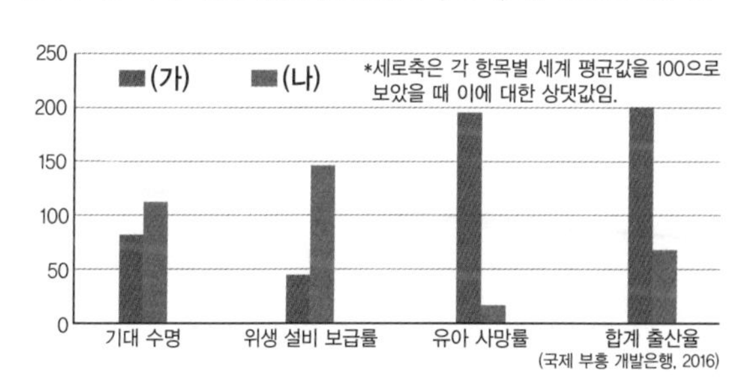

〈보기〉
ㄱ. (가)는 선진국, (나)는 사하라 이남 아프리카이다.
ㄴ. (가)의 합계 출산율은 세계 평균의 두 배에 이른다.
ㄷ. (나)는 (가)보다 의사당 진료 환자의 수가 적다.
ㄹ. (가), (나) 모두 저출산·고령화 문제에 당면해 있다.

① ㄱ, ㄴ ② ㄱ, ㄷ ③ ㄴ, ㄷ
④ ㄴ, ㄹ ⑤ ㄷ, ㄹ

03 자원 개발을 둘러싼 과제

A 중·남부 아메리카와 사하라 이남 아프리카의 자원 개발

한눈에 정리

중·남부 아메리카의 자원 분포

구분	자원	국가
화석 자원	석유	베네수엘라 볼리바르, 멕시코, 브라질
	천연가스	볼리비아
광물 자원	철광석	브라질
	구리	칠레
	은	멕시코

1. 중·남부 아메리카의 자원 분포와 개발

(1) 지하자원 분포 자료 1

① **석유:** 멕시코·브라질·베네수엘라 볼리바르, 신생대 지층에 매장되어 있음

② **천연가스:** 볼리비아, 신생대 지층에 매장되어 있음

③ **철광석:** 브라질 → 철광석은 주로 제철 공업의 원료로 사용됨

④ **구리:** 칠레, 주로 신기 조산대 일대에서 생산됨

⑤ **보크사이트:** 자메이카·가이아나 → 보크사이트는 주로 알루미늄의 원료로 사용됨

⑥ **은:** 멕시코(세계 1위의 은 생산국)

(2) 자원 개발

① **지하자원 개발:** 개발 과정에서 빈부 격차가 커지는 문제 발생 → 자원 국유화❶ 등의 조치로 해결하기 위해 노력

② **플랜테이션 작물 재배:** 커피, 사탕수수, 바나나 등 → 세계적인 농축산물 생산지

❶ **자원 국유화**
특정 국가의 부존자원을 시장에 맡기지 않고 국가가 관리하려는 정책이다. 국유화를 선언한 국가는 다국적 기업의 이윤 독점을 견제할 수 있다.

2. 사하라 이남 아프리카의 자원 분포와 개발

(1) 지하자원 분포 자료 1

① **석유:** 나이지리아·앙골라(아프리카의 대표적인 산유국)

② **석탄:** 남아프리카 공화국 → 크롬, 망간, 백금의 매장량 비중도 높음

③ **구리와 코발트:** 코퍼 벨트❷ 일대에 집중

(2) 자원 개발

① **주요 경제 대국의 투자:** 중국, 일본, 러시아, 미국, 인도 등의 자원 개발 → 자원 보유국에 자본 및 산업 인프라를 제공하고 채굴권을 확보하는 형식

뜻 생산 시설을 비롯한 공장과 그것을 운반할 수 있는 도로와 항만 등의 시설을 말해.

② **플랜테이션 작물 재배:** 커피, 카카오 등의 기호 작물 재배

❷ **코퍼 벨트(Copper Belt)**

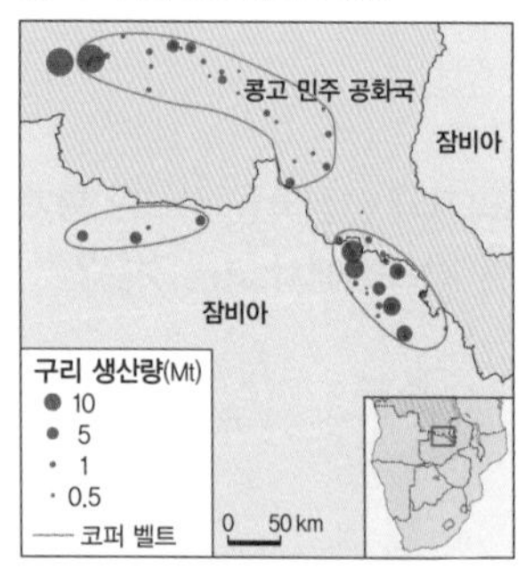

아프리카의 잠비아에서 콩고 민주 공화국에 걸쳐 있는 세계적인 구리 및 코발트 채굴 지역이다.

B 환경 보전과 자원의 정의로운 분배

1. 자원 개발과 환경 보전

(1) 환경 문제

① **열대림 파괴:** 무분별한 벌채, 과도한 경지 개간, 광산 개발 → 생물 종 다양성 감소, 지구 온난화 심화, 원주민의 생활 터전 파괴 예 아마존 열대림 파괴 자료 2

② **하천 및 토양 오염:** 석유 탐사 및 시추 과정에서 석유, 폐수 유출 예 아마존강 유역, 나이저강 삼각주

왜 나무는 대표적인 온실가스인 이산화 탄소를 흡수하고 산소를 내주는 탄소 동화 작용을 하기 때문이야.

③ **플랜테이션의 불균형:** 상품 작물 중심의 농업 → 불공정 무역 구조❸

(2) 해결 방안: 지속 가능한 발전(환경을 파괴하지 않는 범위에서 경제 개발)

❸ **불공정 무역 구조**
사하라 이남 아프리카의 주요 국가들은 저렴하게 기호 작물을 판매하고, 이를 사들인 다국적 기업은 제품을 가공한 후 비싸게 판매하여 이윤을 남긴다.

2. 자원의 정의로운 분배

자원 분배의 문제	국가의 부정부패, 광산 이권을 둘러싼 내전 발생 → 소득 분배의 불평등, 빈부 격차 심화
해결 방안	자원 개발을 넘어 제조업과 국가 기반 시설 건설에 투자, 부의 정의로운 분배를 위한 미래 지향적인 개발을 위해 노력

교과서 자료 모아 보기

자료 1 중·남부 아메리카와 사하라 이남 아프리카의 자원 분포

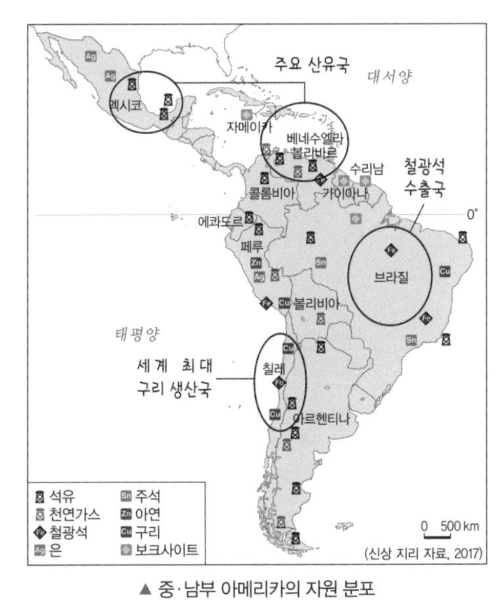

▲ 중·남부 아메리카의 자원 분포

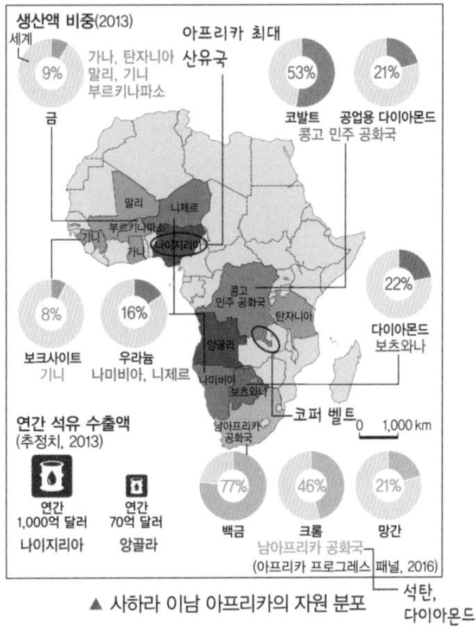

▲ 사하라 이남 아프리카의 자원 분포

한줄 핵심 중·남부 아메리카와 사하라 이남 아프리카에는 화석 연료와 광물 자원이 모두 풍부하다.

자료 확인 문제

❶ 중·남부 아메리카에서 석유 자원이 가장 풍부한 국가는?
( )

❷ 중·남부 아메리카의 최대 구리 생산국은?
( )

❸ 사하라 이남 아프리카 최대의 산유국은?
( )

자료 2 중·남부 아메리카의 열대림 파괴

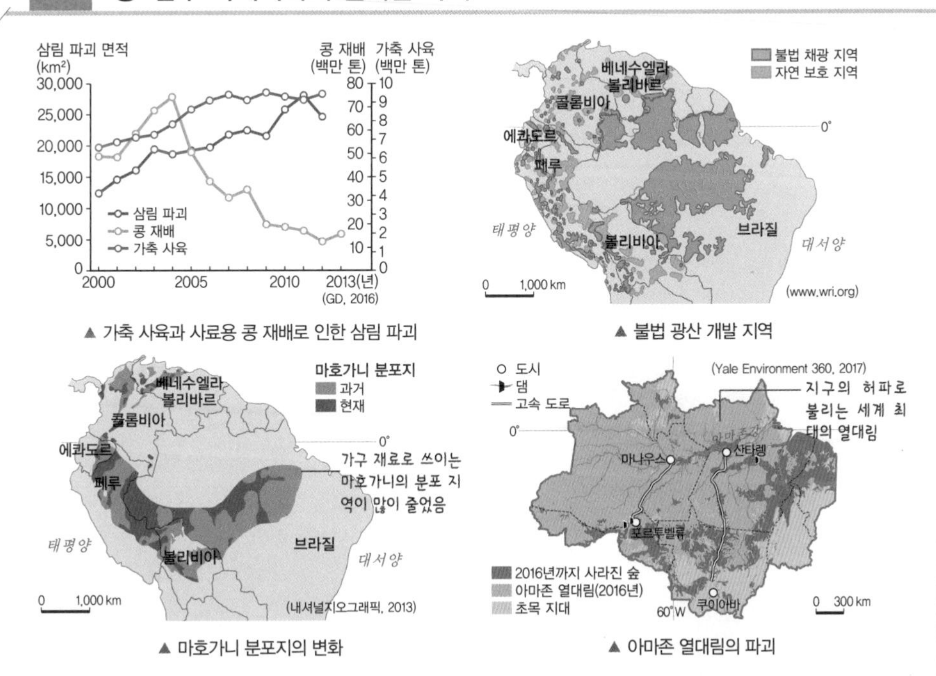

▲ 가축 사육과 사료용 콩 재배로 인한 삼림 파괴

▲ 불법 광산 개발 지역

▲ 마호가니 분포지의 변화

▲ 아마존 열대림의 파괴

| 자료 분석 | 원주민의 생활 터전이자, 지구 온난화 방지와 생물 종 다양성 보존에 중요한 역할을 하고 있는 아마존의 열대림이 빠르게 파괴되고 있다. 가축 사육과 사료용 콩 재배의 증가, 불법 광산의 개발과 벌목이 주요 원인이다.

한줄 핵심 지구 온난화 방지와 생물 종 다양성 보존에 중요한 역할을 하는 아마존 열대림이 빠르게 파괴되고 있다.

❹ □□ 사육과 사료용 □ 재배로 아마존의 삼림이 파괴되어 왔다.
( )

❺ 아마존 열대림의 파괴로 생물 종 다양성이 감소하고, □□ □□□가 가속화되고 있다.
( )

답 ❶ 베네수엘라 볼리바르 ❷ 칠레 ❸ 나이지리아 ❹ 가축, 콩 ❺ 지구 온난화

에너지 자원 개발 및 열대림 파괴 문제

수능풀 Guide 중·남부 아메리카와 사하라 이남 아프리카의 에너지 자원 개발을 'Ⅲ−05 세계 주요 에너지 자원과 국제 이동' 단원과 관련지어 이해하고, 열대림 파괴 문제에 대해 알아보자.

1 석유와 천연가스의 주요 수출국

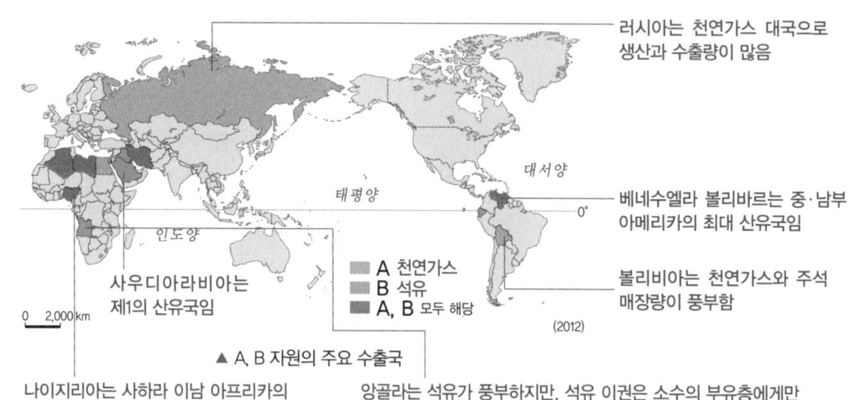

▲ A, B 자원의 주요 수출국

나이지리아는 사하라 이남 아프리카의 최대 산유국임

앙골라는 석유가 풍부하지만, 석유 이권은 소수의 부유층에게만 집중되어 불평등 문제가 심각함

PLUS분석 중·남부 아메리카와 사하라 이남 아프리카는 전체적으로 광물 자원이 풍부하지만, 몇몇 나라를 중심으로 에너지 자원인 석유와 천연가스도 풍부하게 매장되어 있다. 하지만, 자본과 기술이 부족하여 다국적 기업이나 선진국에 대한 의존도가 높다는 문제를 해결해야 하는 과제를 안고 있다.

기출 선택지로 확인하기

❶ A는 세계 1차 에너지 소비 구조에서 가장 큰 비중을 차지한다. ○|×

❷ B는 제철 공업의 주 에너지원으로 이용된다. ○|×

❸ A는 B보다 연소 시 오염 물질의 배출량이 적다. ○|×

❹ A는 신생대, B는 고생대 지층에 주로 매장되어 있다. ○|×

2 열대림 파괴 문제

(가) 사막화

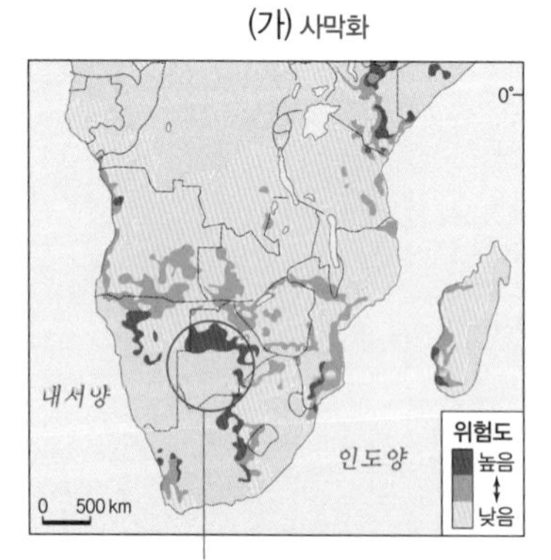

(나) 열대림 파괴

대서양
0°
태평양
훼손 범위
1997년 이전
1998년부터 2000년
미훼손 지역
0 500 km

사하라 이남 아프리카의 보츠와나 일대는 과도한 목축으로 사막화의 진행 속도가 빠르고, 서부 해안의 칼라하리 사막 주변으로 사막이 빠르게 확산되고 있음

중·남부 아메리카의 아마존강 유역에서는 가축 사육을 위한 곡물 재배, 목재용 벌목 등으로 열대림 파괴가 빠르게 진행되고 있음

PLUS분석

연평균 강수량	(가)<(나)	생물 종 다양성	(가)<(나)
적도와의 근접성	(가)>(나)	단위 면적당 수목 밀도	(가)<(나)

기출 선택지로 확인하기

❺ (가)의 사례 지역으로 사헬 지대가 있다. ○|×

❻ (나)로 인해 토양의 침식이 빨라진다. ○|×

❼ (가)와 (나)는 과도한 목축과 경작지 확대가 공통된 원인이다. ○|×

❽ (나)는 (가)보다 생물 종 다양성 감소에 큰 영향을 준다. ○|×

정답 ❶ ×(석유가 1위이다.) ❷ ×(석유는 주로 석유 화학 공업과 수송용으로 이용된다.) ❸ ○ ❹ ×(A, B 모두 신생대 지층에 매장되어 있다.) ❺ ○ ❻ ○ ❼ ○ ❽ ○

콕콕! 개념 확인하기

정답과 해설 69쪽

A 중·남부 아메리카와 사하라 이남 아프리카의 자원 개발

01 다음 내용을 읽고 빈칸에 알맞은 말을 쓰시오.

(1) 베네수엘라 볼리바르, 멕시코, 브라질은 □□ 생산량이 많다.

(2) 브라질에는 제철 공업의 원료인 □□□의 매장량이 풍부하다.

(3) 칠레의 신기 조산대 일대는 세계적인 □□ 생산지이다.

(4) 멕시코는 세계 제1의 □ 생산국이다.

(5) □□□□□□는 사하라 이남 아프리카의 최대 산유국이다.

(6) 남아프리카 공화국의 고기 조산대 일대에는 화석 연료인 □□이 풍부하다.

02 다음 내용이 옳으면 ○표, 틀리면 ×표를 하시오.

(1) 중·남부 아메리카의 국가들은 자원 개발에 따른 빈부 격차가 심화되면서, 자원 국유화 등의 조치를 통해 이를 완화하고자 노력하고 있다. ( )

(2) 아프리카의 잠비아에서 콩고 민주 공화국에 이르는 세계적인 구리 및 코발트 매장 지역을 사헬 지대라고 한다. ( )

(3) 중·남부 아메리카와 사하라 이남 아프리카의 열대 기후 지역에서는 커피, 사탕수수, 카카오 등의 플랜테이션 작물 재배가 활발하다. ( )

B 환경 보전과 자원의 정의로운 분배

03 다음 자료에서 알맞은 말에 ○표를 하시오.

▲ 아마존 개발 현황

남아메리카 아마존강 유역에 있는 아마존 분지는 세계 최대의 (열대림 / 침엽수림) 지역으로 생태계의 보고이다. 브라질 정부는 아마존을 본격적으로 개발하기 위해 수도를 (해안 / 내륙)의 브라질리아로 이전하고 아마존 횡단 도로를 건설하였다. 최근에는 세계적으로 육류 소비가 증가함에 따라 열대림을 베어 내어 가축을 사육하고, 사료 작물인 콩을 재배하면서 열대림이 빠르게 파괴되고 있다.

04 다음 내용이 옳으면 ○표, 틀리면 ×표를 하시오.

(1) 아마존 등의 열대림 파괴가 지속되면 지구 온난화의 속도는 빨라진다. ( )

(2) 석유 탐사 및 시추가 활발한 아마존강과 나이저강 유역에서는 토양 및 하천 오염이 심각하다. ( )

(3) 대규모의 플랜테이션으로 상품 작물 재배 비중을 늘리면 불공정한 무역 구조를 개선할 수 있다. ( )

(4) 중·남부 아메리카와 사하라 이남 아프리카의 환경 문제를 해결하기 위해서는 경제 개발에 초점을 두는 지속 가능한 발전이 필요하다. ( )

(5) 중·남부 아메리카와 사하라 이남 아프리카 지역은 자원 개발로 얻은 이익을 소수의 특정 계층이 독점하여 빈부 격차가 큰 편이다. ( )

탄탄! 내신 다지기

정답과 해설 69쪽

A 중·남부 아메리카와 사하라 이남 아프리카의 자원 개발

01 그래프는 어느 자원의 대륙별 매장량 및 아프리카의 국가별 매장량 비중을 나타낸 것이다. 이 자원은 무엇인가?

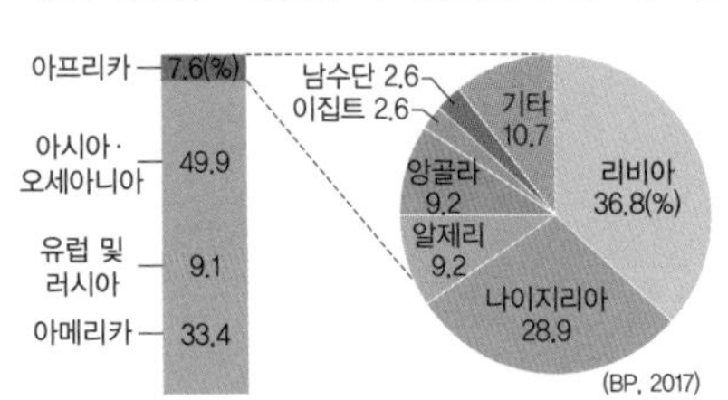

① 석유
② 구리
③ 석탄
④ 철광석
⑤ 천연가스

02 (가), (나) 국가에 대한 옳은 설명만을 〈보기〉에서 고른 것은?

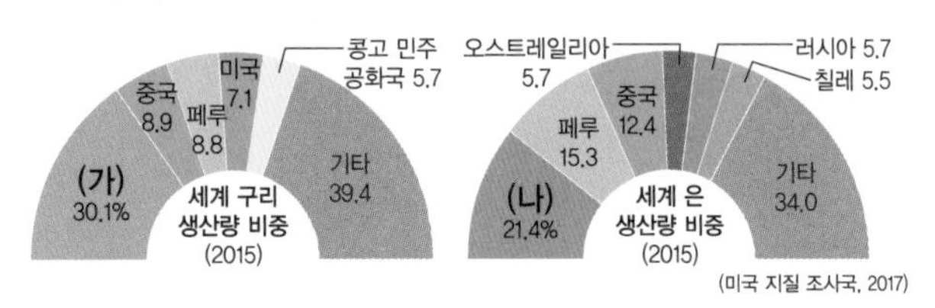

(미국 지질 조사국, 2017)

보기
ㄱ. (가)는 멕시코, (나)는 칠레이다.
ㄴ. (가), (나) 모두 고대 문명의 유적을 가지고 있다.
ㄷ. (가), (나)의 주된 산지는 대부분 신기 습곡 산지이다.
ㄹ. (가)의 수도는 해안에, (나)의 수도는 산지에 입지한다.

① ㄱ, ㄴ ② ㄱ, ㄷ ③ ㄴ, ㄷ ④ ㄴ, ㄹ ⑤ ㄷ, ㄹ

B 환경 보전과 자원의 정의로운 분배

03 다음 자료에 나타난 문제의 원인으로 옳지 않은 것은?

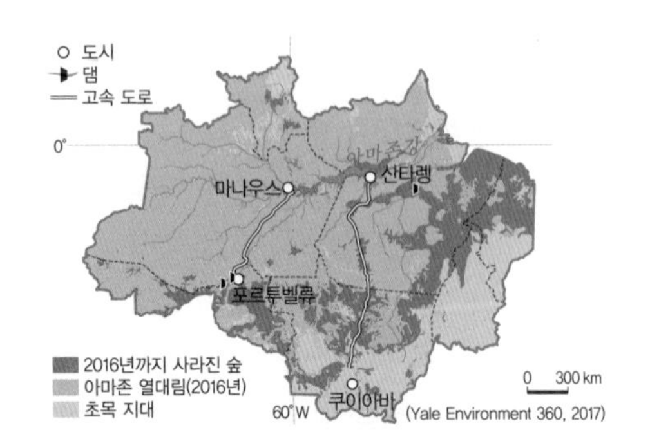

(Yale Environment 360, 2017)

① 농경지 확대
② 가축 사육 증가
③ 무분별한 광산 개발
④ 사료용 콩 재배 증가
⑤ 생물 종 다양성의 감소

04 다음 자료의 (가)에 들어갈 제목으로 가장 적절한 것은?

제목: (가)

아프리카 3위의 경제 규모를 자랑하는 앙골라는 석유 수출을 통한 높은 경제 성장률에도 불구하고, 일부 소수 특권층의 이권 나눠 먹기와 부정부패로 인한 빈익빈 부익부 현상이 갈수록 심화하고 있다. 반면, 보츠와나는 세계 3위의 매장량을 자랑하는 거대 다이아몬드 광맥을 가지고도, 독립 이후 단 한 번의 내전과 전쟁을 겪지 않았다. 보츠와나의 기적을 일군 건 한 마디로 '정치적 안정'이었다.

① 자원의 정의로운 분배
② 자원을 통한 경제 성장
③ 부가 가치가 높은 자원 개발의 방법
④ 미래형 자원 개발을 위한 다양한 노력
⑤ 자원 의존형 경제에서 벗어나기 위한 노력

서답형 문제

05 다음 자료를 보고 물음에 답하시오.

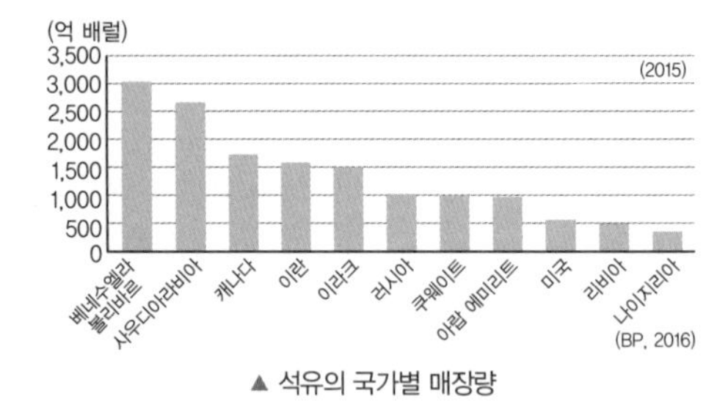

▲ 석유의 국가별 매장량

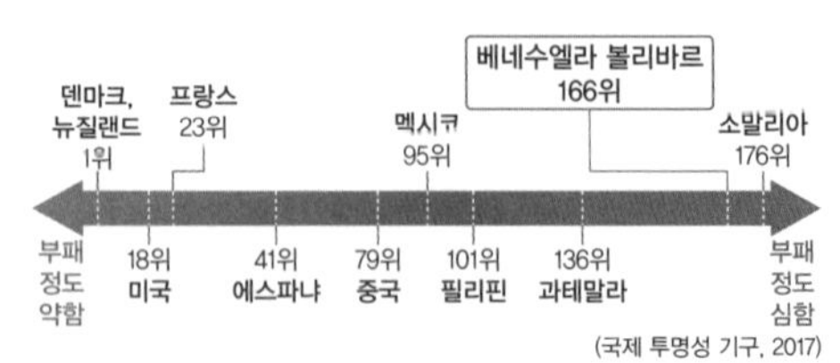

(국제 투명성 기구, 2017)

▲ 부패 인식 지수

(1) 석유 매장량이 가장 많은 국가를 쓰시오.
( )

(2) 석유가 풍부한 (1) 국가의 부패 인식 지수를 참고하여 부의 분배 측면에서 해당 국가의 문제점을 서술하시오.

도전! 실력 올리기

정답과 해설 70쪽

01 자료에 나타난 (가)~(다) 자원의 생산량이 많은 국가를 지도의 A~C에서 고른 것은?

[중·남부 아메리카의 광물 자원 특성]

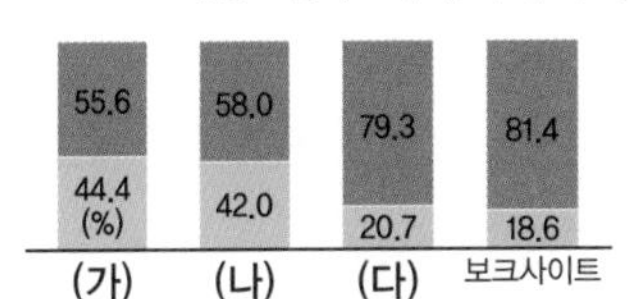

▲ 세계 광물 생산량 비중

중·남부 아메리카는 광물 자원이 풍부하다. 유럽의 귀금속 원료로서 금과 (가) 이/가 유명했고, 전화가 발명된 이후 수요가 급증했던 (나) 의 생산량도 세계적인 수준이다. 또한, (다) 은/는 납과 성질이 비슷하나 독성이 거의 없어 합금과 화합물의 제조용으로 널리 사용된다.

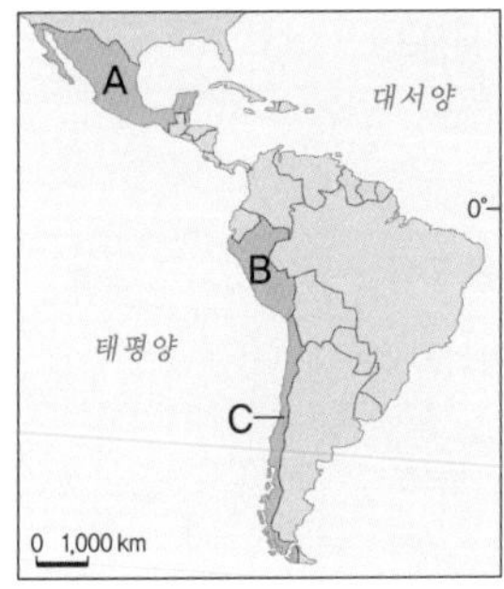

	(가)	(나)	(다)
①	A	B	C
②	A	C	B
③	B	A	C
④	B	C	A
⑤	C	A	B

02 지도는 자원 개발과 경제 상황을 고려한 지역 구분을 나타낸 것이다. A 지역에 대한 B 지역의 상대적 특성을 그래프의 ㄱ~ㅁ에서 고른 것은?

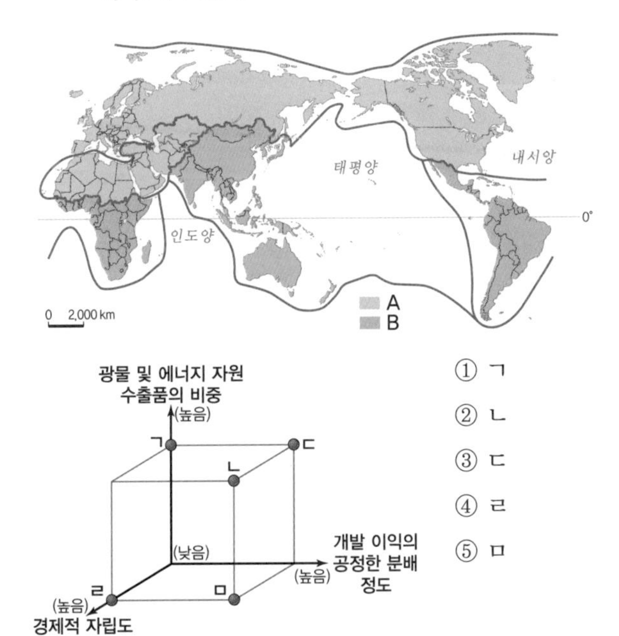

① ㄱ
② ㄴ
③ ㄷ
④ ㄹ
⑤ ㅁ

기출 변형

03 (가), (나) 환경 문제에 대한 옳은 설명만을 〈보기〉에서 있는 대로 고른 것은? (단, (가), (나)는 사막화, 열대림 파괴 중 하나임.)

(가)

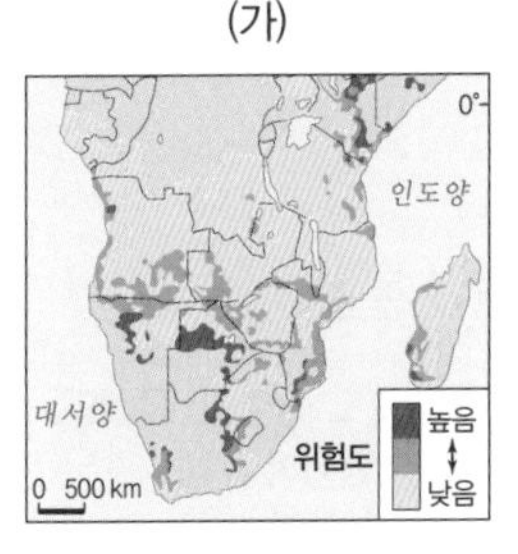

(나)

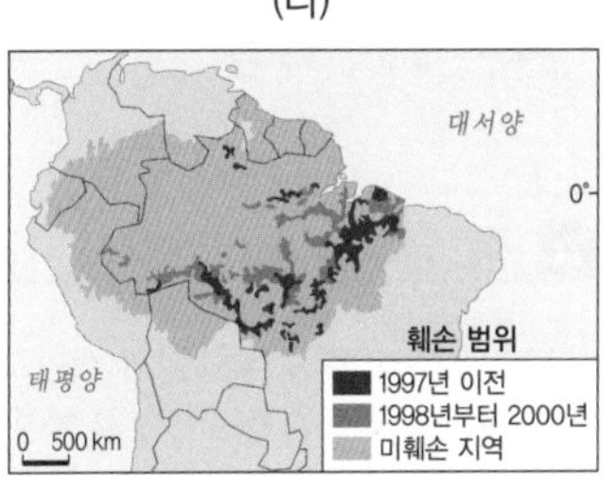

보기
ㄱ. (가)에서 위험도가 높은 곳을 사헬 지대라고 부른다.
ㄴ. (나)의 해결을 위해 바젤 협약이 체결되었다.
ㄷ. (가)의 피해 지역은 (나)보다 적도와의 거리가 멀다.
ㄹ. (나)가 진행되면 (가)의 피해 범위가 확대될 수 있다.

① ㄱ, ㄷ ② ㄴ, ㄷ ③ ㄷ, ㄹ
④ ㄱ, ㄴ, ㄹ ⑤ ㄱ, ㄷ, ㄹ

04 지도는 세계의 지니 계수 분포를 나타낸 것이다. 이에 대한 옳은 해석만을 〈보기〉에서 고른 것은?

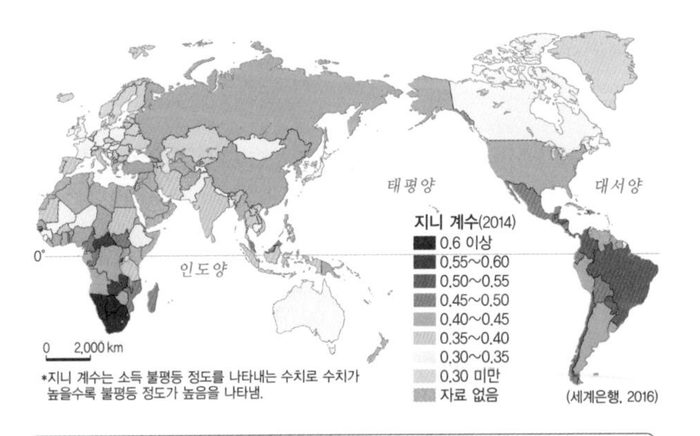

보기
ㄱ. 대체로 고위도로 갈수록 소득 불평등 정도가 높다.
ㄴ. 소득 불평등의 정도는 남반구가 북반구보다 높다.
ㄷ. 소득 불평등 정도가 높은 국가일수록 대체로 경제 수준이 높다.
ㄹ. 중·남부 아메리카와 사하라 이남 아프리카 대부분의 국가는 소득 불평등 정도가 높게 나타난다.

① ㄱ, ㄴ ② ㄱ, ㄷ ③ ㄴ, ㄷ
④ ㄴ, ㄹ ⑤ ㄷ, ㄹ

한눈에 보는
대단원 정리

01 도시 구조에 나타난 도시화 과정의 특징

A 중·남부 아메리카의 도시화 과정 특징

다양한 인종 분포	라틴계 유럽인의 식민 지배 영향으로 원주민, 유럽인, 아프리카계의 혼혈 형성 → 문화 다양성이 높음
도시화 과정	• 급격한 도시화: 이촌 향도에 따른 도시 인구의 급증 • 대도시 중심의 성장: 수도, 대도시, 식민 도시 등

B 중·남부 아메리카의 도시 구조와 도시 문제

도시 구조	• 식민 지배의 영향 → 비슷한 도시 구조 형성 • 기본 패턴: 광장 중심의 격자망 도로 • 도심: 교통 중심지, 광장, 상업 지구, 상류층 분포 • 외곽: 원주민, 아프리카계 빈민층 분포
도시 문제	• 원인: 급속한 도시화에 따른 사회 기반 시설의 부족 • 현상: 과도시화(지나치게 많은 인구가 도시에 집중), 종주 도시화(수위 도시에 인구가 과다하게 집중), 스프롤 현상(무질서한 시가지 확장) • 문제: 불량 주택 지구, 도시 빈민 문제, 교통 혼잡 등 • 해결 노력: 사회 기반 시설 보완, 도시 재생 사업 등

02 다양한 지역 분쟁과 저개발 문제

A 사하라 이남 아프리카의 식민지 경험과 민족(인종) 및 종교 분포

식민지 경험	유럽인의 진출로 정치·사회·경제적으로 큰 변화를 겪음, 자원과 노동력 착취, 독립 이후 내전과 빈곤 심화
민족(인종) 및 종교 분포	• 민족(인종): 아프리카계 비중 높음, 부족 중심 • 종교: 토속 신앙, 이슬람교, 크리스트교 등

B 사하라 이남 아프리카의 분쟁과 저개발

분쟁 및 갈등	유럽 열강의 무분별한 국경선 설정으로 분쟁 발생, 불안한 정치 체제, 자원 배분 등 → 난민 발생, 거주지 분리
저개발 및 개발 노력	• 식민지 시대: 광물 자원 채굴과 플랜테이션 작물 생산으로 착취를 당함 • 독립 이후: 광물과 농산물 위주의 수출 구조의 한계 • 개발 노력: 천연자원과 풍부한 노동력의 효율적 활용, 아프리카 연합(AU) 등의 경제 공동체 결성

03 자원 개발을 둘러싼 과제

A 중·남부 아메리카와 사하라 이남 아프리카의 자원 개발

(1) 중·남부 아메리카의 지하자원 분포

석유	멕시코·브라질·베네수엘라 볼리바르, 신생대 지층에 매장
천연가스	볼리비아, 신생대 지층에 매장
철광석	브라질 → 철광석은 제철 공업의 원료
구리	칠레, 주로 신기 조산대에 매장
보크사이트	자메이카·가이아나
은	멕시코(세계 1위의 은 생산국)

(2) 중·남부 아메리카의 자원 개발

지하자원	빈부 격차 심화 → 자원 국유화 등의 조치로 해결
플랜테이션	커피, 사탕수수의 세계적인 생산지

(3) 사하라 이남 아프리카의 지하자원 분포

석유	나이지리아, 앙골라(아프리카의 대표적인 산유국)
석탄	남아프리카 공화국 → 크롬, 망간, 백금도 매장량 풍부
구리, 코발트	코퍼 벨트에 집중

(4) 사하라 이남 아프리카의 자원 개발

선진국의 투자	중국, 일본, 러시아, 미국 등의 대규모 자본 유입 활발
플랜테이션	커피, 카카오 등의 재배 활발

B 환경 보전과 자원의 정의로운 분배

(1) 환경 문제

열대림 파괴	무분별한 벌채, 과도한 경지 개간, 광산 개발 → 생물 종 다양성 감소, 지구 온난화 심화, 원주민 생활 터전 파괴 예 아마존 열대림
하천 및 토양 오염	석유 탐사 및 시추 과정에서 석유, 폐수 유출 예 나이저강, 아마존강

(2) 자원의 정의로운 분배

자원 분배 문제	국가의 부정부패, 광산 이권을 둘러싼 내전 빈번 → 소득 불평등, 빈부 격차 심화
해결 방안	제조업과 인프라 건설에 투자, 부의 정의로운 재분배

한번에 끝내는 대단원 문제

정답과 해설 71쪽

01 다음 글의 밑줄 친 ㉠~㉣에 대한 옳은 설명만을 〈보기〉에서 고른 것은?

> 중·남부 아메리카의 식민 도시는 대부분 ㉠ <u>에스파냐와 포르투갈의 식민 지배</u>를 받아 형성되었다. 새롭게 건설된 도시의 상당수는 식민 지배를 받을 때 ㉡ <u>교통의 중심지 역할</u>을 한 곳이 많다. ㉢ <u>도시에는 다른 곳에서는 찾아보기 힘든 독특한 경관</u>이 많으며, 도심부에는 매우 규칙적인 가로망과 성당 및 중앙 광장이 놓여 있고, 주로 ㉣ <u>유럽계 백인이 거주한다.</u>

보기
- ㄱ. ㉠: 식민지 대부분이 이슬람교를 신봉한다.
- ㄴ. ㉡: 주요 자원을 약탈하려는 의도가 반영된 것이다.
- ㄷ. ㉢: 원주민의 문화와 유럽의 문화가 혼합되어 있다.
- ㄹ. ㉣: 해당국에서 소득 수준이 낮은 계층에 속한다.

① ㄱ, ㄴ ② ㄱ, ㄷ ③ ㄴ, ㄷ
④ ㄴ, ㄹ ⑤ ㄷ, ㄹ

02 지도의 (가)~(다) 언어에 대한 옳은 설명만을 〈보기〉에서 고른 것은?

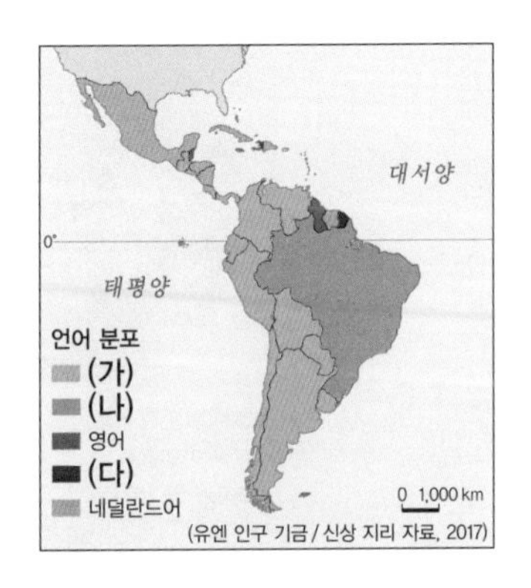

보기
- ㄱ. (나) 사용국은 국가 내 언어 갈등을 빚고 있다.
- ㄴ. (가)는 (나)보다 세계 사용자 수가 많다.
- ㄷ. (가)와 (나)의 모국은 국경을 접하고 있다.
- ㄹ. (나)와 (다)의 모국은 국제 하천을 공유하고 있다.

① ㄱ, ㄴ ② ㄱ, ㄷ ③ ㄴ, ㄷ
④ ㄴ, ㄹ ⑤ ㄷ, ㄹ

03 지도는 아메리카 대륙의 도시화율과 도시 인구의 변화를 나타낸 것이다. 이를 보고 추론한 내용으로 옳은 것만을 〈보기〉에서 고른 것은?

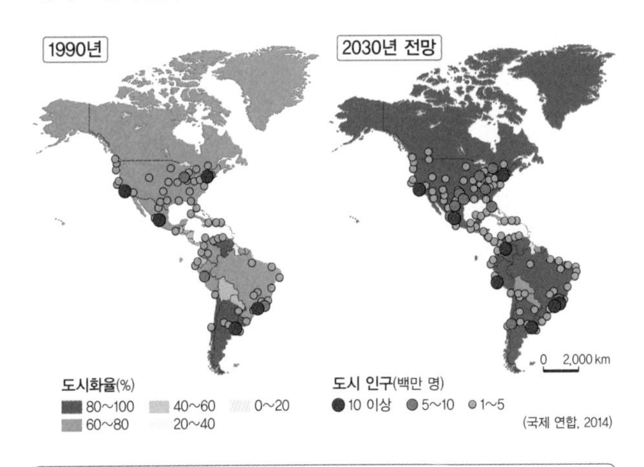

보기
- ㄱ. 아메리카의 도시화율은 대체로 높아질 것이다.
- ㄴ. 중·남부 아메리카는 과도시화의 문제가 커질 것이다.
- ㄷ. 앵글로아메리카는 종주 도시화 현상이 심해질 것이다.
- ㄹ. 앵글로아메리카는 중·남부 아메리카보다 지역 간 불균형이 심해질 것이다.

① ㄱ, ㄴ ② ㄱ, ㄷ ③ ㄴ, ㄷ ④ ㄴ, ㄹ ⑤ ㄷ, ㄹ

04 자료는 브라질 상파울루의 도시 내부 구조에 관한 것이다. A, B에 대한 옳은 추론만을 〈보기〉에서 있는 대로 고른 것은?

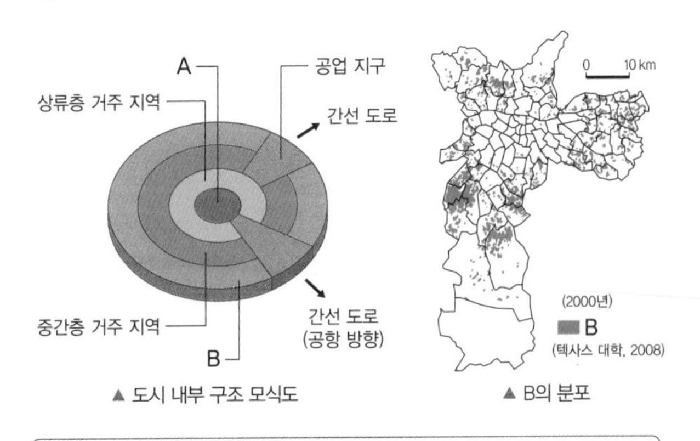

▲ 도시 내부 구조 모식도 ▲ B의 분포

보기
- ㄱ. A는 교통의 중심지일 것이다.
- ㄴ. A에는 대성당과 광장이 있을 것이다.
- ㄷ. B에는 유럽계 민족(인종)의 비율이 높을 것이다.
- ㄹ. A는 B보다 주민의 평균 소득 수준이 높을 것이다.

① ㄱ, ㄴ ② ㄴ, ㄷ ③ ㄷ, ㄹ
④ ㄱ, ㄴ, ㄹ ⑤ ㄴ, ㄷ, ㄹ

05 다음 자료의 (가)~(다)에 해당하는 국가를 지도의 A~C에서 고른 것은?

> [아프리카의 노예 무역]
> 세계를 둘로 나눠, 아메리카(브라질 제외) 대륙은 (가) 이/가, 브라질과 아시아 대륙은 (나) 이/가 지배한다는 교황의 선언으로 인해 (가) 은/는 아프리카의 '노예 해안'에 접근하는 것이 불가능했다. 따라서 노예 무역은 (나) (으)로 독점되는 듯했다. 그러나 (나) 의 세력이 (다) 와/과 네덜란드에 의해 약화되는 순간 노예 사업은 이 두 기독교 국가의 독점 사업이 되었다. (다) 와/과 네덜란드는 이후 노예를 전 세계에 줄곧 공급하게 되었다.
> -『반 룬의 지리학』 중 일부 각색-

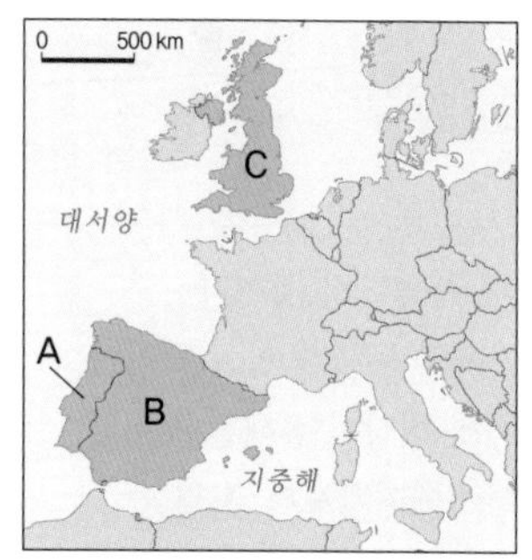

	(가)	(나)	(다)
①	A	B	C
②	A	C	B
③	B	A	C
④	B	C	A
⑤	C	A	B

06 지도에 표시된 A~C 지역의 분쟁에 대한 옳은 설명만을 〈보기〉에서 고른 것은?

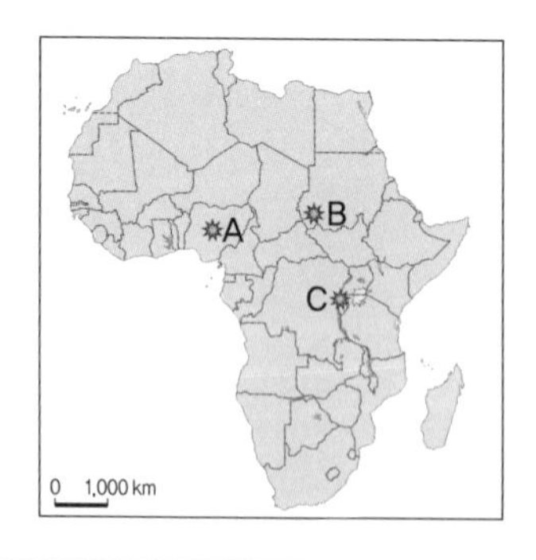

보기
ㄱ. A 분쟁의 핵심 요인은 민족(인종)의 차이이다.
ㄴ. B 분쟁의 원인에는 환경적인 요인이 포함되어 있다.
ㄷ. C는 이슬람교와 크리스트교 간의 종교 분쟁 지역이다.
ㄹ. A~C에서는 모두 강제적 동기의 인구 이동이 발생했다.

① ㄱ, ㄴ ② ㄱ, ㄷ ③ ㄴ, ㄷ
④ ㄴ, ㄹ ⑤ ㄷ, ㄹ

07 (가), (나) 지도의 지표로 옳은 것은?

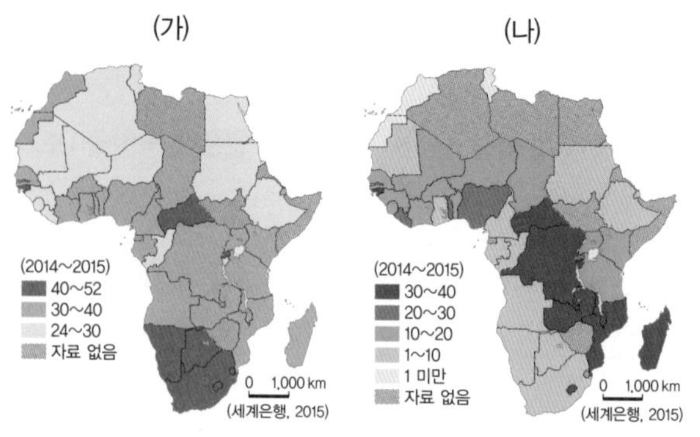

	(가)	(나)
①	전체 인구 대비 1일 생활비 2달러 미만 인구 비율	소득 상위 10% 계층의 국가 소득 점유율
②	전체 인구 대비 1일 생활비 2달러 미만 인구 비율	합계 출산율
③	소득 상위 10% 계층의 국가 소득 점유율	전체 인구 대비 1일 생활비 2달러 미만 인구 비율
④	소득 상위 10% 계층의 국가 소득 점유율	합계 출산율
⑤	합계 출산율	전체 인구 대비 1일 생활비 2달러 미만 인구 비율

08 다음은 (가) 국가의 수출 품목별 비율을 나타낸 그래프이다. 이에 대한 옳은 설명만을 〈보기〉에서 고른 것은?

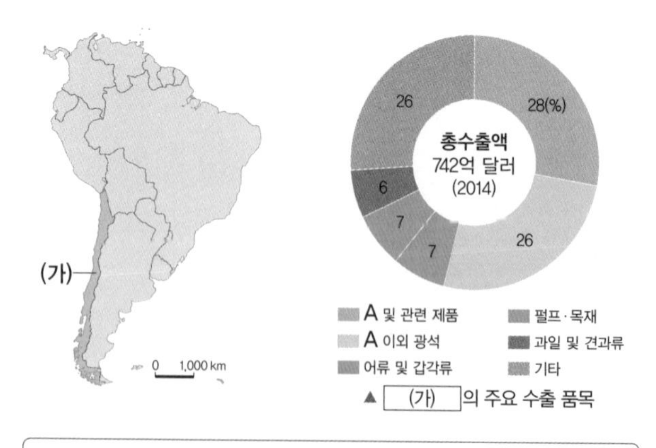

▲ (가) 의 주요 수출 품목

보기
ㄱ. (가)는 볼리비아, A는 천연가스이다.
ㄴ. (가)는 위도에 따라 다양한 기후가 나타난다.
ㄷ. A는 주로 시·원생대 지층에 매장되어 있다.
ㄹ. (가)의 경제는 A의 수출과 밀접한 관련이 있다.

① ㄱ, ㄴ ② ㄱ, ㄷ ③ ㄴ, ㄷ
④ ㄴ, ㄹ ⑤ ㄷ, ㄹ

09 지도는 아프리카 대륙의 주요 산맥과 하천을 나타낸 것이다. A~E에 대한 설명으로 옳지 않은 것은?

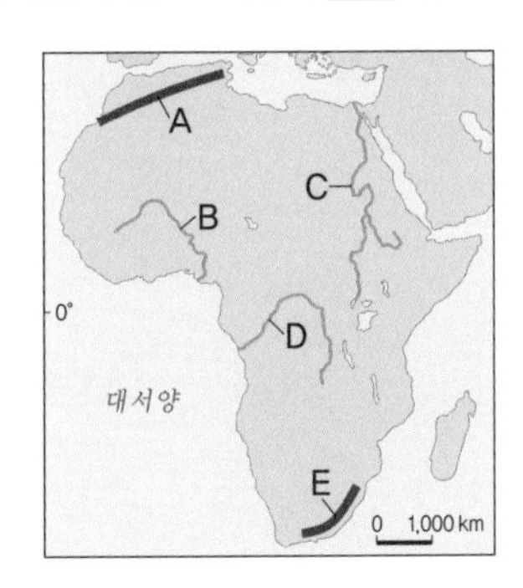

① A는 E보다 조산 운동을 받은 시기가 늦다.
② B의 하구에는 대량의 원유가 매장되어 있다.
③ C의 하류부에는 고대 문명의 유적지가 있다.
④ D의 상류부에는 대규모의 천연가스가 매장되어 있다.
⑤ E에는 크롬, 망간, 백금, 다이아몬드 등이 풍부하다.

10 자료의 (가)에 해당하는 국가를 지도의 A~E에서 고른 것은?

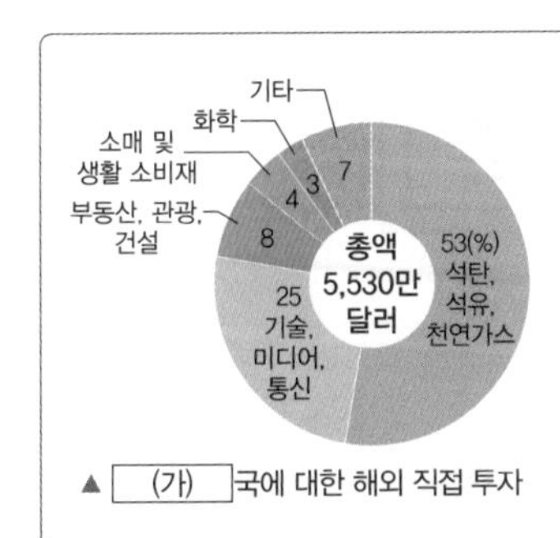

▲ (가) 국에 대한 해외 직접 투자

아프리카 대륙은 다른 대륙에 비해 해외 직접 투자가 현저히 낮은 수준이다. 하지만 (가) 은/는 화석 에너지 생산과 매장량이 많아 해외 투자가 활발하다.

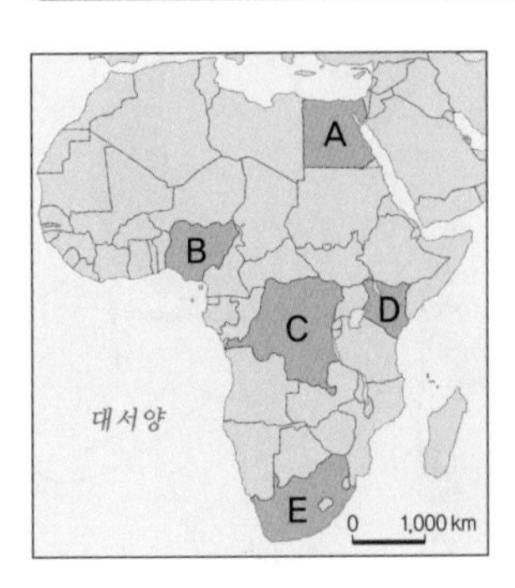

① A
② B
③ C
④ D
⑤ E

11 다음 자료를 보고 물음에 답하시오.

(가) (나)

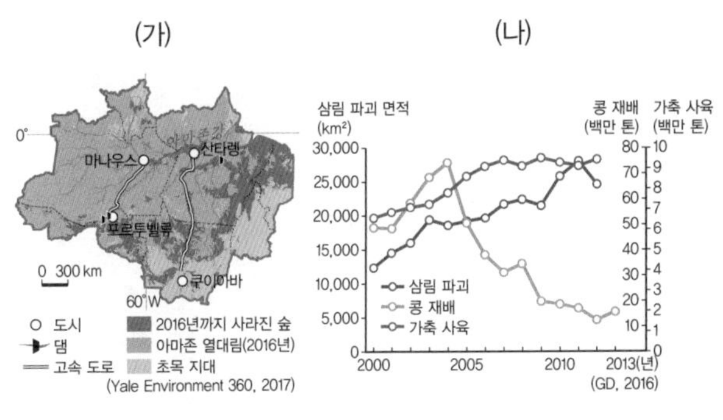

(1) (가) 지도에 표시된 마나우스의 기후 특징을 쓰시오.

( )

(2) (가), (나) 자료를 바탕으로 열대림 파괴와 지구 온난화의 상관관계를 서술하시오.

12 지도는 아프리카 대륙의 지니 계수를 나타낸 것이다. 이를 보고 물음에 답하시오.

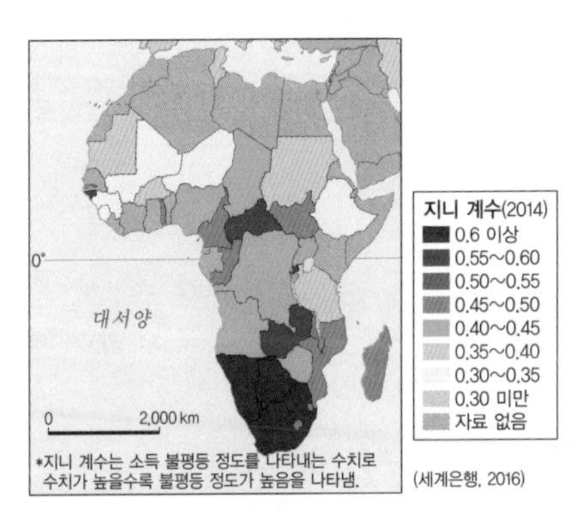

*지니 계수는 소득 불평등 정도를 나타내는 수치로 수치가 높을수록 불평등 정도가 높음을 나타냄.
(세계은행, 2016)

(1) 지니 계수가 0.6 이상인 국가를 하나만 쓰시오.

( )

(2) (1)에 해당하는 국가들의 공통점을 서술하시오.

VIII

공존과 평화의 세계

배울 내용 한눈에 보기

01 경제의 세계화와 경제 블록

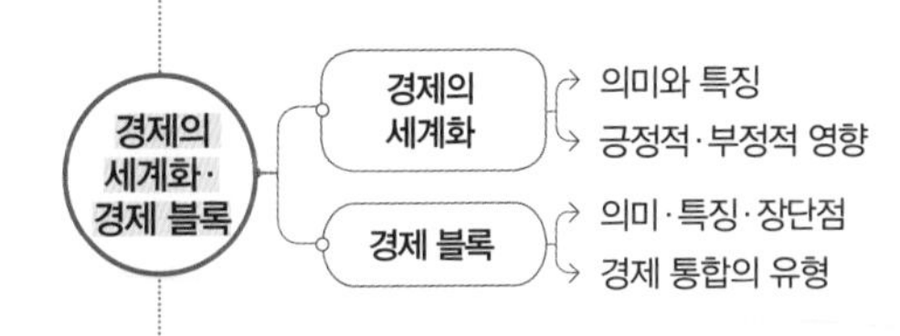

02 지구촌 문제의 해결을 위한 노력

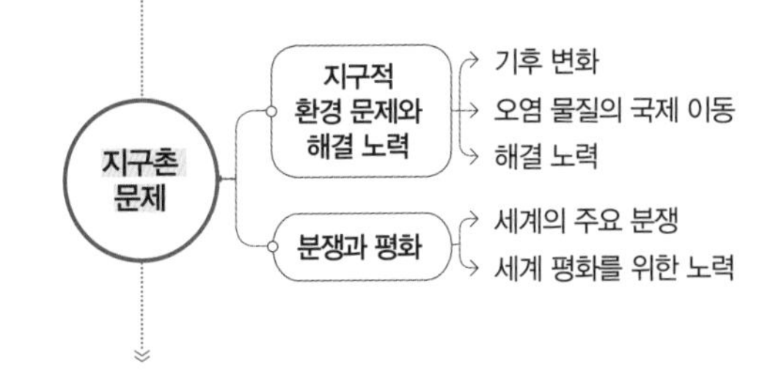

01 경제의 세계화와 경제 블록

❶ 국제 분업
나라마다 다른 자원, 인구 등의 차이를 인정하고, 서로 협력하여 적은 비용으로 효율적인 경제 활동을 하기 위한 행위이다. 국제 분업이 활발해지면 국제 무역이 증가한다.

❷ 세계 무역 기구(WTO)

▲ 세계 무역 기구 본부(스위스 제네바)

관세 무역 일반 협정(GATT) 체제 이후 공산품, 농산물, 서비스업에서 자유 무역을 추진하기 위해 1995년에 설립되었다.

❸ 자유 무역 협정(FTA)
협정을 체결한 국가 간에는 무역 특혜를 부여하여 무역 장벽을 해소하고 자유 무역을 추구한다.

❹ 세계 교역량의 증가

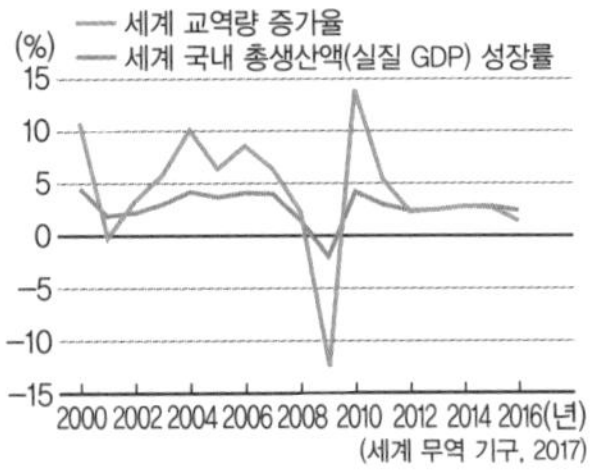

(세계 무역 기구, 2017)

미국 금융 위기가 발생했던 시기를 제외하면, 최근 10년간 세계 국내 총생산액(GDP)은 증가 추세에 있다.

A 경제의 세계화

1. 경제의 세계화의 의미와 특징

(1) 의미: 교통·통신의 발달로 국가 간 인적·물적 교류가 활발해지면서 세계 경제의 상호 의존성이 증가하는 현상 → 국제 분업❶이 활발해짐

(2) 특징: 세계 무역 기구(WTO)❷와 다국적 기업의 활동으로 가속화되고 있음 → 세계 총생산에서 다국적 기업의 생산액이 차지하는 비중이 증가함

뜻 세계를 무대로 하여 판매 및 생산 활동을 하는 기업을 말해.

2. 경제의 세계화의 영향 자료 1

(1) 긍정적 영향

① **무역 장벽 완화:** 지리적으로 인접하거나 경제적으로 상호 의존도가 높은 지역 및 국가끼리 자유 무역 협정(FTA)❸ 체결 → 자유 무역의 확대 → 소비자들은 전 세계의 질 좋고 저렴한 상품을 선택할 수 있는 기회가 증가함

② **기술 혁신:** 기업의 치열한 경쟁 속에서 시장 우위를 차지하기 위해 노력

뜻 다른 기업의 제품보다 기능과 품질의 향상을 통해 시장 점유율이 높은 상태를 말해.

(2) 부정적 영향

① **국가 간 빈부 격차 확대:** 선진국과 개발 도상국 간의 경제적 격차가 더 커짐

② **차별적 무역 조치:** 개발 도상국의 경제 구조가 선진국에 종속될 수 있음

왜 세계화로 국제 경쟁력이 약한 기업, 산업, 국가 등은 약화되거나 대외 의존성이 커지기 때문이야.

B 경제 블록의 형성과 특징 자료 2

1. 경제 블록

뜻 무역에 관한 협정을 체결하지 않은 국가로, 일반적으로 특정 경제 블록의 역외국은 무역에 관해 차별적 조치를 받아.

(1) 의미: 지리적·경제적 인접성이 높은 지역 또는 국가 간의 경제 공동체

(2) 형성 배경: 세계 무역 기구가 자유 무역을 위한 합의를 효과적으로 이루어 낼 수 없음

(3) 특징: 회원국 간 자유 무역을 추구하고, 역외국은 차별적으로 조치함

(4) 세계의 주요 경제 블록: 유럽 연합(EU), 동남아시아 국가 연합(ASEAN), 북아메리카 자유 무역 협정(NAFTA), 남아메리카 공동 시장(MERCOSUR) 등

2. 경제 블록의 장단점

(1) 장점: 지역 내 국가 간 교역량❹의 증가로 자원의 효율적 이용이 가능해짐 → 회원국 간 투자가 활성화됨

(2) 단점: 경제 블록에서 소외된 국가와 지역의 경제력이 약해지기도 함

3. 경제적 통합의 유형

유형	특징	예
자유 무역 협정(FTA)	• 회원국 간 무역 장벽 해소 • 관세 인하	북아메리카 자유 무역 협정(NAFTA)
관세 동맹	• 회원국 간 관세를 낮추거나 없앰 • 역외국에 대해서는 공동 관세율 적용	남아메리카 공동 시장(MERCOSUR)
공동 시장	회원국 간 생산 요소의 자유로운 이동	중앙아메리카 공동 시장(CACM)
완전 경제 통합	• 단일 통화 사용 • 공동 의회 설치 • 정치 및 경제적 통합	유럽 연합(EU)

경제적 통합 수준이 높을수록 회원국 간 경제적 상호 보완성은 향상돼. 대부분의 경제 블록은 완전 경제 통합을 궁극적인 목표로 두고 있어.

한눈에 정리

경제적 통합의 유형

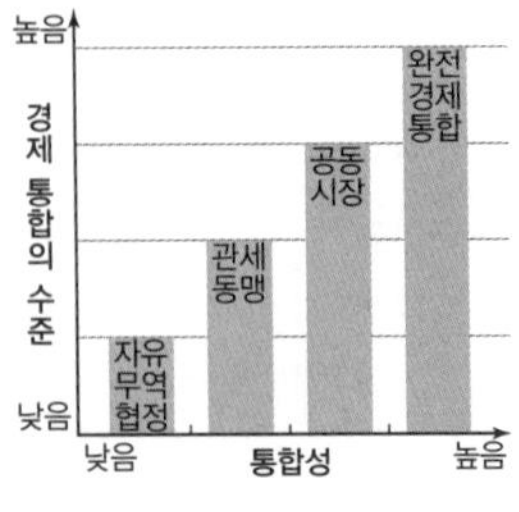

교과서 자료 모아 보기

자료 확인 문제

자료 1 경제의 세계화의 빛과 그림자

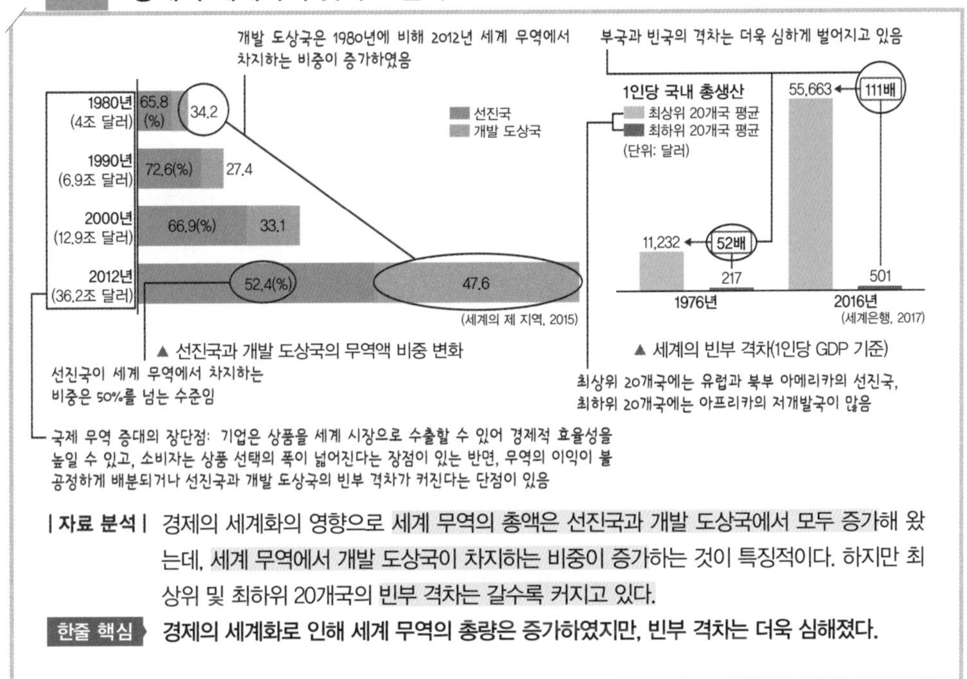

개발 도상국은 1980년에 비해 2012년 세계 무역에서 차지하는 비중이 증가하였음
부국과 빈국의 격차는 더욱 심하게 벌어지고 있음
1980년 (4조 달러) 65.8 (%) 34.2
1990년 (6.9조 달러) 72.6(%) 27.4
2000년 (12.9조 달러) 66.9(%) 33.1
2012년 (36.2조 달러) 52.4(%) 47.6
선진국
개발 도상국
(세계의 제 지역, 2015)
1인당 국내 총생산
최상위 20개국 평균
최하위 20개국 평균
(단위: 달러)
11,232
52배
217
55,663
111배
501
1976년
2016년
(세계은행, 2017)
▲ 선진국과 개발 도상국의 무역액 비중 변화
▲ 세계의 빈부 격차(1인당 GDP 기준)
선진국이 세계 무역에서 차지하는 비중은 50%를 넘는 수준임
최상위 20개국에는 유럽과 북부 아메리카의 선진국, 최하위 20개국에는 아프리카의 저개발국이 많음
국제 무역 증대의 장단점: 기업은 상품을 세계 시장으로 수출할 수 있어 경제적 효율성을 높일 수 있고, 소비자는 상품 선택의 폭이 넓어진다는 장점이 있는 반면, 무역의 이익이 불공정하게 배분되거나 선진국과 개발 도상국의 빈부 격차가 커진다는 단점이 있음

| 자료 분석 | 경제의 세계화의 영향으로 세계 무역의 총액은 선진국과 개발 도상국에서 모두 증가해 왔는데, 세계 무역에서 개발 도상국이 차지하는 비중이 증가하는 것이 특징적이다. 하지만 최상위 및 최하위 20개국의 빈부 격차는 갈수록 커지고 있다.

한줄 핵심 경제의 세계화로 인해 세계 무역의 총량은 증가하였지만, 빈부 격차는 더욱 심해졌다.

❶ 세계 무역 기구 설립 이후 세계의 무역량은 증가 추세에 있다. ○ | ×

❷ 경제의 세계화에 따른 자유 무역의 확대로 국가 간 빈부 격차가 (커지고/작아지고) 있다.

자료 2 주요 경제 블록의 형성과 특징

회원국의 수와 총 교역액(수출·수입액)이 가장 많음, 완전 경제 통합 단계에 해당함

지역 내 풍부한 자원, 미국과 캐나다의 높은 기술 수준과 자본, 멕시코의 풍부한 노동력이 상호 보완적으로 결합함, 자유 무역 협정 단계에 해당함

유럽 연합(EU)	
출범 시기	1993년
회원국	독일, 프랑스 등 28개국

북아메리카 자유 무역 협정(NAFTA)	
출범 시기	1994년
회원국	미국, 캐나다, 멕시코

걸프 협력 회의(GCC)	
출범 시기	1981년
회원국	사우디아라비아, 아랍 에미리트 등 6개국

동남부 아프리카 공동 시장(COMESA)	
출범 시기	1994년
회원국	이집트, 수단 등 21개국

동남아시아 국가 연합(ASEAN)	
출범 시기	1967년
회원국	인도네시아, 싱가포르 등 10개국

남아메리카 공동 시장(MERCOSUR)	
출범 시기	1995년
회원국	브라질, 아르헨티나, 우루과이, 파라과이, 베네수엘라 볼리바르*

대서양 태평양 인도양 0° 0 2,000 km

(외교부, 2017 / 기타)
*2016년 자격 정지되었음.

경제 성장과 안보 및 지역 안정을 도모하기 위한 정치·경제 기구임

외부 시장에 대해서는 동일한 관세를 적용하고 회원국 간에는 약 90%의 품목에 무관세를 적용함, 관세 동맹 단계에 해당함

| 자료 분석 | 자유 무역을 추구하는 국제 질서에 따라 다양한 경제 블록이 형성되었다. 경제 블록은 회원국 간의 상호 의존성을 높이며, 무역 증대, 생산비 절감, 자원의 효율적 이용 등의 다양한 무역 이점을 갖는다.

한줄 핵심 지리적·경제적으로 이익을 추구할 수 있는 국가들 간에는 무역의 이익을 도모할 수 있는 경제 블록을 만들어 협력한다.

❸ 회원국 수와 총 교역액이 가장 많은 경제 블록은?
( )

❹ 자유 무역 협정 단계에 해당하는 대표적인 경제 블록은?
( )

정답 ❶ ○ ❷ 커지고 ❸ 유럽 연합 ❹ 북아메리카 자유 무역 협정

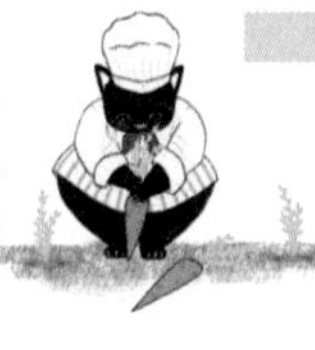

경제 블록의 유형과 특징

수능풀 Guide 다양한 경제적 통합의 유형과 주요 경제 블록의 특징에 관해 알아보자.

1 주요 경제 블록의 통합 수준

(가) 유럽 연합(EU): 세계의 모든 경제 블록 중 가장 높은 수준의 경제적 통합을 이루고 있음

(나) 북아메리카 자유 무역 협정(NAFTA): 역내의 관세를 철폐하는 FTA 수준의 경제 블록

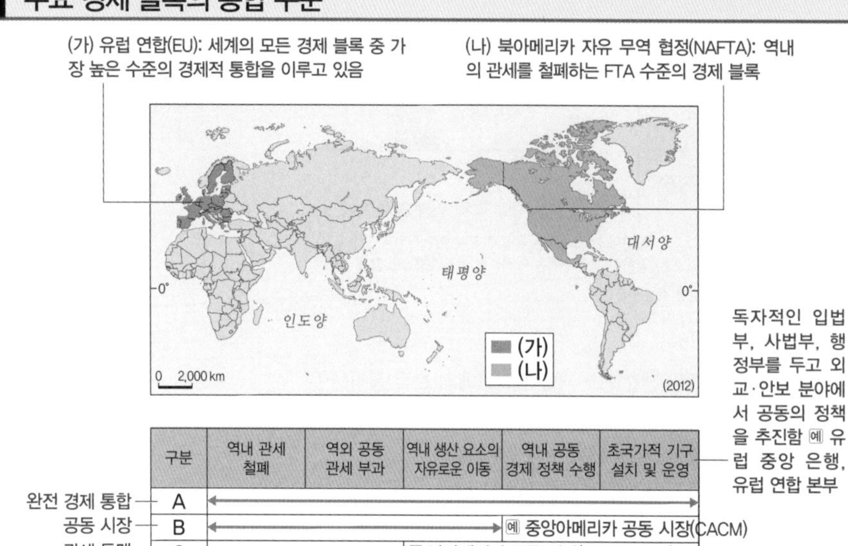

구분	역내 관세 철폐	역외 공동 관세 부과	역내 생산 요소의 자유로운 이동	역내 공동 경제 정책 수행	초국가적 기구 설치 및 운영
완전 경제 통합 – A	←	–	–	–	→
공동 시장 – B	←	–	–	→	예 중앙아메리카 공동 시장(CACM)
관세 동맹 – C	←	→	예 남아메리카 공동 시장(MERCOSUR)		
자유 무역 협정(FTA) – D	←→				

초국가적 기구 설치 및 운영: 독자적인 입법부, 사법부, 행정부를 두고 외교·안보 분야에서 공동의 정책을 추진함 예 유럽 중앙 은행, 유럽 연합 본부

PLUS분석 지역 또는 국가 간 경제 공동체인 경제 블록은 경제적 통합의 수준에 따라 자유 무역 협정 → 관세 동맹 → 공동 시장 → 완전 경제 통합으로 유형을 나눌 수 있다. 북아메리카 자유 무역 협정(NAFTA)은 경제 블록 유형 중 가장 낮은 수준의 통합 형태인 자유 무역 협정에 해당하고, 유럽 연합(EU)은 가장 높은 수준의 통합 형태인 완전 경제 통합에 해당한다.

기출 선택지로 확인하기

❶ (가)는 역내 관세 철폐 수준의 경제 통합체이다. ○ ×

❷ (나)에는 초국가적 기구가 설치되어 있다. ○ ×

❸ (나)의 역내에서는 토지, 노동, 자본과 같은 생산 요소의 자유로운 이동이 보장되지 않는다. ○ ×

2 주요 경제 블록의 특징

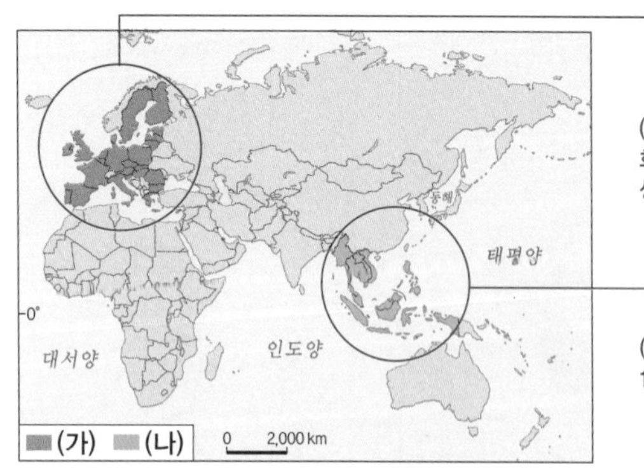

(가) 유럽 연합(EU): 다수의 국가들이 단일 통화인 유로화 사용, 회원국 수 28개국, 국내 총생산 18조 4,600억 달러

(나) 동남아시아 국가 연합(ASEAN): 회원국 수 10개국, 국내 총생산 2조 5,700억 달러

PLUS분석 (가) 유럽 연합(EU)은 독자적인 법력 체계 및 자치 행정 기능을 갖추고 있으며, 정치·사회 분야에 이르기까지 공동 정책을 확대하고 있는 등 가장 높은 수준의 경제 협력체에 해당한다. (나) 동남아시아 국가 연합(ASEAN)은 자유 무역 협정 수준의 통합성을 가지고 있는 경제 협력체로, 회원국 내 생산 요소(노동, 자본 등)의 자유로운 이동까지 보장하지는 않는다.

기출 선택지로 확인하기

❹ (가)는 단일 통화를 만들어 다수의 국가가 사용하고 있다. ○ ×

❺ (나)는 지역 경제 협력체 중 회원국 수가 가장 많다. ○ ×

❻ (가)는 (나)보다 정치적 통합 수준이 높다. ○ ×

❼ (나)는 (가)보다 생산 요소의 역내 이동이 자유롭다. ○ ×

정답 ❶ ×(북아메리카 자유 무역 협정(NAFTA)에 해당하는 내용이다.) ❷ ×(유럽 연합(EU)에 해당하는 내용이다.) ❸ ○ ❹ ○ ❺ ×(유럽 연합이 가장 많다.) ❻ ○ ❼ ×(유럽 연합이 더 자유롭다.)

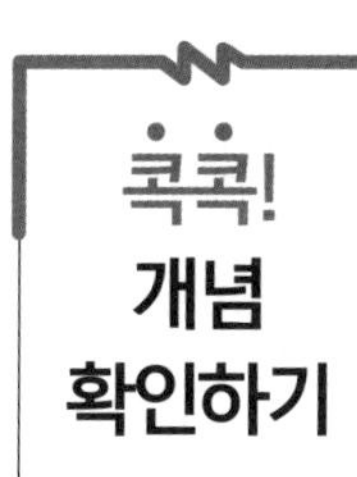

정답과 해설 74쪽

A 경제의 세계화

01 다음 내용을 읽고 빈칸에 알맞은 말을 쓰시오.

(1) 교통과 통신의 발달로 국가 간 인적 · 물적 교류가 활발해지면서 세계 경제의 상호 의존성이 증가함에 따라 □□ □□이/가 증가하고 있다.

(2) 세계 무역 기구와 □□□ □□의 활동으로 □□□ □□□이/가 빠르게 진행되고 있다.

(3) 지리적으로 인접하거나 경제적으로 상호 의존도가 높은 지역 및 국가끼리 □□ □□ □□을/를 체결하면 무역이 확대되는 효과가 있다.

02 다음 내용이 옳으면 ○표, 틀리면 ×표를 하시오.

(1) 경제의 세계화가 진행되면 기업은 치열한 경쟁 속에서 시장 우위를 차지하기 위해 기술 혁신 등의 노력을 기울이게 된다. (　　)

(2) 경제의 세계화가 진행되면 무역이 활발해져 세계의 빈부 격차가 줄어든다. (　　)

B 경제 블록의 형성과 특징

03 표는 경제적 통합의 유형을 정리한 것이다. (1)~(4)에 알맞은 말을 쓰시오.

유형	특징	예
(1) ________	회원국 간 무역 장벽 해소, 관세 인하	북아메리카 자유 무역 협정(NAFTA)
관세 동맹	회원국 간 관세를 낮추거나 없앰, 역외국에 대해서는 공동 관세율 적용	(2) ________
공동 시장	회원국 간 (3) ________ 의 자유로운 이동	중앙아메리카 공동 시장(CACM)
(4) ________	단일 통화 사용, 공동 의회 설치, 정치 및 경제적 통합	유럽 연합(EU)

04 다음 내용에 해당하는 경제 블록을 〈보기〉에서 골라 기호를 쓰시오.

> 보기
> ㄱ. 유럽 연합(EU)　　ㄴ. 북아메리카 자유 무역 협정(NAFTA)
> ㄷ. 남아메리카 공동 시장(MERCOSUR)

(1) 단일 시장과 단일 통화를 통한 경제 발전을 도모하며, 독자적인 입법·행정·경제 기구를 두고 있다. (　　)

(2) 외부 시장에 대해서는 같은 관세를 적용하지만, 회원국 간에는 관세를 낮추거나 무관세를 적용한다. (　　)

(3) 3개의 회원국을 두고 있으며, 지역 내 풍부한 자원, 높은 기술 수준과 자본, 노동력 등을 결합하여 경제 성장을 추구한다. (　　)

05 경제 블록의 지표별 순위를 쓰시오. (단, 제시된 경제 블록만을 비교하고, 숫자 1~4를 사용할 것)

경제 블록(2015년 기준)	회원국 수	인구	총 무역액
북아메리카 자유 무역 협정(NAFTA)	㉠ (　　)위	㉣ (　　)위	㉦ (　　)위
남아메리카 공동 시장(MERCOSUR)	3위	4위	4위
동남아시아 국가 연합(ASEAN)	㉡ (　　)위	㉤ (　　)위	㉧ (　　)위
유럽 연합(EU)	㉢ (　　)위	㉥ (　　)위	㉨ (　　)위

탄탄! 내신 다지기

정답과 해설 75쪽

A 경제의 세계화

01 경제의 세계화에 대한 설명으로 옳지 않은 것은?

① 세계의 상호 의존성이 높아지는 과정이다.
② 경제의 세계화가 진행되면 국제 분업이 활발해진다.
③ 교통·통신의 발달로 경제의 세계화가 빨라지고 있다.
④ 세계 무역 기구를 통해 자유 무역이 활성화되고 있다.
⑤ 세계 총생산에서 다국적 기업의 생산액이 차지하는 비중은 감소하고 있다.

02 그래프는 (가), (나)의 국제 무역량 비중 변화를 나타낸 것이다. 이에 대한 옳은 설명을 〈보기〉에서 고른 것은? (단, (가), (나)는 선진국, 개발 도상국 중 하나임.)

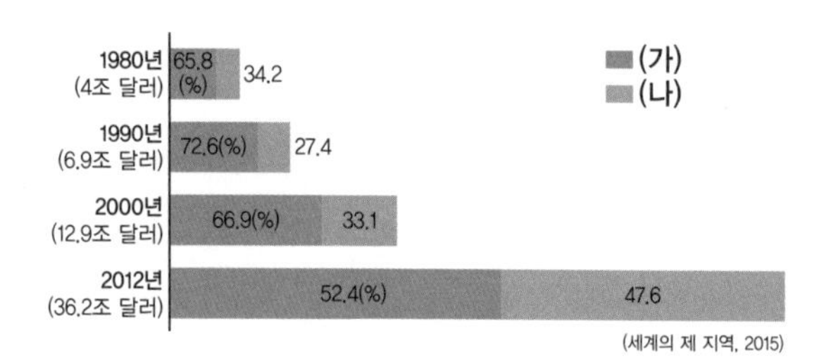

(세계의 제 지역, 2015)

보기
ㄱ. (가)는 개발 도상국, (나)는 선진국이다.
ㄴ. (가)는 (나)보다 무역 비중의 증가율이 높다.
ㄷ. 2012년의 (나)는 2000년의 (가)보다 무역액이 많다.
ㄹ. (가), (나) 모두 무역 총액은 증가하였다.

① ㄱ, ㄴ ② ㄱ, ㄷ ③ ㄴ, ㄷ ④ ㄴ, ㄹ ⑤ ㄷ, ㄹ

B 경제 블록의 형성과 특징

03 다음은 학생의 정리 노트 중 일부이다. ㉠~㉣에 대한 옳은 설명을 〈보기〉에서 고른 것은?

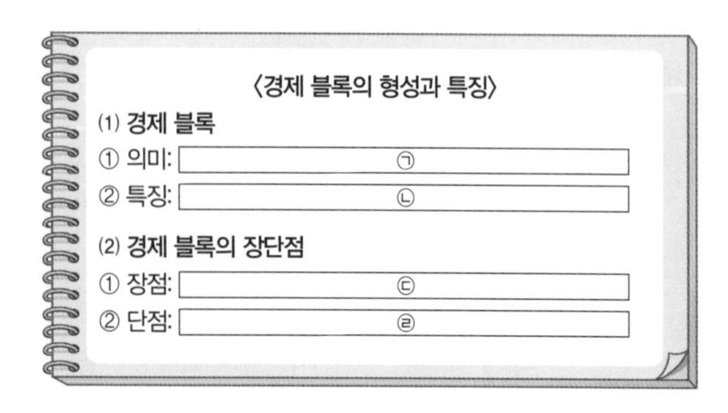
〈경제 블록의 형성과 특징〉
(1) 경제 블록
① 의미: ㉠
② 특징: ㉡
(2) 경제 블록의 장단점
① 장점: ㉢
② 단점: ㉣

보기
ㄱ. ㉠: 지리적·경제적 인접성이 높은 지역 또는 국가 간의 경제 공동체
ㄴ. ㉡: 회원국 및 역외국 간 자유 무역을 추구함
ㄷ. ㉢: 지역 내 국가 간 교역량이 증가하고 자원을 효율적으로 이용할 수 있음
ㄹ. ㉣: 회원국 간 경제적 상호 보완성이 낮아질 우려가 있음

① ㄱ, ㄴ ② ㄱ, ㄷ ③ ㄴ, ㄷ ④ ㄴ, ㄹ ⑤ ㄷ, ㄹ

04 (가), (나)에 해당하는 경제 블록의 통합 유형을 그래프의 A~D에서 고른 것은?

(가) 브라질, 아르헨티나, 우루과이, 파라과이 등으로 구성되는 경제 협력체이다. 역내 관세 철폐와 대외 공동 관세 부과 등의 공동 경제 정책을 실시한다.
(나) 캐나다, 미국, 멕시코 간의 경제 협력체이다. 이 협약의 체결로 멕시코에 외국 기업의 투자가 증가하였다.

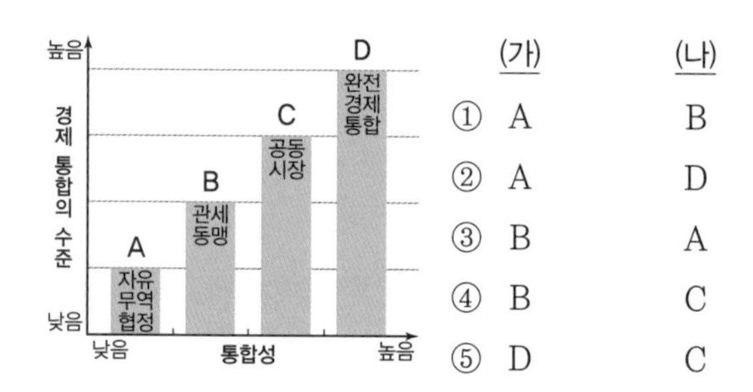

	(가)	(나)
①	A	B
②	A	D
③	B	A
④	B	C
⑤	D	C

서답형 문제

05 그래프는 1인당 국내 총생산 최상위·최하위 20개국의 변화를 나타낸 것이다. 이를 보고 물음에 답하시오.

1인당 국내 총생산
최상위 20개국 평균
최하위 20개국 평균
(단위: 달러)
1976년: 11,232 / 217 (52배)
2016년: 55,663 / 501 (111배)
(세계은행, 2017)

(1) 1인당 국내 총생산이 더 많이 증가한 국가군을 쓰시오.
( )

(2) 이 자료를 통해 유추할 수 있는 경제의 세계화의 긍정적·부정적 영향을 서술하시오.

도전! 실력 올리기

정답과 해설 76쪽

기출 변형

01 지도는 두 경제 협력체를 나타낸 것이다. (가)와 비교한 (나)의 상대적 특징을 그림의 A～E에서 고른 것은?

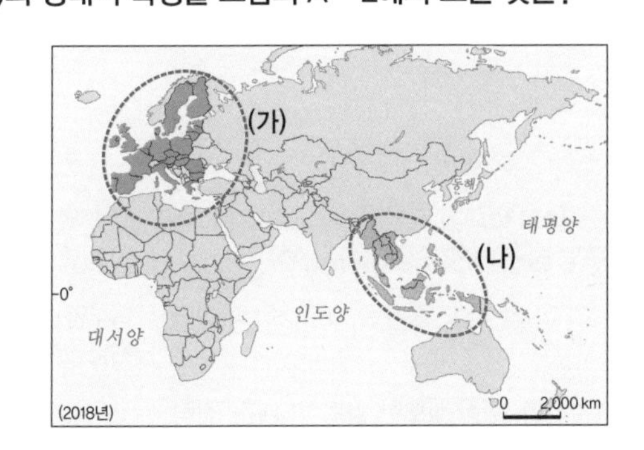

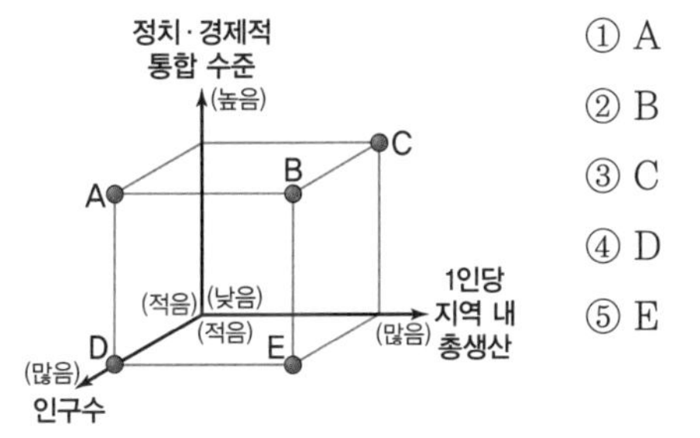

① A
② B
③ C
④ D
⑤ E

02 그래프는 주요 경제 협력체별 수출·수입액을 나타낸 것이다. 이에 대한 옳은 설명만을 〈보기〉에서 고른 것은? (단, (가)～(라)는 유럽 연합, 북아메리카 자유 무역 협정, 남아메리카 공동 시장, 동남아시아 국가 연합 중 하나임.)

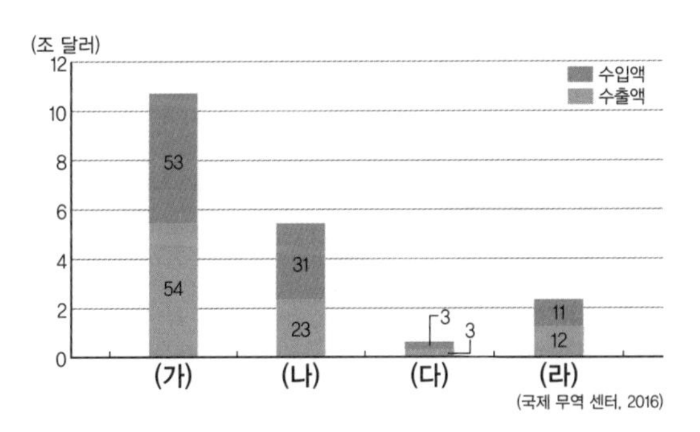

보기
ㄱ. (가)는 (나)보다 회원국의 수가 적다.
ㄴ. (나)는 (라)보다 인구수가 많다.
ㄷ. (다)는 (라)보다 1인당 지역 내 총생산이 적다.
ㄹ. (라)는 (가)보다 통합 수준이 낮다.

① ㄱ, ㄴ　② ㄱ, ㄷ　③ ㄴ, ㄷ
④ ㄴ, ㄹ　⑤ ㄷ, ㄹ

기출 변형

03 그래프는 지도에 표시된 세 경제 협력체의 무역액을 나타낸 것이다. (가)～(다) 경제 협력체에 해당하는 것을 그래프의 A～C에서 고른 것은?

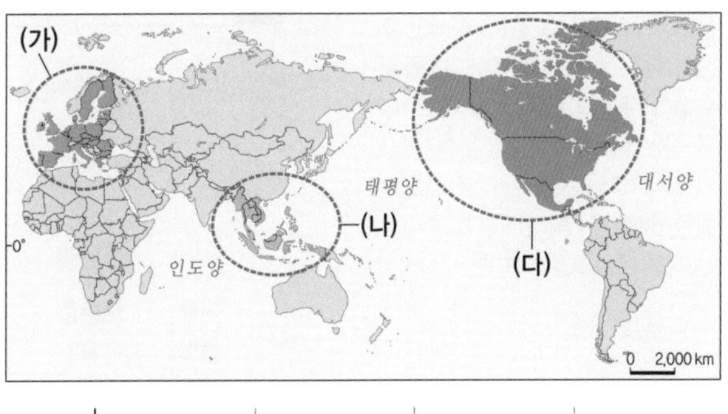

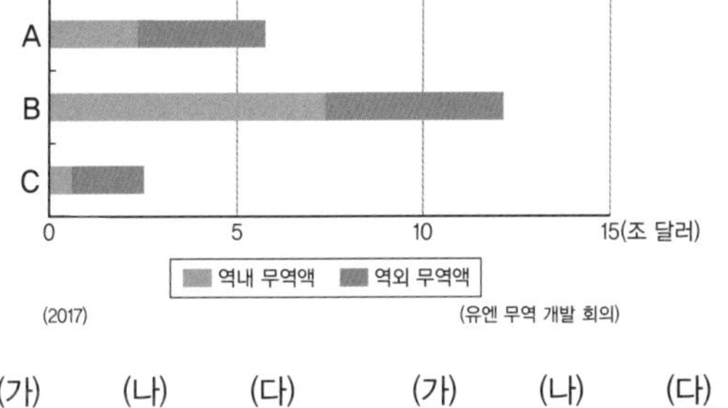

	(가)	(나)	(다)		(가)	(나)	(다)
①	A	B	C	②	A	C	B
③	B	A	C	④	B	C	A
⑤	C	A	B				

04 지도의 (가), (나)는 어느 경제 협력체의 회원국들을 나타낸 것이다. 이에 관한 옳은 설명만을 〈보기〉에서 있는 대로 고른 것은?

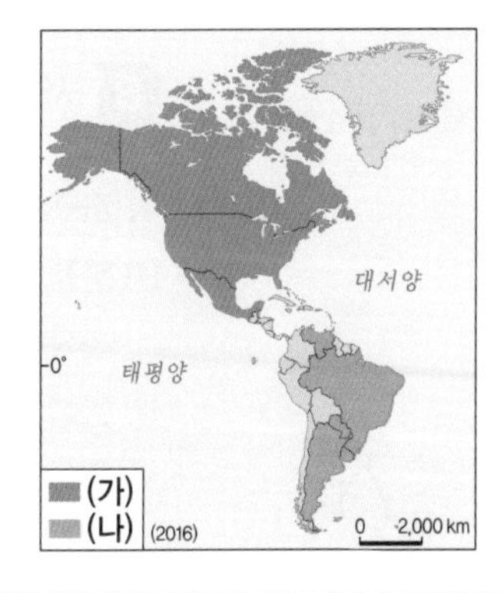

보기
ㄱ. (가)는 주로 에스파냐의 식민지였다.
ㄴ. (나)는 가톨릭교 신자 수의 비중이 높다.
ㄷ. (가)는 (나)보다 1인당 국내 총생산이 많다.
ㄹ. (나)는 (가)보다 경제적 통합 수준이 높다.

① ㄱ, ㄴ　② ㄱ, ㄷ　③ ㄴ, ㄹ
④ ㄱ, ㄷ, ㄹ　⑤ ㄴ, ㄷ, ㄹ

02 지구촌 문제의 해결을 위한 노력

A 지구적 환경 문제와 해결을 위한 노력

1. 지구적 환경 문제의 종류와 특징

종류		특징	영향
기후 변화	지구 온난화	산업화·도시화에 따른 화석 연료의 사용 증가로 온실가스❶ 배출량이 급증하여 지구의 평균 기온이 상승하는 현상	해수면 상승, 빙하 축소
	오존층 파괴	염화플루오린화탄소(CFCs)의 사용 증가로 오존층이 파괴되는 현상	피부암·백내장, 식물 생장 저해
	사막화	기후 변화로 인한 장기간의 가뭄, 과도한 방목 및 개간, 삼림 벌채 등에 따라 사막이 확산되는 현상	토양 염류화
오염 물질 국제 이동 자료 1	산성비	공장, 화력 발전소, 자동차 등에서 배출된 산성 물질이 비에 흡수되어 내림	토양 및 호수 산성화
	해양 오염	폐기물의 해양 불법 투기, 사고로 유출된 원유 등이 해류를 타고 이동하면서 해양을 오염시키는 현상	해양 오염
	황사	모래 먼지가 탁월풍을 타고 이동하면서 주변 지역에 대기 오염 피해를 주는 현상	호흡기 질환

뜻 산성비: 자연 상태보다 산성이 강한 pH 5.6 미만의 비를 말해.

2. 지구적 환경 문제의 해결을 위한 노력

(1) 정부의 노력

① **국제 공조:** 지구적 환경 문제는 한 국가의 노력만으로 해결할 수 없음

② **국제 협약:** 환경 협약❷, 탄소 배출권 거래제❸, 생태 발자국 제도 등 자료 2

뜻 생태 발자국: 사람이 사는 동안 사용하는 모든 자원을 생산·처리하기 위해 드는 비용을 토지 면적으로 나타낸 것을 말해.

(2) 그 밖의 노력

① **비정부 기구(NGO):** 그린피스, 지구의 벗, 세계 자연 기금 활동 등

뜻 비정부 기구: 지역·국가·국제적으로 조직된 자발적인 비영리 시민단체를 말해.

② **기업:** 청정 기술 개발, 신·재생 에너지 사용 확대, 오염 방지 시설 점검 등

③ **시민단체:** 환경 문제의 사회적 쟁점화, 정부와 기업 활동의 감시와 비판 등

B 세계 평화와 정의를 위한 노력

1. 지구촌의 다양한 분쟁

(1) 분쟁의 원인과 특징: 영역, 자원, 민족(인종), 자원의 분배, 환경 등이 복합되어 있음 → 분쟁 당사국에서 기아·난민❹ 문제 발생

(2) 분쟁 사례 자료 3

① **영토 분쟁:** 국경선이 명확하지 않은 지역, 한 국가가 다른 국가의 영역을 무력으로 점령한 역사가 있는 지역, 민족·종교가 다른 소수 민족의 분리·독립 운동 지역에서 발생

② **민족(인종) 분쟁:** 배타적인 우월 의식과 자문화 중심주의로 발생

뜻 자문화 중심주의: 자기가 속한 집단의 문화만 우월하다고 보는 태도나 관점을 말해.

③ **자원 분쟁:** 주요 에너지·광물 자원, 물 자원 확보를 위한 경쟁 때문에 발생

2. 세계 평화를 위한 노력

(1) 세계의 노력: 국제 연합(UN) 창설 → 국가 간 상호 이해와 협력 증진 촉구

예 국제 연합: 세계 평화와 각국의 경제적·사회적 자립을 돕는 초국가적 기구로, 국제 사법 재판소는 법적 분쟁, 유엔 평화 유지군은 무력 분쟁 지역의 평화, 유엔 난민 기구는 난민 구호를 위해 활동을 해.

(2) 그 밖의 노력

① **비정부 기구(NGO):** 국경 없는 의사회, 국제 앰네스티 등

② **개인:** 세계 평화와 정의를 위한 세계 시민으로서의 가치와 태도 함양

뜻 세계 시민: 인류의 보편적 가치를 인식하고 이를 생활 속에서 실천하는 사람을 말해.

---

❶ 온실가스

온실가스란 이산화 탄소, 메테인, 이산화 질소 등 지구 복사 에너지를 흡수하여 대기의 온도를 높이는 역할을 하는 기체를 말한다. 온실가스에 의해 대기가 온실의 유리와 같은 역할을 하여 지구의 평균 기온을 높이는 것을 온실 효과라고 한다.

❷ 환경 협약

종류	국제 환경 협약
지구 온난화	교토 의정서, 파리 협정 등
오존층 파괴	몬트리올 의정서
사막화	사막화 방지 협약
산성비	제네바 협약
해양 오염	런던 협약
습지 보호	람사르 협약

❸ 탄소 배출권 거래제

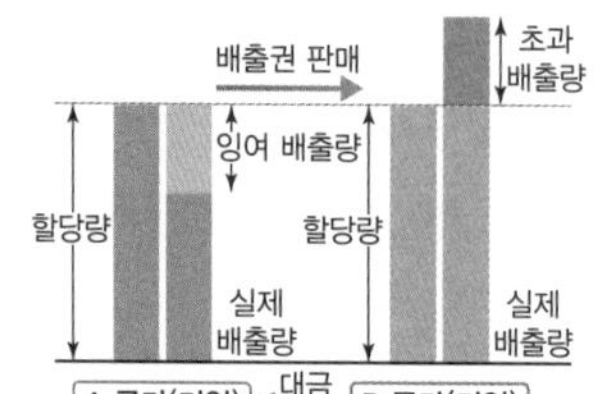

국가나 기업 간 온실가스 배출권을 판매하거나 구매할 수 있도록 한 제도이다.

❹ 난민

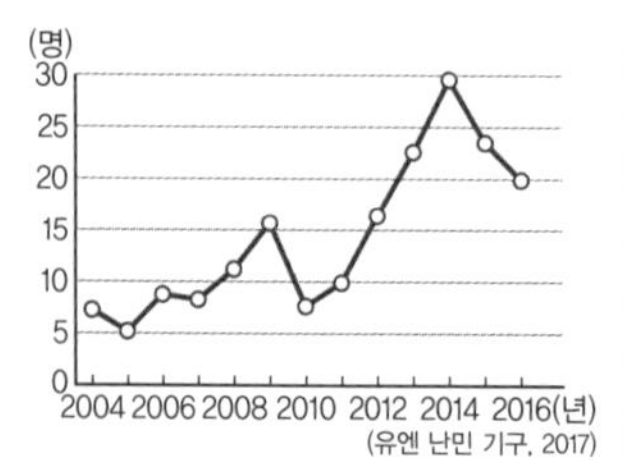

▲ 1분당 발생하는 세계의 난민 수

난민이란 인종, 종교, 정치, 사상 등의 차이로 받는 박해를 피해 다른 지방이나 외국으로 망명하는 사람들을 말하는 것으로, 그 수가 점차 늘어나고 있다.

자료 확인 문제

자료 1 오염 물질의 국제 이동

▲ 해양 오염과 산성비 피해 지역

한줄 핵심 오염 물질의 국제 이동으로 오염 물질 배출 국가만의 문제가 지구적 차원의 문제로 확대되었다.

❶ 환경 오염 물질은 발생 지역뿐만 아니라 인접 지역까지 피해를 미치기도 한다. ○ ×

자료 2 생태 발자국

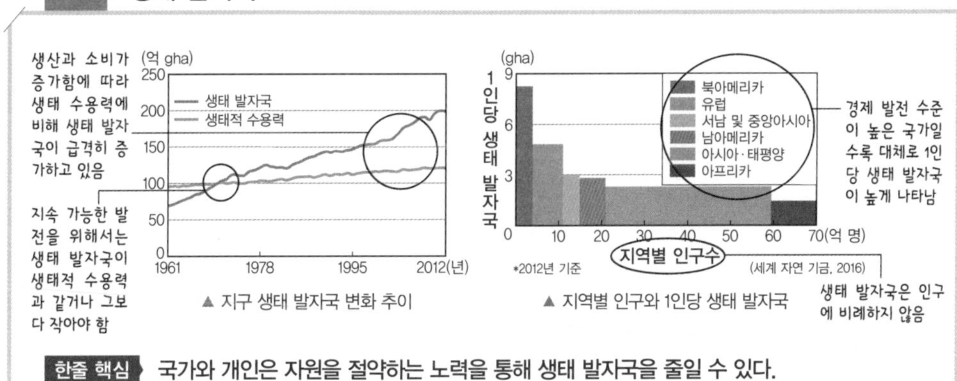

▲ 지구 생태 발자국 변화 추이

▲ 지역별 인구와 1인당 생태 발자국

한줄 핵심 국가와 개인은 자원을 절약하는 노력을 통해 생태 발자국을 줄일 수 있다.

❷ 생태 발자국은 산업화 이후 꾸준히 (증가 / 감소)하는 추세이다.

❸ 경제 발전 수준이 높은 국가일수록 대체로 1인당 생태 발자국이 크다. ○ ×

자료 3 세계의 주요 분쟁 지역

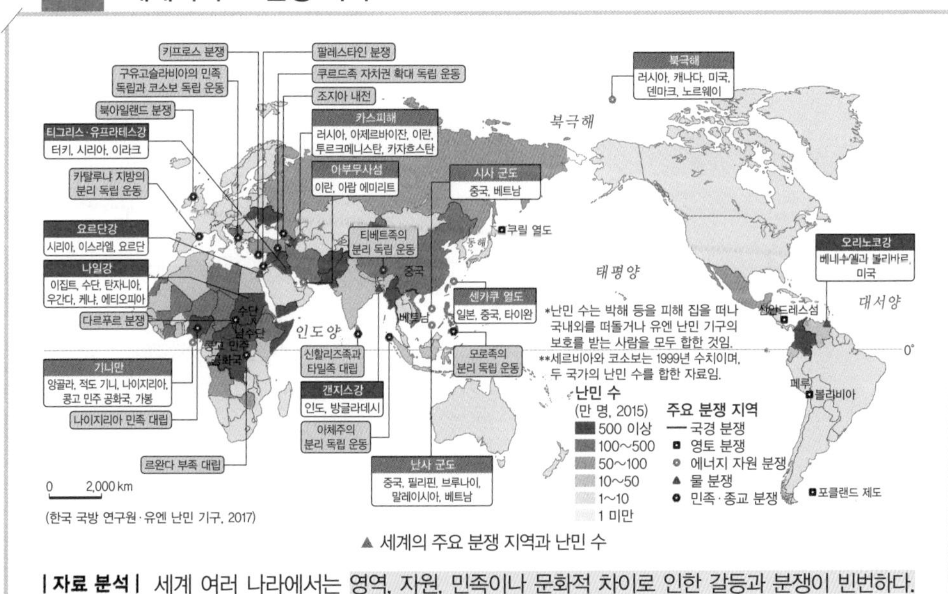

▲ 세계의 주요 분쟁 지역과 난민 수

| 자료 분석 | 세계 여러 나라에서는 영역, 자원, 민족이나 문화적 차이로 인한 갈등과 분쟁이 빈번하다. 분쟁 당사국 중 경제력이 낙후된 국가에서는 난민과 기아의 문제가 발생하기도 한다.

한줄 핵심 세계의 분쟁은 원인이 복합적이어서 한 국가의 노력만으로 해결할 수 없는 경우가 많다.

❹ 난사 군도는 대표적인 자원 관련 분쟁 지역이다. ○ ×

❺ 러시아, 캐나다, 미국, 덴마크, 노르웨이 등이 자원 확보를 위해 영유권 분쟁을 벌이는 곳은 □□□이다.
(　　　　　　　)

정답 ❶ ○ ❷ 증가 ❸ ○ ❹ ○ ❺ 북극해

수능 자료로
개념 완성
수능
POOL

지구적 환경 문제와 분쟁 지역

수능풀 Guide 지구적 환경 문제의 원인 및 특징과 세계의 주요 분쟁 지역에 대해 알아보자.

1 지구적 환경 문제의 원인과 특징

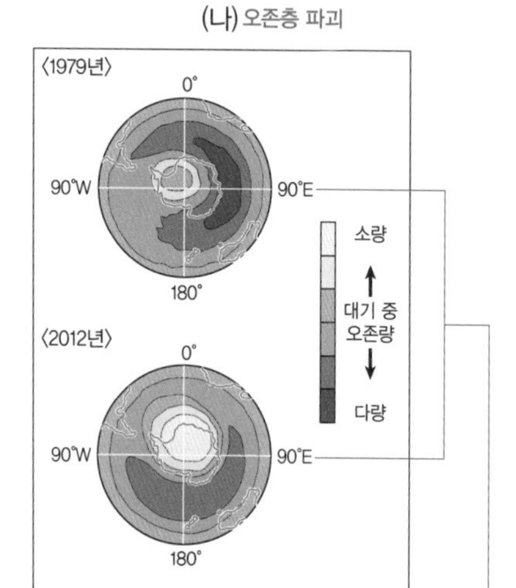

(가) 지구 온난화
〈1980년〉
〈2012년〉
*점선은 해빙(sea ice)의 최대 범위임.
(나) 오존층 파괴
〈1979년〉
〈2012년〉
0°
90°W
90°E
180°
소량
대기 중 오존량
다량

북극해의 빙하 면적이 축소되고 있음 → 이는 지구 온난화에 따른 평균 대기 온도의 상승 때문임 → 극지방의 빙하가 녹아 바다로 유입되면 평균 해수면이 상승하여 해안 저지대가 침수되는 피해를 입음

대기의 오존량이 적은 오존홀의 면적이 시간이 지날수록 넓어지고 있음 → 이는 오존층 파괴 때문임 → 오존층이 파괴되면 자외선의 투과량이 많아져 피부암과 백내장, 식물의 생장 억제 등의 피해가 발생함

기출 선택지로 확인하기

❶ (가)를 통해 해빙(sea ice)의 최대 면적이 1980년보다 2012년에 더 넓어진 것을 확인할 수 있다. ○|×

❷ (가)와 관련한 환경 문제의 주요 원인은 온실가스의 증가로 알려져 있다. ○|×

❸ (나)는 남극 상공에서 나타난 현상을 보여 주고 있다. ○|×

❹ (나)와 관련한 환경 문제 해결을 위해 국제 사회는 람사르 협약을 체결하였다. ○|×

2 세계의 주요 분쟁 지역

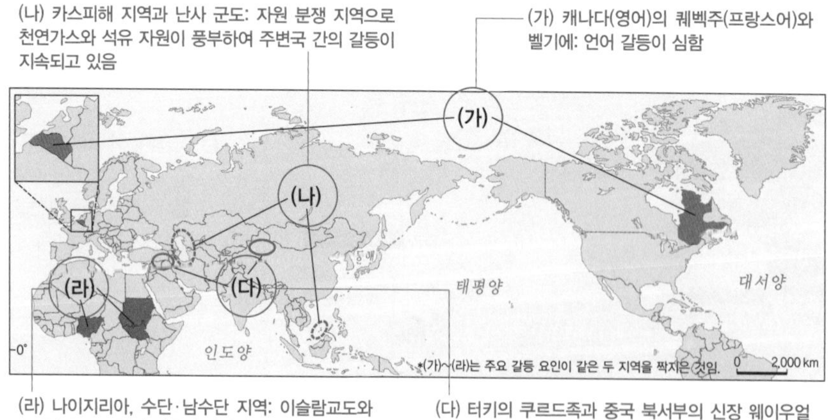

(나) 카스피해 지역과 난사 군도: 자원 분쟁 지역으로 천연가스와 석유 자원이 풍부하여 주변국 간의 갈등이 지속되고 있음
(가) 캐나다(영어)의 퀘벡주(프랑스어)와 벨기에: 언어 갈등이 심함
(가)
(나)
(다)
(라)
태평양
대서양
인도양
0°
*(가)~(라)는 주요 갈등 요인이 같은 두 지역을 짝지은 것임.
0 2,000 km
(라) 나이지리아, 수단·남수단 지역: 이슬람교도와 크리스트교도 간의 갈등이 나타남
(다) 터키의 쿠르드족과 중국 북서부의 신장 웨이우얼 자치구: 분리 독립을 주장하고 있음

PLUS분석 카스피해 지역은 2018년 분쟁 당사국들 간에 일부 합의를 이루었다. 벨기에는 북부(플랑드르)의 네덜란드어 사용 지역과 남부(왈로니아)의 프랑스어·독일어 사용 지역 간의 경제적 격차가 큰 것이 갈등으로 작용하고 있다.

기출 선택지로 확인하기

❺ (가)는 서로 다른 언어 집단 간 갈등 지역이다. ○|×

❻ (나)는 자원 확보를 둘러싼 영역 갈등 지역이다. ○|×

❼ (다)는 소수 민족의 독립 요구와 관련된 갈등 지역이다. ○|×

❽ (라)는 같은 종교 내 서로 다른 종파 간 갈등 지역이다. ○|×

정답 ❶ ×(해빙의 최대 면적이 좁아졌다.) ❷ ○ ❸ ○ ❹ ×(오존층 파괴 문제 해결을 위해 몬트리올 의정서를 채택하였다.) ❺ ○ ❻ ○ ❼ ○ ❽ ×(나이지리아, 수단·남수단 지역은 이슬람교와 크리스트교 간의 갈등 지역이다.)

콕콕! 개념 확인하기

정답과 해설 76쪽

A 지구적 환경 문제와 해결을 위한 노력

01 다음 내용을 읽고 빈칸에 알맞은 말을 쓰시오.

(1) 산업화 · 도시화에 따른 화석 연료의 사용 증가로 □□□□ 배출량이 급증하여 지구의 평균 기온이 상승하는 현상을 □□ □□□(이)라고 한다.

(2) 공장, 화력 발전소, 자동차 등에서 배출된 산성의 물질이 비에 흡수되어 내리는 □□□은/는 생태계에 나쁜 영향을 준다.

(3) 국제 사회는 폐기물의 해양 불법 투기 등 해양 오염을 예방하기 위해 □□ □□을/를 체결하였다.

(4) 사람이 사는 동안 사용하는 모든 자원을 생산 · 처리하기 위해 드는 비용을 토지의 면적으로 나타낸 개념을 □□ □□□(이)라고 한다.

(5) 지역 · 국가 · 국제적으로 조직된 비영리 시민단체를 □□□ □□(이)라고 한다.

02 다음 내용이 옳으면 ○표, 틀리면 ×표를 하시오.

(1) 산성비는 오염원 배출 지역과 피해 지역이 일치하는 경우가 많다. ( )

(2) 지구적 환경 문제를 해결하기 위해 다양한 환경 협약을 마련할 필요가 있다. ( )

(3) 지구적 환경 문제는 환경 오염원을 가진 국가의 노력만으로 해결할 수 있다. ( )

B 세계 평화와 정의를 위한 노력

03 다음 내용에 해당하는 국제 연합(UN)의 산하 기구를 〈보기〉에서 고르시오.

(1) 국제 평화와 안전을 유지하기 위한 권한과 책임을 행사한다. ( )

(2) 국가 간 분쟁을 법적으로 해결하도록 하는 국제 연합의 사법 기관이다. ( )

(3) 국제 연합이 편성한 국제 군대로, 분쟁국의 평화 유지를 위해 파견된다. ( )

(4) 난민의 인권이 보장될 수 있도록 국제적 환경을 조성하고 그들을 보호 · 지원한다. ( )

〈보기〉
ㄱ. 유엔 평화 유지군　　ㄴ. 국제 사법 재판소
ㄷ. 유엔 안전 보장 이사회　　ㄹ. 유엔 난민 기구

04 다음 내용을 읽고 빈칸에 알맞은 말을 쓰시오.

(1) 터키의 □□□□은/는 정치적 주권을 행사하기 위해 독립 운동을 벌이고 있다.

(2) 수단의 □□□□ 지역에서는 아랍계와 비아랍계 간의 분쟁으로 수많은 난민이 발생하고 있다.

(3) □□□□□에 매장된 석유 자원 개발 권리를 두고 베네수엘라 볼리바르와 외국 석유 개발 기업 간의 갈등이 발생하고 있다.

(4) 제2차 세계 대전 이후 팔레스타인 지역에 이스라엘이 건국되면서 이에 반발하는 팔레스타인 민족과 □□ 민족 간의 갈등이 발생하고 있다.

(5) □□□ 일대는 지구 온난화로 인한 빙하 감소로 석유와 천연가스 등의 자원 탐사와 개발의 가능성이 있어 주변국 간 갈등이 고조되고 있다.

탄탄! 내신 다지기

A 지구적 환경 문제와 해결을 위한 노력

01 다음은 어느 환경 문제의 피해 정도를 나타낸 지도이다. 이 환경 문제에 대한 옳은 설명만을 〈보기〉에서 고른 것은?

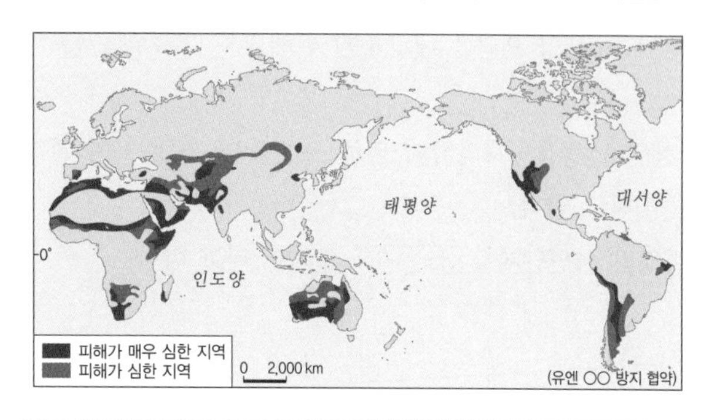

〈보기〉
ㄱ. 대규모로 실시하는 플랜테이션이 주된 발생 원인이다.
ㄴ. 아프리카의 사헬 지대는 대표적인 피해 발생 지역이다.
ㄷ. 생활 터전을 잃은 사람들이 난민으로 전락하기도 한다.
ㄹ. 국제 사회는 람사르 협약을 체결하여 피해를 줄이기 위해 노력하고 있다.

① ㄱ, ㄴ ② ㄱ, ㄷ ③ ㄴ, ㄷ
④ ㄴ, ㄹ ⑤ ㄷ, ㄹ

02 다음 그래프에 대한 옳은 설명을 〈보기〉에서 고른 것은?

▲ 지구 생태 발자국 변화 추이

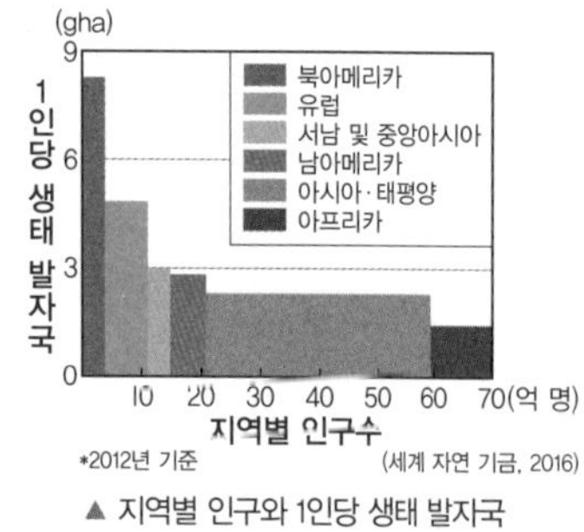

▲ 지역별 인구와 1인당 생태 발자국

〈보기〉
ㄱ. 생태 발자국이 높을수록 지구의 환경 부담은 감소한다.
ㄴ. 1인당 생태 발자국은 인구수에 비례하는 경향이 강하다.
ㄷ. 1인당 생태 발자국이 높을수록 대체로 소득 수준이 높다.
ㄹ. 지속 가능한 발전을 위해서는 생태 발자국이 생태적 수용력보다 작아야 한다.

① ㄱ, ㄴ ② ㄱ, ㄷ ③ ㄴ, ㄷ
④ ㄴ, ㄹ ⑤ ㄷ, ㄹ

03 지구적 환경 문제의 해결 노력으로 옳지 않은 것은?

① 특정 국가의 노력만으로는 해결할 수 없다.
② 다양한 환경 협약을 체결하여 노력을 기울여야 한다.
③ 기업은 청정 기술을 개발하려는 노력을 기울여야 한다.
④ 국가는 비정부 기구를 조직하여 문제를 해결할 수 있다.
⑤ 시민단체는 감춰진 환경 문제를 쟁점화하고 정부와 기업의 활동을 감시해야 한다.

04 다음은 지구적 환경 문제 해결을 위한 각국의 노력에 대한 지리 발표 수업 내용이다. 주제에 적합한 발표 내용만을 〈보기〉에서 있는 대로 고른 것은?

〈보기〉
ㄱ.

덴마크는 신·재생 에너지 중심의 에너지 체계 전환을 위해 노력하고 있어.

ㄴ.

캐나다는 환경 마크 제도를 만들어 제품의 생산 및 소비 과정을 관리하고 있어.

ㄷ.

코스타리카는 천혜의 자연환경을 이용한 관광 산업을 성장 동력으로 육성하고 있어.

ㄹ.

일본은 스마트 공장을 도입하여 제조업의 성장과 다품종 소량 생산에 대비하고 있어.

① ㄱ, ㄴ ② ㄱ, ㄹ ③ ㄴ, ㄹ
④ ㄱ, ㄴ, ㄷ ⑤ ㄴ, ㄷ, ㄹ

B 세계 평화와 정의를 위한 노력

05 다음 지도의 지표로 가장 타당한 것은?

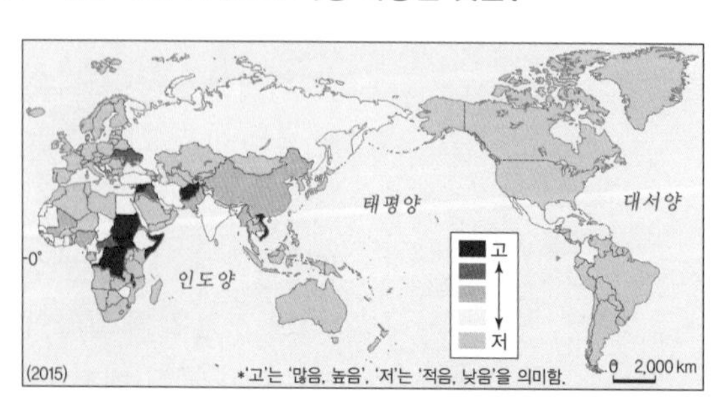

① 인구 밀도 ② 합계 출산율
③ 발생 난민 수 ④ 노년 인구 비율
⑤ 1인당 국내 총생산

06 다음은 유엔 평화 유지군이 활동하는 (가), (나) 지역을 나타낸 지도이다. 이에 대한 옳은 설명만을 〈보기〉에서 고른 것은?

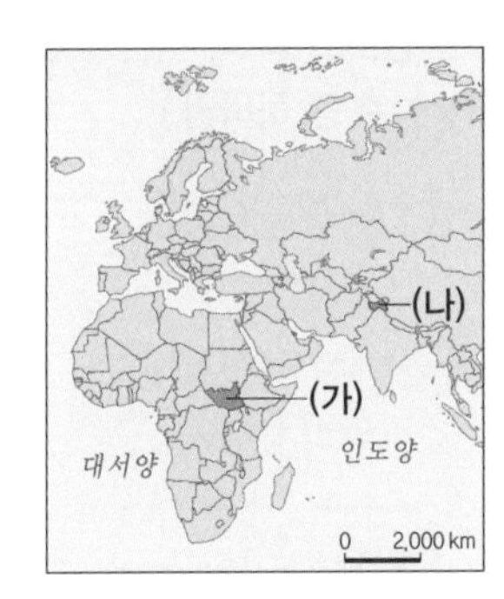

보기
ㄱ. (가)는 콩고로부터 분리 독립하였다.
ㄴ. (나) 지역 분쟁은 영국의 식민 지배와 관련 있다.
ㄷ. (나)는 네 나라가 서로 자국의 영토라고 주장하고 있다.
ㄹ. (가), (나) 모두 종교의 차이가 분쟁의 주요 원인 중 하나이다.

① ㄱ, ㄴ ② ㄱ, ㄷ ③ ㄴ, ㄷ
④ ㄴ, ㄹ ⑤ ㄷ, ㄹ

07 다음은 세계 평화를 위한 노력을 취재한 사진 자료이다. (가)~(라)에 대한 옳은 설명만을 〈보기〉에서 고른 것은?

(가)

▲ 유엔 난민 기구

(나)

▲ 그린피스

(다)

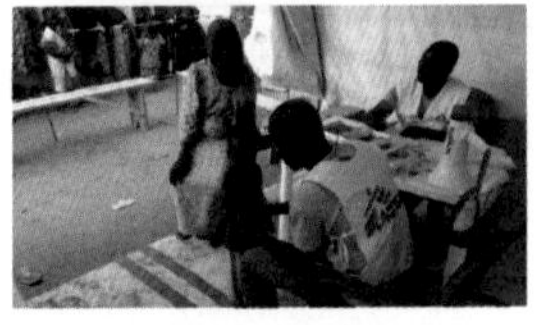

▲ 국경 없는 의사회

(라)

▲ 국제 앰네스티

보기
ㄱ. (가), (나)의 활동은 주로 분쟁 지역에서 이루어진다.
ㄴ. (다), (라)의 활동은 주로 선진국에서 이루어진다.
ㄷ. (가)는 (나)보다 정부의 개입 정도가 크다.
ㄹ. (다), (라) 모두 활동가의 자발적 참여가 주를 이룬다.

① ㄱ, ㄴ ② ㄱ, ㄷ ③ ㄴ, ㄷ
④ ㄴ, ㄹ ⑤ ㄷ, ㄹ

08 다음의 지역에서 발생하고 있는 분쟁의 주요 원인은?

• 북극해	• 기니만	• 아부무사섬
• 난사 군도	• 시사 군도	• 센카쿠 열도

① 물 ② 종교 ③ 영토
④ 에너지 ⑤ 민족(인종)

서답형 문제

09 다음 자료를 보고 물음에 답하시오.

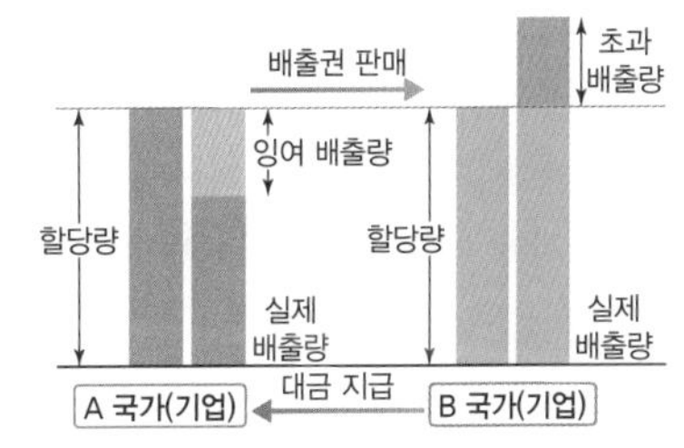

(1) 이 자료는 어떤 지구적 환경 문제를 위해 마련된 정책인지 쓰시오.
( )

(2) 이 자료의 정책명을 쓰고, 이 정책의 기대 효과를 한 가지만 서술하시오.

10 다음 자료를 보고 물음에 답하시오.

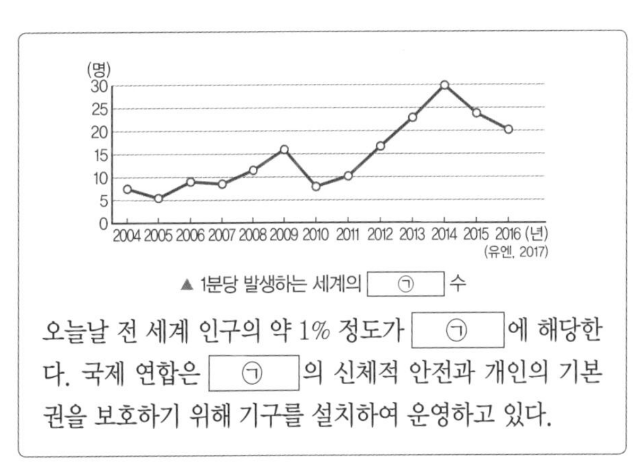

▲ 1분당 발생하는 세계의 ㉠ 수

오늘날 전 세계 인구의 약 1% 정도가 ㉠ 에 해당한다. 국제 연합은 ㉠ 의 신체적 안전과 개인의 기본권을 보호하기 위해 기구를 설치하여 운영하고 있다.

(1) ㉠에 들어갈 용어를 쓰시오. ( )

(2) ㉠의 의미를 서술하시오.

도전! 실력 올리기

기출 변형

01 다음은 (가), (나) 환경 문제에 대한 자료이다. 이에 대한 옳은 설명만을 〈보기〉에서 고른 것은?

(가)

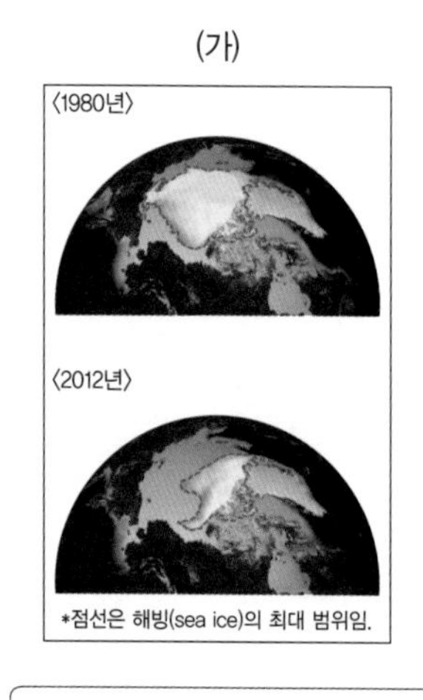

*점선은 해빙(sea ice)의 최대 범위임.

(나)

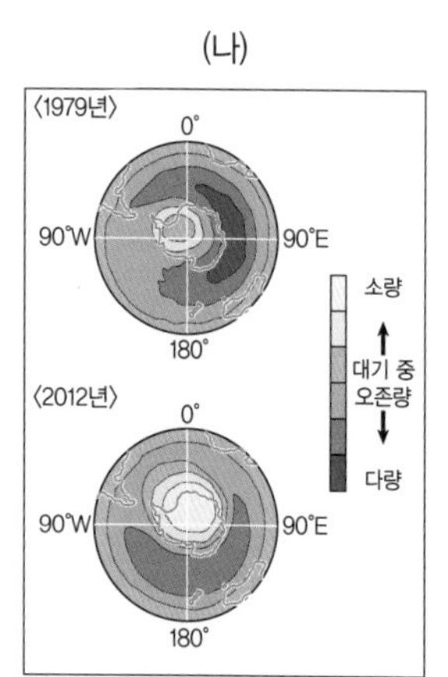

보기
ㄱ. (가)를 대비하기 위해 몬트리올 의정서를 채택하였다.
ㄴ. (가)가 심해지면 세계 각지에 이상 기후가 나타난다.
ㄷ. (나)가 심해지면 농작물의 생육이 저해된다.
ㄹ. (나)가 심해지면 해수면이 상승한다.

① ㄱ, ㄴ ② ㄱ, ㄷ ③ ㄴ, ㄷ
④ ㄴ, ㄹ ⑤ ㄷ, ㄹ

02 지도는 (가), (나) 환경 문제가 나타나는 지역을 표시한 것이다. 이에 대한 옳은 설명만을 〈보기〉에서 고른 것은? (단, (가), (나)는 해양 오염, 산성비 피해 중 하나임.)

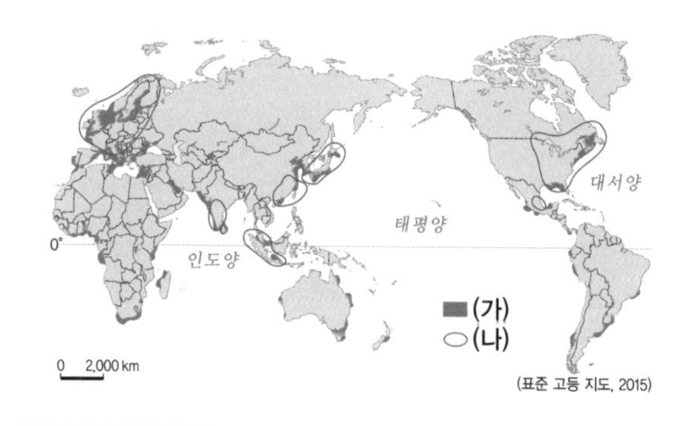

(표준 고등 지도, 2015)

보기
ㄱ. (가)는 해양 오염, (나)는 산성비 피해 지역이다.
ㄴ. (가)는 해류, (나)는 대기의 흐름과 관련이 깊다.
ㄷ. (가), (나) 피해 지역은 대체로 인구 밀도가 낮다.
ㄹ. (가), (나)는 피해 발생 국가의 노력만으로도 극복할 수 있다.

① ㄱ, ㄴ ② ㄱ, ㄷ ③ ㄴ, ㄷ
④ ㄴ, ㄹ ⑤ ㄷ, ㄹ

03 다음은 범세계적 기후 변화의 인과 관계를 표현한 도표이다. 자료의 ㉠~㉣에 대한 옳은 설명만을 〈보기〉에서 고른 것은? (단, ㉠~㉣은 산호초 파괴, 이산화 탄소, 농작물 생산량 감소, 해안 저지대 침수 중 하나임.)

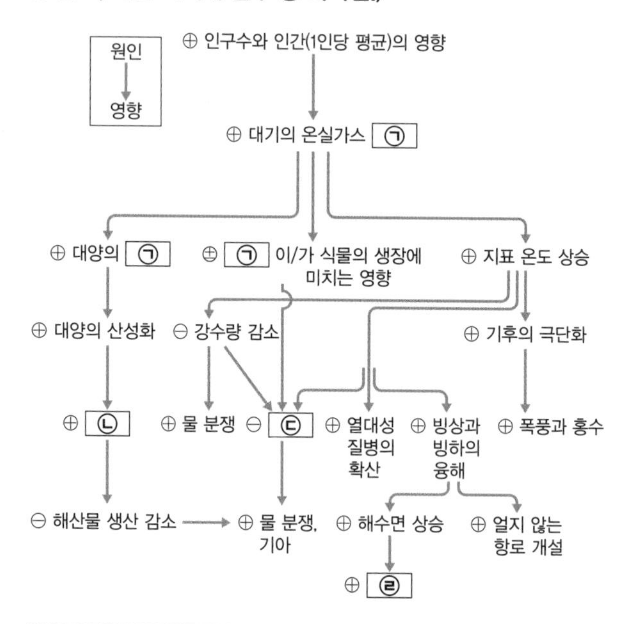

보기
ㄱ. ㉠의 배출량과 화석 연료 사용은 반비례한다.
ㄴ. ㉡이 진행되면 연안 생태계가 파괴될 수 있다.
ㄷ. ㉢으로 열대림이 빠른 속도로 회복되고 있다.
ㄹ. ㉣이 진행되면 하구의 농경지는 침수될 우려가 있다.

① ㄱ, ㄴ ② ㄱ, ㄷ ③ ㄴ, ㄷ
④ ㄴ, ㄹ ⑤ ㄷ, ㄹ

04 지도의 (가) 지역에 대한 연구 주제로 적절하지 않은 것은?

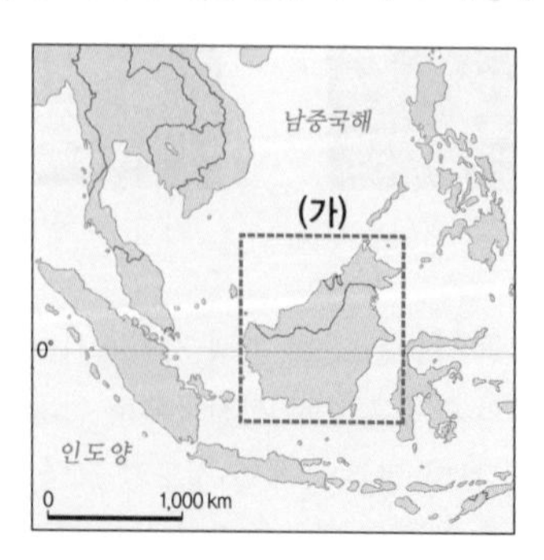

① 플랜테이션 ② 열대림 파괴
③ 크리스트교의 융성 ④ 생물 종 다양성 감소
⑤ 유럽의 식민 지배

05 다음은 인구 이동을 나타낸 자료이다. (가), (나)에 대한 옳은 설명만을 〈보기〉에서 고른 것은?

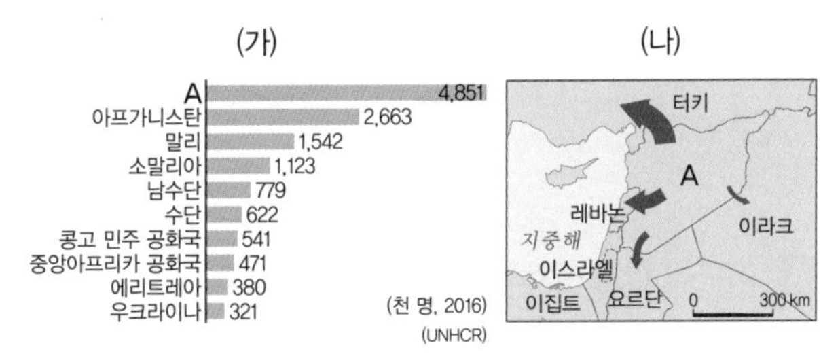

▲ 어떤 원인에 의한 인구 이동 순위 ▲ A 국가의 인구 이동

보기
ㄱ. (가)의 이동 동기는 대부분 자발적이다.
ㄴ. (가)의 대부분 국가는 주요 분쟁 지역에 해당한다.
ㄷ. A국의 인구 이동은 주로 경제적인 목적이 많다.
ㄹ. A국의 인구 이동은 주로 지리적 인접국으로의 이동이 많다.

① ㄱ, ㄴ ② ㄱ, ㄷ ③ ㄴ, ㄷ
④ ㄴ, ㄹ ⑤ ㄷ, ㄹ

06 (가)~(라)에 해당하는 분쟁 지역을 지도의 A~D에서 고른 것은?

(가) 영국의 식민 지배 이후의 국경 분쟁 지역
(나) 군도의 자원을 둘러싼 영유권 분쟁 지역
(다) 자원을 둘러싼 러시아와 일본 간의 영유권 분쟁
(라) 해저 자원을 둘러싼 5개국의 영유권 분쟁 지역

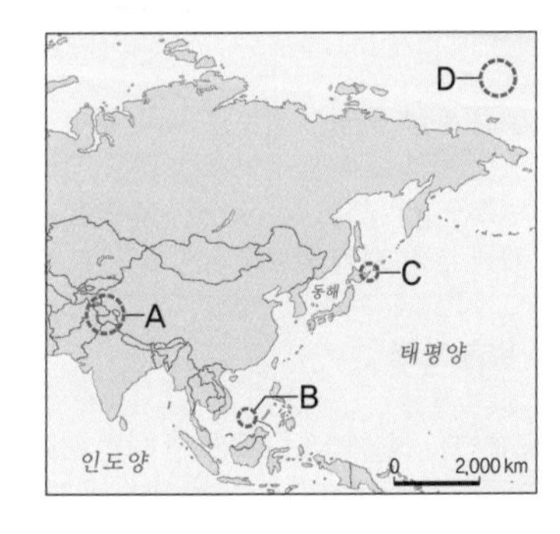

	(가)	(나)	(다)	(라)
①	A	B	C	D
②	A	D	C	B
③	C	B	D	A
④	C	D	B	A
⑤	D	C	B	A

07 다음 글의 밑줄 친 ㉠~㉤에 대한 설명으로 옳지 않은 것은?

세 번째 방향은 국제 기구를 통해 이루어내는 세계 협정이다. ㉠ 유엔에서는 포괄적 문제를 다루고 그 밖의 세계 기구에서는 농업, 동물 밀매, 어장과 포경, 식량, 건강 등 구체적 쟁점을 집중적으로 다루는 방법이다. 더구나 유엔은 ㉡ 유럽 연합보다 구속력이 전반적으로 약하고, 영토 내에서는 대부분의 국가 권력보다 훨씬 약하기 때문이다. 그러나 국제기구들은 이미 많은 성과를 이루어냈고 더 큰 진전을 위한 방향성을 보여 주고 있다. 대표적인 성공 사례로는 ㉢ 세계 보건 기구, ㉣ 몬트리올 의정서, 선박에서 연료통과 물로 채우는 밸러스트 뱅크를 분리·규제하고 유조선을 이중 선체로 건조하도록 강제하는 ㉤ 국제 해양 오염 방지 협약이 있다.

– 제레드 다이아몬드, 『대변동』 –

① ㉠: 분쟁 지역에 평화 유지군을 파견한다.
② ㉡: 완전 경제 통합 수준의 경제 공동체이다.
③ ㉢: ㉠의 산하 기관으로서 국제 보건 협력을 추구한다.
④ ㉣: 지구 온난화 문제를 해결하기 위한 국제 협약이다.
⑤ ㉤: 유류에 의한 해양 오염 방지를 위한 협약이다.

기출 변형

08 지도는 세계의 주요 분쟁 지역을 나타낸 것이다. (가)~(라)에 대한 옳은 설명만을 〈보기〉에서 있는 대로 고른 것은? (단, (가)~(라)는 주요 갈등 요인이 같은 두 지역을 짝지은 것임.)

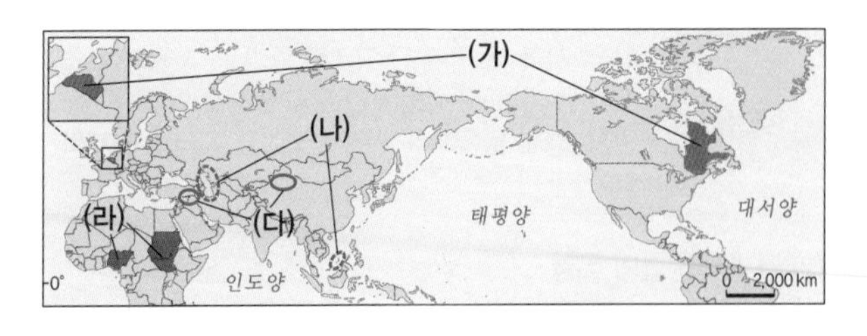

보기
ㄱ. (가)는 언어가 갈등의 핵심 요인 중 하나이다.
ㄴ. (나)는 소수 민족의 독립과 관련된 갈등 지역이다.
ㄷ. (다)는 주변 지역과의 경제적 격차가 갈등의 핵심 요인이다.
ㄹ. (라)는 민족(인종)과 종교 차이, 자원 문제 등이 서로 얽혀 있다.

① ㄱ, ㄴ ② ㄱ, ㄹ ③ ㄴ, ㄷ
④ ㄱ, ㄴ, ㄹ ⑤ ㄴ, ㄷ, ㄹ

한눈에 보는 대단원 정리

01 경제의 세계화와 경제 블록

A 경제의 세계화

(1) 경제의 세계화의 의미와 특징

의미	교통·통신의 발달로 국가 간 인적·물적 교류가 활발해지면서 상호 의존성이 증가하는 현상 → 국제 분업이 활발해짐
특징	세계 무역 기구(WTO) 중심의 무역 질서 성립, 다국적 기업의 전방위적 경제 활동 활성화 → 세계 총생산에서 다국적 기업의 생산액이 차지하는 비중이 증가함

(2) 경제의 세계화의 영향

긍정적 영향	• 무역 장벽 완화: 국가 간 자유 무역 협정(FTA) 체결 → 자유 무역의 확대 • 기술 혁신: 시장 우위를 위해 경쟁
부정적 영향	• 국가 간 빈부 격차 확대 • 차별적 무역 조치: 개발 도상국의 경제 구조가 선진국에 종속될 우려가 있음

B 경제 블록의 형성과 특징

(1) 경제 블록

의미	지리적·경제적 인접성이 높은 지역 또는 국가 간의 경제 공동체
특징	회원국 간 자유 무역을 추구하고, 역외국은 차별적으로 조치함
장단점	• 장점: 지역 내 국가 간 교역량 증가 → 자원의 효율적 이용 가능 → 회원국 간 투자 활성화 • 단점: 경제 블록에서 소외된 국가와 지역의 경제력 약화

(2) 경제적 통합의 유형

자유 무역 협정	회원국 간 무역 장벽 해소, 관세 인하 예 북아메리카 자유 무역 협정(NAFTA)
관세 동맹	회원국 간 관세를 낮추거나 없앰, 역외국에 대해서는 공동 관세율 적용 예 남아메리카 공동 시장(MERCOSUR)
공동 시장	회원국 간 생산 요소의 자유로운 이동 보장 예 중앙아메리카 공동 시장(CACM)
완전 경제 통합	단일 통화 사용, 공동 의회 설치, 정치 및 경제적 통합 예 유럽 연합(EU)

02 지구촌 문제의 해결을 위한 노력

A 지구적 환경 문제와 해결을 위한 노력

(1) 지구적 환경 문제의 종류와 특징

지구 온난화	화석 연료의 사용 증가로 온실 가스 배출량이 급증하여 지구의 평균 기온이 상승하는 현상
오존층 파괴	염화플루오린화탄소의 사용 증가로 오존층이 파괴되는 현상
사막화	기후 변화로 인한 장기간의 가뭄, 과도한 방목 및 개간 등으로 사막이 확산되는 현상
산성비	공장, 화력 발전소, 자동차 등에서 배출된 산성의 물질이 비에 흡수되어 내림
해양 오염	폐기물의 해양 불법 투기, 사고로 유출된 원유 등이 해류를 타고 이동하면서 해양을 오염시키는 현상
황사	모래 먼지가 탁월풍을 타고 이동하면서 주변 지역에 대기 오염 피해를 주는 현상

(2) 지구적 환경 문제 해결을 위한 노력

정부의 노력	• 국제 공조: 한 국가의 노력만으로 해결할 수 없음 • 국제 협약: 환경 협약, 탄소 배출권 거래제, 생태 발자국 제도 등
그 밖의 노력	• 비정부 기구(NGO)와 시민단체의 활동 • 기업: 청정 기술 개발, 신·재생 에너지 사용 확대 등

B 세계 평화와 정의를 위한 노력

(1) 지구촌의 다양한 분쟁

원인과 특징	영역, 자원, 민족(인종), 자원의 분배 등이 복합되어 발생함 → 분쟁 당사국에서 기아·난민 문제 발생
사례	• 영토 분쟁: 국경선 불분명 지역, 무력 점령의 역사가 있는 지역, 소수 민족의 독립 운동 지역에서 발생 • 민족(인종) 분쟁 : 자문화 중심주의로 발생 • 자원 분쟁: 자원 확보를 위한 경쟁 때문에 발생

(2) 세계 평화를 위한 노력

세계의 노력	국제 연합 창설(UN) → 국가 간 상호 이해와 협력 증진 촉구(국제 사법 재판소, 유엔 평화 유지군, 유엔 난민 기구 등)
그 밖의 노력	• 비정부 기구(NGO)의 활동 • 개인: 세계 평화와 정의를 위한 세계 시민 의식 고취

한번에 끝내는 대단원 문제

정답과 해설 79쪽

01 다음은 A사의 항공 화물과 배송 소요 시간을 나타낸 자료이다. 이에 대한 옳은 설명만을 〈보기〉에서 있는 대로 고른 것은?

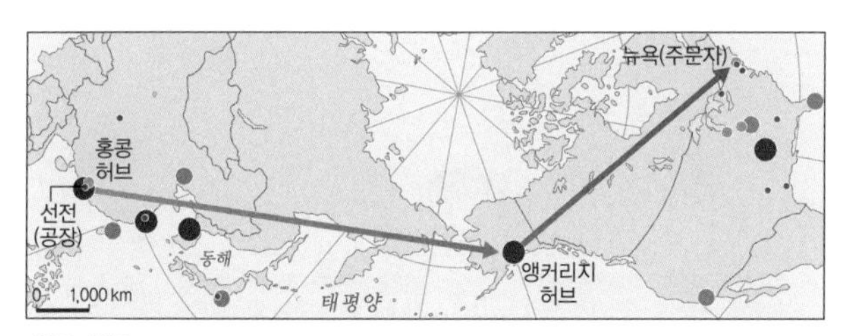

항공 화물(백만 톤, 2010) ● 2.5 이상 ● 1.5~2.5 ● 1~1.5 • 1 미만

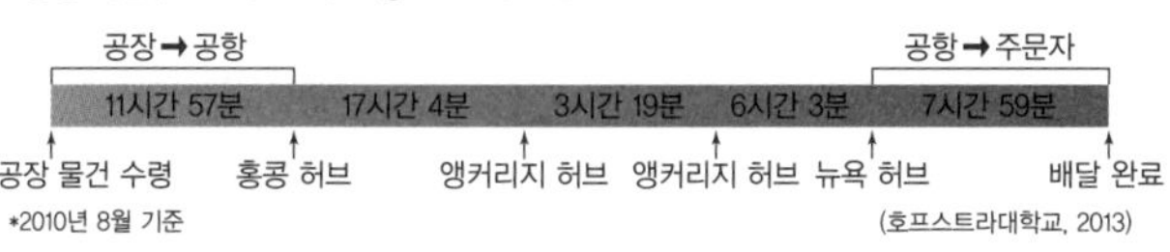

*2010년 8월 기준 (호프스트라대학교, 2013)

보기
ㄱ. A사는 글로벌 물류 체계를 갖추고 있다.
ㄴ. A사의 활동은 국제 연합의 통제를 받는다.
ㄷ. 항공 화물 2.5 이상의 도시는 모두 세계 도시이다.
ㄹ. 주문자는 약 2일 내로 공장의 물건을 받을 수 있다.

① ㄱ, ㄷ ② ㄱ, ㄹ ③ ㄴ, ㄷ
④ ㄱ, ㄴ, ㄹ ⑤ ㄴ, ㄷ, ㄹ

02 그래프는 자유 무역 협정(FTA) 신규 발효 건수의 변화를 나타낸 것이다. 이에 대한 옳은 추론만을 〈보기〉에서 고른 것은?

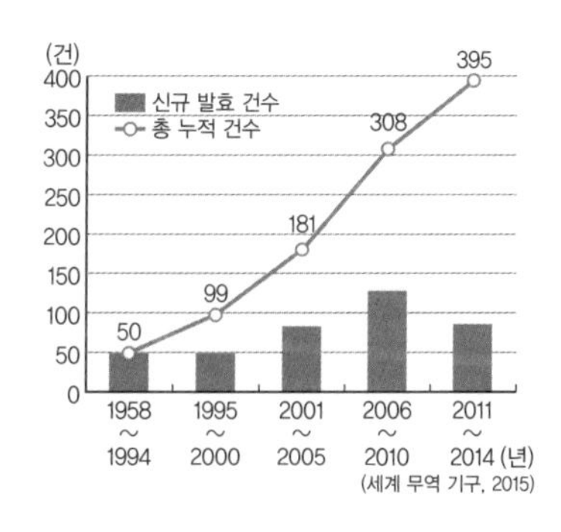

(세계 무역 기구, 2015)

보기
ㄱ. 무역 장벽이 강화될 것이다.
ㄴ. 무역 보복이나 무역 분쟁은 발생하지 않을 것이다.
ㄷ. 선진국과 개발 도상국 간의 경쟁력 차이로 인한 격차가 발생할 가능성이 있다.
ㄹ. 지리적으로 인접하거나 경제적으로 상호 의존도가 높은 국가 간의 체결이 많아질 것이다.

① ㄱ, ㄴ ② ㄱ, ㄷ ③ ㄴ, ㄷ ④ ㄴ, ㄹ ⑤ ㄷ, ㄹ

03 그래프는 경제 블록의 경제적 통합 유형을 나타낸 것이다. ㉠~㉣에 대한 옳은 설명을 〈보기〉에서 고른 것은?

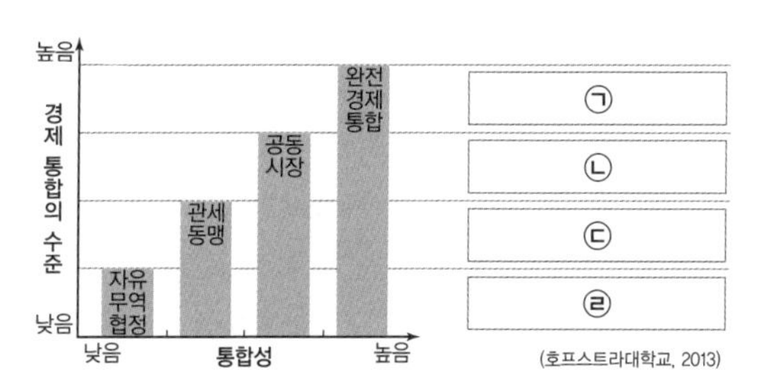

(호프스트라대학교, 2013)

보기
ㄱ. ㉠: 공동 의회를 설치하기도 한다.
ㄴ. ㉡: 회원국 간 생산 요소의 자유로운 이동이 가능하다.
ㄷ. ㉢: 회원국 간 단일 통화를 사용한다.
ㄹ. ㉣: 역외국에 대해 공동 관세율을 적용한다.

① ㄱ, ㄴ ② ㄱ, ㄷ ③ ㄴ, ㄷ ④ ㄴ, ㄹ ⑤ ㄷ, ㄹ

04 그래프는 세계 주요 경제 협력체의 현황을 나타낸 것이다. (가)~(다)에 해당하는 경제 협력체를 지도의 A~C에서 고른 것은?

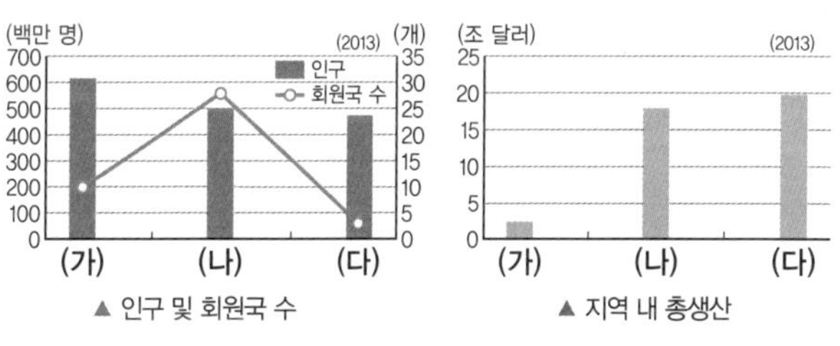

▲ 인구 및 회원국 수 ▲ 지역 내 총생산

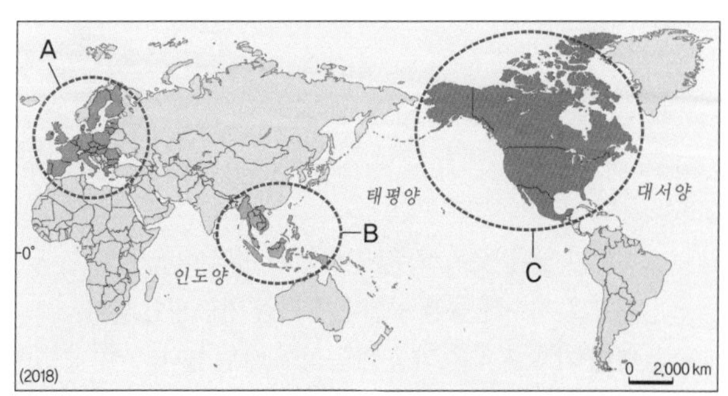

	(가)	(나)	(다)		(가)	(나)	(다)
①	A	B	C	②	A	C	B
③	B	A	C	④	B	C	A
⑤	C	A	B				

05 다음 글의 밑줄 친 ㉠~㉤에 대한 설명으로 옳지 않은 것은?

> [환경 문제 해결을 위한 노력]
> ㉠ 지구적 환경 문제를 해결하기 위해서는 다양한 ㉡ 국제 협약을 체결하고, 국제 사회는 물론 기업과 개인의 노력도 뒷받침되어야 한다. 각국의 ㉢ 정부는 법과 제도, 다양한 정책을 마련하고, ㉣ 기업은 정부의 정책에 맞춘 맞춤식 노력을 수행해야 한다. 나아가 ㉤ 개인 차원에서는 실생활에서 실천할 방법을 모색해 보려는 노력이 필요하다. 또 환경 문제에 관심을 가지고, 환경 보전 활동을 실천함으로써 지구적 환경 문제에 적극적으로 대처할 필요가 있다.

① ㉠: 한 국가의 노력만으로 해결할 수 없다.
② ㉡: 사막화 방지를 위해 몬트리올 의정서를 채택하였다.
③ ㉢: 탄소 배출권 거래 제도를 도입하여 적극적으로 홍보한다.
④ ㉣: 신·재생 에너지 사용을 확대한다.
⑤ ㉤: 정부와 기업의 환경 정책을 모니터링한다.

06 지도는 세계의 가뭄 지수를 나타낸 것이다. 이에 대한 옳은 분석만을 〈보기〉에서 고른 것은?

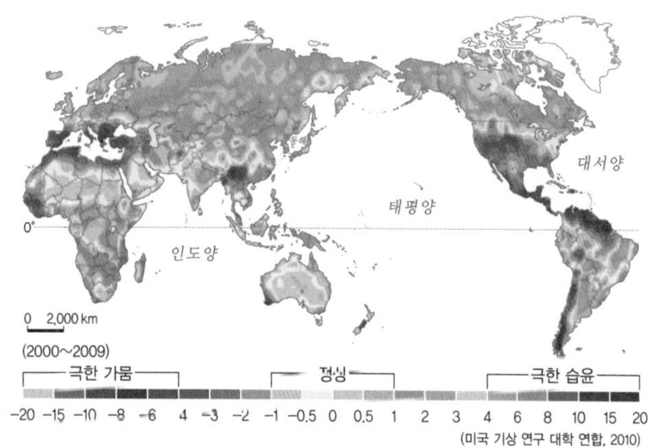

보기
ㄱ. 지수가 낮은 곳은 모두 사막 기후 지역이다.
ㄴ. 대체로 지수가 높은 곳일수록 가뭄 가능성이 낮다.
ㄷ. 열대 기후 지역은 가뭄 가능성이 매우 높다.
ㄹ. 북반구의 경우 고위도로 갈수록 가뭄 가능성이 대체로 낮아진다.

① ㄱ, ㄴ ② ㄱ, ㄷ ③ ㄴ, ㄷ
④ ㄴ, ㄹ ⑤ ㄷ, ㄹ

07 다음은 세계의 생태 용량과 생태 발자국의 관계를 나타낸 지도이다. (가), (나)에 대한 옳은 분석만을 〈보기〉에서 있는 대로 고른 것은? (단, (가), (나)는 생태 발자국이 생태 용량을 초과하거나 이하인 국가군임.)

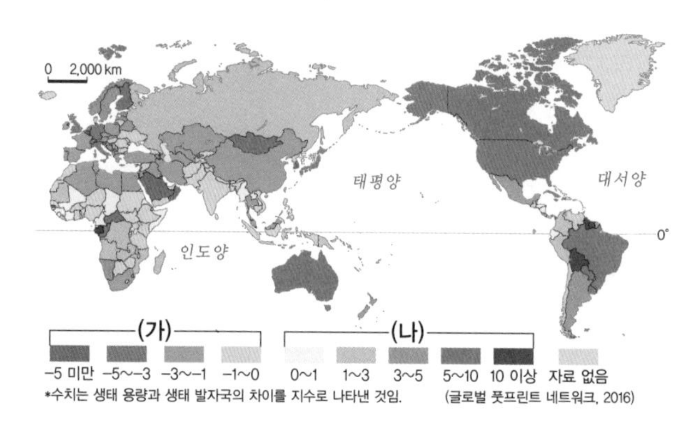

보기
ㄱ. (가)는 인구당 에너지 소비량이 대체로 많다.
ㄴ. (나)는 대체로 경제 발전 수준이 낮은 국가이다.
ㄷ. (가)는 (나)보다 대체로 생태 발자국이 낮다.
ㄹ. (나)는 (가)보다 대체로 생태계 보존성이 높다.

① ㄱ, ㄷ ② ㄱ, ㄹ ③ ㄴ, ㄷ
④ ㄱ, ㄴ, ㄹ ⑤ ㄴ, ㄷ, ㄹ

08 지도는 (가), (나) 환경 문제의 발생 지역을 나타낸 것이다. 이에 대한 옳은 설명만을 〈보기〉에서 고른 것은?

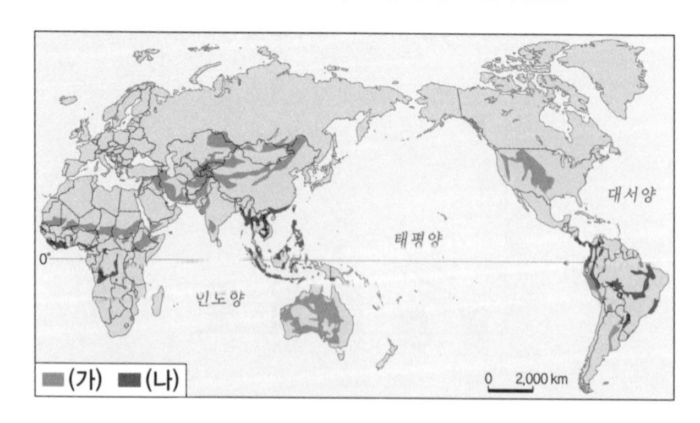

보기
ㄱ. (가)는 대체로 사막 기후 지역의 범위와 일치한다.
ㄴ. (나) 문제의 주요 발생 원인은 과도한 경지 확대이다.
ㄷ. (가)는 (나) 지역보다 대체로 연평균 강수량이 많다.
ㄹ. (나) 문제가 심화되면 (가)의 면적은 확대되는 경향이 강하다.

① ㄱ, ㄴ ② ㄱ, ㄷ ③ ㄴ, ㄷ
④ ㄴ, ㄹ ⑤ ㄷ, ㄹ

09 다음은 세계지리 수업 장면의 일부이다. 교사의 질문에 옳은 대답을 한 학생만을 고른 것은?

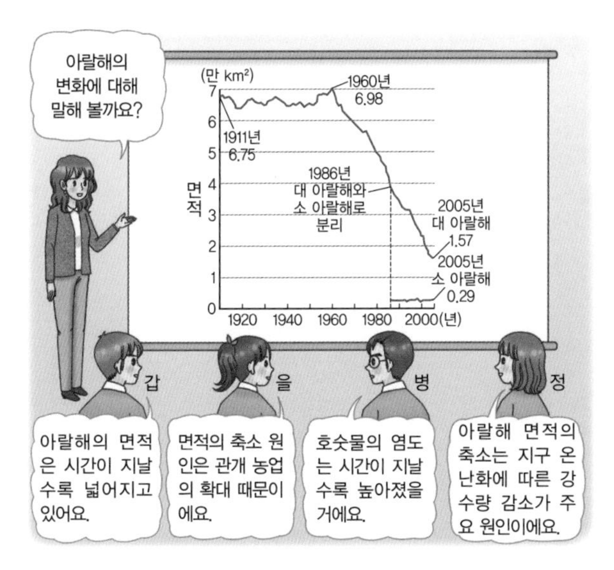

① 갑, 을 ② 갑, 병 ③ 을, 병
④ 을, 정 ⑤ 병, 정

10 지도의 (가)~(라) 지역 분쟁에 대한 옳은 설명만을 〈보기〉에서 고른 것은?

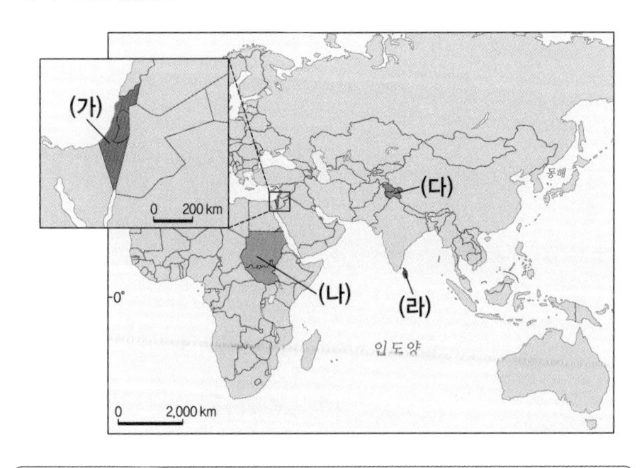

보기
ㄱ. (가)는 세계 최대의 난민 발생국이다.
ㄴ. (나) 분쟁과 관련된 종교의 기원지는 모두 서남아시아이다.
ㄷ. (다), (라) 분쟁 지역은 프랑스의 식민 지배와 관련이 깊다.
ㄹ. (가)~(라)의 분쟁은 모두 종교 갈등이 내재되어 있다.

① ㄱ, ㄴ ② ㄱ, ㄷ ③ ㄴ, ㄷ
④ ㄴ, ㄹ ⑤ ㄷ, ㄹ

11 그래프는 미국 주요 빙하의 체적량 변화를 나타낸 것이다. 이를 보고 물음에 답하시오.

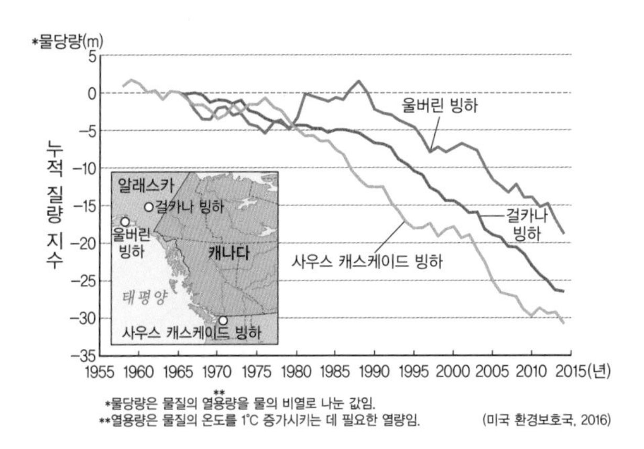

*물당량은 물질의 열용량**을 물의 비열로 나눈 값임.
**열용량은 물질의 온도를 1℃ 증가시키는 데 필요한 열량임.
(미국 환경보호국, 2016)

(1) 위 그래프와 같은 변화의 핵심 원인을 쓰시오.
( )

(2) 위 그래프와 같은 변화가 지속된다면, 어떠한 영향이 나타날지 해수면 변동을 중심으로 서술하시오.

12 지도는 국제 평화 유지군의 활동 지역을 나타낸 것이다. 이를 보고 물음에 답하시오.

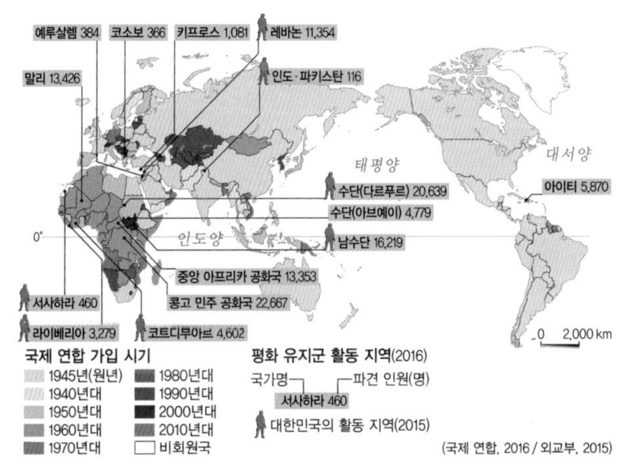

(국제 연합, 2016 / 외교부, 2015)

(1) 평화 유지군 파견 인원이 많은 상위 두 개 국가를 쓰시오. ( )

(2) 국제 평화 유지군의 활동 지역을 분쟁과 난민의 관점에서 서술하시오.

- 백지도에 알고 있는 지명을 써 보자.

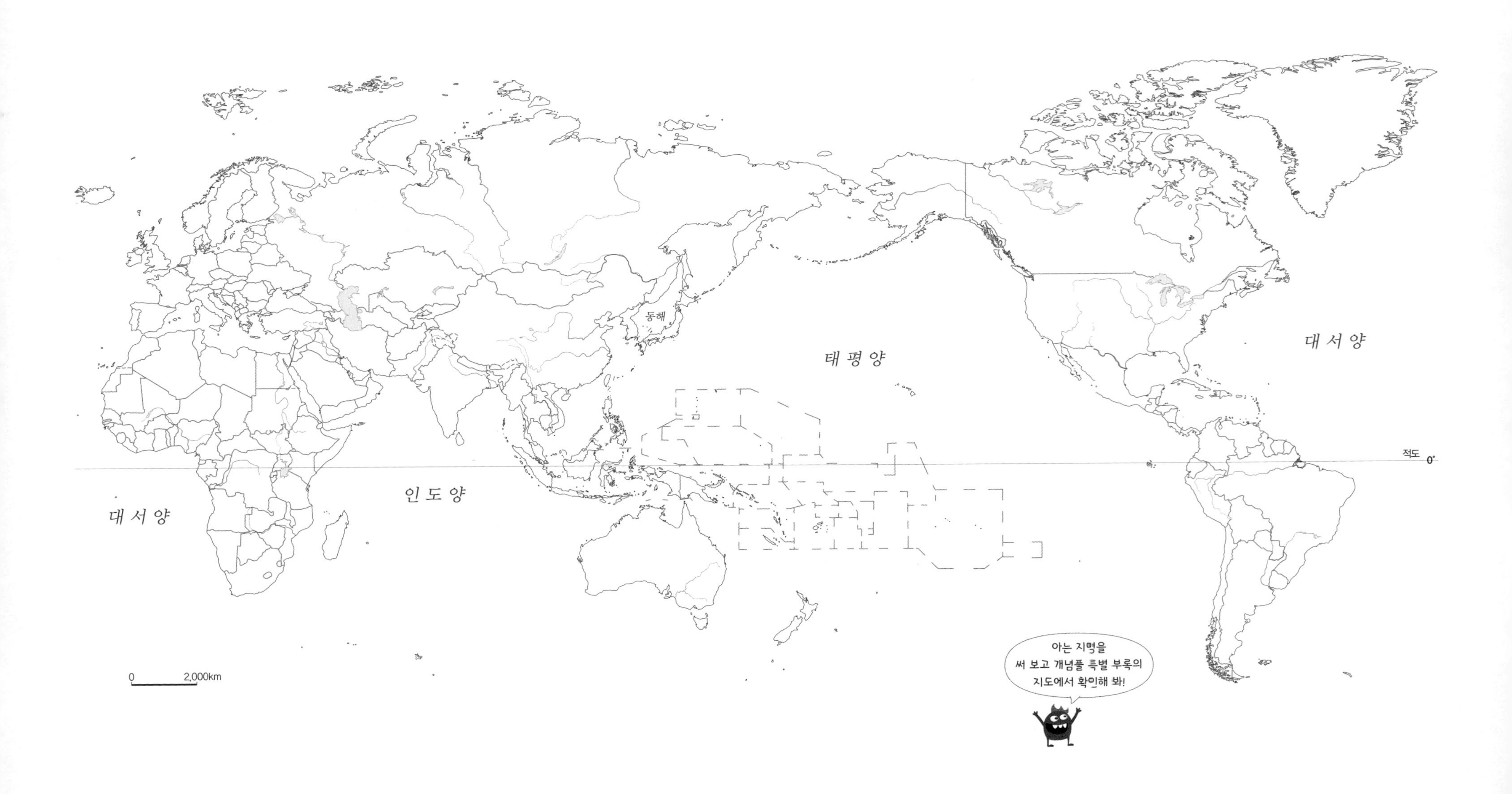

하이라이트 지학사

개념 학습과 정리가 한번에 끝나는 기본서

개념풀

세계지리

정답과 해설

개념과 정리가 한번에 끝나는 기본서

개념풀

세계지리

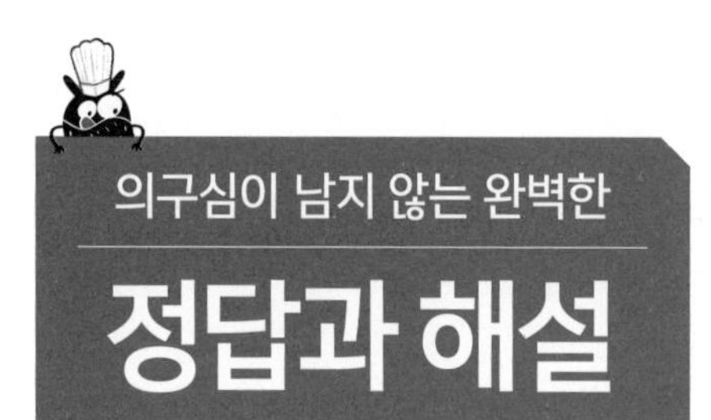

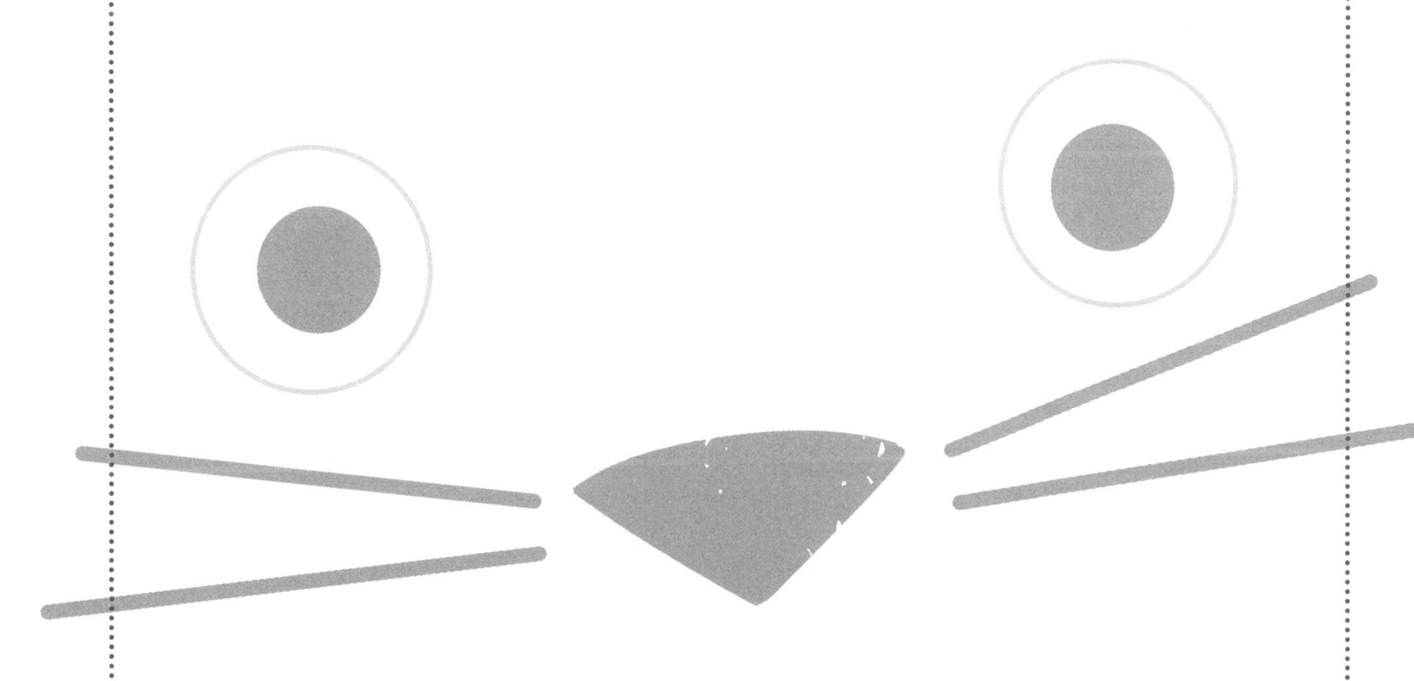

I »세계화와 지역 이해

01 세계화와 지역화

콕콕! 개념 확인하기 15쪽

01 (1) ○ (2) ○ (3) × (4) × (5) × (6) ○ (7) ○ (8) ○
02 (1) A: 커피, B: 뉴욕 (2) ①-㉡, ②-㉠
03 지역화

01 (3) 교통·통신의 발달로 국가 및 지역 간 상호 의존성이 증가하면서 국제기구의 필요성은 대체로 커지고 있다.
(4) 교통·통신의 발달로 화석 연료의 사용량이 증가하고 있다.
(5) 교통·통신의 발달로 다국적 기업의 영향력이 강화되고 있다.

탄탄! 내신 다지기 16쪽

01 ① **02** ⑤ **03** ⑤ **04** 해설 참조

01 교통 발달에 따른 변화

자료 분석 | 그림을 통해 지구의 상대적 크기가 축소되고 있는 것을 알 수 있는데, 이는 교통의 발달 때문이다.

[선택지 분석]
㉠ 국제 분업 → 증가
㉡ 국가 간 교역량 → 증가
~~ㄷ~~ 단위 거리당 운송비 → 감소
~~ㄹ~~ 물리적 거리의 중요성 → 감소

02 국제 분업이 이루어지는 이유

자료 분석 | 그림은 비행기 한 대를 만들기 위해 세계 각국에서 만든 부품들이 사용되는 것을 보여주는 것으로, 국제 분업의 대표적인 사례이다.

[선택지 분석]
① 생산된 항공기는 ~~미국 내에서만~~ (세계 여러 나라에서) 판매된다.
➡ 세계 각지로 판매된다.
② 항공기 생산에 참여한 국가는 대부분 ~~개발 도상국~~ (선진국)이다.
➡ 항공기는 부가 가치가 높은 상품으로 개발에는 주로 선진국이 참여한다.
③ 항공기 생산에 참여한 국가는 아시아가 유럽보다 ~~많다~~ (적다).
➡ 아시아 국가는 대한민국과 일본이고, 유럽 국가는 이탈리아, 프랑스, 스웨덴, 영국이다.
④ 국가 간 분업으로 생산비에서 운송비가 차지하는 비중이 ~~작아졌다~~ (커졌다).
➡ 부품 이동 등에 운송비가 소요되므로, 생산비에서 운송비가 차지하는 비중은 커졌다고 볼 수 있다.
✓⑤ 국가 간 분업은 국제 협력을 통해 생산 비용을 절감하기 위해 이루어지고 있다.
➡ 항공기 생산의 경우 국가 간 분업은 생산 비용을 절감하기 위해 이루어진다.

03 다양한 지역화 전략

자료 분석 | (가)는 지역 주민과 공공 기관이 협력하여 지역의 매력을 강화하는 전략으로 장소 마케팅에 해당한다. (나)는 상품의 품질과 명성, 특성이 특정 지역의 지리적 특성을 반영하는 경우 그 지역의 이름을 상표권으로 인정해 주는 지리적 표시제에 해당한다.

[선택지 분석]
① (가)는 ~~지리적 표시제~~ (장소 마케팅)이다.
② (나)는 ~~지역 브랜드화~~ (지리적 표시제)이다.
③ 지역 축제는 ~~(가)보다 (나)와~~ ((가)와) 관련이 깊다.
④ (가), (나) ~~모두 중앙 정부~~ (지방 정부와 지역 주민) 주도로 이루어진다.
✓⑤ (가), (나) 모두 지역 경쟁력 향상에 도움이 된다.
➡ 장소 마케팅과 지리적 표시제는 대표적인 지역화 전략으로, 모두 지역 경쟁력 향상에 도움이 된다.

04 지리적 표시제

자료 분석 | (가)는 인도 북동부에 위치한 다르질링에서 생산된 차이고, (나)는 미국 남동부에 위치한 플로리다주에서 생산된 오렌지 주스이다. 두 상품 모두 지리적 표시제 인증을 받은 상품이다.

(1) (가): A, (나): C
(2) [예시 답안] 자료는 지리적 표시제를 나타낸 것이다. 지리적 표시제는 특정 지역의 지리적 특성을 반영한 우수한 상품에 그 지역에서 생산·가공된 상품임을 표시할 수 있도록 인정하는 제도이다.

채점 기준	
상	지리적 표시제를 쓰고, 그 의미를 바르게 서술한 경우
중	지리적 표시제를 쓰고, 그 의미를 서술하였으나 내용이 미흡한 경우
하	지리적 표시제만 쓴 경우

도전! 실력 올리기 17쪽

01 ⑤ **02** ⑤ **03** ② **04** ③

01 국제 관광 증가에 따른 변화

자료 분석 | 왼쪽 그래프를 통해 세계 관광객 수가 지속적으로 증가하는 것을 알 수 있고, 오른쪽 그래프를 통해 관광 산업이 세계 국내 총생산에서 차지하는 비중도 증가하고 있는 것을 알 수 있다.

[선택지 분석]

① 의식주 문화의 세계화가 촉진될 것이다.

➡ 국제 관광이 증가하면서 의식주 문화의 세계화가 촉진된다. 이는 국가 간 교류가 증가하기 때문이다.

② 국가 간 교류의 확대로 국경의 의미가 약화될 것이다.

➡ 국제 관광의 증가로 국경의 의미는 약화되고 있다.

③ 대부분의 국가에서 관광을 통한 수입이 증가할 것이다.

➡ 오른쪽 그래프를 통해 국가별 관광 수입의 증대를 예상할 수 있다.

④ 관광 수요 증가로 지역의 환경에 미치는 악영향이 나타날 것이다.

➡ 국제 관광 증가는 자원 소비의 증가를 가져오고, 그 과정에서 지역의 환경을 훼손할 가능성이 높다.

⑤ 세계 여객 수송에서 ~~해운~~(항공) 교통이 차지하는 비중이 높아질 것이다.

➡ 국제 관광은 항공 교통에 주로 의존하므로, 세계 여객 수송에서 해운 교통이 차지하는 비중은 낮아질 전망이다.

02 다국적 기업의 생산 공장 입지 변화

자료 분석 | 지도는 스포츠 용품을 생산하는 다국적 기업의 생산 공장 이전을 나타낸 것이다. 지도를 보면 N사의 생산 공장은 1973년 일본에 세워진 이후 대한민국과 타이완, 중국, 베트남, 인도네시아 등지로 이전하였다.

[선택지 분석]

✕ ㉠에는 '~~품질 경쟁력~~(가격 경쟁력)'이 들어갈 수 있다.

➡ 신발, 의류 등을 주로 생산하여 판매하는 N사는 인건비 절약으로 가격 경쟁력을 확보하기 위해 생산 공장을 꾸준히 이동시키고 있다.

ㄴ ㉡에는 '임금 상승'이 들어갈 수 있다.

➡ 우리나라의 임금이 상승하면서 생산 공장을 중국, 베트남, 인도네시아로 이전하였다.

ㄷ A는 생산 공장 이전의 대체적인 방향을 나타낸 것이다.

➡ 생산 공장의 이전이 태평양 서쪽 연안에서 반시계 방향으로 이루어진 것을 알 수 있다.

ㄹ 2016년 현재 생산 공장 종사자 수가 많은 3개 국가는 모두 아시아에 위치한다.

➡ 2016년 현재 생산 공장 종사자 수 상위 3개국은 베트남, 인도네시아, 중국으로 모두 아시아에 위치한다.

03 다국적 기업의 현지화 전략

자료 분석 | 조사 내용 Ⅰ은 미국의 치킨 업체와 피자 업체가 중국 현지 소비자들이 원하는 메뉴를 제공하고 있다는 내용이고, 조사 내용 Ⅱ는 우리나라 기업이 인도에 진출하면서 인도인의 기호에 맞게 자동차 이름을 짓고, 도로 사정과 터번을 쓰는 인도인들을 고려하여 자동차를 제작했다는 내용을 담고 있다.

[선택지 분석]

ㄱ ㉠에는 '현지화 전략'이 들어갈 수 있다.

➡ 조사 내용 Ⅰ, Ⅱ 모두 다국적 기업의 현지화 전략을 담고 있다.

✕ ㉡에서는 ~~툰드라 기후~~(온대 기후)가 주로 나타난다.

➡ 자료의 '현지'는 중국이다. 중국에서는 온대 기후가 주로 나타난다. 툰드라 기후 지역에서는 벼농사가 이루어지지 않는다.

✕ ㉢은 우리나라보다 평균 소득 수준이 ~~높다~~(낮다).

➡ 자료의 '현지'는 인도이다. 비포장도로가 많은 도로 사정을 통해 우리나라보다 평균 소득 수준이 낮은 것을 알 수 있다.

ㄹ ㉣과 관련하여 차량 내부의 천장이 높을 것이다.

➡ 터번을 쓴 사람들과 도로 사정이 좋지 않은 것을 고려하여 차량 내부의 천장을 높인 차를 만들어 판매하였다.

04 지역화 전략 사례

자료 분석 | 에키벤은 '철도역에서 판매하는 도시락'을 의미한다. 에키벤은 각 지역의 특성을 고려하여 차별화함으로써 에키벤을 맛보기 위해 일부러 기차 여행을 하는 사람들도 있다는 내용이다.

[선택지 분석]

① ~~통일된~~(다양한 개성을 보여주는) 제품 이미지를 추구하고 있다.

➡ 종류가 2,500여 종에 이르므로 매우 다양하다

② 지리적 표시제에 ~~등록된 도시락 제품이다~~(등록되었다는 언급은 없다).

➡ 지리적 표시제와는 관련이 없다.

③ 철도 여행과 지역 관광에 이바지하고 있다.

➡ 에키벤이 인기를 끌면서 철도 여행과 지역 관광 발전에 이바지하고 있다.

④ ~~로컬 푸드보다는 글로벌 푸드의 특성이~~(로컬 푸드의 성격이) 강하다.

➡ 각 지역에서 생산된 식자재를 이용하므로 로컬 푸드의 성격이 강하다.

⑤ ~~다국적 기업에 의해 제품 생산이~~(다국적 기업과 무관하게) 이루어지고 있다.

➡ 다국적 기업과는 무관하다.

02 ~ 공간 인식과 지리 정보, 지역 구분

콕콕! 개념 확인하기 (23쪽)

01 (1) ○ (2) ○ (3) ×

02 (1)-㉤, ㉧ (2)-㉠ (3)-㉢ (4)-㉠, ㉨ (5)-㉣, ㉥ (6)-㉡, ㉦

03 (1) 공간 (2) GIS (3) 전자 지도 (4) 간접 조사

04 (1) ○ (2) ○ (3) ×

01 ③ 혼일강리역대국도지도에도 아프리카가 나타나 있다.

04 ③ 앵글로아메리카와 라틴 아메리카의 지역 경계는 리오 그란데강이다.

탄탄! 내신 다지기

24~25쪽

01 ④ **02** ⑤ **03** ① **04** ② **05** ① **06** ④ **07** ⑤ **08** ② **09** 해설 참조

01 혼일강리역대국도지도

자료 분석 | 조선 전기 국가 주도로 제작된 혼일강리역대국도지도이다. 중국이 지도의 중심에 위치하고, 유럽, 아프리카, 우리나라, 일본 등이 표현되어 있다.

[선택지 분석]

① 지도의 중심에 중국이 위치한다.
➡ 중화사상이 나타난다.

② 지도의 왼쪽에 아프리카가 그려져 있다.
➡ 아프리카의 검은 부분은 사하라 사막으로 알려져 있다.

③ 조선은 실제 면적보다 크게 그려져 있다.
➡ 조선의 자주적인 국토 인식이 잘 드러난다.

④ 육지는 ~~검은색~~(밝은색), 바다는 ~~밝은색~~(검은색)으로 표현되어 있다.

⑤ 중국에서 들여온 지도에 우리나라와 일본을 덧붙였다.
➡ 중국에서 들여온 세계 지도에 우리나라와 일본 지도를 추가하여 제작하였다.

02 곤여만국전도

자료 분석 | 이탈리아 선교사 마테오 리치가 중국에서 그린 세계 지도이다. 경위도를 사용하였고, 아시아, 유럽, 아프리카, 아메리카 등을 표현하였다. 당시 중국은 이 지도를 통해 유럽의 세계관을 접하게 되었다.

[선택지 분석]

① 지도의 위쪽이 ~~남쪽~~(북쪽)이다.
➡ 지도의 위쪽이 남쪽인 지도로는 알 이드리시의 세계 지도가 있다.

② ~~정화의 항해에 이용~~(정화의 항해 이후에 제작)되었다.
➡ 정화의 원정은 15세기에 이루어졌고, 곤여만국전도는 17세기에 제작되었다.

③ ~~천원지방 사상을~~ 반영하고 있다. (전통적인 동양의 세계관을 담고 있지 않음)
➡ 천원지방 사상은 '하늘은 둥글고 땅은 네모나다'는 전통적인 동양의 세계관이다.

④ 지도의 최초 제작자는 ~~중국인~~(이탈리아인)이다.
➡ 이탈리아 선교사 마테오 리치가 제작하였다.

⑤ 지도의 중심에는 태평양이 위치한다.
➡ 곤여만국전도의 중앙에는 태평양이 위치한다.

03 화이도와 중화사상

자료 분석 | 화이도의 중앙에 크게 표현된 국가는 중국이다. 이를 통해 세계의 중심이 중국이라는 중화사상을 파악할 수 있다.

[예시 답안]

① 중화사상

② 실학사상 → 예 지구전후도

③ 도교 사상 → 예 천하도

④ 이슬람교 세계관 → 예 알 이드리시의 세계 지도

⑤ 크리스트교 세계관 → 예 티오(TO) 지도

04 티오(TO) 지도와 알 이드리시의 세계 지도

자료 분석 | (가)는 크리스트교 세계관을 반영하여 제작된 티오(TO) 지도이고, (나)는 이슬람교 세계관을 반영하여 제작된 알 이드리시의 세계 지도이다.

[선택지 분석]

ㄱ. (가)는 크리스트교 세계관을 담고 있다.
➡ 티오(TO) 지도는 크리스트교 세계관을 담고 있어 지도의 중앙에 예루살렘이 위치한다.

ㄴ. ~~(나) 지도~~(메르카토르의 세계 지도)는 항해도로 널리 이용되었다.
➡ 항해도로 이용되는 지도는 항로가 직선으로 표현되어 있는 지도를 사용하였다.

ㄷ. (가)의 중심에는 예루살렘이, (나)의 중심에는 메카가 있다.
➡ (가) 지도는 크리스트교 세계관을 반영하여 지도의 중심에 예루살렘을 두었고, (나) 지도는 이슬람교 세계관을 반영하여 지도의 중심에 메카가 위치하도록 제작되었다.

ㄹ. ~~(가)~~, (나) 모두 지도의 위쪽이 남쪽을 가리킨다. ((가)는 위쪽이 동쪽)

05 메르카토르의 세계 지도

자료 분석 | 메르카토르의 세계 지도이다. 경선과 위선이 모두 직교하여 방위각이 정확하기 때문에 직선 항로 파악이 쉽다. 그러나 땅의 형태가 고위도로 갈수록 확대·왜곡되는 단점이 있다.

[선택지 분석]

① 모든 경선과 위선이 수직 교차한다.
➡ 메르카토르의 세계 지도에서는 모든 경선과 위선이 수직 교차한다. 따라서 방위각이 정확하게 나타난다.

② ~~항공기 운항의 최단 거리를 파악~~(선박의 직선 항로를 파악)하기 쉽다.
➡ 항공기 운항의 최단 거리를 파악하는 것은 불가능하다.

③ 고위도로 갈수록 면적이 실제보다 ~~축소~~(확대)된다.
➡ 고위도로 갈수록 면적이 실제보다 확대된다.

④ ~~유럽보다 아메리카에~~(아메리카보다 유럽에) 대한 지리 정보가 풍부하다.
➡ 지도를 통해 아메리카 부분의 지리 정보가 적은 것을 알 수 있다.

⑤ 오스트레일리아를 포함한 오세아니아가 ~~표현되어 있다~~(표현되어 있지 않다).
➡ 오스트레일리아가 발견된 것은 17세기이고, 메르카토르의 세계 지도가 제작된 것은 16세기이다.

06 원격 탐사

자료 분석 | 자료는 인공위성을 이용하여 지표상의 다양한 지리 정보를 수집하는 원격 탐사를 나타낸 것이다.

[선택지 분석]

✗ ~~선진국보다 개발 도상국~~에서 이용이 활발하다. (개발 도상국보다 선진국)

ㄴ 지리 정보 수집에 인공위성이나 항공기를 이용한다.
➡ 인공위성이나 항공기를 이용하여 지리 정보를 수집한다.

✗ 시설 입지에 대한 주민들의 의견을 수집할 수 ~~있다~~. (없다)
➡ 장소나 지역에 대한 정보를 수집할 수 있다.

ㄹ 넓은 지역의 지리 정보를 주기적으로 수집할 수 있다.
➡ 인공위성이 지구 주위를 주기적으로 돌기 때문에 지리 정보를 주기적으로 수집할 수 있다.

07 중첩 분석을 통한 입지 선정

자료 분석 | 자료는 중첩 분석을 나타낸 것이다.

[선택지 분석]

✗ 광범위한 지역의 정보를 실시간으로 수집할 수 있다. → 원격 탐사
➡ 원격 탐사에 대한 설명이다.

ㄴ 주택, 쓰레기 매립장 등 다양한 입지 선정에 이용된다.
➡ 중첩 분석은 각종 시설의 입지를 선정하는 데 유용한 분석이다.

ㄷ 다양한 지리 정보가 여러 개의 데이터 층으로 구분되어 있다.
➡ 지리 정보 시스템에서는 서로 다른 자연환경 및 인문 환경에 대한 다양한 지리 정보를 여러 개의 데이터 층(레이어)으로 구분하고, 이를 결합하여 분석하는 중첩 분석이 많이 사용된다.

ㄹ 다양한 지리 정보를 중첩하여 입지 조건에 부합하는 최적 입지를 선정할 수 있다.
➡ 중첩 분석을 통해 최적 입지를 선정할 수 있다.

08 세계의 문화권

자료 분석 | A는 유럽 문화권, B는 아프리카 문화권, C는 동아시아 문화권, D는 동남아시아 문화권이다.

[선택지 분석]

ㄱ A－산업 혁명이 시작된 지역을 포함한다.
➡ 영국(유럽)에서 산업 혁명이 시작되었다.

✗ B－~~불교, 힌두교~~를 신봉하는 사람들이 많다. (크리스트교 및 원시 종교)

ㄷ 권역의 경계 부근에는 점이 지대가 나타난다.
➡ 권역의 경계 지역에는 두 권역의 특성이 섞여 있는 점이 지대가 나타난다.

✗ ~~자연환경과 관련된~~ 요소를 기준으로 구분하였다. (문화적)
➡ 종교, 언어 등 문화적 요소를 고려하여 구분하였다.

09 돼지고기 소비를 바탕으로 한 지역 구분

자료 분석 | 지도는 돼지고기 소비량, 즉 생활양식을 바탕으로 지역을 구분한 것이다.

(1) 문화적 기준

(2) [예시 답안] A는 돼지고기에 해당한다. 서남아시아와 북부 아프리카 지역은 이슬람교 신자 수가 많아 돼지고기 소비가 거의 이루어지지 않는다.

채점 기준	
상	A를 바르게 쓰고, 지역의 이름과 종교를 연결하여 특징을 바르게 서술한 경우
중	A를 바르게 쓰고, 지역의 이름과 종교를 연결하여 특징을 서술하였으나 내용이 미흡한 경우
하	A만 바르게 쓰거나 지역의 이름만 서술한 경우

도전! 실력 올리기

26~27쪽

01 ④ 02 ④ 03 ② 04 ① 05 ② 06 ④ 07 ⑤ 08 ⑤

01 바빌로니아 점토판 지도

자료 분석 | 고대 메소포타미아의 신바빌로니아 왕국에서 제작된 세계 지도로 작은 점토판 위에 새겨져 있다.

[선택지 분석]

ㄱ 점토판에 제작되었다. → 점토판에 제작됨

✗ ~~경위선이 그려져 있다~~. (경위선은 없음)

ㄷ 지도의 중심에 바빌론이 위치한다. → 지도의 중심은 바빌론

ㄹ 현존하는 가장 오래된 세계 지도로 알려져 있다.

02 지구전후도와 프톨레마이오스의 세계 지도

자료 분석 | (가)는 조선 후기에 제작된 지구전후도로, 지구전도와 지구후도로 구성되며 경위선이 그려져 있다. 지구전도에는 아시아, 유럽, 아프리카 등이 표현되어 있고, 지구후도에는 남·북아메리카 등이 표현되어 있다. (나)는 프톨레마이오스의 세계 지도이다. 경위선의 개념과 투영법을 적용한 지도로, 근대 지도의 바탕이 되었다.

[선택지 분석]

(가)

 B

➡ 지구전후도는 지구를 구체로 인식, 우리나라에서 제작 되었으며, 지도의 중심에 중국이 위치하지 않는다. 따라서 (가)는 B이다.

(나)

D

➡ 프톨레마이오스의 세계 지도는 지구를 구체로 인식, 서양(로마 시대)에서 제작되었으며, 아메리카가 표현되어 있지 않다. 따라서 (나)는 D이다.

03 천하도와 지구전후도

자료 분석 | (나) 지도는 (가) 지도와 달리 지구를 구체로 인식하였고 경위선이 그려져 있으며, 아메리카가 나타나 있어야 한다.

[선택지 분석]

(가)

②ㄱ → 천하도

➡ 조선 중기 이후 민간에서 제작된 천하도는 지구를 구체로 보지 않았고 경위선이 그려져 있지 않으며, 아메리카가 없다. 따라서 (가)에 해당한다.

(나)

ㄷ → 지구전후도

➡ 조선 후기 실학자들이 만든 지구전후도는 지구를 구체로 보았고 경위선이 표현되어 있으며, 아메리카가 표현되어 있다. 따라서 (나)에 해당한다.

ㄴ → 프톨레마이오스의 세계 지도

➡ 고대 서양에서 제작된 프톨레마이오스의 세계 지도는 지구를 구체로 보았고 경위선이 표현되어 있으며, 아메리카는 없다.

04 티오(TO) 지도와 알 이드리시의 세계 지도

자료 분석 | (가)는 서양 중세의 티오(TO) 지도로 크리스트교 세계관을 나타내고 있다. (나)는 알 이드리시의 세계 지도로 이슬람교 세계관을 나타내고 있다.

[선택지 분석]

ㄱ 지도의 위쪽이 북쪽이 아니다.

➡ (가)는 위쪽이 동쪽, (나)는 위쪽이 남쪽이다.

ㄴ 종교적 세계관을 반영하고 있다.

➡ (가)는 크리스트교 세계관, (나)는 이슬람교 세계관을 반영하고 있다.

ㄷ ~~지구를 구체로 인식~~하고 제작되었다. (가)는 구체로 인식하지 않음

➡ 두 지도 중 지구를 구체로 인식한 지도는 알 이드리시의 세계 지도이다.

ㄹ 대륙의 형태와 면적이 ~~비교적 정확하다~~. 정확하지 않다

➡ 두 지도 모두 대륙의 형태와 면적의 왜곡이 심하다.

05 지리 정보의 종류

[선택지 분석]

ㄱ (가)는 유럽에 위치한다.

➡ (가)는 경위도의 특성으로 볼 때 유럽에 위치한 스웨덴이다.

ㄴ (나)는 ~~속성~~ 정보, (마)는 ~~공간~~ 정보에 속한다. 공간 / 속성

➡ 경위도는 공간 정보, 기후 특성은 속성 정보에 해당한다.

ㄷ (다)와 (라)를 통해 1인당 국내 총생산을 구할 수 있다.

➡ GDP를 인구로 나누면 1인당 GDP, 즉 1인당 국내 총생산을 구할 수 있다.

ㄹ (마)는 1년을 주기로 기후 변화가 ~~잘 이루어진다~~. 잘 이루어지지 않는다

➡ 기후는 잘 변화하지 않는다.

06 지리 정보 시스템의 중첩 분석 활용

자료 분석 | 국가 정보를 바탕으로 아래와 같이 점수를 산정할 수 있다.

국가 \ 항목	1인당 GDP (천 달러)	기대 수명 (세)	제조업 부가 가치 (십억 달러)
A	4.1 → 2	75.3 → 3	9.3 → 1
B	3.2 → 2	51.9 → 1	32.8 → 3
C	0.6 → 3	63.7 → 3	4.5 → 1
D	0.5 → 3	62.5 → 3	7.3 → 1
E	6.4 → 1	59.5 → 2	41.4 → 3

[선택지 분석]

① A → 2+3+1=6점

② B → 2+1+3=6점

③ C → 3+3+1=7점, 제조업 부가 가치 45억 달러

④ D → 3+3+1=7점, 제조업 부가 가치 73억 달러 → 공장 건설에 가장 적합한 국가

⑤ E → 1+2+3=6점

07 세계의 권역 구분 지표

자료 분석 | (가)는 선진국에서 수치가 높게 나타나고, 남부 아시아 및 아프리카 일부 지역을 중심으로 수치가 낮다. (나)는 중국과 미국의 수치가 가장 높은 수준이고, 인구 규모가 크고 경제 수준이 높은 국가에서 대체로 수치가 높게 나타난다.

[선택지 분석]

(가)

⑤ 휴대 전화 사용 비율

➡ 선진국일수록 대체로 휴대 전화 사용 비율이 높다. 따라서 (가)에 해당한다.

(나)

이산화 탄소 배출량

➡ 국가별 국내 총생산에 대체로 비례한다. 국내 총생산이 많은 미국과 중국은 화석 연료 사용량이 많은 국가이다. 따라서 (나)에 해당한다.

08 세계지리 교과서의 권역 구분

자료 분석 | A는 유럽과 북부 아메리카 지역, B는 건조 아시아와 북부 아프리카, C는 사하라 이남 아프리카와 중·남부 아메리카, D는 몬순 아시아와 오세아니아이다.

[선택지 분석]

ㄱ A－계절풍 기후가 농업 활동에 주는 영향

➡ 유럽 및 북부 아메리카 지역은 계절풍 및 벼농사와는 관련이 적다.

ㄴ B－열대 우림의 파괴와 농경지의 확대

➡ 건조 아시아와 북부 아프리카 지역에는 열대 우림이 형성되어 있지 않다.

ㄷ C－저개발에 따른 빈곤 문제

➡ 사하라 이남 아프리카와 중·남부 아메리카 지역은 경제적 개발 수준이 낮다.

ㄹ D－종교의 다양성과 지역 갈등

➡ 몬순 아시아와 오세아니아는 종교가 매우 다양하며, 이에 따라 지역 간 갈등이 발생하기도 한다.

한번에 끝내는 대단원 문제 29~31쪽

01 ① 02 ⑤ 03 ④ 04 ③ 05 ④ 06 ② 07 ②
08 ⑤ 09 ② 10 ④ 11~12 해설 참조

01 다국적 기업인 S 커피 전문점의 특징

자료 분석 | 지도는 다국적 기업인 S 커피 전문점의 국가별 매장 수를 나타낸 것이고, 사진은 아랍 에미리트의 두바이와 타이에 위치한 S 커피 전문점의 모습을 나타낸 것이다. 커피 전문점의 매장 수는 북아메리카, 유럽, 동아시아 등에 많고, 커피 전문점의 경관에 모두 초록색이 사용된 것을 알 수 있다.

[선택지 분석]

ㄱ. S 커피 전문점의 모습은 지역에 따라 다르게 나타난다.
➡ 커피 전문점의 경관은 지역에 따라 다르게 나타난다. 대신에 상징적인 색을 이용하여 통일성을 추구하고 있다.

ㄴ. S 커피 전문점의 매장 수는 유럽이 남아메리카보다 많다.
➡ 유럽이 남아메리카보다 매장 수가 많은데, 커피 소비량은 선진국이 많은 편이다.

~~ㄷ~~. 중·남부 아프리카 대부분의 국가는 커피 섭취를 ~~금기시한다~~(금기시하지 않는다).
➡ 중·남부 아프리카는 커피 소비가 많지는 않지만, 이를 금기시하는 것은 아니다.

~~ㄹ~~. S 커피 전문점의 매장 수는 커피 원두 생산량 분포 지도와 ~~대체로 비슷하게 나타난다~~(비슷하게 나타나지 않는다).
➡ S 커피 전문점의 매장 수와 커피 원두 생산량은 일정한 관련성이 없다.

02 햄버거의 현지화 사례

자료 분석 | ㉠은 쌀을 주식으로 하는 국가에서 볼 수 있는 라이스 버거이고, ㉡은 힌두교도가 많은 국가에서 소고기 대신 닭고기를 이용한 햄버거이다.

[선택지 분석]

㉠
⑤ C → 필리핀, 빵 대신 밥을 이용한 햄버거를 볼 수 있음, 따라서 ㉠에 해당

㉡
B → 인도, 힌두교도가 많음, 소고기 대신 닭고기를 이용한 햄버거를 볼 수 있음, 따라서 ㉡에 해당

~~A~~ → 사우디아라비아, 쌀이 주식이 아님, 이슬람교도가 많음

03 청바지 생산과 국제 분업

자료 분석 | 영국 ○○사는 8개 이상의 국가로부터 원료, 부품, 노동력 등을 공급받으며, 생산된 청바지는 전 세계에 판매된다. 지도를 통해 원료, 부품 수입국과 각 생산 공정이 이루어지는 국가들을 파악할 수 있다.

[선택지 분석]

ㄱ. 청바지 생산은 국제 분업을 통해 이루어진다.
➡ 8개국 이상이 청바지 생산에 참가하고 있으므로, 국제 분업을 통해 이루어진다고 볼 수 있다.

ㄴ. 베냉 인근에 넓은 목화 재배 지역이 위치한다.
➡ 면직물을 베냉에서 생산하는 것은 인근에 대규모 목화 재배 지역이 위치하기 때문이다.

ㄷ. 영국은 튀니지보다 노동자의 임금 수준이 높다.
➡ 영국은 청바지 생산에 참여한 국가 중 일본, 오스트레일리아, 이탈리아와 함께 임금 수준이 높은 국가에 속한다.

~~ㄹ~~. 청바지 생산에 참여한 국가만 청바지 소비국에 해당한다.
➡ 글 자료에 청바지가 '전 세계로 팔려나간다'고 언급되어 있다.

04 지구전후도와 혼일강리역대국도지도

자료 분석 | ㉠은 조선 후기에 지구전도와 지구후도의 형태로 제작된 목판본 지도로 지구전후도에 해당한다. ㉡은 조선 전기에 국가 경영 자료 확보 및 조선 왕조의 홍보 목적으로 제작된 지도로 혼일강리역대국도지도에 해당한다. 지구전후도는 중화사상이 반영되어 있지 않고, 혼일강리역대국도지도는 중화사상이 반영되어 있다.

[선택지 분석]

㉠
③ B → 세계 지도, 중화사상 반영되지 않음, 따라서 ㉠에 해당

㉡
C → 세계 지도, 중화사상 반영, 경위선 없음, 따라서 ㉡에 해당

05 프톨레마이오스의 세계 지도와 지구전후도

자료 분석 | (가)는 고대 로마 시대에 제작된 프톨레마이오스의 세계 지도이고, (나)는 조선 후기 실학자들에 의해 제작된 지구전후도이다.

[선택지 분석]

~~ㄱ~~. (가)는 (나)보다 중국이 ~~잘 표현되어 있다~~(잘 표현되어 있지 않다).
➡ 프톨레마이오스의 세계 지도에는 중국이 잘 나타나 있지 않은 반면, 지구전후도에는 중국이 잘 나타나 있다.

ㄴ. (나)는 (가)보다 대륙의 형태가 정확하다.
➡ 조선 후기에 만들어진 지구전후도가 고대 로마 시대에 만들어진 프톨레마이오스의 세계 지도보다 대륙의 형태가 정확하다.

~~ㄷ~~. (가)에 표현된 지역은 대부분 (나)의 ~~'후도'에 나타나 있다~~('전도'에 나타나 있다).
➡ 프톨레마이오스의 세계 지도에는 유럽, 아시아, 아프리카가 나타나 있는데, 이들 대륙은 지구전후도 중 '전도' 부분에 수록되어 있다.

ㄹ. (가), (나) 모두 경선과 위선이 나타난다.
➡ 두 지도 모두 투영법을 바탕으로 만들어졌으므로 경선과 위선이 나타난다.

06 원격 탐사의 이용

자료 분석 | 자료는 아이슬란드 화산 폭발 후 화산재가 편서풍을 타고 유럽 일대로 확산되는 모습을 나타낸 것이다. 화산 폭발이나 태

풍의 이동 등은 인공위성 자료를 통해 파악하고 있다. 이와 같이 인공위성 및 항공기에서 영상을 촬영하여 지리 정보를 수집하는 것을 원격 탐사라고 한다.

[선택지 분석]

㉠ 영국의 월별 강수일수 변화
→ 인공위성 영상으로 관찰 가능, 대기 관측 위성

㉡ 계절 변화에 따른 유럽의 인구 이동
→ 인공위성 영상으로 파악 불가능

㉢ 산성비로 파괴된 삼림의 회복 속도 관찰
→ 인공위성 영상으로 관찰 가능

㉣ 유럽 연합 가입국과 미가입국 간 경제적 격차 파악
→ 인공위성 영상으로 파악 불가능

07 프톨레마이오스의 세계 지도와 메르카토르의 세계 지도

자료 분석 | (가)는 고대 로마 시대에 프톨레마이오스에 의해 제작된 세계 지도이고, (나)는 대항해 시대 이후 메르카토르에 의해 제작된 세계 지도이다.

[선택지 분석]

B

➡ 메르카토르의 세계 지도는 프톨레마이오스의 세계 지도에 비해 제작 시기가 늦고, 지도에 표현된 지표 공간 범위가 넓으며, 직선 항로 파악이 쉽기 때문에 항해 시 유용성이 높다.

08 지리 정보 시스템을 활용하여 국가 찾기

자료 분석 | 지도의 A는 방글라데시, B는 타이, C는 라오스, D는 캄보디아, E는 베트남이다.

[선택지 분석]

E

➡ 지리 정보를 통해 해당 국가를 찾으면 된다. 타이와 라오스 중 인구 밀도가 낮은 국가는 라오스이다. 라오스와 베트남 중 1인당 국내 총생산이 적은 국가는 베트남이다. 베트남과 캄보디아 중 유소년층 인구 비율이 높은 국가는 베트남이다. 베트남과 방글라데시 중 노년층 인구 비율이 낮은 국가는 베트남이다.

09 튀니지의 지리 정보 특색

자료 분석 | 국가별로 기후와 농산물 생산이 다르게 나타나고, 종교와 언어도 다르게 나타난다. 제시된 지리 정보를 토대로 해당 국가를 지도에서 찾을 수 있다.

[선택지 분석]

① A → 모리타니

➡ 지중해성 기후가 나타나지 않는다.

B → 튀니지

➡ 지중해성 기후가 나타나고, 올리브와 대추야자의 생산이 많은 편이다. 아랍어가 공용어이고 프랑스어 사용 가능 인구도 많다.

③ C → 이집트

➡ 프랑스어 사용 가능 인구가 많지 않다.

④ D → 소말리아

➡ 지중해성 기후가 나타나지 않는다.

⑤ E → 나미비아

➡ 지중해성 기후가 나타나지 않고, 아랍어를 사용하지 않는다.

10 문화 지역의 경계 기준

자료 분석 | 지도에서 높은 산지가 경계가 되는 지역, 강이 경계가 되는 지역, 연 강수량의 차이가 경계가 되는 지역을 찾으면 된다.

[선택지 분석]

㉠

B → 히말라야산맥이 경계, 따라서 ㉠에 해당

㉡

C → 리오그란데강이 경계, 따라서 ㉡에 해당

㉢

A → 사막 기후와 스텝 기후가 경계 → 연 강수량 차이 반영, 따라서 ㉢에 해당

11 티오(TO) 지도와 프톨레마이오스의 세계 지도

(1) (가): 티오(TO) 지도, (나): 프톨레마이오스의 세계 지도

(2) [예시 답안] 크리스트교 세계관을 담고 있어 관념적인 성격이 강한 (가) 지도에 비해 (나) 지도는 지구를 구체로 인식하고 경위선의 개념을 이용하여 제작하였기 때문이다.

채점 기준	
상	두 지도의 성격을 잘 서술하고, (나) 지도가 근대 지도 발달에 큰 영향을 준 이유를 바르게 서술한 경우
중	(나) 지도가 근대 지도 발달에 큰 영향을 준 이유만 바르게 서술한 경우
하	(가), (나) 지도의 특성만 서술한 경우

12 세계지리 교과서의 권역 구분

(1) 몬순 아시아

(2) [예시 답안] 유럽과 북부 아메리카는 경제 수준이 높은 지역이므로 하나의 권역으로 구분되었고, 사하라 이남 아프리카와 중·남부 아메리카는 경제 수준이 낮고 식민 지배를 받은 경험이 있는 지역이므로 또 다른 하나의 권역으로 구분되었다.

채점 기준	
상	두 권역의 구분 이유를 모두 바르게 서술한 경우
중	두 권역 중 한 권역만 구분 이유를 바르게 서술한 경우
하	두 권역 중 한 권역만 구분 이유를 서술하였고, 그 내용이 미흡한 경우

Ⅱ »» 세계의 자연환경과 인간 생활

01 열대 기후 환경

콕콕! 개념 확인하기 39쪽

01 (1) 기후 요소 (2) 수륙 분포 (3) 기후 요인 (4) 기후

02 (1) ○ (2) ○ (3) × (4) ○

03 (가): 열대 우림 기후, (나): 사바나 기후, (다): 열대 몬순(계절풍) 기후, (라): 열대 고산 기후

04 (1) 고상 (2) 이동식 화전 농업 (3) 사바나 기후 (4) 벼농사

02 (3) 쾨펜은 식생 분포에 영향을 주는 기온과 강수량을 기준으로 세계의 기후를 구분하였다.

탄탄! 내신 다지기 40~41쪽

01 ① **02** ④ **03** ④ **04** ① **05** ③ **06** ④ **07** ③ **08** ③ **09** ⑤ **10** 해설 참조

01 기후 요소

자료 분석 | 기온, 강수, 바람 등은 기후 요소에 해당하며, 기후 요소 중 기온은 지구의 자전에 의해 일변화가 나타나고, 공전에 의해 연변화가 나타난다.

[선택지 분석]

✓ ㉠ 기후 요소 → 기온, 강수, 바람 등은 기후 요소 ㉡ 기온 → 기온은 자전과 공전에 의해 변화가 나타남

02 위도별 기온과 강수량

자료 분석 | 왼쪽 그래프는 위도별 기온의 일교차와 기온의 연교차를 나타낸 것이다. 기온의 일교차는 습도가 낮은 아열대 고압대 지역에서 가장 크게 나타나고, 기온의 연교차는 고위도로 갈수록 대체로 커진다. 오른쪽 그래프는 위도별 평균 강수량을 나타낸 것이다. A는 적도 수렴대가 북반구에 위치한 6~8월의 강수량을 나타낸 것이고, B는 적도 수렴대가 남반구에 위치한 12~2월의 강수량을 나타낸 것이다.

[선택지 분석]

✗ 극지방은 기온의 연교차와 ~~일교차가 모두 크다~~(일교차는 작은 편이다).

➡ 극지방은 기온의 연교차는 크지만 일교차는 작다.

㉡ A는 6~8월, B는 12~2월의 강수량을 나타낸다.

➡ A는 적도 수렴대가 북반구에 치우치는 6~8월의 강수량을 나타낸 것이고, B는 적도 수렴대가 남반구에 치우치는 12~2월의 강수량을 나타낸 것이다.

✗ 저위도 지역에 비해 고위도 지역의 강수량이 ~~많다~~(적다).

➡ 적도 부근의 저위도 지역에 비해 고위도 지역은 강수량이 적다. 적도 부근에서는 적도 수렴대의 영향으로 대류성 강수가 많이 내린다.

㉣ 대체로 극지방으로 갈수록 일교차보다 연교차가 크게 나타난다.

➡ 그래프를 통해 극지방으로 갈수록 연교차는 대체로 커지지만, 일교차는 극지방에서 작은 것을 알 수 있다. 따라서 극지방으로 갈수록 일교차보다 연교차가 크게 나타난다.

03 한류와 기온 특성

자료 분석 | 지도의 벵겔라 해류는 고위도에서 저위도로 이동하는 한류이고, 모잠비크 해류는 저위도에서 고위도로 이동하는 난류이다. 한류의 영향을 받는 월비스베이는 난류의 영향을 받는 이냠바느보다 월평균 기온이 낮다.

[선택지 분석]

① 벵겔라 해류는 ~~난류~~(한류)이다.

② 모잠비크 해류는 ~~한류~~(난류)이다.

③ 이냠바느는 ~~한류~~(난류)의 영향으로 강수량이 많다.

➡ 난류가 흐르는 이냠바느는 한류가 흐르는 월비스베이보다 강수량이 많다.

✓ 동일한 위도대에서도 기온이 다른 이유는 해류 때문이다.

➡ 난류가 흐르는 해역은 한류가 흐르는 해역보다 상대적으로 온화하다. 이냠바느와 월비스베이의 월평균 기온 그래프를 통해 이를 파악할 수 있다.

⑤ 벵겔라 해류 주변의 기온이 모잠비크 해류 주변의 기온보다 ~~높다~~(낮다).

➡ 난류인 모잠비크 해류 주변이 한류인 벵겔라 해류 주변보다 기온이 높다.

04 무수목 기후

자료 분석 | 쾨펜의 기후 구분에서는 식생에 따라 수목 기후(열대·온대·냉대 기후)와 무수목 기후(건조·한대 기후)로 구분한다.

[선택지 분석]

✓ 스텝 기후, 빙설 기후
→ 무수목 기후, 스텝 기후는 강수량 부족, 빙설 기후는 한랭하기 때문임

② 냉대 습윤 기후, 툰드라 기후
→ 냉대 습윤 기후는 수목 기후이고, 툰드라 기후는 한랭하여 무수목 기후에 속함

③ 사바나 기후, 온난 습윤 기후
→ 두 기후 모두 수목 기후에 속함

④ 냉대 겨울 건조 기후, 사막 기후
→ 냉대 겨울 건조 기후는 수목 기후, 사막 기후는 강수량이 부족하기 때문에 무수목 기후에 속함

⑤ 열대 우림 기후, 서안 해양성 기후
→ 두 기후 모두 수목 기후에 속함

05 쾨펜의 기후 구분

자료 분석 | 쾨펜은 기후를 구분할 때 기온 및 강수량을 기준으로 삼았다. 최한월 평균 기온 18℃를 기준으로 열대 기후와 온대 기후

를 구분하고, 최한월 평균 기온 -3℃를 기준으로 온대 기후와 냉대 기후로 구분된다. 또한 최난월 평균 기온 10℃를 기준으로 냉대 기후와 한대 기후가 구분된다. 연 강수량 500 mm 미만인 지역은 건조 기후 지역에 속한다.

[선택지 분석]

① ㉠ - 기온과 강수량

➡ 쾨펜은 기후를 구분할 때 기온과 강수량을 기준으로 기후를 구분하였다.

② ㉡ - 열대 기후

➡ 최한월 평균 기온이 18℃ 이상이면 열대 기후이다.

③ ㉢ - 3℃ (-3)

➡ 최한월 평균 기온 -3℃를 기준으로 온대 기후와 냉대 기후를 구분한다.

④ ㉣ - 최난월

➡ 최난월 평균 기온 10℃를 기준으로 냉대 기후와 한대 기후를 구분한다.

⑤ ㉤ - 500

➡ 연 강수량 500 mm를 기준으로 습윤 기후와 건조 기후를 구분한다.

06 열대 우림 기후의 분포와 특징

자료 분석 | 지도에 표시된 지역은 적도 가까이 위치한 열대 우림 기후 지역이다. 특히, 콩고강과 아마존강 유역에서 넓게 나타난다.

[선택지 분석]

① 건기와 우기의 구분이 뚜렷하다. → 사바나 기후 등의 특징

② 기온의 연교차가 일교차보다 크다. → 고위도 지역의 특징

③ 강수량보다 증발량이 많은 지역이다. → 건조 기후의 특징

④ 일 년 내내 기온이 높고 강수량이 많다. → 열대 우림 기후의 특징

⑤ 수종이 단일한 키 큰 나무의 숲을 볼 수 있다. → 냉대 기후의 특징

07 열대 우림 기후의 강수 특성

자료 분석 | 그래프를 보면 오후 시간대에 강수가 집중되는데, 이는 열대 우림 기후 지역을 중심으로 나타나는 강수 특성이다. 태양에 의해 지면이 가열되면 기류가 상승하고 그에 따라 대류성 강수가 발생하는데, 이를 스콜이라고 한다.

[선택지 분석]

① 최한월 평균 기온이 18℃ ~~미만~~(이상)이다.

② 연중 봄과 같이 온화한 날씨가 나타난다. → 열대 고산 기후

③ 대류성 강수인 스콜이 거의 매일 내린다. → 열대 우림 기후

④ ~~저위도~~(고위도) 지역보다 ~~고위도~~(저위도) 지역에서 볼 수 있다.

⑤ ~~적도 저압대~~(아열대 고압대)보다 ~~아열대 고압대~~(적도 저압대)의 영향을 많이 받는다.

08 사바나 기후의 특성

자료 분석 | 건기에는 풀이 마르지만, 우기에는 풀이 무성하게 자라 초원을 형성하며, 초원에는 기린, 코끼리, 사자 등의 동물이 서식하는 곳은 사바나 기후 지역이다.

[선택지 분석]

① 사막 기후 → 연 강수량이 부족하여 식생이 잘 자리지 못함

② 빙설 기후 → 기온이 낮아 식생이 잘 자라지 못함

③ 사바나 기후 → 건기와 우기의 교차, 소림과 장초, 야생 동물의 낙원

④ 지중해성 기후 → 잎이 작고 단단한 경엽수림 형성

⑤ 열대 우림 기후 → 키가 크고 작은 나무들이 다층의 숲을 이룸

09 열대 기후 지역 비교

자료 분석 | A는 적도 부근 지역을 중심으로 분포하는 열대 우림 기후 지역이고, B는 열대 우림 기후 주변 지역에 분포하는 사바나 기후 지역이며, C는 계절풍이 부는 지역을 중심으로 분포하는 열대 몬순(계절풍) 기후 지역에 해당한다.

[선택지 분석]

① A에서는 전통적으로 이동식 화전 농업이 이루어진다.

➡ 열대 우림 기후 지역에서는 이동식 화전 농업을 통해 카사바, 얌 등을 재배한다.

② B에서는 사파리 관광 산업이 발달한 곳도 있다.

➡ 사바나 기후 지역에서는 야생 동물을 관찰하는 사파리 관광 산업이 발달한 곳도 있다.

③ C에서는 한 해에 2~3번의 벼농사가 이루어지는 곳도 있다.

➡ 열대 몬순(계절풍) 기후 지역은 건기에 물 확보를 한다면, 한 해에 2~3번의 벼농사가 이루어지는 곳도 있다.

④ B는 A보다 건기와 우기의 구분이 뚜렷하다.

➡ 사바나 기후는 열대 우림 기후보다 건기와 우기의 구분이 뚜렷하다.

⑤ A~C 모두 플랜테이션에 ~~불리하다~~(유리하다).

10 열대 우림 기후 및 열대 몬순(계절풍) 기후 지역의 가옥

(1) 열대 우림 기후와 열대 몬순(계절풍) 기후, 고상 가옥

(2) [예시 답안] 바닥을 지면에서 띄운 형태의 고상 가옥은 지표면에서 전달되는 열기와 습기를 줄이고 해충을 막을 수 있기 때문이다.

채점 기준	
상	고상 가옥이 발달한 이유 두 가지를 정확하게 서술한 경우
중	고상 가옥이 발달한 이유 두 가지를 서술하였으나 한 가지는 내용이 미흡한 경우
하	고상 가옥이 발달한 이유 중 한 가지만 서술한 경우

도전! 실력 올리기

42~43쪽

01 ④ 02 ⑤ 03 ① 04 ① 05 ③ 06 ② 07 ⑤ 08 ②

01 세계의 연평균 기온

자료 분석 | 지도는 세계의 연평균 기온을 나타낸 것이다. 연평균 기온은 적도에서 양극으로 갈수록 대체로 낮아지지만, 수륙 분포, 해류 등의 요소에 의해 지역적으로 차이가 나타난다.

[선택지 분석]

ㄱ. 고위도 지역으로 갈수록 대체로 연평균 기온이 ~~높아진다~~. (낮아진다)

➡ 고위도 지역으로 갈수록 태양의 고도가 낮아지기 때문에 연평균 기온이 낮아진다.

ㄴ. (가) 지역에서 동안보다 서안 지역의 연평균 기온이 높다.

➡ 북반구 중위도 지역은 바다의 영향을 크게 받는 서안 지역이 대륙의 영향을 크게 받는 동안 지역보다 연평균 기온이 높다.

ㄷ. (나)는 같은 위도의 다른 지역에 비해 연평균 기온이 ~~낮다~~. (높다)

➡ (나)는 난류의 영향으로 같은 위도의 다른 지역에 비해 연평균 기온이 높다.

ㄹ. (다) 지역에서 등온선이 휜 것은 한류의 영향 때문이다.

➡ (다) 지역에서 등온선이 저위도 쪽으로 휜 것은 한류인 벵겔라 해류 때문이다.

02 세계 여러 지역의 기후 특성 비교

자료 분석 | A는 서안 해양성 기후가 나타나는 영국 에든버러의 기온을 나타낸 것이고, B는 냉대 습윤 기후가 나타나는 우크라이나 키예프의 기온을 나타낸 것이다. C는 열대 고산 기후가 나타나는 볼리비아 라파스의 기온을 나타낸 것이고, D는 사바나 기후가 나타나는 브라질 브라질리아 기온을 나타낸 것이다.

[선택지 분석]

① A는 ~~한류~~(난류)의 영향을 많이 받는다.

➡ 영국은 북대서양 해류의 영향을 많이 받는데, 북대서양 해류는 난류에 해당한다.

② D는 ~~열대 고산 기후~~(사바나 기후)에 해당한다.

➡ 브라질의 브라질리아는 사바나 기후에 해당한다. 볼리비아의 라파스가 열대 고산 기후에 해당한다.

③ A는 D보다 연평균 기온이 ~~높다~~(낮다).

➡ 영국의 에든버러는 브라질의 브라질리아보다 연평균 기온이 낮다. 에든버러가 브라질리아보다 고위도에 위치하기 때문이다.

④ C는 B보다 기온의 연교차가 ~~크다~~(작다).

➡ 기온의 연교차는 최난월 평균 기온에서 최한월 평균 기온을 뺀 것이다. 따라서 기온의 연교차는 볼리비아의 라파스가 우크라이나의 키예프보다 작다. 라파스가 키예프보다 저위도에 위치하고, 라파스는 열대 고산 지역에 위치하여 연중 봄과 같은 기후가 나타나기 때문이다.

⑤ C, D 간 기온 차이가 나타나는 원인은 해발 고도 때문이다.

➡ 볼리비아의 라파스와 브라질의 브라질리아 간 기온 차이가 나타나는 것은 라파스의 해발 고도가 높기 때문이다.

03 열대 기후 비교

자료 분석 | (가)~(다) 모두 열대 기후가 나타나는 지역이다. 이 중 월평균 기온이 비교적 고르고 월 강수 편차도 작은 (나)는 열대 우림 기후가 나타나는 싱가포르이다. 1월 강수량이 7월 강수량보다 많고, 1월 평균 기온이 7월 평균 기온보다 높은 (가)는 남반구에서 사바나 기후가 나타나는 모잠비크 북동부 지역의 펨바이다. 7월 강수량이 1월 강수량보다 많고, 7월 평균 기온이 1월 평균 기온보다 높은 (다)는 북반구에서 사바나 기후가 나타나는 멕시코의 메리다이다. 지도의 A는 펨바, B는 싱가포르, C는 메리다이다.

[선택지 분석]

ㄱ. (가)는 건기와 우기의 구분이 뚜렷하다.

➡ 월 강수 편차가 큰 펨바는 사바나 기후 지역에 속하기 때문에 건기와 우기의 구분이 뚜렷하게 나타난다.

ㄴ. (나)는 일 년 내내 기온이 높고 강수량이 많다.

➡ 싱가포르는 열대 우림 기후가 나타나기 때문에 일 년 내내 기온이 높고 강수량이 많다.

ㄷ. (다)는 ~~남반구~~(북반구)의 사바나 기후에 해당한다.

➡ (다)는 북반구에 위치한다.

ㄹ. 연 강수량은 ~~A>B>C 순으로 많다~~. (B가 가장 많다)

➡ 세 지역 중 연 강수량은 열대 우림 기후가 나타나는 B가 가장 많다.

04 열대 기후 지역의 식생 비교

자료 분석 | (가)는 소림과 장초의 특성이 나타나는 사바나 기후 지역의 식생 경관을 나타낸 것이고, (나)는 키가 서로 다른 나무들이 다층의 숲을 이루는 열대 우림 기후 또는 열대 몬순(계절풍) 기후 지역의 식생 경관을 나타낸 것이다.

[선택지 분석]

① (가)는 ~~연중 풀이 잘 자란다~~. (건기에는 풀이 잘 자라지 않는다)

➡ 사바나 기후 지역의 경우 우기에는 풀이 잘 자라지만, 건기에는 강수량이 부족하여 풀이 잘 자라지 않는다.

② (가)에는 얼룩말, 누 등이 많이 서식한다.

➡ 소림과 장초가 나타나는 열대 초원(사바나)에서는 얼룩말, 누 등이 많이 서식한다.

③ (나)에서는 전통적으로 이동식 화전 농업이 이루어졌다.

➡ 열대림이 자라는 열대 우림 기후 및 열대 몬순(계절풍) 기후 지역에서는 전통적으로 이동식 화전 농업이 이루어졌다.

④ (가)는 (나)보다 연중 강수량이 적다.

➡ 사바나 기후 기역은 열대 우림 기후 및 열대 몬순(계절풍) 기후 지역보다 연 강수량이 적다.

⑤ (나)는 (가)보다 수목 밀도가 높다.

➡ 열대 우림 기후 및 열대 몬순(계절풍) 기후 지역은 사바나 기후 지역보다 수목 밀도가 높다.

05 적도 수렴대의 이동과 기후

자료 분석 | 왼쪽은 적도 수렴대가 남반구에 치우친 1월이고, 오른쪽은 적도 수렴대가 북반구에 치우친 7월이다. 1월에는 적도 남쪽 지역에 강수량이 많은 반면, 7월에는 적도 북쪽 지역에 강수량이 많다. 남반구의 사바나 기후 지역은 적도 수렴대가 남반구로 이동하는 1월에 우기가 된다. 반면, 적도 수렴대가 북반구로 이동하는 7월에는 아열대 고압대의 영향을 받아 건기가 된다.

[선택지 분석]

ㄱ. ~~1월 북위 30° 부근에서는 이동식 화전 농업이 활발하다.~~ (유목 또는 오아시스 농업)

➡ 북위 30° 부근에서는 사막 기후가 나타나므로, 오아시스 농업이 이루어진다.

ㄴ. 7월 킨샤사는 건기로, ~~계절풍의 영향을 받아 벼농사에 유리하다.~~ (계절풍의 영향을 받지 않으며 벼농사에 불리)

➡ 킨샤사는 사바나 기후가 나타나는 지역으로 벼농사에 불리하다.

ㄷ. 1월 다르에스살람 일대는 풀이 무성하게 자라 초식 동물이 서식하기에 좋다.

➡ 남반구에 위치한 다르에스살람은 사바나 기후가 나타나는 지역으로, 우기인 1월에 풀이 무성하게 자라 초식 동물이 서식하기에 좋다.

ㄹ. 두알라 지역에서는 일 년 내내 짧은 시간에 집중적으로 쏟아지는 스콜이 내린다.

➡ 두알라는 열대 우림 기후 지역으로 일 년 내내 스콜이 내린다.

06 이동식 화전 농업

자료 분석 | 지도에 표시된 지역에서는 (가)와 같이 경작지를 일정 기간을 두고 이동하면서 작물을 재배하는 이동식 화전 농업이 이루어진다.

[선택지 분석]

① 1년에 벼의 2~3기작이 이루어진다.

➡ 벼농사가 잘 이루어지지 않는다.

② 얌, 카사바, 타로 등을 주로 재배한다.

➡ 이동식 화전 농업으로 얌, 카사바, 타로 등을 주로 재배한다.

③ 단일 작물을 대규모로 재배하는 방식이다.

➡ 카사바, 얌, 타로 등을 재배하므로 단일 작물을 대규모로 재배하는 플랜테이션이 행해진다고 볼 수 없다.

④ 건기와 우기가 뚜렷한 지역에서 주로 이루어진다.

➡ 지도에 표시된 지역은 열대 우림 기후 지역과 열대 몬순(계절풍) 기후 지역이 포함되어 있다.

⑤ ~~커피, 카카오 등 상품 작물~~을 재배하는 농업 형태이다. (얌, 카사바 등의 식량 작물)

➡ 상품 작물보다는 카사바 등의 식량 작물을 주로 재배한다.

07 열대 우림 기후 지역의 주민 생활

자료 분석 | 왼쪽 그림은 열대 우림 기후 지역의 천연고무 농장에서 고무 수액을 채취하는 모습을 나타낸 것이다. 이 지역의 전통 가옥은 열대 고상 가옥이다.

[선택지 분석]

① 지붕의 경사가 ~~완만하다~~. (급하다)

➡ 많은 강수에 대비하여 지붕의 경사를 급하게 한다.

② 가옥 재료는 ~~주로 진흙~~을 많이 사용한다. (나무와 풀)

➡ 열대 우림 기후 지역에서는 가옥 재료로 주변에서 쉽게 구할 수 있는 나무와 풀을 사용한다.

③ 가옥과 가옥 사이가 ~~좁아 그늘이 만들어진다~~. (넓다)

➡ 가옥과 가옥 사이가 좁은 곳은 사막 기후 지역이다.

④ 강한 햇빛을 반사시키기 위해 지붕과 벽의 색깔을 흰색으로 칠한다. → 열대 고상 가옥과 무관

➡ 강한 햇빛을 반사시키기 위해 지붕과 벽의 색깔을 흰색으로 칠하는 곳은 지중해성 기후 지역이다.

⑤ 습기를 차단하고 해충을 막기 위해 가옥의 바닥이 지면으로부터 떨어져 있다.

➡ 열대 우림 기후 지역은 습기를 차단하고 해충을 막기 위해 가옥의 바닥이 지면으로부터 떨어져 있는 고상 가옥이 발달하였다.

08 열대 기후 지역의 특징

자료 분석 | (가)는 사바나 기후 지역, (나)는 열대 우림 기후 지역, (다)는 열대 몬순(계절풍) 기후 지역의 기후 그래프이다.

[선택지 분석]

ㄱ. (가)에서는 소림과 장초의 경관이 나타난다.

➡ 사바나 기후 지역에서는 소림과 장초의 경관이 나타난다.

ㄴ. (나)에서는 계절에 따라 풀을 찾아 가축을 이동하는 유목민들의 모습을 볼 수 있다. → 스텝 기후나 사바나 기후 지역에 해당

➡ 열대 우림 기후 지역은 연중 강수량이 많기 때문에 물과 풀을 찾아 이동하는 유목이 행해지지 않는다.

ㄷ. (다)에서는 1년에 2~3번의 벼농사가 이루어진다.

➡ 열대 몬순(계절풍) 기후 지역에서는 1년에 두 세 차례씩 벼농사를 할 수 있다.

ㄹ. (가)~(다) 모든 지역에서 올리브를 활용한 음식을 주로 먹는다. → 지중해성 기후 지역에 해당

➡ 올리브는 지중해성 기후 지역에서 주로 생산된다.

02 온대 기후 환경

콕콕! 개념 확인하기 48쪽

01 (1) −3 (2) 서안 해양성 (3) 온대 겨울 건조 (4) 계절풍 (5) 지중해성

02 (가): 서안 해양성 기후, (나): 지중해성 기후, (다): 온대 겨울 건조 기후, (라): 온난 습윤 기후

03 (1) × (2) ○ (3) ○ (4) ○

04 (1) 벼농사 (2) 서안 해양성 기후 (3) 혼합 농업

03 (1) 지중해성 기후 지역의 전통 가옥은 벽이 두껍고 창문이 작으며, 가옥과 가옥 사이가 좁은 편이다.

탄탄! 내신 다지기 49~50쪽

01 ④ **02** ② **03** ③ **04** ① **05** ④ **06** ④ **07** ⑤ **08** ② **09** ④ **10** 해설 참조

01 온대 기후의 분포

자료 분석 | 지도는 온대 기후의 분포를 나타낸 것이다. 남극 대륙을 제외한 모든 대륙에 분포하지만, 특히 전체 면적 대비 유럽 지역의 분포 비율이 높다.

[선택지 분석]

① 열대 기후 → 적도 가까이에 위치함

② 건조 기후 → 아프리카와 오세아니아에서 차지하는 면적이 넓은 편임

③ 냉대 기후 → 남반구에서는 거의 나타나지 않음

✔④ 온대 기후 → 유럽에서 차지하는 면적이 넓은 편임

⑤ 한대 기후 → 남극 대륙과 북극해 연안에 주로 분포함

02 온대 기후의 특징

자료 분석 | 지도는 온대 기후 지역의 분포를 나타낸 것이다.

[선택지 분석]

ㄱ 계절의 변화가 뚜렷한 편이다.

➡ 온대 기후는 주로 중위도 지역에서 나타나며, 태양 회귀에 따른 계절 변화가 뚜렷한 편이다.

✕ㄴ 기온의 연교차보다 일교차가 ~~크다~~ 작다.

➡ 온대 기후 지역은 주로 중위도에 분포하여 기온의 연교차보다 일교차가 작다.

ㄷ 기후가 온화하여 인간 거주에 유리하다.

➡ 온대 기후 지역은 온화한 기후가 나타나 인간 거주에 유리하다.

✕ㄹ 기온이 높고 강수량이 많아 플랜테이션이 활발하다. → 열대 기후 지역의 특징임

➡ 온대 기후 지역은 기후가 온화하다. 기온이 높고 강수량이 많은 곳은 열대 우림 기후 또는 열대 몬순(계절풍) 기후 지역이다.

03 대륙 서안 기후와 대륙 동안 기후

자료 분석 | A는 유라시아 대륙의 서쪽에 위치한 영국의 런던이고, B는 유라시아 대륙의 동쪽에 위치한 중국의 칭다오이다. 런던에서는 서안 해양성 기후가 나타나고, 칭다오에서는 온대 겨울 건조 기후가 나타난다.

[선택지 분석]

① A는 B보다 기온의 연교차가 ~~크다~~ 작다.

➡ 런던은 칭다오보다 기온의 연교차가 작은데, 이는 런던이 연중 편서풍의 영향을 받기 때문이다.

② A는 B보다 계절풍의 영향을 ~~크게~~ 작게 받는다.

➡ 런던은 계절풍의 영향을 거의 받지 않는 반면, 칭다오는 계절풍의 영향을 크게 받는다.

✔③ B는 A보다 여름 강수 집중률이 높다.

➡ 계절풍의 영향을 크게 받는 칭다오가 런던보다 여름 강수 집중률이 높다.

④ B는 A보다 7월 낮 시간의 길이가 ~~길다~~ 짧다.

➡ 저위도에 위치한 칭다오는 고위도에 위치한 런던보다 7월 낮 시간의 길이가 짧다.

⑤ ~~A와~~ B 모두 벼농사가 활발히 이루어진다. → B에서만

➡ 런던 주변에서는 주로 낙농업과 혼합 농업이 이루어지고, 칭다오에서는 벼농사와 밀 농사 등이 함께 이루어진다.

04 서안 해양성 기후의 특색

자료 분석 | (가)는 편서풍의 영향으로 연중 온난 습윤한 서안 해양성 기후 지역이고, (나)는 여름에는 아열대 고압대의 영향으로 고온 건조하고, 겨울에는 편서풍과 전선대의 영향으로 온난 습윤한 지중해성 기후 지역이다. (다)는 대륙의 동안을 중심으로 분포하여 계절풍의 영향을 받지만 겨울에도 강수가 많은 편인 온난 습윤 기후 지역이고, (라)는 대륙 동안을 중심으로 분포하여 계절풍의 영향을 받으며 겨울에 강수가 적은 온대 겨울 건조 기후 지역이다.

[선택지 분석]

✔① → 서안 해양성 기후

② → 온대 겨울 건조 기후

③ → 지중해성 기후

④ → 열대 우림 기후

⑤ → 사막 기후

05 지중해성 기후의 특색

자료 분석 | (나)는 지중해성 기후 지역이다.

[선택지 분석]

✕ㄱ ~~낙엽 활엽수~~ 경엽수가 주로 자란다.

➡ 지중해성 기후 지역은 여름에 고온 건조하여 잎이 작고 단단한 경엽수가 주로 자란다.

ㄴ (가)에 비해 여름철이 덥고 건조하다.

➡ 지중해성 기후는 서안 해양성 기후에 비해 여름철이 덥고 건조하다.

✕ㄷ ~~계절풍~~ 편서풍과 전선대의 영향을 받아 겨울에는 ~~한랭 건조~~ 온난 습윤하다.

➡ 지중해성 기후는 편서풍과 전선대의 영향으로 겨울철에 온난 습윤하다.

ㄹ 여름철에는 아열대 고압대의 영향을 많이 받는다.

➡ 지중해성 기후는 여름철에 아열대 고압대의 영향을 많이 받아 기온이 높고 건조하다.

06 대륙 동안 기후의 특색

자료 분석 | (다)는 온난 습윤 기후, (라)는 온대 겨울 건조 기후 지역이다. 이들 지역은 여름 강수량이 겨울 강수량보다 많다.

[선택지 분석]

① 기온의 일교차보다 연교차가 ~~작다~~ 크다.

➡ 온대 기후 지역은 기온의 일교차보다 연교차가 대체로 크다.

② 겨울은 ~~따뜻하고 비가 많이 내린다~~.
위도 및 바다와의 거리에 따라 겨울에 추운 지역이 많으며, 비가 적게 내리는 곳도 많음

➡ 온대 겨울 건조 기후가 나타나는 지역은 겨울에 비가 적게 내리며, 일부 지역은 겨울에 몹시 춥다.

③ 최한월 평균 기온이 −3℃ ~~미만~~ 이상이다.

➡ 온대 기후 지역은 최한월 평균 기온이 −3℃ 이상~18℃ 미만이다.

✔④ 여름 강수량이 겨울 강수량보다 많다.

➡ 온난 습윤 기후와 온대 겨울 건조 기후는 계절풍의 영향으로 여름 강수량이 겨울 강수량보다 대체로 많다.

⑤ 편서풍과 난류의 영향을 ~~많이~~ 적게 받는다.

➡ 편서풍과 난류의 영향을 많이 받는 곳은 대륙 서안 지역이다.

07 서안 해양성 기후 지역의 농업

자료 분석 | 기후 그래프를 분석해 볼 때 최한월 평균 기온은 -3℃ 이상~18℃ 미만이고, 최난월 평균 기온은 22℃ 미만이며, 연 강수량이 고른 것으로 보아 서안 해양성 기후이다.

[선택지 분석]

① 커피, 카카오 등을 대규모로 재배하는 플랜테이션이 발달한다. → 열대 기후

② 연 강수량이 많고 기온이 높아 1년에 2번 이상의 벼농사가 이루어진다. → 열대 몬순(계절풍) 기후, 온대 기후의 일부

③ 숲에 불을 질러 만든 밭에서 얌, 타로, 카사바 등의 작물을 주로 재배한다. → 열대 기후 지역의 이동식 화전 농업

④ 고온 건조한 여름에도 자랄 수 있는 코르크참나무, 올리브, 오렌지 등을 주로 재배한다. → 지중해성 기후 지역의 수목 농업

⑤ 밀과 보리 등의 곡물을 재배하면서 목초지를 따로 조성하여 가축을 함께 기르는 농업이 발달한다. → 서안 해양성 기후 지역의 혼합 농업

08 서안 해양성 기후 지역의 주민 생활

[선택지 분석]

ㄱ. 하천 수운이 활발히 이용된다.
➡ 연중 비가 고르게 내려 하천 수운 이용이 활발하다.

ㄴ. ~~온돌을 이용한 난방 시설~~이 발달했다. (온돌은 우리나라 등 일부 지역에 발달)
➡ 온돌은 우리나라에서 주로 이용한다. 서안 해양성 기후 지역은 바닥 난방이 아닌 벽 난방을 주로 한다.

ㄷ. 해가 비치고 따뜻할 때 일광욕을 즐기는 주민이 많다.
➡ 서안 해양성 기후 지역은 일사량이 부족하여 주민들은 해가 비치는 날에 일광욕을 많이 즐긴다.

ㄹ. 식사를 할 때 ~~숟가락과 젓가락~~을 사용하는 경우가 많다. (포크와 나이프)
➡ 서안 해양성 기후 지역은 혼합 농업이 이루어져 고기 소비량이 많기 때문에, 식사를 할 때 포크와 나이프를 주로 사용한다.

09 온대 기후 지역의 주민 생활 모습

자료 분석 | A는 편서풍의 영향으로 연중 온난 습윤한 서안 해양성 기후 지역이고, B는 여름에 아열대 고압대의 영향으로 고온 건조하고, 겨울에 편서풍과 전선대의 영향으로 온난 습윤한 지중해성 기후 지역이며, C는 대륙의 동안에 위치한 온난 습윤 기후와 온대 겨울 건조 기후 지역을 하나로 합쳐서 나타낸 것이다.

[선택지 분석]

① A 지역은 ~~쌀을 중심으로 한~~ 음식 문화가 발달하였다. (밀로 만든 빵과 육류)
➡ 서안 해양성 기후 지역에서는 혼합 농업이 발달하여 빵과 고기 중심의 음식 문화가 발달하였다.

② B 지역에서는 여름철 집안의 습기를 제거하기 위해 벽난로를 설치하는 경우가 많다.
➡ 지중해성 기후 지역은 여름에 고온 건조하므로 습도가 매우 낮다.

③ C 지역은 전통적으로 올리브나 토마토 등을 사용한 파스타를 즐겨 먹는 경우가 많다.
➡ 온난 습윤 기후와 온대 겨울 건조 기후 지역에서는 쌀로 지은 밥을 먹는 지역이 많다. 파스타는 이탈리아의 전통 요리이다.

④ C는 A보다 벼의 재배 면적이 넓다.
➡ 서안 해양성 기후 지역보다 여름에 기온이 높고 강수량이 풍부한 온난 습윤 기후와 온대 겨울 건조 기후 지역에서 벼농사를 많이 짓는다.

⑤ A~C 지역 모두 전통적으로 지하 관개 수로를 활용한 농업이 ~~발달하였다~~. (발달하지 않음)
➡ 지하 관개 수로는 건조 기후 지역에서 주로 이용한다.

10 지중해성 기후와 주민 생활

(1) 지중해성 기후

(2) [예시 답안] 지중해성 기후 지역은 여름철 아열대 고압대의 영향으로 고온 건조하기 때문에 여름철 뜨거운 햇빛을 반사시키려고 가옥을 흰색으로 칠하는 경우가 많다.

채점 기준	
상	여름철 기후 특색과 가옥의 특색을 서로 연결지어 정확하게 서술한 경우
중	가옥의 특색은 잘 서술하였으나 여름철 기후 특색과 연결지어 서술하지 못한 경우
하	여름철 기후 특색만 서술한 경우

도전! 실력 올리기

51쪽

01 ② **02** ⑤ **03** ① **04** ⑤

01 온대 기후의 특성 비교

자료 분석 | B와 C는 7월 평균 기온이 1월 평균 기온보다 높으므로 북반구에 위치하고, A는 1월 평균 기온이 7월 평균 기온보다 높으므로 남반구에 위치한다. A는 여름 강수량이 적고 겨울 강수량이 많으므로 지중해성 기후 지역에 해당한다. B는 여름과 겨울의 강수량이 비슷하므로 서안 해양성 기후 지역에 해당하고, C는 여름 강수량이 겨울 강수량보다 월등히 많으므로 온대 겨울 건조 기후 지역에 해당한다.

[선택지 분석]

ㄱ. A는 여름보다 겨울에 강수량이 많다.
➡ 지중해성 기후 지역은 여름보다 겨울에 강수량이 많다. A는 남반구에 위치하므로 그래프의 1월이 여름이고 7월이 겨울이다.

ㄴ. B는 연중 강수량이 고르지만 ~~겨울에 매우 춥다~~. (겨울에 온화한 편이다)
➡ 서안 해양성 기후 지역은 겨울에 온화한 편이다.

ㄷ. A는 남반구의 지중해성 기후 지역, C는 북반구의 온대 겨울 건조 기후 지역이다.
➡ A는 남반구에 위치한 지중해성 기후 지역이고, C는 북반구에 위치한 온대 겨울 건조 기후 지역이다.

ㄹ. C에서는 ~~혼합 농업~~(벼농사), B에서는 ~~수목 농업~~(혼합 농업)이 주로 이루어진다.
➡ 온대 겨울 건조 기후 지역에서는 벼농사가 주로 이루어지고, 서안 해양성 기후 지역에서는 혼합 농업이 주로 이루어진다.

02 대륙 서안 기후와 대륙 동안 기후

자료 분석 | A는 에스파냐 남부에 위치한 지역으로 지중해성 기후가 나타나는 곳이고, B는 프랑스 파리로 서안 해양성 기후가 나타나는 곳이다. C는 중국의 상하이로 온난 습윤 기후가 나타나는 곳이고, D는 중국의 청두로 온대 겨울 건조 기후가 나타나는 곳이다.

[선택지 분석]

① A에서는 ~~커피, 카카오 등의 작물~~(올리브, 포도 등) 재배가 많이 이루어진다.

➡ 지중해성 기후 지역에서는 올리브, 포도 등을 많이 재배한다.

② B는 ~~아열대 고압대~~(편서풍)의 영향으로 연중 강수량이 고르다.

➡ 파리는 편서풍의 영향으로 연중 강수량이 고르다.

③ C는 최한월 평균 기온이 −3℃ ~~미만~~(이상)이다.

➡ 온대 기후 지역은 최한월 평균 기온이 −3℃ 이상~18℃ 미만이다.

④ A는 B보다 여름철 강수량이 ~~많다~~(적다).

➡ 지중해성 기후 지역은 서안 해양성 기후 지역보다 여름철 강수량이 적다.

⑤ C, D는 A, B보다 계절풍의 영향을 많이 받는다.

➡ 대륙 동안에 위치한 C와 D는 대륙 서안에 위치한 A와 B보다 계절풍의 영향을 많이 받는다.

03 서안 해양성 기후의 특징

자료 분석 | 글 자료에 나타난 '템스 강변, 그리니치 공원, 해저 터널을 통해 프랑스로' 등의 내용을 통해 영국임을 알 수 있다. 영국은 유라시아 대륙 서안에 위치한 섬나라로 서안 해양성 기후가 나타난다.

[선택지 분석]

㉠ ㉠ - 해양에서 불어오는 편서풍이 주요 요인이다.

➡ 북반구의 여름철에 영국이 우리나라보다 서늘한 것은 상대적으로 고위도에 위치할 뿐만 아니라 해양에서 편서풍이 불어오기 때문이다. 영국은 연중 편서풍의 영향을 받는 반면, 우리나라는 겨울에는 대륙에서 불어오는 북서 계절풍, 여름에는 해양에서 불어오는 남서·남동 계절풍의 영향을 받는다.

㉡ ㉡ - 우리나라보다 고위도에 위치하기 때문이다.

➡ 북반구가 여름일 때 낮의 길이는 남극에서 북극으로 갈수록 길어지고, 북반구가 겨울일 때 낮의 길이는 북극에서 남극으로 갈수록 길어진다. 따라서 북반구가 여름일 때 영국은 우리나라보다 낮의 길이가 길다.

✗ ㉢ - ~~대륙~~(해양)의 영향을 받기 때문이다.

➡ 영국에서 안개 낀 날과 흐린 날이 많은 것은 해양의 영향을 많이 받기 때문이다.

✗ ㉣ - ~~위도~~(경도)의 기준이 되는 본초 자오선이 지난다.

➡ '이 나라'는 영국이다. 본초 자오선은 영국의 옛 그리니치 천문대를 지나는 자오선으로, 경도의 기준선이다.

04 지중해성 기후와 사바나 기후

자료 분석 | (가)는 포도와 경엽수가 자라는 지중해성 기후 지역의 식생을 나타낸 것이고, (나)는 우산 모양을 한 나무들이 드문드문 자라고, 그 사이에 긴 풀이 자라는 사바나 기후 지역의 식생을 나타낸 것이다. 기린을 통해서 (나)가 사바나 기후의 경관임을 더 잘 알 수 있다.

[선택지 분석]

① (가)는 (나)보다 ~~저위도~~(고위도)에 위치한다.

➡ 지중해성 기후는 사바나 기후보다 대체로 고위도에 위치한다.

② (가)는 (나)보다 최한월 평균 기온이 ~~높다~~(낮다).

➡ 지중해성 기후는 사바나 기후보다 최한월 평균 기온이 낮다.

③ (나)는 (가)보다 기온의 연교차가 ~~크다~~(작다).

➡ 사바나 기후는 지중해성 기후보다 기온의 연교차가 작다.

④ (나)는 (가)보다 1월과 7월의 낮 시간 길이 차가 ~~크다~~(작다).

➡ 사바나 기후는 지중해성 기후보다 1월과 7월의 낮 시간 길이 차가 작은데, 이는 저위도에 위치하기 때문이다.

⑤ (가), (나) 모두 아열대 고압대의 영향을 받는다.

➡ 지중해성 기후는 여름에, 사바나 기후는 건기에 아열대 고압대의 영향을 받는다.

03 건조 및 냉·한대 기후 환경과 지형

콕콕! 개념 확인하기 57쪽

01 (1) 건조 기후 (2) 한류 (3) 흑토
02 (1) ○ (2) × (3) ○ (4) ×
03 A: 냉대 겨울 건조 기후, B: 냉대 습윤 기후, C: 툰드라 기후, D: 빙설 기후
04 (1) 침식 (2) 상승 (3) 드럼린 (4) 고상 가옥

02 (2) 건조 기후 지역은 강수량이 적고 기온의 일교차가 커서 화학적 풍화 작용보다 물리적 풍화 작용이 활발하다.

(4) 골짜기 입구에 유수로 인해 형성된 부채 모양의 지형은 선상지이다.

탄탄! 내신 다지기 58~59쪽

01 ⑤ **02** ③ **03** ③ **04** ⑤ **05** ③ **06** ③ **07** ⑤
08 ① **09** ② **10** 해설 참조

01 사막 기후와 스텝 기후

자료 분석 | 지도의 A는 사막 기후, B는 스텝 기후이다. 사막 기후는 남·북회귀선 부근 및 대륙 내부에 잘 형성되고, 스텝 기후는 사막 기후 주변 지역에 잘 형성된다.

[선택지 분석]

① A는 증발량에 비해 강수량이 ~~많다~~.
적다

② A는 ~~다양한 높이의 나무들이 자라고 있다~~.
나무가 자라지 않는다

③ B는 ~~대규모 침엽수림~~이 분포한다.
짧은 풀로 이루어진 초원

④ B는 ~~기온이 높고 월 강수량이 100mm 이상~~이다.
연 강수량이 250~500mm 미만

⑤ A는 B보다 연 강수량이 적고 건조하다.

➡ 사막 기후는 스텝 기후보다 연 강수량이 적고 건조하다.

02 사막 기후의 분포

자료 분석 | 그래프는 연 강수량이 매우 적은 사막 기후를 나타낸 것이다.

[선택지 분석]

① ~~적도 부근~~
열대 우림 기후가 주로 나타남

② ~~남극 일대~~
빙설 기후가 나타남

③ 남·북회귀선 부근 → 사막 기후가 잘 나타남

④ ~~난류가 흐르는 지역~~
한류가 흐르는 연안 지역이 수증기 상승이 억제되어 강수량이 적음

⑤ ~~대양에 위치한 작은 섬 지역~~
대양에 위치한 작은 섬 지역은 사막 기후가 잘 형성되지 않음

03 사막 기후 지역의 특징

자료 분석 | 최난월 평균 기온이 10℃보다 높고 연 강수량이 250mm가 되지 않는 지역에서는 사막 기후가 나타난다.

[선택지 분석]

① ㉠에는 '사막'이 들어갈 수 있다.

➡ 연 강수량이 250mm 미만이면 사막 기후이다.

② 식생이 거의 자라지 못한다.

➡ 사막 기후 지역은 매우 건조하여 식생이 자라기 어렵다.

③ 흑토 지대가 넓게 분포한다. → 스텝 기후 지역의 토양

➡ 스텝 기후 지역의 토양은 강수에 의한 유기물의 손실이 적어 비옥하고 검은색을 띤 흑토가 분포한다.

④ 대부분 자갈, 암석, 모래 등으로 이루어져 있다.

➡ 사막 지역에서는 모래·자갈·암석 사막 등이 나타난다.

⑤ 아열대 고압대 지역, 대륙 내부 지역 등에 주로 나타난다.

➡ 사막 기후는 남회귀선 및 북회귀선 부근의 아열대 고압대 지역, 한류가 흐르는 대륙 서안, 대륙 내부, 탁월풍의 비그늘 지역에 주로 분포한다.

04 건조 기후 지역의 지형 특색

자료 분석 | 사진은 건조 기후 지역에서 잘 발달하는 버섯바위를 나타낸 것이다. 버섯바위는 건조 기후 지역에서 바람에 날린 모래가 바위의 아랫부분을 침식하여 형성된 지형이다.

[선택지 분석]

✕ 토양의 동결과 융해가 반복된다. → 툰드라 기후 지역

➡ 건조 기후 지역은 대륙 내부에 위치한 일부 사막을 제외하면 땅이 잘 얼지 않는다.

✕ 연 강수량이 500mm ~~이상~~인 지역이다.
미만

➡ 건조 기후 지역은 연 강수량이 500mm 미만이다.

㉢ 바람에 의한 침식과 퇴적 작용이 활발하다.

➡ 건조 기후 지역은 식생이 잘 발달하지 않아 바람에 의한 침식 및 퇴적 작용이 활발하다.

㉣ 화학적 풍화 작용보다 물리적 풍화 작용이 활발하다.

➡ 건조 기후 지역은 강수량이 적고 기온의 일교차가 크기 때문에 화학적 풍화 작용보다 물리적 풍화 작용이 활발하다.

05 다양한 건조 기후 지역의 지형

자료 분석 | 그림에는 건조 분지에 퇴적층이 두껍게 쌓여 이루어진 평평한 땅인 플라야, 비가 내릴 때에만 일시적으로 물이 흐르는 와디, 바람의 침식 작용으로 형성된 삼릉석, 유수의 퇴적 작용으로 형성된 선상지, 선상지가 연결되어 발달한 바하다가 나타나 있다.

[선택지 분석]

✕ 플라야호는 관개용 저수지로 ~~이용된다~~.
이용되지 못한다

➡ 플라야에 물이 고여 형성되는 플라야호는 염호이므로 관개용 저수지로 이용되지 못한다.

㉡ 와디는 비가 올 때만 일시적으로 물이 흐르는 하천이다.

➡ 와디는 비가 올 때만 일시적으로 물이 흐르는 하천으로, 평상시에는 물이 흐르지 않기 때문에 교통로 등으로 이용된다.

㉢ 바하다는 여러 개의 선상지가 연결되어 형성된 지형이다.

➡ 골짜기 입구에 유수에 의해 운반된 물질이 쌓이면 선상지가 되고, 여러 개의 선상지가 연속적으로 분포하면 바하다(복합 선상지)를 이룬다.

✕ ~~삼릉석~~은 바람에 모래가 제거된 후 자갈만 남게 된 지형이다.
사막 포도

➡ 삼릉석은 바람에 날린 모래의 침식으로 여러 개의 평평한 면과 모서리가 생긴 암석이다.

06 툰드라 기후와 빙설 기후 비교

자료 분석 | (가) 기후 그래프는 최난월 평균 기온이 0℃ 이상~10℃ 미만인 툰드라 기후 지역에 해당하고, (나) 기후 그래프는 최난월 평균 기온이 0℃ 미만인 빙설 기후 지역에 해당한다.

[선택지 분석]

① (가)는 ~~저위도~~ 지역에서 주로 나타난다.
고위도

➡ 한대 기후에 속하는 툰드라 기후와 빙설 기후는 고위도 지역에서 주로 나타난다.

② (나)는 ~~북반구~~에 위치한다.
남반구

➡ (나)는 1월 평균 기온이 7월 평균 기온보다 높으므로 남반구에 위치한다.

③ (가)는 (나)보다 토양의 동결과 융해가 잘 이루어진다.

➡ 툰드라 기후는 토양의 동결과 융해가 잘 이루어지는 반면, 빙설 기후는 연중 눈과 얼음으로 덮여 있다.

④ (나)는 (가)보다 최난월 평균 기온이 ~~높다~~.
낮다

➡ 툰드라 기후는 최난월 평균 기온이 0℃ 이상~10℃ 미만인 반면, 빙설 기후는 최난월 평균 기온이 0℃ 미만이다.

⑤ (가)는 ~~빙설~~ 기후, (나)는 ~~툰드라~~ 기후이다.
툰드라 빙설

➡ (가)는 툰드라 기후이고, (나)는 빙설 기후이다.

07 냉대 기후와 한대 기후

자료 분석 | 지도의 A는 냉대 겨울 건조 기후, B는 냉대 습윤 기후, C는 툰드라 기후, D는 빙설 기후에 속한다.

[선택지 분석]

① C는 북반구보다 남반구에서의 분포 범위가 ~~넓다~~. 좁다

➡ 툰드라 기후(C)는 북극해 연안에서 주로 나타난다.

② ~~D~~는 짧은 여름철에 이끼류가 자란다. C

➡ D는 빙설 기후이다. 짧은 여름철에 이끼류가 자라는 기후는 툰드라 기후이다.

③ A는 B보다 겨울 강수 집중률이 ~~높다~~. 낮다

➡ 냉대 겨울 건조 기후(A)는 냉대 습윤 기후(B)보다 겨울 강수 집중률이 낮다. 겨울에 대륙의 영향을 크게 받기 때문이다.

④ A와 B는 최난월 평균 기온이 10℃ ~~미만~~이다. 이상

➡ 냉대 기후는 최난월 평균 기온이 10℃ 이상이다.

⑤ C는 D보다 눈이나 얼음으로 덮여 있는 비율이 낮다.

➡ 툰드라 기후(C)는 여름에 땅이 녹지만, 빙설 기후(D)는 연중 얼음으로 덮여 있다.

08 툰드라 기후 지역의 주민 생활

[선택지 분석]

① 순록 유목이나 수렵 및 어업 활동을 한다.

➡ 툰드라 기후 지역의 주민들은 전통적으로 순록을 유목하거나 수렵 및 어업 활동을 한다.

② ~~침엽수림을 활용한 펄프 공업~~이 발달하였다. 침엽수림이 자라지 않음

➡ 침엽수림이 형성되어 있는 곳은 냉대 기후 지역이다.

③ ~~지하 수로를 활용한 관개 농업~~이 이루어진다. 농업 활동이 거의 이루어지지 않음

➡ 지하 수로를 활용한 관개 농업은 건조 기후 지역에서 나타나는데, 주로 중앙아시아, 서남아시아, 북부 아프리카 일부 지역에서 이루어진다.

④ ~~오아시스를 중심으로 밀, 대추야자 등을 재배~~한다. 농업 활동이 거의 이루어지지 않음

➡ 오아시스를 중심으로 밀, 대추야자 등을 재배하는 곳은 사막 기후 지역이다.

⑤ 전통적으로 개방적인 구조의 고상 가옥을 짓는다.

➡ 열대 우림 기후 및 열대 몬순(계절풍) 기후 지역에서는 나무와 풀로 개방적인 구조의 고상 가옥을 짓는다.

09 다양한 빙하 지형

자료 분석 | 첫 번째 그림은 드럼린, 두 번째 그림은 호른, 세 번째 그림은 피오르, 네 번째 그림은 권곡을 나타낸 것이다.

[선택지 분석]

ㄱ. 드럼린 – 빙하의 운반 물질이 숟가락을 엎어 놓은 모양으로 퇴적된 지형

➡ 드럼린은 빙하에 의해 형성된 지형으로, 숟가락을 엎어 놓은 것과 비슷한 모양의 언덕을 이룬다.

ㄴ. 모레인 – 빙하의 침식을 받아 형성된 뾰족한 봉우리 호른

➡ 모레인은 빙하에 의해 운반된 모래와 자갈 등의 퇴적물이 빙하의 말단부나 측면에 퇴적된 지형이다.

ㄷ. 피오르 – 해수면 상승으로 빙식곡이 침수된 해안

➡ 빙하의 침식으로 형성된 U자곡에 바닷물이 들어와 형성된 좁고 긴 형태의 만을 피오르라고 한다. 노르웨이 등지에서 잘 관찰할 수 있다.

ㄹ. 호른 – 빙하의 침식을 받아 반원 모양으로 움푹 파인 와지 권곡

➡ 호른은 빙하의 침식으로 형성된 산 정상부의 뾰족한 봉우리이다. 알프스 산지의 마터호른이 대표적이다.

10 툰드라 기후 지역의 고상 가옥

(1) 툰드라 기후

(2) [예시 답안] 여름철 기온 상승과 가옥의 난방열로 인해 토양층이 녹으면서 집이 무너지는 것을 막기 위해 지면으로부터 일정한 높이로 띄워 짓는 고상 가옥이 발달하였다.

채점 기준	
상	가옥의 특성을 지역의 지리적 특성과 연관 지어 정확하게 서술한 경우
중	토양층이 녹는 이유만 서술한 경우
하	가옥의 특성을 잘 파악하지 못하고 기후 특징만 서술한 경우

도전! 실력 올리기 60~61쪽

01 ③ 02 ⑤ 03 ④ 04 ④ 05 ③ 06 ⑤ 07 ①
08 ④

01 사막의 형성 원인과 분포

자료 분석 | 아열대 고압대는 남·북회귀선 부근에 형성되는데, 이 지역에서는 연중 하강 기류가 발생하여 사막이 발달한다. 중위도의 대륙 서안에는 한류가 흐르는데, 한류가 상승 기류를 억제하여 사막이 발달한다. A는 한류인 벵겔라 해류에 의해 형성된 나미브 사막이고, B는 대륙 내부에 형성된 타커라마간 사막이며, C는 아열대 고압대의 영향으로 형성된 그레이트빅토리아 사막이다. D는 한류인 페루 해류의 영향으로 형성된 아타카마 사막이고, E는 안데스산맥의 비그늘에 형성된 파타고니아 사막이다.

[선택지 분석]

(가) → 아열대 고압대의 영향으로 형성된 사막(C)
(나) → 한류의 영향으로 형성된 사막(A, D)

③ C → 아열대 고압대의 영향으로 형성된 오스트레일리아의 그레이트빅토리아 사막
D → 한류인 페루 해류의 영향으로 형성된 칠레의 아타카마 사막

02 스텝 기후와 사막 기후 비교

자료 분석 | 지도에 표시된 지역은 아프리카의 앙골라 서남단에 위치한 나미베와 아시아의 몽골 중동부에 위치한 울란바토르이다. (가)는 연 강수량이 약 267mm인 울란바토르의 기후 그래프로, 울

란바토르에서는 스텝 기후가 나타난다. 반면, (나)는 연 강수량이 100mm에도 미치지 못하는 나미베의 기후 그래프로 나미베에서는 사막 기후가 나타난다.

[선택지 분석]

× (가)는 1월 강수량이 7월 강수량보다 ~~많다~~(적다).

➡ 막대그래프들이 이루는 기울기를 통해 (가)는 7월 강수량이 1월 강수량보다 많다는 것을 알 수 있다.

× (나)는 ~~연중 봄과 같은 날씨~~(사막 기후)가 나타난다.

➡ (나)는 사막 기후에 해당한다. 연중 봄과 같은 날씨가 나타나는 곳은 열대 고산 기후 지역이다.

㉢ (가)는 스텝 기후, (나)는 사막 기후이다.

➡ 두 지역 모두 최난월 평균 기온이 10℃를 넘는데, (가)는 연 강수량이 250~500mm 미만으로 스텝 기후에 해당하고, (나)는 연 강수량이 250mm 미만으로 사막 기후에 해당한다.

㉣ (가)는 북반구, (나)는 남반구에 위치한다.

➡ (가)는 7월 평균 기온이 1월 평균 기온보다 높으므로 북반구에 위치하고, (나)는 1월 평균 기온이 7월 평균 기온보다 높으므로 남반구에 위치한다.

03 다양한 건조 기후 지역의 지형

자료 분석 | A는 버섯바위, B는 사구, C는 삼릉석, D는 와디이다.

[선택지 분석]

① A는 ~~포상홍수 침식~~(바람의 침식)에 의해 형성된다.

➡ 버섯바위는 바람에 날린 모래가 바위의 아랫부분을 깎아서 형성된다.

② B는 바람의 ~~침식~~(퇴적) 작용으로 형성된다.

➡ 사구는 바람에 날려 온 모래가 쌓여 만들어진 모래 언덕이다.

③ C의 여러 면은 ~~유수~~(바람)에 의해 마모되어 형성되었다.

➡ 삼릉석은 바람에 날린 모래의 침식을 받아 형성된 여러 개의 평평한 면과 모서리를 가진 돌이다.

✓ ④ D는 비가 내릴 때만 일시적으로 물이 흐르는 하천이다.

➡ 와디는 비가 내릴 때만 일시적으로 물이 흐르는 골짜기 혹은 하천이다.

⑤ A~D를 볼 수 있는 지역은 기온의 연교차가 기온의 일교차보다 ~~크다~~(작다).

➡ 건조 기후 지역은 대체로 기온의 일교차가 기온의 연교차보다 크다.

04 미국 서부의 다양한 건조 기후 지역 지형

자료 분석 | 그림은 모두 건조 기후 지역의 지형을 나타낸 것이다. 첫 번째 그림은 선상지, 두 번째 그림은 삼릉석, 세 번째 그림은 사구, 네 번째 그림은 플라야와 움직이는 돌이다.

[선택지 분석]

× ㉠은 ~~대부분 진흙~~(자갈과 암석)으로 구성되어 있다.

➡ 사막은 구성 물질에 따라 암석 사막, 자갈 사막, 모래 사막으로 구분되는데, 암석 사막과 자갈 사막이 약 80%를 차지한다.

㉡ ㉡이 연속적으로 이어진 지형을 바하다라고 한다.

➡ 선상지가 연속적으로 이어진 지형을 바하다라고 한다.

× ㉢은 ~~퇴적~~(침식) 작용, ㉣은 ~~침식~~(퇴적) 작용에 의해 형성되었다.

➡ 삼릉석은 바람의 침식 작용, 사구는 바람의 퇴적 작용에 의해 형성되었다.

㉣ ㉤에 고인 물은 주민들의 식수로 사용되기 어렵다.

➡ 플라야에 고인 물은 염분 농도가 높으므로 식수로 사용할 수 없다.

05 툰드라 기후 지역의 주민 생활

자료 분석 | 그림은 순록 유목이나 사냥 때 사용하는 천막집인 춤과 순록을 나타낸 것이고, 인터뷰 내용은 순록이 주민들의 의식주와 밀접한 관련을 맺고 있다는 것을 담고 있다. 이와 같은 경관 및 주민 생활을 관찰할 수 있는 곳은 툰드라 기후 지역이다.

[선택지 분석]

× ~~낙엽 활엽수가 넓게~~(여름철에 이끼류) 분포한다.

➡ 툰드라 기후 지역에서는 여름철 땅이 녹으면 이끼류가 자란다. 낙엽 활엽수가 분포하는 곳은 온대 및 냉대 기후 지역 중 일부 지역이다.

× ~~거의 매일 대류성 강수가 내린다~~(강수량이 많지 않다).

➡ 툰드라 기후 지역은 기온이 낮으므로 강수량이 많지 않다. 거의 매일 대류성 강수가 내리는 곳은 열대 우림 기후 지역이다.

㉢ 최난월 평균 기온이 0℃ 이상~10℃ 미만이다.

➡ 툰드라 기후 지역은 최난월 평균 기온이 0℃ 이상~10℃ 미만이다.

㉣ 여름철 땅이 녹으면 건물이 기울어지기도 한다.

➡ 툰드라 기후 지역에서는 여름철 기온의 상승과 건물의 난방열 등으로 인해 땅이 녹으면 건물이 기울어져 붕괴되기도 한다.

06 여러 기후 지역의 특색

자료 분석 | A는 연 강수량이 250mm 미만인 사막 기후이고, B는 최난월 평균 기온이 0℃ 이상~10℃ 미만인 툰드라 기후이다. C는 연중 봄과 같은 날씨가 이어지는 열대 고산 기후이고, D는 최한월 평균 기온이 18℃보다 높은 열대 기후인데, 연 강수량이 많으므로 열대 우림 기후 또는 열대 몬순(계절풍) 기후에 속한다.

[선택지 분석]

① A는 증발량보다 강수량이 더 ~~많다~~(적다).

➡ 사막 기후 지역은 증발량보다 강수량이 더 적다.

② B는 ~~남극 대륙~~(북극해 연안)에서 주로 나타난다.

➡ 툰드라 기후는 북극해 연안에서 주로 나타난다.

③ C는 기온의 일교차보다 연교차가 ~~크다~~(작다).

➡ 열대 고산 기후는 기온의 일교차보다 연교차가 작다.

④ D에서는 ~~포도, 올리브 등~~(열대 상품 작물, 벼농사 등)을 주로 재배한다.

➡ 열대 우림 기후나 열대 몬순(계절풍) 기후 지역은 지역에 따라 열대 상품 작물 재배, 벼농사, 카사바 등의 주식 작물 재배 등 다양한 농업 활동이 이루어진다.

⑤ B는 D보다 수목 밀도가 낮다.

➡ 툰드라 기후는 무수목 기후에 속하고, 열대 기후는 수목 기후에 속한다.

07 빙하 지형과 건조 기후 지역의 지형

자료 분석 | A는 구조토, B는 빙하호, C는 사구, D는 호른을 나타낸 것이다. 기후 구분도에는 한대 기후, 냉대 기후, 온대 기후, 건조 기후, 고산 기후가 나타난다.

[선택지 분석]

① A는 토양 속 수분의 동결과 융해가 반복되면서 형성된 다각형의 지형이다.

➡ 구조토(A)는 토양 속 수분의 동결과 융해가 반복되는 동안 큰 자갈은 바깥쪽으로 밀려 나가고, 작은 자갈과 모래는 안쪽에 쌓이면서 형성된 다각형의 지형이다.

② B는 비가 내릴 때에만 일시적으로 형성되는 호수로 염분 농도가 높다. (사막 지역의 플라야호)

➡ 빙하호(B)는 빙하의 침식 작용으로 형성된 빙식곡 내부의 와지에 물이 고여 형성되었고, 대부분 담수호로 이루어져 있다.

③ ~~C~~는 융빙수에 의해 형성된 퇴적 지형으로 퇴적물의 분급이 양호하다. (에스커)

➡ 사구(C)는 사막에서 바람에 날린 모래가 쌓인 모래 언덕이다.

④ D에는 빙하 퇴적물이 두껍게 ~~쌓여 있다~~. (쌓여 있지 않다)

➡ 호른(D)은 급경사면이므로 빙하 퇴적물이 거의 쌓여 있지 않다.

⑤ A~D ~~모두 한대 기후 지역에서만~~ 볼 수 있다. (과거 빙하가 덮여 있던 냉대 및 온대 기후 지역 및 건조 기후 지역)

➡ A, B, D는 한대 기후가 아니더라도 과거 빙하가 덮여 있던 기후 지역에서도 볼 수 있다. C는 건조 기후 지역에서 볼 수 있다.

08 피오르 해안의 형성 및 분포

자료 분석 | 피오르 해안은 빙하의 침식으로 형성된 U자형 골짜기에 바닷물이 들어오면서 형성된 좁고 깊은 형태의 만이다. 피오르 해안은 노르웨이, 알래스카, 아이슬란드, 칠레 남단, 뉴질랜드 남섬의 남서부 해안 등지에서 볼 수 있다.

[선택지 분석]

① A → 리아스 해안

➡ 에스파냐 북서 해안으로, 대표적인 리아스 해안을 이룬다. 리아스 해안은 하천의 침식 작용으로 형성된 V자곡이 바닷물에 잠겨 형성되었다.

② B → 비교적 단조로운 해안선

➡ 남아프리카 공화국의 해안으로, 비교적 단조롭다.

③ C → 갯벌 해안

➡ 일본 오사카 부근의 해안으로, 요도강이 유입되는 오사카만 일대에 조류의 퇴적 작용으로 갯벌이 형성되어 있다.

④ D → 피오르 해안

➡ 뉴질랜드 남섬의 남서부 해안으로, 피오르 해안이 형성되어 있다.

⑤ E → 삼각주

➡ 아마존강 하구 일대로, 삼각주가 형성되어 있다.

04 세계의 주요 대지형

콕콕! 개념 확인하기 (65쪽)

01 (1) ○ (2) × (3) × (4) ○
02 (가) A, (나) B, (다) C, (라) D
03 A: 안정육괴, B: 고기 조산대, C: 신기 조산대

01 (2) 판이 서로 만나는 경계부는 지각이 불안정하여 지진과 화산 활동이 활발하다.

(3) 대지형은 지형 형성의 내적 작용에 의해 형성된다. 지반의 융기·침강 작용, 습곡·단층 작용은 내적 작용에 해당한다.

탄탄! 내신 다지기 (66쪽)

01 ② **02** ④ **03** ③ **04** ② **05** 해설 참조

01 내적 작용과 외적 작용

[선택지 분석]

내적 작용	외적 작용
→ 지구 내부 에너지에 의한 작용	→ 태양 에너지에서 비롯된 작용
② 침강, 단층 → 지구 내부 에너지에 의해 발생	침식, 풍화 → 태양 에너지에서 비롯된 대기의 순환 작용을 통해 발생

02 대륙판 수렴(충돌)에 따른 산지 형성

자료 분석 | 그림은 대륙판과 대륙판이 수렴(충돌)하면서 산지가 형성되는 모습을 나타낸 것이다.

[선택지 분석]

① 로키산맥 → 대륙판과 해양판의 수렴(충돌)으로 형성

② 우랄산맥 → 고기 습곡 산지

③ 안데스산맥 → 대륙판과 해양판의 수렴(충돌)으로 형성

④ 히말라야산맥 → 대륙판과 대륙판의 수렴(충돌)으로 형성

⑤ 애팔래치아산맥 → 고기 습곡 산지

03 신기 습곡 산지와 고기 습곡 산지

[선택지 분석]

① ㉠은 ~~고생대 이전~~에 형성되었다. (중생대 말~신생대)

➡ 신기 습곡 산지는 중생대 말~신생대에 형성되었다. 고생대 이전에 형성된 것은 안정육괴이다.

② ㉡은 ~~대체로 높고 험준하다~~. (대체로 낮고 연속성이 약하다)

➡ 고기 습곡 산지는 대체로 낮고 연속성이 약하다.

③ ㉠은 ㉡보다 지진이나 화산 활동이 자주 발생한다.

➡ 신기 습곡 산지는 판의 경계부에 가까워 고기 습곡 산지보다 지진이나 화산 활동이 자주 발생한다.

④ ㉡은 ㉠보다 판의 경계부와의 평균 거리가 ~~짧다~~. 길다

➡ 고기 습곡 산지는 신기 습곡 산지보다 판의 경계부와의 평균 거리가 길다.

⑤ ㉠에는 ~~석탄~~이 많이 매장되어 있고, ㉡에는 ~~석유, 천연가스~~가 많이 매장되어 있다. (석유, 천연가스 / 석탄)

➡ 신기 습곡 산지에는 석유, 천연가스가 많이 매장되어 있고, 고기 습곡 산지에는 석탄이 많이 매장되어 있다.

04 세계의 대지형 비교

자료 분석 | A는 고기 습곡 산지인 스칸디나비아산맥, B는 신기 습곡 산지인 히말라야산맥, C는 안정육괴에 속하는 캐나다(로렌시아) 순상지, D는 신기 습곡 산지인 안데스산맥이다.

[선택지 분석]

㉠ A는 B보다 형성 시기가 이르다.

➡ 고기 습곡 산지인 스칸디나비아산맥(A)은 신기 습곡 산지인 히말라야산맥(B)보다 형성 시기가 이르다.

~~㉡~~ B와 C는 판의 경계부에 위치한다.

➡ 안정육괴인 캐나다(로렌시아) 순상지(C)는 판의 경계부로부터 먼 곳에 위치한다.

㉢ D는 C보다 지진과 화산 활동이 자주 발생한다.

➡ 신기 습곡 산지인 안데스산맥(D)은 캐나다(로렌시아) 순상지(C)보다 지진과 화산 활동이 자주 발생한다.

~~㉣~~ ~~D~~는 고기 습곡 산지, ~~A와 B~~는 신기 습곡 산지에 해당한다. (A / B와 D)

➡ 히말라야산맥(B)과 안데스산맥(D)은 신기 습곡 산지, 스칸디나비아산맥(A)은 고기 습곡 산지에 속한다.

05 우랄산맥과 안데스산맥

(1) A: 우랄산맥, B: 안데스산맥

(2) [예시 답안] 우랄산맥(A)은 해발 고도가 낮고 경사가 완만하며 석탄이 많이 매장되어 있다. 반면에 안데스산맥(B)은 해발 고도가 높고 험준하며 석유, 천연가스 등이 많이 매장되어 있다.

채점 기준	
상	해발 고도와 지하자원을 중심으로 두 산맥의 특징을 잘 비교하여 서술한 경우
중	해발 고도와 지하자원 중 한 가지 특징만 비교하여 서술한 경우
하	한 가지 산맥의 특징만 서술한 경우

도전! 실력 올리기 67쪽

01 ② 02 ③ 03 ④ 04 ③

01 두 개의 판이 어긋나서 미끄러지는 경계

자료 분석 | 그림은 두 개의 판이 어긋나 미끄러지는 경계 유형을 나타낸 것이다. 미국 서부에 위치한 샌안드레아스 단층이 대표적이다.

[선택지 분석]

㉠ 샌안드레아스 단층이 대표적이다.

➡ 두 개의 판이 어긋나 미끄러지는 경계 유형의 대표적인 사례는 미국 서부에 위치한 샌안드레아스 단층이다.

~~㉡~~ ~~대륙판과 대륙판이 수렴하는 경계~~이다. (두 개의 판이 어긋나 미끄러지는 경계)

㉢ 태평양판과 북아메리카판의 경계부에 위치한 지역이다.

➡ 샌안드레아스 단층은 태평양판과 북아메리카판의 경계부에 위치한 지역이다.

~~㉣~~ 두 개의 판 사이로 마그마가 흘러나와 해령을 형성한다.

➡ 두 개의 판 사이로 마그마가 흘러나와 해령을 형성하는 곳은 대서양 중앙 해령 등으로 대체로 바닷속에 위치한다.

02 판 경계부의 특징

자료 분석 | A는 대서양 중앙 해령의 일부를 이루는 아이슬란드 일대이고, B는 인도-오스트레일리아판과 유라시아판이 수렴하는 히말라야산맥 일대이며, C는 나스카판과 남아메리카판이 수렴하는 안데스산맥 일대이다.

[선택지 분석]

① A는 두 개의 판이 ~~수렴하는 경계~~이다. (발산하는 경계)

➡ 아이슬란드의 대서양 중앙 해령은 두 개의 판이 발산하는 경계이다.

② B는 지진과 ~~화산 활동이 활발하다~~. (지진은 활발하나 화산 활동은 활발하지 않음)

➡ 히말라야산맥은 두 개의 대륙판이 충돌하는 곳으로 판이 두꺼워 화산 활동은 활발하지 않다.

③ C 지역에는 세계적인 구리 광산이 위치한다.

➡ 안데스산맥 일대의 칠레 등지에는 세계적인 구리 광산이 위치한다. 칠레의 추키카마타 광산이 대표적이다.

④ A는 B보다 평균 해발 고도가 ~~높다~~. (낮다)

➡ 아이슬란드는 히말라야산맥보다 평균 해발 고도가 낮다.

⑤ A는 대서양 중앙 해령, B는 히말라야산맥, C는 ~~로키산맥~~이다. (안데스산맥)

➡ A는 대서양 중앙 해령, B는 히말라야산맥, C는 안데스산맥이다.

03 신기 습곡 산지와 고기 습곡 산지

자료 분석 | A는 신기 습곡 산지인 히말라야산맥, B는 고기 습곡 산지인 그레이트디바이딩산맥, C는 신기 습곡 산지인 안데스산맥, D는 고기 습곡 산지인 애팔래치아산맥이다.

[선택지 분석]

~~㉠~~ A는 B보다 평균 해발 고도가 ~~낮아요~~. (높아요)

➡ 신기 습곡 산지인 히말라야산맥은 고기 습곡 산지인 그레이트디바이딩산맥보다 평균 해발 고도가 높다.

(을) B는 C보다 석탄의 매장량이 많아요.

➡ 고기 습곡 산지인 그레이트디바이딩산맥은 신기 습곡 산지인 안데스산맥보다 석탄의 매장량이 많다.

(병) C는 D보다 지진과 화산 활동이 자주 발생해요.

➡ 신기 습곡 산지인 안데스산맥은 고기 습곡 산지인 애팔래치아산맥보다 지진과 화산 활동이 자주 발생한다.

(정) D는 A보다 이른 시기에 형성되었어요.

➡ 고기 습곡 산지인 애팔래치아산맥은 신기 습곡 산지인 히말라야산맥보다 형성 시기가 이르다.

~~무~~: A~D 모두 판의 경계부에서 멀리 떨어져 있어요.

➡ 신기 습곡 산지인 히말라야산맥과 안데스산맥은 판의 경계부에 위치한다.

04 순상지와 습곡 산지

자료 분석 | A는 안정육괴인 캐나다(로렌시아) 순상지, B는 신기 습곡 산지인 로키산맥, C는 고기 습곡 산지인 애팔래치아산맥, D는 신기 습곡 산지인 안데스산맥이다.

[선택지 분석]

① A는 오랜 기간 침식을 받아 기복이 작고 안정된 지형이다.

➡ 순상지는 고생대 이후 지각 운동을 받지 않은 곳으로, 오랜 기간 침식을 받아 기복이 작고 안정된 지형이다.

② B는 해발 고도가 높고 매우 험준한 산지이다.

➡ 신기 습곡 산지인 로키산맥은 해발 고도가 높고 매우 험준하다.

③ C는 ~~석유, 천연가스 등의 지하자원~~(석탄)이 많이 매장되어 있다.

➡ 고기 습곡 산지인 애팔래치아산맥에는 석탄이 많이 매장되어 있다.

④ D는 지각이 불안정해 지진과 화산 활동이 빈번하게 발생한다.

➡ 신기 습곡 산지인 안데스산맥은 지각이 불안정해 지진과 화산 활동이 빈번하게 발생한다.

⑤ B와 D는 중생대 말~신생대에 조산 운동을 받아 형성되었다.

➡ 로키산맥과 안데스산맥은 모두 신기 습곡 산지로 중생대 말~신생대에 조산 운동을 받아 형성되었다.

05 독특하고 특수한 지형들

콕콕! 개념 확인하기 72쪽

01 (1) 순상 화산 (2) 화산회토 (3) 칼데라 (4) 용암 대지 (5) 성층 화산 (6) 주상 절리

02 (1) × (2) ○ (3) ○ (4) ○

03 A: 해안 단구, B: 파식대, C: 석호, D: 사주, E: 사빈

04 (1) 만 (2) 암석 해안 (3) 사주 (4) 석호

02 (1) 카르스트 지형은 석회암이 빗물이나 지하수의 용식 작용으로 형성된 지형이므로, 건조한 기후 지역보다 습윤한 기후 지역에서 잘 발달한다.

탄탄! 내신 다지기 73~74쪽

01 ② **02** ① **03** ⑤ **04** ④ **05** ③ **06** ⑤ **07** ⑤ **08** ⑤ **09** ⑤ **10** 해설 참조

01 칼데라의 형성

자료 분석 | 미국 오리건주 마자마산 정상부에 위치한 '크레이터호'에 관한 글이다. 크레이터호는 칼데라호이다.

[선택지 분석]

① 플라야 → 사막 분지의 평탄한 저지대

② 칼데라 → 화산체가 형성된 후 분화구가 함몰되면서 생긴 분지

③ 우발라 → 용식 와지인 돌리네가 결합되어 만들어진 돌리네보다 큰 와지

④ 돌리네 → 용식 와지

⑤ 주상 절리 → 용암이 급속히 냉각되면서 형성되는 다각형 기둥 모양의 절리

02 순상 화산의 형성 및 특징

[선택지 분석]

① 점성이 작고 유동성이 큰 현무암질 용암이 분출하여 형성된다. → 순상 화산

② 현무암질 용암이 급격하게 식으면서 만들어진 기둥 모양의 지형이다. → 주상 절리

③ 화산 쇄설물과 흘러내린 용암류가 여러 층으로 겹겹이 누적되어 형성된다. → 성층 화산

④ 점성이 큰 유문암이나 안산암질 용암이 분출하여 형성된 지형으로 경사가 가파르다. → 용암 동

⑤ 유동성이 큰 현무암질 용암이 지각의 갈라진 틈새를 따라 대규모 열하 분출하여 형성된 평탄한 지형이다. → 용암 대지

03 주상 절리

자료 분석 | 사진은 영국 북아일랜드 북동부 지역에 위치한 현무암 주상 절리이다. 약 4만 개의 검은색 현무암 기둥으로 이루어져 있으며, 유네스코에 세계 자연 유산으로 등재되어 있다.

[선택지 분석]

① 주상 절리라고 부른다.

➡ 용암이 식을 때 빠른 수축으로 인해 기둥처럼 갈라져 형성된 지형을 주상 절리라고 한다. '주상'은 기둥 모양을 뜻한다.

② 다각형의 구조를 띠고 있다.

➡ 주상 절리는 6각형, 7각형, 8각형 등 다각형의 구조를 띤다.

③ 현무암질 용암에 의해 형성되었다.

➡ 주상 절리는 유동성이 큰 현무암질 용암에 의해 형성되었다.

④ 용암이 급속도로 식으면서 형성된다.

➡ 주상 절리는 용암이 급속도로 식으면서 형성된다.

⑤ 순상지 등 안정육괴에서 흔히 볼 수 있다.

➡ 과거 화산 활동의 흔적이므로, 안정육괴에서는 흔히 보기 어렵다.

04 화산 지형의 분포

자료 분석 | '독특하고 아름다운 경관', '온천', '간헐천'을 통해 밑줄 친 '이 지형'이 화산 지형임을 알 수 있다. A는 아이슬란드, B는 사하라 사막의 중앙부, C는 인도네시아의 자와섬, D는 뉴질랜드 북섬, E는 브라질 순상지의 일부이다.

[선택지 분석]

⑤ A, C, D → 아이슬란드, 인도네시아의 자와섬, 뉴질랜드 북섬은 대표적인 화산 지대임

05 카르스트 지형의 특성

자료 분석 | 탄산 칼슘 성분을 포함한 석회암이 오랜 기간에 걸쳐 용식 작용을 받아 형성된 독특한 지형은 카르스트 지형이다.

[선택지 분석]

ㄱ. ~~점성이 작은 용암이 흘러내리면서 생겨난 동굴~~을 볼 수 있다. (석회동굴)

➡ 카르스트 지형에서는 동굴 내부에 종유석, 석순, 석주 등이 발달하는 석회동굴을 볼 수 있다.

ㄴ. 독특하고 아름다운 경관을 형성하여 관광 자원으로 많이 활용된다.

➡ 카르스트 지형인 석회동굴, 카렌, 탑 카르스트 등은 아름다운 경관을 지니고 있다.

ㄷ. 카르스트 지형이라고 부르며 카렌, 돌리네, 우발라 등의 지형을 볼 수 있다.

➡ 카렌, 돌리네, 우발라 등은 카르스트 지형에 해당한다.

ㄹ. 주변에 뜨거운 물과 수증기가 압력에 의해 주기적으로 솟아오르는 ~~간헐천이 많다~~. (간헐천과는 관련이 없다)

➡ 카르스트 지형과 간헐천은 관련이 없다. 간헐천은 화산 지형에 속한다.

06 슬로베니아의 석회동굴

자료 분석 | 글 자료는 슬로베니아에 위치한 포스토이나 동굴에 관한 것이다. 종유석, 석순이 발달한 포스토이나 동굴은 석회동굴에 해당한다.

[선택지 분석]

① ㉠은 화학적 풍화 작용을 통해 형성되었다.

➡ 석회동굴은 석회암이 빗물이나 지하수의 용식 작용을 받아 형성된다. 용식 작용은 화학적 풍화 작용에 속한다.

② ㉠ 일대에서는 움푹 파인 와지를 볼 수 있다.

➡ 석회동굴이 발달한 곳의 지표면에서는 돌리네, 우발라 등의 와지를 볼 수 있다.

③ ㉡은 탄산 칼슘이 고드름처럼 침전되어 발달한다.

➡ 종유석은 탄산 칼슘이 고드름처럼 침전되어 발달하였고, 동굴 천장에 달려 있다.

④ ㉢은 동굴 바닥에서 위로 발달한 지형이다.

➡ 석순은 탄산 칼슘이 동굴 바닥에서 위로 쌓이면서 발달하였다.

⑤ ㉡과 ㉢이 연결된 지형을 ~~탑 카르스트~~라고 한다. (석주)

➡ 종유석과 석순이 자라나 서로 연결된 지형을 석주라고 한다. 탑 카르스트는 석회암 산지가 차별적인 용식을 받은 이후 탑과 같은 모양으로 남게 된 지형을 말한다.

07 카르스트 지형의 특색

[선택지 분석]

① 돌리네는 ~~화산 폭발로 인해~~ 움푹 파인 와지이다. (석회암의 용식 작용으로 형성된)

➡ 돌리네는 석회암이 용식되면서 형성된 와지이다. 화산 폭발과는 무관하다.

② 탑 카르스트는 ~~건조~~한 기후 환경에서 잘 발달한다. (습윤)

➡ 탑 카르스트는 습윤한 기후 환경에서 잘 발달한다.

③ 석회동굴은 열대 기후 지역보다 건조 기후 지역에서 잘 ~~발달한다~~. (잘 발달하지 않는다)

➡ 석회동굴은 강수량이 많은 열대 기후 지역이 강수량이 적은 건조 기후 지역보다 발달에 유리하다.

④ 우발라는 빗물의 배수가 ~~잘 이루어지지 않아 습지를 이루는 경우가 많다~~. (잘 이루어진다)

➡ 우발라 내부에는 싱크홀이 있어 빗물의 배수가 잘 이루어진다.

⑤ 테라로사는 석회암이 용식된 후에 남은 철분이 산화되어 붉은색을 띠는 토양이다.

➡ 테라로사는 석회암이 용식되고 남은 점토 등에 있던 철, 알루미늄 등이 산화되어 붉은색을 띠는 토양이다.

08 해안 단구의 형성

자료 분석 | 그림은 파랑의 침식 작용으로 형성된 파식대가 지반의 융기나 해수면 변동으로 현재 해수면보다 높은 곳에 위치하게 된 것을 보여 준다. 이와 같은 과정을 통해 해안 단구가 형성된다.

[선택지 분석]

① 석호 → 해수면 상승으로 형성된 만의 전면부에 사주가 발달하여 형성된 호수

② 시 스택 → 해식애가 침식으로 후퇴할 때 차별 침식의 결과로 단단한 암석 부분이 남아 형성된 돌기둥

③ 시 아치 → 해식애가 침식으로 후퇴할 때 남은 돌로 된 아치 모양의 지형

④ 육계 사주 → 육계도 배후에 발달한 사주, 섬을 육지와 연결함

⑤ 해안 단구 → 지반 융기 또는 해수면 변동으로 현재의 해수면보다 높은 곳에 위치하게 된 과거의 파식대나 퇴적 지형

09 리아스 해안과 피오르 해안

자료 분석 | (가)는 하천에 의해 침식된 V자곡이 침수되어 형성된 리아스 해안이고, (나)는 빙하에 의해 침식된 U자곡이 침수되어 형성된 피오르 해안이다.

[선택지 분석]

① (가)는 ~~피오르~~ 해안이다. (리아스)

② (나)는 ~~리아스~~ 해안이다. (피오르)

③ (가)는 (나)보다 빙하의 영향을 ~~많이~~ 받았다. (적게)

④ (나)는 (가)보다 만 지역의 평균 수심이 ~~얕다~~. (깊다)

⑤ (가), (나) 모두 후빙기 해수면 상승으로 형성되었다.
➡ 리아스 해안과 피오르 해안 모두 후빙기 해수면 상승으로 바닷물에 침수되어 형성되었다.

10 곶과 만에서의 지형 형성 작용

(1) A: 곶, B: 만

(2) [예시 답안] 곶인 A에서는 파랑의 침식 작용으로 해안선이 후퇴하는 반면, 만인 B에서는 파랑의 퇴적 작용으로 해안선이 바다 쪽으로 이동한다. 이 상태가 지속되면 해안선은 단조로워진다.

채점 기준	
상	해안선의 변화를 파랑 에너지와 관련하여 정확하게 서술한 경우
중	해안선의 변화만 서술한 경우
하	곶과 만의 특징만 서술한 경우

도전! 실력 올리기 75쪽

01 ① 02 ④ 03 ① 04 ⑤

01 다양한 해안 지형

자료 분석 | 그림의 A는 석호, B는 육계도, C는 해안 사구, D는 사빈, E는 시 스택을 나타낸 것이다.

[선택지 분석]

① A는 시간이 흐를수록 면적이 점차 축소된다.
➡ 석호는 하천으로부터 유입되는 토사의 퇴적 작용으로 자연 상태에서는 규모가 축소된다.

② B는 파랑의 침식 작용을 받아 섬이 될 가능성이 ~~높다~~. 낮다
➡ B는 육계 사주에 의해 육지와 연결된 섬으로, 파랑의 침식 작용으로 다시 섬이 될 가능성은 낮다.

③ D는 밀물 때 바닷물에 ~~잠긴다~~. 잠기지 않는다
➡ 사빈은 밀물 때 바닷물에 잠기지 않는다. 밀물 때 바닷물에 잠기는 곳은 갯벌이다.

④ E는 ~~석회암이 굳어져~~ 파랑의 침식 작용을 받아 형성된 돌기둥이다.
➡ 시 스택은 파랑의 침식 작용으로 암석 해안이 후퇴할 때 차별 침식의 결과로 단단한 암석 부분이 남아 형성된 돌기둥이다.

⑤ C는 D보다 퇴적물의 평균 입자 크기가 ~~크다~~. 작다
➡ 해안 사구는 사빈의 모래 중 작고 가벼운 입자들이 바람에 날린 후 쌓인 곳이므로, 사빈보다 퇴적물의 평균 입자 크기가 작다.

02 파묵칼레의 지리적 특징

자료 분석 | 사진은 터키의 파묵칼레로 석회화 단구에 해당한다. 파묵칼레는 석회 성분을 함유한 온천수가 경사면을 흐르면서 하얀 탄산 칼슘 결정이 지표를 덮으면서 형성되었다.

[선택지 분석]

① 세계적인 카르스트 지형으로 관광 명소가 되었다.
➡ 파묵칼레는 세계적인 관광지이다.

② 석회 성분을 함유한 온천수가 경사면을 흐르면서 형성되었다.
➡ 파묵칼레는 석회 성분을 함유한 온천수가 경사면을 흐르면서 형성되었다.

③ 높이를 달리하며 계단 모양을 이루는 석회화 단구 지형이 발달하였다.
➡ 파묵칼레는 계단 모양을 이루는 석회화 단구이다.

④ 여러 평탄면은 시기를 달리하여 이루어진 지반 융기 작용을 반영한다. → 지반의 융기 작용과는 무관함
➡ 파묵칼레는 지반의 융기 작용과는 무관하다. 해안 단구 및 하안 단구가 지반의 융기 작용으로 형성되었다.

⑤ 최근 아름다운 지형을 보호하기 위해 온천의 일부 지역만 들어갈 수 있도록 제한하고 있다.
➡ 파묵칼레는 최근 지형 보호를 위해 관광객의 입장을 제한하고 있다.

03 다양한 해안 지형

자료 분석 | A는 에스파냐 북서부에 발달한 리아스 해안, B는 캐나다 펀디만에 발달한 갯벌 해안, C는 오스트레일리아 북동부에 발달한 산호초로 이루어진 대보초 해안, D는 미국 멕시코만 연안에 발달한 사주이다. 사주와 육지 사이의 호수는 석호이다.

[선택지 분석]

① A는 해수면 변동과 밀접한 관련이 있다.
➡ 리아스 해안은 하천에 의해 형성된 V자곡이 후빙기 해수면 상승으로 바닷물에 침수되면서 형성되었다. 따라서 리아스 해안은 해수면 변동과 밀접한 관련이 있다.

② B는 ~~파랑~~ 조류의 퇴적 작용이 활발히 이루어진다.
➡ 펀디만은 조차가 매우 큰 해안으로 조류의 퇴적 작용으로 형성된 갯벌이 널리 발달한다.

③ C에는 ~~맹그로브 숲~~ 산호초이 형성되어 독특한 생태계를 이룬다.
➡ 오스트레일리아 북동부에는 세계에서 가장 큰 규모의 산호초 해안이 발달해 있다.

④ D는 ~~조류~~ 파랑과 연안류의 퇴적 작용으로 형성되었다.
➡ 사주는 파랑과 연안류의 퇴적 작용으로 형성되었다.

⑤ D와 육지 사이의 좁고 긴 호수는 시간이 흐를수록 면적이 ~~커진다~~. 작아진다
➡ D와 육지 사이에 위치한 호수는 석호이다. 석호는 하천으로부터 유입되는 토사가 쌓이면서 자연 상태에서는 호수의 면적이 작아진다.

04 곶과 만의 특징 및 지형 형성

자료 분석 | A는 육지가 바다 쪽으로 나온 곶(串)에 해당하고, B는 바다가 육지 쪽으로 들어간 만(灣)에 해당한다. 곶은 파랑의 힘이 강하게 작용하여 침식이 이루어지는 반면, 만은 파랑의 힘이 약해 퇴적이 이루어진다.

[선택지 분석]

① 파랑 에너지가 분산되는 곳이다.
➡ 만은 파랑 에너지가 분산되는 곳이다.

② 해안선이 바다 쪽으로 점차 이동한다.
➡ 만에서는 퇴적 작용이 활발히 이루어지므로 해안선이 바다 쪽으로 점차 이동한다.

③ 침식 작용보다는 퇴적 작용이 활발하다.
➡ 만에서는 퇴적 작용이 활발하다.

④ 사빈이 잘 발달하여 해수욕장으로 활용된다.
➡ 만에는 파랑과 연안류의 퇴적 작용으로 사빈이 형성되는데, 사빈은 해수욕장으로 활용된다.

⑤ ~~해식애, 파식대, 시 스택~~ 등의 지형이 잘 발달한다. (사빈, 사주 등)
➡ 해식애, 파식대, 시 스택 등의 지형은 곶에서 발달하는 해안 침식 지형에 해당한다.

한번에 끝내는 대단원 문제 78~81쪽

01 ④ 02 ② 03 ① 04 ④ 05 ④ 06 ③ 07 ④
08 ③ 09 ② 10 ④ 11 ① 12 ④
13~16 해설 참조

01 열대 우림 기후 지역의 특색

자료 분석 | 적도와 가까운 지역에서 나타나는 기후는 연중 고온 다습한 열대 우림 기후이다.

[선택지 분석]

① 우기와 건기의 구분이 뚜렷하다. → 사바나 기후, 열대 몬순(계절풍) 기후 등

② 사계절의 변화가 뚜렷하게 나타난다. → 온대 기후

③ 강수량보다 증발량이 많아 건조하다. → 건조 기후

④ 일 년 내내 기온이 높고 강수량이 많다. → 열대 우림 기후

⑤ 기온의 연교차가 일교차보다 크게 나타난다. → 고위도 지역

02 열대 우림 기후 지역의 주민 생활

자료 분석 | 왼쪽 그림은 나무와 풀로 지어진 고상 가옥이고, 오른쪽 그림은 천연고무 농장에서 고무 수액을 채취하고 있는 모습을 나타낸 것이다. 그림과 같은 전통 가옥과 주민 생활이 나타나는 지역은 열대 우림 기후 지역이다.

[선택지 분석]

ㄱ. 음식을 조리할 때 향신료를 많이 이용한다.
➡ 열대 우림 기후 지역에서는 음식이 쉽게 상하는 것을 막기 위해 향신료를 많이 이용한다.

ㄴ. ~~야생 동물을 바탕으로 사파리 관광~~이 발달하였다. (사파리 관광이 이루어지지 않음)
➡ 사파리 관광은 동부 아프리카의 사바나 기후 지역에서 주로 이루어진다.

ㄷ. 이동식 화전 농업으로 카사바, 얌 등을 재배한다.
➡ 열대 우림 기후 지역에서는 이동식 화전 농업이 이루어진다.

ㄹ. 안개가 통과하는 지역에 그물망을 설치하여 물을 얻는다. → 한류 연안 사막 지역
➡ 열대 우림 기후 지역은 연 강수량이 많은 곳으로 물 확보가 쉽다. 안개를 포집하여 물을 얻는 곳은 한류 연안 사막 지역이다.

03 지중해성 기후와 서안 해양성 기후

자료 분석 | (가), (나) 모두 최한월 평균 기온이 −3~18℃이므로, 온대 기후 지역의 기후 그래프이다. (가)는 여름에 고온 건조하고 겨울에 온난 습윤한 지중해성 기후 지역이고, (나)는 연중 온난 습윤한 서안 해양성 기후 지역이다.

• 서안 해양성 기후 지역의 농업: 서늘한 여름에 잘 자라는 밀과 보리 등의 곡물을 재배하면서, 목초지를 따로 조성하여 소·양·돼지 등의 가축을 함께 기르는 혼합 농업이 발달하였다.

• 지중해성 기후 지역의 농업: 고온 건조한 여름에도 잘 자랄 수 있는 코르크·올리브·오렌지 나무 등과 같은 경엽수를 이용한 수목 농업이 활발하다.

• 온대 동안 기후 지역의 농업: 고온 다습한 계절풍의 영향으로 여름철에 기온이 높고 강수량이 풍부하여 농업 발달에 유리하다. 동아시아와 동남아시아의 온대 기후 지역에서는 벼농사가 발달하며, 겨울에도 온화한 중국 남부와 베트남 북부 지역에서는 벼의 2기작이 이루어진다.

[선택지 분석]

① (가)는 여름철 아열대 고압대의 영향을 받는다.
➡ 지중해성 기후는 여름철 아열대 고압대의 영향으로 고온 건조하다.

② (가)는 겨울보다 여름에 강수량이 ~~많다~~. (적다)
➡ 지중해성 기후는 여름에 건조하고, 겨울에 습윤하다.

③ (나) 지역에서는 ~~수목 농업~~이 이루어진다. (혼합 농업 또는 낙농업)
➡ 서안 해양성 기후 지역에서는 혼합 농업이 주로 이루어지는데, 대소비 시장에 가까울 경우 낙농업이 이루어지기도 한다.

④ (나)는 연중 ~~계절풍~~의 영향을 많이 받는다. (편서풍)
➡ 서안 해양성 기후는 연중 편서풍의 영향을 많이 받는다.

⑤ (가)는 (나)보다 여름철 평균 기온이 ~~낮다~~. (높다)
➡ 그래프를 통해서도 알 수 있듯이 지중해성 기후는 서안 해양성 기후보다 여름철 평균 기온이 높다.

04 온대 기후 지역의 농목업

자료 분석 | (가)는 여름철에 고온 다습하여 벼농사가 이루어지는 지역이고, (나)는 곡물 재배와 가축 사육이 함께 이루어지는 혼합 농업 지역이며, (다)는 고온 건조한 여름철에 포도, 올리브 등을 재배하는 수목 농업 지역이다.

[선택지 분석]

(가) → 온대 동안 기후 지역의 벼농사	(나) → 서안 해양성 기후 지역의 혼합 농업	(다) → 지중해성 기후 지역의 수목 농업
C → 온대 동안 기후	A → 서안 해양성 기후	B → 지중해성 기후

05 온대 겨울 건조 기후 지역의 분포

자료 분석 | 계절풍이 불어 여름에는 기온이 높고 습하며 겨울에는 건조하고, 기온의 연교차 및 강수의 계절 차가 큰 지역은 온대 겨울 건조 기후 지역이다.

[선택지 분석]

① A → 서안 해양성 기후

② B → 사막 기후

③ C → 열대 몬순(계절풍) 기후, 여름에 고온 다습하고 겨울에 건조하지만, 기온의 연교차가 작음

④ D → 온대 겨울 건조 기후

⑤ E → 열대 우림 기후

06 사바나 기후 지역의 특색

자료 분석 | (가)는 아프리카 동부에 위치한 탄자니아의 다르에스살람이다. 다르에스살람에서는 최한월 평균 기온이 18℃보다 높고 우기와 건기가 교차하는 사바나 기후가 나타난다. 사바나 기후는 열대 몬순(계절풍) 기후와 비교할 때 연 강수량이 적은 것이 특징이다.

[선택지 분석]

ㄱ. 대부분의 주민들은 ~~쌀을 주식~~으로 삼는다. (카사바, 옥수수 등이 주식임)

➡ 아프리카의 사바나 기후 지역에서는 카사바, 옥수수 등으로 만든 우갈리라는 음식을 많이 먹는다.

ㄴ. 초원에 서식하는 사자, 기린 등을 관광하는 산업이 발달하였다.

➡ 사바나 기후 지역에서는 열대 초원에 서식하는 야생 동물을 관찰하는 사파리 관광이 이루어진다.

ㄷ. 상품 작물을 대규모로 재배하는 플랜테이션이 이루어지고 있다.

➡ 다르에스살람에서는 상품 작물로 차를 대규모로 재배하고 있다.

ㄹ. 타이가라고 불리는 식생이 울창하여 목재 산업과 펄프 산업이 발달하였다. → 타이가는 냉대 기후 지역의 식생

➡ 사바나 기후 지역에서는 소림과 장초가 발달한다.

07 한류 사막

자료 분석 | 지도의 A는 아프리카 서남부에 위치한 나미브 사막이고, B는 칠레 북부에 위치한 아타카마 사막이다. 두 사막 모두 한류의 영향으로 하강 기류가 우세하여 형성된 사막이다.

[선택지 분석]

ㄱ. 비슷한 위도에 있기 때문이다.

➡ 위도가 비슷한 곳에서도 사막이 나타나지 않을 수 있다. 특히 대륙 동안 지역은 사막이 잘 나타나지 않는다.

ㄴ. 한류의 영향을 많이 받기 때문이다.

➡ 나미브 사막은 벵겔라 해류, 아타카마 사막은 페루 해류의 영향으로 형성되었다. 두 해류 모두 고위도에서 저위도 쪽으로 흐르는 한류이다.

ㄷ. ~~해발 고도가 높아 기온이 낮기~~ 때문이다. (해발 고도가 높지 않음)

➡ 바다 연안 지역으로 해발 고도가 높지 않다.

ㄹ. 상승 기류보다 하강 기류가 우세하기 때문이다.

➡ 한류의 영향으로 상승 기류가 억제되어 하강 기류가 우세하게 나타난다.

08 건조 기후 지역의 주민 생활

자료 분석 | (가)는 사막 기후 지역에서 흔히 볼 수 있는 흙벽돌집이고, (나)는 스텝 기후 지역에서 볼 수 있는 천막으로 이루어진 이동식 가옥이다.

• 사막 기후 지역의 주민 생활: 주민들은 유목을 하거나, 물을 구할 수 있는 오아시스나 외래 하천 주변에서 오아시스 농업과 관개 농업을 한다.

• 스텝 기후 지역의 주민 생활: 주민들은 유목을 하거나 소·양 등을 대규모로 사육하는 기업적 방목이 이루어지고, 토양이 비옥한 지역에서는 밀·목화 등을 대규모로 재배하는 상업적 농업이 발달하기도 한다.

[선택지 분석]

① (가)에서는 날고기, 날생선 등을 즐겨 섭취한다. → 한대 기후 지역

➡ 사막 기후 지역에서 고기와 생선은 조리를 한 후 섭취한다.

② (가)에서는 집안으로 들어오는 일사량을 ~~늘리기~~(줄이기) 위해 창을 ~~크게~~(작게) 만든다.

➡ 사막 기후 지역에서는 외부에서 들어오는 열을 줄이기 위해 창을 작게 만든다.

③ (나)에서는 가축을 끌고 물과 풀을 찾아 이동하는 유목 생활을 한다.

➡ 스텝 기후 지역에서는 가축을 끌고 물과 풀을 찾아 이동하는 유목 생활을 한다.

④ (나)에서는 ~~고기, 생선 등을 주로 불이나 연기를 이용하여 훈제한 후~~ 저장한다. (고기를 주로 말려서)

➡ 스텝 기후 지역에서는 나무를 구하기 어려워 고기를 주로 말려서 보관한다.

⑤ (가), (나) 지역 모두 ~~반바지와 반팔 차림의 간편한 옷~~을 주로 입는다. (온몸을 감싸는 옷)

➡ 건조 기후 지역에서는 온몸을 감싸는 옷을 주로 입는다. 간편한 옷을 주로 입는 곳은 열대 기후 지역이다.

09 툰드라 기후 지역의 지리적 특색

자료 분석 | 왼쪽은 순록을 유목하고 있는 모습을 나타낸 사진이고, 오른쪽은 개가 눈썰매를 끌고 있는 모습을 나타낸 사진이다. 두 사진 모두 툰드라 기후 지역의 경관 특성을 반영하고 있다.

[선택지 분석]

ㄱ. 여름철에는 백야 현상을 관찰할 수 있다.

➡ 툰드라 기후가 나타나는 고위도 지역에서는 여름철에 백야 현상을 관찰할 수 있다.

ㄴ. ~~타이가라고 불리는 침엽수림~~이 넓게 분포한다. (이끼류)

➡ 툰드라 기후 지역에서는 이끼류가 잘 자란다. 타이가는 냉대 기후 지역의 침엽수림대를 일컫는다.

ㄷ. 땅속에는 연중 얼어있는 영구 동토층이 분포한다.

➡ 툰드라 기후 지역의 활동층 아래에는 연중 얼어있는 영구 동토층이 분포한다.

✗ ~~연중 기온이 0℃ 미만~~이며, 기온의 일교차가 연교차보
최난월 평균 기온이 0℃ 이상~10℃ 미만
다 ~~크다~~.
작다
➡ 툰드라 기후 지역의 최난월 평균 기온은 0℃ 이상~10℃ 미만이고, 기온의 일교차가 연교차보다 작다.

10 신기 습곡 산지와 고기 습곡 산지

자료 분석 | ㉠은 높고 험준한 신기 습곡 산지에 해당하고, ㉡은 낮고 연속성이 약한 고기 습곡 산지에 해당한다. 신기 습곡 산지에는 로키산맥, 안데스산맥, 히말라야산맥 등이 있고, 고기 습곡 산지에는 우랄산맥, 애팔래치아산맥 등이 있다.

[선택지 분석]

㉠ → 신기 습곡 산지	㉡ → 고기 습곡 산지
✓ B, D → 히말라야산맥(B)과 안데스산맥(D)은 신기 습곡 산지	A, C → 우랄산맥(A)과 애팔래치아산맥(C)은 고기 습곡 산지

11 신기 조산대 지역의 주민 생활

자료 분석 | 지도는 판의 경계부 지역으로 신기 조산대에 속한다. 신기 조산대 지역은 지각이 불안정하여 지진과 화산 활동이 활발한 것이 특징이다.

[선택지 분석]

㉠ 온천 등을 관광 자원으로 이용한다.
➡ 신기 조산대는 온천과 독특한 지형을 바탕으로 관광 산업이 발달하였다.

㉡ 뜨거운 지하수를 지열 발전에 이용한다.
➡ 신기 조산대의 뜨거운 지하수는 지열 발전에 이용되고 있다.

✗ 흑토를 바탕으로 밀과 옥수수를 대량으로 재배한다.
→ 흑토는 스텝 기후 지역의 비옥한 토양임
➡ 화산 지대의 경우 화산회토가 분포한다.

✗ 석탄을 생산하던 광산을 체험 시설로 개발한 후 관광객을 유치한다.
➡ 신기 조산대에는 석탄이 매장되어 있지 않다. 대신 석유, 천연가스, 구리 등이 매장되어 있는 지역이 많다.

12 다양한 지형 이해

자료 분석 | 오스트레일리아의 그레이트디바이딩산맥은 동쪽 해안 가까이에 위치한 고기 습곡 산지이며, 이곳에는 석탄이 많이 매장되어 있다. 아이슬란드는 대서양 중앙 해령의 일부가 노출된 곳으로 지진과 화산 활동이 활발하며, 간헐천과 온천이 많다. 한편, 아이슬란드는 고위도에 위치하여 협만인 피오르 해안도 발달하였다.

[선택지 분석]

✗ ㉠은 ~~신기~~ 습곡 산지에 해당한다.
고기
➡ 그레이트디바이딩산맥은 고기 습곡 산지에 해당한다.

㉡ ㉡은 산업 혁명 시기의 주요 에너지 자원이었다.
➡ 산업 혁명 시기에는 주로 석탄을 에너지 자원으로 이용하였다.

✗ ㉢은 ~~환태평양 조산대~~에 위치한다.
대서양 중앙 해령
➡ 아이슬란드는 대서양에 위치하며, 대서양 중앙 해령의 일부를 이룬다.

㉣ ㉣은 독특한 화산 지형과 더불어 관광 자원으로 활용된다.
➡ 간헐천은 관광 자원으로 이용된다.

㉤ ㉤은 빙하의 침식 작용으로 형성된 계곡에 바닷물이 들어와 만들어진 해안이다.
➡ 피오르는 빙하의 침식 작용으로 형성된 U자형 골짜기에 바닷물이 들어와 만들어진 해안이다.

13 해발 고도에 따른 기온 차이

(1) 암바토, 열대 고산 기후
(2) [예시 답안] 적도상에 위치한 두 도시는 기온 차가 뚜렷하게 나타나는데, 이는 안데스산맥에 위치한 암바토가 태평양 연안에 위치한 만타보다 해발 고도가 높기 때문이다.

채점 기준	
상	두 지역의 기후 차이를 기후 요소 및 기후 요인을 이용하여 정확하게 서술한 경우
중	두 지역의 기후 차이를 기후 요소 및 기후 요인을 이용하여 서술하였으나 내용이 미흡한 경우
하	두 지역의 기후 차이만 서술한 경우

14 지중해성 기후의 주민 생활

(1) 지중해성 기후
(2) [예시 답안] 건조한 여름에도 잘 견디는 포도, 올리브, 코르크참나무, 오렌지 등과 같은 경엽수를 이용한 수목 농업이 이루어지고 있다.

채점 기준	
상	지중해성 기후의 농업 특징을 식생과 여름 기후와 관련하여 정확하게 서술한 경우
중	지중해성 기후의 농업 특징을 식생과 여름 기후와 관련하여 서술하였으나 미흡한 경우
하	지중해성 기후에서 이루어지는 농업에 대해 간단하게 서술한 경우

15 빙하 퇴적 지형

(1) A: 드럼린, B: 에스커, C: 모레인
(2) [예시 답안] 빙하 생성 물질이 퇴적되어 형성된 빙력토 평원은 유기물이 부족하여 토질이 좋지 않을 뿐만 아니라 토양 내에 자갈도 많아 농업 활동이 어렵다.

채점 기준	
상	농업 활동이 어려운 이유를 토양 구성 물질 및 비옥도와 관련지어 정확하게 서술한 경우
중	농업 활동이 어려운 이유를 토양 구성 물질 및 비옥도와 관련지어 서술하였으나 내용이 미흡한 경우
하	농업 활동이 어려운 이유를 토양 구성 물질과 비옥도 중 한 가지 측면에서만 간단하게 서술한 경우

16 석회동굴

(1) 석회동굴

(2) [예시 답안] 기반암인 석회암이 용식 작용을 받아 동굴이 형성되며, 동굴 내부에는 탄산 칼슘이 침전되어 석순·종유석·석주 등 다양한 지형이 형성된다. 석회동굴은 천장의 무게를 이기지 못해 무너지기도 한다.

채점 기준	
상	석회동굴의 형성 과정 및 변화를 정확하게 서술한 경우
중	석회동굴의 형성 과정과 변화 중 한 가지만 정확하게 서술한 경우
하	석회동굴의 형성 과정과 변화 중 한 가지만 서술하였고 내용도 미흡한 경우

III 세계의 인문 환경과 인문 경관

01 주요 종교의 전파와 종교 경관

콕콕! 개념 확인하기 87쪽

01 (1) C, D (2) A (3) D (4) A, B, C (5) B (6) D (7) C
02 A: 크리스트교, B: 이슬람교, C: 불교, D: 힌두교
03 (1) × (2) ○ (3) × (4) ×

03 (가)는 크리스트교, (나)는 이슬람교, (다)는 불교이다.
(1) 시아파와 수니파가 종파인 종교는 이슬람교이다.
(3) 사원에 다양한 신들의 모습이 그려져 있는 종교는 힌두교이다. 이슬람교는 유일신교에 해당한다.
(4) 돔형의 지붕과 첨탑이 특징인 종교는 이슬람교이다.

탄탄! 내신 다지기 88쪽

01 ⑤ **02** ⑤ **03** ④ **04** ① **05** 해설 참조

01 주요 종교의 지역별 신자 수 비율

자료 분석 | 아시아의 신자 수 비율이 대부분을 차지하고 있는 (가)는 불교이다. 아시아의 신자 수 비율이 가장 높고, 아프리카의 신자 수 비율도 높게 나타나는 (나)는 이슬람교이다. 아메리카와 유럽의 신자 수 비율이 높게 나타나는 (다)는 크리스트교이다.

[선택지 분석]
① (가)는 신앙 실천의 5대 의무가 있다.
➡ 이슬람교에서는 신앙 고백, 기도, 자선 활동, 라마단(금식), 성지 순례의 의무가 있다.
② (나)는 개인의 수양 및 해탈과 자비를 강조한다.
➡ 불교에 대한 설명이다.
③ (다)의 신자들은 술과 돼지고기를 먹지 않는다.
➡ 이슬람교에서 금기시하는 것에 대한 설명이다.
④ (가)는 (나)보다 세계 신자 수가 ~~많다~~ 적다.
⑤ (가)~(다)는 모두 보편 종교에 해당한다.
➡ 불교, 이슬람교, 크리스트교는 모두 보편 종교이다.

02 힌두교의 특징

[선택지 분석]
① ~~유일신교~~ 다신교에 해당한다. → 크리스트교, 이슬람교
② ~~보편 종교~~ 민족 종교에 해당한다. → 크리스트교, 이슬람교, 불교
③ 세계에서 신자 수가 가장 많다. → 크리스트교
④ 다수의 수니파와 소수의 시아파로 구분된다. → 이슬람교
⑤ 소를 신성시하여 신자들은 소고기를 먹지 않는다. → 힌두교

03 세계의 종교별 신자 수 비율

자료 분석 | 그래프를 보면 세계의 신자 수는 (가)>(나)>(라)>(다) 순으로 많다. 따라서 (가)는 크리스트교, (나)는 이슬람교, (다)는 불교, (라)는 힌두교이다.

[선택지 분석]

ㄱ. (가) – 윤회 사상을 믿는다.

ㄴ. (나) – 쿠란의 가르침에 따라 생활한다.

ㄷ. (다) – 아메리카 내에서 신자 수가 가장 많다.

ㄹ. (라) – 민족 종교 중 세계 신자 수가 가장 많다.

04 아시아 주요 국가의 종교 구성

자료 분석 | 인도에서 신자 수가 가장 많은 (가)는 힌두교, 인도네시아, 파키스탄, 방글라데시 등에서 신자 수가 가장 많은 (나)는 이슬람교이다. 중국, 타이, 일본, 미얀마에서 신자 수가 가장 많은 (다)는 불교이다.

[선택지 분석]

① (가)는 팔레스타인 지방에서 기원하였다.

➡ 힌두교는 고대 인도에서 발생하였다.

② (나)의 사원에서는 아라베스크 문양을 볼 수 있다.

③ (다)의 종교 경관으로 불상과 불탑을 들 수 있다.

④ (나)는 (가)보다 더 넓은 지역으로 전파되었다.

➡ 이슬람교는 군사적 정복과 상인의 무역 활동을 통해 아시아 및 북부 아프리카 등으로 전파되었으나, 힌두교는 인도 주변의 일부 지역으로만 전파되었다.

⑤ (다)는 (나)보다 기원한 시기가 이르다.

➡ 불교는 기원전 6세기경, 이슬람교는 기원후 7세기 초에 발생하였다.

05 주요 종교의 종교 경관

(1) (가): 이슬람교, (나): 크리스트교, (다): 불교

(2) [예시 답안] 기원한 시기는 불교가 가장 이르고, 그다음이 크리스트교이며, 이슬람교가 가장 늦다. 세계의 신자 수는 크리스트교>이슬람교>불교 순으로 많다.

채점 기준	
상	세 종교의 상대적 특징을 기원한 시기와 세계의 신자 수를 모두 포함하여 바르게 서술한 경우
중	세 종교의 상대적 특징을 기원한 시기와 세계의 신자 수를 모두 포함하여 서술하였으나, 한 가지만 바르게 서술한 경우
하	세 종교의 상대적 특징을 기원한 시기와 세계의 신자 수 중 한 가지만 서술했고, 그 내용이 미흡한 경우

도전! 실력 올리기

89쪽

01 ⑤ 02 ⑤ 03 ① 04 ④

01 보편 종교의 지역별 신자 수 비율

자료 분석 | 다른 대륙에 비해 아시아·태평양 내에서 신자 수 비율이 높게 나타나는 (가)는 불교이다. 서남아시아 및 북부 아프리카 내에서 신자 수 비율이 매우 높게 나타나는 (나)는 이슬람교이다. 아시아·태평양과 서남아시아 및 북부 아프리카를 제외한 나머지 지역 내에서 신자 수 비율이 높게 나타나는 (다)는 크리스트교이다.

[선택지 분석]

① (가)의 신자 수가 세계에서 가장 많은 국가는 미국이다.

➡ 크리스트교의 신자 수가 세계에서 가장 많은 국가는 미국이다.

② (나)의 신자들은 윤회 사상을 믿는다.

➡ 윤회 사상은 불교와 힌두교에서 믿는다.

③ (다)의 신자들은 술과 돼지고기를 금기시한다.

➡ 술과 돼지고기를 금기시하는 종교는 이슬람교이다.

④ (가), (나)의 기원지는 모두 서남아시아에 위치한다.

➡ 불교의 기원지는 인도 북부에 위치한다.

⑤ 세계 신자 수는 (다)>(나)>(가) 순으로 많다.

➡ 세 종교 중에서 세계의 신자 수는 크리스트교가 가장 많고 불교가 가장 적다.

02 주요 국가의 종교별 신자 수

자료 분석 | 네 종교의 신자 수 합이 가장 많은 국가는 인구 규모가 가장 큰 인도이며, 인도 내에서 신자 수 비율이 가장 높은 C는 힌두교이다. 인도 다음으로 신자 수 합이 많은 국가는 미국이고, 미국 내에서 신자 수 비율이 가장 높은 A는 크리스트교이다. 인도, 미국 다음으로 신자 수 합이 많은 국가는 인도네시아이고, 인도네시아 내에서 신자 수 비율이 가장 높은 B는 이슬람교이다. 네 종교의 신자 수 합이 가장 적은 국가는 타이이고, 타이 내에서 신자 수 비율이 가장 높은 D는 불교이다.

[선택지 분석]

① A의 여성 신자들은 니캅, 부르카 등과 같이 몸을 가리는 의복을 착용한다.

➡ 여성 신자들이 몸을 가리는 니캅, 부르카 등의 의복을 착용하는 종교는 이슬람교이다.

② B의 신자들은 소고기를 먹지 않는다.

➡ 소고기를 먹지 않는 종교는 힌두교이다.

③ C는 세계에서 신자 수가 가장 많다.

➡ 세계에서 신자 수가 가장 많은 종교는 크리스트교이다.

④ D의 대표적인 종교 경관으로 둥근 지붕과 첨탑의 사원을 들 수 있다.

➡ 둥근 지붕과 첨탑의 사원은 이슬람교의 대표적인 종교 경관이다.

⑤ A～D 중에서 기원한 시기는 C가 가장 이르다.

➡ 네 종교 중에서 기원한 시기는 고대 인도에서 발생한 힌두교가 가장 이르다.

03 주요 지역의 종교별 신자 수 비율

자료 분석 | 라틴 아메리카와 사하라 이남 아프리카에서 신자 수 비

율이 가장 높은 (가)는 크리스트교이다. 크리스트교 신자 수 비율이 높은 A, B는 유럽과 앵글로아메리카 중 하나이고, 나머지 C는 서남아시아·북부 아프리카이다. 서남아시아·북부 아프리카에서 신자 수 비율이 가장 높게 나타나는 (나)는 이슬람교이다. B는 A보다 이슬람교 신자 수 비율이 높으므로 A는 앵글로아메리카, B는 유럽이다. 유럽은 서남아시아와 북부 아프리카 출신의 이민자가 많이 유입되면서 이슬람교 신자 수 비율이 앵글로아메리카보다 높게 나타난다. (다), (라)는 불교와 힌두교 중 하나인데, (라)는 (다)보다 아시아·오세아니아에서 신자 수 비율이 높다. 따라서 (다)는 불교, (라)는 힌두교이다.

[선택지 분석]

✔ (가)의 신자 수가 세계에서 가장 많은 국가는 A에 위치한다.
➡ 크리스트교의 신자 수가 세계에서 가장 많은 국가는 미국이며, 미국은 앵글로아메리카에 위치한다.

② ~~(나)~~(다)의 종교 경관으로 불상과 불탑을 들 수 있다.
➡ 불상과 불탑은 불교의 종교 경관이다.

③ (다)의 기원지는 C에 위치한다.
➡ 불교의 기원지는 인도 북부에 위치한다.

④ (나)는 (라)보다 기원한 시기가 ~~이르다~~늦다.
➡ 이슬람교는 힌두교보다 기원한 시기가 늦다.

⑤ A는 B보다 지역 내 이슬람교 신자 수 비율이 ~~높다~~낮다.
➡ 앵글로아메리카는 유럽보다 지역 내 이슬람교 신자 수 비율이 낮다.

04 주요 국가의 종교별 신자 수 비율

자료 분석 | 이스라엘에서 신자 수 1위 종교인 (가)는 유대교, 케냐에서 신자 수 1위 종교인 (나)는 크리스트교, 파키스탄에서 신자 수 1위 종교인 (다)는 이슬람교, 네팔에서 신자 수 1위 종교인 (라)는 힌두교, 스리랑카에서 신자 수 1위 종교인 (마)는 불교이다.

[선택지 분석]

① ~~(나)~~(다)의 신자들은 쿠란의 가르침에 따른 신앙 실천의 5대 의무가 있다.
➡ 쿠란의 가르침에 따른 신앙 실천의 5대 의무가 있는 종교는 이슬람교이다.

② ~~(다)~~(라)의 사원에서는 다양한 신들의 조각상을 볼 수 있다.
➡ 사원에서 다양한 신들의 조각상을 볼 수 있는 종교는 힌두교이다. 이슬람교는 유일신교이다.

③ (라)는 ~~팔레스타인 지역~~고대 인도에서 기원하였다.
➡ 팔레스타인 지역에서 기원한 종교는 크리스트교이다.

✔ (가), (다)의 신자들은 돼지고기를 금기시한다.
➡ 유대교와 이슬람교의 신자들은 돼지고기를 금기시하여 먹지 않는다.

⑤ ~~(가), (나)~~(가), (라)는 민족 종교, ~~(다), (라), (마)~~(나), (다), (마)는 보편 종교에 해당한다.
➡ 유대교와 힌두교는 민족 종교에 해당하고, 불교, 이슬람교, 크리스트교는 보편 종교에 해당한다.

02 세계의 인구 변천과 인구 이주

콕콕! 개념 확인하기 94쪽

01 (가): 아프리카, (나): 유럽, (다): 아시아
02 (1) × (2) ○ (3) × (4) ○ (5) ○ (6) ○
03 (1) B (2) A, B (3) C (4) C

02 (1) 니제르(가)는 아프리카, 독일(나)은 유럽에 위치한다.
(3) 개발 도상국인 니제르(가)는 선진국인 독일(나)보다 1인당 국내 총생산이 적다.

탄탄! 내신 다지기 95~96쪽

01 ⑤ 02 ① 03 ③ 04 ⑤ 05 ① 06 ③ 07 ②
08 ④ 09 ① 10 해설 참조

01 세계의 인구 분포

[선택지 분석]

① 북반구보다 남반구에 인구가 ~~많다~~적다.

② 세계에서 인구가 가장 많은 대륙은 ~~아프리카~~아시아이다.

③ 북부 아프리카와 브라질 내륙은 인구 ~~밀집~~희박 지역에 해당한다.

④ 해안 지역보다 내륙의 산악 지대에서 인구 밀도가 ~~높게~~낮게 나타난다.

✔ 중국의 해안 지역은 오스트레일리아의 내륙 지역보다 인구 밀도가 높다.
➡ 중국의 해안 지역은 인구 밀집 지역에 해당하고, 오스트레일리아 내륙은 사막이 형성되어 있어 인구 희박 지역에 해당한다.

02 대륙별 인구 비율

자료 분석 | 모든 시기에 인구가 가장 많은 (가)는 아시아이고, 인구 증가율이 가장 높은 (나)는 아프리카이며, 인구 비율이 감소한 (다)는 유럽이다.

[선택지 분석]

	(가)	(나)	(다)
✔	아시아	아프리카	유럽

➡ 아시아는 모든 대륙 중에서 인구가 가장 많다.

03 대륙별 인구 특징

자료 분석 | (가)는 아시아, (나)는 아프리카, (다)는 유럽이다.

[선택지 분석]

① (가)는 (나)보다 1985~2015년의 인구 증가율이 ~~높다~~낮다.

② (나)는 (다)보다 2015년에 3차 산업 종사자 수 비율이 ~~높다~~낮다.

✔③ (다)는 (가)보다 산업 혁명이 발생한 시기가 이르다.

➡ 아시아, 아프리카, 유럽 중에서 선진국이 많은 유럽의 산업 혁명 발생 시기가 이르다.

④ (다)는 (나)보다 ~~개발 도상국~~(선진국)이 많다.

⑤ (가)~(다) 중에서 경제 발달 수준은 (다)가 가장 ~~낮다~~(높다).

04 선진국과 개발 도상국의 인구 구조

자료 분석 | (가)는 주로 선진국으로 이루어진 국가군이고, (나)는 주로 개발 도상국으로 이루어진 국가군이다.

[선택지 분석]

✗ 기대 수명이 ~~길다~~(짧다).

✗ 고령화 지수가 ~~높다~~(낮다).

ⓒ 인구의 자연 증가율이 높다.

➡ 현재 개발 도상국은 인구 변천 모형 단계의 2단계나 3단계에 속하는 경우가 많아 인구의 자연 증가율이 높다.

ⓔ 유소년층 인구 비율이 높다.

➡ 개발 도상국은 출생률이 높아 유소년층 인구 비율이 높다.

05 선진국과 개발 도상국의 인구 구조

자료 분석 | 세 국가 중 노년층 인구 비율이 가장 높은 (가)는 선진국인 스웨덴이고, 유소년층 인구 비율이 가장 높은 (나)는 개발 도상국인 아프리카의 니제르이다. 나머지 (다)는 터키이다.

[선택지 분석]

✔① (가)는 (나)보다 인구 변천 모형의 2단계에 진입한 시기가 이르다.

➡ 선진국은 인구 변천 모형의 4단계나 5단계에 속하는 경우가 많고, 개발 도상국보다 2단계에 진입한 시기가 이르다.

② (나)는 (다)보다 중위 연령이 ~~높다~~(낮다).

③ (다)는 (가)보다 1인당 국내 총생산이 ~~많다~~(적다).

④ (가)는 ~~아시아~~(유럽), (나)는 아프리카에 위치한다.

⑤ (가)~(다) 중에서 산아 제한 정책의 필요성은 ~~(가)~~((나) 니제르)가 가장 높다.

06 인구 변천 모형의 단계별 특징

[선택지 분석]

① ~~1단계~~(5단계) – 저출산으로 인구의 자연 감소가 나타난다.

② ~~2단계~~(4단계) – 낮은 수준의 출생률과 사망률이 유지된다.

✔③ 3단계 – 출생률이 감소하면서 인구 증가율이 둔화된다.

④ ~~4단계~~(2단계) – 출생률이 높고 사망률이 감소하여 인구가 급성장한다.

⑤ ~~5단계~~(1단계) – 출생률과 사망률이 높아 인구 증가율이 낮다.

07 선진국과 개발 도상국의 인구 구조

자료 분석 | 거의 모든 시기에 출생률이 가장 높은 (가)는 개발 도상국인 아프리카의 수단이고 최근 들어 출생률이 크게 감소한 (나)는 사우디아라비아이며, 과거부터 출생률이 낮은 수준을 유지해 온 (다)는 선진국인 유럽의 영국이다.

[선택지 분석]

① (나)는 (다)보다 인구 밀도가 ~~높다~~(낮다).

✔② (다)는 (가)보다 중위 연령이 높다.

➡ 영국은 저출산으로 유소년층 인구 비율이 낮은 반면, 노년층 인구 비율이 높아 중위 연령이 높다.

③ (가)는 ~~아시아~~(아프리카), (나)는 ~~아프리카~~(아시아)에 위치한다.

④ ~~(가), (나)~~((가))는 인구 순 유출국, ~~(다)~~((나), (다))는 인구 순 유입국이다.

⑤ (가)~(다) 중에서 노년층 인구 비율은 ~~(가)~~((다))가 가장 높다.

08 세계의 인구 이동 특징

[선택지 분석]

① ~~선진국에서 개발 도상국으로의~~(개발 도상국에서 선진국으로의) 인구 이동이 대부분을 차지한다.

② 아시아와 아프리카는 유출 인구보다 유입 인구가 ~~많은~~(적은) 대륙이다.

③ 인구 이주로 인해 인구 유입 지역에서는 노동력 부족 문제가 ~~심화~~(완화)되고 있다.

✔④ 서남아시아의 산유국은 남성 중심의 노동력이 유입되면서 남초 현상이 나타나고 있다.

➡ 사우디아라비아와 같은 서남아시아의 산유국은 남성 중심의 노동력이 유입되면서 남초 현상이 나타나고 있다.

⑤ 유럽으로 유입되는 북부 아프리카와 서남아시아 출신의 난민들은 대부분 ~~크리스트교~~(이슬람교)를 믿는다.

09 인구 순 유입국과 순 유출국

자료 분석 | (가) 국가군은 주로 선진국으로 이루어진 것으로 보아 인구 순 유입국이고, (나) 국가군은 주로 개발 도상국으로 이루어진 것으로 보아 인구 순 유출국이다.

[선택지 분석]

ⓐ 시간당 임금 수준이 높다. → 선진국 > 개발 도상국

ⓑ 산업화가 시작된 시기가 이르다. → 선진국 > 개발 도상국

✗ 1차 산업 종사자 수 비율이 ~~높다~~(낮다).

✗ 총인구 대비 도시 거주 인구 비율이 ~~낮다~~(높다).

10 유럽 주요 국가의 이슬람 인구 변화

(1) 서남아시아, 북부 아프리카

(2) [예시 답안] 2010~2030년에 유럽 주요 국가의 이슬람 인구는 증가할 것으로 예상된다. 이는 이슬람교 신자의 비율이 높은 서남아시아와 북부 아프리카 출신 이민자의 유입이 계속되고, 기존 이슬람 인구의 출생률이 높아 인구가 증가할 것으로 예상되기 때문이다.

채점 기준	
상	유럽 주요 국가의 이슬람 인구 변화 경향과 원인을 모두 정확하게 서술한 경우
중	유럽 주요 국가의 이슬람 인구 변화 경향과 원인 중 한 가지만 정확하게 서술한 경우
하	유럽 주요 국가의 이슬람 인구 변화 경향과 원인 중 한 가지만 서술하였고, 그 내용이 미흡한 경우

도전! 실력 올리기

97쪽

01 ② **02** ④ **03** ③ **04** ②

01 선진국과 개발 도상국의 인구 변화

자료 분석 | 출생자 수보다 사망자 수가 많아 인구의 자연 감소가 나타나고 있는 (가)는 유럽의 선진국인 독일이다. 인구의 자연 증가는 많지만 인구 순 유출이 발생하고 있는 (나)는 아프리카의 개발 도상국인 알제리이다. 인구의 자연 증가와 인구의 순 유입이 이루어지고 있는 (라)는 서남아시아의 산유국인 사우디아라비아이고, 나머지 (다)는 폴란드이다.

[선택지 분석]

㉠ (가)는 (나)보다 시간당 임금 수준이 높다.

➡ 선진국인 독일은 개발 도상국인 알제리보다 시간당 임금 수준이 높다.

✕ (다)는 (라)보다 이슬람교 신자 수 비율이 ~~높다~~. 낮다

➡ 유럽의 폴란드는 서남아시아의 사우디아라비아보다 이슬람교 신자 수 비율이 낮다.

㉢ (라)는 (가)보다 청장년층 인구의 성비가 높다.

➡ 남성 노동력이 많이 유입되는 사우디아라비아는 독일보다 청장년층 인구의 성비가 높다.

✕ (나)는 아프리카, (다)는 ~~아시아~~(유럽)에 위치한다.

02 선진국과 개발 도상국의 인구 구조

자료 분석 | (가), (나) 모두 50%를 넘는 국가가 없으므로 (가), (나)는 유소년층 인구 비율과 노년층 인구 비율 중 하나인데, (나)보다 (가)가 높게 나타나므로 (가)는 유소년층 인구 비율, (나)는 노년층 인구 비율이다. 유소년층 인구 비율이 가장 높은 A는 아프리카의 개발 도상국인 차드이다. 노년층 인구 비율이 가장 높은 C는 유럽의 선진국인 프랑스이고, 나머지 B는 터키이다.

[선택지 분석]

① (가)는 ~~노년층~~(유소년층) 인구 비율, (나)는 ~~유소년층~~(노년층) 인구 비율이다.

② A는 B보다 2015년에 고령화 지수가 ~~높다~~. 낮다

➡ 차드는 터키보다 유소년층 인구 비율은 높고 노년층 인구 비율은 낮으므로 고령화 지수가 낮다.

③ B는 C보다 2015년에 중위 연령이 ~~높다~~. 낮다

➡ 터키는 프랑스보다 유소년층 인구 비율이 높고 노년층 인구 비율이 낮으므로 중위 연령이 낮다.

✔④ C는 A보다 2015년에 총 부양비가 낮다.

➡ 프랑스는 차드보다 유소년층 인구 비율과 노년층 인구 비율을 합한 값이 작으므로 총 부양비가 낮다.

⑤ A는 ~~유럽~~(아프리카), B는 아시아, C는 ~~아프리카~~(유럽)에 위치한다.

➡ 차드는 아프리카, 터키는 아시아, 프랑스는 유럽에 위치한다.

03 대륙별 인구 구조

자료 분석 | 세 대륙 중에서 노년층 인구 비율이 가장 높은 (가)는 유럽이고, 유소년층 인구 비율이 가장 높은 (나)는 아프리카이다. 나머지 (다)는 아시아이다. 세 대륙 중에서 출생률이 가장 높은 A는 아프리카이고, 출생률이 가장 낮은 C는 유럽이다. 나머지 B는 아시아이다.

[선택지 분석]

① (가)는 (나)보다 2010~2015년에 인구의 자연 증가율이 ~~높다~~. 낮다

➡ 유럽은 아프리카보다 2010~2015년에 출생률에서 사망률을 뺀 인구의 자연 증가율이 낮다.

② (나)는 (다)보다 2015년에 유소년층 인구가 ~~많다~~. 적다

➡ 아프리카는 아시아보다 유소년층 인구 비율은 높지만 총인구가 훨씬 적으므로 유소년층 인구가 적다.

✔③ A는 B보다 2015년에 총 부양비가 높다.

➡ 청장년층 인구 비율과 총 부양비는 반비례 관계이다. 따라서 2015년에 아프리카는 아시아보다 청장년층 인구 비율이 낮으므로 총 부양비가 높다.

④ B는 C보다 인구의 순 유입이 ~~많다~~. 적다

➡ 아시아는 인구 순 유출 대륙이고, 유럽은 인구 순 유입 대륙이다.

⑤ (가)는 C, (나)는 B(A), (다)는 ~~A~~(B)에 해당한다.

➡ (가)와 C는 유럽, (나)와 A는 아프리카, (다)와 B는 아시아이다.

04 대륙별 인구 특징

자료 분석 | 총인구가 가장 많은 (가)는 아시아이다. 인구 증가율이 가장 낮은 (나)는 유럽이고, 인구 증가율이 가장 높은 (마)는 아프리카이다. (다), (라)는 앵글로아메리카와 라틴 아메리카 중 하나인데, (라)는 (다)보다 총인구가 많고 인구 증가율도 높다. 따라서 (다)는 앵글로아메리카이고, (라)는 라틴 아메리카이다.

[선택지 분석]

① (가)는 (나)보다 중위 연령이 ~~높다~~. 낮다

➡ 아시아는 유럽보다 유소년층 인구 비율은 높고 노년층 인구 비율은 낮으므로 중위 연령이 낮다.

✔② (나)는 (다)보다 영어 사용자의 비율이 낮다.

➡ 유럽은 미국, 캐나다로 이루어진 앵글로아메리카보다 영어 사용자의 비율이 낮다.

③ (다)는 (라)보다 국가 수가 ~~많다~~. 적다

➡ 미국, 캐나다로 이루어진 앵글로아메리카는 라틴 아메리카보다 국가 수가 적다.

④ (라)는 (마)보다 유소년층 인구 비율이 ~~높다~~. 낮다

➡ 아프리카는 모든 대륙 중에서 유소년층 인구 비율이 가장 높다.

⑤ (마)는 (다)보다 인구 순 ~~유입~~(유출)이 많다.

➡ 아프리카와 아시아는 인구 순 유출이 많다.

03 ~ 세계의 도시화와 세계 도시 체계

콕콕! 개념 확인하기 101쪽

01 (가): 종착 단계, (나): 가속화 단계, (다): 초기 단계
02 (1) A (2) B (3) C (4) B
03 (1) × (2) ○ (3) ○ (4) × (5) ○

02 A는 영국, B는 중국, C는 우간다이다.

03 (1) 국제 연합의 본부는 뉴욕에 위치한다.
(4) 뭄바이가 속한 하위 세계 도시는 런던이 속한 최상위 세계 도시보다 도시의 수가 많으므로 도시 간 평균 거리가 가깝다.

탄탄! 내신 다지기 102쪽

01 ② **02** ④ **03** ⑤ **04** ⑤ **05** 해설 참조

01 도시화 과정

[선택지 분석]

① 개발 도상국은 현재 대부분 ~~종착~~ 가속화 단계에 해당한다.

✔② 종착 단계에는 교외화 및 대도시권 확대가 나타난다.

➡ 종착 단계에서는 도시화율 증가가 둔화되고, 교외화 및 대도시권 확대가 나타난다.

③ 초기 단계에는 인구의 대부분이 ~~3차~~ 1차 산업에 종사한다.

④ 가속화 단계는 종착 단계보다 도시 인구 증가율이 ~~낮다~~ 높다.

⑤ 선진국은 개발 도상국보다 도시화의 가속화 단계에 진입한 시기가 ~~늦다~~ 이르다.

02 선진국과 개발 도상국의 도시화

자료 분석 | 1950년에는 (나)보다 도시화율이 낮았으나 이후 도시화율이 빠르게 상승하여 2015년에는 도시화율이 가장 높은 (가)는 개발 도상국인 라틴 아메리카의 브라질이다. 1950년에 이미 도시화율이 70% 가까이 되었고 이후에도 도시화율이 높은 수준을 유지하고 있는 (나)는 선진국인 독일이다. 모든 시기에 도시화율이 가장 낮은 (다)는 아프리카의 개발 도상국인 차드이다.

[선택지 분석]

① (가)는 ~~유럽~~ 라틴 아메리카에 위치한다.

② (나)는 2015년에 도시화의 ~~가속화 단계~~ 종착 단계에 해당한다.

③ (다)는 세 국가 중 3차 산업 취업자 수 비율이 가장 ~~높다~~ 낮다.

✔④ (가)는 (나)보다 2015년에 도시 인구가 많다.

➡ 브라질은 독일보다 총인구가 많고 도시화율도 높으므로 도시 인구가 많다.

⑤ (나)는 (다)보다 연평균 도시 인구 증가율이 ~~높다~~ 낮다.

03 대륙별 도시화 특징

자료 분석 | 2015년에 도시 인구가 가장 많은 (나)는 아시아이다. (가), (다)는 유럽, 아프리카 중 하나인데, (다)는 (가)보다 1955~2015년의 도시 인구 증가율이 낮다. 따라서 (가)는 대부분 개발 도상국으로 이루어진 아프리카이고, (다)는 대부분 선진국으로 이루어진 유럽이다.

[선택지 분석]

① (가)는 (나)보다 2015년에 도시화율이 ~~높다~~ 낮다.

② (나)는 (다)보다 2015년에 총인구가 ~~적다~~ 많다.

③ (다)는 (가)보다 1955~2015년의 도시 인구 증가율이 ~~높다~~ 낮다.

④ (가)는 아프리카, (나)는 ~~유럽~~ 아시아, (다)는 ~~아시아~~ 유럽이다.

✔⑤ 2015년에 1인당 지역 내 총생산은 (다)가 가장 많다.

➡ 세 대륙 중 경제 발달 수준이 가장 높은 유럽이 1인당 지역 내 총생산이 가장 많다.

04 세계 도시 체계의 특징

자료 분석 | (가)는 최상위 세계 도시이고, (나)는 하위 세계 도시이다.

[선택지 분석]

① (가)는 (나)보다 생산자 서비스업 종사자 비중이 ~~낮다~~ 높다.

② (나)는 (가)보다 도시당 다국적 기업 본사의 수가 ~~많다~~ 적다.

③ (나)는 (가)보다 동일 계층의 도시 간 평균 거리가 ~~멀다~~ 가깝다.

④ (가)와 (나)를 구분하는 가장 중요한 기준은 ~~인구수이다~~ 인구수는 선정 기준이 아니다.

➡ 세계 도시는 경제적 측면, 정치적 측면, 문화적 측면, 도시 기반 시설 측면 등의 지표에 따라 다양하게 선정된다.

✔⑤ 교통과 통신이 발달할수록 (나)에 대한 (가)의 영향력이 커진다.

➡ 교통과 통신이 발달할수록 하위 세계 도시에 대한 최상위 세계 도시의 영향력이 커진다.

05 세계 도시 체계

(1) (가): 최상위 세계 도시, (나): 하위 세계 도시

(2) [예시 답안] (가)는 (나)보다 세계의 도시 수가 적고 도시 간 평균 거리가 멀며, 생산자 서비스업의 발달 수준이 높다.

채점 기준	
상	세계의 도시 수, 도시 간 평균 거리, 생산자 서비스업의 발달 수준을 모두 포함하여 바르게 서술한 경우
중	세계의 도시 수, 도시 간 평균 거리, 생산자 서비스업의 발달 수준 중 두 가지만 포함하여 바르게 서술한 경우
하	세계의 도시 수, 도시 간 평균 거리, 생산자 서비스업의 발달 수준 중 한 가지만 포함하여 바르게 서술한 경우

도전! 실력 올리기 103쪽

01 ② **02** ④ **03** ③ **04** ③

01 선진국과 개발 도상국의 도시화

자료 분석 | 도시 인구가 가장 많은 (가)는 총인구도 많고 도시화율도 높은 편인 브라질이다. 도시화율은 가장 낮지만 도시 인구 증가율이 가장 높은 (나)는 개발 도상국인 방글라데시이다. 도시화율이 높은 편이고 도시 인구 증가율이 가장 낮은 (다)는 선진국인 독일이다.

[선택지 분석]

① (가)는 에스파냐어를 공용어로 사용한다.
➡ 브라질은 포르투갈어를 공용어로 사용한다.

② (나)는 (다)보다 수위 도시의 과밀화 문제가 심각하다.
➡ 개발 도상국인 방글라데시는 도시화가 급격히 진행되면서 수위 도시의 과밀화 문제가 심각하다.

③ (다)는 (가)보다 산업화가 시작된 시기가 ~~늦다~~ 이르다.
➡ 선진국인 독일은 브라질보다 산업화가 먼저 시작되었다.

④ (나)는 아시아, (다)는 ~~라틴 아메리카~~ 유럽에 위치한다.
➡ 독일은 유럽에 위치한다.

⑤ (가)~(다) 중에서 생산자 서비스업의 종사자 비율은 ~~(가)~~ (다)가 가장 높다.
➡ 세 국가 중에서 생산자 서비스업의 종사자 비율은 독일이 가장 높고, 방글라데시가 가장 낮다.

02 대륙별 도시 인구와 촌락 인구

자료 분석 | 도시 인구와 촌락 인구 모두 가장 많은 (가)는 아시아이고, 아시아 다음으로 도시 인구와 촌락 인구가 많은 (나)는 아프리카이다. 아프리카는 도시 인구보다 촌락 인구가 많으므로 A는 도시, B는 촌락이다. 아시아, 아프리카 다음으로 도시 인구와 촌락 인구를 합한 총인구가 많은 (다)는 유럽이다. (라), (마)는 앵글로아메리카와 라틴 아메리카 중 하나인데, (라)는 (마)보다 총인구가 많으므로 (라)는 라틴 아메리카, (마)는 앵글로아메리카이다.

[선택지 분석]

① (가)는 (나)보다 도시화율이 ~~낮다~~ 높다.
➡ 아프리카는 모든 대륙 중에서 도시화율이 가장 낮다.

② (나)는 (다)보다 3차 산업 종사자 수 비율이 ~~높다~~ 낮다.
➡ 아프리카는 유럽보다 경제 발달 수준이 낮으므로 3차 산업 종사자 수 비율이 낮다.

③ (다)는 (라)보다 1인당 지역 내 총생산이 ~~적다~~ 많다.
➡ 유럽은 라틴 아메리카보다 경제 발달 수준이 높으므로 1인당 지역 내 총생산이 많다.

④ (라)는 (마)보다 영어 사용자의 비율이 낮다.
➡ 대부분 에스파냐어와 포르투갈어를 사용하는 라틴 아메리카는 앵글로아메리카보다 영어 사용자의 비율이 낮다.

⑤ 2015년 기준 총인구는 ~~(가)>(나)>(라)>(다)>(마)~~ (가)>(나)>(다)>(라)>(마) 순으로 많다.
➡ 2015년 기준 총인구는 아시아>아프리카>유럽>라틴 아메리카>앵글로아메리카 순으로 많다.

03 대륙별 도시화 특징

자료 분석 | (가)는 (나), (다)에 비해 도시 인구 상위 5개 국가의 도시화율이 낮은 편이고 연평균 도시 인구 증가율이 높으므로 아프리카이고, A는 아프리카에 속한 개발 도상국이다. (나)는 (가), (다)보다 도시 인구 상위 5개 국가의 도시화율이 높으므로 유럽이고, B는 유럽에 속한 선진국이다. (다)는 (가), (나)보다 도시 인구 상위 5개 국가의 도시 인구가 많으므로 아시아이고, 아시아에서 도시화율이 가장 높은 C는 일본이다.

[선택지 분석]

① (가)는 (나)보다 도시화의 가속화 단계에 진입한 시기가 ~~이르다~~ 늦다.
➡ 아프리카는 유럽보다 도시화가 시작된 시기가 늦으므로 도시화의 가속화 단계에 진입한 시기도 늦다.

② 도시 인구는 (가)>(나)>(다) 순으로 많다.
➡ 도시 인구는 아시아가 가장 많다.

③ C의 수도는 세계 도시 체계의 최상위 세계 도시에 해당한다.
➡ 일본의 수도 도쿄는 세계 도시 체계의 최상위 세계 도시에 해당한다.

④ A는 B보다 1차 산업 종사자의 노동 생산성이 ~~높다~~ 낮다.
➡ 개발 도상국인 아프리카의 A는 선진국인 유럽의 B보다 1차 산업의 자동화, 기계화 수준이 낮아 노동 생산성이 낮다.

⑤ A~C는 모두 촌락 인구보다 도시 인구가 많다.
➡ 세 국가 중 개발 도상국인 아프리카의 A는 도시화율이 50% 미만이므로 촌락 인구보다 도시 인구가 적다.

04 선진국과 개발 도상국 도시의 특징

자료 분석 | 1950년에 소규모의 도시 밖에 없었고 2015년에도 인구 1,000만 명 이상의 도시가 없는 (가)는 사우디아라비아이다. 1950년에 이미 인구 1,000만 명 이상의 대도시가 존재했던 (나)는 미국이다. 1950년에는 사우디아라비아와 같이 소규모의 도시 밖에 없었으나 이후 도시 인구가 급증하여 2015년에는 인구 1,000만 명 이상의 대도시가 존재하는 (다)는 도시 인구 증가율이 높은 개발 도상국에 해당하는 나이지리아이다.

[선택지 분석]

① (나)의 수도는 최상위 세계 도시에 해당한다.
➡ 미국의 수도는 워싱턴 D.C.이다. 워싱턴 D.C.는 최상위 세계 도시에 해당하지 않는다. 미국의 뉴욕이 최상위 세계 도시에 해당한다.

② (가)는 (나)보다 크리스트교 신자의 비율이 ~~높다~~ 낮다.
➡ 사우디아라비아는 이슬람교 신자의 비율이 높고, 미국은 크리스트교 신자의 비율이 높다.

③ (나)는 (다)보다 도시 인구가 많다.
➡ 미국은 나이지리아보다 총인구가 많고 도시화율도 높으므로 도시 인구가 많다.

④ (다)는 (나)보다 다국적 기업의 본사 수가 ~~많다~~ 적다.
➡ 미국에는 다국적 기업의 본사가 위치하는 세계 도시가 분포한다.

⑤ (가)는 ~~아프리카~~, (나)는 아메리카, (다)는 ~~아시아~~에 위치한다.
아시아 아프리카

➡ 사우디아라비아는 아시아, 미국은 아메리카, 나이지리아는 아프리카에 위치한다.

04 ~ 주요 식량 자원과 국제 이동

콕콕! 개념 확인하기 107쪽

01 (가): 쌀, (나): 밀, (다): 옥수수
02 (1) B (2) B, C (3) A (4) B
03 (1) ○ (2) ○ (3) × (4) × (5) ○

02 A는 옥수수, B는 쌀, C는 밀이다.

03 (가)는 소, (나)는 양, (다)는 돼지이다.
(3) 농경 사회에서 노동력을 대신하면서, 일찍부터 가축화된 동물은 소이다.
(4) 소고기는 힌두교, 돼지고기는 이슬람교에서 금기시한다.

탄탄! 내신 다지기 108쪽

01 ① **02** ③ **03** ⑤ **04** ⑤ **05** 해설 참조

01 밀, 쌀, 옥수수의 특징

[선택지 분석]

✔① 밀은 쌀보다 국제 이동량이 많다.
➡ 밀은 생산지에서 대부분 소비되는 쌀보다 국제 이동량이 많다.

② ~~쌀~~은 ~~밀~~보다 내건성과 내한성이 우수하다.
밀 쌀

③ 세 작물 중 세계 생산량은 ~~밀~~이 가장 많다.
옥수수

④ 옥수수는 밀보다 단위 면적당 생산량이 ~~적다~~.
많다

⑤ 쌀의 기원지는 아시아, ~~밀~~의 기원지는 아메리카이다.
옥수수
➡ 밀의 기원지는 서남아시아의 건조 기후 지역이다.

02 주요 곡물의 특징

자료 분석 | 아시아에서 생산량 비율이 매우 높은 (가)는 쌀이고, 유럽 내에서 생산량이 가장 많은 (나)는 밀이며, 아메리카의 생산량 비율이 가장 높은 (다)는 옥수수이다.

[선택지 분석]

① (가)의 세계 최대 생산국은 ~~미국~~이다.
중국

② ~~(나)~~는 바이오 에탄올의 원료로 이용된다.
(다) 옥수수

✔③ (다)의 기원지는 아메리카에 위치한다.

④ (가)는 (나)보다 국제 이동량이 ~~많다~~.
적다

⑤ ~~(나)~~는 ~~(다)~~보다 가축의 사료로 이용되는 비율이 높다.
(다) (나)

03 주요 가축의 특징

자료 분석 | 브라질, 인도, 미국의 사육 두수가 많은 (가)는 소이고 중국, 미국, 브라질의 사육 두수가 많은 (나)는 돼지이며, 중국, 오스트레일리아, 인도의 사육 두수가 많은 (다)는 양이다.

[선택지 분석]

~~ㄱ~~. (가)의 고기는 ~~이슬람교~~에서 금기시된다.
힌두교

~~ㄴ~~. ~~(나)~~는 농경 사회에서 노동력을 대신한 가축이다.
(가) 소

ⓒ (다)는 털에 대한 수요가 증가하면서 가치가 높아졌다.
➡ 양털의 수요가 증가하면서 공업 원료로서의 가치도 높아졌다.

ⓔ (가)~(다) 중에서 세계의 사육 두수는 (가)가 가장 많다.
➡ 2017년 기준 세계의 사육 두수는 소>양>돼지 순으로 많다.

04 주요 가축의 특징

자료 분석 | 아메리카와 인도에서 사육 두수가 많은 (가)는 소이고, 중국에서 사육 두수가 많은 (나)는 돼지이다.

[선택지 분석]

~~ㄱ~~. (가)의 사육 두수가 가장 많은 국가는 ~~아시아~~에 있다.
아메리카(브라질)

~~ㄴ~~. (나)는 아시아에서 주로 ~~유목~~의 형태로 사육된다.
유목 생활에 적합하지 않음

ⓒ (가)는 (나)보다 가축의 힘을 농경에 많이 이용한다.
➡ 소는 농경 사회에서 노동력을 대신하는 동물로 일찍부터 가축화되었다.

ⓔ (가)의 고기는 힌두교, (나)의 고기는 이슬람교 신자들이 먹지 않는다.
➡ 소는 힌두교에서 신성시하는 동물이기 때문에 먹지 않고, 돼지고기는 이슬람교에서 금기시하여 먹지 않는다.

05 쌀과 밀의 국제 이동

(1) (가): 쌀, (나): 밀
(2) [예시 답안] 쌀은 생산지와 소비지가 일치하여 국제 이동량이 적으나, 밀은 생산지와 소비지가 다른 경우가 많아 국제 이동량이 많다.

채점 기준	
상	생산지와 소비지, 국제 이동량을 모두 포함하여 두 작물의 국제 이동 특징을 정확하게 서술한 경우
중	생산지와 소비지, 국제 이동량 중 한 가지만 포함하여 두 작물의 국제 이동 특징을 정확하게 서술한 경우
하	생산지와 소비지, 국제 이동량 중 한 가지만 포함하여 서술하였고, 두 작물의 국제 이동 특징을 서술하지 못한 경우

도전! 실력 올리기 109쪽

01 ② **02** ④ **03** ① **04** ①

01 세계 3대 식량 작물의 특징

자료 분석 | 유럽 및 러시아에서 수출량이 가장 많은 (나)는 밀이고, 유럽 및 러시아에서 수출량이 가장 적은 (다)는 쌀이다. 나머지 (가)는 옥수수이다. 옥수수의 수출량이 모든 대륙 중에서 가장 많은 A는 앵글로아메리카이고, 쌀의 수출량이 모든 대륙 중에서 가장 많은 C는 아시아이다. 옥수수의 수출량이 많은 편인 B는 라틴 아메리카이다.

[선택지 분석]

① (가)의 세계 최대 생산국은 B에 위치한다. (A)

➡ 옥수수의 세계 최대 생산국은 미국이며, 미국은 앵글로아메리카에 위치한다.

✔② (나)의 기원지는 C에 위치한다.

➡ 밀의 기원지는 서남아시아의 건조 기후 지역이므로 아시아에 위치한다.

③ (가)는 (다)보다 단위 면적당 생산량이 ~~적다~~ (많다).

➡ 옥수수는 기후 적응력이 커서 쌀보다 단위 면적당 생산량이 많다.

④ (나)는 (다)보다 세계 생산량에서 수출량이 차지하는 비율이 ~~낮다~~ (높다).

➡ 밀은 쌀보다 국제 이동량이 많으므로 세계 생산량에서 수출량이 차지하는 비율이 높다.

⑤ A는 ~~아시아~~ (앵글로아메리카), C는 ~~앵글로아메리카~~ (아시아)이다.

02 세계 3대 식량 작물의 특징

자료 분석 | 타이, 인도, 베트남, 파키스탄과 같은 아시아 국가의 수출량이 많은 (가)는 쌀이다. 러시아, 캐나다, 오스트레일리아의 수출량이 많은 (나)는 밀이고, 러시아 다음으로 밀 수출량이 많은 A는 미국이다. 미국, 아르헨티나, 브라질, 우크라이나의 수출량이 많은 (다)는 옥수수이고, 밀과 옥수수 수출량 상위 5개국에 속하는 B는 프랑스이다.

[선택지 분석]

① ~~(가)~~ ((나) 밀)는 내한성과 내건성이 커서 재배 범위가 넓은 편이다.

➡ 쌀은 내한성과 내건성이 작은 작물이다.

② ~~(나)~~ ((다) 옥수수)는 바이오 에탄올의 원료로 이용되면서 수요가 급증하였다.

➡ 바이오 에탄올의 원료로 이용되면서 수요가 급증한 작물은 옥수수이다.

③ ~~(다)~~ ((나) 밀)는 세계 3대 식량 작물 중에서 세계 수출량이 가장 많다.

➡ 세계 3대 식량 작물 중에서 세계 수출량이 가장 많은 작물은 밀이다.

✔④ A는 B보다 옥수수 생산량이 많다.

➡ 미국은 프랑스보다 옥수수 생산량이 많다.

⑤ A, B는 모두 유럽에 위치한다.

➡ 미국은 앵글로아메리카에 위치한다.

03 아시아의 지역별 가축 사육 두수 비율

자료 분석 | 인도가 속한 남부 아시아 내에서 사육 두수 비율이 높은 (가)는 소이다. 중국이 속한 동아시아 내에서 사육 두수 비율이 높고 이슬람교 신자의 비율이 높은 서남아시아와 중앙아시아 내에서 거의 사육되지 않는 (나)는 돼지이다. 서남아시아, 중앙아시아 내에서 사육 두수 비율이 높은 (다)는 양이다.

[선택지 분석]

✔① (가)는 힌두교 신자들이 신성시한다.

➡ 소는 힌두교 신자들이 신성시한다.

② ~~(나)~~ ((다))는 털의 수요가 증가하면서 가치가 높아졌다.

➡ 털의 수요가 증가하면서 가치가 높아진 가축은 양이다.

③ (다)의 사육 두수가 세계에서 가장 많은 국가는 ~~오스트레일리아~~ (중국)이다.

➡ 양의 사육 두수가 세계에서 가장 많은 국가는 중국이다.

④ 세계의 사육 두수에서 아시아가 차지하는 비율은 (나)보다 (다)가 ~~높다~~ (낮다).

➡ 세계의 사육 두수에서 아시아가 차지하는 비율은 돼지가 양보다 높다.

⑤ 아메리카에서는 ~~(다)보다 (나)~~ ((나)보다 (가), (다))를 기업적 방목 형태로 많이 사육한다.

➡ 아메리카에서는 주로 소와 양을 기업적 방목 형태로 많이 사육한다. 돼지는 기업적 방목의 형태로 사육하는 경우가 적고 주로 정착 생활을 하는 지역에서 사육한다.

04 주요 국가별 가축 사육 두수 비율

자료 분석 | 브라질에서 사육 두수 비율이 가장 높은 A는 소이다. (가), (나)는 오스트레일리아, 인도, 중국 중 하나인데, 두 국가 모두 소의 사육 두수 비율이 가장 높은 국가가 아니므로 인도는 아니고 오스트레일리아와 중국 중 하나이다. (나)는 B의 사육 두수 비율이 매우 낮으므로 (나)는 돼지 사육이 활발하지 않은 오스트레일리아이고, B는 돼지이다. 나머지 C는 양이고, 돼지의 사육 두수 비율이 높은 (가)는 중국이다.

[선택지 분석]

✔① (가)는 (나)보다 C의 사육 두수가 많다.

➡ 국가 내에서 양의 사육 두수 비율은 오스트레일리아가 중국보다 높지만, 양의 사육 두수가 세계에서 가장 많은 국가는 중국이므로 중국은 오스트레일리아보다 양의 사육 두수가 많다.

② (가), ~~(나)~~는 모두 아시아에 속한다. ((나)는 아시아에 속하지 않음)

➡ 오스트레일리아는 오세아니아에 속한다.

③ A는 B보다 세계의 사육 두수가 ~~적다~~ (많다).

➡ 소는 돼지보다 세계의 사육 두수가 많다.

④ ~~B~~ (C)는 ~~C~~ (B)보다 털을 공업 원료로 이용하는 비율이 높다.

➡ 털을 공업 원료로 이용하는 가축은 양이다.

⑤ C는 A보다 건조 기후 지역에서 사육하기에 ~~불리하다~~ (유리하다).

➡ 양은 물을 많이 먹는 소보다 건조 기후 지역에서 사육하기에 유리하다.

05 주요 에너지 자원과 국제 이동

콕콕! 개념 확인하기 114쪽

01 (가): 석유, (나): 석탄, (다): 천연가스
02 (1) B, C (2) C (3) B (4) B (5) A
03 (1) × (2) ○ (3) ○ (4) ○

02 A는 석탄, B는 석유, C는 천연가스이다.

03 (가)는 지열, (나)는 수력이다.
(1) 유량이 풍부하고 큰 낙차를 얻을 수 있는 지역에서 발전이 유리한 에너지는 수력이다.

탄탄! 내신 다지기 115~116쪽

01 ⑤ **02** ④ **03** ③ **04** ② **05** ④ **06** ⑤ **07** ⑤
08 ② **09** ③ **10** 해설 참조

01 세계의 에너지 자원

[선택지 분석]

① 원자력은 수력보다 세계 소비량이 ~~많다~~ 적다.

② 세계의 에너지 자원 소비량은 ~~감소~~ 증가 추세에 있다.
➡ 인구가 증가하고 산업이 발달하면서 에너지 자원의 소비량은 지속적으로 증가하고 있다.

③ 석유는 편재성이 ~~작아~~ 커서 국제 이동량이 매우 ~~적다~~ 많다.
➡ 석유는 편재성이 크고 주요 생산지와 소비지가 달라 국제 이동량이 다른 자원에 비해 많은 편이다.

④ 세계의 에너지 자원 소비량은 화석 에너지보다 신·재생 에너지가 ~~많다~~ 적다.

⑤ 세계 1차 에너지 자원의 소비 구조에서 차지하는 비율이 가장 높은 에너지는 석유이다.
➡ 세계 1차 에너지 자원의 소비량은 석유>석탄>천연가스>수력>원자력 순으로 많다.

02 세계 주요 에너지 자원별 소비량 변화

자료 분석 | 그래프를 보면 2017년 기준 (가)>(나)>(다) 순으로 세계 소비량이 많으므로 (가)는 석유, (나)는 석탄, (다)는 천연가스이다.

[선택지 분석]

① (가)는 주로 ~~고기 조산대 주변~~ 신생대 제3기층의 배사 구조에 매장되어 있다.

② ~~(나)~~ (다) 천연가스는 냉동 액화 기술의 발달로 소비량이 급증하였다.

③ ~~(다)~~ (나) 석탄는 산업 혁명기의 주요 에너지원이었다.

⑤ (가)는 (나)보다 수송용으로 이용되는 비율이 높다.
➡ 석유는 수송용으로 이용되는 비율이 높고, 석탄은 산업용으로 이용되는 비율이 높다.

⑤ (다)는 (나)보다 연소 시 대기 오염 물질 배출량이 ~~많다~~ 적다.

03 수력과 원자력의 특징

자료 분석 | 세계 1차 에너지 소비 구조에서 차지하는 비율이 석유, 석탄, 천연가스 다음으로 많은 (라)는 수력이고, 수력 다음으로 많은 (마)는 원자력이다.

[선택지 분석]

ㄱ. ~~(라)~~ 태양광(열)는 일사량이 풍부한 지역이 발전에 유리하다.

ㄴ. (마)는 발전 후 방사성 폐기물이 발생한다.
➡ 원자력은 방사성 폐기물 처리에 많은 비용이 든다.

ㄷ. (마)는 (라)보다 발전소가 해안에 입지하는 경우가 많다.
➡ 원자력 발전소는 냉각수를 쉽게 구할 수 있는 해안 지역에 입지하는 경우가 많다.

ㄹ. (라), ~~(마)는~~ 모두 신·재생 에너지에 해당한다.
원자력은 신·재생 에너지가 아님

04 석탄의 특징

자료 분석 | 중국의 생산량 및 소비량 비율이 매우 높게 나타나는 에너지 자원은 석탄이다.

[선택지 분석]

① 자원의 재생 가능성이 높아 고갈 위험이 낮다. → 신·재생 에너지

② 제철 공업용, 발전용으로 이용되는 비율이 높다. → 석탄

③ 신생대 제3기층의 배사 구조에 주로 매장되어 있다. → 석유, 천연가스

④ 세계 1차 에너지 소비 구조에서 차지하는 비율이 가장 높다. → 석유

⑤ 개발 도상국의 1차 에너지 소비 구조보다 선진국의 1차 에너지 소비 구조에서 비율이 높다. → 천연가스, 원자력

05 석탄과 석유의 생산 지역과 국제 이동

자료 분석 | 석탄은 세계 여러 지역에 비교적 고르게 매장되어 있어 석유에 비해 국제 이동량이 작다. 석유는 편재성이 크고, 국제 이동량이 많다.

[선택지 분석]

① (가)의 최대 수출 국가는 ~~유럽~~ 오세아니아에 위치한다.
➡ 석탄의 최대 수출 국가는 오스트레일리아이다.

② (나)를 가장 많이 수입하는 국가는 ~~일본~~ 미국이다.

③ (나)는 (가)보다 편재성이 ~~작다~~ 크다.

④ (나)는 (가)보다 국제 이동량이 많다.
➡ 석유는 석탄보다 편재성이 커 국제 이동량이 많은 편이다.

⑤ (가)는 ~~신생대 제3기층 배사 구조~~ 고기 조산대 주변에, (나)는 ~~고기 조산대 주변~~ 신생대 제3기층 배사 구조에 주로 매장되어 있다.

06 천연가스와 석탄의 특징

자료 분석 | 가정용으로 많이 이용되는 (가)는 천연가스이고, 산업용으로 주로 이용되는 (나)는 석탄이다.

[선택지 분석]

~~ㄱ.~~ (가)의 세계 최대 생산국은 ~~중국~~이다.
미국

~~ㄴ.~~ ~~(나)는~~ 육상 구간에서 주로 파이프라인을 통해 수송된다.
(가) 천연가스

ㄷ. (가)는 (나)보다 세계의 총 발전량에서 차지하는 비율이 낮다.

➡ 세계의 총 발전량에서 차지하는 비율이 가장 높은 에너지 자원은 석탄이다.

ㄹ. (나)는 (가)보다 연소 시 대기 오염 물질 배출량이 많다.

➡ 석탄은 화석 에너지 중에서 연소 시 대기 오염 물질 배출량이 가장 많다.

07 원자력의 특징

자료 분석 | 프랑스 내에서 발전량 비율이 높은 에너지 자원은 원자력이다. 따라서 A는 원자력이다.

[선택지 분석]

① 주로 가정용으로 이용된다. → 천연가스

② 화력 발전의 주요 연료로 이용된다. → 석유, 석탄, 천연가스

③ 발전에 이용 시 온실가스가 다량 배출된다.

➡ 원자력은 화력 발전에 비해 대기 오염 물질 배출량이 적다.

④ 선진국보다 개발 도상국에서 주로 이용한다. → 석탄

⑤ 발전소는 냉각수를 얻기 쉬운 곳에 주로 입지한다.

➡ 원자력 발전소는 냉각수를 얻기 쉬운 해안 지역에 주로 입지한다.

08 주요 에너지 자원의 특징

[선택지 분석]

① 석유는 수력보다 재생 가능성이 ~~높다~~.
낮다

② 아시아는 유럽보다 석탄 소비량이 많다.

➡ 중국, 인도가 속한 아시아는 유럽보다 석탄 소비량이 많다.

③ 화석 연료 중 국제 이동량은 ~~석탄~~이 가장 많다.
석유

④ 원자력 소비량이 가장 많은 국가는 ~~프랑스~~이다.
미국

⑤ 개발 도상국은 선진국보다 1인당 에너지 소비량이 ~~많다~~.
적다

09 풍력과 태양광(열)의 특징

자료 분석 | 중국, 미국, 독일, 에스파냐, 인도, 영국에서 소비량이 많은 (가)는 풍력이다. 중국, 미국, 일본, 독일, 이탈리아, 에스파냐에서 소비량이 많은 (나)는 태양광(열)이다.

[선택지 분석]

~~ㄱ.~~ ~~(가)~~ 발전소는 유량이 풍부하고 큰 낙차를 얻을 수 있는 지역에 주로 입지한다.
수력

ㄴ. (나)는 일사량이 많은 지역이 발전에 유리하다.

➡ 태양광(열)은 일사량이 많은 지역에 주로 입지한다.

ㄷ. (가)는 (나)보다 발전 시 소음 발생량이 많다.

➡ 풍력은 바람에 의해 회전하는 바람개비에서 소음이 많이 발생한다.

~~ㄹ.~~ (나)는 (가)보다 밤 시간대 발전량 비율이 ~~높다~~.
낮다

10 주요 신·재생 에너지의 특징

(1) (가): 지열, (나): 수력

(2) [예시 답안] 지열은 수력보다 상업적 발전이 시작된 시기가 늦고, 판 경계부에서의 발전 잠재력이 높게 나타나며, 세계의 발전량에서 차지하는 비율이 낮다.

채점 기준	
상	상업적 발전이 시작된 시기, 판 경계부에서의 발전 잠재력, 세계의 발전량에서 차지하는 비율을 모두 포함하여 바르게 서술한 경우
중	상업적 발전이 시작된 시기, 판 경계부에서의 발전 잠재력, 세계의 발전량에서 차지하는 비율 중 두 가지만 포함하여 바르게 서술한 경우
하	상업적 발전이 시작된 시기, 판 경계부에서의 발전 잠재력, 세계의 발전량에서 차지하는 비율 중 한 가지만 포함하여 바르게 서술한 경우

도전! 실력 올리기 117쪽

01 ④ **02** ④ **03** ① **04** ⑤

01 화석 에너지의 지역별 생산량 비율

자료 분석 | 2016년 기준 유럽과 북아메리카의 생산량 비율이 높은 (가)는 천연가스이고 아시아·태평양의 생산량 비율이 매우 높은 (나)는 석탄이다. 서남아시아의 생산량 비율이 높은 (다)는 석유이다.

[선택지 분석]

① (가)는 산업 혁명기의 주요 에너지원이었다.

➡ 석탄에 대한 설명이다.

② (나)는 내연 기관의 발명으로 소비량이 급증하였다.

➡ 석유에 대한 설명이다.

③ (다)는 주로 고기 조산대 주변에 매장되어 있다.

➡ 석탄에 대한 설명이다.

④ (가)는 (나)보다 연소 시 대기 오염 물질 배출량이 적다.

➡ 천연가스는 화석 에너지 중에서 연소 시 대기 오염 물질 배출량이 가장 적다.

⑤ (나)는 (다)보다 수송용으로 이용되는 비율이 높다.

➡ 석유는 화석 에너지 중에서 수송용으로 이용되는 비율이 가장 높다.

02 주요 화석 에너지의 지역별 생산량과 소비량 비율

자료 분석 | (가)와 (나)에서 A는 B보다 소비량 비율이 높으므로 A는 아시아·태평양이고, B는 서남아시아이다. 서남아시아(B)의 생산량 비율이 가장 높게 나타나는 (가)는 석유이고, 유럽·러시아의 소비량 비율이 가장 높게 나타나는 (나)는 천연가스이다.

[선택지 분석]

① (가)는 (나)보다 세계 소비량이 ~~적다~~.
많다

➡ 석유는 세계에서 소비량이 가장 많은 에너지이다.

② (나)는 (가)보다 산업에 본격적으로 이용하기 시작한 시기가 ~~이르다~~.
늦다

➡ 천연가스는 석유보다 산업에 본격적으로 이용하기 시작한 시기가 늦다.

③ (가)는 고기 조산대 주변, (나)는 신생대 제3기층 배사 구조에 주로 매장되어 있다.

➡ 석유와 천연가스 모두 신생대 제3기층 배사 구조에 주로 매장되어 있다.

④ A는 B보다 1차 에너지 소비 구조에서 석탄이 차지하는 비율이 높다.

➡ 중국, 인도가 속한 아시아·태평양은 서남아시아보다 1차 에너지 소비 구조에서 석탄이 차지하는 비율이 높다.

⑤ A는 ~~서남아시아~~, B는 ~~아시아·태평양~~이다.
아시아·태평양 서남아시아

03 유럽 주요 국가의 1차 에너지 소비 구조

자료 분석 | 폴란드에서 소비량 비율이 높은 A는 석탄이고, 노르웨이에서 소비량 비율이 높은 D는 수력이며, 프랑스에서 소비량 비율이 높은 E는 원자력이다. B, C는 석유와 천연가스 중 하나인데, 세 국가 모두 B의 소비량이 C의 소비량보다 많으므로 B는 석유, C는 천연가스이다.

[선택지 분석]

① A는 B보다 국제 이동량이 적다.

➡ 석탄은 석유보다 자원의 편재성이 작아 국제 이동량이 적다.

② C는 A보다 세계의 총 발전량에서 차지하는 비율이 ~~높다~~.
낮다

➡ 천연가스는 석탄보다 세계의 총 발전량에서 차지하는 비율이 낮다.

③ C는 D보다 자원의 재생 가능성이 ~~높다~~.
낮다

➡ 화석 에너지인 천연가스는 신·재생 에너지인 수력보다 자원의 재생 가능성이 낮다.

④ D는 E보다 상업적 발전에 이용되기 시작한 시기가 ~~늦다~~.
이르다

➡ 수력은 원자력보다 상업적 발전에 이용되기 시작한 시기가 이르다.

⑤ E는 A보다 발전에 이용 시 온실가스 배출량이 ~~많다~~.
적다

➡ 원자력은 석탄보다 발전에 이용 시 온실가스 배출량이 적다.

04 바이오 에탄올과 지열의 특징

자료 분석 | 옥수수 생산량이 많은 미국과 브라질이 세계 생산량의 60% 이상을 차지하고 있는 (가)는 바이오 에탄올이다. 미국 외에도 필리핀, 인도네시아, 이탈리아, 멕시코와 같이 판의 경계부에 위치한 국가에서 생산량이 많은 (나)는 지열이다.

[선택지 분석]

ㄱ. (가)는 유량이 풍부하고 큰 낙차를 얻을 수 있는 곳에서 개발 잠재력이 높게 나타난다.

➡ 수력에 대한 설명이다.

ㄴ. (나)의 발전량은 기후 조건의 영향을 많이 받는다.

➡ 지열의 발전량은 기후 조건의 영향을 거의 받지 않는다.

ㄷ. (가)는 (나)보다 생산량이 식량 작물의 가격 변동에 끼치는 영향이 크다.

➡ 바이오 에탄올은 옥수수와 같은 식량 작물을 원료로 사용한다. 따라서 바이오 에탄올은 지열보다 생산량이 식량 작물의 가격 변동에 끼치는 영향이 크다.

ㄹ. (나)는 (가)보다 판의 경계부에서 발전 잠재력이 높게 나타난다.

➡ 지열은 화산 활동이 활발한 판의 경계부에서 발전 잠재력이 높게 나타난다.

한번에 끝내는 **대단원 문제** 120~123쪽

01 ④ 02 ③ 03 ⑤ 04 ④ 05 ③ 06 ① 07 ①
08 ⑤ 09 ① 10 ② 11 ③ 12 ①
13~16 해설 참조

01 주요 종교의 전파 경로와 특징

자료 분석 | 팔레스타인 지역에서 기원하여 유럽, 아메리카 등지로 전파된 (가)는 크리스트교이다. 사우디아라비아의 메카에서 기원하여 서남아시아, 북부 아프리카, 동남아시아 등지로 전파된 (나)는 이슬람교이다. 인도 북부 지방에서 기원하여 동남아시아, 동아시아 등지로 전파된 (다)는 불교이다.

[선택지 분석]

① ~~(가)~~의 신자들은 술과 돼지고기를 먹지 않는다.
(나)

➡ 이슬람교에 대한 설명이다.

② ~~(나)~~의 종교 경관으로 불상과 불탑을 들 수 있다.
(다)

➡ 불교에 대한 설명이다.

③ ~~(다)~~는 수니파와 시아파로 구분된다.
(나)

➡ 이슬람교에 대한 설명이다.

④ (가)는 (나)보다 기원한 시기가 이르다.

➡ 크리스트교는 이슬람교보다 기원한 시기가 이르다.

⑤ (나)는 (다)보다 세계의 신자 수가 ~~적다~~.
많다

➡ 이슬람교는 불교보다 세계의 신자 수가 많다.

02 주요 국가의 종교별 신자 수 비율

자료 분석 | 네팔에서 신자 수 비율이 높은 A는 힌두교, 방글라데시에서 신자 수 비율이 높은 B는 이슬람교, 스리랑카에서 신자 수 비율이 높은 C는 불교, 필리핀에서 신자 수 비율이 높은 D는 크리스트교이다.

[선택지 분석]

① A는 유일신을 믿는 민족 종교이다.

➡ 힌두교는 다신교에 해당한다.

② ~~B~~의 신자들은 소를 신성시하여 소고기를 먹지 않는다.
A

➡ 힌두교에 대한 설명이다.

✔③ C는 윤회 사상을 믿고 자비를 강조한다.

➡ 불교는 윤회 사상을 믿고 자비를 강조한다.

④ ~~D~~의 최대 성지는 사우디아라비아의 메카이다.
B

➡ 이슬람교에 대한 설명이다. 크리스트교의 성지는 예루살렘이다.

⑤ 세계의 신자 수는 ~~D>B>C>A~~ 순으로 많다.
D>B>A>C

➡ 세계의 신자 수는 크리스트교(D)>이슬람교(B)>힌두교(A)>불교(C) 순으로 많다.

03 각 대륙의 연령층별 인구 비율

자료 분석 | 유소년층 인구 비율이 가장 높은 A는 아프리카이고, 아프리카 다음으로 유소년층 인구 비율이 높은 B는 아시아이다. 노년층 인구 비율이 가장 높은 D는 유럽이고, 유럽 다음으로 노년층 인구 비율이 높은 C는 앵글로아메리카이다.

[선택지 분석]

① A는 B보다 총 부양비가 ~~낮다~~.
높다

➡ 총 부양비는 청장년층 인구 비율과 반비례 관계이다. 아프리카는 아시아보다 청장년층 인구 비율이 낮으므로 총 부양비가 높다.

② B는 C보다 중위 연령이 ~~높다~~.
낮다

➡ 아시아는 앵글로아메리카보다 노년층 인구 비율은 낮은 반면 유소년층 인구 비율이 높으므로 중위 연령이 낮다.

③ C는 D보다 영어 사용자 수 비율이 ~~낮다~~.
높다

➡ 미국, 캐나다로 구성된 앵글로아메리카는 유럽보다 영어 사용자 수 비율이 높다.

④ D는 A보다 인구의 자연 증가율이 ~~높다~~.
낮다

➡ 유소년층 인구 비율이 가장 낮은 유럽은 유소년층 인구 비율이 가장 높은 아프리카보다 인구의 자연 증가율이 낮다.

✔⑤ A~D 중에서 총인구는 B가 가장 많다.

➡ 총인구는 세계에서 아시아가 가장 많다.

04 선진국과 개발 도상국의 인구 구조

자료 분석 | (가)는 (나)보다 유소년층 인구 비율은 높은 반면 노년층 인구 비율은 낮다. 따라서 (가)는 개발 도상국인 니제르이고, (나)는 선진국인 독일이다.

[선택지 분석]

① (가)는 고령화 지수가 100을 ~~넘는다~~.
넘지 않는다

➡ 고령화 지수는 '(노년층 인구÷유소년층 인구)×100'으로 구한다. 니제르는 유소년층 인구가 노년층 인구보다 많으므로 고령화 지수가 100 미만이다.

② (나)는 인구 변천 모형의 ~~3단계~~에 해당한다.
4단계

➡ 선진국인 독일은 인구 변천 모형의 4단계에 해당한다.

③ (가)는 (나)보다 중위 연령이 ~~높다~~.
낮다

➡ 니제르는 독일보다 유소년층 인구 비율이 높은 반면 노년층 인구 비율이 낮으므로 중위 연령이 낮다.

✔④ (나)는 (가)보다 1인당 국내 총생산이 많다.

➡ 선진국인 독일은 개발 도상국인 니제르보다 경제 발달 수준이 높으므로 1인당 국내 총생산이 많다.

⑤ (가)는 ~~유럽~~, (나)는 ~~아프리카~~에 위치한다.
아프리카 유럽

05 대륙별 인구 순 이동

자료 분석 | 인구 순 유출이 가장 많은 (나)는 아시아이고, 아시아 다음으로 인구 순 유출이 많은 (가)는 아프리카이다. 앵글로아메리카, 오세아니아와 함께 인구 순 유입이 이루어지고 있는 (다)는 유럽이다.

[선택지 분석]

(가) → 인구 순 유출 (나) → 인구 순 유출이 가장 많음 (다) → 인구 순 유입

✔③ 아프리카 아시아 유럽

06 대륙별 도시화 특징

자료 분석 | 도시 인구와 촌락 인구를 합한 총인구가 가장 많은 (가)는 아시아이고, 아시아 다음으로 총인구가 많은 (나)는 아프리카이다. 아프리카는 도시 인구보다 촌락 인구가 많으므로 A는 촌락, B는 도시가 된다. (다), (라)는 라틴 아메리카와 앵글로아메리카 중 하나인데, (다)는 (라)보다 총인구가 많으므로 (다)는 라틴 아메리카, (라)는 앵글로아메리카이다.

[선택지 분석]

✔① (가)는 (나)보다 도시화율이 높다.

➡ 그래프를 보면 아시아는 아프리카보다 도시화율이 높다.

② (나)는 (다)보다 촌락 인구가 ~~적다~~.
많다

➡ 그래프를 보면 아프리카는 라틴 아메리카보다 촌락 인구인 A 인구가 더 많다.

③ (다)는 (라)보다 1차 산업 종사자 수 비율이 ~~낮다~~.
높다

➡ 라틴 아메리카는 앵글로아메리카보다 경제 발달 수준이 낮으므로 1차 산업 종사자 수 비율이 높다.

④ (라)는 (가)보다 도시화의 가속화 단계에 진입한 시기가 ~~늦다~~.
이르다

➡ 앵글로아메리카는 아시아보다 도시화가 먼저 시작되었으므로 도시화의 가속화 단계에 진입한 시기도 이르다.

⑤ (가)~(라) 중에서 총인구는 ~~(나)~~가 가장 많다.
(가) 아시아

➡ 대륙별 인구는 2015년 기준 아시아>아프리카>유럽>라틴 아메리카>앵글로아메리카>오세아니아 순으로 많다.

07 세계 도시 체계

자료 분석 | 세계 도시 체계는 서로 다른 계층의 세계 도시들이 기능적으로 연결된 체계를 의미한다. 세계 도시는 각 도시의 정치 및 경제 발달 수준, 인구 규모, 영향력을 미치는 범위 등에 따라 크게 최상위 세계 도시, 상위 및 하위 도시로 계층을 구분할 수 있다. 뉴

욕, 런던, 도쿄에 해당하는 (가)는 최상위 세계 도시이고, 선진국의 중소 도시나 개발 도상국의 핵심 도시들이 포함되어 있는 (나)는 하위 세계 도시이다.

[선택지 분석]

➡ 최상위 세계 도시는 하위 세계 도시보다 국제 금융에 미치는 영향력이 크고 다국적 기업의 본사 수가 많으며, 생산자 서비스업 종사자 비율이 높다.

08 세계 3대 식량 작물의 특징

자료 분석 | 미국, 중국, 브라질, 아르헨티나 등 아메리카의 생산량이 많은 (가)는 옥수수이다. 중국, 인도, 인도네시아 등 아시아 국가에서 생산량이 많은 (나)는 쌀이다. 중국, 인도, 러시아, 미국, 프랑스 등에서 생산량이 많은 (다)는 밀이다.

- 쌀: 벼는 성장기에 높은 기온과 많은 강수량이 필요한 작물이기 때문에 아시아 계절풍 기후 지역의 충적 평야 지역에서 주로 재배된다. 쌀의 주요 생산국은 중국, 인도, 인도네시아, 방글라데시 등이다. 쌀은 단위 면적당 생산량이 많아 인구 부양력이 높고, 대체로 생산지와 소비지가 일치하여 국제 이동량이 적은 편이다.
- 밀: 비교적 기온이 낮고 건조한 지역에서도 재배가 가능한 작물이므로, 쌀보다 비교적 넓은 지역에서 생산된다. 밀은 주요 생산지와 소비지가 다른 경우가 많아 국제 이동량이 많다. 밀의 주요 생산지는 중국, 인도, 러시아, 미국, 프랑스 등이다.
- 옥수수: 아메리카에서 유럽으로 전파되었으며, 재배 조건이 까다롭지 않아 현재는 전 대륙에서 생산하고 있다.

[선택지 분석]

① ~~(가)~~(나), (다)의 기원지는 아시아에 위치한다.

➡ 옥수수의 기원지는 아메리카에 위치한다.

② ~~(나)~~(가)는 바이오 에탄올 생산의 원료로 이용되면서 수요가 급증하였다.

➡ 옥수수에 대한 설명이다.

③ ~~(다)~~(나)는 주로 아시아 계절풍 기후 지역에서 재배된다.

➡ 밀은 중국 화북, 인도 펀자브, 미국, 캐나다, 오스트레일리아 등에서 재배된다.

④ (가)는 (나)보다 가축의 사료로 이용되는 비율이 ~~낮다~~높다.

➡ 옥수수는 쌀보다 가축의 사료로 많이 이용된다.

⑤ (나)는 (다)보다 국제 이동량이 적다.

➡ 쌀은 생산지에서 대부분 소비되기 때문에 밀보다 국제 이동량이 적다.

09 주요 가축별 특징

자료 분석 | 중국의 사육 두수 비율이 매우 높게 나타나는 (가)는 돼지이다. 중국, 오스트레일리아에서 사육 두수 비율이 높은 (나)는 양이다. 브라질, 인도에서 사육 두수 비율이 높은 (다)는 소이다.

[선택지 분석]

① (가)는 (나)보다 털을 섬유 공업의 원료로 이용하는 경우가 ~~많다~~적다.

➡ 돼지는 양보다 털을 섬유 공업의 원료로 이용하는 경우가 적다.

② (나)는 (다)보다 건조 기후 지역에서 사육하기에 유리하다.

➡ 양은 물을 많이 먹는 소보다 건조 기후 지역에서 사육하기에 유리하다.

③ (다)는 (가)보다 가축의 힘을 농경에 이용하는 경우가 많다.

➡ 소는 돼지보다 가축의 힘을 농경에 이용하는 경우가 많다.

④ 이슬람교 신자는 (가)의 고기를, 힌두교 신자는 (다)의 고기를 먹지 않는다.

➡ 이슬람교 신자는 돼지고기를, 힌두교 신자는 소고기를 먹지 않는다.

⑤ 세계의 사육 두수는 (다)>(나)>(가) 순으로 많다.

➡ 세계의 사육 두수는 소(다)>양(나)>돼지(가) 순으로 많다.

10 주요 국가의 1차 에너지 자원의 소비 구조

자료 분석 | 미국에서 소비량 비율이 높은 (가)는 석유, 러시아에서 소비량 비율이 높은 (나)는 천연가스, 중국에서 소비량 비율이 높은 (다)는 석탄이다.

- 석유: 신생대 제3기층의 배사 구조에 주로 매장되어 있으며, 전 세계 매장량의 약 47%가 서남아시아의 페르시아만 연안에 분포한다. 세계 1차 에너지 소비 구조에서 차지하는 비중이 가장 높으며, 다른 자원보다 매장 지역의 편재성이 크다.
- 석탄: 18세기 산업 혁명 시기에 증기 기관의 연료로 사용되면서 대량으로 이용되기 시작하였다. 최근까지 화력 발전의 연료로 많이 이용되었으며, 제철을 비롯한 여러 산업에서도 중요한 에너지원으로 사용되고 있다.
- 천연가스: 냉동 액화 기술의 개발과 대형 수송관 건설, 사용의 편리성 등으로 소비량이 빠르게 증가하고 있다. 열효율이 높고, 연소 시 석탄과 석유보다 대기 오염 물질을 적게 배출한다.

[선택지 분석]

① ~~(가)~~(다)는 산업 혁명기의 주요 에너지원이었다.

➡ 석탄이 산업 혁명기의 주요 에너지원이었다.

② (나)는 냉동 액화 기술의 발달로 소비량이 급증하였다.

➡ 천연가스에 대한 설명이다.

③ ~~(다)~~(가), (나)는 주로 신생대 제3기층의 배사 구조에 매장되어 있다.

➡ 석탄은 주로 고기 조산대 주변에 매장되어 있다.

④ (가)는 (나)보다 세계 1차 에너지 소비 구조에서 차지하는 비율이 ~~낮다~~높다.

➡ 석유는 세계 1차 에너지 소비 구조에서 차지하는 비율이 가장 높다.

⑤ (나)는 (다)보다 연소 시 대기 오염 물질 배출량이 ~~많다~~적다.

➡ 천연가스는 화석 에너지 중에서 대기 오염 물질 배출량이 가장 적다.

11 주요 화석 에너지의 특징

자료 분석 | (가)는 사우디아라비아, 러시아, 미국에서 생산량이 많

으므로 석유이다. (나)는 중국의 생산량 비율이 매우 높게 나타나므로 석탄이다.

[선택지 분석]

✗ ~~(가)~~ 천연가스는 화석 에너지 중 연소 시 대기 오염 물질 배출량이 가장 적다.

➡ 천연가스에 대한 설명이다.

ㄴ (나)는 주로 고기 조산대 주변에 매장되어 있다.

➡ 석탄은 주로 고기 조산대 주변에 매장되어 있다.

ㄷ (가)는 (나)보다 수송용으로 이용되는 비율이 높다.

➡ 석유는 석탄보다 수송용으로 이용되는 비율이 높다.

✗ (나)는 (가)보다 국제 이동량이 ~~많다~~ 적다.

➡ 석탄은 석유보다 자원의 편재성이 작아 국제 이동량이 적다.

12 주요 신·재생 에너지의 특징

자료 분석 | 중국, 캐나다, 브라질의 비율이 높은 (가)는 수력이다. 미국, 필리핀, 인도네시아, 뉴질랜드 등과 같이 판의 경계부에 위치한 국가에서 비율이 높은 (나)는 지열이다.

[선택지 분석]

 A

➡ 지열은 수력보다 상업적 발전에 이용되기 시작한 시기가 늦고 세계의 발전량이 적으며, 지열이 풍부한 판 경계부에서의 발전 잠재력이 높게 나타난다.

13 인구 변천 모형

(1) (가): 출생률, (나): 사망률

(2) [예시 답안] 2단계에서 사망률이 감소하는 원인으로는 의학 발달, 생활 환경 개선 등을 들 수 있다. 3단계에서 출생률이 감소하는 원인으로는 여성의 사회 활동 증가, 산아 제한 정책 실시 등을 들 수 있다.

채점 기준		
	상	2단계에서의 사망률 감소 원인과 3단계에서의 출생률 감소 원인을 모두 정확하게 서술한 경우
	중	2단계에서의 사망률 감소 원인과 3단계에서의 출생률 감소 원인 중 한 가지만 정확하게 서술한 경우
	하	2단계에서의 사망률 감소 원인과 3단계에서의 출생률 감소 원인 중 한 가지만 서술했고, 내용도 미흡한 경우

14 대륙별 도시화 특징

(1) (가): 앵글로아메리카, (나): 라틴 아메리카, (다): 아프리카

(2) [예시 답안] 앵글로아메리카는 아프리카보다 최근 10년간 도시 인구 증가율이 낮고, 3차 산업 종사자 수 비율이 높으며, 소득 수준이 높다.

채점 기준		
	상	아프리카와 비교한 앵글로아메리카의 상대적 특징을 제시된 내용 세 가지를 모두 포함하여 바르게 서술한 경우
	중	아프리카와 비교한 앵글로아메리카의 상대적 특징을 제시된 내용 중 두 가지만 포함하여 바르게 서술한 경우
	하	아프리카와 비교한 앵글로아메리카의 상대적 특징을 제시된 내용 중 한 가지만 포함하여 바르게 서술한 경우

15 주요 식량 작물의 특징

(1) (가): 쌀, (나): 밀

(2) [예시 답안] 밀은 쌀보다 아시아 생산량이 적고 내한성과 내건성이 높으며, 국제 이동량이 많다.

채점 기준		
	상	쌀과 비교한 밀의 상대적 특징을 제시된 내용 세 가지를 모두 포함하여 바르게 서술한 경우
	중	쌀과 비교한 밀의 상대적 특징을 제시된 내용 중 두 가지만 포함하여 바르게 서술한 경우
	하	쌀과 비교한 밀의 상대적 특징을 제시된 내용 중 한 가지만 포함하여 바르게 서술한 경우

16 원자력의 특징

(1) 원자력

(2) [예시 답안] 원자력의 장점은 적은 양의 에너지원으로 많은 양의 전력 생산이 가능하여 생산 효율이 높고, 대기 오염 물질 배출량이 적다. 원자력의 단점은 방사능 유출의 위험이 있고, 방사성 폐기물 처리에 많은 비용이 든다.

채점 기준		
	상	원자력의 장점과 단점을 각각 한 가지씩 정확하게 서술한 경우
	중	원자력의 장점과 단점 중 한 가지만 정확하게 서술한 경우
	하	원자력의 장점과 단점 중 한 가지만 서술했고, 내용도 미흡한 경우

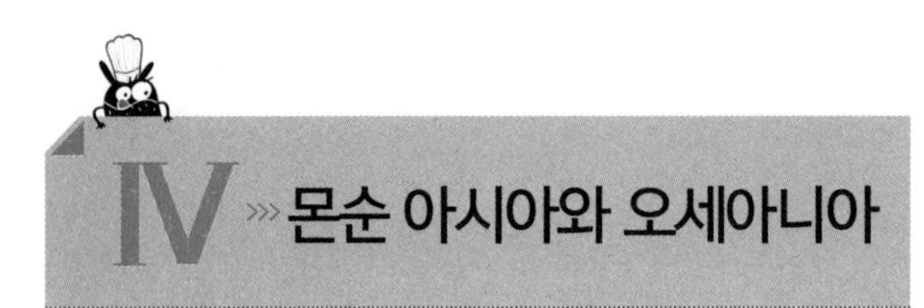

Ⅳ 몬순 아시아와 오세아니아

01 자연환경에 적응한 생활 모습

콕콕! 개념 확인하기 129쪽

01 (1) 계절풍 (2) 여름, 겨울 (3) 한랭 건조 (4) 바다, 대륙 (5) 남서 (6) 아삼
02 (1) ○ (2) × (3) × (4) ○
03 (1) 벼농사 (2) 유목 (3) 높은 (4) 동남아시아 (5) 다습한 여름 (6) 통풍
04 (1) ㉡ (2) ㉢ (3) ㉠

01 (6) A는 아삼 지방이다. 아삼 지방은 여름철에 인도양에서 많은 수증기를 머금은 계절풍이 불어오다 히말라야산맥을 만나 많은 양의 비가 내리는 곳으로 세계 최고의 다우지 중 하나이다.

02 (2) 몬순 아시아는 북서부 지역이 남동부 지역에 비해 해발 고도가 높다.
(3) 인도와 중국의 접경 지대는 히말라야산맥이 지나가는 곳으로 지진이 빈번하게 나타나지만, 화산 활동은 잘 나타나지 않는다.

03 (5) 다다미는 방바닥에 까는 일본식 돗자리로, 짚으로 만들어져 습기를 흡수하는 성질이 있다. 습기가 많은 여름을 극복하기 위한 생활 양식이다.

탄탄! 내신 다지기 130쪽

01 ② **02** ③ **03** ⑤ **04** ④ **05** 해설 참조

01 몬순 아시아의 여름 계절풍

자료 분석 | 자료는 몬순 아시아의 여름 계절풍과 인도 동북부 아삼 지방 체라푼지의 지형성 강우 현상을 나타낸 것이다.

[선택지 분석]

① 남풍 계열의 바람이 우세하다.
➡ 여름 계절풍은 남풍 계열의 바람이, 겨울 계절풍은 북풍 계열의 바람이 우세하다.

✔② ~~한랭 건조~~(고온 다습)한 기후가 나타난다.
➡ 해양에서 대륙으로 부는 여름 계절풍의 영향으로 고온 다습한 기후가 나타난다.

③ 벼농사가 활발하게 이루어진다.
➡ 벼는 고온 다습한 환경이 생육에 유리하므로 여름철에 벼농사가 활발하게 이루어진다.

④ 많은 비가 내려 홍수가 발생한다.
➡ 여름 계절풍이 히말라야산맥에 의해 차단되어 상승하는 바람받이 사면인 체라푼지 지역에서는 다른 지역에 비해 많은 비가 내리며 홍수가 자주 발생한다.

⑤ 적도 수렴대가 적도의 북쪽에 위치한다.
➡ 적도 수렴대가 북쪽으로 이동하는 시기에 남서 계절풍이 우세하다.

02 몬순 아시아의 지형

[선택지 분석]

① ㉠: ~~겨울~~(여름) 계절풍의 바람받이 사면에 해당한다.

② ㉡: 주로 하천의 ~~상류~~(하류)에 분포한다.

✔③ ㉢: 이 산지의 영향으로 메콩강은 남쪽으로 흘러간다.
➡ 동남아시아의 북부 지역은 알프스-히말라야 조산대에 속하는 산맥들이 뻗어 있으며, 이 산지의 영향으로 큰 하천은 주로 북쪽에서 남쪽으로 흐른다.

④ ㉣: 고도가 낮고 평탄하여 벼농사가 활발하다. → 중국 남동부 지역에 해당함

⑤ ㉤: 두 대륙판이 서로 충돌하는 경계에 위치한다. → 일본은 해양판과 대륙판이 충돌하는 경계에 해당함

03 몬순 아시아의 농목업

[선택지 분석]

① 중국 티베트고원: 양, 염소 등을 기른다.
➡ 티베트고원은 해발 고도가 높아 농사를 짓기 어렵기 때문에 주민들은 주로 가축을 기르며 이동하는 유목 생활을 한다.

② 중국 북동부: 밀, 옥수수 등을 재배한다.
➡ 중국 북동부는 강수량이 적고 기온이 낮아 주로 밭농사가 이루어진다.

③ 타이 충적 평야: 벼농사가 활발하게 이루어진다.
➡ 타이는 벼의 2기작이 가능한 지역으로 세계적인 쌀 생산국이다.

④ 말레이시아: 플랜테이션으로 천연고무를 재배한다.
➡ 동남 및 남부 아시아의 대부분 지역은 열대 기후가 나타나며 플랜테이션이 발달하였다.

✔⑤ 필리핀 산지: 계절에 따라 이동하는 유목 생활을 한다.
➡ 유목은 건조 기후가 나타나는 티베트고원과 몽골 일대에서 나타난다. 필리핀 산지 지역에서는 산골짜기를 따라 만든 계단식 논에서 벼농사가 이루어진다.

04 몬순 아시아의 전통 가옥과 의복

자료 분석 | 왼쪽의 그림은 몬순 아시아의 열대 기후 지역에서 나타나는 고상 가옥이고, 오른쪽의 그림은 베트남의 전통 의복인 아오자이이다. 저위도의 열대 기후 지역에서는 지면의 습기와 열기를 피하고, 해충의 침입을 막기 위해 고상 가옥을 짓는다. 아오자이는 통풍에 유리한 얇은 천으로 만들어져 여름 더위에 적합한 의복이다.

[선택지 분석]

① A → 인도

② B → 몽골

③ C → 중국

④ D → 베트남, 고상 가옥과 아오자이의 모습을 볼 수 있음

⑤ E → 인도네시아

05 몬순 아시아의 음식 문화

자료 분석 | 쌀은 몬순 아시아의 주된 식량 작물이다. 동남아시아에서는 쌀밥을 향신료와 함께 볶아 먹는 음식 문화가 발달하였는데, 인도네시아의 나시고렝이 대표적이다.

(1) 쌀

(2) [예시 답안] 쌀은 다른 작물에 비해 단위 면적당 생산량이 많아 인구 부양력이 높다. 몬순 아시아는 벼농사에 적합한 기후 환경으로 쌀 생산이 많으며, 이에 따라 많은 인구가 밀집해 있다.

채점 기준	
상	세 가지 제시어를 모두 사용하여 인구가 밀집하여 분포하는 이유를 서술한 경우
중	두 가지 제시어를 사용하여 인구가 밀집하여 분포하는 이유를 서술한 경우
하	한 가지 제시어만 사용하여 인구가 밀집하여 분포하는 이유를 서술한 경우

도전! 실력 올리기 131쪽

01 ④ 02 ② 03 ④ 04 ⑤

01 몬순 아시아의 계절풍

자료 분석 | (가)는 해양에서 대륙으로 바람이 불어오고 있으므로 북반구의 여름에 해당하는 시기이며, (나)는 대륙에서 해양으로 바람이 불어 나가고 있으므로 북반구의 겨울에 해당하는 시기이다. 몬순 아시아에서는 계절풍의 영향으로 여름은 고온 다습하며, 겨울은 한랭 건조한 기후가 나타난다.

[선택지 분석]

① ~~(가)~~(나)는 11~4월에 해당하는 기간에 해당한다.

➡ (가)는 북반구의 여름에 해당하는 시기이다.

② ~~(나)~~(가)는 5~10월에 해당하는 기간에 해당한다.

➡ (나)는 북반구의 겨울에 해당하는 시기이다.

③ ~~(나) 시기~~(가) 시기에는 적도 수렴대가 적도 위로 북상한다.

➡ (나)는 북반구의 겨울에 해당하는 시기로, 적도 수렴대는 적도 아래로 남하한다.

④ (가) 시기는 여름으로, (나) 시기에 비해 기온이 높다.

➡ (가)는 해양에서 대륙으로 남풍 계열의 바람이 불어오는 여름이므로 (나)의 겨울에 비해 기온이 높다.

⑤ 총강수량은 ~~(가)보다 (나) 시기~~(나)보다 (가) 시기에 더 많다.

➡ 강수량은 해양에서 대륙으로 바람이 불어오는 (가) 시기가 (나) 시기에 비해 더 많다.

02 몬순 아시아의 생활 모습

자료 분석 | 쌀을 주재료로 하는 음식 문화의 발달, 얇고 통기성이 좋은 긴 소매의 옷, 물과 관련된 축제의 발달 등의 내용으로 볼 때 (가) 지역은 몬순 아시아임을 알 수 있다.

[선택지 분석]

① 피오르 해안을 관광 자원으로 이용한다.

➡ 피오르는 빙하의 침식으로 U자형 골짜기에 바닷물이 들어와 형성된 좁고 긴 만으로, 빙하 지형이다.

② 계절풍의 영향으로 건기와 우기가 뚜렷하다.

➡ 여름은 해양에서 불어오는 바람의 영향으로 우기가, 겨울은 대륙에서 불어오는 바람의 영향으로 건기가 나타난다.

③ 카나트라는 지하 관개 수로를 만들어 농업에 이용한다. → 건조 기후 지역에 해당함

④ 창문이 작고 벽이 두꺼우며, 지붕이 평평한 가옥이 많다. → 건조 기후 지역에 해당함

⑤ 토양층이 녹아 집이 무너지는 것을 막기 위해 고상 가옥 형태로 집을 짓는다. → 한대 기후 지역에 해당함

03 몬순 아시아의 농목업 지역

자료 분석 | 자료의 (가)는 벼농사에 비해 상대적으로 강수량이 적은 지역에서 이루어지는 밭농사, (나)는 강수량이 매우 적어 농업 활동에 불리한 지역에서 이루어지는 유목, (다)는 강수량이 풍부한 지역에서 이루어지는 벼농사에 대한 설명이다. 지도는 몬순 아시아의 주요 농목업 지역을 나타낸 것이다. 농업은 해당 지역의 기후, 지형 환경을 잘 반영하고 있다.

[선택지 분석]

	(가)	(나)	(다)
④	B → 밭농사	C → 유목	A → 논농사

➡ A는 중국의 동남부 지역, 동남아시아의 남부 지역과 같이 하천 하류의 충적 평야에 해당하므로 (다) 논(벼)농사 지역에 해당한다. B는 중국의 화베이·둥베이 지방, 인도의 데칸고원에 해당하는 지역으로 (가) 밭농사 지역에 해당한다. C는 대륙의 내부에 위치해 있고 강수량이 적은 티베트(시짱)고원으로, 주로 (나) 유목이 이루어지는 지역이다.

04 몬순 아시아의 지형과 농업

자료 분석 | 글은 필리핀에 대한 설명이다. 몬순 아시아에서 신기 조산대에 해당되는 지역은 히말라야 조산대가 지나가는 인도 북부와 불의 고리에 해당하는 인도네시아, 필리핀, 일본 등이 있다. 또한 인도네시아와 필리핀에서는 충적 평야가 아닌 경사지를 개간하여 계단식 논에서 벼농사를 짓고 있다.

[선택지 분석]

① A → 인도의 데칸고원, 밭농사가 주로 이루어짐

② B → 대륙 내부의 건조 지역, 유목이 주로 이루어짐

③ C → 중국 둥베이 지방, 기온이 낮아 주로 밭농사가 이루어짐

④ D → 중국 동남부의 충적 평야 지역, 벼농사가 발달함

⑤ E → 필리핀, 몬순 아시아에서 화산 활동이 활발하고 계단식 논이 나타남

02 주요 자원의 분포 및 이동과 산업 구조

콕콕! 개념 확인하기 135쪽

01 (1) A: 철광석, B: 석탄, C: 천연가스 (2) 석탄, 철광석
02 (1) × (2) ○ (3) ○
03 (1) 일본 (2) 중국 (3) 인도 (4) 오스트레일리아
04 (1) 베트남 (2) 첨단 산업 단지 (3) 필리핀
(4) 지하자원, 공산품

01 (1) A는 오스트레일리아 서부 지역에서 주로 생산되어 동부 아시아로 이동한다. 오스트레일리아 서부의 안정육괴에서는 철광석이 많이 생산된다. 따라서 A는 철광석이다. B는 오스트레일리아 동부에서 주로 생산되어 인도와 동부 아시아 등으로 이동한다. 오스트레일리아 동부의 그레이트디바이딩산맥에서는 석탄이 많이 생산된다. 따라서 B는 석탄이다. 중국, 인도네시아, 오스트레일리아 등에서 생산되는 C는 천연가스이다.

02 (1) 쌀은 생산지와 소비지가 대체로 일치한다.

04 (3) BPO 서비스 산업은 비즈니스 프로세스 아웃소싱 서비스 산업을 말하는 것으로, 기업이 업무 처리의 전 과정을 외부 업체에 맡기는 것을 말한다. 필리핀은 영어를 공영어로 사용하는 장점에 힘입어 최근 전 세계의 콜센터가 집중되면서 BPO 서비스 산업이 성장하고 있다.

탄탄! 내신 다지기 136쪽

01 ① **02** ① **03** ⑤ **04** ② **05** 해설 참조

01 몬순 아시아와 오세아니아의 자원 분포 및 이동

[선택지 분석]

① 동부 아시아는 자원의 공급이 수요보다 많다.
➡ 동부 아시아 국가들은 공업이 발달하였지만, 자원이 빈약하여 자원의 수요가 공급보다 많다.

② 인도네시아, 브루나이에서는 석유가 생산된다.
➡ 인도네시아, 브루나이에서는 석유와 천연가스와 같은 에너지 자원의 생산량이 많다.

③ 오스트레일리아의 자원은 주로 동아시아로 수출된다.
➡ 오스트레일리아에서 생산된 석탄과 철광석은 주로 공업이 발달한 우리나라, 중국, 일본 등의 동아시아로 수출된다.

④ 동남아시아에서는 커피, 바나나 등의 기호 작물 재배가 활발하다.
➡ 동남아시아에서는 플랜테이션을 통해 다양한 기호 작물을 생산한다.

⑤ 오스트레일리아의 철광석은 서북부 지역에 주로 매장되어 있다.
➡ 오스트레일리아의 철광석은 서북부의 안정육괴 지대에서 많이 생산된다.

02 몬순 아시아와 오세아니아 주요 국가의 지하자원 생산량

자료 분석 | 중국은 세계에서 석탄 생산이 가장 많은 나라로 A는 중국이다. B는 철광석의 생산량이 많은 오스트레일리아이다.

[선택지 분석]

① A는 세계의 공장으로 불리며, 많은 자원을 수입한다.
➡ 중국은 공업이 발달하여 세계의 공장으로 불린다. 중국 내 자원의 생산량이 많지만, 제조업이 급성장하면서 많은 양의 자원을 수입하고 있다.

② B는 가공 무역이 발달하였으며, 자동차가 주요 수출품 중 하나이다. → 일본에 대한 설명임
➡ 오스트레일리아(B)는 지하자원이 풍부하여 광업이 발달하였으나, 공업 발달이 미약하여 공업 제품은 수입에 의존해 왔다.

③ ~~A~~(B)에서 생산된 지하자원은 주로 ~~B~~(A)로 수출된다.
➡ 오스트레일리아에서 생산된 석탄, 철광석은 주로 중국으로 수출된다.

④ ~~A는 B보다~~(B는 A보다) 1인당 국내 총생산(GDP)이 많다.
➡ 오스트레일리아의 1인당 국내 총생산(GDP)이 중국보다 많다.

⑤ ~~B는 A보다~~(A는 B보다) 무역 규모가 크다.
➡ 무역 규모는 인구가 많아 경제 규모가 큰 중국이 오스트레일리아보다 크다.

03 몬순 아시아와 오세아니아 주요 국가의 산업 구조

자료 분석 | (가)는 오스트레일리아, (나)는 인도에 대한 설명이다. 오스트레일리아는 풍부한 석탄, 철광석 등을 바탕으로 광업이 발달하였으나 노동력이 부족하고 국내 소비 시장의 규모가 작아 공업 발달이 미약하다. 인도는 영어를 사용하고 교육 수준이 상대적으로 높으면서도 임금이 저렴해 비즈니스 프로세스 아웃소싱(BPO) 서비스 산업이 발달하였다.

[선택지 분석]

	(가)	(나)
②	B → 인도네시아	C → 일본
⑤	D → 오스트레일리아	A → 인도

04 몬순 아시아와 오세아니아의 산업 구조

[선택지 분석]

(ㄱ) ㉠: 산업화의 시기 및 발달 과정이 다르기 때문이다.
✕ ㉡: 중국이 인도에 비해 ~~크다~~(작다).
(ㄷ) ㉢: 일본은 3차 산업 종사자의 비중보다 작다.
✕ ㉣: 대표적인 사례 지역으로 ~~베트남~~(일본, 오스트레일리아 등)을 들 수 있다.
➡ 최근 베트남은 공업화가 빠르게 진행되고 있다.

05 오스트레일리아 철광석의 수출 상대국

자료 분석 | 그래프는 오스트레일리아에서 생산된 철광석의 수출 상대국별 비중을 나타낸 것이다. 철광석은 제철 공업의 원료로 사용되므로 오스트레일리아에서 생산된 철광석은 대부분 중국, 일본, 우리나라 등 제철 공업이 발달한 동아시아로 수출되고 있다.

(1) 철광석

(2) [예시 답안] 몬순 아시아와 오스트레일리아는 지리적으로 가깝고, 국가 간 산업 구조의 차이가 크다. 중국, 일본, 우리나라는 세계 최대의 철강 생산 지역이며, 오스트레일리아는 철강 생산의 중요한 원료인 철광석의 세계 최대 수출국이다. 이러한 차이가 양 지역의 자원 교류를 증가시켰다.

채점 기준	
상	오스트레일리아의 철광석 수출 상대국이 중국, 일본, 대한민국을 비롯한 몬순 아시아 국가에 집중된 원인을 지리적 인접성과 산업 구조의 차이 두 가지를 모두 들어 서술한 경우
중	오스트레일리아의 철광석 수출 상대국이 중국, 일본, 대한민국을 비롯한 몬순 아시아 국가에 집중된 원인을 지리적 인접성과 산업 구조의 차이 두 가지를 들어 서술하여지만, 이 중 한 가지의 서술이 미흡한 경우
하	오스트레일리아의 철광석 수출 상대국이 중국, 일본, 대한민국을 비롯한 몬순 아시아 국가에 집중된 원인을 지리적 인접성과 산업 구조의 차이 중 한 가지만 들어 서술한 경우

도전! 실력 올리기 137쪽

01 ⑤ **02** ④ **03** ⑤ **04** ②

01 오스트레일리아의 산업 구조

자료 분석 | 그래프를 보면 광산물의 수출 비중이 57.3%, 공업 제품의 수입 비중이 75.7%를 차지한다. 이 국가는 석탄, 철광석 등의 자원이 풍부하지만 노동력이 부족하여 공업 발달이 상대적으로 미약한 오스트레일리아에 해당한다.

[선택지 분석]

① A → 중국

② B → 베트남

③ C → 필리핀

④ D → 인도네시아

⑤ E → 오스트레일리아

02 몬순 아시아와 오세아니아의 자원 분포 및 이동

자료 분석 | A는 오스트레일리아의 서북부에서 생산되어 중국, 우리나라, 일본 등 공업이 발달한 동아시아로 이동하고 있으므로 철광석이다. B는 오스트레일리아 동부에서 생산되어 일본, 중국, 우리나라로 이동하고 있으므로 석탄이다. C는 인도네시아, 브루나이 등에 분포하고 있으므로 석유이다.

[선택지 분석]

① A는 제철 공업의 원료로 사용된다.

➡ 제철 공업에는 철광석, 역청탄 등의 원료가 필요하다.

② B는 에너지 자원에 해당한다.

➡ 에너지 자원에는 석유, 석탄, 천연가스가 있다.

③ C는 주로 수송용으로 사용되는 화석 연료이다.

➡ 석유는 주로 수송용으로 사용된다.

⑤ B의 생산량은 ~~오스트레일리아가 중국보다~~ (중국이 오스트레일리아보다) 많다.

➡ 중국은 세계 1위의 석탄 생산국이다. 하지만 석탄 수요가 많아 오스트레일리아에서 수입하고 있다.

⑤ C는 B보다 세계에서의 소비 비중이 높은 자원이다.

➡ 석유는 세계 에너지 소비 구조에서 가장 높은 비중을 차지하고 있다.

03 몬순 아시아와 오세아니아 주요 국가의 산업 및 무역 구조

자료 분석 | 그래프는 몬순 아시아와 오세아니아에 속하는 일본, 인도네시아, 오스트레일리아의 산업 구조와 무역 구조를 나타낸 것이다. 3차 산업 종사자 수 비중은 인도네시아가 가장 낮으므로 (다)가 인도네시아이다. 오스트레일리아는 지하자원이 풍부하여 광산물 수출 비중이 높고, 공업 제품은 주로 수입한다. 따라서 (가)는 오스트레일리아이다. 일본은 공업 제품 생산에 필요한 원료를 주로 수입에 의존하고, 공업 제품 수출 비중이 높다. 따라서 (나)는 일본이다.

[선택지 분석]

	(가)	(나)	(다)
⑤	오스트레일리아	일본	인도네시아

04 오스트레일리아의 철광석 수출 상대국의 산업 특징

자료 분석 | 1993년에 철광석 수출 비중이 가장 큰 B 국가는 일본이다. 이후 중국의 제철 공업이 크게 성장하면서 중국의 철광석 수입이 크게 증가하였다. 따라서 2013년 철광석 수출 비중이 가장 큰 A 국가는 중국이다. 나머지 C는 대한민국이다.

[선택지 분석]

① A는 풍부한 노동력을 바탕으로 공업이 빠르게 성장하였다.

➡ 중국은 풍부한 노동력과 자원을 이용하여 세계적인 공업국으로 성장하였다.

② B는 비즈니스 프로세스 아웃소싱 서비스 및 소프트웨어 노동력의 주요 수출국으로 발전하고 있다.
→ 인도에 대한 설명임

③ C는 A, B 국가와 인접해 있으며, 가공 무역이 발달하였다.

➡ 우리나라는 중국과 일본 사이에 위치한다. 우리나라는 자원이 부족하여 원자재를 수입하여 가공한 후 수출하는 가공 무역이 발달하였다.

④ A는 B보다 영토가 넓으며 노동력이 풍부하다.

➡ 중국은 영토가 넓고 세계 1위의 인구 대국이다.

⑤ C는 A보다 총무역액이 적다.

➡ 인구가 많은 중국의 총무역액은 우리나라보다 많다.

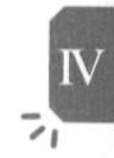

03 ~ 민족(인종) 및 종교적 차이

콕콕! 개념 확인하기 141쪽

01 A: 크리스트교, B: 불교, C: 이슬람교, D: 힌두교
02 (1) 한족 (2) 위구르족, 티베트족 (3) A, B
03 (1) 드라비다족, 아리안족 (2) 애버리지니 (3) 마오리족
04 A: 위구르족, B: 카슈미르, C: 이슬람교, D: 티베트족, E: 크리스트교, F: 인종 차별

01 A는 필리핀에서 남부의 일부 지역을 제외하고 분포하므로 크리스트교이다. 필리핀 남부는 민다나오섬으로, 이 섬은 이슬람교의 비중이 높은 지역이다. B는 스리랑카와 인도차이나반도의 국가들, 중국 등에 분포하므로 불교이다. C는 인도네시아, 말레이시아, 방글라데시에 분포하므로 이슬람교이다. D는 인도와 네팔에 분포하므로 힌두교이다.

04 C가 표시된 곳은 인도네시아의 아체주이다. 아체주는 이슬람교도의 비중이 높은 지역이며, 인도네시아로부터 분리 독립 운동을 벌이고 있다.

탄탄! 내신 다지기 142쪽

01 ④ **02** ⑤ **03** ① **04** ④ **05** 해설 참조

01 다양한 종교의 공존

자료 분석 | 몬순 아시아는 국가별로 다양한 종교가 나타나며, 한 국가 안에서도 여러 종교가 존재하여, 서로 평화롭게 공존하거나 혹은 갈등과 분쟁을 일으킨다. 자료는 (가) 싱가포르에 대한 것이다. 싱가포르는 다양한 민족과 종교가 조화롭게 공존하는 대표적인 다민족 국가이다.

[선택지 분석]

① A → 중국
② B → 캄보디아
③ C → 필리핀
④ D → 싱가포르
⑤ E → 인도네시아

02 몬순 아시아의 종교 분포

자료 분석 | 그래프의 ㉠은 이슬람교이다. 몬순 아시아에서 이슬람교의 인구 비중이 높은 국가로는 방글라데시, 말레이시아, 인도네시아, 브루나이 등이 있다.

[선택지 분석]

① A → 중국, 무종교의 비중이 높은 국가이지만 불교 및 유교의 문화가 크게 영향을 끼침
② B → 캄보디아, 불교의 비중이 높음
③ C → 필리핀, 크리스트교의 비중이 높음
④ D → 싱가포르, 여러 종교가 비슷한 비중으로 나타남
⑤ E → 인도네시아, 이슬람교의 비중이 높음

03 오세아니아의 민족

자료 분석 | 글에서 설명하고 있는 민족은 뉴질랜드의 원주민인 마오리족이다. 현재 뉴질랜드는 마오리족의 언어를 영어와 함께 국가 공용어로 사용하는 등 민족 간 통합을 위해 노력하고 있다.

[선택지 분석]

① 마오리족
➡ 영국인이 이주한 이후 원주민의 수는 급격히 줄고 자신들의 땅을 대부분 잃게 되었다.
② 위구르족 → 중국 신장 웨이우얼 자치구에 분포함
③ 티베트족 → 중국 시짱 자치구에 분포함
④ 로힝야족 → 미얀마에 분포함
⑤ 애버리지니 → 오스트레일리아의 원주민

04 몬순 아시아의 종교 갈등

자료 분석 | (가)는 불교 국가인 미얀마에서 이슬람교를 믿는 로힝야족이 주로 거주하는 라카인주를 나타낸 것으로, 로힝야족은 정부로부터 탄압을 받고 있다. (나)는 파키스탄과 인도 사이의 카슈미르 지역으로, 이슬람교와 힌두교 간의 갈등이 나타나는 지역이다. 따라서 두 갈등의 공통적인 원인이 되는 종교는 이슬람교이다.

[선택지 분석]

① 인도 북부에서 기원한 종교이다. → 불교와 힌두교에 해당함
② 인도에서 신자 수가 가장 많은 종교이다. → 힌두교에 해당함
③ 에스파냐의 식민 지배로 필리핀에 전파된 종교이다. → 크리스트교에 해당함
④ 인도네시아에서 신자 수 비중이 가장 높은 종교이다. → 이슬람교에 해당함
⑤ 중국으로부터 독립을 요구하는 티베트족이 신봉하는 종교이다. → 불교에 해당함

05 필리핀 민다나오섬의 종교 갈등

자료 분석 | 필리핀은 크리스트교의 인구 비중이 높게 나타나는 국가이지만, 필리핀 남부에 위치한 민다나오섬에서는 이슬람교의 인구 비중이 높게 나타난다. 따라서 (가)는 이슬람교이다.

(1) 이슬람교
(2) [예시 답안] 필리핀이 에스파냐와 미국의 식민지를 거치며 크리스트교가 유입되는 과정에서 기존에 이 지역에 전파되었던 종교인 이슬람교와의 갈등이 발생하였다.

채점 기준	
상	민다나오섬에서 갈등이 일어나게 된 이유를 필리핀의 식민지 역사와 관련지어 서술한 경우
중	민다나오섬에서 종교 갈등이 일어나게 된 이유를 서술하였지만, 필리핀의 식민지 역사와 관련된 서술이 미흡한 경우
하	민다나오섬에서 이슬람교도와 크리스트교도 간에 종교 갈등이 발생했다는 부분만 서술하고, 식민지 역사와 관련된 부분은 서술하지 않은 경우

도전! 실력 올리기 143쪽

01 ③ 02 ④ 03 ⑤ 04 ②

01 몬순 아시아의 종교 비중

자료 분석 | 자료는 말레이시아의 국가 공휴일을 나타낸 것이다. 말레이시아의 국교는 이슬람교이지만 헌법상 종교의 자유가 보장되어 있으며, 다양한 민족이 함께 살고 있어 여러 종교의 기념일을 공휴일로 지정하고 있다. 석가모니 탄신일인 (가)는 불교, 라마단 축제인 (나)는 이슬람교, 크리스마스인 (다)는 크리스트교의 종교 기념일이다. 한편 남부 아시아의 종교 비중은 힌두교>이슬람교>불교 순이며, 동남아시아의 종교 비중은 이슬람교>불교>크리스트교 순이다.

[선택지 분석]

	(가)	(나)	(다)
③	B → 불교	A → 이슬람교	C → 크리스트교

➡ A는 남부 아시아와 동남아시아에서 공통적으로 비중이 높은 (나)의 이슬람교, B는 동남아시아에서 상대적으로 높은 비중을 보이는 (가)의 불교, 나머지 C는 (다)의 크리스트교이다.

02 몬순 아시아의 종교 분포

자료 분석 | 지도에 표시된 국가는 네팔, 방글라데시, 스리랑카, 필리핀이다. 네팔은 인도와 함께 대표적인 힌두교(A) 국가이며, 방글라데시는 이슬람교(B)의 비중이 가장 높다. 스리랑카는 불교(C)의 비중이 가장 높고, 필리핀은 에스파냐·미국의 식민 통치 영향으로 크리스트교(D)의 비중이 가장 높다.

[선택지 분석]

	A	B	C	D
④	힌두교	이슬람교	불교	크리스트교

➡ 네팔은 힌두교(A), 방글라데시는 이슬람교(B), 스리랑카는 불교(C), 필리핀은 크리스트교(D)의 신자 수 비중이 가장 높다.

03 몬순 아시아의 지역 갈등

자료 분석 | (가)는 불교를 믿는 신할리즈족과 힌두교를 믿는 타밀족 사이의 갈등으로, 스리랑카(D)에 대한 설명이다. (나)는 자치구로 설정되어 있으므로 중국이며, 불교를 주로 믿는 소수 민족이 거주하고 있으므로 티베트족이 거주하는 시짱 자치구(C)에 해당한다.

[선택지 분석]

	(가)	(나)
②	A → 카슈미르 지역	B → 신장 웨이우얼 자치구
⑤	D → 스리랑카	C → 시짱 자치구

04 몬순 아시아 지역 갈등의 해결 노력

자료 분석 | (가)는 인도와 카슈미르 지역에서 평화를 위해 회담을 하는 것으로 보아 인도와 접한 파키스탄(A)이다. (나)는 무슬림 인구 1위 국가인 인도네시아(C)이고, (다)는 다양한 종교 축제일을 공휴일로 지정한 말레이시아(B)이다.

[선택지 분석]

	(가)	(나)	(다)
②	A → 파키스탄	C → 인도네시아	B → 말레이시아

한번에 끝내는 대단원 문제 145~147쪽

01 ⑤ 02 ③ 03 ③ 04 ② 05 ⑤ 06 ③ 07 ⑤
08 ④ 09 ② 10 ③ 11~12 해설 참조

01 몬순 아시아 계절풍의 특성

자료 분석 | 지도는 몬순 아시아의 여름 계절풍과 겨울 계절풍을 나타낸 것이다. (가)는 북풍 계열의 바람이 우세하므로 1월에 해당하며, (나)는 남풍 계열의 바람이 우세하므로 7월에 해당한다.

[선택지 분석]

① (가) 시기에는 적도 수렴대가 ~~적도 위로 북상~~한다. (적도 아래로 남하)

➡ (가)는 북반구의 겨울인 1월로 적도 수렴대는 적도 아래로 남하한다.

② (나) 시기에는 계절풍의 영향으로 강수량이 ~~감소~~한다. (증가)

➡ 여름 계절풍은 다습한 해양에서 불어오는 바람이므로 강수량이 증가한다.

③ ~~(가) 시기는 (나) 시기보다~~ 벼의 생육에 유리하다. ((나) 시기는 (가) 시기보다)

➡ 다른 작물에 비해 벼는 생육 기간 동안 높은 기온과 풍부한 강수량이 필요하다.

④ ~~(나) 시기는 (가) 시기보다~~ 풍속이 약하고 습도가 낮다. ((가) 시기는 (나) 시기보다)

➡ 남부 아시아 및 동남아시아의 경우 여름 계절풍이 겨울 계절풍에 비해 풍속이 강하다.

⑤ (가) 시기는 1월, (나) 시기는 7월이다.

02 인도네시아의 지리적 특징

자료 분석 | 수많은 섬들로 구성되어 있으며, 세계에서 가장 많은 이슬람교의 신자 수를 가진 (가) 국가는 인도네시아이다. 인도네시아는 최근 지반 침하로 인한 침수 피해 등의 문제로 수도의 이전을 결정하였다.

[선택지 분석]

ㄱ. 화산 활동과 지진이 빈번하게 일어난다.

➡ 인도네시아는 지각판 경계에 위치하고 있어 화산 활동과 지진이 빈번하며 다양한 화산 지형이 나타난다.

ㄴ. 플랜테이션을 통한 커피 생산이 활발하다.

➡ 인도네시아와 베트남 등지에서 커피가 생산되고 있다.

ㄷ. 나시고렝이라는 볶음밥 요리가 발달하였다.

➡ 인도네시아로 '나시'는 밥을, '고렝'은 볶는 것을 의미한다. 나시고렝은 다양한 재료와 향신료를 넣은 볶음밥이다.

ㄹ. ~~ㅁ자 형태의 폐쇄적인 가옥 구조~~가 나타난다. (개방적인 가옥 구조)

➡ 폐쇄적인 가옥 구조는 주로 중국의 화북 지방과 같이 겨울철이 추운 지역에서 나타난다.

03 몬순 아시아 지역의 주민 생활

자료 분석 | (가)는 고온 다습한 열대 기후 지역의 전통 가옥인 고상 가옥으로, 남부 아시아와 동남아시아에서 쉽게 볼 수 있다. (나)는 눈이 많이 내리는 일본의 기후현에서 볼 수 있는 가옥으로, 합장(갓쇼즈쿠리) 가옥이라고 불린다.

[선택지 분석]

	(가)	(나)
③	C → 인도네시아	B → 일본
⑤	D → 오스트레일리아	A → 몽골

04 오스트레일리아 주요 자원의 이동과 특징

자료 분석 | A는 오스트레일리아 서북부에 분포하며 주로 동부 아시아로 이동하는 철광석이다. B는 오스트레일리아 동부에 분포하며 몬순 아시아로 이동하는 석탄이다.

[선택지 분석]

ㄱ. A는 제철 공업의 원료 자원이다.

ㄴ. A는 주로 수송용 연료로 활용된다.

➡ 수송용 연료로 주로 활용되는 것은 석유이다. 철광석은 제철 공업의 원료이다.

ㄷ. B의 생산량은 중국이 오스트레일리아보다 많다.

➡ 중국은 석탄 매장량이 풍부하지만, 국내 사용량이 많아서 오스트레일리아 등지에서 수입하고 있다.

ㄹ. B는 세계에서 소비 비중이 가장 높은 에너지 자원이다.
→ 석유에 대한 설명임

05 중국의 산업 구조

자료 분석 | A 국가는 오스트레일리아에서 생산된 철광석이 주로 수출되는 국가로, 세계에서 철강 생산 비중이 가장 높은 중국이다. 중국은 전 세계 철강 생산량의 절반 정도를 생산하고 있다.

[선택지 분석]

① 벵갈루루 등을 중심으로 첨단 산업이 발달하였다.
→ 인도에 해당함

② 사탕수수, 천연고무 등의 플랜테이션이 발달하였다.
→ 인도네시아, 말레이시아에 해당함

③ 농축산물의 세계적인 수출 국가이며, 관광 산업이 발달하였다. → 오스트레일리아에 해당함

④ 태평양 연안에 공업 지역이 밀집해 있으며, 최근 내륙을 중심으로 첨단 산업이 발달하였다. → 일본에 해당함

⑤ 넓은 영토와 풍부한 지하자원 및 노동력을 바탕으로 빠르게 산업이 성장하였다.

06 인도네시아의 산업 구조

자료 분석 | 주석은 신기 조산대 주변에 주로 분포하는 경향이 있다. 천연고무와 식물성 지방 및 기름은 고무나무, 기름야자 나무에서 추출된 것이므로 이들 나무가 잘 자랄 수 있는 열대 기후가 나타나는 국가여야 한다. 따라서 이 두 조건을 만족하는 A 국가는 인도네시아이다.

[선택지 분석]

ㄱ. 세계의 공장이라고 불린다. → 중국에 해당함

ㄴ. 플랜테이션을 바탕으로 한 1차 산업이 발달하였다.

ㄷ. 2000년대 이후 노동 집약적 제조업이 발달하고 있다.

➡ 인도네시아, 타이, 베트남은 다국적 기업의 생산 공장이 입지하면서 신흥 공업 국가로 발돋움하고 있다.

ㄹ. 영어를 공용어로 사용하며 콜센터 산업이 발달하였다.
→ 인도, 필리핀에 해당함

07 몬순 아시아와 오세아니아의 국가별 산업 구조

자료 분석 | (가)는 철광석 및 석탄의 수출 비중이 매우 높고 육류의 수출 비중도 높으므로 오스트레일리아에 해당한다. (나)는 기계류, 의류, 섬유·직물의 수출 비중이 높으므로 저렴한 노동력을 바탕으로 공업이 성장한 중국에 해당한다.

[선택지 분석]

	(가)	(나)
②	B → 일본	C → 인도네시아
⑤	D → 오스트레일리아	A → 중국

08 몬순 아시아의 종교 갈등 지역

자료 분석 | 몬순 아시아가 발상지인 종교는 힌두교와 불교이다. 따라서 (가)는 불교이다. 남부 아시아 일부와 동남아시아의 섬 지역에서 가장 많은 비중을 차지하고 있는 종교인 (나)는 이슬람교이다. 불교와 이슬람교 간의 갈등이 나타나는 지역은 미얀마(D)이다.

[선택지 분석]

① A → 이슬람교와 힌두교 간의 갈등이 나타나는 카슈미르 지역

② B → 위구르족이 분리 독립을 주장하고 있는 신장 웨이우얼 자치구

③ C → 힌두교(타밀족)와 불교(신할리즈족) 간의 갈등이 나타나는 스리랑카

④ D → 이슬람교를 믿는 소수 민족인 로힝야족이 탄압을 받는 불교 국가인 미얀마

⑤ E → 크리스트교와 이슬람교 간의 갈등이 나타나는 필리핀 남부의 민다나오섬

09 몬순 아시아와 오세아니아의 소수 민족

자료 분석 | (가)는 이슬람교를 믿고 있으며 국가 내에서 분리·독립을 주장하고 있다. (나)는 유럽인이 유입된 국가이며 생활의 터전을 잃은 원주민에 해당한다. 중국(A)의 신장 웨이우얼 자치구에 거주하는 위구르족은 이슬람교를 믿고 있으며 국가 내에서 분리·독립을 주장하고 있다. 스리랑카(B)는 불교 신자의 비중이 높으며, 인도네시아(C)는 이슬람교 신자 수가 세계에서 가장 많은 국가이다. 오스트레일리아(D)는 유럽인들의 유입으로 오지로 쫓겨난 원주민인 애버리지니가 거주하고 있다.

[선택지 분석]

	(가)	(나)
②	A → 중국	D → 오스트레일리아
③	C → 인도네시아	B → 스리랑카

10 몬순 아시아의 종교 및 민족 갈등

자료 분석 | (가)는 인도와 파키스탄 사이의 카슈미르 지역, (나)는 필리핀 남부의 민다나오섬이다. 카슈미르 지역은 인도와 파키스탄

이 영토 분쟁을 벌이는 곳으로, 이슬람교도(파키스탄)와 힌두교도(인도) 간의 갈등이 분쟁의 주요 원인이다. 민다나오섬은 이슬람교도인 모로족이 필리핀 정부의 차별에 대항하며 분리 독립 운동을 벌이고 있다.

[선택지 분석]

ㄱ. (가)는 자원 확보를 둘러싼 영토 분쟁이다.
➡ 영토 분쟁은 맞지만, 자원 확보는 거리가 멀다.

ㄴ. (나)는 국가 내에서 분리 독립을 원하고 있다.

ㄷ. (가), (나) 분쟁의 공통적인 원인은 종교의 차이이다.
➡ (가)는 이슬람교와 힌두교, (나)는 이슬람교와 크리스트교 간의 갈등이 발생하고 있다.

ㄹ. (가), (나) 분쟁 모두 영국의 식민 지배와 관련이 있다.
➡ (가) 카슈미르 지역은 영국이 인도에서 철수할 때, 인도와 파키스탄으로 분리되면서 갈등이 심화되었다. 필리핀은 에스파냐와 미국의 식민 지배를 받았다.

11 오스트레일리아의 자원 분포와 중국의 산업 특징

(1) 철광석
(2) 중국
(3) [예시 답안] 급격한 산업화로 세계적인 공업국으로 성장한 중국은 기계, 철강, 자동차, 선박 등의 중화학 공업이 발달하여 철광석의 수요가 증가하고 있기 때문이다.

채점 기준	
상	오스트레일리아의 철광석이 중국으로 주로 수출되는 이유를 중국의 산업 구조와 중국에서 주로 발달한 공업을 관련지어 서술한 경우
중	오스트레일리아의 철광석이 중국으로 주로 수출되는 이유를 중국의 산업 구조와 중국에서 주로 발달한 공업 두 가지를 관련지어 서술하였지만, 두 가지 중 한 가지에 대한 서술이 미흡한 경우
하	오스트레일리아의 철광석이 중국으로 주로 수출되는 이유를 중국의 산업 구조와 중국에서 주로 발달한 공업 두 가지 중 한 가지만을 관련지어 서술한 경우

12 몬순 아시아의 종교 분포와 종교 갈등의 해결 노력

(1) A: 불교, B: 힌두교, C: 이슬람교, D: 크리스트교
(2) ①: 인도 북부 카슈미르 지역
②: 필리핀 남부 민다나오섬
(3) 위구르족
(4) [예시 답안] 다른 국가들과는 달리 싱가포르는 다양한 종교를 믿는 주민들이 공존한다. 이는 싱가포르가 중국계, 말레이계, 인도계 등 다양한 민족이 서로의 문화를 존중하며 사는 다민족 국가이기 때문이다.

채점 기준	
상	싱가포르 종교 분포의 특징과 민족 분포의 연관성을 모두 서술한 경우
중	싱가포르 종교 분포의 특징은 서술하였으나, 민족 분포와의 연관성에 대한 서술이 미흡한 경우
하	싱가포르 종교 분포의 특징만 서술한 경우

V »» 건조 아시아와 북부 아프리카

01 ~ 자연환경에 적응한 생활 모습

콕콕! 개념 확인하기 153쪽

01 (1) ○ (2) × (3) ○ (4) ○ (5) ×
02 (1) 사막 기후 (2) 적은 (3) 스텝 기후 (4) 유르트 (5) 유리
03 (1) 일교차 (2) 베일 (3) 양고기 (4) 대추야자 (5) 관개 (6) 유목

01 (2) 건조 아시아와 북부 아프리카는 강수량보다 증발량이 많다.
(5) 건조 아시아와 북부 아프리카 일대는 건조 기후 지역이 대부분이어서 대체로 인간 거주에 불리하다.

탄탄! 내신 다지기 154쪽

01 ② **02** ③ **03** ② **04** ② **05** 해설 참조

01 사막 기후의 특징

자료 분석 | 기후 그래프는 연 강수량이 250㎜를 넘지 않는 사막 기후 지역에 해당한다.

[선택지 분석]

① 인간 거주에 ~~유리하다~~. 불리하다
➡ 건조 기후 지역은 물을 얻기 어려워 일반적으로 인간 거주에 불리한 환경 조건을 지니고 있다.

② 강수량보다 증발량이 많다.
➡ 건조 기후 지역은 강수량보다 증발량이 많다. 따라서 물을 얻을 수 있는 곳을 중심으로 사람들이 모여 산다.

③ 연중 편서풍의 영향을 강하게 받는다.
➡ 연중 편서풍의 영향을 받는 대표적인 지역은 서안 해양성 기후 지역이다.

④ 기온의 일교차보다 연교차가 ~~크게~~ 나타난다. 작게
➡ 건조 기후 지역은 한낮에는 기온이 높게 올라가고, 밤에는 기온이 크게 떨어진다.

⑤ 일사량이 풍부하여 태양광(열) 발전에 ~~불리하다~~. 유리하다
➡ 사막 기후 지역은 연중 일사량이 풍부하여 태양광(열) 발전에 유리한 기후 조건을 지닌다.

02 건조 아시아와 북부 아프리카의 지형적 특징

[선택지 분석]

① 대부분의 지역이 고기 조산대에 속한다.
➡ 건조 아시아는 신기 조산대와 고기 조산대, 북부 아프리카는 안정 육괴에 속한다.

② 사막과 높고 험준한 산지는 보기 어렵다.
➡ 건조 아시아와 북부 아프리카에는 세계적으로 큰 사막이 분포하며, 높고 험준한 산지도 분포한다.
③ 나일강 하구에는 비옥한 삼각주 평야가 형성되어 있다.
➡ 나일강 하구에는 상류로부터 공급된 물질이 퇴적되어 형성된 비옥한 나일강 삼각주가 발달해 있다.
④ 지중해와 흑해 연안에는 대부분 사막이 형성되어 있다.
➡ 지중해와 흑해 연안에는 지중해성 기후가 나타난다.
⑤ 티그리스·유프라테스강 중·하류에는 농경지 발달이 어렵다.
➡ 티그리스·유프라테스강 중·하류에는 메소포타미아 평원이 분포하고 농경지가 발달하였다.

03 건조 기후 지역의 전통 의복

[선택지 분석]

① 열대 기후 지역 → 연중 덥고 습한 기후에 대비하기 위한 의복 문화가 발달함
② 건조 기후 지역 → 모래바람과 강한 햇볕에 대비한 얇고 긴 소매의 의복이 발달함
③ 온대 기후 지역 → 비교적 온화한 기후 조건에 맞게 지역별로 다양한 의복 문화가 발달함
④ 냉대 기후 지역 → 추운 겨울을 대비하기 위한 방한 목적의 의복 문화가 주로 발달함
⑤ 한대 기후 지역 → 동물의 가죽, 모피 등을 활용하여 극심한 추위에 대비할 수 있는 의복 문화가 발달함

04 건조 기후 지역의 전통 가옥

자료 분석 | (가)는 사막 기후 지역, (나)는 스텝 기후 지역에서 나타나는 전통 가옥이다.

[선택지 분석]

ㄱ (가)는 창문이 작고 벽이 두껍다.
➡ (가)는 주변에서 쉽게 구할 수 있는 흙을 이용하여 만든 집으로, 강한 햇볕과 기온에 따른 큰 일교차에 대비하기 위해 벽이 두껍고 창문이 작으며, 골목이 좁다.
ㄴ (나)는 주로 사막 기후 지역에서 볼 수 있다. (사막 → 스텝)
➡ (나)는 사막 주변 초원 지역의 주민들이 동물의 가죽이나 털로 만든 천막집이다.
ㄷ (가)는 (나)보다 유목 생활에 불리하다.
➡ (가)는 정착민들의 가옥이며, (나)는 유목민의 편의를 위해 조립과 해체가 손쉬운 이동식 가옥이다.
ㄹ (나)가 나타나는 기후 지역은 (가)가 나타나는 기후 지역보다 강수량이 적다. (적다 → 많다)

05 건조 기후 지역의 관개 시설

(1) 카나트
(2) [예시 답안] 건조 기후 지역은 강수량보다 증발량이 많다. 따라서 물이 증발되는 것을 막기 위해 관개 수로인 카나트를 지하에 설치한다.

채점 기준	
상	자연환경의 특징과 이유를 모두 정확하게 서술한 경우
하	자연환경의 특징과 이유 중 한 가지만 서술한 경우

도전! 실력 올리기 155쪽

01 ② 02 ④ 03 ③ 04 ③

01 건조 아시아와 북부 아프리카의 인구 분포 특성

자료 분석 | 건조 아시아와 북부 아프리카는 대체로 지중해 및 흑해와 인접한 지역, 나일강과 티그리스·유프라테스강 유역에서 인구 밀도가 높게 나타난다. 대하천 유역에는 농경지가 발달하여 인구 밀도가 높게 나타난다.

[선택지 분석]

ㄱ 나일강 하류 일대는 인구 밀도가 높다.
ㄴ 사막 기후 지역은 대체로 인구 밀도가 높다. (높다 → 낮다)
➡ 사막 기후 지역은 강수량이 적고 일교차가 커서 인간이 거주하기에 불리하다.
ㄷ 티그리스·유프라테스강 유역은 인구 밀도가 높다.
ㄹ 지중해와 흑해 연안 지역은 홍해 연안 지역보다 대체로 인구 밀도가 낮게 나타난다. (낮게 → 높게)
➡ 지중해와 접한 해안 지역이나 북쪽의 흑해 연안에는 부분적으로 해안 평야가 발달해 있다.

02 지하 관개 시설의 특징

자료 분석 | 자료는 건조 기후 지역의 지하 관개 시설에 관한 것이다. 이와 같은 시설이 위치하는 곳은 사막 기후 지역에서 오아시스나 외래 하천을 통해 물을 확보한다.

[선택지 분석]

ㄱ ㉠이 설치된 지역은 대체로 강수량이 많다. (많다 → 적다)
➡ 강수량이 적고 증발량이 많은 지역에서 물의 증발을 막기 위해 ㉠ 지하 관개 수로를 설치한다.
ㄴ ㉠을 이용하여 대추야자를 재배하기도 한다.
ㄷ 중앙아시아 일대에서는 ㉠을 유르트라고 부른다. → 유르트는 이동식 가옥의 명칭임
➡ 지하 관개 수로를 이란에서는 카나트, 아프가니스탄에서는 카레즈, 북부 아프리카에서는 포가라라고 부른다.
ㄹ ㉠을 이용하여 밀 경작지를 조성하기도 한다.

03 바드기르

자료 분석 | 자료는 건조 기후 지역의 전통 천연 에어컨 바드기르에 대한 것이다. 바드기르를 볼 수 있는 곳은 국토 대부분의 지역에서 건조 기후가 나타나는 건조 아시아 지역의 국가이다.

[선택지 분석]

① A → 영국
② B → 남아프리카 공화국
③ C → 이란, 페르시아어로 '바람 잡이'라는 뜻의 바드기르는 서남아시아의 전통적인 천연 에어컨임
④ D → 일본
⑤ E → 멕시코, 국토의 중남부 지역에서 부분적으로 건조 기후가 나타나지만, 바드기르와 같은 전통 시설은 없음

04 건조 기후 지역의 전통적인 생활 모습

자료 분석 | 자료는 건조 아시아와 북부 아프리카의 건조 기후 지역 주민들의 전통적인 생활 모습을 나타낸 그림이다.

[선택지 분석]

㉠ 곡물과 생필품을 공급해 주는 대상들의 행렬

➡ 건조 기후 지역에서는 오아시스를 중심으로 생활을 꾸려가는 것이 일반적이다. 따라서 오아시스를 상품 교환의 거점으로 삼아 대상 무역이 발달하였다.

㉡ 양, 염소 등의 가축을 사육하는 유목민

➡ 건조 기후 지역에서는 건조한 기후에 잘 적응하여 견디는 양, 염소 등을 유목하며 고기와 젖을 얻어 생활하였다.

㉢ 습기를 차단하고 해충 피해를 막기 위한 고상 가옥

➡ 습기와 해충을 차단하기 위한 고상 가옥은 열대 우림 기후 지역의 전통 가옥에 해당한다.

㉣ 강한 햇볕으로부터 몸을 보호하기 위해 온몸을 가리는 의복

➡ 건조 기후 지역은 햇볕이 강하기 때문에 주민들은 몸을 보호하기 위해 얇고 긴 소매의 옷을 입는다.

㉤ 술과 돼지고기를 금기시하는 음식 문화

➡ 건조 아시아에서 기원한 이슬람교는 전통적으로 술과 돼지고기를 금기시한다. 이슬람교는 이후 북부 아프리카 지역으로 전파되었다.

02 주요 자원의 분포 및 이동과 산업 구조

콕콕! 개념 확인하기 159쪽

01 (1) ○ (2) × (3) × (4) ○
02 (1) 페르시아만 (2) 석유 수출국 기구(OPEC)
03 (1) 감소 (2) 이집트 (3) 사우디아라비아 (4) 이집트
04 (1) 다변화 (2) 아랍 에미리트 (3) 이집트

01 (2) 천연가스의 생산량은 서남아시아가 북부 아프리카보다 많다.
(3) 석유와 천연가스는 편재성이 매우 큰 자원이다.

탄탄! 내신 다지기 160쪽

01 ④ **02** ③ **03** ④ **04** ⑤ **05** 해설 참조

01 화석 에너지 자원의 매장량과 분포

자료 분석 | 지도는 건조 아시아와 북부 아프리카의 화석 에너지 자원의 분포 및 석유 매장량을 나타낸 것이다. 석유와 천연가스는 주로 페르시아만 연안에 집중되어 있고, 북부 아프리카 지역의 알제리는 천연가스의 생산량이 많다.

[선택지 분석]

① 알제리의 석유 매장량은 이란보다 ~~많다~~(적다).

② 지중해 동부 연안에는 석유가 ~~많이 매장되어 있다~~(거의 매장되어 있지 않다).

③ 흑해 연안은 페르시아만보다 천연가스 생산이 ~~많다~~(적다).

➡ 흑해 연안에서는 천연가스 생산이 거의 이루어지지 않는다.

④ 페르시아만 일대 국가들의 석유 매장량이 가장 많다.

⑤ 북부 아프리카에서는 ~~모로코와 튀니지~~(알제리, 리비아)의 석유 매장량이 가장 많다.

➡ 모로코와 튀니지는 북부 아프리카에서 화석 에너지 자원이 가장 적은 국가에 해당한다.

02 화석 에너지 자원의 개발에 따른 영향

[선택지 분석]

① 주민들의 생활 수준이 향상되었다.

➡ 화석 에너지를 개발하면 개발 이익이 발생해 주민들의 생활 수준이 전반적으로 향상되는 효과가 나타날 수 있다.

② 화석 에너지를 둘러싼 분쟁이 빈번해졌다.

➡ 화석 에너지를 둘러싼 이권 개입, 분배에 따른 자원 분쟁이 빈번하게 나타난다.

③ 인구가 농촌으로 집중되는 현상이 발생하였다.

➡ 도시의 성장으로 농촌의 인구가 도시로 집중된다.

④ 경제 발전을 이룬 국가의 소득 불평등이 심화되었다.

➡ 건조 아시아와 북부 아프리카에서 자원을 바탕으로 경제 발전을 이룬 국가들 대부분은 부의 불평등 문제가 심각하다.

⑤ 일부 자원 개발국의 해외 경제 의존도가 심화되었다.

➡ 자원의 개발로 성장한 국가 중 일부는 해외 경제 의존도가 심화되는 부작용을 안고 있다.

03 건조 아시아와 북부 아프리카 주요 국가의 산업 구조

자료 분석 | 화석 에너지 자원이 많은 사우디아라비아와 카자흐스탄은 2차 산업의 비중이 크고, 1차 산업이 차지하는 비중이 작다. 반면, 화석 에너지 자원이 부족한 이집트와 터키는 상대적으로 1차 산업의 비중이 크다.

[선택지 분석]

① 터키는 ~~2차~~(3차) 산업의 비중이 가장 크다.

➡ 터키를 포함한 모든 국가에서 3차 산업의 비중이 가장 크다.

② 3차 산업의 비중은 ~~카자흐스탄~~(이집트)이 가장 작다.

③ 이집트는 터키보다 3차 산업의 비중이 ~~크다~~(작다).

④ 1차 산업의 비중은 사우디아라비아가 가장 작다.

➡ 화석 에너지 자원의 매장량과 수출량이 많은 사우디아라비아는 1차 산업이 차지하는 비중이 매우 작다.

⑤ 이집트는 1차 산업의 비중이 2차 산업보다 ~~크다~~(작다).

04 사우디아라비아의 인구 구조

자료 분석 | 사우디아라비아는 막대한 석유 개발을 통한 자본 유입이 매우 활발한 국가이다. 따라서 사우디아라비아에는 주변국에서의 남성 노동력 유입이 활발하다.

[선택지 분석]

✗ 유소년층 인구의 비중이 노년층 인구 비중보다 ~~작다~~. 크다

✗ 노년층에서는 ~~여초~~ 현상이 나타난다. 남초

ㄷ 청장년층의 남초 현상은 외국인 노동자의 유입과 관련이 깊다.

ㄹ 청장년층의 인구 비중은 유소년층과 노년층의 인구 비중을 합한 것보다 크다.

05 건조 아시아와 북부 아프리카의 무역 구조 특징

(1) 광물 및 에너지 자원

(2) [예시 답안] 사우디아라비아는 석유와 천연가스의 매장량과 생산량이 많아 광물 및 에너지 자원의 수출액이 많다. 반면, 터키는 광물 및 에너지 자원을 수입에 의존하고 있으며, 기술이 발달하여 공업 제품의 수출액이 많다.

채점 기준	
상	사우디아라비아와 터키의 무역 구조 특징을 광물 및 에너지 자원과 관련지어 서술한 경우
중	사우디아라비아와 터키의 무역 구조를 서술하였지만, 광물 및 에너지 자원과의 연관성에 대한 서술 부분이 미흡한 경우
하	사우디아라비아와 터키의 무역 구조 특징을 서술하였지만, 광물 및 에너지 자원과의 연관성을 서술하지 못한 경우

도전! 실력 올리기 161쪽

01 ④ 02 ③ 03 ② 04 ③

01 석유와 천연가스의 매장량·생산량

자료 분석 | 그래프를 보면 서남아시아는 전 세계 석유와 천연가스 매장량의 40%가 넘는 비중을 차지하고 있음을 알 수 있다. 또한 건조 아시아와 북부 아프리카의 석유와 천연가스 매장량과 생산량이 세계에서 두드러짐을 알 수 있다.

[선택지 분석]

① 북부 아프리카의 석유 매장량은 ~~10%가 넘는다~~. 3.5% 정도이다

② 석유 생산량은 북부 아프리카가 중앙아시아보다 ~~많다~~. 적다

➡ 석유 생산량은 북부 아프리카가 2.9%, 중앙아시아가 3.1%이다.

③ 천연가스 생산량은 중앙아시아가 서남아시아보다 ~~많다~~. 적다

➡ 천연가스의 생산량은 중앙아시아가 4.7%, 서남아시아가 18.0%이다.

✔④ 중앙아시아의 천연가스 매장량 비중은 석유의 5배가 넘는다.

➡ 중앙아시아의 천연가스 매장량 비중은 11.1%이고 석유 매장량 비중은 2.1%로, 천연가스 매장량 비중이 석유 매장량 비중의 5배가 넘는다.

⑤ 서남아시아, 중앙아시아, 북부 아프리카를 합한 석유 매장량은 전 세계의 50% 미만이다.

➡ 세 지역을 합한 석유 매장량은 50%를 넘는다.

02 주요 국가의 1차 에너지 소비 구조

자료 분석 | 중국은 세계에서 석탄 소비가 가장 많고, 미국은 석유 소비가 가장 많은 국가이며, 프랑스는 에너지 소비 구조에서 원자력의 비중이 가장 큰 국가이다. A는 (나)와 미국에서 소비량이 많은 원자력이다. 따라서 (나)는 프랑스이다. B는 미국에서 소비량이 가장 많은 석유이며, (다)는 B의 소비량이 국가 내에서 압도적으로 많은 사우디아라비아이다. 사우디아라비아에서 석유와 함께 유일하게 소비하는 에너지원인 C는 천연가스이다. 따라서 (가)는 중국이고, D는 중국에서 가장 소비량이 많은 석탄이다.

[선택지 분석]

① (가)는 중국이고, ~~석유~~를 가장 많이 소비한다. 석탄

② (나)는 프랑스이고, ~~석탄~~의 소비가 가장 많다. 원자력

✔③ (다)는 사우디아라비아이고, 석유의 소비가 가장 많다.

④ (가)는 (나)보다 천연가스의 소비 비중이 ~~크다~~. 작다

⑤ (다)는 (가)보다 석탄의 소비 비중이 크다.
→ (다) 사우디아라비아는 국가 내 석탄의 소비량이 없음

03 건조 아시아 주요 국가의 산업 및 무역 구조 특징

자료 분석 | (가)는 사우디아라비아, (나)는 터키의 산업 및 무역 구조를 나타낸 그래프이다. 사우디아라비아는 터키보다 원자재 중심의 수출액이 많고, 자원을 바탕으로 정유 공업이 발달하여 2차 산업의 비중이 크다. 반면, 터키는 유럽과의 지리적 인접성과 풍부한 노동력을 바탕으로 자동차 공업 등이 발달하였다.

[선택지 분석]

ㄱ (가)는 (나)보다 수출액이 많다.

✗ (가)는 (나)보다 국내 총생산이 ~~많다~~. 적다

ㄷ (나)는 (가)보다 2차 산업의 비중이 작다.

✗ (가), (나) 모두 ~~1차~~ 산업의 비중이 가장 크다. 3차

➡ 두 국가 모두 경제 성장의 동력은 2차 산업이지만, 3차 산업의 비중이 가장 크다.

04 아랍 에미리트의 산업 구조 다변화

자료 분석 | 자료의 (가) 도시는 아랍 에미리트의 두바이이다. 두바이는 막대한 석유 수출을 통한 부의 축적으로 '사막의 기적'이라 불릴 정도의 금융, 물류, 항공 교통의 요지로 성장해 왔다. 아랍 에미리트가 전략적으로 두바이를 조성한 이유는 국가 산업 구조의 다변화를 꾀하려는 목적을 지니기도 한다.

[선택지 분석]

① A → 모로코, 광물 자원과 천연가스가 풍부한 편이고, 지중해와 접해 있어 농업 및 어업이 발달해 있음

② B → 이집트, 나일강 삼각주를 활용한 농업과 고대 유적을 통한 관광 산업이 활발함

③ C → 아랍 에미리트

④ D → 이란, 석유와 천연가스가 풍부하여 자원 제조 관련 2차 산업이 발달하였음

⑤ E → 카자흐스탄, 자원의 매장량과 수출량이 많아 2차 산업이 발달하였음

03 사막화의 진행

콕콕! 개념 확인하기 165쪽

01 (1) 사막화 (2) 자연적, 인위적 (3) 사헬 지대
(4) 인구, 가축 (5) 아랄해
02 A: 가축 B: 농경지 C: 가뭄
03 (1) × (2) ○ (3) ○ (4) ○
04 (1) 사막화 방지 협약 (2) 녹색 장벽 (3) 점적 (4) 심는

02 A 인구가 증가하면 인구가 늘어난 만큼 식량이 필요하고, 그에 따라 가축(고기) 수요가 증가한다.
C 사막화는 인구 증가로 인한 삼림과 초원 파괴 등의 인위적 요인에 오랜 가뭄이나 지구 온난화와 같은 자연적 원인이 결합되어 발생한다.

03 (1) 사막화가 진행되면 생태계가 파괴되고 생물 종 다양성이 감소한다.

04 (3) 전통적 관개 농업은 수로를 만들어 물을 공급하는 방식이고, 점적 관개 농업은 땅속에 호스를 묻어 식물 뿌리에 필요한 만큼의 물만 공급하는 방식이다. 사막화로 물이 부족한 건조 기후 지역에서는 최근 효율성이 높은 점적 관개 농업 방식을 추진하는 나라들이 늘어나고 있다.

탄탄! 내신 다지기 166쪽

01 ⑤ **02** ⑤ **03** ② **04** ④ **05** 해설 참조

01 사막화의 요인

[선택지 분석]

① 급격한 인구 증가
➡ 인구가 급격하게 증가하면 많은 물이 필요하므로 사막화 현상이 심화된다.

② 가축의 과다한 방목
➡ 가축을 환경이 수용할 수 있는 범위를 넘어서서 방목하면 사막화가 심화된다.

③ 지나친 관개 농업 실시
➡ 지하수의 양과 환경을 고려하지 않은 지나친 관개 농업은 사막화를 심화시킨다.

④ 땔감을 얻기 위한 삼림 벌채
➡ 땔감을 얻기 위해 삼림을 벌채하면 토양의 유실이 심해지는 등 사막화가 심화된다.

⑤ 기후 변화로 인한 기상 이변
➡ 기후 변화로 이상 기후가 증가하면 때이른 가뭄으로 사막화가 심해질 수 있다. 하지만 이러한 현상은 인위적인 요인이라기보다는 자연적인 요인에 가깝다.

02 사헬 지대

자료 분석 | 지도에 표시된 지역은 아프리카의 사헬 지대이다. 사헬 지대는 사하라 이남 아프리카와 사바나 기후 지역의 경계에 해당한다. 사헬 지대는 본래 스텝 또는 사바나 기후 지역이었지만, 과도한 목축 및 개간으로 사막화가 가장 빠르게 진행되고 있다.

[선택지 분석]

① 아랍어로 '중심부'라는 뜻이다.
➡ 사헬은 아랍어로 '가장자리'라는 뜻이다.

② 사하라 사막의 ~~북쪽~~ 남쪽 지역이다.

③ 급격한 인구 감소의 문제가 발생하고 있다.
➡ 사헬 지대는 급격한 인구의 증가로 인해 지나친 농경과 목축에 따른 사막화가 심해지고 있다.

④ 장기간의 홍수로 주민들의 피해가 증가하고 있다.
➡ 사헬 지대는 장기간의 가뭄 피해가 심각한 지역이다.

⑤ 가축의 과다한 방목과 삼림 벌채 등으로 토양이 침식되고 있다.
➡ 가축의 과다한 방목과 삼림 벌채로 식생이 감소하면 토양 침식은 가속화된다.

03 아랄해의 사막화

자료 분석 | 글은 사막화가 심각하게 진행 중인 아랄해에 관한 것이다. 중앙아시아의 아랄해 주변 지역은 인접한 국가들의 과도한 관개 농업으로 극심한 사막화가 나타나는 지역이다. 아랄해의 토양 염류화가 빠르게 진행되면서 과거 호수였던 지역이 거대한 소금밭으로 변했다.

[선택지 분석]

① A → 카스피해
➡ 카스피해 일대는 천연가스 매장량이 많다. 주변국은 자원 분배에 관해 부분적으로 합의했지만, 갈등의 씨앗은 여전히 남아 있는 상태이다.

② B → 아랄해

③ C → 몽골 사막화 지역(고비 사막)
➡ 몽골과 중국의 국경선 일대는 스텝 및 사막 기후가 나타난다. 최근 스텝 기후 지역은 과도한 목축으로 사막화가 빠르게 진행되고 있다.

④ D → 황허강 하류(중국 베이징)
➡ 황허강 하류는 대규모의 도시화 지역이다.

⑤ E → 보르네오섬
➡ 말레이시아, 브루나이, 인도네시아가 속해 있는 보르네오섬은 플랜테이션으로 열대림 파괴가 심각한 지역이다.

04 다르푸르 분쟁 지역

자료 분석 | A는 다르푸르 분쟁 지역이다. 다르푸르 분쟁은 사막화가 진행되면서 물이 부족해진 아랍계 유목 민족이 크리스트교계 정착 부족과 충돌하기 시작하면서 발생했다. 다르푸르 분쟁은 표면적으로는 민족 및 종교 갈등이 원인이지만, 내면에는 가뭄과 사막화라는 환경 문제가 깔려 있다.

[선택지 분석]

① 카슈미르 분쟁 지역이다.

➡ 카슈미르는 인도와 파키스탄 간의 종교 분쟁 지역이다.

② 흑인과 백인 간의 갈등이 심하다.

➡ 다르푸르 분쟁은 아랍계 유목민과 아프리카계 정착 농민 간의 갈등이 원인이다.

③ 자원을 바탕으로 경제 성장을 이루었다.

➡ 다르푸르 분쟁과 경제 성장은 관련이 없다.

④ 환경적 문제가 민족 갈등의 요인 중 하나이다.

➡ 기후 변화에 따른 극심한 가뭄의 피해와 사막화가 진행되면서 기존의 정착 농경민과 이주민 간의 민족 갈등이 발생하였다.

⑤ 사헬 지대의 과도한 홍수로 분쟁이 발생하였다.

➡ 다르푸르 지역은 사헬 지대와 인접해 있지만, 과도한 홍수가 아닌 사막화가 원인이다.

05 사막화 방지를 위한 노력

(1) 사막화, 사막화 방지 협약(UNCCD)

(2) [예시 답안] 사막화를 방지하기 위해 지나친 방목과 경작을 줄이고, 초지와 숲을 조성하며, 관개 방식을 개선하는 등의 다양한 노력이 이루어지고 있다. 이밖에도 사막화가 진행 중인 국가에 대한 재정적·기술적 지원, 사막화로 피해를 입은 난민 구호 활동, 재래종 풀 보존 사업, 연료용 목재 채취 감소를 위한 태양광 시설 보급 등이 있다.

채점 기준	
상	사막화 방지를 위한 노력을 세 가지 이상 서술한 경우
중	사막화 방지를 위한 노력을 두 가지만 서술한 경우
하	사막화 방지를 위한 노력을 한 가지만 서술한 경우

도전! 실력 올리기

167쪽

01 ② 02 ③ 03 ⑤ 04 ④

01 아랄해의 사막화

자료 분석 | 지도는 아랄해의 축소를 시계열적으로 표현한 것이다. 중앙아시아의 아랄해 주변 지역은 인접한 국가들의 과도한 관개로 극심한 사막화가 나타나고 있다.

[선택지 분석]

ㄱ 과도한 관개 농업 및 물 자원의 남용으로 사막화가 진행되었다.

~~ㄴ~~ 호수 주변국들은 녹색 장벽(Great Green Wall) 사업을 시행하고 있다.

➡ 녹색 장벽(Great Green Wall) 사업은 아프리카 사헬 지대의 사막화를 억제하기 위해 실시하고 있는 대책이다.

~~ㄷ~~ 호수 면적의 축소에는 인위적인 요인보다 자연적인 요인이 크게 작용하였다.

➡ 호수의 면적 축소에는 인위적인 요인이 크게 작용하였다.

ㄹ 토양 염류화로 인해 생겨난 소금은 바람을 타고 인근 경작지로 이동하여 2차 피해를 주고 있다.

➡ 아랄해의 토양 염류화가 빠르게 진행되면서 과거 호수였던 지역이 거대한 소금밭으로 변했다.

02 사헬 지대의 사막화 원인

자료 분석 | 지도는 아프리카 사헬 지대의 사막화 원인을 분석하기 위해 인구와 가축 사육 두수의 변화를 나타낸 것이다. 2014년은 1980년보다 인구와 가축 사육 두수가 크게 증가하였다. 이러한 변화로 급속한 사막화가 진행되었다.

[선택지 분석]

① 사막화의 주요 원인은 가뭄일 것이다.

➡ 가뭄도 사막화와 관련이 있지만, 지도에 나타난 원인은 과도한 인구 증가 및 방목이다.

② 차드보다 니제르의 인구가 크게 감소할 것이다.

➡ 차드와 니제르 모두 앞으로 더욱 인구가 증가할 것으로 예상할 수 있다.

③ 인구와 가축의 증가로 초지가 황폐해질 것이다.

④ 가축 사육 두수의 증가로 토양 침식이 ~~완화~~될 것이다. 심화

➡ 가축이 증가하면 초본 식물의 제거가 빨라져 토양 침식이 빨라진다.

⑤ 분쟁과 갈등으로 사헬 지대의 인구는 점차 감소할 것이다.

➡ 지도의 그래프를 통해 사헬 지대의 인구가 증가하고 있음을 알 수 있다.

03 사헬 지대의 녹색 장벽 사업

자료 분석 | 자료는 녹색 장벽 사업을 나타낸 것이다. 극심한 사막화를 겪고 있는 사헬 지대의 주요 국가들은 사막의 남쪽 지역에 마치 벽처럼 나무를 심고 있다. 이를 통해 토양의 질 향상, 식량 재배지 증가, 일자리 창출 등의 효과를 기대하고 있다.

[선택지 분석]

~~ㄱ~~ (가)에 들어갈 용어는 ~~지구 온난화~~이다. 사막화

~~ㄴ~~ 녹색 장벽 조성은 ~~세계 무역 기구~~의 주도로 진행 중이다. 아프리카 사헬 지대의 주요 국가들

ㄷ 사하라 사막 남쪽 지역의 사막화를 방지하기 위한 사업이다.

ㄹ 녹색 장벽 조성 사업에는 아프리카 사헬 지대 국가들이 참여하고 있다.

04 사막화를 억제하기 위한 관개 방식

자료 분석 | 자료는 사막화를 억제하기 위한 관개 방식을 나타낸 그림이다. 사막화의 피해가 심각한 국가는 사막화를 억제하기 위해 물을 절약할 수 있는 새로운 농법을 고안하고 있다. 물 이용의 효율을 따져보면 점적 관개 방식은 90~95%, 스프링클러는 70~85%, 전통적 관개 방식은 40~60%의 절약 효과가 있다.

[선택지 분석]

ㄱ. 점적 관개 방식은 물 절약에 불리하다. (→ 탁월)

ㄴ. 점적 관개 방식은 사막화를 억제하는 효과가 있다.

➡ 점적 관개 방식으로 물 사용량이 줄어들고 이는 사막화 억제로 이어진다.

ㄷ. 물 이용의 효율성은 전통적 관개 방식>점적 관개 방식>스프링클러 순으로 높다. (→ 점적 관개 방식>스프링클러>전통적 관개 방식)

ㄹ. 점적 관개 방식은 땅속에 호스를 묻어 식물 뿌리에 필요한 만큼의 물만 공급하는 방식이다.

한번에 끝내는 대단원 문제 169~171쪽

01 ② 02 ③ 03 ⑤ 04 ③ 05 ⑤ 06 ③ 07 ④
08 ③ 09~12 해설 참조

01 건조 아시아와 북부 아프리카의 기후

자료 분석 | 지도는 건조 아시아와 북부 아프리카를 나타낸 것이다. 이 지역은 대부분 건조 기후가 나타나지만, 지중해와 흑해 연안에는 지중해성 기후가 나타난다.

[선택지 분석]

ㄱ. 대부분 건조 기후가 나타난다.

ㄴ. 기온의 일교차가 매우 작게 나타난다. (→ 크게)

ㄷ. 지중해와 흑해 연안 대부분 지역은 지중해성 기후에 속한다.

➡ 지중해와 흑해 연안 대부분 지역은 여름은 고온 건조하고 겨울은 온난 습윤한 지중해성 기후가 나타난다.

ㄹ. 사막 주변에는 비가 내리는 시기에 짧은 풀이 자라는 사바나 기후가 나타난다. (→ 스텝 기후)

02 건조 아시아의 전통 가옥

자료 분석 | 자료는 건조 기후 지역의 전통 가옥을 보여주고 있다. 건조 기후 지역에서는 강한 햇볕과 기온에 따른 큰 일교차에 대비하기 위해 벽을 두껍게, 창문을 작게, 건물 사이의 골목을 좁게 만드는 경향이 강하다. 건축 재료로는 주변에서 손쉽게 구할 수 있는 흙을 이용하는 경우가 많다.

[선택지 분석]

① 보온 효과를 극대화하기 위해서

➡ 골목을 좁게 만드는 이유는 강한 일사에 대비하기 위한 목적이 크다.

② 가옥이 붕괴되는 것을 막기 위해서

➡ 좁은 골목과 가옥의 붕괴는 관련이 없다.

③ 햇볕을 가려 그늘을 만들기 위해서

➡ 햇볕을 가려 그늘을 만들기 위해 가옥들을 촘촘하게 붙여서 짓는다.

④ 비가 많이 오기 때문에 홍수에 대비하기 위해서

➡ 건조 기후 지역은 연 강수량이 500㎜ 미만으로 건조하다.

⑤ 지면으로부터 올라오는 습기와 열을 차단하기 위해서

➡ 열대 우림 기후 지역의 고상 가옥에 대한 설명이다.

03 바드기르

자료 분석 | 자료는 페르시아만 일대 건조 기후 지역에서 발달한 천연 에어컨 바드기르에 관한 것이다. 바드기르는 공기의 순환을 통해 건물 내부를 시원하게 만드는 원리를 적용한 건축 방식이다.

[선택지 분석]

① 찬정 → 지하수를 뽑아 올리는 오스트레일리아의 관개 시설

② 카나트 → 지하수를 뽑아 올리는 이란의 지하 관개 수로

③ 모스크 → 이슬람교도가 예배를 보는 성전

④ 유르트 → 중앙아시아에서 이동식 가옥을 일컫는 말

⑤ 바드기르

04 건조 아시아와 북부 아프리카의 농업 구조

자료 분석 | 건조 아시아와 북부 아프리카에서 주로 재배되는 작물은 건조 기후에서도 비교적 잘 자라는 대추야자, 밀, 보리 등이다. 이 작물들은 물을 쉽게 얻을 수 있는 외래 하천이나 오아시스를 중심으로 재배된다. 대하천을 끼고 있는 나일강 유역과 메소포타미아 지역에서는 상품성이 있는 대추야자와 목화를 집중적으로 재배한다. 나일강을 통한 물 공급이 원활한 이집트는 다른 국가에 비해 옥수수와 쌀 재배 면적이 넓은 것이 특징이다.

[선택지 분석]

ㄱ. 벼농사가 이루어지는 지역은 없다. (→ 이집트에서 벼농사를 실시함)

ㄴ. 경지 면적은 카자흐스탄이 가장 넓다.

➡ 경지 면적은 카자흐스탄이 2,412만 ha로 가장 넓다.

ㄷ. 옥수수 재배 비중은 이집트가 가장 크다.

➡ 이집트는 옥수수 재배 비중이 24.2%로 가장 크다.

ㄹ. 사우디아라비아는 이집트보다 밀의 생산량이 많다. (→ 적다)

05 건조 아시아와 북부 아프리카의 주요 에너지 자원 분포 특징

자료 분석 | 건조 아시아와 북부 아프리카에는 석유와 천연가스 세계 전체 매장량의 절반 정도가 매장되어 있다. 특히 석유는 페르시아만 연안에 집중적으로 분포한다. 한편 지중해 동부 연안 등 일부 지역에는 석유가 거의 매장되어 있지 않다.

[선택지 분석]

① 터키는 세계 최대 석유 매장국이다. (→ 사우디아라비아)

② 흑해와 면한 지역의 석유 매장량이 가장 많다. (→ 페르시아만 일대)

③ 지중해 연안 국가 중에는 석유 생산국이 없다.

➡ 지중해에 면한 알제리, 리비아, 이집트 등에 원유가 매장되어 있다.

④ 카스피해 연안에는 석탄 광산이 집중해 있다.

➡ 카스피해 연안에는 석유와 천연가스가 매장되어 있다.

⑤ 페르시아만 연안국들은 대체로 석유 매장량이 많다.

➡ 석유는 페르시아만 일대에 집중적으로 매장되어 있다.

06 석유와 천연가스의 매장량 및 국가별 비중

자료 분석 | 석유는 베네수엘라 볼리바르, 사우디아라비아 순으로 매장량의 비중이 크고, 천연가스는 이란과 러시아 순으로 매장량의 비중이 크다. 석유와 천연가스는 화석 에너지라는 공통점이 있으며, 건조 아시아와 북부 아프리카에 많이 매장되어 있다.

[선택지 분석]

ㄱ. 석유의 매장량은 이란이 러시아보다 ~~적다~~. 많다

ㄴ. 천연가스의 매장량은 러시아가 미국보다 많다.

ㄷ. 이란은 석유보다 천연가스의 매장량 비중이 크다.

ㄹ. 사우디아라비아는 ~~석유~~(천연가스)보다 ~~천연가스~~(석유)의 매장량 비중이 크다.

➡ 사우디아라비아는 자원 대국으로, 석유의 생산량과 매장량이 세계적인 국가이다.

07 건조 아시아와 북부 아프리카 주요 국가의 무역 구조

자료 분석 | 건조 아시아와 북부 아프리카의 무역 구조는 석유, 천연가스의 매장 여부와 관련이 깊다. 대체로 화석 에너지 자원이 풍부한 국가는 2차 산업, 화석 에너지 자원이 부족한 국가는 1차 또는 3차 산업이 발달하였다.

[선택지 분석]

① 터키는 수입액보다 수출액이 ~~많다~~. 적다

② 네 국가 중 ~~이집트~~(카자흐스탄)의 수입액이 가장 적다.

➡ 수입액은 터키>사우디아라비아>이집트>카자흐스탄 순이다.

③ 카자흐스탄은 이집트보다 수입액이 ~~많다~~. 적다

④ 무역액이 가장 큰 나라는 사우디아라비아이다.

➡ 수출액과 수입액을 합친 무역액은 사우디아라비아>터키>이집트>카자흐스탄 순이다.

⑤ 광물 및 에너지 자원의 수출이 가장 많은 나라는 ~~터키~~(사우디아라비아)이다.

08 아랄해의 사막화

자료 분석 | 글은 중앙아시아에서 극심한 사막화가 진행되고 있는 아랄해에 대한 것으로 (가)는 아랄해(C)이다. 아랄해는 세계에서 네 번째로 큰 호수였지만, 목화 재배 및 목축을 위한 관개 시설의 증가로 주요 물 공급처였던 아무다리야강과 시르다리야강의 유량이 급격히 감소하면서 사막화가 진행되었다.

[선택지 분석]

① A → 지중해, 바다로 사막화와 직접적인 관련이 없음

② B → 흑해, 지중해와 연결되어 있는 바다로 사막화와 직접적인 관련이 없음

③ C → 아랄해

④ D → 오대호, 빙하호로 세인트로렌스강을 통해 대서양과 연결되어 있으며 유량이 풍부함

⑤ E → 티티카카호, 남아메리카의 페루와 볼리비아 국경 지대에 있는 호수로 남아메리카 최대의 담수호임

09 건조 기후 지역의 주민 생활

자료 분석 | (가), (나)는 모두 건조 기후 지역의 기후 그래프이다. (가)는 연 강수량이 250㎜ 미만의 사막 기후 지역, (나)는 연 강수량이 250~500㎜의 스텝 기후 지역에 해당한다.

(1) (가): 사막 기후 지역, (나): 스텝 기후 지역

(2) [예시 답안] 사막 기후 지역에서는 물을 얻기 쉬운 오아시스 주변에 마을이 발달하며, 주변에서 쉽게 구할 수 있는 흙을 이용하여 집을 짓는다. 스텝 기후 지역에서는 가축의 먹이가 될 만한 물과 풀을 찾아 먼 거리를 이동하는 유목 생활을 하며, 이동 생활에 편리하도록 설치와 철거가 쉬운 이동식 가옥이 발달하였다.

채점 기준	
상	사막 기후 지역과 스텝 기후 지역의 주민 생활 모습을 두 가지씩 모두 서술한 경우
중	사막 기후 지역과 스텝 기후 지역의 주민 생활 모습을 각각 한 가지씩만 서술했거나, 두 기후 지역 중 한 기후 지역의 주민 생활 모습만 두 가지 서술한 경우
하	사막 기후 지역과 스텝 기후 지역 중 한 기후 지역의 주민 생활 모습만 서술하고, 주민 생활 모습도 한 가지만 서술한 경우

10 유목민의 전통 가옥

자료 분석 | 사진은 중앙아시아 유목민의 전통 가옥인 유르트이다. 비슷한 형태의 이동식 가옥을 몽골 일대에서는 게르라고 부른다. 유목민은 주로 스텝 기후 지역에서 물과 풀을 따라 이동하면서 가축을 기른다.

(1) 유르트

(2) [예시 답안] 유르트는 중앙아시아의 스텝 기후 지역에서 발달하였다. 이 지역의 주민들은 가축(양, 염소, 말)의 먹이가 될 만한 물과 풀을 찾아 먼 거리를 이동하기 때문에 이동 생활에 유리한 이동식 가옥을 고안하였다.

채점 기준	
상	가옥이 발달한 기후 지역과 이 가옥을 이용하는 이유를 모두 서술한 경우
중	가옥이 발달한 기후 지역은 정확하게 썼지만, 이러한 가옥을 이용하는 이유에 대한 서술이 미흡한 경우
하	가옥이 발달한 기후 지역만 쓴 경우

11 건조 기후 지역의 산업과 생활

(1) 건조 기후 지역

(2) [예시 답안] 건조 기후 지역에서는 강수량이 적고 물이 부족하여 담수 플랜트가 필요하며, 모래바람이 자주 불어 공기 청정기가 필요하다. 또한 강한 햇볕으로부터 피부를 보호하기 위해 선크림이 필요하고, 강한 바람이 잦아 이를 견딜 수 있는 텐트나 가옥도 필요하다.

채점 기준		
	상	건조 기후 지역에서 제시된 상품들이 인기를 끄는 이유를 각각의 상품별로 사례를 들어 모두 서술한 경우
	중	건조 기후 지역에서 제시된 상품들이 인기를 끄는 이유를 서술하였지만, 사례를 두 가지만 들어 서술한 경우
	하	건조 기후 지역에서 제시된 상품들이 인기를 끄는 이유를 서술하였지만, 사례를 한 가지만 들어 서술한 경우

12 사막화 방지를 위한 노력

자료 분석 | 글은 아프리카 사헬 지대의 녹색 장벽 사업에 대한 것이다. 해당 지역의 국가들은 빠르게 확산 중인 사막화를 억제하기 위해 대규모의 녹지 공간을 조성하고 있다.

(1) 그레이트 그린 월 사업 또는 녹색 장벽 사업

(2) [예시 답안] 사하라 사막 남쪽 지역인 사헬 지대의 사막화 방지, 지속 가능한 농업과 가축 사육, 식량 안보 향상 등을 들 수 있다.

채점 기준		
	상	사업의 목적을 두 가지 이상 서술한 경우
	하	사업의 목적을 한 가지만 서술한 경우

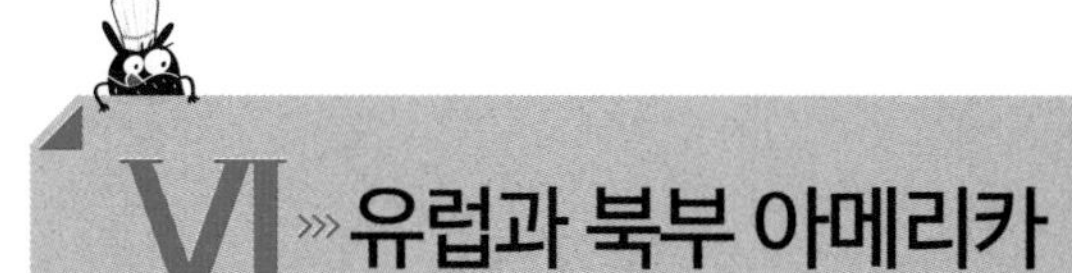

VI 유럽과 북부 아메리카

01 주요 공업 지역의 형성과 최근 변화

콕콕! 개념 확인하기 177쪽

01 (1) B (2) A (3) C (4) 소피아 앙티폴리스
02 (1) 영국의 랭커셔·요크셔 지방 (2) 원료 산지, 임해 (3) 해안 (4) 케임브리지 사이언스 파크
03 (1) B (2) A (3) D (4) C
04 (1) 러 (2) 선 (3) 러 (4) 선 (5) 선 (6) 러

02 (4) 시스타 사이언스 시티는 스웨덴 스톡홀름에 있는 첨단 산업 지구로 북유럽의 실리콘 밸리로 불린다.

04 (5) 선벨트 지역은 멕시코만을 중심으로 석유와 천연가스 등의 자원이 풍부하고, 러스트벨드 지역은 석탄, 철광석 등의 자원이 풍부하다.

탄탄! 내신 다지기 178쪽

01 ④ **02** ④ **03** ③ **04** ⑤ **05** 해설 참조

01 산업 혁명의 발생과 확산

[선택지 분석]

① 산업 혁명의 발상지는 ~~독일~~이다. (영국)

② 산업 혁명기의 주된 연료는 ~~석유~~였다. (석탄)

③ 산업 혁명은 ~~항만 지역~~을 중심으로 발생하였다. (자원 산지)

④ 런던은 파리보다 산업 혁명의 영향을 먼저 받았다. → 영국에서 시작됨

➡ 산업 혁명은 영국에서 시작되어 유럽의 다른 지역으로 퍼져 나갔다.

⑤ 산업 혁명은 유럽의 ~~동쪽에서 서쪽으로~~ 확산되었다. (서쪽에서 동쪽으로)

➡ 유럽은 산업 혁명 이후 영국과 가까운 지역부터 공업화가 시작되었다.

02 프랑스의 공업 지역 분포

자료 분석 | A는 프랑스 동부의 로렌 지역으로, 철광석 산지를 중심으로 중화학 공업이 발달했던 곳이다. B는 됭케르크와 르아브르로, 내륙의 전통 공업 지역이 쇠퇴하면서 자원 수입과 제품 수출이 편리한 항만을 중심으로 공업이 발달했던 곳이다. C는 파리, 리옹, 소피아 앙티폴리스 등으로 첨단 산업이 발달한 곳이다.

[선택지 분석]

① A에서는 ~~첨단 산업이 발달하고 있다~~.
중화학 공업이 발달했던 곳이다

➡ 로렌 지역(A)에서는 철광석 산지를 중심으로 제철 공업이 발달했었다.

② B는 내륙 수운이 ~~편리한 곳~~이다.
편리하지 않은 곳

➡ 파리, 리옹, 소피아 앙티폴리스 등은 대도시이거나 대학 및 연구 기관이 집중된 곳이다.

③ C는 과거 철광석 생산량이 많았다.

➡ C는 해안 지역이다. 철광석 생산량이 많았던 곳은 로렌 지역(A)이다.

④ 공업 지역의 형성 시기는 A>C>B 순으로 이르다.

➡ 공업 지역의 형성 시기는 A(전통 공업 지역)>C(임해 지역)>B(첨단 산업 지역)의 순으로 이르다.

⑤ B 지역의 생산 제품은 C 지역의 생산 제품보다 제품의 수명 주기가 ~~긴~~ 편이다.
짧은

➡ 첨단 산업 제품은 중화학 공업 제품보다 제품의 수명 주기가 짧다.

03 미국 북동부 지역의 공업 발달

자료 분석 | (가)는 미국 제조업의 본고장이었던 러스트벨트(Rust Belt) 일대이다. 자동차 공업의 중심지인 디트로이트, 철강 공업이 번성했던 피츠버그, 기계·석탄·방직 공업이 발달했던 필라델피아, 볼티모어 등은 1870년대부터 100여 년간 제조업 호황기를 이룰 때 미국 제조업의 심장부 역할을 하였다.

[선택지 분석]

① 풍부한 노동력

➡ 대도시가 많이 발달하여 노동력이 풍부하다.

② 넓은 소비 시장

➡ 대도시가 많아 배후 소비 시장이 넓다.

③ 겨울철 온화한 기후

➡ 고위도의 대륙 동안 지역으로, 겨울철에 몹시 춥고 오대호의 영향으로 눈도 많이 내린다.

④ 풍부한 철광석·석탄

➡ 메사비 철광석 산지와 애팔래치아산맥의 석탄 산지로부터 자원을 쉽게 확보할 수 있다.

⑤ 편리한 수운 교통

➡ 오대호는 세인트로렌스강을 통해 대서양과 수운으로 연결되어 수운 교통이 편리하다.

04 미국의 공업 지역

자료 분석 | 자료는 미국 항공 우주국, 즉 NASA가 위치하고, 석유 화학 산업이 발달한 도시인 휴스턴(E)에 대한 설명이다.

[선택지 분석]

① A → 시애틀, 전자 공업과 항공 산업 발달

② B → 샌프란시스코, 첨단 산업 발달(실리콘 밸리 중심)

③ C → 디트로이트, 자동차 산업 발달

④ D → 뉴욕, 생산자 서비스업 발달

⑤ E → 휴스턴, 우주 항공 산업과 석유 화학 산업 발달

05 유럽 공업 지역의 이동

(1) 철광석

(2) [예시 답안] 오랜 채굴에 따른 자원 고갈, 선박의 대형화로 해외 자원의 수입량 증가 등에 따라 유럽의 공업 지역이 임해 지역으로 이동하게 되었다.

채점 기준		
	상	자원 고갈과 교통 수단 발달을 모두 들어 공업 지역의 이동을 서술한 경우
	하	자원 고갈과 교통 수단 발달 중 한 가지만 들어 유럽 공업 지역의 이동을 서술한 경우

도전! 실력 올리기 179쪽

01 ③ 02 ② 03 ② 04 ④

01 유럽의 공업 지역 비교

자료 분석 | (가)는 영국의 요크셔·랭커셔 공업 지역, 프랑스의 로렌 공업 지역, 독일의 루르 공업 지역 등이다. 이 공업 지역들은 모두 풍부한 지하자원을 바탕으로 중화학 공업이 발달한 유럽의 전통 공업 지역이다. (나)는 영국의 런던과 케임브리지 부근, 프랑스의 파리와 소피아 앙티폴리스 등으로 첨단 산업이 발달한 지역이다.

[선택지 분석]

 ③ C

➡ (나)의 첨단 산업 지역은 (가)의 전통 공업 지역에 비해 공업 발달의 역사가 짧고, 지식·기술 집약적 산업의 비중이 높으며, 제품의 평균 수명 주기가 짧다.

02 첨단 산업 지역의 공통점

자료 분석 | 지도는 영국의 실리콘 글랜과 케임브리지 사이언스 파크, 프랑스의 소피아 앙티폴리스, 파리, 리옹, 툴루즈, 보르도 등지, 이탈리아의 제3 이탈리아, 독일의 슈투트가르트와 뮌헨 등지의 첨단 기술 산업 지역을 나타낸 것이다.

[선택지 분석]

ㄱ. 대학 및 연구 시설의 밀집도가 높다.

➡ 첨단 기술 산업 지역은 대학 및 연구 시설의 밀집도가 높다. 이른바 산학연 클러스터가 나타난다.

ㄴ. ~~저렴한 노동력을 대량으로~~ 확보하기 쉽다.
고급 기술 인력을

➡ 첨단 기술 산업 지역은 대학의 밀집도가 높으므로 고급 기술 인력을 확보하기 쉽다.

ㄷ. ~~전통적 소비재~~를 중심으로 공업이 발달하였다.
첨단 산업 제품

ㄹ. 관련 업종 간 정보 교류가 활발하게 이루어진다.

➡ 첨단 기술 산업 지역은 관련 업종이 집적되어 상호간 정보 교류가 활발하다.

03 미국의 지역별 공업 발달 차이

자료 분석 | A는 텍사스주에서 출하액 비율이 가장 높게 나타나므로 석유 화학 공업이고, B는 오하이오주에서 출하액 비율이 가장

높게 나타나므로 기계 및 운송 장비 공업이며, C는 캘리포니아주에서 상대적으로 비율이 높게 나타나므로 컴퓨터 및 전자 공업이다.

[선택지 분석]

① A는 ~~러스트벨트 지역을 중심으로~~ 발달하였다.
선벨트 지역이 더

➡ 석유 화학 공업(A)은 러스트벨트 지역보다 선벨트 지역이 더 발달하였다. 텍사스주가 대표적이다.

✔② B는 많은 부품을 조립하는 공업으로, 관련 공장의 집적이 이루어진다.

➡ B의 기계 및 운송 장비 공업은 자동차 공업이 대표적이다. 자동차 공업은 많은 부품을 조립하는 공업이므로 관련 공장의 집적이 이루어진다.

③ ~~C~~는 대규모 장치 산업이다.
A

➡ 장치 산업은 거대한 설비와 각종 장치를 필요로 하는 공업을 말한다. 세 공업 중 석유 화학 공업(A)이 대규모 장치 산업에 속한다.

④ A는 B보다 사업체당 종사자 수가 ~~많다~~.
적다

➡ 석유 화학 공업은 자동차 공업에 비해 자동 제어 기술에 대한 의존도가 높기 때문에 사업체당 종사자 수가 적다.

⑤ B는 C보다 최종 제품의 부피가 ~~작다~~.
크다

➡ 기계 및 운송 장비 공업 제품은 컴퓨터 및 전자 공업 제품보다 부피가 크다.

04 디트로이트의 쇠퇴

자료 분석 | 자동차 산업을 바탕으로 성장하였으나, 자동차 산업이 쇠퇴하면서 인구가 급격히 감소하고 실업률이 크게 높아진 도시는 미국 미시간주의 디트로이트(가)이다.

[선택지 분석]

㉠ (가)는 오대호 연안에 위치한다.

➡ 디트로이트는 오대호 중 하나인 이리호를 끼고 있다.

~~㉡~~ (가)는 1960년대 미국의 금융 중심지였다.
→ 미국의 금융 중심지는 뉴욕임

㉢ (가)의 실업률은 미국 전체 실업률보다 높은 편이다.

➡ 그래프를 통해 디트로이트의 실업률이 미국의 실업률보다 높은 것을 알 수 있다.

㉣ (나)에는 '신흥국과의 경쟁에 뒤처지면서'가 들어갈 수 있다.

➡ 디트로이트의 자동차 산업은 대한민국, 일본 등 신흥국과의 경쟁에서 뒤처지면서 쇠퇴하게 되었다.

02 현대 도시의 내부 구조와 특징

콕콕! 개념 확인하기 183쪽

01 (1) ○ (2) × (3) ○
02 (1) ㉠ (2) ㉢ (3) ㉡
03 (1) ㄱ, ㄴ, ㄹ (2) ㄷ
04 (1) 유럽 (2) 작은 (3) 도심 주변부, 도시 외곽

01 (1) 에펠탑이 있는 (가)는 프랑스 파리, 시계탑 '빅 벤'이 있는 (나)는 영국 런던, 자유의 여신상이 있는 (다)는 미국 뉴욕이다. 런던과 뉴욕은 일본 도쿄와 함께 세계 최고차 도시에 해당하며, 프랑스 또한 이들과 함께 세계 도시에 해당한다.

(2) (가)의 파리와 (나)의 런던은 유럽에 위치하고, (다)의 뉴욕은 북부 아메리카에 위치한다.

탄탄! 내신 다지기 184쪽

01 ④ **02** ③ **03** ④ **04** ⑤ **05** 해설 참조

01 뉴욕과 파리의 도시 특색

[선택지 분석]

	(가)	(나)
②	A → 미국의 디트로이트	C → 영국의 런던
✔④	B → 미국의 뉴욕	D → 프랑스의 파리

➡ (가)는 월가를 중심으로 세계 경제의 중심지가 된 곳이자, 국제 연합 본부가 있는 곳으로 B의 미국 뉴욕이고, (나)는 역사적인 건축물과 유명한 미술품이 많아 세계 문화·예술의 중심지가 된 곳으로 D의 프랑스 파리이다.

02 미국 북동부 지역의 메갈로폴리스

자료 분석 | (가)는 미국 북동부의 보스턴에서 워싱턴 D.C.에 이르는 거대 도시들의 집합체인 메갈로폴리스를 나타낸 것이다.

[선택지 분석]

~~㉠~~ 미국 최대의 ~~첨단 산업 지역~~이다.
시가지 연결 지역

➡ 미국 북동부의 메갈로폴리스는 거대 도시들이 연결된 곳이다. 미국 최대의 첨단 산업 지역은 캘리포니아주에 위치한 실리콘밸리이다.

㉡ 도시 간 도로 및 철도 교통망이 잘 갖추어져 있다.

➡ 미국 북동부 지역은 도시 간 도로 및 철도 교통망을 따라 거대 도시들이 발달하였다.

㉢ 시가지가 연결된 곳으로, 메갈로폴리스에 해당한다.

➡ 이 지역은 세계 최대의 메갈로폴리스 지역이다.

~~㉣~~ 지역 내 2차 산업 생산액이 3차 산업 생산액보다 ~~많다~~.
적다

➡ 미국 북동부 지역은 서비스업 생산액이 제조업 생산액보다 많다. 특히, 생산자 서비스업이 발달하였다.

03 현대 도시의 내부 구조

자료 분석 | 역사적 건축물과 새롭게 만들어진 높은 건물들이 조화를 이루고 있다는 내용으로 보아 유럽 도시의 도심을 설명한 것임을 알 수 있다.

[선택지 분석]

① ~~북부 아메리카~~의 도시일 것이다.
유럽

② 주로 ~~저소득층~~이 거주할 것이다.
고소득층

➡ 북아메리카 도시의 도심에는 저소득층 거주지가 형성되어 있지만, 유럽 도시의 도심에는 고소득층 주민의 거주지가 주로 형성되어 있다.

③ 도시의 ~~외곽 지역~~에 해당할 것이다.
도심

➡ 도시의 외곽 지역에는 주거지나 공업 단지가 형성되어 있다.

④ 도로망이 복잡하게 발달하였을 것이다.

➡ 유럽 도시의 도심에는 낮은 건물들 사이로 도로가 좁고 복잡하게 발달해 있다.

⑤ 주로 도시의 ~~공업 기능~~을 담당할 것이다.
업무 및 상업 기능

➡ 공업 기능은 주로 도시 외곽으로 이전되어 있다.

04 유럽과 북부 아메리카의 도시 구조 비교

자료 분석 | (가)는 유럽에 위치한 영국 런던의 도시 구조이다. 역사가 깊은 도심 지역은 건물의 높이가 낮은 반면, 신흥 업무 지역에는 고층 건물들이 발달해 있다. (나)는 미국 뉴욕의 도시 구조이다. 도심에 고층 건물이 집중되어 있어 마천루를 이루고 주변으로 가면서 건물의 높이가 낮아진다. A는 근교 지역, B는 공업 지역, C는 도심이다.

[선택지 분석]

① ~~(가)~~는 북부 아메리카, ~~(나)~~는 유럽의 도시이다.
(나) (가)

② (가)는 (나)보다 도심 건물의 평균 층수가 ~~높다~~.
낮다

③ (나)는 (가)보다 시가지 형성 시기가 ~~이르다~~.
늦다

➡ 뉴욕(나)은 런던(가)보다 시가지 형성 시기가 늦다. 시가지 형성 시기가 늦기 때문에 건축술의 발달로 도심에 고층 건물들이 들어설 수 있었다.

④ A는 B보다 접근성이 ~~높은~~ 곳에 위치한다.
낮은

➡ 도심에 가까운 B가 A보다 접근성이 높은 곳에 위치한다.

⑤ C는 A보다 주간과 야간의 인구 차가 크다.

➡ 도심(C)이 근교 지역(A)보다 주간과 야간의 인구 차가 크다. 도심은 상업 및 업무 기능이 주로 발달하였기 때문이다.

05 대도시 도심의 인구 공동화 현상

(1) 공동화

(2) [예시 답안] 대도시의 도심은 인구 공동화 현상으로 주간에는 사람들로 붐비고, 야간에는 사람들이 모두 떠나 텅 비게 된다. 이에 따라 도심은 금융, 상업 등의 중심 업무가 이루어지는 공간으로, 고층 건물이 즐비한 모습을 볼 수 있다. 반면, 사람들의 거주에 필요한 주택 등은 외곽으로 이동해 볼 수가 없다.

채점 기준	
상	공동화로 인해 고층 건물은 많지만, 주택은 볼 수 없다는 대도시 도심의 경관 특징을 인과 관계와 함께 모두 서술한 경우
중	고층 건물은 많고, 주택은 볼 수 없다는 내용을 모두 서술하였지만, 인과 관계에 대한 서술이 미흡한 경우
하	고층 건물이 많다는 내용과 주택을 볼 수 없다는 내용 중 한 가지만 서술한 경우

도전! 실력 올리기

185쪽

01 ③ 02 ② 03 ③ 04 ③

01 바젤과 런던의 비교

자료 분석 | 세계 최대의 시계 박람회가 열리는 (가)는 스위스의 바젤이고, 세계 3대 금융 중심지의 하나로 카나리 워프 지역이 새롭게 개발된 (나)는 영국의 런던이다. 런던이 바젤보다 도시의 규모가 크고 기능을 많이 보유한 고차 중심지이다.

[선택지 분석]

① (가)는 ~~A~~, (나)는 ~~B~~이다.
B A

② (가)는 (나)보다 다국적 기업의 본사 수가 ~~많다~~.
적다

③ (나)는 (가)보다 생산자 서비스업 종사자 수가 많다.

➡ 생산자 서비스업 종사자 수는 도시의 규모가 큰 런던(나)이 바젤(가)보다 많다.

④ A는 B보다 도시의 인구수가 ~~적다~~.
많다

⑤ B는 A보다 일평균 외환 거래 규모가 ~~크다~~.
작다

➡ 일평균 외환 거래액은 세계적인 금융 중심지인 런던(A)이 월등히 많다.

02 파리의 도시 구조

자료 분석 | 자료는 프랑스 파리의 도시 구조를 나타낸 것이다. 파리는 미국의 도시와 비교할 때 도심의 건물 층수가 낮은 반면, 새롭게 개발된 라데팡스 지역에 고층 건물들이 집중해 있다.

[선택지 분석]

ㄱ. ㉠은 프랑스의 인구 규모 1위 도시이다.

➡ 파리는 프랑스의 수도로, 인구 규모가 가장 큰 도시이다.

ㄴ. ㉡은 ㉢보다 건물의 평균 층수가 ~~높다~~.
낮다

➡ 구도심인 샹젤리제는 새롭게 개발된 라데팡스보다 건물의 평균 층수가 낮다.

ㄷ. ㉣로 인해 집적의 불이익 현상이 나타났다.

➡ 파리는 19세기에 인구가 급격히 증가하면서 지가 상승, 기반 시설 부족, 교통 혼잡 등의 집적 불이익이 발생하였다.

ㄹ. ㉤은 미국 대도시에서 흔히 볼 수 있는 가로망 유형이다.

➡ 미국의 도시에서는 격자형 도로망이 발달하였다.

03 런던의 도시 구조

자료 분석 | (가)는 런던의 대표적인 주거 지역인 첼시 일대이고, (나)는 런던의 도심 지역인 시티 오브 런던이다.

[선택지 분석]

① (가)는 주간 인구가 상주인구보다 ~~많다~~.
적다

➡ 주간 인구가 상주 인구보다 많은 지역은 (나) 도심이다.

② (나)는 ~~점이 지대~~에 해당한다.
중심 업무 지구

➡ (나)는 도심이므로 중심 업무 지구에 해당한다. 점이 지대는 도심 주변에 주로 나타난다.

✔(가)는 (나)보다 통근자들의 평균 통근 거리가 멀다.

➡ 통근자들의 평균 통근 거리는 주거 지역이 도심보다 멀다.

④ (나)는 (가)보다 대중교통 이용이 ~~불편하다~~ 편리하다.

⑤ 고급 쇼핑 상가는 ~~(가)~~ (나)에, 슈퍼마켓은 ~~(나)~~ (가)에 주로 위치한다.

➡ 고급 쇼핑 상가는 상업·업무 기능이 집중된 도심에 주로 위치하고, 슈퍼마켓이나 편의점 등의 소규모 상업 시설은 주로 주거 지역에 위치한다.

04 뉴욕 도심의 인구 변화

자료 분석 | 그래프를 보면 A 시기에는 맨해튼의 인구가 크게 증가했는데, 이는 이촌 향도로 인해 인구가 늘어난 시기이다. B 시기에는 인구가 급속하게 감소했는데, 이 시기는 도심이 상업 및 업무 지구로 개발되면서 주거 기능이 약화되었기 때문이다. C 시기에는 도심의 인구가 다시 증가하고 있는데, 이는 젠트리피케이션의 영향 때문이라고 볼 수 있다.

[선택지 분석]

① ~~A 시기~~ B 시기에는 인구 공동화 현상이 나타났다.

➡ 인구 공동화 현상은 인구가 감소한 B 시기에 나타났다.

② B 시기에는 경제 불황이 지속되었다.

➡ 경제 불황의 원인은 다양하기 때문에 인구 증감만으로 경제 불황 여부를 파악하기 어렵다.

✔C 시기의 인구 증가는 젠트리피케이션 현상을 통해 설명할 수 있다.

➡ C 시기의 인구 증가는 도심 재활성화, 즉 젠트리피케이션의 영향 때문이라고 볼 수 있다.

④ A 시기는 B 시기보다 토지 이용의 효율성이 ~~높았다~~ 낮았다.

➡ 토지 이용의 효율성은 B와 C 시기가 A 시기보다 대체로 높다.

⑤ C 시기는 A 시기보다 상업 및 업무 지역의 비율이 ~~낮다~~ 높다.

➡ 상업 및 업무 지역의 비율은 꾸준히 높아졌을 것으로 추정된다.

03 지역의 통합과 분리 운동

콕콕! 개념 확인하기 189쪽

01 (1) × (2) × (3) ○
02 (1) ㄴ, ㄷ (2) ㅁ (3) ㄱ, ㅂ (4) ㄹ
03 (1) 멕 (2) 미 (3) 캐 (4) 멕 (5) 미
04 (1) ○ (2) ○ (3) ×

01 (1) A의 영국(파운드화), 덴마크(크로네화), 스웨덴(크로나화)은 유로화를 단일 화폐로 사용하지 않는다.

(2) C의 아이슬란드, 노르웨이, 스위스는 유럽 연합에 한 번도 가입하지 않았던 국가들이다.

03 (1) 멕시코는 에스파냐의 식민 지배 영향으로 에스파냐어 사용자 비율이 세 나라 중 가장 높다.

(3) 미국의 인구는 약 3억 2,000만 명, 멕시코의 인구는 약 1억 2,500만 명, 캐나다의 인구는 약 3,500만 명으로 캐나다의 인구가 나머지 두 나라에 비해 상당히 적다. 하지만, 면적은 캐나다가 세 나라 중 가장 넓고, 광대한 영토에 자원도 풍부한 편이어서 인구 대비 자원의 양이 세 나라 중 가장 많다.

(4) 마킬라도라는 멕시코와 미국의 국경 지대에 위치한 공업 지역으로, 미국으로부터 들여온 부품 등을 가공하여 완성품을 다시 미국으로 판매하는 조립 가공업체가 주로 입지한다.

04 (3) 분리 독립을 추구하고 있는 지역은 퀘벡주(B)이다.

탄탄! 내신 다지기 190쪽

01 ⑤ **02** ④ **03** ③ **04** ④ **05** 해설 참조

01 유럽 연합 가입국 간 차이

자료 분석 | (가)는 1995년까지 유럽 연합에 가입한 국가들이고, (나)는 2004년 이후 유럽 연합에 가입한 국가들이다. (가)는 대부분 서부 유럽의 국가들인 반면, (나)는 키프로스를 제외하면 대부분 동부 유럽의 국가들이다.

[선택지 분석]

① (가)는 (나)보다 유로화의 이용 비율이 ~~낮다~~ 높다.

② (가)는 (나)보다 사회주의를 경험한 국가가 ~~많다~~ 적다.

➡ (나)의 대부분 국가는 구소련의 영향으로 사회주의를 경험하였다.

③ (나)는 (가)보다 농업 의존도가 대체로 ~~낮다~~ 높다.

➡ (나)의 국가들이 산업 발달 수준이 낮기 때문에 (가)의 국가들보다 농업 의존도가 대체로 높다.

④ (나)는 (가)보다 1인당 지역 내 총생산이 ~~많다~~ 적다.

✔(가)에서 (나)보다 (나)에서 (가)로의 인구 이동이 많다.

➡ (나) 국가들이 소득 수준이 낮기 때문에 소득 수준이 높은 (가) 국가들로 많이 이동한다.

02 분리 독립을 추구하는 지역

자료 분석 | 지도에 표시된 지역은 민족·언어·종교 등의 차이로 인해 분리 독립을 추구하고 있는 곳으로, 경제적 격차가 이러한 움직임을 자극하기도 한다.

[선택지 분석]

① ~~낮은~~ 소득 수준
대체로 높은

② 주로 이슬람교 신봉

➡ 이슬람교를 믿는 거주민의 비율은 이민 유입자가 많은 곳에서 나타난다. 지도의 지역은 이민 유입자가 특별히 많은 지역이라고 보기는 어렵다.

③ 첨단 산업의 중심지

➡ 북아일랜드, 바스크 지방, 코르시카 등은 첨단 산업과 관련이 적다.

④ 분리 독립 운동 지역

⑤ 인구 규모 1위 도시 위치

➡ 플랑드르 지방에 벨기에의 인구 규모 1위 도시인 브뤼셀이 위치하나, 그 외의 지역에는 인구 규모 1위 도시가 위치하지 않는다. 영국은 런던, 에스파냐는 마드리드, 프랑스는 파리, 이탈리아는 로마가 인구 규모 1위 도시이다.

03 북아메리카 자유 무역 협정

자료 분석 | 그래프는 북아메리카 자유 무역 협정의 회원국인 미국, 캐나다, 멕시코의 무역 상대국 비율을 나타낸 것이다. 미국에 비해 캐나다와 멕시코는 역내 비율이 높게 나타난다.

[선택지 분석]

① 미국은 역외 무역량보다 역내 무역량이 ~~많다~~.
적다

➡ 미국은 무역량 중 캐나다와 멕시코가 차지하는 비율이 50%에 이르지 않는다.

② 미국과의 무역량은 멕시코가 캐나다보다 ~~적다~~.
많다

➡ 미국과의 무역량은 멕시코(66.3%)가 캐나다(62.5%)보다 많다.

③ 세 국가 모두 최대 역외 무역국은 아시아에 위치한다.

➡ 세 국가 모두 최대 역외 무역국은 중국이다.

④ 캐나다와 멕시코는 역내 무역량보다 역외 무역량이 ~~많다~~.
적다

➡ 캐나다와 멕시코는 역내 무역량이 50%를 넘는다.

⑤ 북아메리카 자유 무역 협정 회원국과의 무역량은 일본이 중국보다 ~~많다~~.
적다

➡ 북아메리카 자유 무역 협정 회원국과의 무역량은 역외 무역국 중 중국이 가장 많다.

04 캐나다 퀘벡주의 분리 독립 추구

자료 분석 | (가)는 캐나다의 퀘벡주이다. 퀘벡주는 프랑스계 주민들의 비율이 매우 높으며, 오랜 기간 자신들의 전통을 지키며 살아왔기 때문에 캐나다로부터 분리 독립을 추구하고 있다.

[선택지 분석]

~~ㄱ.~~ 이누이트의 비율이 가장 높다.
→ 이누이트는 북극 지방 원주민으로 누나부트 준주가 가장 높음

ㄴ. 프랑스어를 공용어로 사용하고 있다.

~~ㄷ.~~ 개신교도의 비율이 캐나다 평균보다 ~~높다~~.
낮다

➡ 퀘벡주의 주민들은 개신교보다 가톨릭교를 신봉하는 비율이 높다.

ㄹ. 캐나다로부터 분리 독립을 추구하고 있다.

05 브렉시트

(1) 브렉시트

(2) [예시 답안] 파란색은 유럽 연합의 깃발이고, 떨어지려고 하는 조각은 영국의 국기이다. 따라서 이는 유럽 연합으로부터 영국이 탈퇴하고자 하는 움직임을 나타내는 것이다.

채점 기준	
상	영국, 유럽 연합, 탈퇴 등의 용어를 모두 사용하여 브렉시트의 의미를 서술한 경우
중	각각의 깃발이 의미하는 바와 영국, 유럽 연합, 탈퇴 등의 용어를 모두 사용하여 서술하였지만, 브렉시트의 의미에 대한 서술이 미흡한 경우
하	각각의 깃발이 의미하는 바에 대한 내용이 없고, 브렉시트라는 용어를 사용하였지만, 그 의미에 대한 서술이 미흡한 경우

도전! 실력 올리기

191쪽

01 ④ 02 ④ 03 ④ 04 ③

01 유럽 연합 가입국 파악

자료 분석 | 스무고개 중 네 고개의 질문에 모두 '예'라는 대답이 나왔으므로, '유럽 연합 가입국', '유로화 사용', '분리 독립 요구', '금융 지원'의 공통된 요소를 찾으면 된다.

[선택지 분석]

① A → 영국, 두 번째 고개에서 탈락, 파운드화 사용

② B → 벨기에, 네 번째 고개에서 탈락, 금융 지원을 받은 적이 없음

③ C → 스위스, 첫 번째 고개에서 탈락, 유럽 연합 가입국이 아님

④ D → 에스파냐, 모든 조건에 합당함

⑤ E → 보스니아 헤르체고비나, 첫 번째 고개에서 탈락, 유럽 연합 가입국이 아님

02 유럽 연합의 통합 및 확대 과정

자료 분석 | 유럽 연합은 1958년 유럽 경제 공동체(EEC, 서독·프랑스·이탈리아·벨기에·네덜란드·룩셈부르크)로 출발한 후 관세 동맹, 공동 시장, 경제 통화 동맹의 순서로 발전하였으며, 회원국도 증가하였다.

[선택지 분석]

① (가) 시기 이후 가입국은 대체로 ~~남부 유럽~~에 위치한다.
동부 유럽

➡ 2004년 이후 유럽 연합에 가입한 국가들은 키프로스를 제외하면 모두 동부 유럽에 위치한 국가들이다.

② (가) 시기 이전 가입국은 이후 가입국보다 소득 수준이 ~~낮다~~.
높다

➡ 2004년 이전 유럽 연합에 가입한 국가들이 이후 가입한 국가들보다 선진국에 속한다.

③ ~~A 단계~~에서 단일 통화인 유로가 도입되었다.
C 단계
➡ 단일 통화인 유로화가 출범된 것은 1999년으로, C 단계에 해당한다.

④ B 단계에서 생산 요소의 국가 간 이동이 자유로워졌다.
➡ 공동 시장인 B 단계에서는 회원국 간 생산 요소의 이동이 자유로워졌다.

⑤ C 단계 이후 회원국 간 경제적 격차는 ~~꾸준히 축소되고~~ 있다.
대체로 확대되고 있다
➡ 남부 유럽 일부 국가는 재정 상태가 좋지 않으며, 동부 유럽의 일부 국가는 경제 성장이 잘 이루어지지 않고 있다.

03 북아메리카 자유 무역 협정 회원국 간 무역

자료 분석 | 그래프에서 A~C 중 경제 규모가 가장 커서 무역액도 많은 A는 미국이다. B와 C 중 자유 무역 협정 체결 이후 미국과의 무역액이 크게 증가하고 흑자 폭도 큰 C는 멕시코이고, 나머지 B는 캐나다이다.

[선택지 분석]

① A는 B보다 대체로 ~~고위도~~에 위치한다.
저위도

② B는 C보다 총인구 수가 ~~많다~~.
적다
➡ 2018년 현재 멕시코의 인구는 캐나다보다 3배 이상 많다.

③ C는 A보다 영어 사용 인구 비율이 ~~높다~~.
낮다
➡ 멕시코는 에스파냐어를 주로 사용한다.

④ A와 C 국경 지역 중 C쪽에 공업 도시들이 발달하였다.
➡ 미국과 멕시코 국경 지역 중 멕시코 쪽에 공업 도시들이 발달하였다. 이 지역을 마킬라도라라고 한다.

⑤ A와 B는 인구 ~~순 유출~~, C는 인구 ~~순 유입~~이 나타난다.
순 유입 순 유출

04 스코틀랜드와 퀘벡주의 분리 독립 추구

자료 분석 | (가)는 영국 스코틀랜드의 분리 독립 움직임을 나타낸 것이고, (나)는 캐나다 퀘벡주의 분리 독립 움직임을 나타낸 것이다.

[선택지 분석]

① ㉠은 ~~웨일스~~ 지역에서 주로 발생하였다.
북아일랜드
➡ ㉠ 가톨릭교와 개신교 간 분쟁은 영국의 북아일랜드 지역에서 주로 발생한다.

② ㉡은 2019년 현재 ~~북아메리카 자유 무역 협정~~으로부터 탈퇴를 도모하고 있다.
유럽 연합
➡ ㉡은 영국으로, 영국은 유럽 연합으로부터 탈퇴(브렉시트)를 도모하고 있다.

③ ㉢은 주로 켈트족으로 구성되어 있다.
➡ 스코틀랜드 주민은 켈트족이 주를 이룬다.

④ ㉣은 ㉡보다 인구 밀도가 ~~높다~~.
낮다
➡ ㉣ 캐나다는 ㉡ 영국보다 인구 밀도가 낮다.

⑤ ㉤에서는 에스파냐어와 프랑스어를 공용어로 사용하고 있다.
➡ ㉤ 캐나다 퀘벡주의 공용어는 프랑스어이다.

한번에 끝내는 대단원 문제 193~195쪽

01 ⑤ 02 ⑤ 03 ① 04 ② 05 ② 06 ② 07 ④
08 ③ 09 ③ 10 ① 11~12 해설 참조

01 유럽과 북부 아메리카의 전통 공업 지역

자료 분석 | (가)는 미국의 전통 공업 지역, (나)는 유럽 일부 지역의 전통 공업 지역을 나타낸 것이다. (가)는 오대호 연안 공업 지역이 주를 이루고, (나)는 영국의 요크셔·랭커셔, 프랑스의 로렌, 독일의 루르와 작센 공업 지역이 이에 해당한다.

[선택지 분석]

~~ㄱ.~~ 다국적 기업의 국내 공장이 주로 입지한다.
➡ 전통 공업 지역은 쇠퇴하고 있으며, 다국적 기업의 국내 공장이 이들 지역에 입지한다고 보기 어렵다.

~~ㄴ.~~ 기업은 연구소 및 대학과의 협력이 활발하다.
➡ 산학연 클러스터를 통해 협력이 이루어지는 곳은 첨단 산업 지역이다.

ㄷ. 과거 인근에 철광석 또는 석탄 산지가 입지하였다.
➡ 전통 공업 지역은 원료 및 연료 운송비를 줄이기 위해 철광석 또는 석탄 산지 인근에 입지하였다.

ㄹ. 산업 구조 개편, 생산 시설 노후화 등으로 쇠퇴하였다.
➡ 전통 공업 지역은 자원 고갈, 시설 노후화, 주요 에너지 소비 구조의 변화 등으로 쇠퇴하였다.

02 도시 관련 주요 개념

자료 분석 | 1의 빈칸에 들어갈 내용은 '중심 업무'이고, 2의 답은 '뉴욕'이다. 3에 들어갈 내용은 '트리피케이션'이다. 이 글자들을 제거하면 아래와 같은 형태로 글자들이 남는다.

갈	~~중~~	로	~~심~~	리	메
~~업~~	~~무~~	스	~~뉴~~	~~욕~~	~~트~~
~~리~~	~~피~~	~~케~~	~~이~~	~~션~~	폴

남는 글자로 단어를 만들면 '메갈로폴리스'가 된다.

[선택지 분석]

① 도심의 기온이 주변(외곽) 지역보다 높은 현상 → 열섬 현상

② 도심과 주변 지역 사이의 여러 기능이 혼재된 지역 → 점이 지대

③ 도시의 주거·공업 기능이 교외 지역으로 이전하는 현상 → 교외화 현상

④ 도시 내 여러 기능이 서로 모이고 분산되며 분화되는 현상 → 지역 분화

⑤ 대도시권의 시가지들이 띠 모양으로 연결되어 있는 거대한 도시 집중 지대 → 메갈로폴리스
➡ 미국 북동부의 보스턴–뉴욕–필라델피아–볼티모어–워싱턴을 잇는 거대 도시권, 일본의 도쿄–나고야–오사카를 잇는 도카이도 지역이 대표적인 메갈로폴리스이다.

03 미국의 공업 지역

자료 분석 | (가)의 키워드는 '테크 인큐베이터', '해커스', '프로그래

밍', '스타트업' 등으로, 이는 모두 첨단 기술 정보 산업과 관련이 깊다. (나)의 키워드는 '자동차', '쇠잔하여 암울하게 변한 도시', '폐차장' 등으로, 이는 모두 디트로이트와 관련이 깊다.

[선택지 분석]

	(가) → 첨단 기술 정보 산업과 관련	(나) → 디트로이트와 관련
✔	A → 태평양 연안 공업 지역의 실리콘 밸리	B → 오대호 연안 공업 지역의 디트로이트
⑤	C → 뉴욕 일대의 뉴잉글랜드 공업 지역	D → 휴스턴 일대의 멕시코만 연안 공업 지역

04 유럽의 여러 국가

자료 분석 | (가)는 아이슬란드와 노르웨이, (나)는 영국과 덴마크, (다)는 체코와 슬로바키아, (라)는 에스파냐와 이탈리아이다.

[선택지 분석]

ㄱ (가) – 유럽 연합에 가입된 국가가 아니다.
➡ 아이슬란드와 노르웨이는 유럽 연합에 가입된 국가가 아니다. 이들 두 국가는 스위스, 리히텐슈타인과 함께 유럽 자유 무역 연합(EFTA)을 결성하였다.

ㄴ (나) – 유로화를 단일 화폐로 ~~사용한다~~. 사용하지 않는다
➡ 영국은 파운드화를 사용하고, 덴마크는 크로네화를 사용한다.

ㄷ (다) – 두 국가의 통합 움직임이 ~~활발하다~~. 나타나지 않는다

ㄹ (라) – 경제 수준이 높은 일부 지역이 분리 독립을 추구하고 있다.
➡ 에스파냐의 카탈루냐, 이탈리아의 파다니아는 경제 수준이 높은 지역이며, 이들 지역이 분리 독립을 추구하고 있다.

05 파리의 지역 분화

자료 분석 | 지도는 파리의 지역 분화와 젠트리피케이션의 확대 모습을 나타낸 것이다. 중앙을 관통하여 흐르는 센강을 통해 이 도시가 파리임을 알 수 있다.

[선택지 분석]

ㄱ 프랑스 정치·경제의 중심지이다.
➡ 파리는 프랑스의 수도이자, 세계적인 예술의 도시이다.

ㄴ ~~이민자~~들은 핵심 역사 지구에 주로 거주한다. 부유층
➡ 외국인은 도시 주변(외곽) 지역에 주로 거주한다.

ㄷ ~~바둑판 모양의 직교형~~ 가로망이 발달하였다. 방사형
➡ 도로망이 불규칙하며, 직교형보다는 방사형(거미줄 형태)에 가깝다.

ㄹ 젠트리피케이션은 주로 서쪽에서 동쪽으로 확대되었다.
➡ 지도를 통해 파리의 젠트리피케이션은 주로 서쪽에서 동쪽으로 확대되었음을 알 수 있다.

06 런던과 뉴욕의 도시 내부 구조

자료 분석 | (가)는 영국 런던, (나)는 미국 뉴욕의 도시 내부 구조를 나타낸 것이다.

[선택지 분석]

① (가)는 (나)보다 도시의 형성 시기가 이르다.
➡ 런던은 여러 시대를 거치면서 도시가 형성되었기 때문에 시대별 모습이 도시에 어우러져 나타난다.

② (가)는 (나)보다 도심 빌딩의 평균 층수가 ~~높다~~. 낮다
➡ 뉴욕의 도심은 고층 빌딩으로 마천루를 이룬다.

③ (나)는 (가)보다 격자형 가로망이 발달하였다.
➡ 유럽의 도시들은 방사형 가로망이, 북부 아메리카의 도시들은 격자형 가로망이 발달하였다.

④ (나)는 (가)보다 세계 경제에 끼치는 영향력이 크다.
➡ 뉴욕은 세계 금융의 중심지 역할을 수행하고 있다.

⑤ (가), (나) 모두 젠트리피케이션 현상이 나타나고 있다.

07 유럽 연합과 북아메리카 자유 무역 협정

자료 분석 | (가)는 완전 경제 통합 단계에 이른 유럽 연합이고, (나)는 자유 무역 협정 단계에 해당하는 북아메리카 자유 무역 협정이다.

[선택지 분석]

④ D → (나) 북아메리카 자유 무역 협정은 (가) 유럽 연합에 비해 총 무역액이 적고, 경제 통합 수준이 낮으며, 회원국 수가 적다.

08 유럽과 북부 아메리카의 분리 독립 추구 지역

자료 분석 | (가) 영국의 스코틀랜드, 에스파냐의 바스크와 카탈루냐, 이탈리아의 파다니아, 벨기에의 플랑드르 지역은 분리 독립을 추구하고 있고, (나) 캐나다의 퀘벡주도 분리 독립을 추구하고 있다.

[선택지 분석]

① 첨단 산업이 발달해 있다. → 모든 지역에서 첨단 산업이 발달해 있지는 않음

② 국가의 평균보다 인구 밀도가 높다. → 스코틀랜드는 인구 밀도가 낮은 편임

③ 주민들이 분리 독립을 추구하고 있다.

④ 주민들 대부분이 ~~이슬람교~~를 신봉한다. 크리스트교

⑤ 내전으로 인해 난민이 많이 발생하고 있다. → 난민이 많이 발생하지 않음

09 플랑드르 지역의 분리 독립 추구

자료 분석 | 네덜란드어를 사용하는 플랑드르 지역과 프랑스어를 사용하는 왈로니아 지역 간 언어 갈등이 발생하고 있는 국가는 벨기에(C)이다.

[선택지 분석]

① A → 아이슬란드, 1953년 덴마크로부터 분리 독립함

② B → 아일랜드, 분리 독립 추구 지역 없음

③ C → 벨기에, 플랑드르 지역의 분리 독립 추구

④ D → 스위스, 일부 지역이 분리 독립을 추구하나 글 자료와 무관함

⑤ E → 그리스, 분리 독립 추구 지역 없음

10 북아메리카 자유 무역 협정

자료 분석 | 글은 북아메리카 자유 무역 협정에 관한 것이다. 북아메리카 자유 무역 협정의 회원국은 미국, 캐나다, 멕시코이다.

[선택지 분석]

✔① ㉠에는 '마킬라도라'가 들어갈 수 있다.

➡ 북아메리카 자유 무역 협정 시행 이후 멕시코 북부의 미국 접경 지대에 발달한 공업 지역을 마킬라도라라고 한다.

② ㉡에서 '수출'은 주로 ~~캐나다~~(미국)로의 수출을 의미한다.

➡ 마킬라도라에서 생산된 제품은 주로 미국으로 수출한다.

③ ㉡에서 조립 가공 업체는 고급 노동력을 활용한다.

➡ 마킬라도라의 조립 가공 업체는 저렴하고 풍부한 노동력을 활용한다.

④ ㉢의 회원국 수는 유럽 연합보다 ~~많다~~(적다).

➡ 2019년 현재 북아메리카 자유 무역 협정의 회원국 수는 3개이고, 유럽 연합의 회원국 수는 28개이다.

⑤ ㉢ 시행 이후 멕시코의 식량 수출이 늘어났다.

➡ 북아메리카 자유 무역 협정 시행 이후 멕시코는 미국으로부터의 식량 수입이 늘어나면서 식량 주권 상실의 문제가 대두되었다.

11 산업 혁명의 중심지였던 맨체스터의 최근 변화

(1) 맨체스터

(2) [예시 답안] 면직 공업 발달로 인구가 증가하였으나, 면직 공업의 쇠퇴로 인구가 감소하였다. 최근에는 산업 구조 전환으로 생산자 서비스업이 발달하면서 다시 인구가 증가하고 있다.

채점 기준	
상	맨체스터의 인구 변화를 증가-감소-증가의 순서에 따라 서술하고, 그 원인을 산업의 변화와 관련지어 서술한 경우
중	맨체스터의 인구 변화를 증가-감소-증가의 순서에 따라 서술하였지만, 변화의 원인에 대한 서술이 미흡한 경우
하	맨체스터의 인구 변화는 증가-감소-증가의 순서에 따라 서술하였지만, 변화의 원인에 대해서는 서술하지 못한 경우

12 젠트리피케이션 현상

(1) 젠트리피케이션

(2) [예시 답안] 젠트리피케이션이 진행되면서 점차 지가가 높아지다가 주민, 문화·예술가, 자영업자의 이탈로 지가가 낮아진다.

채점 기준	
상	젠트리피케이션 현상의 진행 과정에 따른 지가의 변화와 그 원인을 그림에 나타난 순서에 맞추어 서술한 경우
중	젠트리피케이션 현상의 진행 과정에 따른 지가의 변화를 그림에 나타난 순서에 맞추어 서술하였지만, 지가 변화의 원인에 대한 서술이 미흡한 경우
하	젠트리피케이션 현상의 진행 과정에 따른 지가의 변화만을 서술한 경우

VII 사하라 이남 아프리카와 중·남부 아메리카

01 도시 구조에 나타난 도시화 과정의 특징

콕콕! 개념 확인하기 201쪽

01 (1) 라틴계 (2) 에스파냐, 가톨릭 (3) 배출, 대도시, 이촌 향도 (4) 비공식 부문
02 (1) ○ (2) × (3) ○
03 (1) 격자형 (2) 도심, 외곽
04 (1) ㉢ (2) ㉡ (3) ㉠

01 (2) 포르투갈이 지배한 브라질을 제외하고는 대부분의 중·남부 아메리카를 에스파냐가 식민지로 삼았다.

(4) 대도시의 인구 급증은 비공식 부문 경제 활동 인구가 증가하는 원인이다. 비공식 부문 경제 활동 인구는 국가의 공식 통계에 잡히지 않아, 정부가 정책을 수립하고 실행할 때 어려움을 겪는다.

02 (2) 도시화율 변화 그래프에서 앵글로아메리카 국가인 미국, 캐나다와 중·남부 아메리카 국가인 아르헨티나, 칠레, 브라질의 꺾은선 기울기를 비교해 보면, 미국과 캐나다의 기울기가 상대적으로 완만함을 알 수 있다. 따라서 중·남부 아메리카가 앵글로아메리카보다 급진적으로 도시화가 이루어졌음을 알 수 있다.

탄탄! 내신 다지기 202쪽

01 ③ **02** ④ **03** ④ **04** ② **05** 해설 참조

01 중·남부 아메리카의 특징

[선택지 분석]

① 라틴계 유럽인의 식민 지배를 받았다.

➡ 에스파냐와 포르투갈의 식민 지배를 받아 라틴계 유럽인의 언어와 종교가 비약적으로 확장되었다.

② 대부분 에스파냐어와 포르투갈어를 사용한다.

➡ 브라질은 포르투갈어를 사용하고 나머지 대부분의 국가에서 에스파냐어를 사용한다.

✔③ ~~아프리카계와 아시아계~~(메스티소(백인+인디오))의 혼혈인이 가장 높은 비중을 차지한다.

➡ 중·남부 아메리카의 혼혈은 주로 원주민과 유럽계 백인 사이에서 나타난다.

④ 식민 도시는 통치를 효율적으로 하기 위해 주로 해안, 무역 거점 등에 건설되었다.

➡ 유럽 열강들은 교통에 유리한 해안과 무역 거점 등에 식민 도시를 건설하였다.

⑤ 대서양 삼각 무역으로 노예 무역이 활발해지면서 아프리카계 흑인의 비중이 높아졌다.

➡ 아프리카계 흑인이 플랜테이션 노동력으로 유입되었다.

02 중·남부 아메리카의 도시화 과정

[선택지 분석]

① ㉠: 주로 ~~영국과 프랑스~~(포르투갈과 에스파냐)의 식민 지배를 받았다.

② ㉡: 중·남부 아메리카에 거주한 최초의 민족(인종)이다.

➡ 중·남부 아메리카에 거주한 최초의 민족(인종)은 원주민인 인디오이다.

③ ㉢: 도시 내 민족(인종) 간의 거주 공간이 ~~통합~~(분리)되어 있다.

➡ 중·남부 아메리카는 원주민이 거주하던 공간을 유럽계 백인이 침략하는 과정에서 식민 도시가 발달하였다. 식민 도시 내에는 지배자인 유럽인과 피지배자인 혼혈 민족(인종)의 생활권이 대체로 분리되어 있다.

④ ㉣: 소수의 대도시 위주로 성장하는 패턴을 뜻한다.

➡ 빠른 도시화로 인한 공간적 불균형을 통해 소수의 대도시가 성장의 중심이 되는 경우가 많다.

⑤ ㉤: 농촌에서 도시로 유입하는 인구 이동 때문이다.

➡ 인구의 자연적 증가는 출생과 사망의 관계로 파악한다. 농촌에서 도시로 이동하는 현상은 이촌 향도이다.

03 중·남부 아메리카의 도시 내부 구조

자료 분석 | 중·남부 아메리카의 도시는 식민지 과정을 거치면서 중심부에는 유럽계 백인, 주변으로 갈수록 혼혈 및 아프리카계 민족(인종)의 비중이 증가하는 경향을 보인다. (가)와 (나)의 A는 원주민, B는 혼혈(메스티소)이다.

[선택지 분석]

ㄱ. (가)의 A는 (나)의 B에 해당한다. (A)

ㄴ. (가)는 (나)의 계획이 반영된 결과이다.

ㄷ. (가)의 A는 B보다 평균 소득 수준이 ~~높다~~(낮다).

➡ 소득 수준은 대체로 유럽계 백인>혼혈(메스티소)>원주민 순이다.

ㄹ. (나)의 B는 A보다 해당 지역에서의 거주 기간이 짧다.

04 종주 도시화

자료 분석 | 그래프는 중·남부 아메리카의 전국 대비 도시 인구 비율을 나타낸 것이다. 이는 도시화율과 같은 개념으로 그래프를 보면, 1순위 도시 인구가 2순위 도시 인구보다 두 배 이상 많은 것을 알 수 있는데 이를 종주 도시화라고 한다.

[선택지 분석]

ㄱ. 모든 국가에서 종주 도시화 현상이 나타나고 있다.

ㄴ. 수위 도시의 인구 비율이 가장 높은 국가는 ~~쿠바~~(우루과이)이다.

➡ 수위 도시는 한 국가에서 인구 규모가 가장 큰 도시이다. 우루과이의 1순위 도시가 39.2%로 수위 도시의 인구 비율이 가장 높다.

ㄷ. 우루과이는 1순위와 2순위 도시 간의 인구 비율 격차가 가장 크다.

ㄹ. 전국에서 1·2순위 도시의 인구가 차지하는 비율이 가장 높은 국가는 ~~아르헨티나~~(우루과이)이다.

➡ 제시된 국가 중에서 우루과이가 42.3%(39.2+3.1)로 가장 높다.

05 아메리카 대륙의 도시화율

(1) A: 중·남부 아메리카, B: 앵글로아메리카

(2) [예시 답안] A 국가군은 B 국가군보다 급격하게 도시화가 이루어졌다. 따라서 A 국가군은 개발 도상국의 비율이 높고, 국민의 소득 수준과 생활 수준이 B 국가군보다 낮다.

채점 기준	
상	B 국가군과 비교하여 A 국가군의 급격한 도시화 양상을 쓰고, 개발 도상국의 비율, 국민의 소득 및 생활 수준 등 두 국가군의 지표를 포함하여 서술한 경우
중	B 국가군과 비교하여 A 국가군의 급격한 도시화의 양상은 서술하였으나, 두 국가군의 지표에 대한 서술이 미흡한 경우
하	A 국가군의 도시화의 양상과 국가군의 특징 중 한 가지만 서술한 경우

도전! 실력 올리기

203쪽

01 ④ 02 ② 03 ③ 04 ②

01 중·남부 아메리카의 민족(인종) 비율

자료 분석 | 중·남부 아메리카는 원주민을 기반으로 유럽의 식민지를 경험하면서 유럽계 백인과 혼혈의 비중이 증가하였고, 아프리카 노예가 유입되었다. A는 페루에서 비중이 높은 원주민, B는 멕시코에서 비중이 높은 혼혈, C는 아르헨티나에서 비중이 높은 유럽계 백인, D는 자메이카에서 비중이 높은 아프리카계 흑인이다.

[선택지 분석]

① A는 B보다 정착 시기가 이르다.

➡ 원주민은 혼혈보다 이른 시기에 정착하였다. 유럽인이 도착하기 전 중·남부 아메리카의 원주민은 안데스 산지와 아마존강 유역에서 주로 거주하였다.

② B는 C보다 중·남부 아메리카에서의 비중이 높다.

➡ 혼혈은 중·남부 아메리카에서 가장 높은 비중을 차지한다.

③ C는 D보다 대체로 소득 수준이 높다.

➡ 유럽계 백인은 아프리카계 흑인보다 대체로 소득 수준이 높다.

✓D는 C보다 이주의 자발성이 ~~높다~~. 낮다

➡ 아프리카계 흑인은 노예 무역을 통해 이주한 경우가 많다. 따라서 이주의 강제성이 높다.

⑤ A는 원주민, B는 혼혈, C는 유럽계, D는 아프리카계이다.

02 중·남부 아메리카의 도시화

자료 분석 | 그래프를 보면 멕시코, 콜롬비아, 아르헨티나 모두 1위 도시의 인구가 2위 도시의 인구보다 두 배 이상 많으므로 종주 도시화 현상이 나타나고 있음을 알 수 있다.

[선택지 분석]

ㄱ 모든 국가의 수위 도시는 해당국의 수도이다.

➡ 각국의 수위 도시는 멕시코시티, 보고타, 부에노스아이레스로, 모두 수도에 해당한다.

✗ 모든 국가의 수위 도시는 고산 도시이다.

➡ 멕시코 시티와 보고타는 해발 고도가 높아 고산 기후가 나타나는 고산 도시이지만, 부에노스아이레스는 해안에 입지한 항구 도시이다.

ㄷ 모든 국가에서 종주 도시화 현상이 나타나고 있다.

✗ 아르헨티나는 1위 도시 대비 2위 도시의 인구 비율이 가장 ~~높다~~. 낮다

03 중·남부 아메리카의 도시화율

자료 분석 | 그래프는 개발 도상국(멕시코), 선진국(영국), 저개발국(케냐)의 도시화율 변화를 나타낸 것이다. 선진국은 오랜 기간 동안 점진적으로 도시화가 이루어졌다. 개발 도상국은 급격하게 도시화가 이루어졌으며, 도시화율은 선진국과 비슷한 수준에 이르렀다. 반면, 저개발국은 여전히 낮은 수준의 도시화율을 보인다.

[선택지 분석]

	(가)	(나)	(다)
✓③	B → 영국	A → 멕시코	C → 케냐

➡ (가)는 1950년부터 이미 높은 수준의 도시화율을 보이는 영국(B), (나)는 1950년 이후 가장 빠른 도시화 속도를 보이는 멕시코(A), (다)는 계속 낮은 수준의 도시화율이 나타나는 케냐(C)이다.

04 중·남부 아메리카의 도시 발달 과정

자료 분석 | 도시 발달 과정을 나타내는 자료를 보면, 라틴계 유럽의 식민 지배를 거치면서 격자형 도로망을 갖춘 광장 중심의 도시 형태(1단계)가 나타났다. 독립한 이후(2단계)에는 주요 교통로를 따라 산업 지대가 형성되면서, 상류층의 주거지는 주요 간선 교통로를 따라 발달하였다. 이후 급격한 이촌 향도에 따른 도시화를 거치면서 도시의 규모가 확장되었고, 과도시화와 종주 도시화를 겪으면서 양극화가 심화(3단계)하였다. 이 과정에서 거주지 분리 현상이 나타나면서 상류층과 빈민층의 생활 공간이 나뉘었고, 불량 주택 지구(슬럼)의 문제가 심각한 수준에 이르렀다.

[선택지 분석]

ㄱ 서구 열강의 식민 지배 영향이 반영되어 있다.

✗ 불량 주택 지구는 ~~중심 업무 지구~~에 밀집해 있다. 도시 외곽 지역

ㄷ 상류층의 주거지에는 주로 유럽계 백인이 거주한다.

✗ 신산업 지구는 주로 교통이 발달한 ~~도심 지역~~에 분포한다. 철도 및 도시 고속 도로 주변 지역

02 다양한 지역 분쟁과 저개발 문제

콕콕! 개념 확인하기 207쪽

01 (1) 노예 삼각, 플랜테이션 (2) 크리스트교 (3) 아프리카계
02 (1) ○ (2) ○ (3) ×
03 (1) 부족 (2) 내전
04 (1) 제3세계 (2) 아파르트헤이트 (3) 아프리카 연합
05 (1) (가): 에너지 자원, (나): 공업 제품 (2) 국제 시장

01 (1) 노예 삼각 무역은 유럽 – 아메리카 – 아프리카를 연결하는 삼각 무역을 말한다. 유럽 열강들이 아메리카의 식민지에서 플랜테이션 작물을 재배하면서, 이 농업에 필요한 노동력을 아프리카의 흑인들로 충당하면서 노예 무역이 성행했다.

02 (3) 토속 신앙은 원주민의 고유 문화로, 아시아계의 이주 및 정착과 관련이 없다.

05 (2) 아프리카의 수출입 품목 구성을 보면, 수출에서는 에너지 자원의 비중이 높고, 수입에서는 공업 제품의 비중이 높다. 에너지 자원은 국제 시장에서 세계 경제 상황에 따라 가격 변동이 크다. 또한, 공업 제품의 수입 비중이 높다는 것은 외국에 대한 공산품의 의존도가 높다는 것을 뜻한다.

탄탄! 내신 다지기 208쪽

01 ④ **02** ⑤ **03** ⑤ **04** ① **05** 해설 참조

01 사하라 이남 아프리카의 민족(인종) 분포

[선택지 분석]

① 대체로 아프리카계 흑인의 비중이 높다.

➡ 사하라 이남 아프리카는 아프리카계의 비중이 높아 검은 아프리카로도 불린다.

② 부족 중심의 독특한 원시 문화가 발달해 왔다.

➡ 아프리카의 원시 부족은 그들만의 독특한 생활 양식을 지니고 있다.

③ 피부색, 신장 등에 따라 민족(인종)이 구분된다.

➡ 사하라 이남 아프리카의 민족(인종)은 얼굴 형태 및 피부색, 신장 등에 따라 셈족, 햄족, 반투족, 코이산족, 피그미족, 말레이계 등으로 구분된다.

④ 말레이계는 ~~기니만에 인접한 국가~~(마다가스카르)에 주로 분포한다.

➡ 말레이계는 인도양의 해류를 타고 마다가스카르에 온 아시아인들이다.

⑤ 남아프리카 공화국은 유럽인의 이주로 백인의 비율이 다른 국가보다 높은 편이다.

➡ 남아프리카 공화국은 영국의 식민 지배를 거치면서 다른 아프리카 국가보다 유럽계 백인의 비율이 높게 나타난다.

02 사하라 이남 아프리카의 종교

자료 분석 | 그래프를 보면 1900년에는 토착 종교의 비중이 높았지만, 2010년에는 A, B 종교의 비중이 크게 높아졌다. 유럽의 식민 지배를 받았으므로 유럽에서 가장 우세한 종교인 크리스트교가 B, 북부 아프리카를 중심으로 교세가 확장되어 온 A는 이슬람교이다.

[선택지 분석]

ㄱ. A는 ~~크리스트교~~(이슬람교), B는 ~~이슬람교~~(크리스트교)이다.

ㄴ. A, B는 모두 ~~민족~~(보편) 종교이다.

ㄷ. A, B 종교의 기원지는 모두 아시아이다.

ㄹ. A는 B보다 북부 아프리카에서의 비중이 높다.

03 사하라 이남 아프리카의 저개발 문제

자료 분석 | 자료를 보면 유럽과 북아메리카 등 선진국에서 면적이 넓고 비율이 높게 나타나며, 아프리카나 남부 아시아 등 저개발국에서 면적이 좁고 비율이 낮게 나타난다. 특히 사하라 이남 아프리카의 경우 지도에 표현이 힘들 정도로 낮은 비율을 보이고 있다.

[선택지 분석]

① 합계 출산율

➡ 합계 출산율은 가임 여성이 평생에 걸쳐 낳을 수 있는 자녀의 수이다. 저출산 문제를 겪고 있는 선진국보다는 저개발국에서 높게 나타난다.

② 인구 밀도

➡ 인구 밀도는 국토 면적 대비 인구수를 비율로 나타낸 것이다. 주로 인구가 밀집해 있는 아시아의 국가에서 높게 나타난다.

③ 인구 증가율

➡ 저개발국에서 높게 나타난다.

④ 난민 비율

➡ 분쟁이나 내전이 잦은 사하라 이남 아프리카에서 높게 나타난다.

⑤ 인터넷 보급률

➡ 인터넷 보급률은 경제 발전 수준과 대체로 비례한다. 경제 발전 수준이 높은 선진국은 인터넷 보급률이 높지만, 경제가 낙후된 개발 도상국 또는 저개발국은 인터넷 보급률이 낮다.

04 나이지리아의 종교 분포와 분쟁

자료 분석 | 제시된 자료는 나이지리아의 종교 분포와 분쟁에 관한 것이다. 아프리카는 크게 북부의 이슬람교, 사하라 이남의 토속 신앙과 주요 식민 국가의 크리스트교로 구분할 수 있다.

[선택지 분석]

	(가)	(나)
①	A → 이슬람교	B → 크리스트교
②	A	C → 토속 신앙

➡ (가)는 북부 아프리카와 가까워 전파가 이루어진 이슬람교(A)이고, (나)는 선교사를 중심으로 포교된 크리스트교(B)이다.

05 남아프리카 공화국의 인종 차별 정책

(1) A: 유럽계 백인, B: 아프리카계 흑인

(2) [예시 답안] 남아프리카 공화국의 민족(인종) 차별 정책을 아파르트헤이트라고 한다. 이 정책으로 민족(인종)별 뚜렷한 거주지 분리 현상이 나타나게 되었다.

채점 기준	
상	정책의 이름과 이 정책으로 인한 거주지 분리 내용을 모두 서술한 경우
하	정책 이름은 썼지만, 거주지 분리 현상에 대한 서술이 미흡한 경우

도전! 실력 올리기

209쪽

01 ② 02 ③ 03 ⑤ 04 ③

01 아프리카와 아시아의 종교 분포

자료 분석 | 지도는 세계 주요 종교의 국가별 분포를 나타낸 것이다. 제시된 국가는 이집트, 남아프리카 공화국, 네팔, 캄보디아이다. 이집트는 이슬람 세력의 확장으로 이슬람교(A)의 비중이 높고, 남아프리카 공화국은 과거 영국의 식민지로 크리스트교(B)의 비중이 높다. 네팔은 인도의 영향으로 힌두교(C)의 비중이 높고, 캄보디아는 동남아시아의 대표적인 불교 국가로 불교(D)의 비중이 높다.

[선택지 분석]

ㄱ. A, B, D는 보편 종교, C는 민족 종교이다.

➡ 세계 4대 종교 중 크리스트교, 이슬람교, 불교는 보편 종교, 힌두교는 민족 종교이다.

ㄴ. A는 B보다 기원의 시기가 ~~이르다~~(늦다).

ㄷ. B는 C보다 세계의 신자 수가 많다.

➡ 세계의 신자 수는 크리스트교(B)>이슬람교(A)>힌두교(C)>불교(D) 순이다.

ㄹ. C는 D보다 아시아에서의 신자 수 비중이 ~~낮다~~(높다).

02 사하라 이남 아프리카의 국가

자료 분석 | (가)는 이슬람교와 크리스트교를 신봉하고, 아프리카 주요 산유국으로서 자원 갈등이 심화하고 있는 것으로 보아 나이지리아이다. (나)는 다이아몬드 채굴로 유명하고, 군사 쿠데타에 따른 내전이 심한 국가인 것으로 보아 시에라리온이다. (다)는 백인의 비중이 높고 민족(인종) 차별 정책인 아파르트헤이트를 시행한 것으로 보아 남아프리카 공화국이다.

[선택지 분석]

	(가)	(나)	(다)
③	B → 나이지리아	A → 시에라리온	E → 남아프리카 공화국
④	C → 콩고 민주 공화국	D → 소말리아	E

03 수단과 남수단 분쟁

자료 분석 | 지도는 수단과 남수단 지역을 나타낸 것이다. (가)는 수단, (나)는 남수단이다. 수단은 주로 이슬람교를 신봉하며, 아랍어를 사용한다. 반면, 남수단은 주로 크리스트교와 토속 신앙을 신봉하며, 영어 사용자의 비중이 높은 편이다. 남수단 분리 독립 이전, 수단은 정치·권력을 독점한 아랍계 주민들과 남부 지역의 토착민들 간의 계속된 갈등으로 내전이 발생하였고, 오랜 내전 끝에 남수단이 분리 독립하였다. 그러나 주요 유전은 남수단에, 송유관과 정유 시설 등은 수단에 위치하여 자원을 둘러싼 갈등은 지속되고 있다.

[선택지 분석]

ㄱ. ~~(가)는 (나)보다 이슬람 세력의 영향을 적게 받았다.~~ (많이)

ㄴ. ~~(가)는 (나)보다 영어를 사용하는 인구 비중이 높다.~~ (아랍어)

ㄷ. (나)는 (가)보다 석유 생산량이 많다.

➡ 석유 자원이 많은 것은 남수단이지만, 이를 수출할 수 있는 항구는 수단이 가지고 있어 자원 분쟁에 따른 갈등도 심한 지역이다.

ㄹ. (나)는 (가)보다 민족(인종)적으로 아프리카계의 인구 비중이 높다.

04 사하라 이남 아프리카와 선진국의 비교

자료 분석 | 사하라 이남 아프리카는 평균적으로 선진국보다 경제 발전 수준이 매우 낙후된 곳이 많다. 따라서 두 집단의 주요 통계 지표는 상반된 경우가 많다. 제시된 그래프의 지표 중 개발 도상국에서 높은 지표는 유아 사망률과 합계 출산율이고, 선진국에서 높은 지표는 기대 수명과 위생 설비 보급률이다.

[선택지 분석]

ㄱ. ~~(가)는 선진국, (나)는 사하라 이남 아프리카이다.~~ (사하라 이남 아프리카 / 선진국)

ㄴ. (가)의 합계 출산율은 세계 평균의 두 배에 이른다.

ㄷ. (나)는 (가)보다 의사당 진료 환자의 수가 적다.

ㄹ. ~~(가), (나) 모두 저출산·고령화 문제에 당면해 있다.~~

➡ 저출산·고령화 문제는 주로 선진국에서 나타나고 있는 인구 문제이다. 저출산과 고령화는 여성의 사회적 진출이 활발해지고, 의료 수준이 향상됨에 따라 나타난 현상이다.

03 ~ 자원 개발을 둘러싼 과제

콕콕! 개념 확인하기 213쪽

01 (1) 석유 (2) 철광석 (3) 구리 (4) 은 (5) 나이지리아 (6) 석탄
02 (1) ○ (2) × (3) ○
03 열대림, 내륙
04 (1) ○ (2) ○ (3) × (4) × (5) ○

02 (2) 아프리카의 잠비아에서 콩고 민주 공화국에 이르는 세계적인 구리와 코발트 매장 지역을 코퍼 벨트라고 한다.

04 (3) 대규모의 플랜테이션으로 상품 작물 재배 비중을 늘리면 상품 작물의 재배 비중이 늘어 무역 구조의 불평등은 개선되지 않는다.

(4) 중·남부 아메리카와 사하라 이남 아프리카의 환경 문제를 해결하기 위해서는 경제 개발보다 환경 보전을 중시하는 지속 가능한 발전이 필요하다.

탄탄! 내신 다지기 214쪽

01 ① **02** ③ **03** ⑤ **04** ① **05** 해설 참조

01 아프리카의 자원

자료 분석 | 그래프를 보면 아프리카에서는 리비아, 나이지리아, 알제리, 앙골라 등에서 매장량이 많은 것을 알 수 있다. 따라서 제시된 그래프는 석유에 해당한다. 세계에서 석유 생산량이 가장 많은 대륙은 서남아시아 지역을 포함한 아시아이다.

[선택지 분석]

① 석유 → 아프리카의 리비아, 나이지리아 등에서는 석유 매장량이 많음
② 구리 → 중·남부 아메리카의 칠레가 대표적인 생산국임
③ 석탄 → 중국, 미국, 인도, 인도네시아, 오스트레일리아에서 생산량이 많음
④ 철광석 → 아프리카에서는 남아프리카 공화국의 생산량이 많음
⑤ 천연가스 → 미국, 러시아, 이란, 캐나다 등이 세계적인 생산국이고, 아프리카 대륙에서는 알제리의 생산량이 많음

02 중·남부 아메리카의 광물 자원

자료 분석 | 그래프는 세계의 구리와 은 생산량 비중을 나타낸 것이다. 세계적인 구리 생산국은 칠레, 은 생산국은 멕시코이다.

[선택지 분석]

ㄱ. ~~(가)는 멕시코, (나)는 칠레이다.~~ (칠레 / 멕시코)

ㄴ. (가), (나) 모두 고대 문명의 유적을 가지고 있다.

➡ 칠레는 잉카 문명, 멕시코는 마야·아스테카 문명이 발달하였었다.

ㄷ. (가), (나)의 주된 산지는 대부분 신기 습곡 산지이다.

➡ 칠레에는 안데스산맥, 멕시코에는 로키산맥이 뻗어 있다.

✕ (가)의 수도는 해안에, (나)의 수도는 산지에 입지한다.
➡ (가)의 수도는 산티아고이고, (나)의 수도는 멕시코시티이다. 두 도시 모두 산지에 입지한다.

03 아마존 열대림의 파괴

자료 분석 | 자료는 아마존 열대림의 파괴 문제를 나타내고 있다. 자원 개발은 경제적 이득을 가져다주는 반면, 열대림 파괴와 같은 환경 문제를 발생시키기도 한다.

[선택지 분석]

① 농경지 확대
➡ 농경지를 늘리기 위해 열대림을 파괴한다.

② 가축 사육 증가
➡ 가축 사육을 위한 목장이나 방목지 확보를 위해 열대림을 파괴한다.

③ 무분별한 광산 개발
➡ 광물 채굴을 위해 열대림을 파괴한다.

④ 사료용 콩 재배 증가
➡ 가축 사육에 필요한 사료 확보를 위해 콩을 재배하고, 그 콩을 재배하기 위해 열대림을 파괴한다.

⑤ 생물 종 다양성의 감소
➡ 이는 열대림 파괴로 인해 발생하는 문제이다.

04 자원의 정의로운 분배

자료 분석 | 자료는 아프리카 3위의 경제 규모를 자랑하는 앙골라의 석유 수출에 따른 경제 문제를 지적하고 있다. 그리고 자원이 풍부한 보츠와나를 경제적 이익을 균등하게 분배한 성공 사례로 소개하면서 자원의 정의로운 분배의 중요성을 나타내고 있다.

① 자원의 정의로운 분배

② 자원을 통한 경제 성장
➡ 자원을 통해 얻는 경제적 이득이 공정하게 분배되어야 함을 강조하고 있다.

③ 부가 가치가 높은 자원 개발의 방법
➡ 자원 개발의 방법은 나타나 있지 않다.

④ 미래형 자원 개발을 위한 다양한 노력
➡ 미래형 자원은 신기술과 재생 기술 등의 과학적 노력이 뒷받침되어야 한다. 제시된 글과 관련이 없다.

⑤ 자원 의존형 경제에서 벗어나기 위한 노력
➡ 자원 의존 국가의 문제점을 유추할 수 있지만, 그것에 따른 경제적 노력을 제시하고 있지는 않다.

05 석유 자원과 국가 부패 인식 지수

(1) 베네수엘라 볼리바르

(2) [예시 답안] 베네수엘라 볼리바르는 중·남부 아메리카의 대표적인 산유국이다. 석유 수출국 기구(OPEC) 가입국으로서 석유 수출을 통해 막대한 경제적 이득을 취하고 있지만, 만연한 부정부패의 문제로 자원의 정의로운 분배가 이루어지지 못해 소득 불평등이 매우 심각한 상황이다.

채점 기준	
상	자원은 풍부하지만, 부정부패의 만연으로 경제적 이득이 공정하게 분배되지 못하고 있다는 점을 서술한 경우
중	자원이 풍부하다는 점과 경제 문제가 심각하다는 점을 서술하였지만, 원인에 대한 서술이 미흡한 경우
하	경제 문제가 심각하다는 점만 서술한 경우

도전! 실력 올리기

215쪽

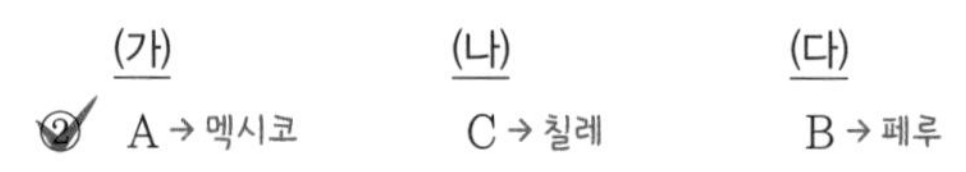
01 ② 02 ① 03 ③ 04 ④

01 중·남부 아메리카의 광물 자원

자료 분석 | 중·남부 아메리카에서 주목할 만한 자원은 구리, 은, 주석 등이다. 특히, 구리와 은(銀)은 세계에서 차지하는 비중이 절반이 넘을 정도로 생산량이 많다. 구리는 칠레, 은(銀)은 멕시코, 주석은 페루가 주요 생산국이다.

	(가)	(나)	(다)
②	A → 멕시코	C → 칠레	B → 페루

➡ (가)는 유럽의 귀금속 원료로 유명한 은, (나)는 전화기가 발명된 이후 수요가 급증한 구리, (다)는 합금과 화합물의 제조용으로 사용되는 주석이다.

02 중·남부 아메리카와 사하라 이남 아프리카 자원 개발과 분배

자료 분석 | 지도에서 A는 유럽과 북부 아메리카, B는 사하라 이남 아프리카와 중·남부 아메리카이다.

[선택지 분석]

 ㄱ
➡ 사하라 이남 아프리카와 중·남부 아메리카(B)는 유럽과 북부 아메리카(A)에 비해 광물 및 에너지 자원의 수출품 비중이 높고, 경제적 자립도와 개발 이익의 공정한 분배 정도는 낮다.

03 사막화와 열대림 파괴

자료 분석 | (가)는 아프리카 남부의 사막화 지역이며, (나)는 아마존강 유역으로 열대림 파괴 문제가 나타나는 지역이다. (가)에서 위험도가 높은 지역은 열대 기후 주변의 건조 기후 지역이다. 그 중에서도 사막 주변의 스텝 기후 지역은 과도한 목축과 농경, 기후 변화 등으로 사막화가 빠른 속도로 진행되고 있다. (나)는 브라질 정부의 경제 개발 정책으로 열대림이 빠른 속도로 파괴되고 있다.

[선택지 분석]

✕ (가)에서 위험도가 높은 곳을 사헬 지대라고 부른다.
➡ 사막화가 진행 중인 지역이라고 모두 사헬 지역은 아니다. 사헬 지역은 사막화가 진행 중인 사하라 사막 이남의 스텝 기후 지역을 말한다.

✕ (나)의 해결을 위해 바젤 협약이 체결되었다.
➡ 바젤 협약은 유해 폐기물의 국제 이동을 규제하기 위한 것으로, 열대림 파괴와는 관련이 없다.

ㄷ (가)의 피해 지역은 (나)보다 적도와의 거리가 멀다.

ㄹ (나)가 진행되면 (가)의 피해 범위가 확대될 수 있다.

04 세계의 경제적 불평등 문제

자료 분석 | 지니 계수란 소득 불평등 정도를 나타내는 수치로, 수치가 높을수록 불평등 정도가 높다는 뜻이다. 세계 전반에 걸쳐 선진국의 불평등 정도는 개발 도상국이나 저개발국보다 낮은 수준이다. 이는 국가의 경제 활동으로 벌어들인 돈이 국민에게 균등하게 분배되고 있다는 것을 뜻한다. 특히, 사하라 이남 아프리카와 중·남부 아메리카의 국가들은 경제적 불평등이 매우 심각한 수준이다. 이는 해당 국가의 정치 발전 수준 등의 여건에 따라 부정부패가 만연해 있는 것이 가장 큰 이유이다.

[선택지 분석]

✕ 대체로 고위도로 갈수록 소득 불평등 정도가 높다.

➡ 소득 불평등은 위도와 관련이 없다. 위도에 따른 뚜렷한 경향성이 나타나지 않는다.

ㄴ 소득 불평등의 정도는 남반구가 북반구보다 높다.

✕ 소득 불평등 정도가 높은 국가일수록 대체로 경제 수준이 ~~높다~~ 낮다.

ㄹ 중·남부 아메리카와 사하라 이남 아프리카 대부분의 국가는 소득 불평등 정도가 높게 나타난다.

한번에 끝내는 대단원 문제	217~219쪽

01 ③ 02 ③ 03 ① 04 ④ 05 ③ 06 ④ 07 ③
08 ④ 09 ④ 10 ② 11~12 해설 참조

01 중·남부 아메리카의 식민지 경험

자료 분석 | 글은 중·남부 아메리카의 식민 도시화 과정을 정리한 것이다.

[선택지 분석]

✕ ㉠: 식민지 대부분이 ~~이슬람교~~ 가톨릭교를 신봉한다.

➡ 에스파냐와 포르투갈은 가톨릭교를 신봉하는 국가이다. 따라서 식민 지배를 받은 지역에서는 가톨릭교를 중심으로 포교가 이루어졌다.

ㄴ ㉡: 주요 자원을 약탈하려는 의도가 반영된 것이다.

➡ 본국으로의 자원 수송이 편리한 교통 중심지에 주로 식민 도시를 건설했다.

ㄷ ㉢: 원주민의 문화와 유럽의 문화가 혼합되어 있다.

✕ ㉣: 해당국에서 소득 수준이 ~~낮은~~ 높은 계층에 속한다.

02 중·남부 아메리카의 언어

자료 분석 | 지도는 중·남부 아메리카 지역의 주요 언어 사용 지역을 표현한 것이다. 에스파냐와 포르투갈의 식민 지배를 받은 중·남부 아메리카는 포르투갈어를 사용하는 브라질을 제외하고는 대부분의 국가에서 에스파냐어를 사용한다.

[선택지 분석]

✕ (나) 사용국은 국가 내 언어 갈등을 빚고 있다.

➡ 국가 내 언어 갈등을 빚는 곳은 캐나다 퀘벡주이다.

ㄴ (가)는 (나)보다 세계 사용자 수가 많다.

ㄷ (가)와 (나)의 모국은 국경을 접하고 있다.

✕ (나)와 (다)의 모국은 국제 하천을 공유하고 있다.

➡ (나)의 모국은 포르투갈, (다)의 모국은 프랑스로 두 국가 사이에는 에스파냐가 있으며, 공유하는 국제 하천은 없다.

03 중·남부 아메리카의 도시화율

자료 분석 | 지도를 보면 1990년보다 2030년 전망에서는 인구 천만 명 이상의 거대 도시가 많아진 것을 확인할 수 있다. 특히 선진국의 비중이 높은 앵글로아메리카보다 개발 도상국의 비중이 높은 중·남부 아메리카 지역에서 거대 도시의 수가 더 많이 증가하는 경향성이 강하다. 반대로 앵글로아메리카 지역에서는 거대 도시 수보다 중간 규모의 도시가 더욱 많아져 특정 도시로의 과도한 집중 현상이 완화될 것으로 예상할 수 있다.

[선택지 분석]

ㄱ 아메리카의 도시화율은 대체로 높아질 것이다.

ㄴ 중·남부 아메리카는 과도시화의 문제가 커질 것이다.

✕ 앵글로아메리카는 종주 도시화 현상이 ~~심해질~~ 완화될 것이다.

➡ 2030년 전망이 1990년과 비교했을 때, 중간 규모(5~10)의 도시와 소규모(1~5)의 도시가 거대 도시(10 이상)보다 더 많이 늘어났으므로, 종주 도시화 현상이 완화될 것으로 예상할 수 있다.

✕ 앵글로아메리카는 중·남부 아메리카보다 지역 간 불균형이 ~~심해질~~ 완화될 것이다.

04 중·남부 아메리카의 도시 구조

자료 분석 | 상파울루는 전형적인 식민 도시의 구조를 지니고 있다. 중앙 광장을 중심으로 유럽계 백인의 상류층 주거지가 형성되어 있고, 도시 외곽으로는 저소득층인 원주민 또는 아프리카계 흑인이 거주하는 경향이 강하다. 또한, 불량 주택 지구인 파벨라는 도시 중앙보다는 주변 지역에 더욱 많이 분포하고 있다. 이는 소득 수준에 따른 주거지 분화 현상의 결과이다. 따라서 A는 광장이 있는 중심 업무 지구, B는 빈곤층 거주 지역(파벨라)이다.

[선택지 분석]

ㄱ A는 교통의 중심지일 것이다.

ㄴ A에는 대성당과 광장이 있을 것이다.

✕ B에는 ~~유럽계~~ 아프리카계 민족(인종)의 비율이 높을 것이다.

ㄹ A는 B보다 주민의 평균 소득 수준이 높을 것이다.

05 중·남부 아메리카의 식민지화

자료 분석 | 자료는 아프리카의 노예 무역(대서양 삼각 무역)에 대한 것이다. 대서양 삼각 무역은 노예를 통한 돈벌이를 위해 인간을

상품화했던 서양 제국주의 세력의 민낯을 보여 주는 역사적 과오이다. 당시 대서양 노예 무역에 뛰어들었던 대표적인 나라는 대서양의 패권을 쥐고 있던 포르투갈, 에스파냐, 영국이다. 포르투갈은 브라질을, 에스파냐는 브라질을 제외한 대부분의 라틴 아메리카 지역을 식민지로 삼았다.

	(가)	(나)	(다)
③	B → 에스파냐	A → 포르투갈	C → 영국

➡ (가)는 브라질을 제외한 아메리카 대륙을 지배한다고 했으므로, 에스파냐이다. (나)는 브라질을 지배한다고 했으므로, 포르투갈이다.

06 사하라 이남 아프리카의 지역 분쟁

자료 분석 | A는 나이지리아 분쟁으로, 자원의 이권 개입으로 인한 분쟁이 진행 중이다. B는 수단과 남수단의 다르푸르 분쟁으로, 기후(환경) 난민 분쟁이 얽혀 있다. C는 르완다 분쟁으로, 다수의 후투족과 소수의 투치족 간의 분쟁이 계속되고 있다.

[선택지 분석]

ㄱ. A 분쟁의 핵심 요인은 ~~민족(인종)의 차이~~이다. (→ 자원에 대한 이권 싸움)

ㄴ. B 분쟁의 원인에는 환경적인 요인이 포함되어 있다.

ㄷ. C는 ~~이슬람교와 크리스트교 간의 종교~~ 분쟁 지역이다. (→ 소수와 다수 종족 간의)

ㄹ. A~C에서는 모두 강제적 동기의 인구 이동이 발생했다.

➡ A~C 지역에서는 공통적으로 난민이 발생했다.

07 아프리카 대륙의 경제적 불평등

자료 분석 | (가)는 소득 상위 10% 계층의 국가 소득 점유율, (나)는 전체 인구 대비 1일 생활비 2달러 미만 인구의 비율을 나타낸 자료이다.

[선택지 분석]

	(가)	(나)
③	소득 상위 10% 계층의 국가 소득 점유율	전체 인구 대비 1일 생활비 2달러 미만의 인구 비율
④	소득 상위 10% 계층의 국가 소득 점유율	합계 출산율 (→ 대체로 경제 발전 수준이 높을수록 낮게 나타남)

➡ (가)에서 높은 수치가 나타나는 지역은 아프리카 대륙에서 대체로 경제 발전 수준이 높은 국가들이 많고, (나)에서 높은 수치가 나타나는 지역은 대체로 경제 발전 수준이 낮은 국가들이 많다.

08 중·남부 아메리카의 광물 자원

자료 분석 | (가)는 칠레이다. 칠레는 세계적인 구리 생산 및 수출국이다. 따라서 그래프의 A는 구리이다.

[선택지 분석]

ㄱ. (가)는 ~~볼리비아~~, A는 ~~천연가스~~이다. (→ 칠레, 구리)

ㄴ. (가)는 위도에 따라 다양한 기후가 나타난다.

➡ 칠레는 남북으로 긴 형태의 국가로, 위도에 따라 다양한 기후가 나타난다.

ㄷ. A는 주로 ~~시·원생대~~ 지층에 매장되어 있다. (→ 신기 습곡 산지)

ㄹ. (가)의 경제는 A의 수출과 밀접한 관련이 있다.

➡ 구리의 국제 가격은 칠레의 경제와 밀접한 관련이 있다. 구리 및 관련 제품이 칠레의 수출 품목에서 차지하는 비중은 총수출액에서 큰 부분을 차지한다.

09 아프리카 대륙의 자원

자료 분석 | A는 신기 습곡 산지인 아틀라스산맥, B는 하구에 유전이 많은 나이저강, C는 상류의 에티오피아고원에서 커피 플랜테이션이 활발한 나일강, D는 상류 지역에 코퍼 벨트가 있는 콩고강, E는 크롬, 망간, 다이아몬드 등이 많이 매장되어 있는 남아프리카 공화국의 드라켄즈버그산맥이다.

[선택지 분석]

① A는 E보다 조산 운동을 받은 시기가 늦다.

➡ 아틀라스산맥(A)은 드라켄즈버그산맥(E)보다 조산 운동을 받은 시기가 늦다. A는 신기 습곡 산지, E는 고기 습곡 산지이다.

② B의 하구에는 대량의 원유가 매장되어 있다.

➡ 나이저강(B)의 하구에는 대규모의 원유가 매장되어 있다. 이 일대에 위치한 나이지리아는 아프리카의 최대 산유국이다.

③ C의 하류부에는 고대 문명의 유적지가 있다.

➡ C의 나일강(청나일강) 하류는 이집트 문명의 발상지로, 피라미드와 스핑크스 등 많은 유적·유물이 남아 있다.

④ D의 상류부에는 대규모의 ~~천연가스~~가 매장되어 있다. (→ 구리와 코발트)

➡ 콩고강(D)의 상류 지역은 구리와 코발트의 매장량이 풍부한 코퍼 벨트가 있다.

⑤ E에는 크롬, 망간, 백금, 다이아몬드 등이 풍부하다.

➡ 드라켄즈버그산맥(E)이 있는 남아프리카 공화국과 주변국은 크롬, 망간, 백금, 다이아몬드가 풍부하게 매장되어 있다.

10 아프리카의 자원과 경제 발전

자료 분석 | 자료에서 (가)는 나이지리아로, 그래프는 나이지리아에 대한 해외 직접 투자액을 품목 별로 나타낸 것이다. 나이지리아는 아프리카의 대표적인 산유국으로, 다른 아프리카 국가보다 해외 직접 투자액이 많은 편이다. 특히 석유, 천연가스를 중심으로 한 해외 투자액이 많다. 아프리카에서 이루어지는 해외 직접 투자는 대부분 천연자원을 중심으로 이루어지고 있다.

[선택지 분석]

① A → 이집트

② B → 나이지리아

③ C → 콩고 민주 공화국

④ D → 케냐

⑤ E → 남아프리카 공화국

11 열대림 파괴

자료 분석 | (가)는 아마존 열대림의 파괴를 보여 주고 있는 지도이다. 브라질은 세계 최대의 열대림을 보유하고 있지만, 최근 경제적 목적으로 열대림이 급속하게 파괴되고 있다. (나)는 콩 재배와 가축 사육으로 인한 삼림 파괴 면적의 변화를 보여 주는 그래프이다. 이를 통해 콩 재배의 목적이 가축 사육에 있음을 알 수 있다. 사육한 가축은 대부분 햄버거 수요를 위해 해외로 수출되고 있다.

(1) 고온 다습한 열대 우림 기후

(2) [예시 답안] 열대림은 지구의 허파로 불린다. 열대림은 이산화 탄소를 흡수하여 지구 온난화를 완화시키는 역할을 한다. 하지만 최근 급증하는 육류 수요를 위해 열대림이 지속적으로 파괴되어 왔다. 열대림의 파괴 속도가 빨라지면 지구 온난화의 속도도 빨라질 것이다.

채점 기준	
상	열대림의 역할, 가축 사육으로 인한 열대림 파괴 등을 근거로 제시하며 지구 온난화와 열대림 파괴의 관련성을 서술한 경우
중	지구 온난화와 열대림 파괴의 관련성을 서술하였지만, 근거로 제시한 사례가 부족한 경우
하	별다른 근거 없이 열대림이 파괴되어 지구 온난화가 심화되었다고만 서술한 경우

12 아프리카의 소득 불평등

자료 분석 | 지니 계수는 수치가 높을수록 소득의 불평등 정도가 높다는 것을 뜻하는데, 아프리카 대륙에서 지니 계수가 높은 국가에는 남아프리카 공화국, 보츠와나, 나미비아 등이 있다.

(1) 남아프리카 공화국

(2) [예시 답안] 남아프리카 공화국, 보츠와나, 나미비아는 자원 대국이라는 공통점을 지닌다. 이들 국가는 자원 수출을 통한 경제 성장이 가능하지만, 그에 따른 부의 재분배는 원활하게 이루어지지 않아 경제적 불평등이 나타날 가능성이 크다.

채점 기준	
상	자원 대국이라는 내용과 지니 계수가 높게 나타난다는 점을 부의 재분배, 자원의 정의로운 분배의 관점에서 서술한 경우
중	자원 대국, 지니 계수가 높게 나타난다는 점을 서술하였지만, 자원의 정의로운 분배의 관점에서는 서술하지 못한 경우
하	자원 대국, 지니 계수가 높게 나타난다는 점 중에서 한 가지만 서술한 경우

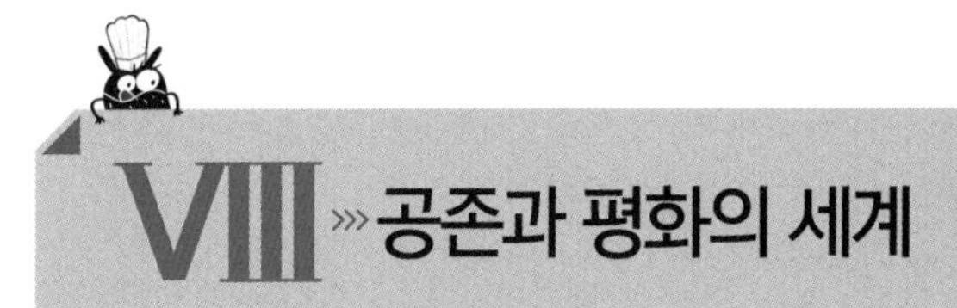

VIII 공존과 평화의 세계

01 ~ 경제의 세계화와 경제 블록

콕콕! 개념 확인하기 225쪽

01 (1) 국제 분업 (2) 다국적 기업, 경제의 세계화 (3) 자유 무역 협정
02 (1) ○ (2) ×
03 (1) 자유 무역 협정(FTA) (2) 남아메리카 공동 시장(MERCOSUR) (3) 생산 요소 (4) 완전 경제 통합
04 (1) ㄱ (2) ㄷ (3) ㄴ
05 ㉠ 4 ㉡ 2 ㉢ 1 ㉣ 3 ㉤ 1 ㉥ 2 ㉦ 2 ㉧ 3 ㉨ 1

02 (2) 경제의 세계화가 진행되면 무역이 활발해짐에 따라 세계의 빈부 격차가 더욱 커진다. 이는 무역에서 발생한 부가 특정 국가, 집단, 기업에 집중되기 때문이다.

탄탄! 내신 다지기 226쪽

01 ⑤ **02** ⑤ **03** ② **04** ③ **05** 해설 참조

01 경제의 세계화의 의미와 특징

[선택지 분석]

① 세계의 상호 의존성이 높아지는 과정이다.
➡ 경제의 세계화가 진행되면 세계의 상호 의존성이 향상된다.

② 경제의 세계화가 진행되면 국제 분업이 활발해진다.
➡ 경제의 세계화는 세계의 활발한 무역과 관련이 깊다. 그 과정에서 다국적 기업을 중심으로 국제 분업이 일어난다.

③ 교통·통신의 발달로 경제의 세계화가 빨라지고 있다.
➡ 세계의 빠른 교류를 돕는 것은 교통과 통신의 발달이다.

④ 세계 무역 기구를 통해 자유 무역이 활성화되고 있다.
➡ 세계 무역 기구(WTO)는 자유 무역을 촉진하여 경제의 세계화를 추구하려는 목적을 지닌다.

⑤ 세계 총생산에서 다국적 기업의 생산액이 차지하는 비중은 감소하고 있다.
➡ 세계의 경제에서 다국적 기업이 차지하는 비중은 나날이 증가하고 있다.

02 선진국과 개발 도상국의 무역

자료 분석 | 세계 각국의 국제 무역은 증가 추세에 있는데, 특히 국제 무역에서 개발 도상국이 차지하는 비중의 증가율이 선진국보다 높다. 선진국은 1980년대 국제 무역량의 65.8%를 차지했지만, 2012년에는 52.4%를 차지하고 있다. 이는 시간이 지날수록 세계의 교역량이 증가하면서 선진국의 의존도가 줄어든 효과이다. 따라서

1980년부터 세계 무역 총액의 50%를 넘는 비중을 차지해 온 (가)는 선진국, (나)는 개발 도상국이다.

[선택지 분석]

✕ (가)는 ~~개발 도상국~~ 선진국, (나)는 ~~선진국~~ 개발 도상국이다.

✕ (가)는 (나)보다 무역 비중의 증가율이 ~~높다~~ 낮다.

➡ (나)의 무역 비중은 2012년 기준으로 절반 가까이 상승하였다.

ㄷ 2012년의 (나)는 2000년의 (가)보다 무역액이 많다.

ㄹ (가), (나) 모두 무역 총액은 증가하였다.

03 경제 블록의 형성과 특징

[선택지 분석]

ㄱ ㉠: 지리적·경제적 인접성이 높은 지역 또는 국가 간의 경제 공동체

✕ ㉡: 회원국 및 역외국 간 자유 무역을 추구함

➡ 역외국은 자유 무역 혜택에서 제외된다.

ㄷ ㉢: 지역 내 국가 간 교역량이 증가하고 자원을 효율적으로 이용할 수 있음

✕ ㉣: 회원국 간 경제적 상호 보완성이 ~~낮아질 우려가 있음~~ 향상됨

04 경제 통합의 유형

자료 분석 | (가)는 남아메리카 공동 시장, (나)는 북아메리카 자유 무역 협정에 해당한다. (가)는 공동 시장이라는 표현이 있지만, 경제적 통합 수준을 볼 때 관세 동맹의 수준으로 역외국에 대해 차별적 무역 조치를 한다. (나)는 자유 무역 협정(FTA) 수준의 경제 협력체로 회원국 간 관세를 철폐하는 가장 낮은 수준의 통합성을 지닌다.

[선택지 분석]

	(가) → 남아메리카 공동 시장	(나) → 북아메리카 자유 무역 협정
③ ✓	B → 관세 동맹 단계	A → 자유 무역 협정 단계
⑤	D → 완전 경제 통합 단계	C → 공동 시장 단계

05 경제의 세계화의 긍정적·부정적 영향

자료 분석 | 그래프를 통해 경제의 세계화를 통해 1인당 국내 총생산 최상위 20개국과 최하위 20개국의 경제적 격차가 더욱 커졌음을 알 수 있다.

(1) 최상위 20개국

(2) [예시 답안] 경제의 세계화를 통한 교역량의 증가로 세계 부의 양이 증가하고, 무역량의 증가로 세계 전반에 걸쳐 삶의 수준이 향상되는 등 긍정적 영향이 있다. 반면, 1인당 국내 총생산 최상위 20개국과 최하위 20개국의 격차는 52배에서 111배로 급증하는 등 부의 양극화가 더욱 심해지는 부정적 영향도 있다.

채점 기준	
상	긍정적 영향과 부정적 영향을 모두 서술한 경우
중	긍정적 영향과 부정적 영향 중 한 가지 서술이 미흡한 경우
하	긍정적 영향과 부정적 영향 중 한 가지만 서술한 경우

도전! 실력 올리기 227쪽

01 ④ 02 ⑤ 03 ④ 04 ⑤

01 경제 협력체의 특징 비교

자료 분석 | (가)는 유럽 연합, (나)는 동남아시아 국가 연합에 해당한다. 유럽 연합은 완전 경제 통합 형태의 경제 협력체이다. 동남아시아 국가 연합은 경제 성장과 지역 안정을 도모하기 위한 정치·경제 기구로, 역내 관세 철폐와 자본 및 노동의 자유로운 이동 등을 추구한다.

[선택지 분석]

 D

➡ (나) 동남아시아 국가 연합은 (가) 유럽 연합보다 정치·경제적 통합 수준이 낮고, 1인당 지역 내 총생산이 적으며, 인구수는 많은 경제 협력체이다.

02 경제 협력체의 수출·수입액 비교

자료 분석 | 그래프에서 무역액이 가장 많은 (가)는 유럽 연합, 가장 적은 (다)는 남아메리카 공동 시장이다. 수출보다 수입액이 많은 (나)는 북아메리카 자유 무역 협정이고, 나머지 (라)는 동남아시아 국가 연합이다.

[선택지 분석]

✕ (가)는 (나)보다 회원국의 수가 ~~적다~~ 많다.

➡ (가)의 회원국 수는 28개, (나)의 회원국 수는 3개이다.

✕ (나)는 (라)보다 인구수가 ~~많다~~ 적다.

➡ 아시아 회원국이 많은 (라)의 인구수가 가장 많다.

ㄷ (다)는 (라)보다 1인당 지역 내 총생산이 적다.

ㄹ (라)는 (가)보다 통합 수준이 낮다.

➡ 유럽 연합은 완전 경제 통합 단계로 (가)~(다) 중 통합 수준이 가장 높다.

03 경제 협력체의 무역액 비교

[선택지 분석]

	(가) → 유럽 연합	(나) → 동남아시아 국가 연합	(다) → 북아메리카 자유 무역 협정
④ ✓	B	C	A

➡ (가)~(다) 경제 협력체 중 유럽 연합은 역·내외 무역이 가장 많고, 유일하게 역내 무역액이 많다. 따라서 B는 (가)의 유럽 연합이다. 무역 총액이 가장 적은 C는 (나)의 동남아시아 국가 연합, 나머지 A는 (다)의 북아메리카 자유 무역 협정이다.

04 경제 협력체의 종합 비교

자료 분석 | (가)는 북아메리카 자유 무역 협정, (나)는 남아메리카 공동 시장의 회원국을 나타낸 것이다.

[선택지 분석]

✕ (가)는 주로 에스파냐의 식민지였다.

➡ 미국과 캐나다는 영국의 식민 지배를 받았고, 멕시코만 에스파냐의 식민 지배를 받았다.

ㄴ (나)는 가톨릭교 신자 수의 비중이 높다.
➡ (나)는 포르투갈과 에스파냐의 식민 지배를 받아 대부분의 주민들이 가톨릭교를 신봉한다.
ㄷ (가)는 (나)보다 1인당 국내 총생산이 많다.
ㄹ (나)는 (가)보다 경제적 통합 수준이 높다.
➡ (가)는 자유 무역 협정 단계, (나)는 관세 동맹 단계에 해당한다.

02 지구촌 문제의 해결을 위한 노력

콕콕! 개념 확인하기 231쪽

01 (1) 온실가스, 지구 온난화 (2) 산성비 (3) 런던 협약 (4) 생태 발자국 (5) 비정부 기구
02 (1) × (2) ○ (3) ×
03 (1) ㄷ (2) ㄴ (3) ㄱ (4) ㄹ
04 (1) 쿠르드족 (2) 다르푸르 (3) 오리노코강 (4) 유대 (5) 북극해

02 (1) 산성비는 대기를 따라 이동하기 때문에 오염 발생 지역과 피해 지역이 일치하지 않는 경우가 많다.
(3) 지구적 환경 문제는 국제 사회의 긴밀한 협조와 공조로 해결할 수 있다.

탄탄! 내신 다지기 232쪽

01 ③ **02** ⑤ **03** ④ **04** ④ **05** ③ **06** ④ **07** ⑤ **08** ④ **09~10** 해설 참조

01 사막화

자료 분석 | 지도는 사막화의 피해 지역을 나타낸 것이다. 사막화가 심한 지역은 주로 사막 주변의 스텝 기후 지역이다.

[선택지 분석]
~~ㄱ~~ 대규모로 실시하는 ~~플랜테이션~~(관개 농업, 과도한 목축)이 주된 발생 원인이다.
ㄴ 아프리카의 사헬 지대는 대표적인 피해 발생 지역이다.
ㄷ 생활 터전을 잃은 사람들이 난민으로 전락하기도 한다.
➡ 사막화로 토양이 황폐해지면, 살던 곳을 떠나게 되고, 기후 난민으로 전락하기도 한다.
~~ㄹ~~ 국제 사회는 ~~람사르 협약~~(사막화 방지 협약)을 체결하여 피해를 줄이기 위해 노력하고 있다.

02 생태 발자국

자료 분석 | 지구 생태 발자국 변화 추이 그래프를 보면 지구 생태 발자국의 성장 속도는 생태적 수용력보다 빠르다는 것을 알 수 있다. 또한, 지역별 인구와 1인당 생태 발자국 그래프를 보면 주로 선진국이 많은 지역일수록 높게 나타나는 경향이 있음을 알 수 있다. 지속 가능한 발전을 위해서는 생태 발자국을 줄이려는 노력이 필요하다.

[선택지 분석]
~~ㄱ~~ 생태 발자국이 높을수록 지구의 환경 부담은 ~~감소~~(증가)한다.
~~ㄴ~~ 1인당 생태 발자국은 ~~인구수~~(경제 수준(경제력))에 비례하는 경향이 강하다.
ㄷ 1인당 생태 발자국이 높을수록 대체로 소득 수준이 높다.
ㄹ 지속 가능한 발전을 위해서는 생태 발자국이 생태적 수용력보다 작아야 한다.

03 지구적 환경 문제의 해결 노력

[선택지 분석]
① 특정 국가의 노력만으로는 해결할 수 없다.
➡ 지구적 환경 문제는 국제 사회의 협력이 필수이다.
② 다양한 환경 협약을 체결하여 노력을 기울여야 한다.
➡ 환경 협약은 규제를 강화하려는 목적을 지닌다.
③ 기업은 청정 기술을 개발하려는 노력을 기울여야 한다.
➡ 기업은 청정 기술을 개발하여 친환경 제품을 생산해야 한다.
~~④~~ 국가는 ~~비정부 기구~~(환경 관련 산하 기관)를 조직하여 문제를 해결할 수 있다.
➡ 비정부 기구는 지역·국가·국제적으로 조직된 자발적인 비영리 시민단체를 말하는 것으로, 그린피스, 지구의 벗, 세계 자연 기금 등이 있다.
⑤ 시민단체는 감춰진 환경 문제를 쟁점화하고 정부와 기업의 활동을 감시해야 한다.
➡ 시민단체는 소비자이자 주권의 주체로서 환경에 큰 피해를 줄 수 있는 정부와 기업의 활동을 감시하려는 노력이 필요하다.

04 지구적 환경 문제의 해결을 위한 각국의 노력

자료 분석 | 지구적 환경 문제의 해결을 위해 각국은 다양한 노력을 기울이고 있다. 환경 마크 제도, 생태 발자국 등의 제도적 보완은 물론, 신·재생 에너지, 생태 관광, 친환경 농법을 실시하기도 한다.

[선택지 분석]
ㄱ 덴마크는 신·재생 에너지 중심의 에너지 체계 전환을 위해 노력하고 있어.
ㄴ 캐나다는 환경 마크 제도를 만들어 제품의 생산 및 소비 과정을 관리하고 있어.
➡ 환경 마크 제도는 제품의 생산 및 소비 과정에서 환경 오염을 적게 일으키거나, 자원을 절약할 수 있는 제품에 환경 마크 로고를 표시할 수 있도록 인증해 주는 제도이다. 이 제도를 통해 소비자에게 환경 개선 정보를 제공하고, 소비자의 환경 마크 제품 선호에 부응해 기업의 참여도를 자발적으로 유도한다.
ㄷ 코스타리카는 천혜의 자연환경을 이용한 관광 산업을 성장 동력으로 육성하고 있어.

ㄱ. 일본은 스마트 공장을 도입하여 제조업의 성장과 다품종 소량 생산에 대비하고 있어.

➡ 스마트 공장은 제조 공정의 효율화 및 시스템화에 적합한 방식이다. 이는 지구적 환경 문제의 해결과는 관련이 없다.

05 난민 발생

자료 분석 | 지도에서 높은 수치를 보이는 곳은 아프리카의 수단, 남수단, 콩고 민주 공화국, 서남아시아의 시리아, 아프가니스탄 등이다. 이들 지역은 인종, 종교, 정치, 사상 등의 차이로 인해 내전이 빈번하여 난민이 많이 발생하고 있다.

[선택지 분석]

① 인구 밀도 → 주로 아시아 지역에서 높게 나타남

② 합계 출산율 → 주로 개발 도상국에서 높게 나타남

➡ 아프리카의 많은 국가에서 수치가 낮은 것으로 보아 관련이 없다.

③ 발생 난민 수 → 아프리카와 서남아시아에서 높게 나타남

➡ 경제 발전 수준이 높은 선진국들은 대체로 난민과는 거리가 멀다.

④ 노년 인구 비율 → 주로 선진국에서 높게 나타남

⑤ 1인당 국내 총생산 → 주로 선진국에서 높게 나타남

06 세계의 분쟁 지역

자료 분석 | (가)는 남수단, (나)는 카슈미르 지역이다. 남수단은 민족(인종) 및 종교의 차이, 자원 문제, 사막화 등 여러 문제가 혼재되어 발생한 갈등으로 분쟁이 계속되다가, 2011년 수단으로부터 분리 독립한 나라이다. 독립 이후에도 자원 문제 등으로 수단과의 갈등이 계속되고 있다. 카슈미르 지역은 인도와 파키스탄의 접경 지역으로 이슬람교도(파키스탄)와 힌두교도(인도) 간의 갈등으로 영역 분쟁이 계속되고 있다.

[선택지 분석]

ㄱ. (가)는 ~~콩고~~로부터 분리 독립하였다. (수단)

ㄴ. (나) 지역 분쟁은 영국의 식민 지배와 관련 있다.

➡ 인도를 지배하던 영국이 물러날 때, 이슬람교도가 다수인 카슈미르 지역이 힌두교 국가인 인도로 편입되면서 파키스탄과 인도 간에 분쟁이 발생하였다.

ㄷ. (나)는 네 나라가 서로 자국의 영토라고 주장하고 있다.

➡ 인도와 파키스탄이 카슈미르 지역을 서로 자국의 영토라고 주장하고 있으며, 중국도 카슈미르 일부 지역을 자국의 영토로 주장하는 등 세 나라가 얽혀 있다.

ㄹ. (가), (나) 모두 종교의 차이가 분쟁의 주요 원인 중 하나이다.

➡ (가) 남수단 분쟁은 이슬람교와 크리스트교 간의 갈등, (나) 카슈미르 분쟁은 이슬람교와 힌두교 간의 갈등이 분쟁 원인의 하나이다.

07 세계 평화를 위한 노력

자료 분석 | (가)는 유엔 난민 기구, (나)는 그린피스, (다)는 국경 없는 의사회, (라)는 국제 앰네스티 활동을 보여 주는 사진이다. (가)를 제외한 나머지 단체는 모두 정부의 노력 없이 자발적으로 구성된 비정부 기구(NGO)이다.

[선택지 분석]

ㄱ. (가), (나)의 활동은 주로 분쟁 지역에서 이루어진다.

➡ (나)는 환경 문제가 발생하는 곳에서 활동한다.

ㄴ. (다), (라)의 활동은 주로 ~~선진국~~에서 이루어진다. (개발 도상국 또는 저개발국)

ㄷ. (가)는 (나)보다 정부의 개입 정도가 크다.

ㄹ. (다), (라) 모두 활동가의 자발적 참여가 주를 이룬다.

08 세계의 분쟁 지역

자료 분석 | 제시된 지역은 세계의 주요 에너지 자원 분쟁 지역이다. 에너지 자원 분쟁의 대다수는 화석 에너지와 관련된 것이 많다. 석유와 천연가스를 둘러싼 국내 및 국제 이권 싸움이 정치와 경제적으로 맞물려 분쟁이 이어지고 있다.

[선택지 분석]

① 물

➡ 물 분쟁이 활발한 곳은 국제 하천 또는 외래 하천이 통과하는 지역이 많다. 나일강, 티그리스·유프라테스강, 메콩강이 대표적이다.

② 종교

➡ 카슈미르 분쟁, 스리랑카 분쟁은 서로 다른 종교 간의 갈등이 활발한 지역이다. 이란–이라크 분쟁, 북아일랜드 분쟁 지역은 같은 종교 내 서로 다른 종파 간의 갈등 지역이다.

③ 영토

➡ 영토 관련 분쟁은 국경선 설정이 명확하지 않은 지역, 한 국가가 다른 국가를 무력으로 침략한 역사가 있는 지역, 소수 민족의 독립 운동이 활발한 지역에서 발생한다.

④ 에너지

➡ 에너지 자원 분쟁은 주로 석유 및 천연가스와 관련이 깊다. 동아시아 및 동남아시아의 센카쿠 열도, 난사 군도, 시사 군도 지역과 북극해 일대는 대표적인 에너지 자원 분쟁 지역이다. 카스피해 분쟁 지역은 최근 당사국이 의견을 수렴하여 일단락된 상태이다.

⑤ 민족(인종)

➡ 서로 다른 민족 간의 종교 및 언어 갈등이 나타나기도 한다. 이스라엘–팔레스타인 분쟁, 르완다 내전이 대표적이다.

09 탄소 배출권 거래제

자료 분석 | 자료는 탄소 배출권 거래제를 나타낸 것이다. 탄소 배출권 거래제는 국가나 기업 간 온실가스 배출권을 판매하거나 구입할 수 있도록 한 제도이다.

(1) 지구 온난화

(2) [예시 답안] 자료의 정책은 탄소 배출권 거래제이다. 탄소 배출권 거래제가 시행되면 탄소 배출권을 줄이기 위한 각국의 노력이 뒷받침될 것이다. 만약 부여된 기준량보다 적게 배출한 경우, 이를 다른 나라로 팔 수 있어 경제적인 효과도 기대할 수 있다.

채점 기준		
	상	탄소 배출권 거래제를 쓰고, 탄소 배출권 거래제의 기대 효과를 서술한 경우
	중	정책의 기대 효과를 서술하였지만, 정책명을 쓰지 못한 경우
	하	정책명은 썼지만, 기대 효과에 대한 서술이 미흡한 경우

10 세계의 난민 발생

(1) 난민

(2) [예시 답안] 난민이란 인종, 종교, 정치, 사상 등의 차이로 받는 박해를 피해 다른 지방이나 외국으로 망명하는 사람들을 말한다.

채점 기준		
	상	인종, 종교, 정치, 사상 등의 차이로 받는 박해를 피해 다른 지역으로 망명하는 사람들이라고 서술한 경우
	하	난민을 정의하였으나, 서술이 미흡한 경우

도전! 실력 올리기

234쪽

01 ③ 02 ① 03 ④ 04 ③ 05 ④ 06 ① 07 ④ 08 ②

01 지구 온난화와 오존층 파괴

자료 분석 | (가)는 지구 온난화, (나)는 오존층 파괴 현상을 나타낸 것이다. (가) 자료를 보면 북극해 일대가 과거보다 해빙의 최대 범위가 현격히 줄어들었음을 알 수 있다. 이는 지구 온난화에 따른 대기의 평균 기온 상승 때문이다. (나) 자료를 보면 극지방에서 대기 중 오존량이 줄어들었음을 알 수 있다. 이는 성층권의 오존층 파괴 때문이다.

[선택지 분석]

✕ (가)를 대비하기 위해 ~~몬트리올 의정서~~를 채택하였다. (교토 의정서, 파리 협정 등)

ㄴ (가)가 심해지면 세계 각지에 이상 기후가 나타난다.

ㄷ (나)가 심해지면 농작물의 생육이 저해된다.

✕ (나)가 심해지면 해수면이 상승한다. → (가)와 관련됨

➡ 오존층 파괴와 해수면 상승은 관련이 없다.

02 해양 오염과 산성비

자료 분석 | (가)는 해양 오염, (나)는 산성비 피해 지역에 해당한다. 해양 오염이 심한 지역은 주로 경제력이 좋은 국가의 연안이며, 발생 빈도와 피해의 규모가 큰 편이다. 산성비 역시 산업화에 성공한 선진국이 밀집한 지역에서 빈번하게 발생한다.

[선택지 분석]

ㄱ (가)는 해양 오염, (나)는 산성비 피해 지역이다.

ㄴ (가)는 해류, (나)는 대기의 흐름과 관련이 깊다.

➡ 해양으로 쓰레기가 유입되거나 해양에서 원유 유출 사고가 발생할 경우에는 해류에 의해서 오염 물질이 이동한다. 한편, 대규모 공업 지역에서 배출된 오염 물질은 편서풍과 같은 대기의 흐름을 타고 이동하여 다른 국가나 지역에 산성비 피해를 입힌다.

✕ (가), (나) 피해 지역은 대체로 인구 밀도가 ~~낮다~~. (높다)

➡ 경제 성장이 뒷받침된 곳으로, 대도시의 발달이 두드러져 인구 밀도가 높게 나타난다.

✕ (가), (나)는 피해 발생 국가의 노력만으로도 극복할 수 ~~있다~~. (없다)

➡ 해양 오염과 산성비 피해는 오염원 발생국을 넘어 주변국까지 영향을 줄 수 있다. 따라서 국제 사회의 긴밀한 협조가 필요한 환경 문제이다.

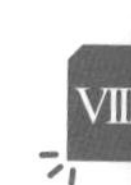

03 지구적 환경 문제

자료 분석 | 자료는 지구적 환경 문제에 관한 도표이다. 인구 증가의 영향으로 대기의 온실가스인 이산화 탄소가 증가하고, 이는 식물의 생장에 영향을 준다. 따라서 ㉠은 이산화 탄소이다. 대양에 이산화 탄소가 증가하면 산성화가 이루어져 산호초가 파괴된다. 따라서 ㉡은 산호초 파괴이다. 이산화 탄소의 증가에 따른 식물 생장 억제, 강수량 감소, 지표 온도의 상승이 이루어지면 농작물의 생산량이 감소한다. 따라서 ㉢은 농작물 생산량 감소이다. 지구 온난화에 따른 해수면 상승으로 해안 저지대는 침수될 우려가 크다. 해안 저지대 침수를 우려하는 이유는 해안에 많은 인구가 밀집해 있고, 식량을 생산하기 때문이다. 따라서 ㉣은 해안 저지대 침수이다.

[선택지 분석]

✕ ㉠의 배출량과 화석 연료 사용은 ~~반비례~~한다. (비례)

ㄴ ㉡이 진행되면 연안 생태계가 파괴될 수 있다.

✕ ㉢으로 열대림이 빠른 속도로 파괴되고 있다.

➡ 열대림 파괴는 무분별한 벌목과 농경지 개간이 주요 원인이다.

ㄹ ㉣이 진행되면 하구의 농경지는 침수될 우려가 있다.

04 열대림 파괴 지역

자료 분석 | (가)는 말레이시아, 인도네시아, 브루나이 세 국가가 공존하는 보르네오섬이다.

[선택지 분석]

① 플랜테이션

➡ 보르네오섬 일대는 팜유 플랜테이션이 활발하다.

② 열대림 파괴

➡ 보르네오섬에는 동남아시아 최대의 열대림이 밀집해 있는데, 팜유 플랜테이션으로 열대림이 빠른 속도로 파괴되고 있다.

③ 크리스트교의 융성

➡ 이 지역은 유럽의 식민 지배를 받았지만, 이슬람교 신자 수 비중이 매우 높은 지역이다. 아랍의 상인들이 바닷길을 열면서 이슬람교가 자연스럽게 전파되었다.

④ 생물 종 다양성 감소

➡ 보르네오섬은 열대림 파괴로 생물 종 다양성이 감소하고 있다.

⑤ 유럽의 식민 지배

➡ 보르네오섬 일대는 포르투갈, 에스파냐, 네덜란드, 영국 등이 아시아에 진출하면서, 유럽 열강의 식민 지배에 직간접적으로 영향을 받았다. 따라서 식민 지배와 관련된 문화를 찾아볼 수 있다.

05 난민 발생국, 시리아

자료 분석 | (가)는 난민에 의한 인구 이동 순위를 나타낸 그래프이고, (나)는 시리아의 인구 이동을 나타낸 지도이다. 시리아는 최대의 난민 발생국으로, 내전이 끊이지 않는 곳이다. 난민의 대부분은 자국에서 가까운 인접국, 경제적 여건이 좋은 유럽이나 미국 등지로 이동한다.

[선택지 분석]

(가)의 이동 동기는 대부분 자발적이다.

➡ 난민의 이동 목적은 더 나은 삶의 환경을 찾는 것이고, 원치 않게 삶의 터전을 떠나는 경우가 많아 강제성을 띤다.

ㄴ (가)의 대부분 국가는 주요 분쟁 지역에 해당한다.

➡ (가)에 나타난 시리아(A), 아프가니스탄, 말리, 소말리아, 남수단 등 대부분의 지역이 다양한 이유로 내전에 시달리고 있다.

A국의 인구 이동은 주로 경제적인 목적이 많다.

ㄹ A국의 인구 이동은 주로 지리적 인접국으로의 이동이 많다.

➡ 난민들은 이동 수단이 여의치 않아 인접국으로 이동하려는 경향이 강하다.

06 세계의 주요 분쟁 지역

자료 분석 | (가)는 영국의 식민 지배 이후 국경 분쟁에 시달리는 카슈미르 지역으로, 인도(힌두교)와 파키스탄(이슬람교)간의 분쟁이 발생하고 있다. (나)는 석유 자원을 둘러싼 영유권 분쟁 지역인 난사 군도(스프래틀리 군도)이다. 난사 군도 분쟁에 관여한 국가는 중국, 베트남, 인도네시아, 필리핀, 브루나이, 타이완이다. (다)는 러시아와 일본 간의 영유권 분쟁 지역인 쿠릴 열도이다. (라)는 해저 자원을 둘러싼 5개국의 영유권 분쟁 지역인 북극해로, 북극해 분쟁에 관여한 국가는 러시아, 캐나다, 미국, 노르웨이, 덴마크이다.

[선택지 분석]

(가)	(나)	(다)	(라)
A	B	C	D

07 환경 문제 해결을 위한 국제적 노력

자료 분석 | 자료는 지구적 환경 문제를 해결하기 위한 국제적 노력에 관한 것이다. 국제 사회는 지구적 환경 문제를 한 국가의 노력과 의지만으로 해결할 수 없음을 알고, 이에 대처하기 위해 다각도의 공조를 실시하고 있다.

[선택지 분석]

① ㉠: 분쟁 지역에 평화 유지군을 파견한다.

➡ 유엔은 분쟁 지역의 치안 유지를 위해 평화 유지군을 파견한다.

② ㉡: 완전 경제 통합 수준의 경제 공동체이다.

➡ 유럽 연합(EU)은 단일 통화를 사용하고, 공동 의회를 설치하는 등 정치·경제적 통합을 실현하고 있는 완전 경제 통합 수준의 경제 공동체이다.

③ ㉢: ㉠의 산하 기관으로서 국제 보건 협력을 추구한다.

➡ 세계 보건 기구(WHO)는 유엔의 산하 기관이다.

㉣: 지구 온난화 문제를 해결하기 위한 국제 협약이다.

➡ 몬트리올 의정서는 오존층 파괴 물질의 생산과 사용을 규제하기 위한 국제 협약이다. 지구 온난화 문제 해결을 위한 국제 협약에는 교토 의정서, 파리 협정 등이 있다.

⑤ ㉤: 유류에 의한 해양 오염 방지를 위한 협약이다.

➡ 국제 해양 오염 방지 협약에서 유조선을 이중 선체로 건조하도록 강제하고 있는데, 이는 유류의 해양 오염을 사전에 방지하기 위한 것이다.

08 세계의 주요 분쟁 지역

자료 분석 | (가)는 캐나다 퀘벡주, 벨기에의 언어 갈등 지역, (나)는 카스피해와 난사 군도의 자원 관련 분쟁 지역, (다)는 쿠르드족과 신장 웨이우얼 자치구의 소수 민족의 자치 독립에 관한 분쟁 지역, (라)는 나이지리아와 수단·남수단 간의 석유 자원 분쟁 지역이다.

[선택지 분석]

ㄱ (가)는 언어가 갈등의 핵심 요인 중 하나이다.

➡ 캐나다는 영어를 공용어로 사용하는데, 퀘벡주에서는 프랑스어를 사용하여 갈등이 발생하고 있다. 벨기에는 네덜란드어를 사용하는 북부 플랑드르 지방과 프랑스어를 사용하는 남부 왈로니아 지방 사이에 갈등이 발생하고 있다.

(나)는 소수 민족의 독립과 관련된 갈등 지역이다.

➡ 카스피해는 자원을 확보하기 위해 러시아, 카자흐스탄, 우즈베키스탄, 투르크메니스탄, 이란, 아제르바이잔 등 6개국이 영유권 분쟁을 일으키고 있는 지역이다. 2018년 당사국들이 모여 협정을 맺었지만, 완전히 해결되지는 않았다. 난사 군도는 해상 교통의 요충지로 중국, 베트남, 타이완, 필리핀, 말레이시아, 브루나이 등 6개국이 자원 확보를 위해 영유권을 주장하고 있는 지역이다.

(다)는 주변 지역과의 경제적 격차가 갈등의 핵심 요인이다.

➡ 쿠르디스탄은 쿠르드족이 사는 지역으로 터키, 시리아, 이란, 이라크에 걸쳐 있으며, 분리 독립 운동을 전개하고 있다. 중국의 신장 웨이우얼 자치구는 중국 내 소수 민족인 위구르족이 절반 이상을 차지하는 지역으로 위구르족 역시 분리 독립 운동을 전개하고 있다.

ㄹ (라)는 민족(인종)과 종교 차이, 자원 문제 등이 서로 얽혀 있다.

➡ 나이지리아는 이슬람교도와 크리스트교도 간의 갈등, 유전을 둘러싼 갈등 등으로 크고 작은 내전이 발생하고 있다. 수단은 북부의 아랍계(이슬람교) 주민과 남부의 아프리카계(크리스트교 및 토속 신앙) 주민 사이에 분쟁이 계속되다가, 2011년 남수단이 독립하였다. 이후에도 자원과 국경선 문제로 갈등이 계속되고 있다.

한번에 끝내는 **대단원 문제** 237~239쪽

01 ② 02 ⑤ 03 ① 04 ③ 05 ② 06 ④ 07 ②
08 ④ 09 ③ 10 ④ 11~12 해설 참조

01 경제의 세계화

자료 분석 | A사는 국제 항공 화물을 취급하는 다국적 기업이다. 교통·통신의 비약적인 발달은 화물 배송에서 거리의 제약이 사라지고, 배송 소요 시간이 획기적으로 단축되는 등 경제의 세계화에 큰 역할을 하였다.

[선택지 분석]

ㄱ A사는 글로벌 물류 체계를 갖추고 있다.

➡ 허브 공항을 통한 물류 체계, 세계 여러 도시를 연결하는 네트워크 등을 볼 때, 글로벌 물류 체계를 갖추고 있음을 알 수 있다.

~~ㄴ~~ A사의 활동은 국제 연합의 통제를 받는다.

➡ A사는 다국적 기업으로 국제 연합의 통제를 받지 않는다.

~~ㄷ~~ 항공 화물 2.5 이상의 도시는 모두 세계 도시이다.

➡ 2.5 이상의 도시는 홍콩, 상하이, 인천, 앵커리지, 맴피스 등이다. 이들 도시는 물류량이 많지만, 세계 도시에 해당하지는 않는다. 세계 도시는 런던, 뉴욕, 도쿄 등 주로 국제 금융 분야에서 상위권에 있는 도시를 말한다.

ㄹ 주문자는 약 2일 내로 공장의 물건을 받을 수 있다.

➡ 선전의 공장에서 뉴욕의 주문자까지 약 46시간이 소요된다.

02 자유 무역 협정(FTA)

자료 분석 | 그래프를 보면, 자유 무역 협정의 신규 발효 건수가 시간이 지남에 따라 꾸준히 증가해 왔음을 알 수 있다. 자유 무역 협정 체결 건수가 많아지면, 무역 장벽이 낮아져 국가 간 무역량이 증가한다.

[선택지 분석]

~~ㄱ~~ 무역 장벽이 ~~강화~~(완화)될 것이다.

~~ㄴ~~ 무역 보복이나 무역 분쟁은 발생하지 않을 것이다.

➡ 자유 무역 협정을 체결하면 비회원국에 대해서는 차별적인 대우를 취하게 되고, 이는 무역 분쟁으로 이어질 수 있다.

ㄷ 선진국과 개발 도상국 간의 경쟁력 차이로 인한 격차가 발생할 가능성이 있다.

ㄹ 지리적으로 인접하거나 경제적으로 상호 의존도가 높은 국가 간의 체결이 주를 이룬다.

03 경제 블록의 경제적 통합 유형

자료 분석 | 그래프는 경제 블록의 경제적 통합 수준에 따른 통합 유형을 나타낸 것이다. 통합의 정도에 따라 ㉣ 자유 무역 협정, ㉢ 관세 동맹, ㉡ 공동 시장, ㉠ 완전 경제 통합 단계로 구분된다.

[선택지 분석]

ㄱ ㉠: 공동 의회를 설치하기도 한다.

ㄴ ㉡: 회원국 간 생산 요소의 자유로운 이동이 가능하다.

~~ㄷ~~ ㉢: 회원국 간 단일 통화를 사용한다.

➡ 단일 통화를 사용하는 것은 완전 경제 통합의 단계에서 이루어진다.

~~ㄹ~~ ㉣: 역외국에 대해 공동 관세율을 적용한다.

➡ 자유 무역 협정의 단계이므로, 역외국에 대해 공동 관세율을 적용하지 않고 관세를 낮추는 정도의 조치를 한다. 역외국에 대해 공동 관세율을 적용하는 단계는 관세 동맹 단계이다.

04 주요 경제 협력체의 비교

자료 분석 | 지도의 A는 유럽 연합이다. 유럽 연합은 회원국 수가 가장 많으므로 (나)이다. C는 북아메리카 자유 무역 협정이다. 북아메리카 자유 무역 협정은 지역 내 총생산이 가장 많고, 회원국 수가 3개국이므로 (다)이다. B는 동남아시아 국가 연합이다. 동남아시아 국가 연합은 인구가 가장 많고, 지역 내 총생산이 가장 적으므로 (가)이다. 따라서 (가)는 B, (나)는 A, (다)는 C이다.

[선택지 분석]

	(가)	(나)	(다)
③	B → 동남아시아 국가 연합	A → 유럽 연합	C → 북아메리카 자유 무역 협정

05 지구적 환경 문제 해결을 위한 노력

[선택지 분석]

① ㉠: 한 국가의 노력만으로 해결할 수 없다.

➡ 지구적 환경 문제는 국제 사회의 긴밀한 협조가 있어야 해결할 수 있다.

② ㉡: 사막화 방지를 위해 ~~몬트리올 의정서~~(사막화 방지 협약)를 채택하였다.

③ ㉢: 탄소 배출권 거래 제도를 도입하여 적극적으로 홍보한다.

➡ 정부는 탄소 배출권 거래 제도를 시행하여 환경 문제에 대한 국민과 기업의 경각심과 실천 의지를 높일 수 있다.

④ ㉣: 신·재생 에너지 사용을 확대한다.

➡ 기업은 정부의 정책에 부응하기 위해 신·재생 에너지 사용량을 늘릴 필요가 있다.

⑤ ㉤: 정부와 기업의 환경 정책을 모니터링한다.

➡ 개인 차원에서는 정부와 기업이 환경 문제에 관해 올바르게 대처하고 있는지를 감시하고, 실생활 속에서 작은 실천을 이어 가려는 의지가 중요하다.

06 가뭄 지수

자료 분석 | 지도는 파머 가뭄 지수를 나타낸 것이다. 가뭄 지수는 강수량, 기온, 일조 시간 등을 고려하여 가뭄의 정도를 판단하도록 개발된 지표이다. 대체로 지수가 높을수록 가뭄 가능성이 낮고, 낮을수록 가뭄 가능성이 높다. 인구 밀집 지역은 강수량 대비 물 사용량이 많아 대체로 가뭄 지수가 낮게 나타나며, 열대 기후 지역은 가뭄 가능성이 대체로 낮은 편이다.

[선택지 분석]

~~ㄱ~~ 지수가 낮은 곳은 모두 사막 기후 지역이다.

ㄴ 대체로 지수가 높은 곳일수록 가뭄 가능성이 낮다.

~~ㄷ~~ 열대 기후 지역은 가뭄 가능성이 매우 ~~높다~~(낮다).

ㄹ 북반구의 경우 고위도로 갈수록 가뭄 가능성이 대체로 낮아진다.

07 생태 발자국

자료 분석 | 지도는 세계 생태 발자국과 생태 용량과의 관계를 나타낸 것이다. 생태 발자국은 인간이 지구에서 삶을 영위하는데 필요한 의식주를 제공하기 위한 자원의 생산과 폐기에 드는 비용을 토지의 면적으로 환산한 지수이다. (가)는 생태 용량이 생태 발자국보다 작아 마이너스(−) 값이 나타나는 국가군이고, (나)는 생태 용량이 생태 발자국보다 커서 플러스(+) 값이 나타나는 국가군이다. 따라서 생태 발자국은 (가)가 (나)보다 높으며, (가) 국가군은 에너지 소비량이 비교적 높은 선진국 국가들이 대체로 많음을 알 수 있다.

[선택지 분석]

ㄱ (가)는 인구당 에너지 소비량이 대체로 많다.

X (나)는 대체로 경제 발전 수준이 ~~낮은~~ 높은 국가이다.

X (가)는 (나)보다 대체로 생태 발자국이 ~~낮다~~ 높다.

ㄹ (나)는 (가)보다 대체로 생태계 보존성이 높다.

08 사막화와 열대림 파괴

자료 분석 | (가)는 사막화 진행 지역, (나)는 열대림 파괴 지역을 나타낸 것이다. 사막화는 전 세계 스텝 기후 지역에서 빠르게 진행되고 있고, 열대 우림 지역에서는 경지 확대, 자원 개발 등으로 열대림 파괴가 진행되고 있다.

[선택지 분석]

X (가)는 대체로 사막 기후 지역의 범위와 일치한다. → 스텝 기후 지역의 일부임

ㄴ (나) 문제의 주요 발생 원인은 과도한 경지 확대이다.

X (가)는 (나) 지역보다 대체로 연평균 강수량이 ~~많다~~ 적다.

ㄹ (나) 문제가 심화되면 (가)의 면적은 확대되는 경향이 강하다.

➡ 열대림 파괴가 지속되면 지구 온난화가 가속화되어 사막화의 피해 면적은 증가할 수 있다.

09 아랄해의 사막화

자료 분석 | 그래프는 사막화에 따른 아랄해의 면적 변화를 나타낸 것이다. 아랄해는 중앙아시아의 반건조 지역에 있는 호수이다.

[선택지 분석]

X 갑: 아랄해의 면적은 시간이 지날수록 ~~넓어지고~~ 좁아지고 있어요.

을: 면적의 변화 원인은 관개 농업의 확대 때문이에요.

➡ 인근 지역에서의 대규모 관개 농업으로 유입 수량이 감소하면서 호수의 면적이 급격히 감소하였다.

병: 호숫물의 염도는 시간이 지날수록 높아졌을 거예요.

➡ 유량이 줄어든 호수의 염도는 높아지는 것이 일반적이다.

X 정: 아랄해 면적의 변화는 ~~지구 온난화에 따른 강수량 감소~~ 과도한 관개에 따른 농경가 주요 원인이에요.

10 세계의 주요 분쟁 지역

자료 분석 | (가)는 팔레스타인 분쟁 지역(유대교, 크리스트교 간 분쟁), (나)는 수단·남수단 분쟁(이슬람교와 크리스트교 간 분쟁 및 자원 분쟁), (다)는 카슈미르 분쟁 지역(힌두교와 이슬람교 간 분쟁), (라)는 스리랑카 분쟁 지역(힌두교와 불교 간 분쟁)이다.

[선택지 분석]

X (가)는 세계 최대의 난민 발생국이다.

➡ 세계 최대의 난민 발생국은 시리아이다.

ㄴ (나) 분쟁과 관련된 종교의 기원지는 모두 서남아시아이다.

➡ 수단·남수단은 이슬람교와 크리스트교 간의 종교 분쟁 지역으로, 이들 종교는 모두 서남아시아에서 기원하였다.

X (다), (라)의 분쟁은 ~~프랑스~~ 영국의 식민 지배와 관련이 깊다.

➡ 카슈미르, 스리랑카 분쟁 지역은 모두 영국의 식민 지배를 받은 경험이 있다.

ㄹ (가)~(라)의 분쟁은 모두 종교 갈등을 포함하고 있다.

➡ (가)~(라) 지역에서는 모두 종교 분쟁이 발생하고 있다.

11 지구 온난화

자료 분석 | 그래프는 미국 주요 빙하의 체적량 변화를 나타낸 것이다. 지구 온난화에 따라 지구의 평균 대기 온도가 상승하면서 빙하 녹은 물이 바다로 유입하여 해수면이 상승하는 피해가 증가하고 있다.

(1) 지구 온난화

(2) [예시 답안] 지구 온난화가 지속되면 빙하가 녹은 물이 바닷물로 유입하여 해수면이 상승하게 된다. 해수면이 상승하면 해안 저지대가 침수되는 피해를 입는다. 해안 저지대에는 거주 인구가 많고, 대규모의 식량 생산을 위한 농경지가 조성되어 있어 해수면 상승에 따른 피해가 불가피하다.

채점 기준	
상	해수면 상승의 과정과 그에 따른 피해를 모두 정확하게 서술한 경우
하	해수면 상승의 과정을 정확하게 서술하였지만, 그에 따른 피해에 대한 서술이 미흡한 경우

12 국제 평화 유지군 활동

자료 분석 | 국제 평화 유지군은 국제 연합(UN)의 산하 기관으로서 자발적으로 파견된 여러 국가의 병력이 국제 연합(UN)의 지휘에 따라 파병되어 평화 유지의 임무를 수행한다.

(1) 콩고 민주 공화국, 수단

(2) [예시 답안] 국제 평화 유지군의 활동 지역은 대부분 국제 분쟁 지역과 일치한다. 국제 평화 유지군의 활동 목적은 세계의 평화를 구현하는 것이다. 따라서 대규모의 살상, 인권 유린, 난민 발생 등이 만연한 분쟁 및 전쟁 지역에서 평화 유지를 위한 임무를 수행한다.

채점 기준	
상	국제 평화 유지군의 활동 지역이 대부분 세계의 분쟁 지역과 일치한다는 내용과 이들 지역에서 대량의 난민이 발생하고 있다는 내용을 서술한 경우
하	분쟁과 난민의 관점 중 한 가지만 서술한 경우

개념 학습과 정리가 한번에 끝나는 기본서
개념풀
세계지리

지학사 서포터즈 모집안내

모집 분야

개념 학습과 정리가 한번에 끝나는 기본서	수학을 쉽게 만들어 주는 자
개념풀	**풍산자**

- **대상** 고등학생(1~2학년)
- **모집 시기** 매년 3월, 12월

- **대상** 중·고등학생(1~3학년)
- **모집 시기** 매년 2월, 8월

활동 내용

❶ 교재 리뷰 작성

❷ 홍보 미션 수행

혜택

❶ 해당 시리즈 교재 중 1권 증정

❷ 미션 수행자에게 푸짐한 선물 증정

상기 모집 내용 및 일정은
사정에 따라 변동될 수 있습니다.
자세한 사항은 지학사 홈페이지
(www.jihak.co.kr)를 통해
공지됩니다.

발 행 인 권준구
발 행 처 (주)지학사 (등록번호 : 1957.3.18 제 13-11호) 04056 서울시 마포구 신촌로6길 5
발 행 일 2019년 12월 20일 [초판 1쇄] 2021년 10월 15일 [2판 1쇄]
구입 문의 TEL 02-330-5300 | FAX 02-325-8010 구입 후에는 철회되지 않으며, 잘못된 제품은 구입처에서 교환해 드립니다.
내용 문의 www.jihak.co.kr 전화번호는 홈페이지 〈고객센터 → 담당자 안내〉에 있습니다.

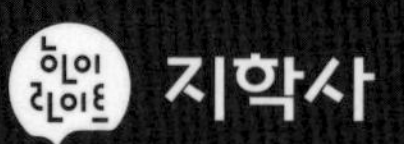

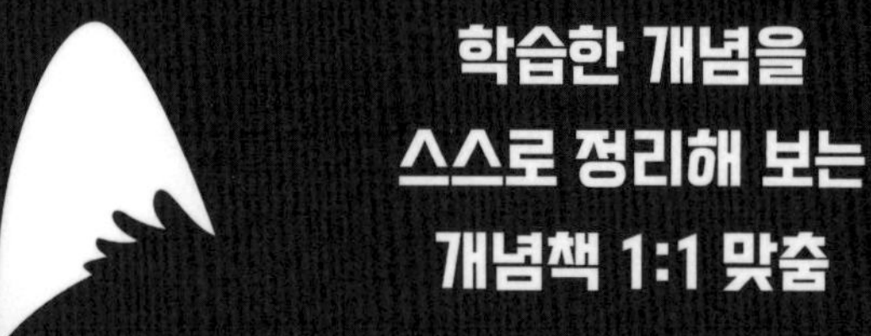

학습한 개념을
스스로 정리해 보는
개념책 1:1 맞춤

정리 노트

개념풀 세계지리

의 노트

개념과 정리가 한번에 끝나는 기본서

개념풀

세계지리

개념책 1:1 맞춤

정리노트

contents

학습한 개념을 단권화 할 수 있는

개념풀 정리노트 사용법

정리노트를 작성하기 전 대단원의 흐름을 살펴보면서 워밍업을 해 보세요.

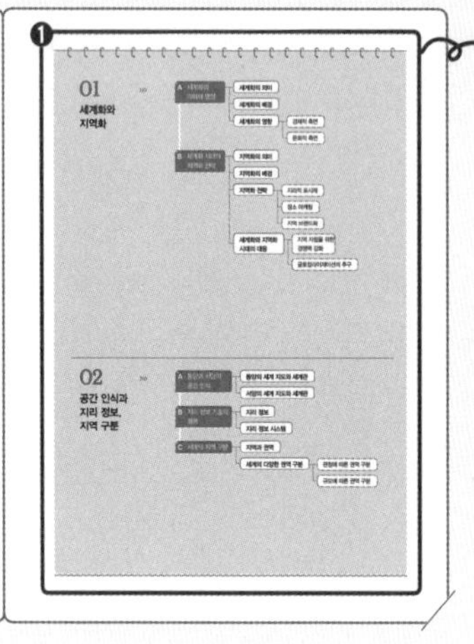

❶ 대단원의 흐름을 한번에 훑어 보세요. 공부했던 내용들의 흐름이 기억날 거예요.

기억이 잘 안난다구요?
기억이 나지 않아도 걱정 마세요.
이제부터 시작이니까요.

중단원별 중요 내용의 구조를 보고, 개념을 정리하세요.

❷ 선배들이 개념책을 보고 중단원 전체의 내용 구조를 정리했어요.

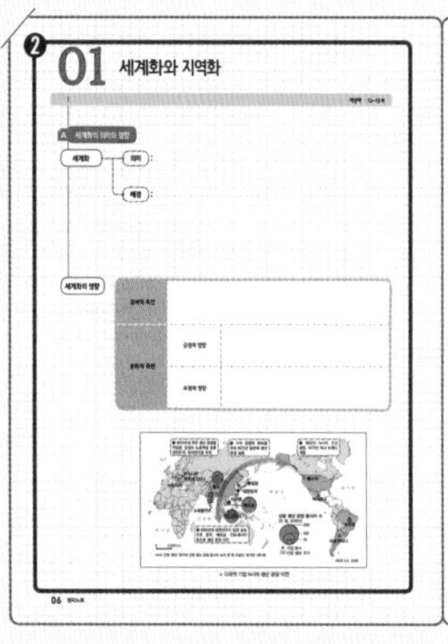

❸ 어디서부터 어떻게 정리해야 할지 모른다구요? 개념책을 펴 보세요. 흐름이 같지요? 개념책의 내용을 나만의 스타일로 정리해 보세요.

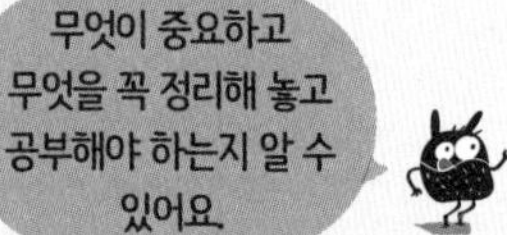

무엇이 중요하고
무엇을 꼭 정리해 놓고
공부해야 하는지 알 수
있어요.

대단원별 그림으로 정리하기와 마인드맵으로 단원의 내용을 확실하게 정리하세요.

❹ 대단원별 중요한 지도와 그래프에 자시만의 설명문을 적어 보세요. 단원의 핵심 자료를 확실하게 정리할 수 있어요.

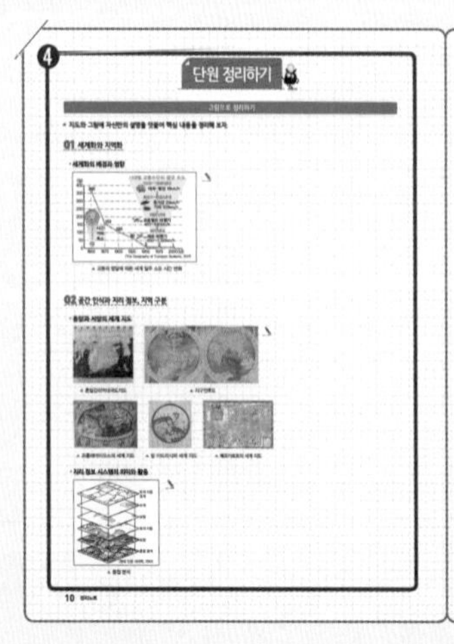

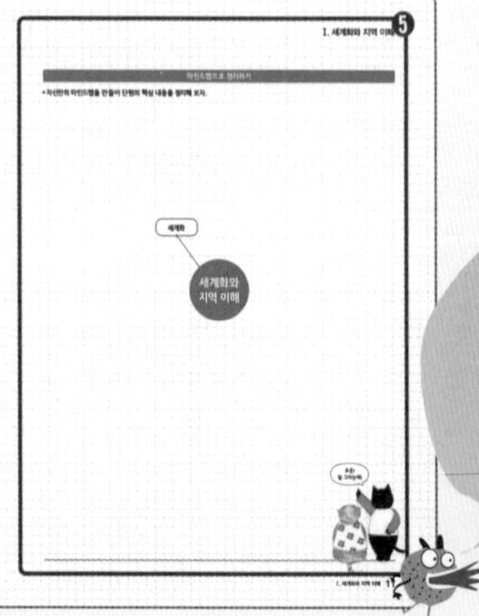

❺ 자신만의 마인드 맵을 만들어 보세요. 단원의 핵심 내용이 머릿속에 쏙!

정리노트 사용하는 2가지 방법

1. 개념책이나 교과서를 펴 놓고 중요 자료를 보면서 정리하기!
2. 외웠던 것을 스스로 확인하는 차원에서 정리해 보기!

수능 1등급 받은
선배들의 정리노트 이야기

정리노트를 작성하기가 막막하다면?
정리노트를 다시 쓰고 싶다면?
지학사 홈페이지(www.jihak.co.kr)에 들어오면,
빈노트와 선배들의 정리노트를 다운받을 수 있어!

선배들이 직접 들려주는 정리노트 노하우!

"개념풀 정리노트는 단원의 전체 흐름과 중요한 세부 내용까지 모두 볼 수 있도록 구성되어 있어. 그동안 공부했던 걸 시험 전날 정리노트에 채워 보고 가면 그 시험은 만점 예약!"

◂ 동영상 바로보기

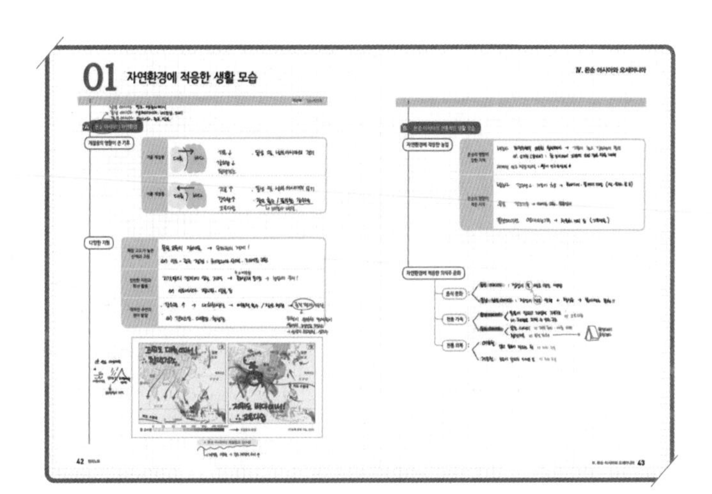

구인영 서울대 재학생

"개념풀 정리노트는 단원의 전체 흐름은 어떤지, 어떤 개념이 중요한지 한눈에 알 수 있도록 구성되어 있어. 직접 그리기 어려운 지도나 그래프의 자료가 제시되어 있어서 정리하기 편해!"

◂ 구인영 학생의 노트 바로가기

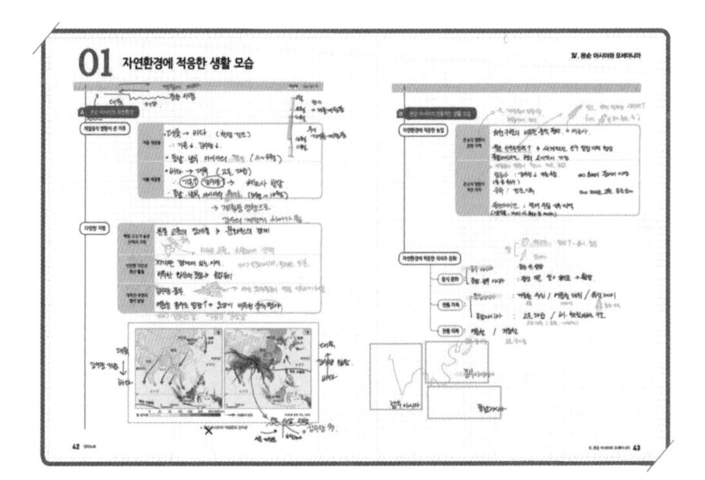

최은송 고려대 재학생

"시험 기간에 노트 정리를 하며 공부하려고 하면 막상 빈 노트에 무엇부터 써야 하는지 막막하잖아. 개념풀 정리노트는 빈 노트에 정리하기 두려운 친구들에게 조금이나마 도움이 될 거야!"

◂ 최은송 학생의 노트 바로가기

» 선배들이 작성한 정리노트 바로가기

I

세계화와 지역 이해

01 세계화와 지역화

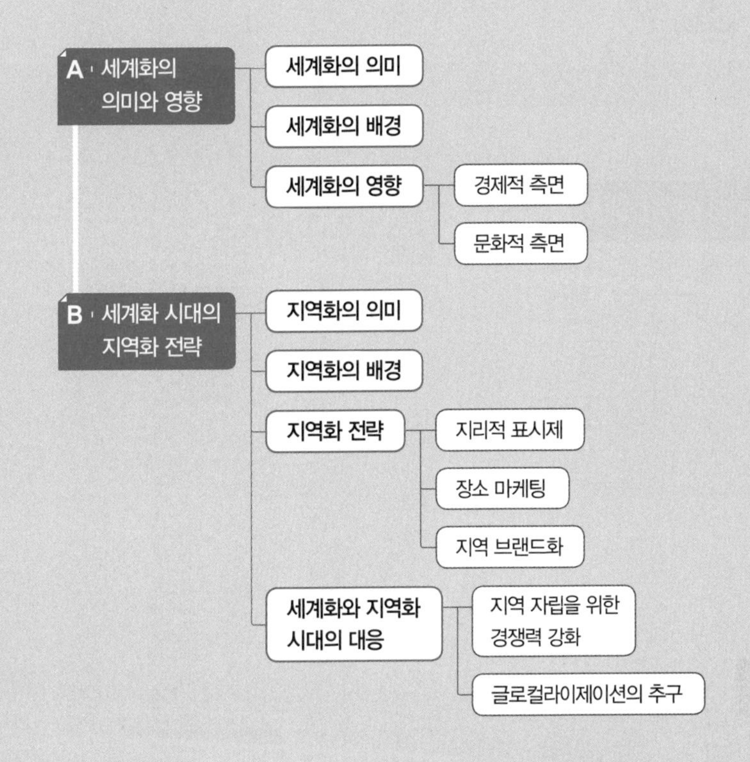

02 공간 인식과 지리 정보, 지역 구분

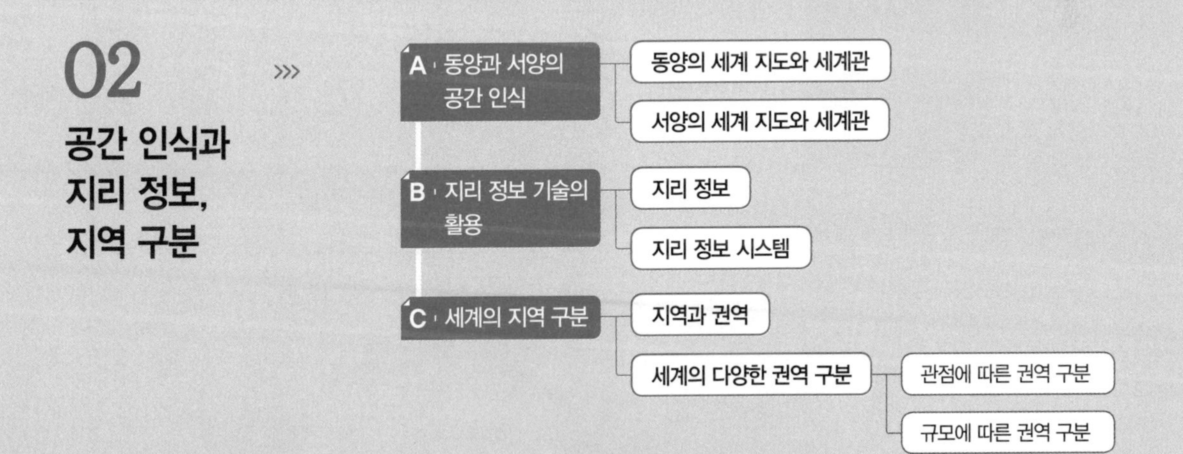

01 세계화와 지역화

개념책 12~13쪽

A 세계화의 의미와 영향

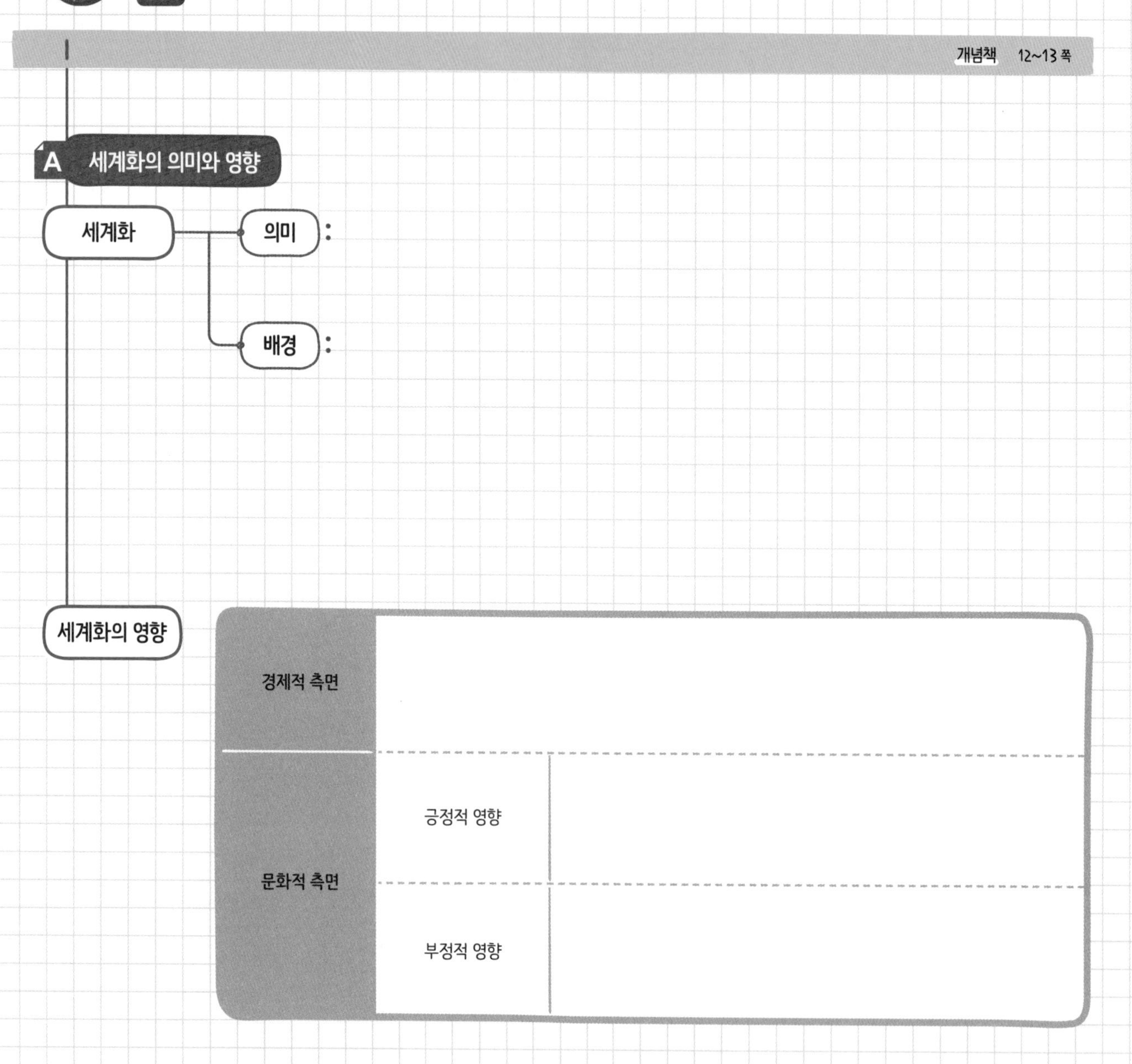

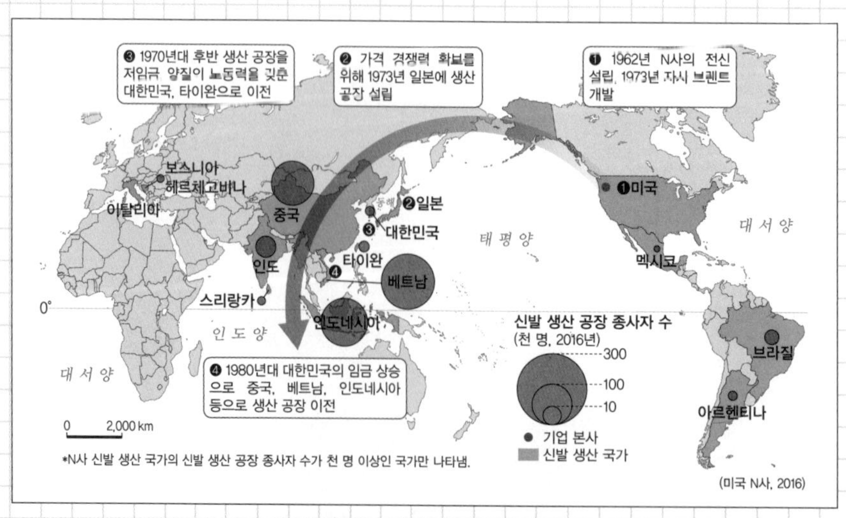

▲ 다국적 기업 N사의 생산 공장 이전

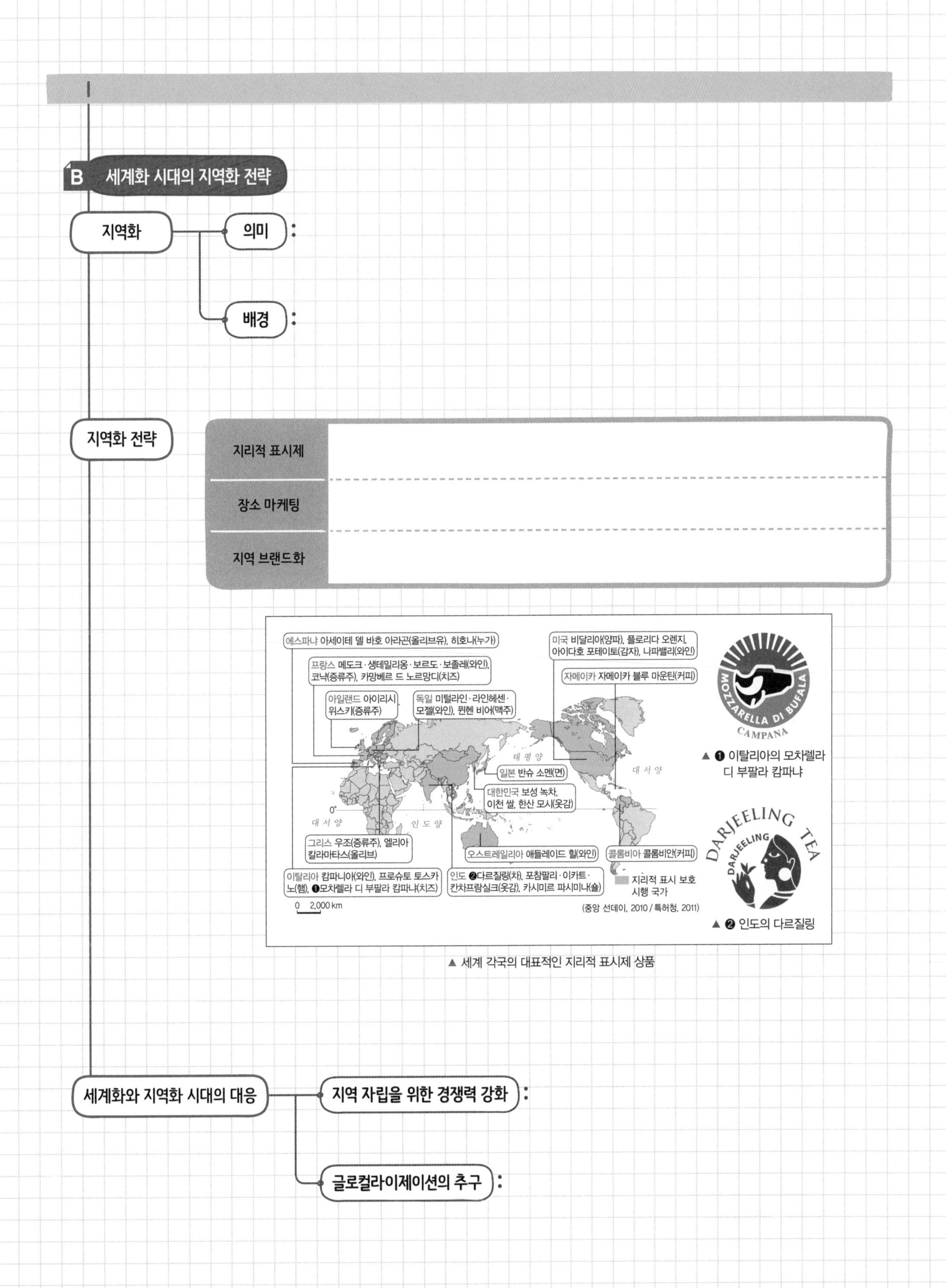
B 세계화 시대의 지역화 전략
지역화
의미 :
배경 :
지역화 전략
지리적 표시제
장소 마케팅
지역 브랜드화
에스파냐 아세이테 델 바호 아라곤(올리브유), 히호나(누가)
프랑스 메도크·생테밀리옹·보르도·보졸레(와인), 코냑(증류주), 카망베르 드 노르망디(치즈)
아일랜드 아이리시 위스키(증류주)
독일 미털라인·라인헤센·모젤(와인), 뮌헨 비어(맥주)
미국 비달리아(양파), 플로리다 오렌지, 아이다호 포테이토(감자), 나파밸리(와인)
자메이카 자메이카 블루 마운틴(커피)
태평양
대서양
인도양
0°
일본 반슈 소멘(면)
대한민국 보성 녹차, 이천 쌀, 한산 모시(옷감)
그리스 우조(증류주), 엘리아 칼라마타스(올리브)
오스트레일리아 애들레이드 힐(와인)
콜롬비아 콜롬비안(커피)
이탈리아 캄파니아(와인), 프로슈토 토스카노(햄), ❶모차렐라 디 부팔라 캄파냐(치즈)
인도 ❷다르질링(차), 포참팔리·이카트·칸차프람실크(옷감), 카시미르 파시미나(숄)
지리적 표시 보호 시행 국가
0 2,000 km
(중앙 선데이, 2010 / 특허청, 2011)
MOZZARELLA DI BUFALA
CAMPANA
DARJEELING TEA
DARJEELING
세계화와 지역화 시대의 대응
지역 자립을 위한 경쟁력 강화 :
글로컬라이제이션의 추구 :

▲ ❶ 이탈리아의 모차렐라 디 부팔라 캄파냐

▲ ❷ 인도의 다르질링

▲ 세계 각국의 대표적인 지리적 표시제 상품

02 공간 인식과 지리 정보, 지역 구분

개념책 18~21쪽

A 동양과 서양의 공간 인식

동양의 세계 지도와 세계관

중국과 우리나라의 세계 인식과 세계 지도

중국	
우리나라	

중국과 우리나라의 세계 인식 범위의 확대 :

중국	
우리나라	

서양의 세계 지도와 세계관

고대	바빌로니아 점토판 지도	
	프톨레마이오스의 세계 지도	
중세	티오(TO) 지도	
	알 이드리시의 세계 지도	
	포르톨라노 해도	
근대	세계 인식 범위의 확대 배경	
	메르카토르의 세계 지도	

B 지리 정보 기술의 활용

지리 정보

의미		
종류		
수집 방법	직접 조사	
	간접 조사	
	원격 탐사	

지리 정보 시스템

- 의미 :
- 특징 :
- 활용 :

C 세계의 지역 구분

지역과 권역

- 지역의 의미 :
- 권역의 의미 :

세계 권역 구분의 기준

자연적 기준	
문화적 기준	
기능적 기준	

세계의 다양한 권역 구분

관점에 따른 권역 구분	대륙 중심	
	인문적 요소 중심	
	지구적 쟁점 중심	
규모에 따른 권역 구분		

단원 정리하기

그림으로 정리하기

• 지도와 그림에 자신만의 설명을 덧붙여 핵심 내용을 정리해 보자.

01 세계화와 지역화

• 세계화의 배경과 영향

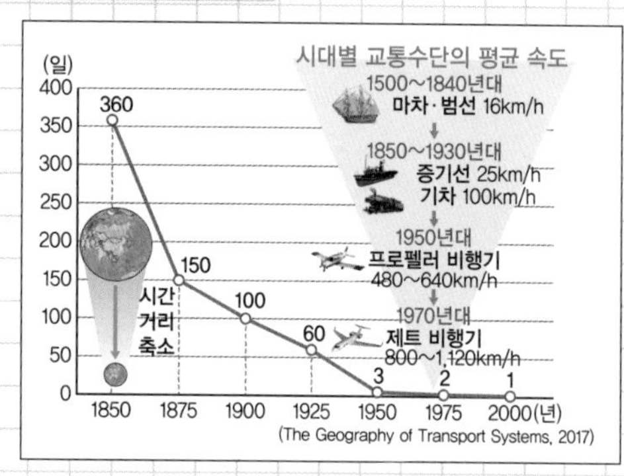

▲ 교통의 발달에 따른 세계 일주 소요 시간 변화

02 공간 인식과 지리 정보, 지역 구분

• 동양과 서양의 세계 지도

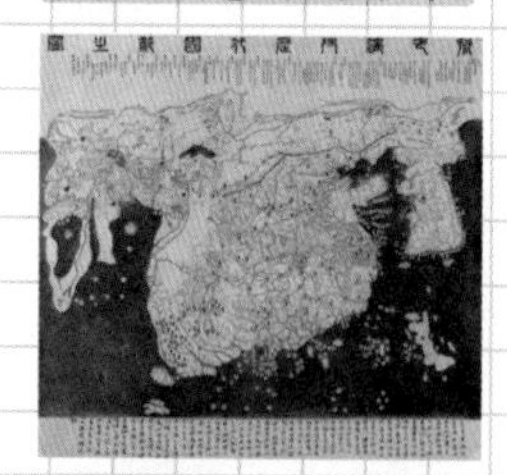
▲ 혼일강리역대국도지도

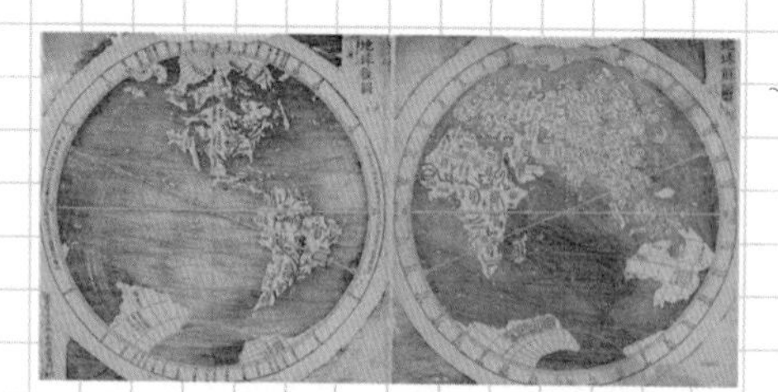
▲ 지구전후도

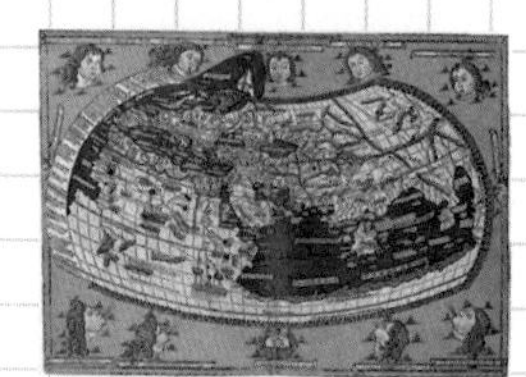
▲ 프톨레마이오스의 세계 지도

▲ 알 이드리시의 세계 지도

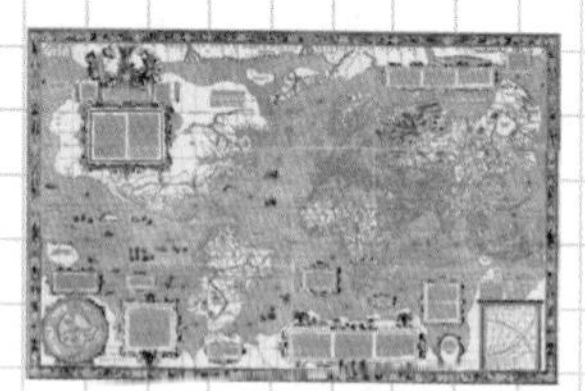
▲ 메르카토르의 세계 지도

• 지리 정보 시스템의 의미와 활용

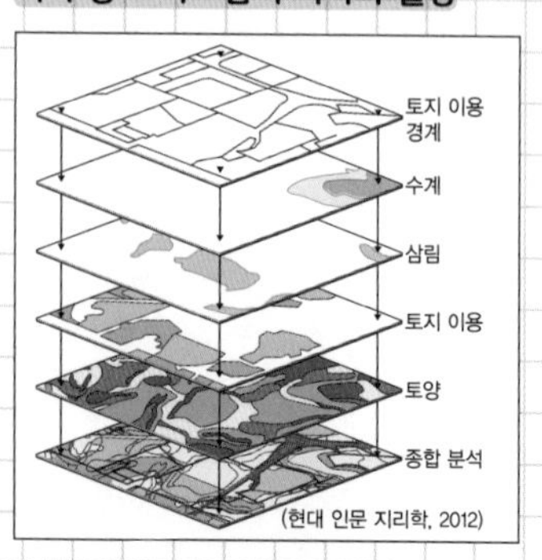

▲ 중첩 분석

마인드맵으로 정리하기

- 자신만의 마인드맵을 만들어 단원의 핵심 내용을 정리해 보자.

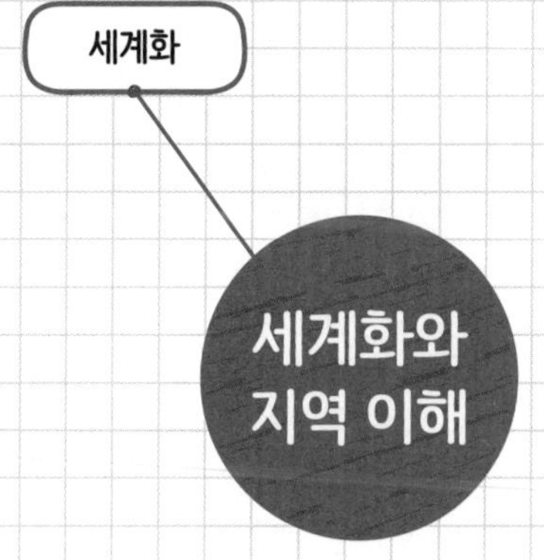

» 선배들이 작성한 정리노트 바로가기

Ⅱ 세계의 자연환경과 인간 생활

01 열대 기후 환경

02 온대 기후 환경

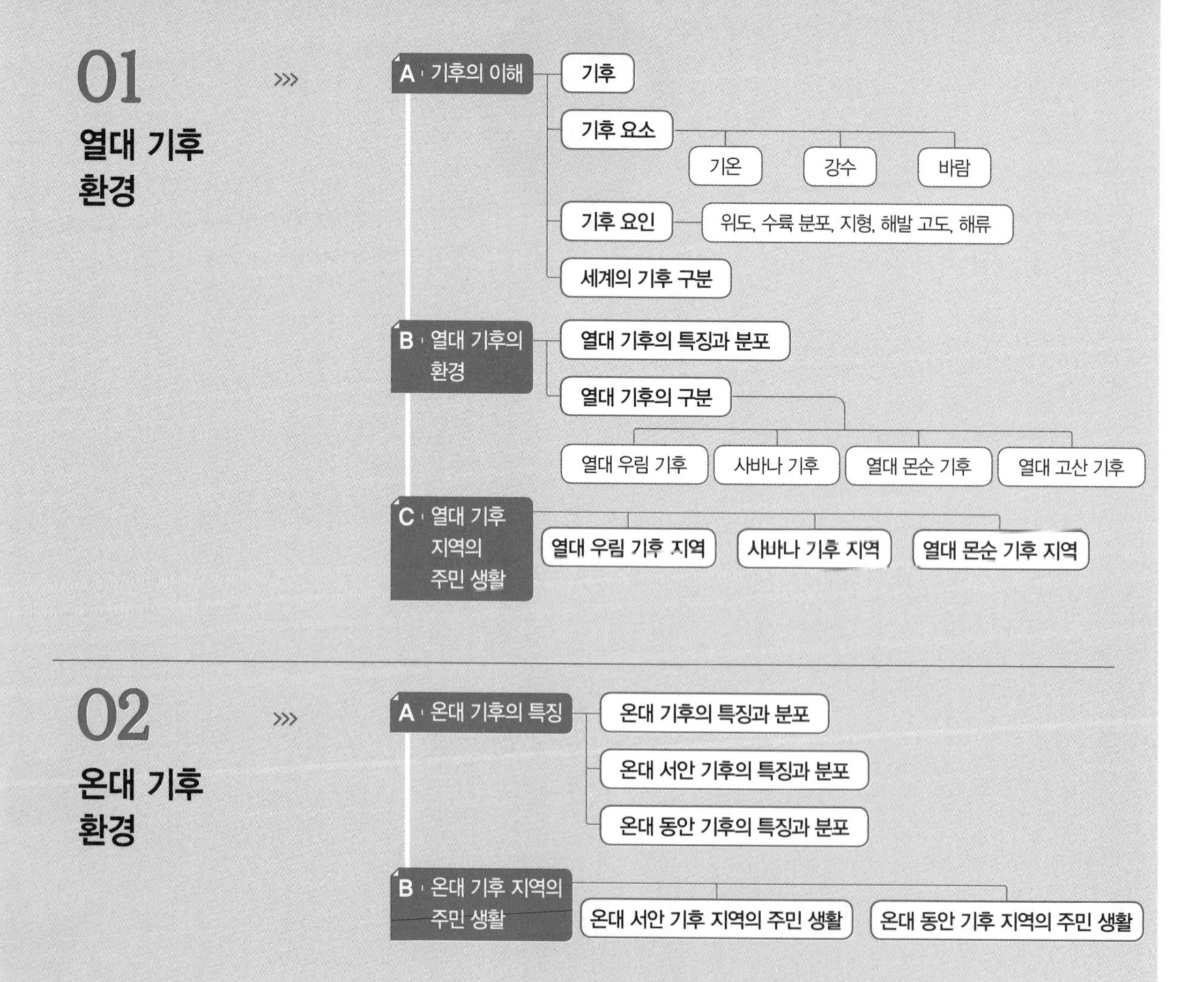

03 건조 및 냉·한대 기후 환경과 지형

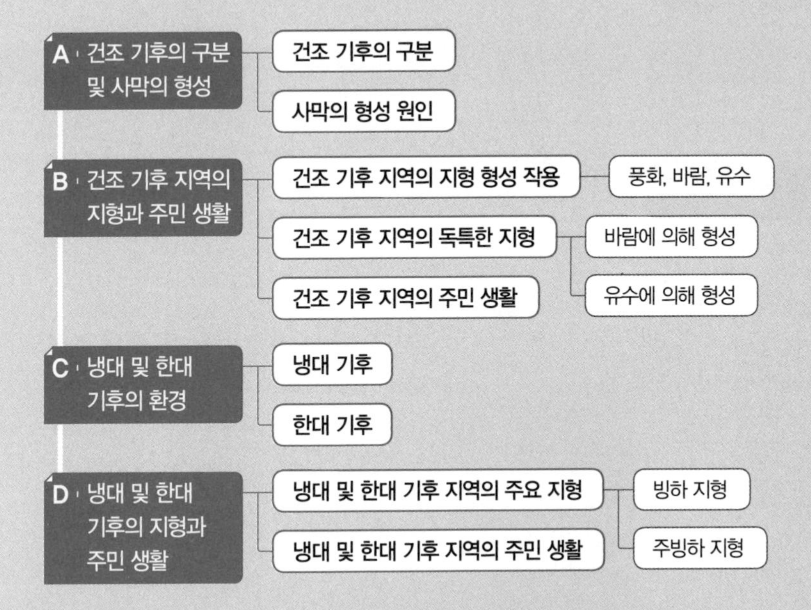
A 건조 기후의 구분 및 사막의 형성
건조 기후의 구분
사막의 형성 원인
B 건조 기후 지역의 지형과 주민 생활
건조 기후 지역의 지형 형성 작용
풍화, 바람, 유수
건조 기후 지역의 독특한 지형
바람에 의해 형성
유수에 의해 형성
건조 기후 지역의 주민 생활
C 냉대 및 한대 기후의 환경
냉대 기후
한대 기후
D 냉대 및 한대 기후의 지형과 주민 생활
냉대 및 한대 기후 지역의 주요 지형
빙하 지형
주빙하 지형
냉대 및 한대 기후 지역의 주민 생활

04 세계의 주요 대지형

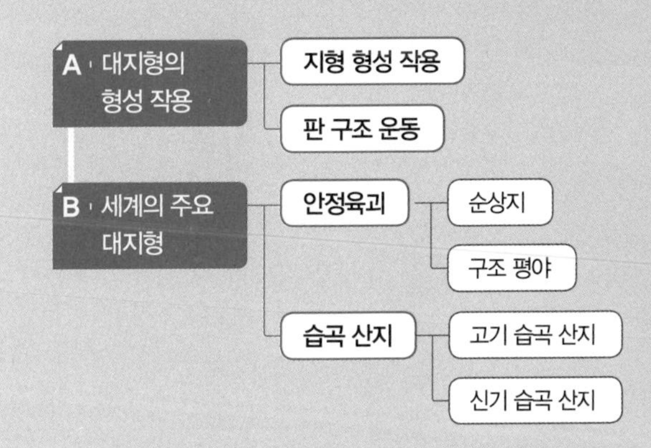
A 대지형의 형성 작용
지형 형성 작용
판 구조 운동
B 세계의 주요 대지형
안정육괴
순상지
구조 평야
습곡 산지
고기 습곡 산지
신기 습곡 산지

05 독특하고 특수한 지형들

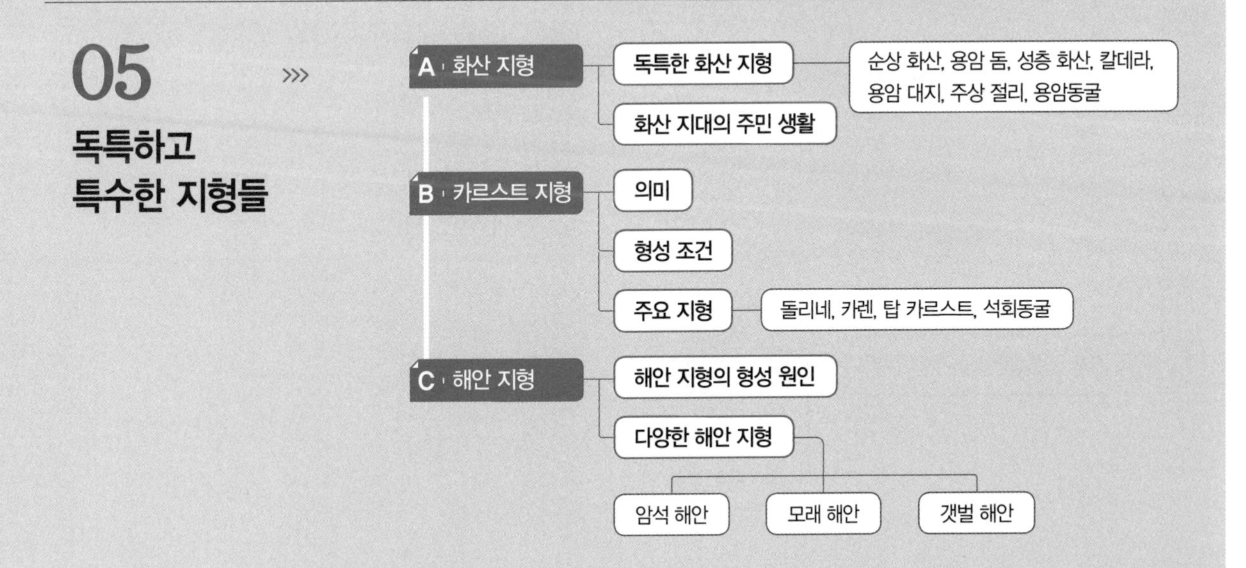
A 화산 지형
독특한 화산 지형
순상 화산, 용암 돔, 성층 화산, 칼데라, 용암 대지, 주상 절리, 용암동굴
화산 지대의 주민 생활
B 카르스트 지형
의미
형성 조건
주요 지형
돌리네, 카렌, 탑 카르스트, 석회동굴
C 해안 지형
해안 지형의 형성 원인
다양한 해안 지형
암석 해안
모래 해안
갯벌 해안

01 열대 기후 환경

개념책 34~37쪽

A 기후의 이해

기후 의미 :

기후 요소

기온	
강수	
바람	

기후 요인

위도	
수륙 분포	
지형	
해발 고도	
해류	

세계의 기후 구분(쾨펜의 기후 구분)
- 구분 기준 :
- 기후 구분 :

B 열대 기후의 환경

열대 기후의 특징과 분포

- 특징 :
- 분포 :

열대 기후의 구분

열대 우림 기후	
사바나 기후	
열대 몬순(계절풍) 기후	
열대 고산 기후	

C 열대 기후 지역의 주민 생활

구분	열대 우림 기후 지역	사바나 기후 지역	열대 몬순(계절풍) 기후 지역
산업			
가옥			

02 온대 기후 환경

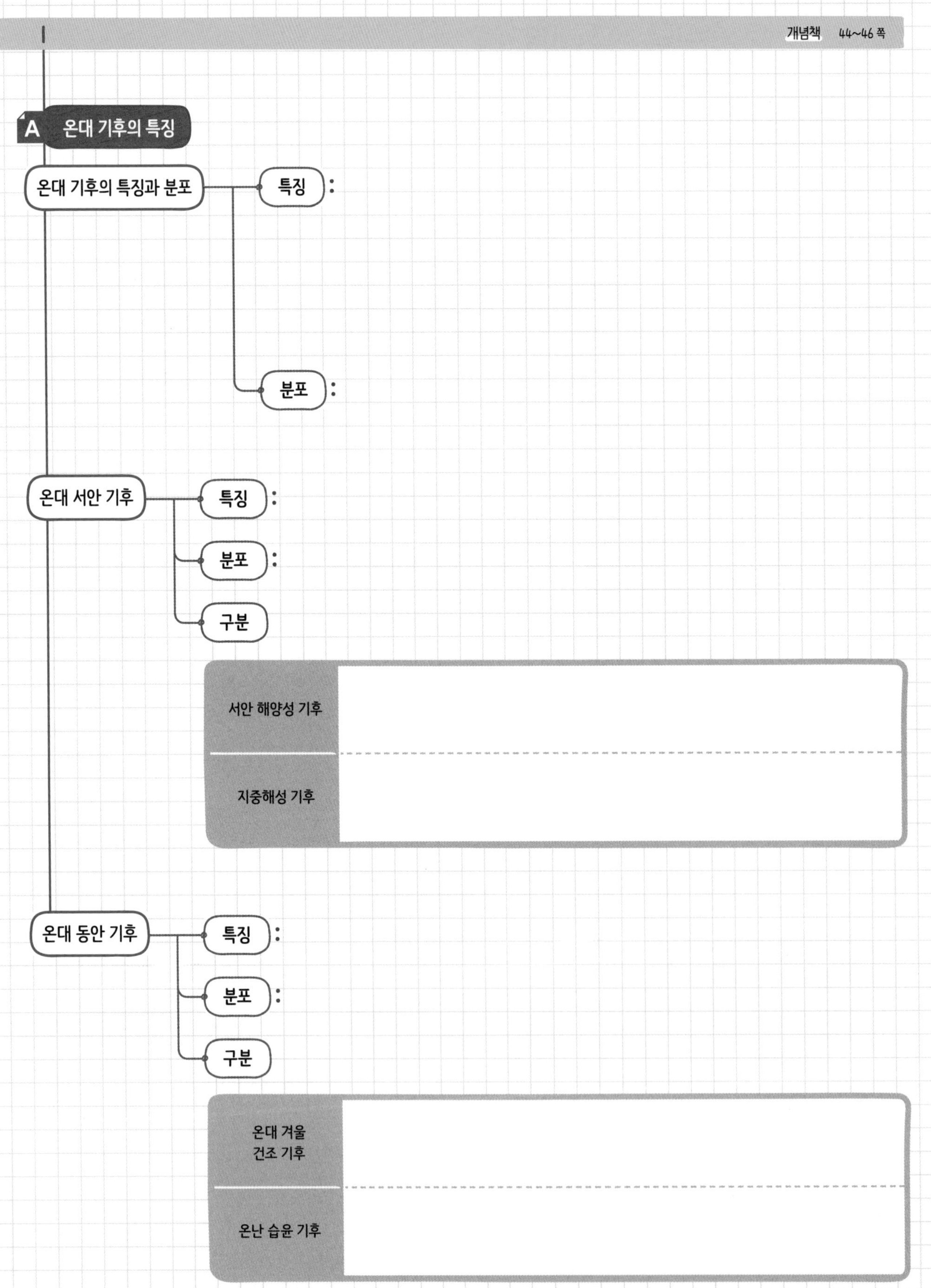

개념책 44~46 쪽
A 온대 기후의 특징
온대 기후의 특징과 분포
특징 :
분포 :
온대 서안 기후
특징 :
분포 :
구분
서안 해양성 기후
지중해성 기후
온대 동안 기후
특징 :
분포 :
구분
온대 겨울 건조 기후
온난 습윤 기후

B 온대 기후 지역의 주민 생활

온대 서안 기후 지역의 주민 생활

서안 해양성 기후 지역	수운 발달	
	풍력 발전	
	농목업	
지중해성 기후 지역	가옥	
	태양광(열) 발전	
	관광 산업	
	농목업	

▲ 혼합 농업

▲ 수목 농업

온대 동안 기후 지역의 주민 생활

농목업

벼농사	
차	
목화	
기업적 목축업과 밀농사	

03 건조 및 냉·한대 기후 환경과 지형

개념책 52~55 쪽

A 건조 기후의 구분 및 사막의 형성

건조 기후의 구분

사막 기후	
스텝 기후	

사막의 형성 원인

원인				
그림	하강 기류	건조한 공기	한류	습윤한 공기 건조한 공기

B 건조 기후 지역의 지형과 주민 생활

지형 형성 작용

풍화	
바람	
유수	

독특한 지형

바람에 의해 형성	삼릉석	
	버섯 바위	
	사구	
유수에 의해 형성	와디	
	플라야	
	선상지	

주민 생활

사막 기후	
스텝 기후	

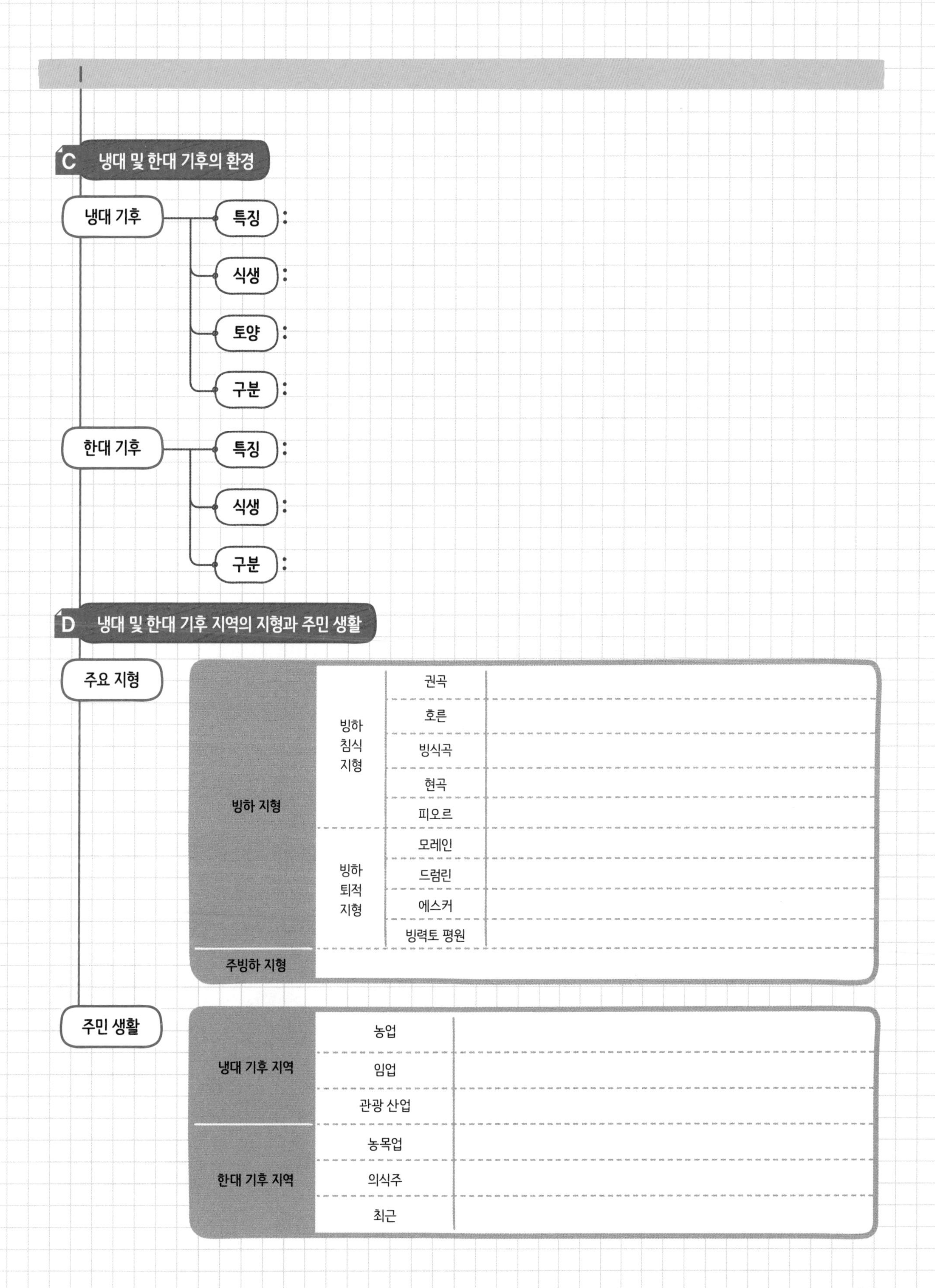
C 냉대 및 한대 기후의 환경
냉대 기후
특징 :
식생 :
토양 :
구분 :
한대 기후
특징 :
식생 :
구분 :
D 냉대 및 한대 기후 지역의 지형과 주민 생활
주요 지형
빙하 지형
빙하 침식 지형
권곡
호른
빙식곡
현곡
피오르
빙하 퇴적 지형
모레인
드럼린
에스커
빙력토 평원
주빙하 지형
주민 생활
냉대 기후 지역
농업
임업
관광 산업
한대 기후 지역
농목업
의식주
최근

04 세계의 주요 대지형

개념책 62~63 쪽

A 대지형의 형성 작용

지형 형성 작용 :

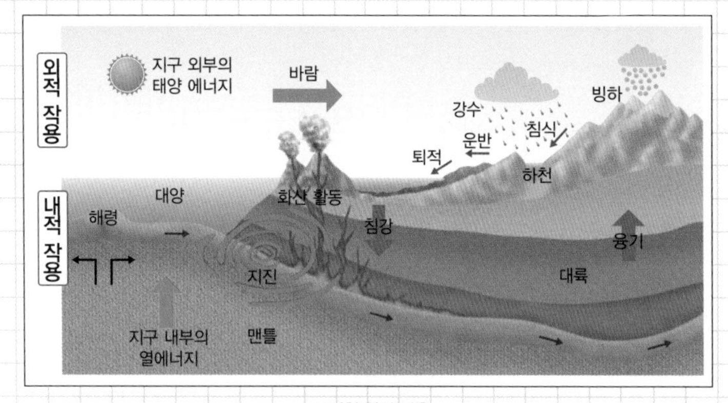

▲ 지형 형성 작용

판 구조 운동

- **두 개의 판이 어긋나서 미끄러지는 경계** :
- **두 개의 판이 서로 갈라지는 경계** :
- **두 개의 판이 충돌하는 경계** :

▲ 세계의 판 구조

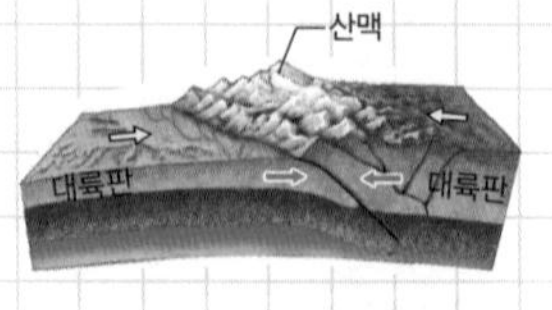

▲ 두 대륙판이 충돌하는 경계

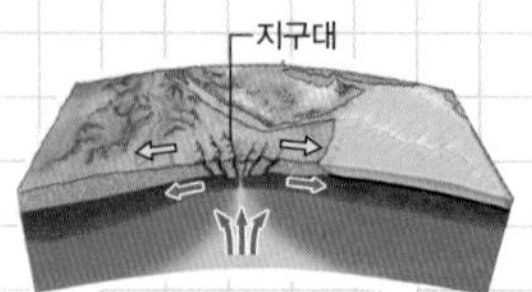

▲ 대륙판에 갈라지는 경계

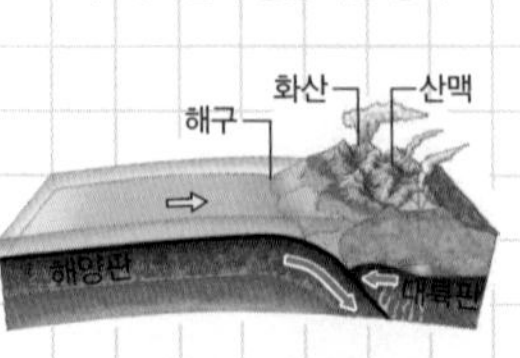

▲ 해양판과 대륙판이 충돌하는 경계

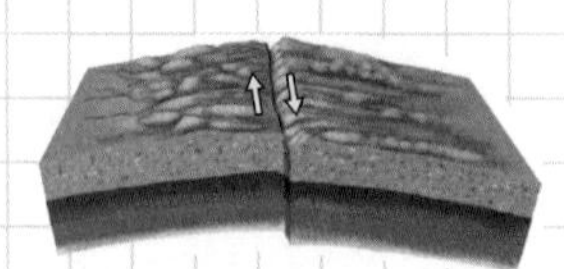
▲ 두 개의 판이 어긋나서 미끄러지는 경계

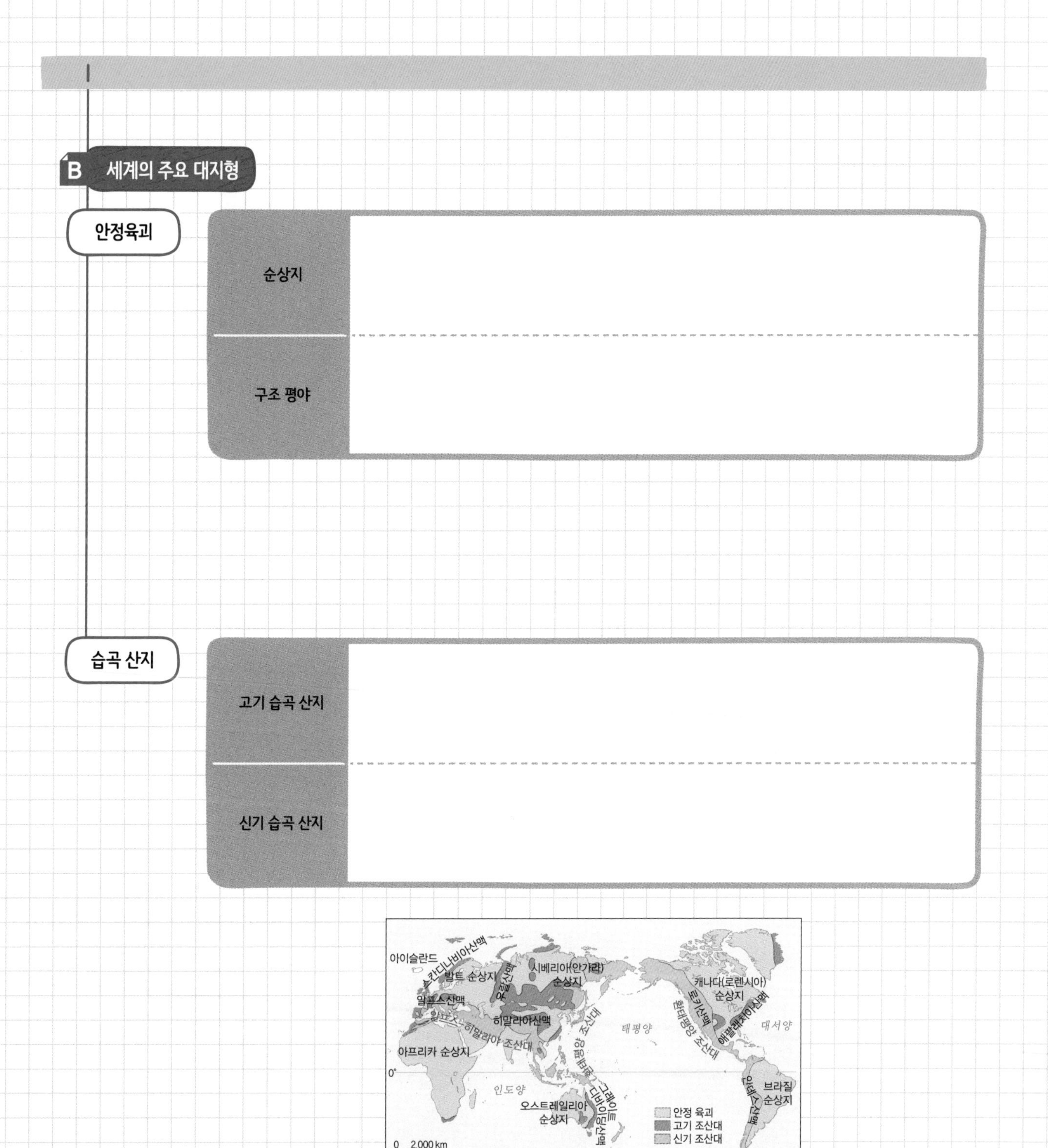
B 세계의 주요 대지형
안정육괴
순상지
구조 평야
습곡 산지
고기 습곡 산지
신기 습곡 산지
아이슬란드
스칸디나비아산맥
발트 순상지
우랄산맥
시베리아(안가라) 순상지
알프스산맥
알프스 - 히말라야 조산대
히말라야산맥
아프리카 순상지
환태평양 조산대
태평양
인도양
오스트레일리아 순상지
그레이트디바이딩산맥
캐나다(로렌시아) 순상지
로키산맥
애팔래치아산맥
대서양
안데스산맥
브라질 순상지
안정 육괴
고기 조산대
신기 조산대
0°
0 2,000 km
*단, 아이슬란드는 해령의 일부가 수면 위로 드러난 곳임.
(세계의 제 지역, 2015)

▲ 세계 대지형의 분포

05 독특하고 특수한 지형들

개념책 68~70 쪽

A 화산 지형

독특한 화산 지형

- 형성 :
- 분포 :
- 주요 지형

순상 화산	
용암 돔	
성층 화산	
칼데라	
용암 대지	
주상 절리	
용암동굴	

화산 지대의 주민 생활

농업	
광업	
지열 발전	
관광 산업	
인간에게 불리한 점	

B 카르스트 지형

의미 :

형성 조건 :

주요 지형

돌리네		
카렌		
탑 카르스트		
석회동굴	종유석	
	석순	
	석주	

C 해안 지형

해안 지형의 형성 원인

파랑	
연안류	
조류	
바람	

다양한 해안 지형

암석 해안	
모래 해안	
갯벌 해안	

단원 정리하기

그림으로 정리하기

지도와 그림에 자신만의 설명을 덧붙여 핵심 내용을 정리해 보자.

01 열대 기후 환경

• 대기 대순환과 위도별 강수량

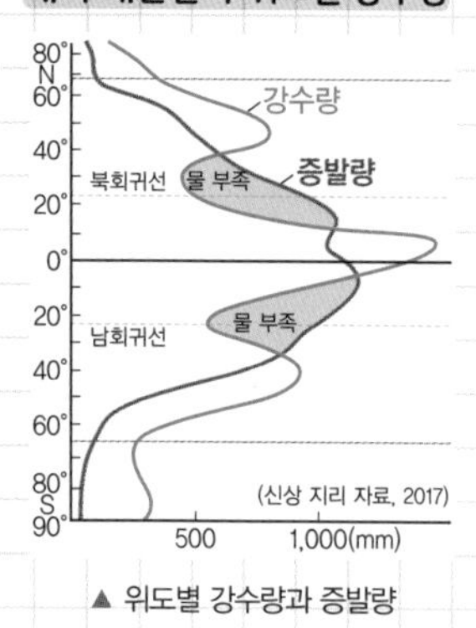

▲ 위도별 강수량과 증발량

02 온대 기후의 분포

• 온대 기후의 특징과 구분

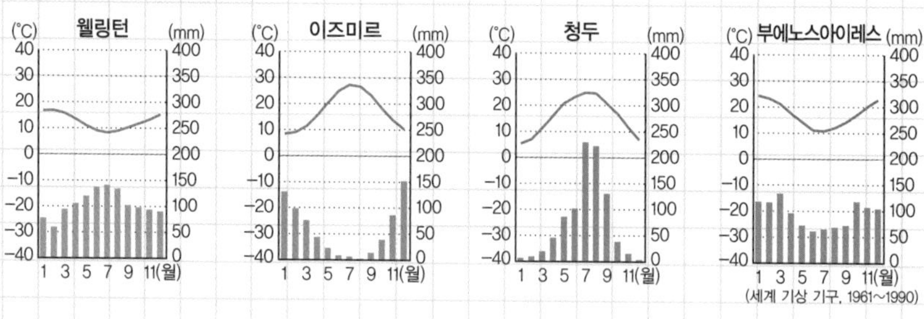

▲ 온대 기후 그래프

03 건조 및 냉·한대 기후 환경과 지형

• 건조 기후의 독특한 지형

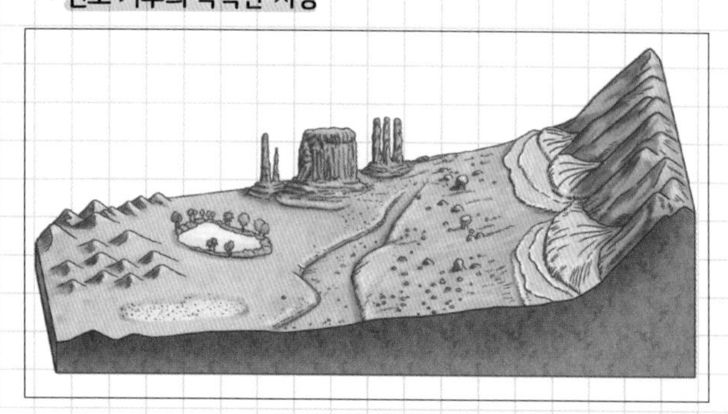

▲ 유수에 의해 형성된 지형

04 세계의 주요 대지형

• 세계의 대지형

▲ 세계 대지형의 분포

05 독특하고 특수한 지형들

• 다양한 해안 지형

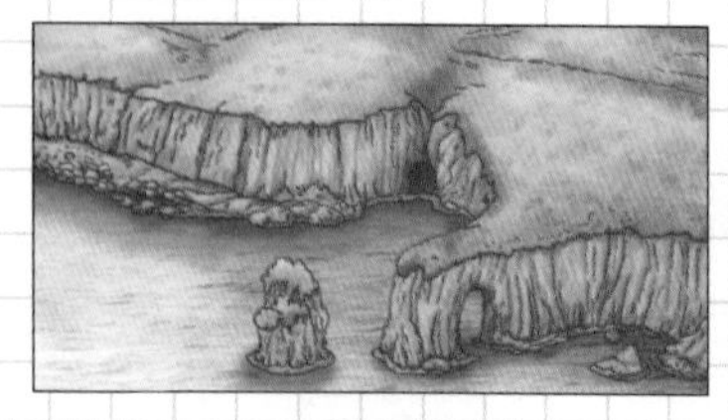

▲ 암석 해안

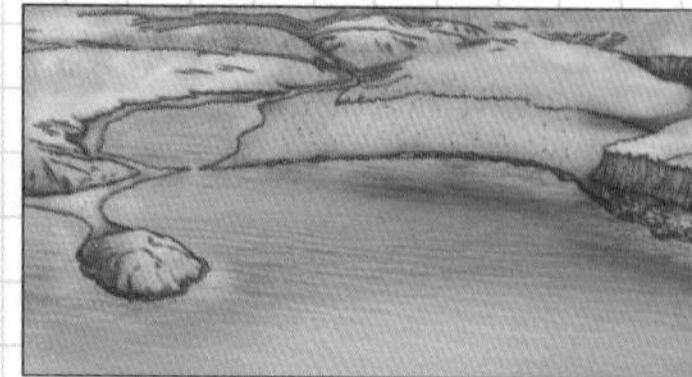

▲ 모래 해안

마인드맵으로 정리하기

- 자신만의 마인드맵을 만들어 단원의 핵심 내용을 정리해 보자.

열대 기후 환경

세계의 자연환경과 인간 생활

» 선배들이 작성한 정리노트 바로가기

세계의 인문 환경과 인문 경관

01 주요 종교의 전파와 종교 경관

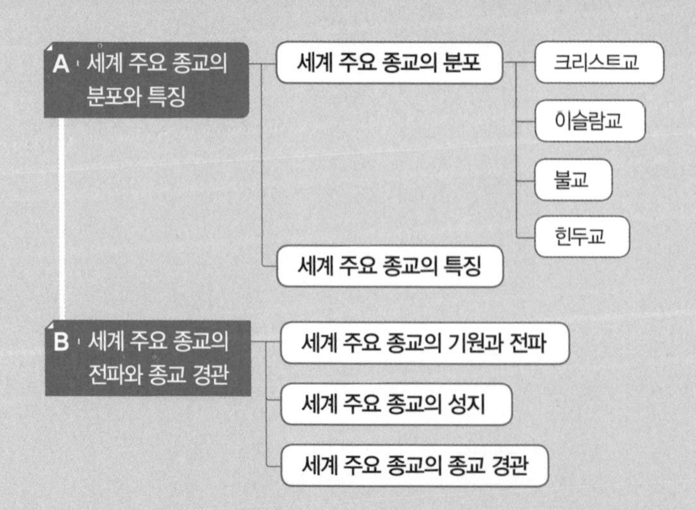

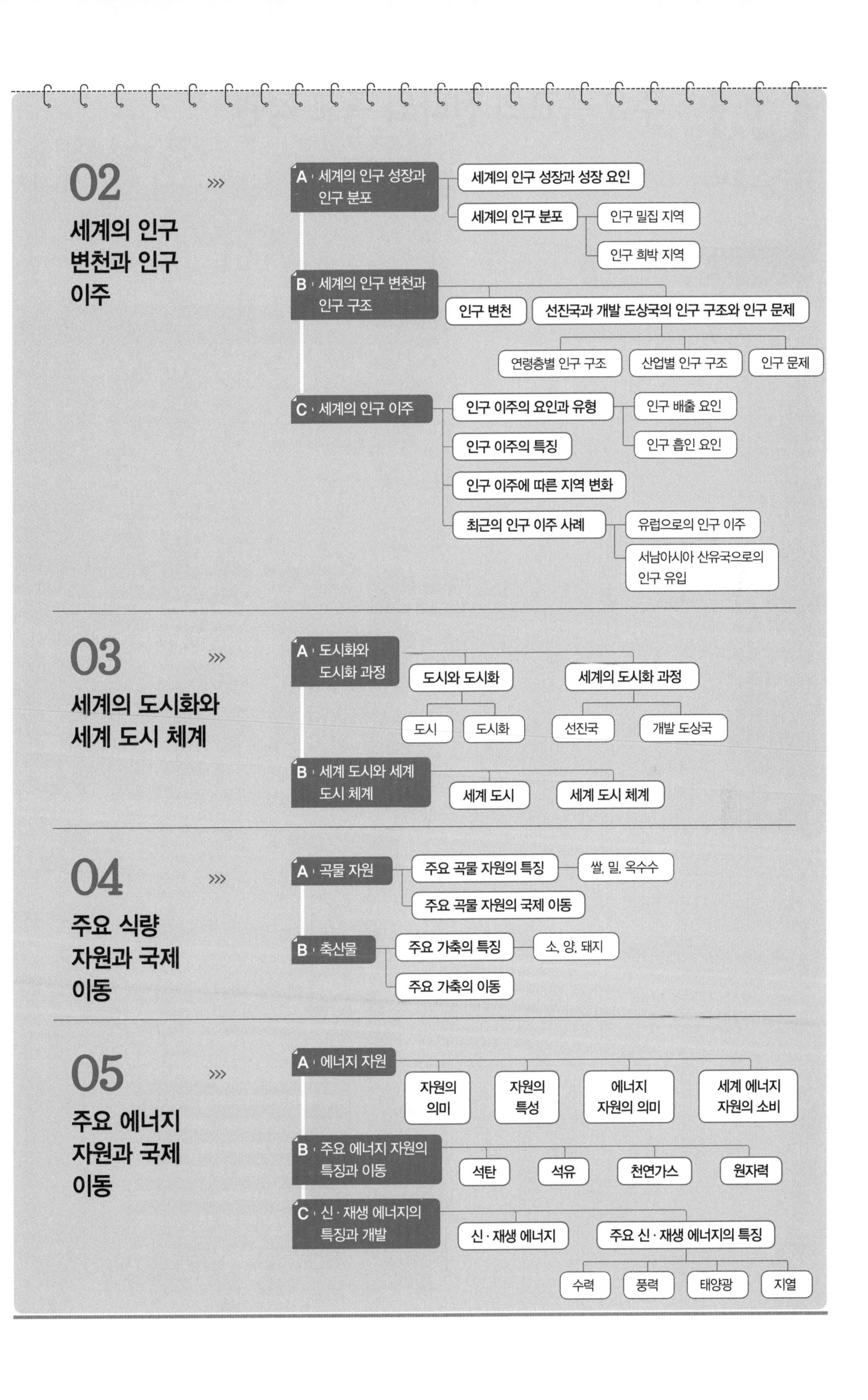
02
세계의 인구 변천과 인구 이주
A 세계의 인구 성장과 인구 분포
세계의 인구 성장과 성장 요인
세계의 인구 분포
인구 밀집 지역
인구 희박 지역
B 세계의 인구 변천과 인구 구조
인구 변천
선진국과 개발 도상국의 인구 구조와 인구 문제
연령층별 인구 구조
산업별 인구 구조
인구 문제
C 세계의 인구 이주
인구 이주의 요인과 유형
인구 배출 요인
인구 흡인 요인
인구 이주의 특징
인구 이주에 따른 지역 변화
최근의 인구 이주 사례
유럽으로의 인구 이주
서남아시아 산유국으로의 인구 유입
03
세계의 도시화와 세계 도시 체계
A 도시화와 도시화 과정
도시와 도시화
도시
도시화
세계의 도시화 과정
선진국
개발 도상국
B 세계 도시와 세계 도시 체계
세계 도시
세계 도시 체계
04
주요 식량 자원과 국제 이동
A 곡물 자원
주요 곡물 자원의 특징
쌀, 밀, 옥수수
주요 곡물 자원의 국제 이동
B 축산물
주요 가축의 특징
소, 양, 돼지
주요 가축의 이동
05
주요 에너지 자원과 국제 이동
A 에너지 자원
자원의 의미
자원의 특성
에너지 자원의 의미
세계 에너지 자원의 소비
B 주요 에너지 자원의 특징과 이동
석탄
석유
천연가스
원자력
C 신·재생 에너지의 특징과 개발
신·재생 에너지
주요 신·재생 에너지의 특징
수력
풍력
태양광
지열

01 주요 종교의 전파와 종교 경관

개념책 84~85쪽

A 세계 주요 종교의 분포와 특징

종교	분포	특징
크리스트교		
이슬람교		
불교		
힌두교		

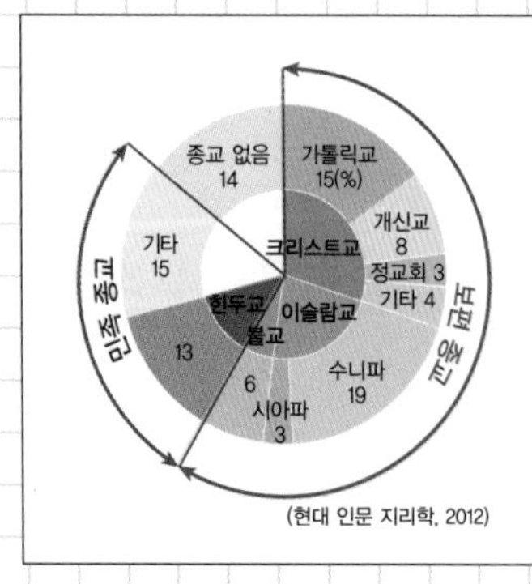

▲ 세계의 종교 인구 구성

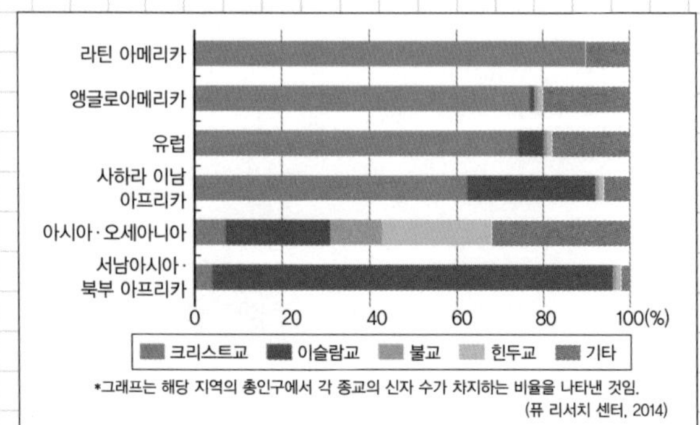

•그래프는 해당 지역의 총인구에서 각 종교의 신자 수가 차지하는 비율을 나타낸 것임.
(퓨 리서치 센터, 2014)

▲ 지역별 종교 비율

B 세계 주요 종교의 전파와 종교 경관

세계 종교의 기원과 전파

종교	기원	전파
크리스트교		
이슬람교		
불교		
힌두교		

세계 주요 종교의 성지 :

세계 주요 종교의 종교 경관

크리스트교	
이슬람교	
불교	
힌두교	

02 세계의 인구 변천과 인구 이주

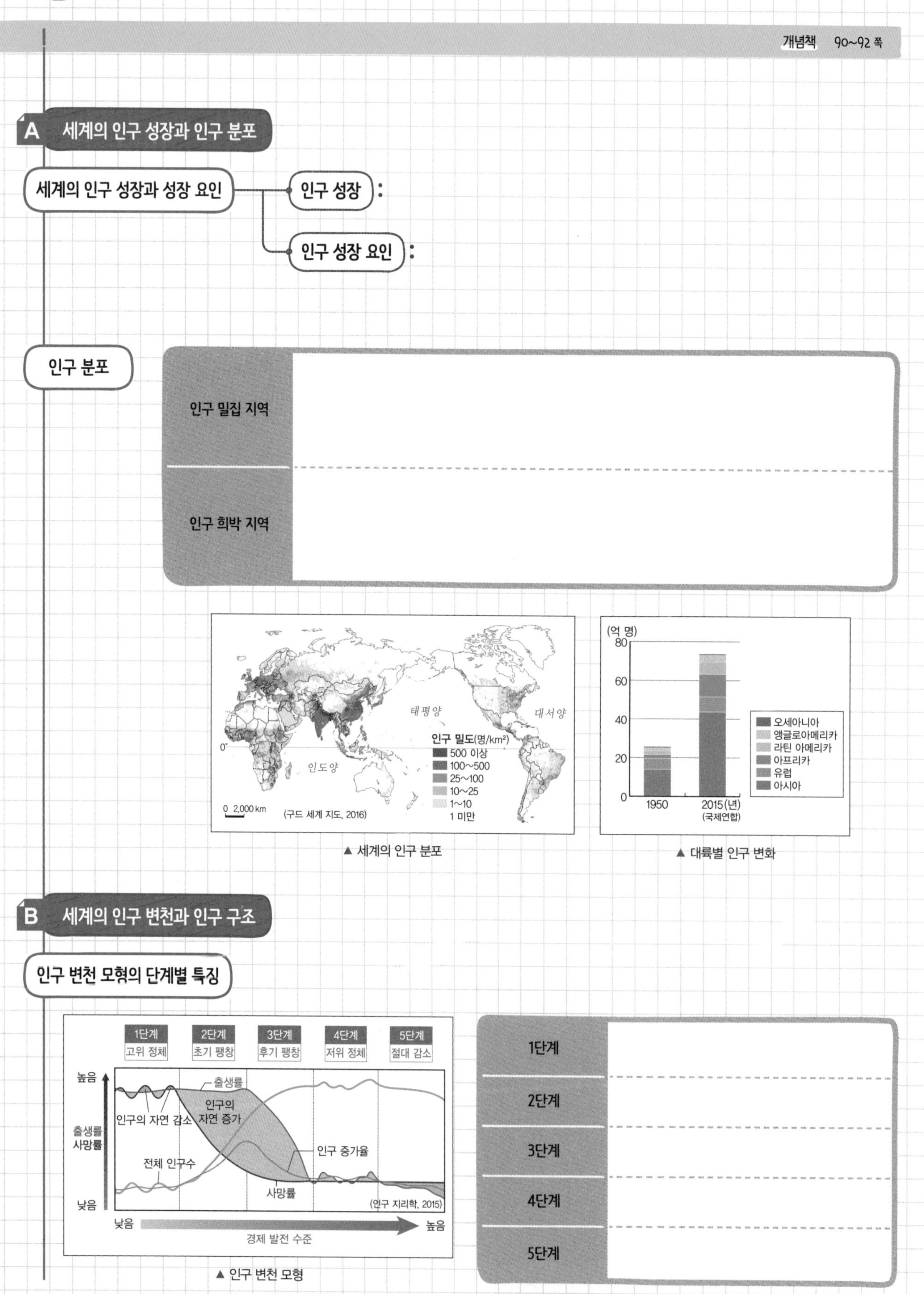

▲ 세계의 인구 분포

▲ 대륙별 인구 변화

▲ 인구 변천 모형

선진국과 개발 도상국의 인구 구조와 인구 문제

구분	연령층별 인구 구조	산업별 인구 구조	인구 문제
선진국			
개발 도상국			

C 세계의 인구 이주

인구 이주의 요인과 유형

인구 이주의 요인 :

인구 배출 요인	
인구 흡인 요인	

인구 이주의 유형 :

인구 이주의 특징 :

인구 이주에 따른 지역의 변화

구분	인구 유출 지역	인구 유입 지역
긍정적 변화		
부정적 변화		

최근의 인구 이주 사례 :

03 세계의 도시화와 세계 도시 체계

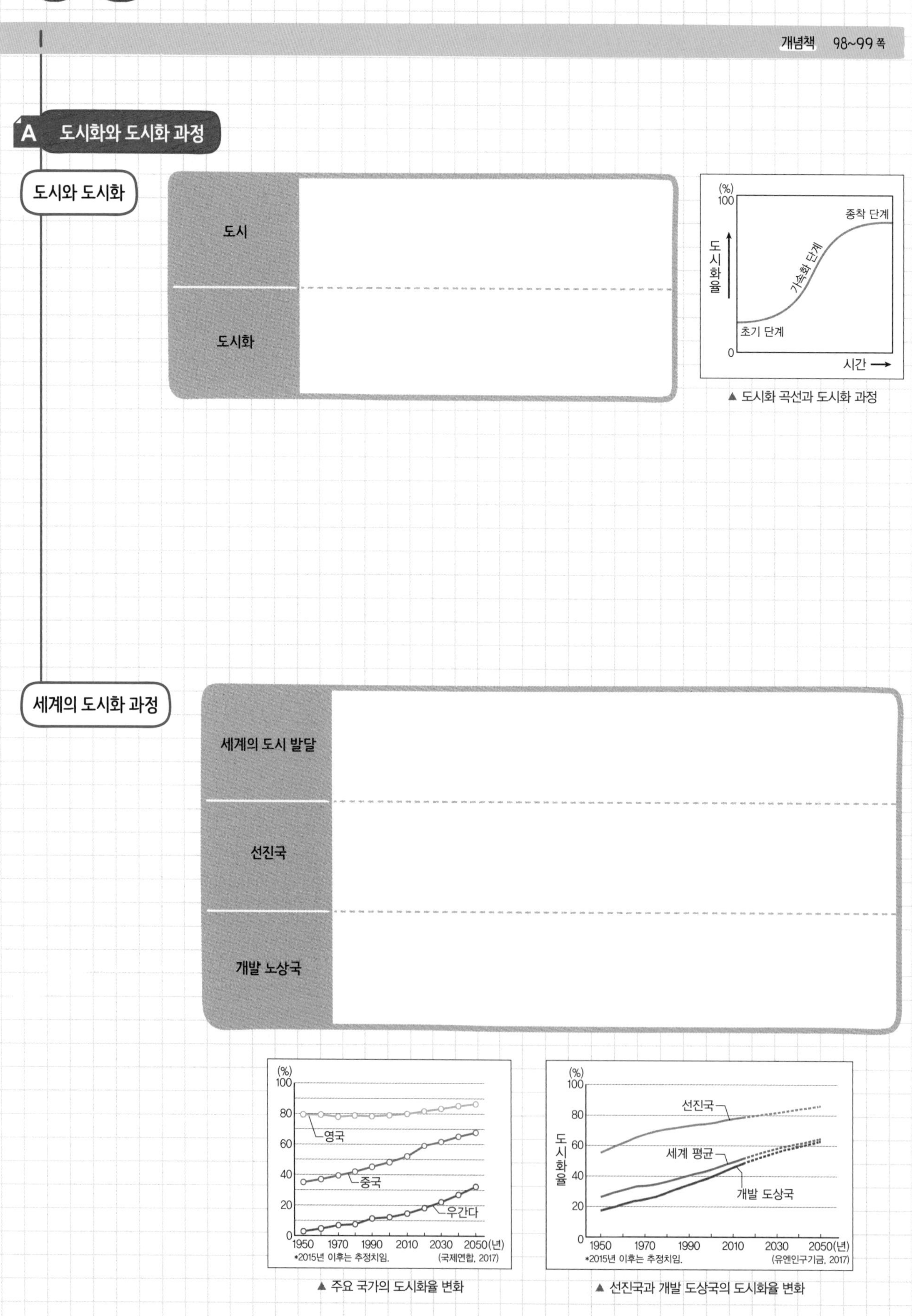

▲ 도시화 곡선과 도시화 과정

▲ 주요 국가의 도시화율 변화

▲ 선진국과 개발 도상국의 도시화율 변화

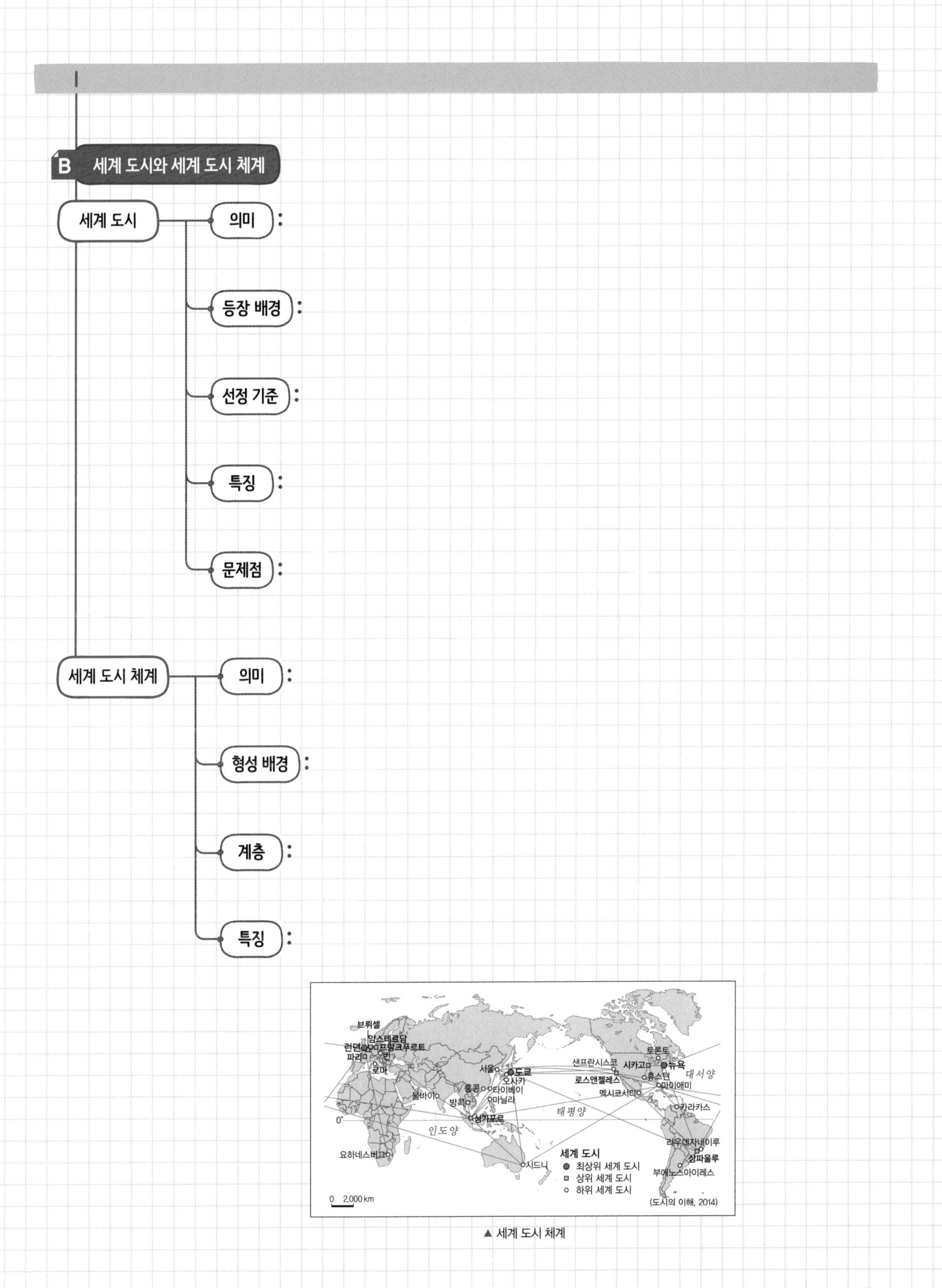
B 세계 도시와 세계 도시 체계
세계 도시
의미 :
등장 배경 :
선정 기준 :
특징 :
문제점 :
세계 도시 체계
의미 :
형성 배경 :
계층 :
특징 :
브뤼셀
암스테르담
런던
프랑크푸르트
파리
빈
로마
뭄바이
요하네스버그
서울
도쿄
오사카
홍콩
타이베이
마닐라
방콕
싱가포르
시드니
샌프란시스코
로스앤젤레스
시카고
토론토
뉴욕
휴스턴
마이애미
멕시코시티
카라카스
리우데자네이루
상파울루
부에노스아이레스
대서양
태평양
인도양
0°
세계 도시
최상위 세계 도시
상위 세계 도시
하위 세계 도시
0 2,000 km
(도시의 이해, 2014)

▲ 세계 도시 체계

04 주요 식량 자원과 국제 이동

개념책 104~105 쪽

A 곡물 자원

주요 곡물 자원의 특징

구분	쌀	밀	옥수수
기원지와 재배 조건			
주요 재배지			
특징			

주요 곡물 자원의 국제 이동

쌀	
밀	
옥수수	

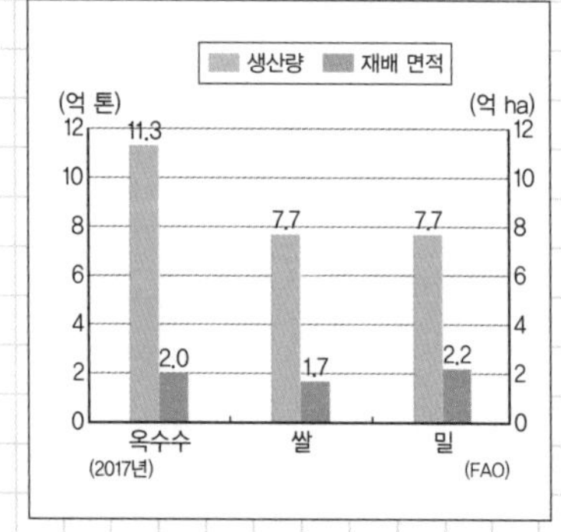

▲ 주요 곡물의 대륙별 생산량 비율

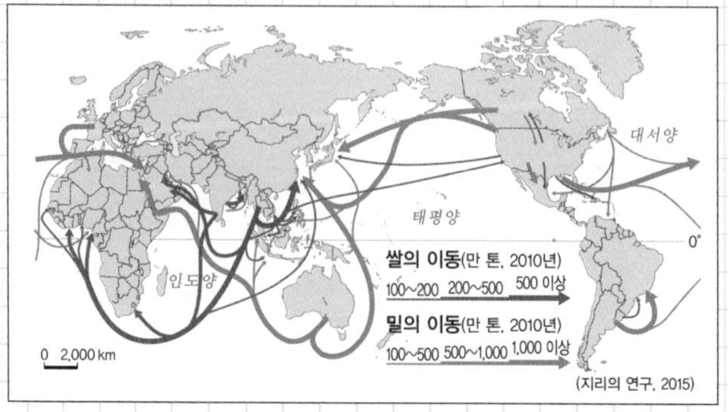

▲ 주요 곡물 자원의 생산과 이동

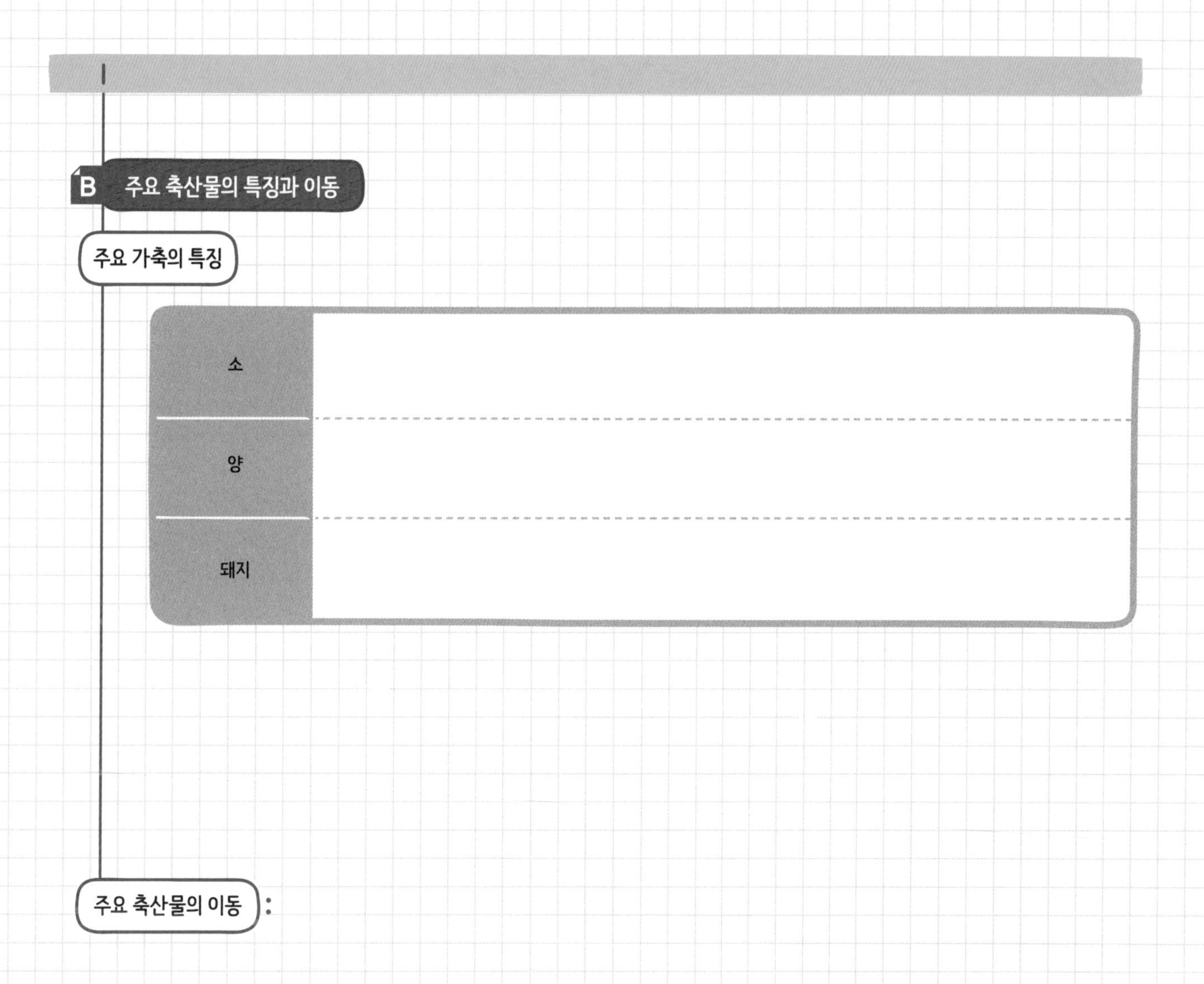

B 주요 축산물의 특징과 이동

주요 가축의 특징

소	
양	
돼지	

주요 축산물의 이동 :

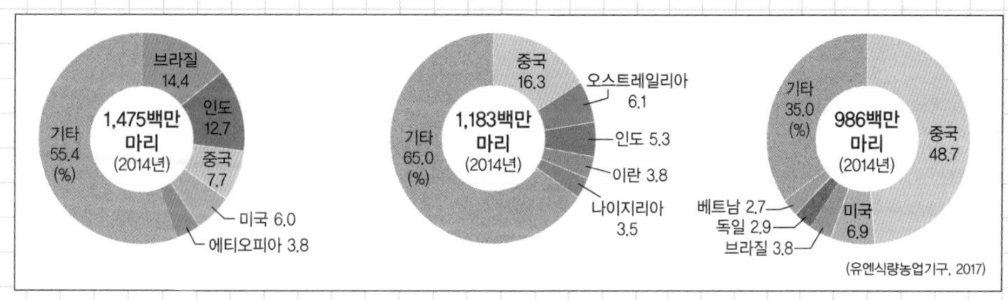

▲ 주요 가축의 국가별 사육 두수 비율

05 주요 에너지 자원과 국제 이동

개념책 110~112 쪽

A 에너지 자원

자원의 의미 :

자원의 특성

유한성	
편재성	
가변성	

에너지 자원의 의미 :

에너지 자원의 생산과 소비 :

B 주요 에너지 자원의 특징과 이동

구분	특징	매장 및 분포	국제 이동	
			주요 수출 국가	주요 수입 국가
석탄				
석유				
천연가스				
원자력				

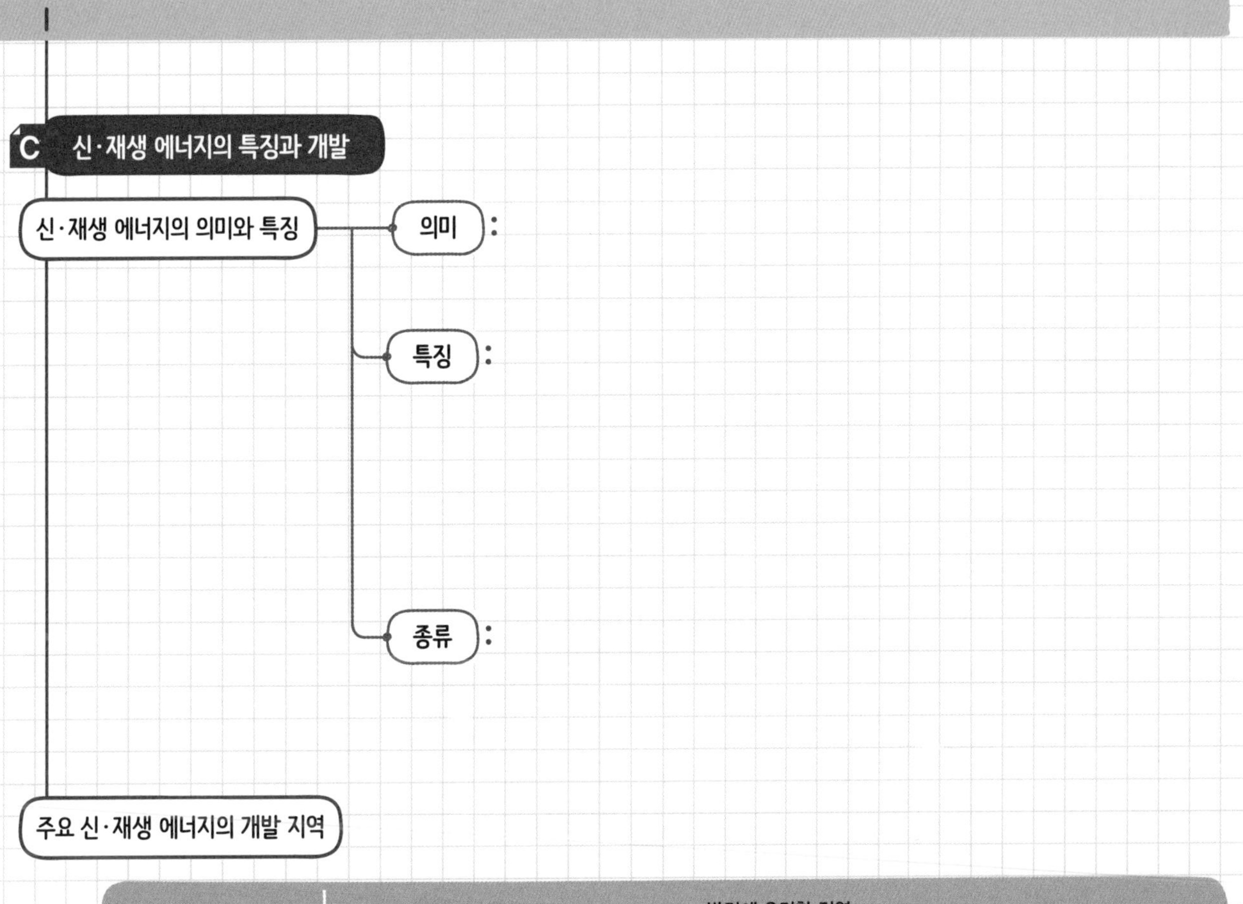

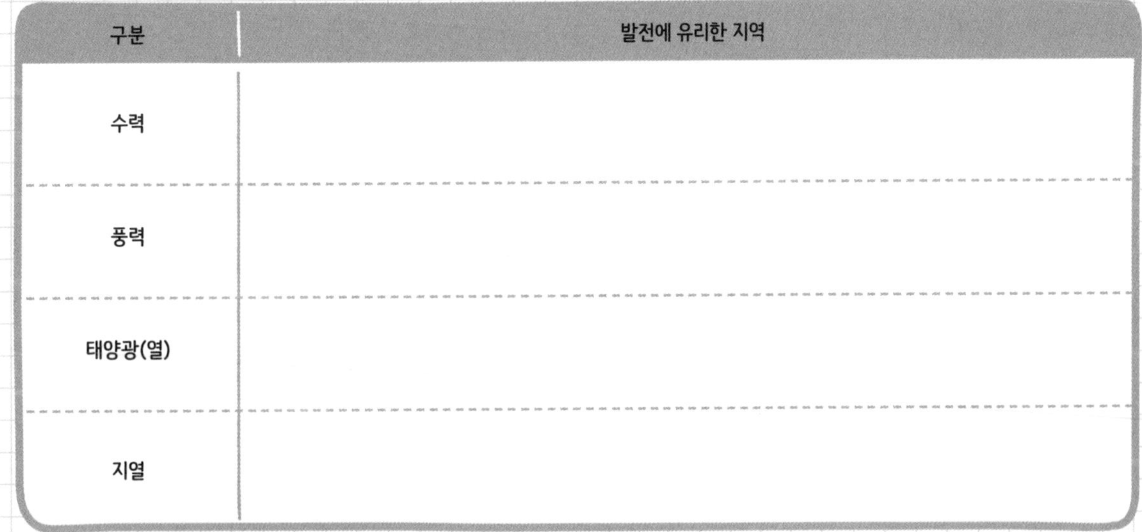

구분	발전에 유리한 지역
수력	
풍력	
태양광(열)	
지열	

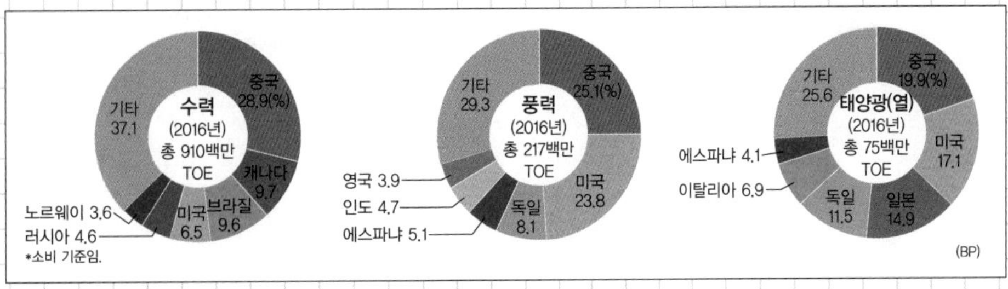

▲ 주요 신 · 재생 에너지의 국가별 소비량 비율

단원 정리하기

그림으로 정리하기

● 지도와 그림에 자신만의 설명을 덧붙여 핵심 내용을 정리해 보자.

01 주요 종교의 전파와 종교 경관

• 세계 주요 종교의 분포와 전파

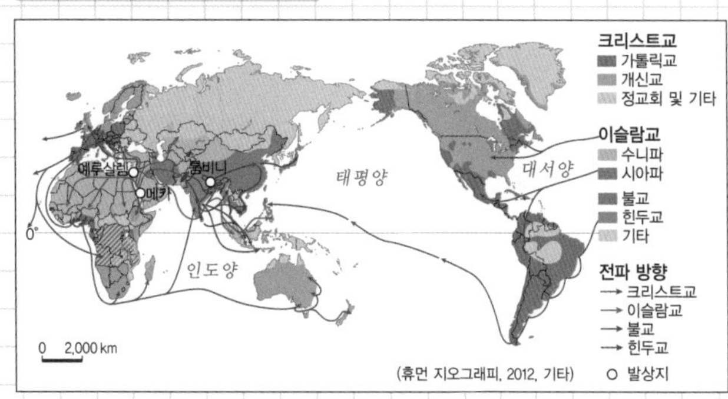

▲ 세계 주요 종교의 전파 과정과 분포

02 세계의 인구 변천과 인구 이주

• 인구 이주의 특징

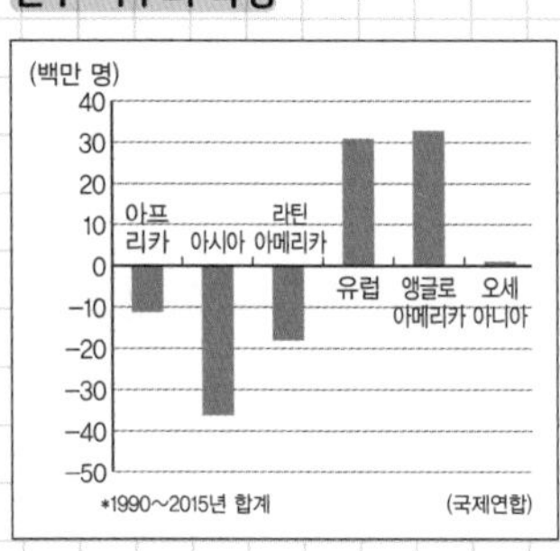

▲ 대륙별 인구의 사회적 증감

03 세계의 도시화와 세계 도시 체계

• 선진국과 개발 도상국의 도시화

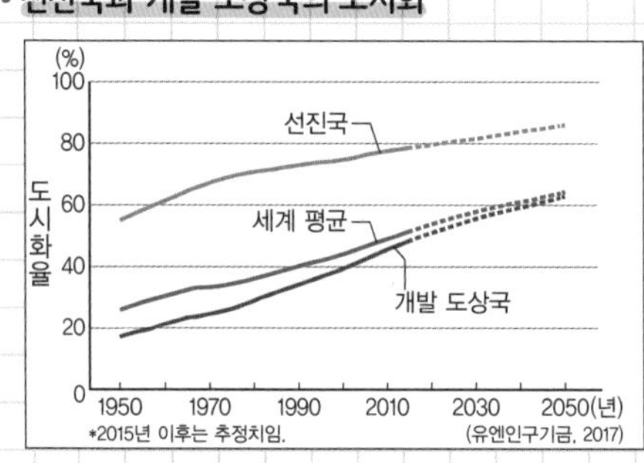

▲ 선진국과 개발 도상국의 도시화율 변화

04 주요 식량 자원과 국제 이동

• 주요 곡물 자원의 특징

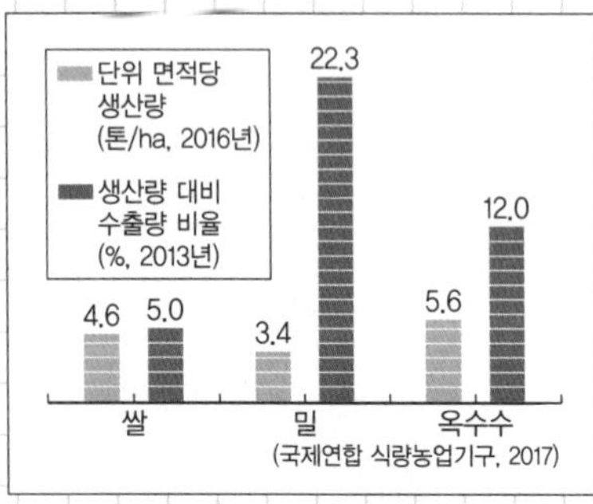

▲ 주요 곡물 자원의 국가별 생산량 비율

05 주요 에너지 자원과 국제 이동

• 주요 에너지 자원의 특징

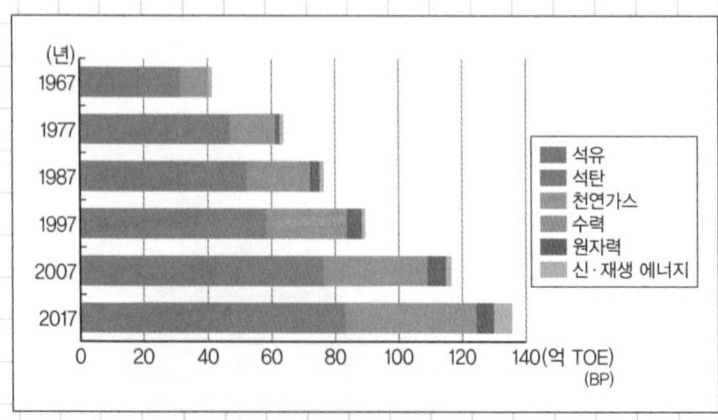

▲ 세계 주요 에너지 자원별 소비량 변화

마인드맵으로 정리하기

◎ 자신만의 마인드맵을 만들어 단원의 핵심 내용을 정리해 보자.

종교

세계의 인문 환경과 인문 경관

» 선배들이 작성한 정리노트 바로가기

Ⅳ 몬순 아시아와 오세아니아

01 자연환경에 적응한 생활 모습

- A 몬순 아시아의 자연환경
  - 계절풍의 영향이 큰 기후
  - 다양한 지형
- B 몬순 아시아의 전통적인 생활 모습
  - 자연환경에 적응한 농업
    - 몬순의 영향이 강한 지역
    - 몬순의 영향이 적은 지역
  - 자연환경에 적응한 의식주 문화

02 주요 자원의 분포 및 이동과 산업 구조

- A 몬순 아시아와 오세아니아의 자원 분포 및 이동
  - 지하자원의 분포와 이동
  - 농축산물의 분포와 이동
- B 몬순 아시아와 오세아니아 주요 국가의 산업 구조
  - 몬순 아시아 — 일본, 중국, 인도, 동남아 국가
  - 오세아니아 — 오스트레일리아, 뉴질랜드
  - 몬순 아시아와 오세아니아의 경제 협력

03 민족(인종) 및 종교적 차이

- A 몬순 아시아와 오세아니아의 다양한 민족(인종)과 종교
  - 몬순 아시아의 민족(인종)과 종교 — 중국, 동남아시아, 남부 아시아
  - 몬순 아시아의 종교 분포 — 불교, 이슬람교, 힌두교, 크리스트교
  - 오세아니아의 민족(인종)과 종교
- B 지역 갈등과 해결 노력
  - 몬순 아시아의 갈등과 해결 노력
  - 오세아니아의 갈등과 해결 노력

01 자연환경에 적응한 생활 모습

개념책 126~127 쪽

A 몬순 아시아의 자연환경

계절풍의 영향이 큰 기후

겨울 계절풍	
여름 계절풍	

다양한 지형

해발 고도가 높은 산맥과 고원	
빈번한 지진과 화산 활동	
대하천 주변의 평야 발달	

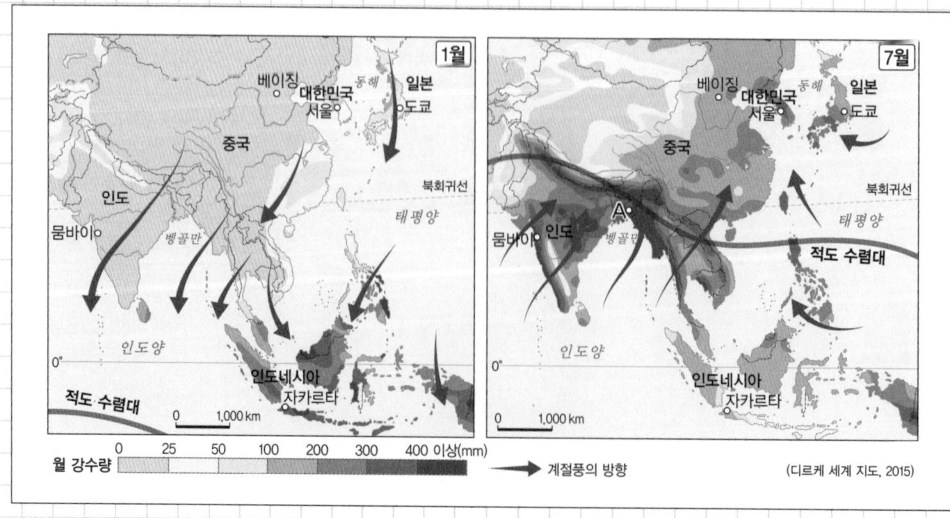

▲ 몬순 아시아의 계절풍과 강수량

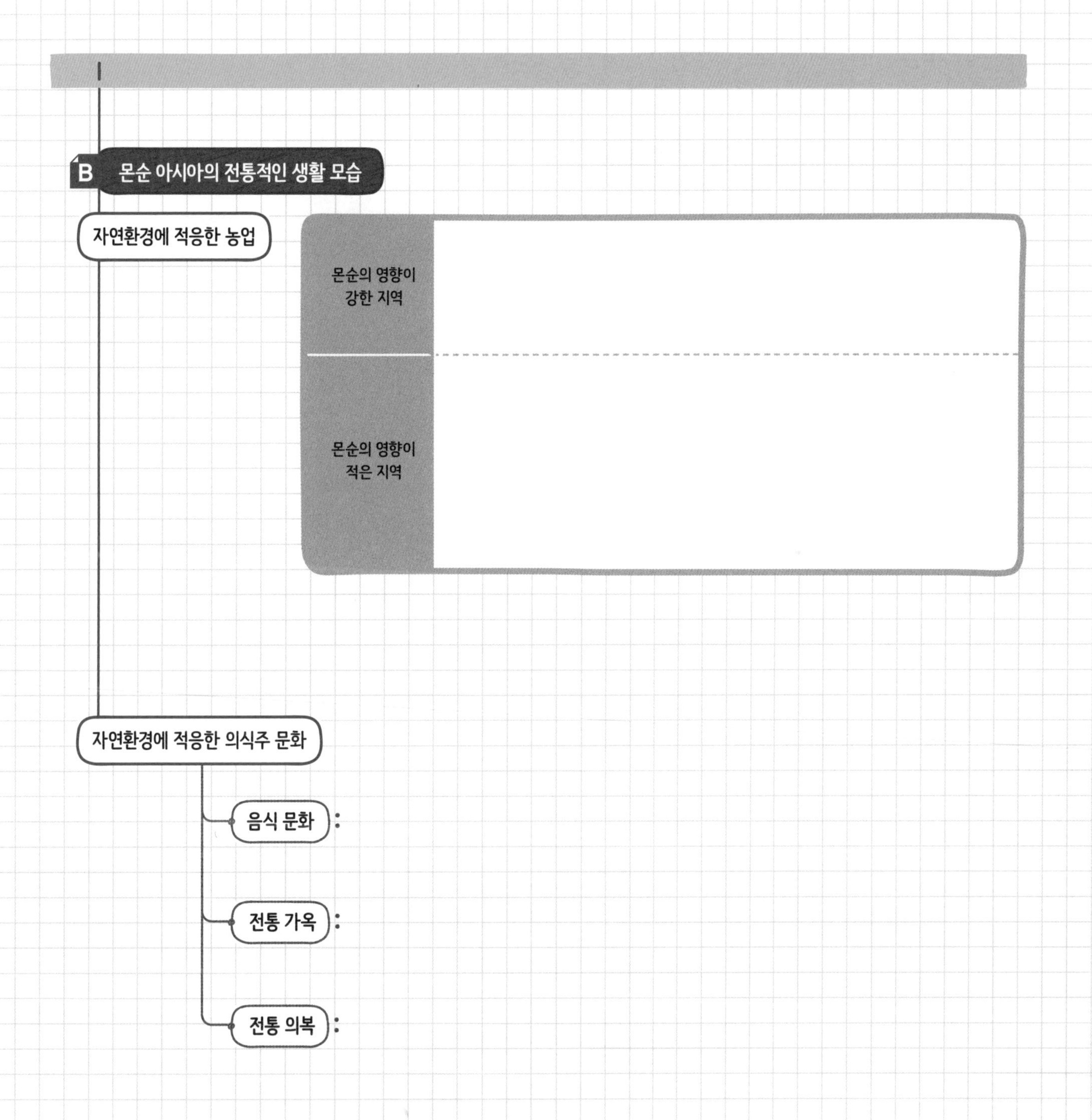
B 몬순 아시아의 전통적인 생활 모습
자연환경에 적응한 농업
몬순의 영향이 강한 지역
몬순의 영향이 적은 지역
자연환경에 적응한 의식주 문화
음식 문화 :
전통 가옥 :
전통 의복 :

02 주요 자원의 분포 및 이동과 산업 구조

개념책 132~133 쪽

A 몬순 아시아와 오세아니아의 자원 분포 및 이동

지하자원의 분포와 이동

지하자원	분포	이동
석탄		
철광석		
천연가스		

농축산물의 분포와 이동

농축산물	분포	이동
쌀		
밀		
소고기, 유제품		

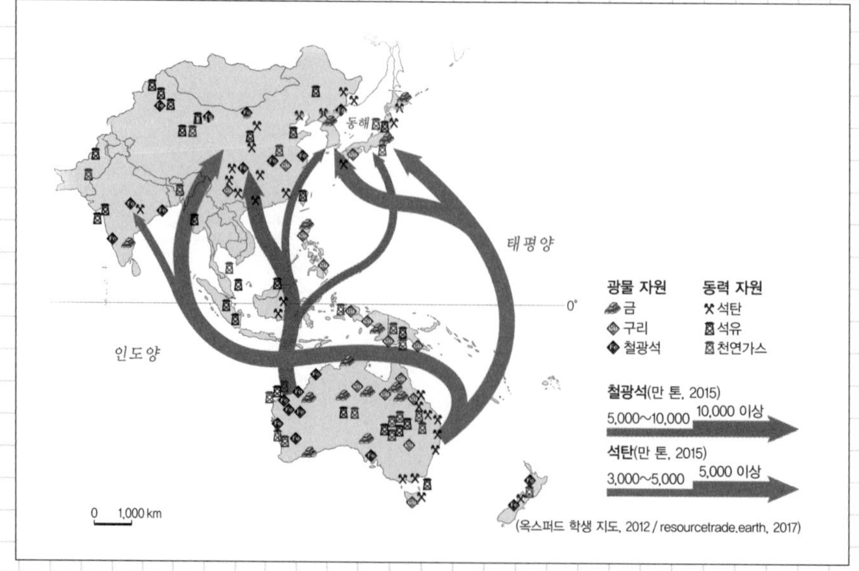

▲ 몬순 아시아와 오세아니아의 지하자원 분포 및 이동

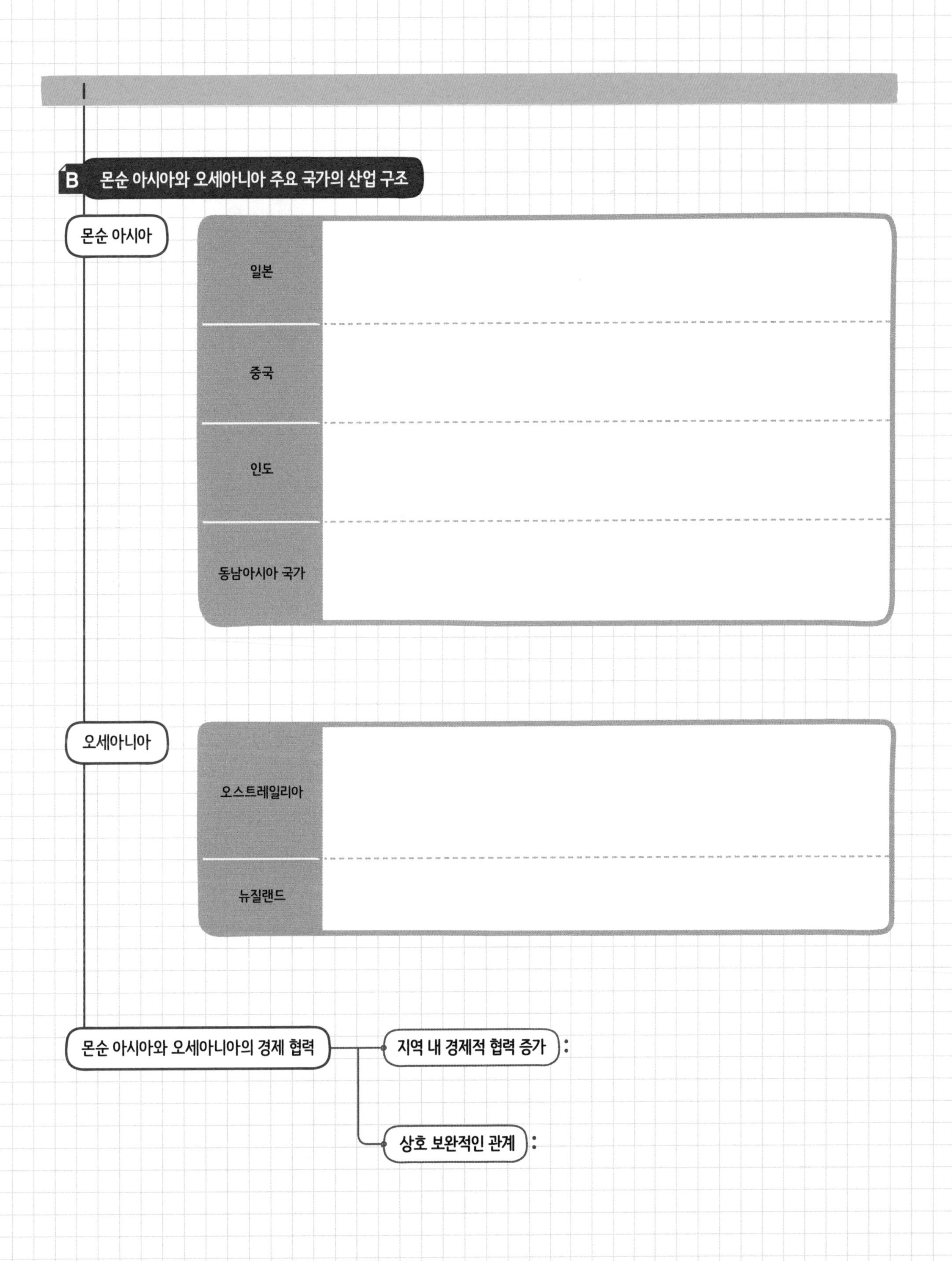
B 몬순 아시아와 오세아니아 주요 국가의 산업 구조
몬순 아시아
일본
중국
인도
동남아시아 국가
오세아니아
오스트레일리아
뉴질랜드
몬순 아시아와 오세아니아의 경제 협력
지역 내 경제적 협력 증가 :
상호 보완적인 관계 :

03 민족(인종) 및 종교적 차이

개념책 138~139 쪽

A 몬순 아시아와 오세아니아의 다양한 민족(인종)과 종교

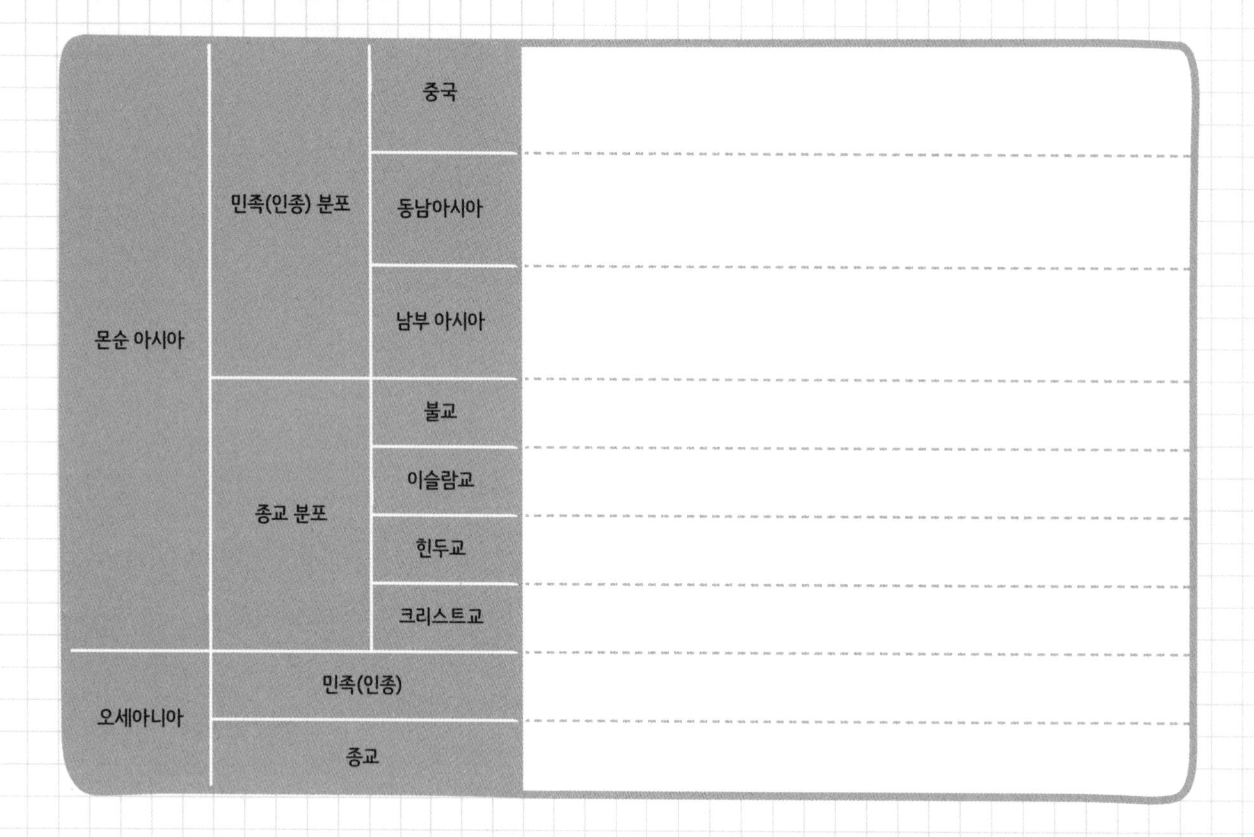

몬순 아시아	민족(인종) 분포	중국	
		동남아시아	
		남부 아시아	
	종교 분포	불교	
		이슬람교	
		힌두교	
		크리스트교	
오세아니아	민족(인종)		
	종교		

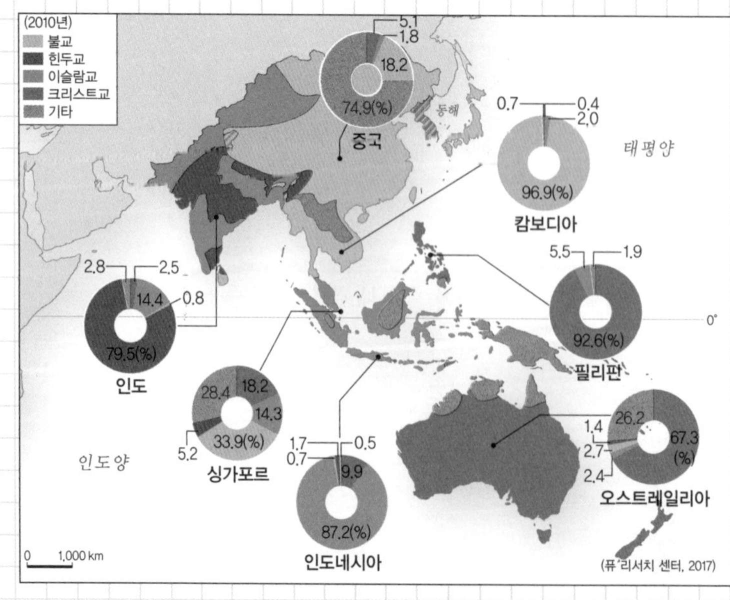

▲ 몬순 아시아와 오세아니아의 종교

B 지역 갈등과 해결 노력

몬순 아시아의 갈등과 해결 노력

민족 및 종교 갈등		
	중국	
	인도	
	스리랑카	
	필리핀	
	미얀마	

해결 노력 :

오세아니아의 갈등과 해결 노력

	갈등	해결 노력
오스트레일리아		
뉴질랜드		

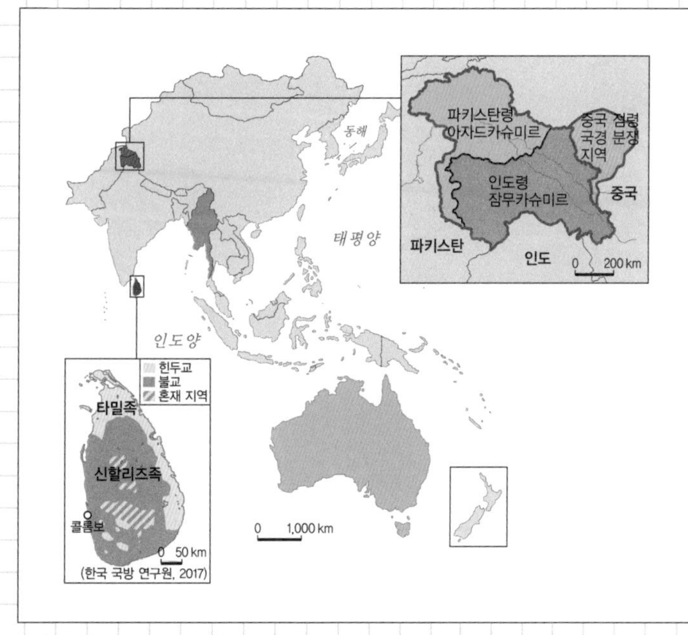

▲ 몬순 아시아와 오세아니아의 민족(인종) 및 종교 갈등

단원 정리하기

그림으로 정리하기

◎ 지도와 그림에 자신만의 설명을 덧붙여 단원의 핵심 내용을 정리해 보자.

01 자연환경에 적응한 생활 모습

• 몬순 아시아의 농업

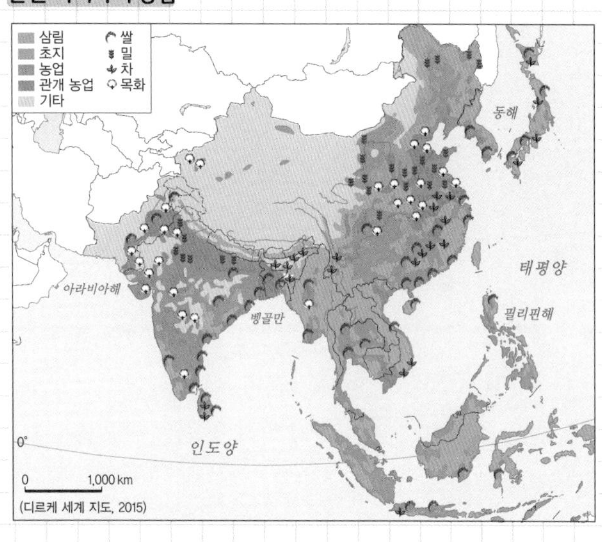

◀ 몬순 아시아의 농업적 토지 이용

02 주요 자원의 분포 및 이동과 산업 구조

• 산업 구조와 무역 구조

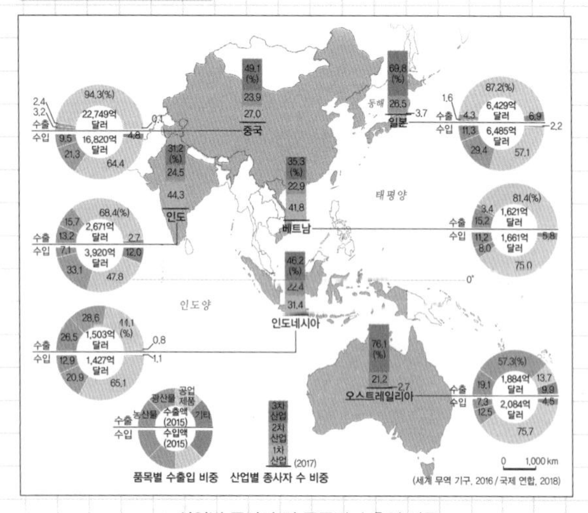

▲ 산업별 종사자 및 품목별 수출입 비중

03 민족(인종) 및 종교적 차이

• 종교 분포

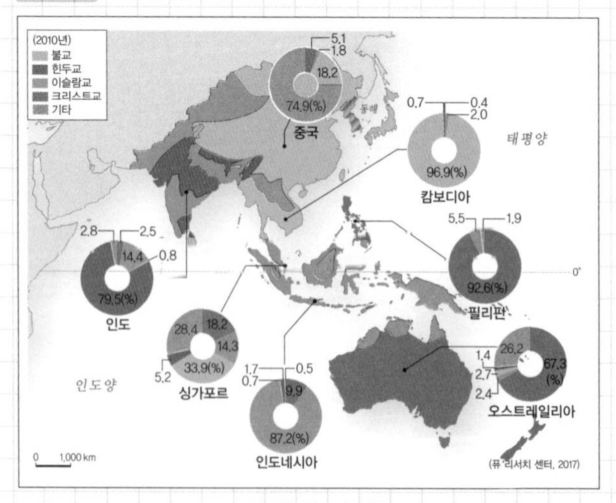

▲ 종교별 신도 수 비중

마인드맵으로 정리하기

◎ 자신만의 마인드맵을 만들어 단원의 핵심 내용을 정리해 보자.

몬순 아시아

몬순 아시아와 오세아니아

» 선배들이 작성한 정리노트 바로가기

V
건조 아시아와 북부 아프리카

01 자연환경에 적응한 생활 모습

>>>

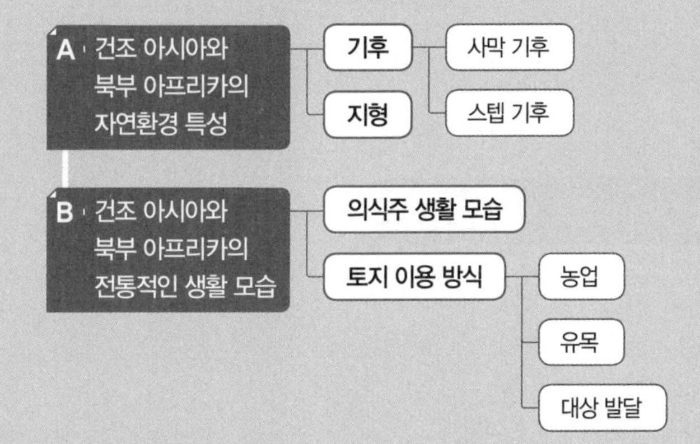

02 주요 자원의 분포 및 이동과 산업 구조

>>>

A 화석 에너지 자원의 분포 및 이동과 개발 및 영향
- 화석 에너지 자원의 분포와 이동
- 화석 에너지 자원의 개발과 영향

B 주요 국가의 산업 구조와 변화를 위한 노력
- 산업 구조의 특징과 주요 국가의 산업 구조
- 산업 구조의 문제점과 변화를 위한 노력

03 사막화의 진행

>>>

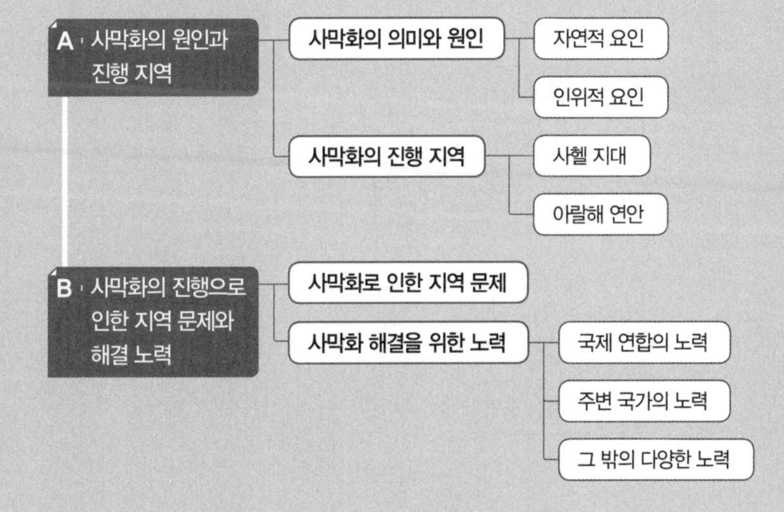

01 자연환경에 적응한 생활 모습

개념책 150~151 쪽

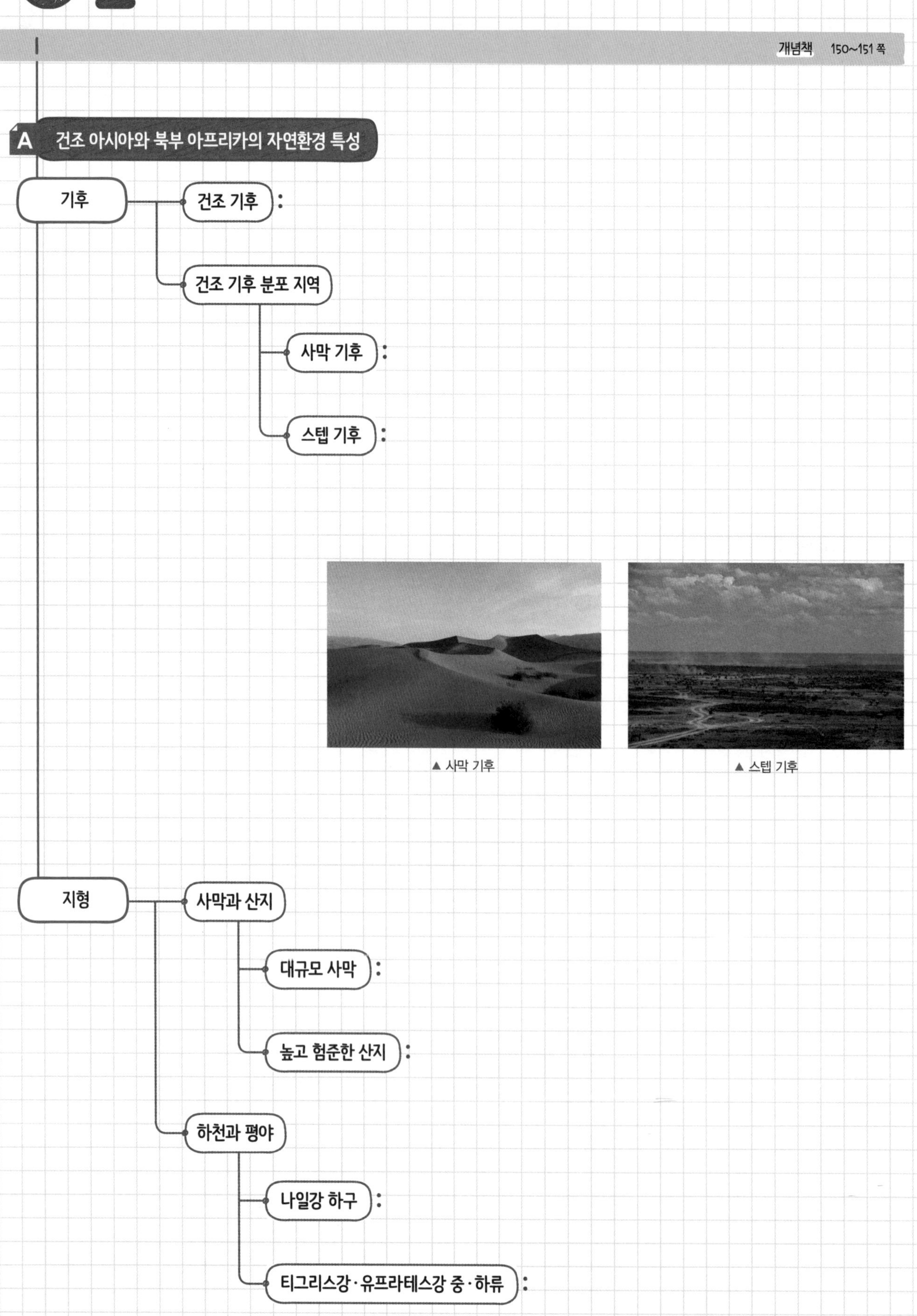

▲ 사막 기후

▲ 스텝 기후

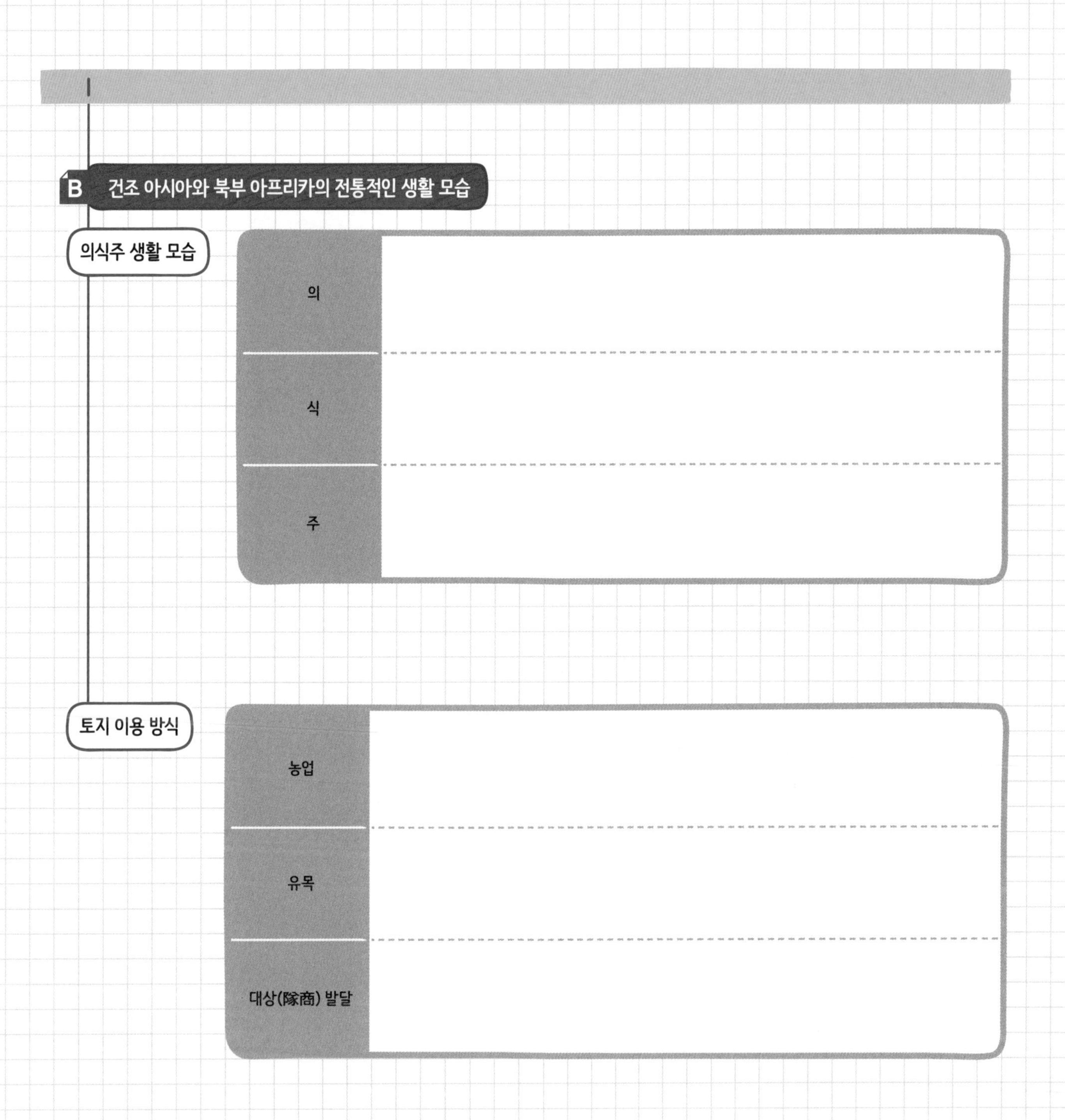
B 건조 아시아와 북부 아프리카의 전통적인 생활 모습
의식주 생활 모습
의
식
주
토지 이용 방식
농업
유목
대상(隊商) 발달

02 주요 자원의 분포 및 이동과 산업 구조

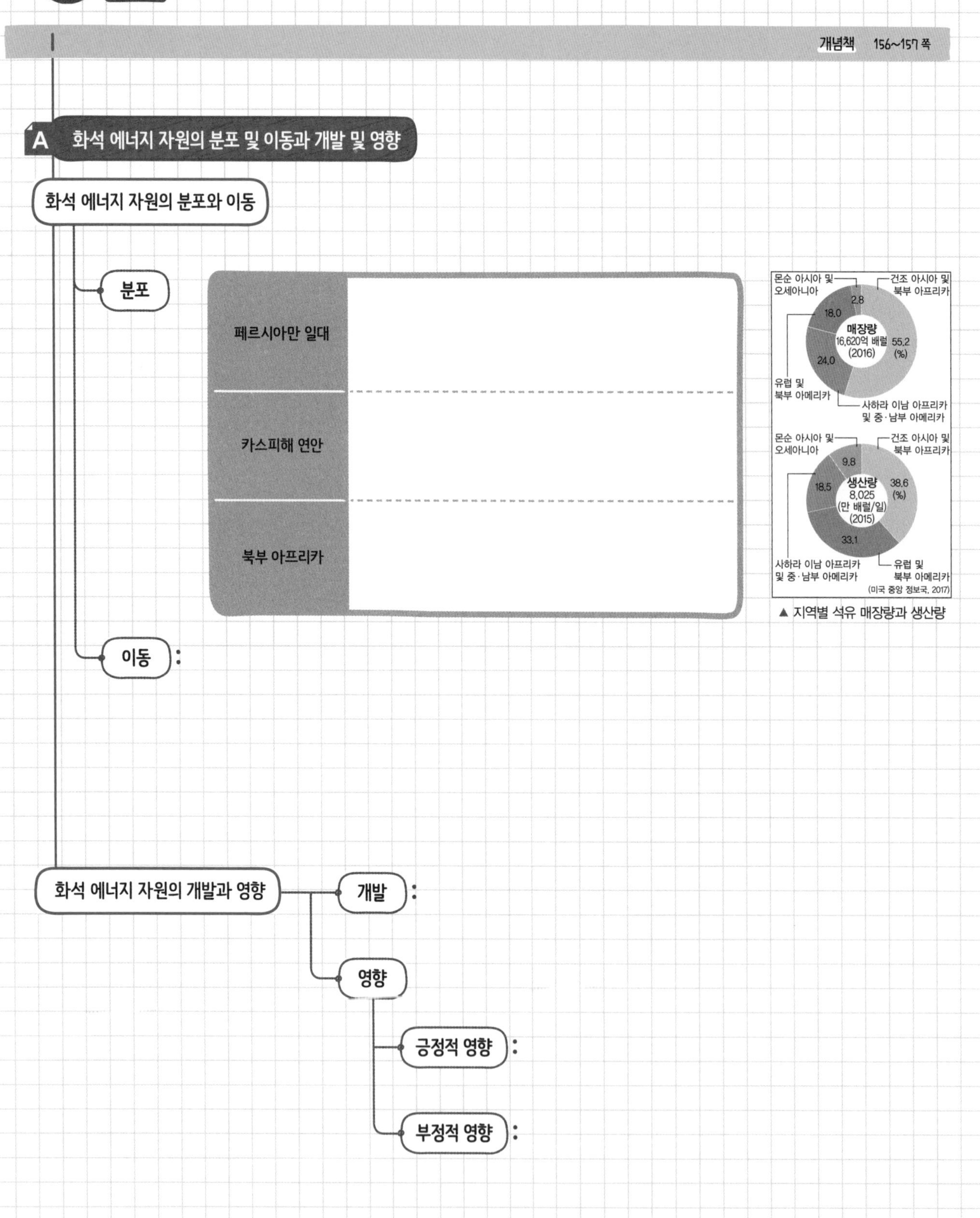

▲ 지역별 석유 매장량과 생산량

B 주요 국가의 산업 구조와 변화를 위한 노력

산업 구조의 특징과 주요 국가의 산업 구조

산업 구조의 특징 :

주요 국가의 산업 구조

사우디아라비아	
카자흐스탄	
이집트	
터키	

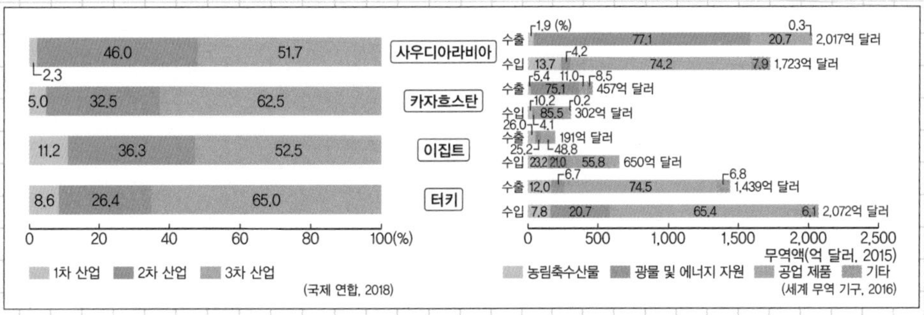

사우디아라비아 2.3 46.0 51.7
카자흐스탄 5.0 32.5 62.5
이집트 11.2 36.3 52.5
터키 8.6 26.4 65.0
0 20 40 60 80 100(%)
1차 산업 2차 산업 3차 산업
(국제 연합, 2018)

수출 1.9 (%) 77.1 20.7 0.3 2,017억 달러
수입 13.7 4.2 74.2 7.9 1,723억 달러
수출 5.4 75.1 11.0 8.5 457억 달러
수입 10.2 85.5 0.2 302억 달러
수출 26.0 4.1 25.2 48.8 191억 달러
수입 23.2 21.0 55.8 650억 달러
수출 12.0 6.7 74.5 6.8 1,439억 달러
수입 7.8 20.7 65.4 6.1 2,072억 달러
0 500 1,000 1,500 2,000 2,500
무역액(억 달러, 2015)
농림축수산물 광물 및 에너지 자원 공업 제품 기타
(세계 무역 기구, 2016)

▲ 주요 국가의 산업 구조와 무역 구조

산업 구조의 문제점과 변화를 위한 노력

산업 구조의 문제점	
변화를 위한 노력	

03 사막화의 진행

개념책 162~163 쪽

A 사막화의 원인과 진행 지역

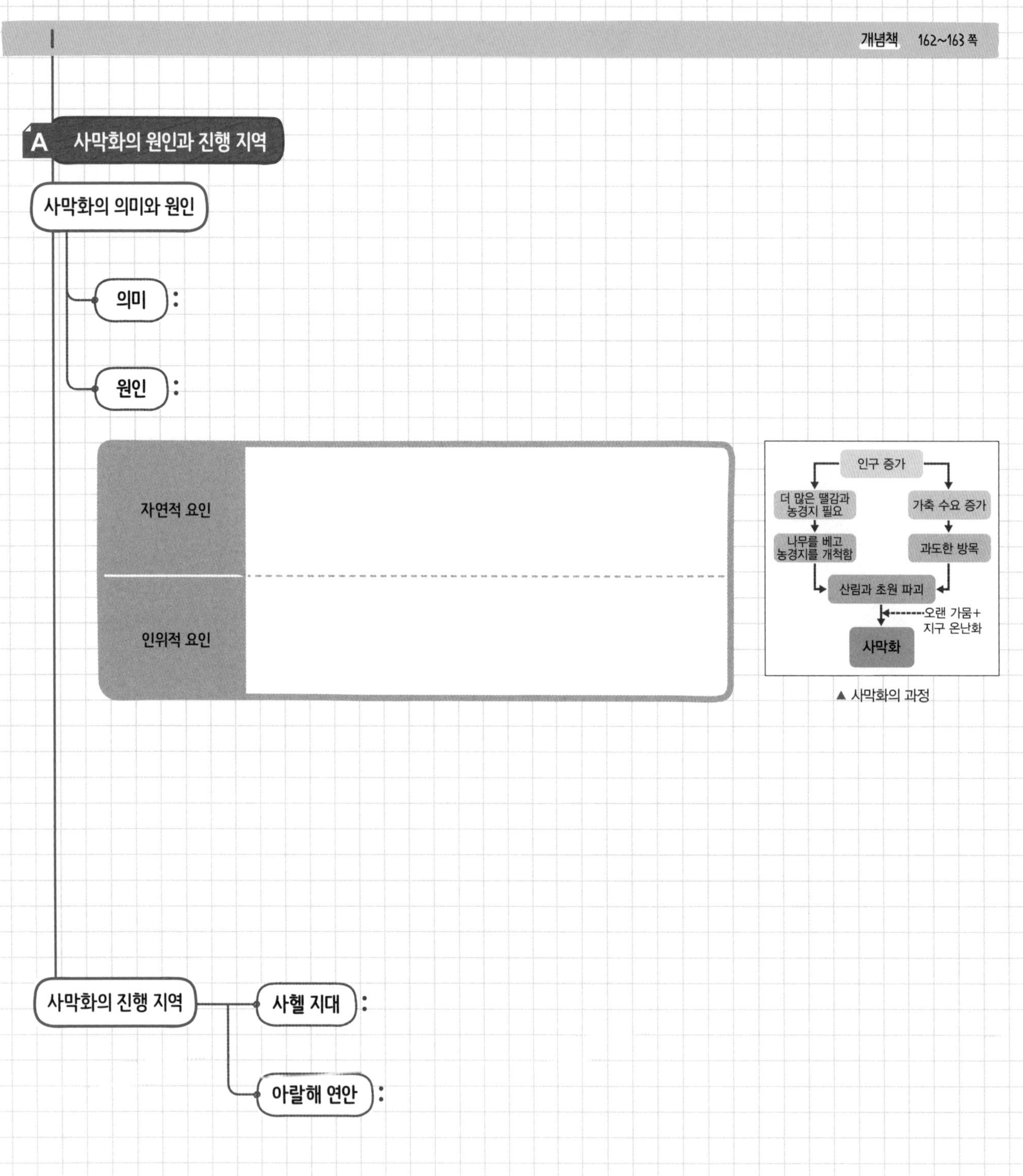

▲ 사막화의 과정

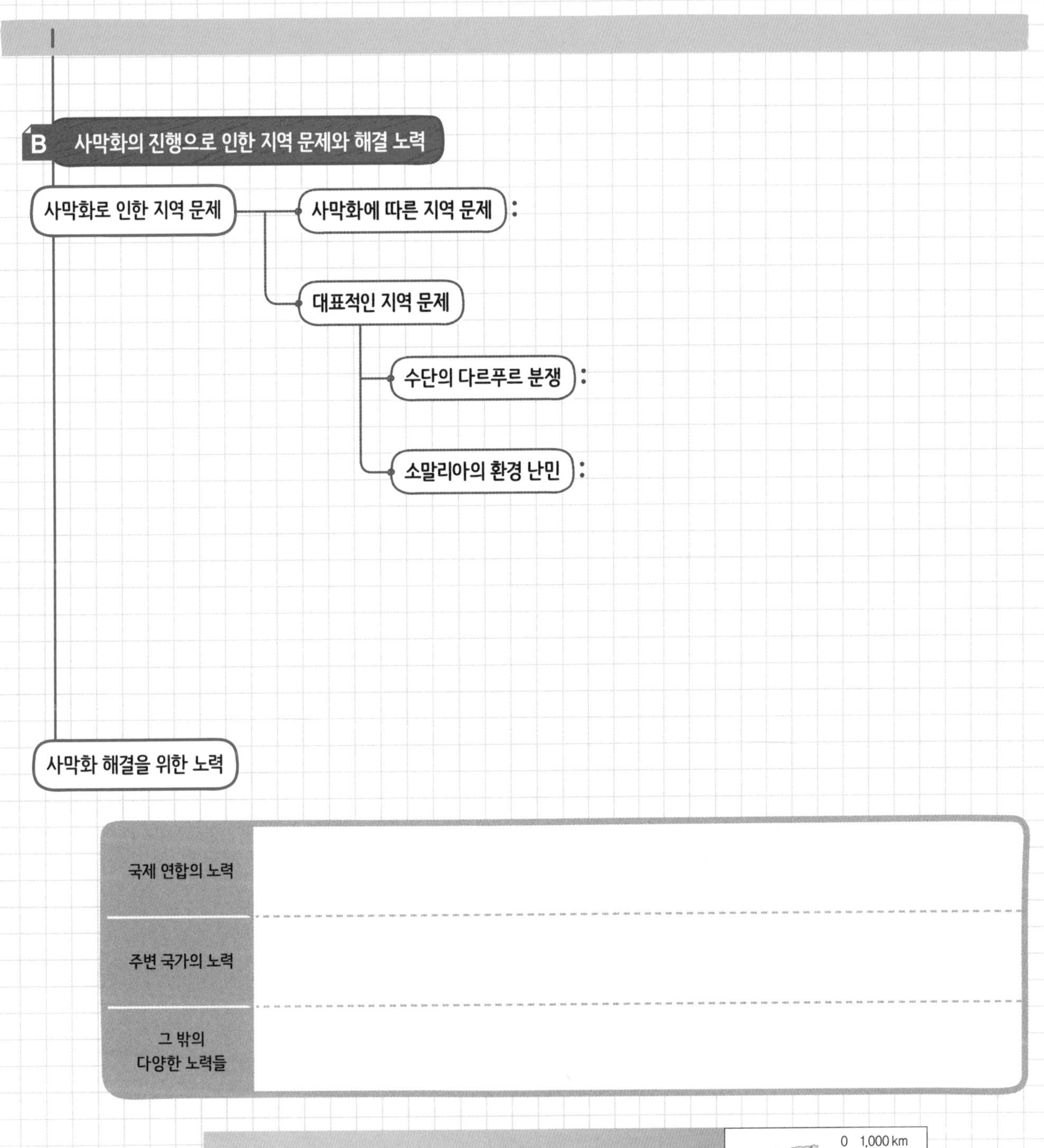

국제 연합의 노력	
주변 국가의 노력	
그 밖의 다양한 노력들	

▲ 사헬 지대의 녹색 장벽 사업

단원 정리하기

그림으로 정리하기

- 지도와 그림에 자신만의 설명을 덧붙여 핵심 내용을 정리해 보자.

01 자연환경에 적응한 생활 모습

• 기후 특성

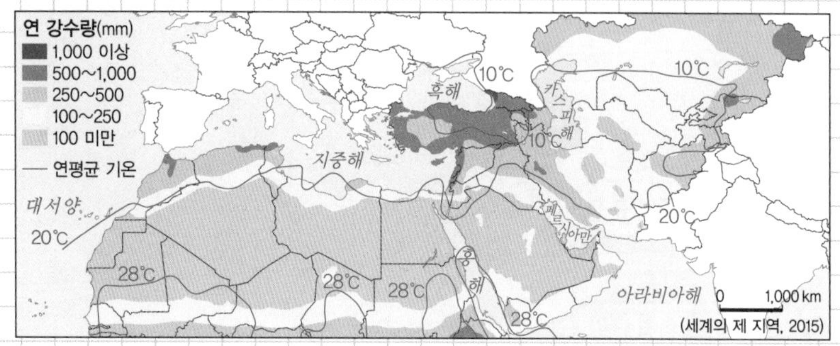

▲ 강수량과 기온 분포

02 주요 자원의 분포 및 이동과 산업 구조

• 자원 분포

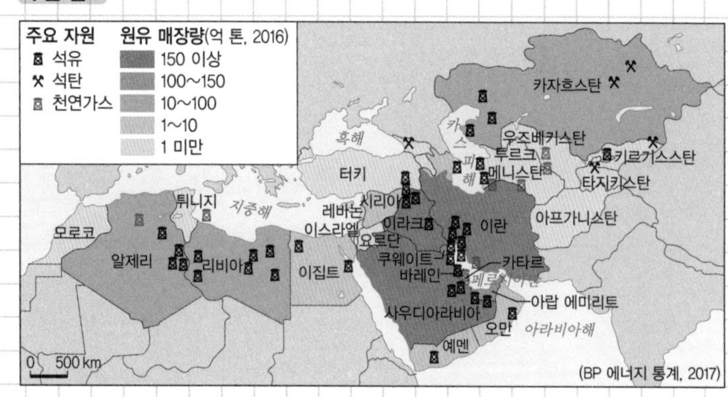

▲ 주요 자원의 분포와 원유 매장량

03 사막화의 진행

• 사헬 지대의 사막화

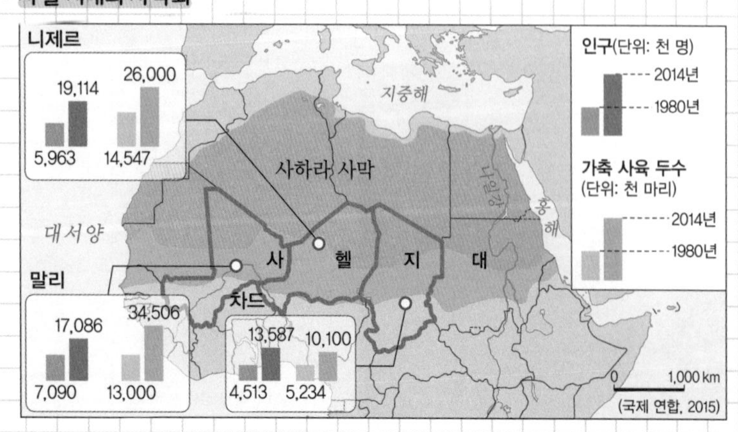

▲ 사헬 지대의 인구·가축 사육 두수 변화

마인드맵으로 정리하기

● 자신만의 마인드맵을 만들어 단원의 핵심 내용을 정리해 보자.

자연환경에 적응한 생활 모습

건조 아시아와 북부 아프리카

» 선배들이 작성한 정리노트 바로가기

Ⅵ
유럽과 북부 아메리카

01 주요 공업 지역의 형성과 최근 변화

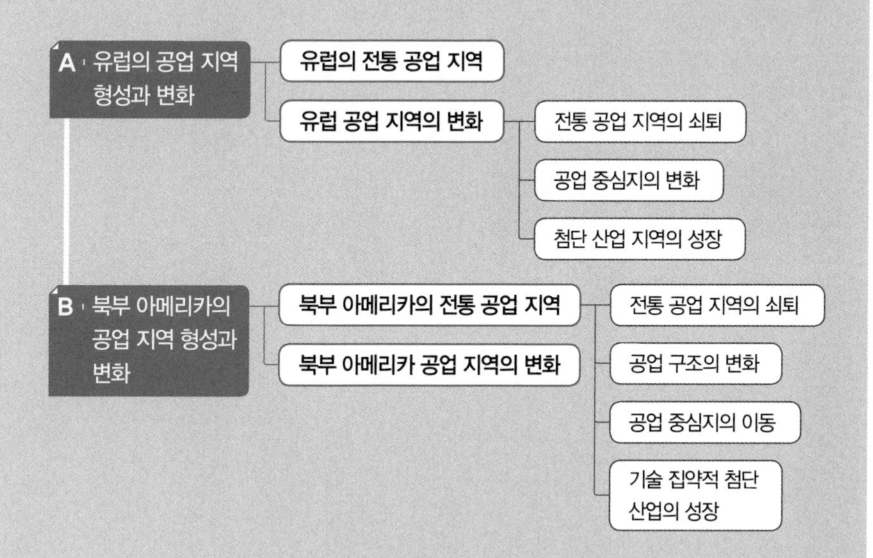

02 현대 도시의 내부 구조와 특징

- A 유럽과 북부 아메리카의 도시 특색과 대도시권
  - 유럽과 북부 아메리카의 도시 특색
  - 유럽과 북부 아메리카의 대도시권 형성
- B 유럽과 북부 아메리카의 도시 내부 구조와 특징
  - 현대 도시의 내부 구조
    - 도심
    - 주변(외곽) 지역
  - 유럽 주요 도시의 내부 구조와 특징
  - 북부 아메리카 주요 도시의 내부 구조와 특징

03 지역의 통합과 분리 운동

- A 유럽의 지역 통합과 분리 운동
  - 지역 통합의 배경
  - 유럽 연합
    - 형성 과정과 확대, 특징과 과제
  - 유럽의 분리 독립 운동
- B 북부 아메리카의 지역 통합과 분리 운동
  - 지역 통합의 배경
  - 북아메리카 자유 무역 협정
  - 북부 아메리카의 분리 독립 운동과 이주민 갈등

01 주요 공업 지역의 형성과 최근 변화

개념책 174~175 쪽

A 유럽의 공업 지역 형성과 변화

유럽의 전통 공업 지역 :

유럽 공업 지역의 변화

- 전통 공업 지역의 쇠퇴 :
- 공업 중심지의 변화 :
- 첨단 산업 지역의 변화 :

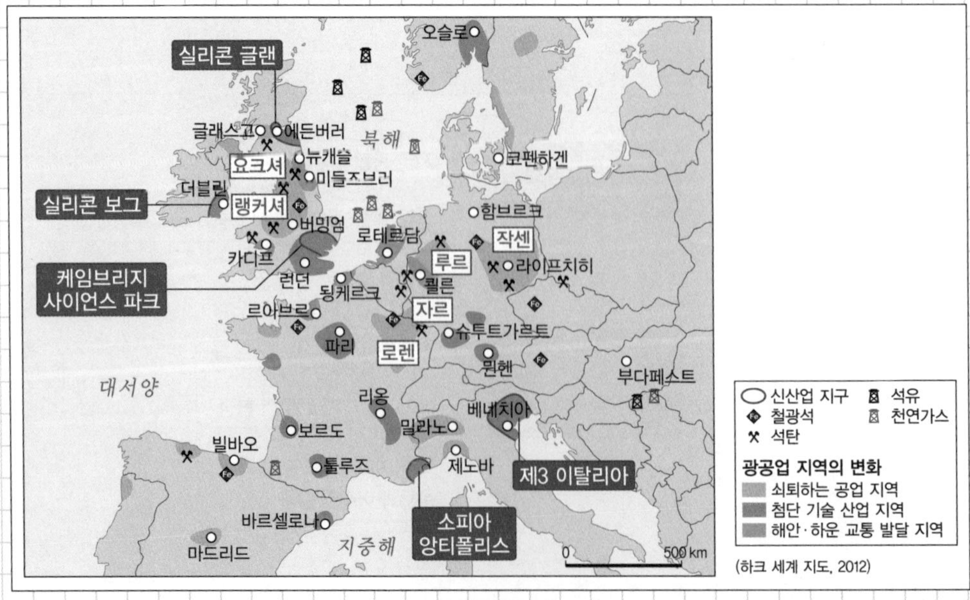

▲ 주요 공업 지역의 변화와 클러스터

B 북부 아메리카의 공업 지역 형성과 변화

북부 아메리카의 전통 공업 지역

공업 지역		특징
미국의 전통 공업 지역	뉴잉글랜드	
	중부 대서양 연안	
	오대호 연안	
캐나다의 전통 공업 지역		

북부 아메리카 공업 지역의 변화

전통 공업 지역의 쇠퇴	
공업 구조의 변화	
공업 중심지의 이동	
기술 집약적 첨단 산업의 성장	

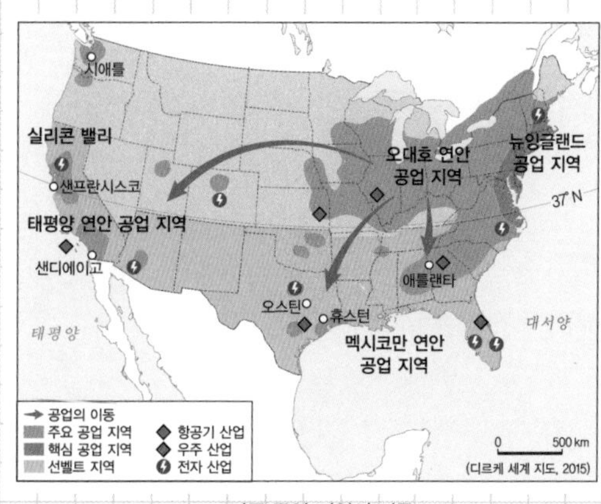

▲ 미국 공업 지역의 이동

02 현대 도시의 내부 구조와 특징

개념책 180~181 쪽

A 유럽과 북부 아메리카의 도시 특색과 대도시권

유럽과 북부 아메리카의 도시 특색 :

유럽과 북부 아메리카의 대도시권 형성

- 대도시권 형성 :
- 메갈로폴리스 발달 :

B 유럽과 북부 아메리카의 도시 내부 구조와 특징

현대 도시의 내부 구조

도심	
주변(외곽) 지역	

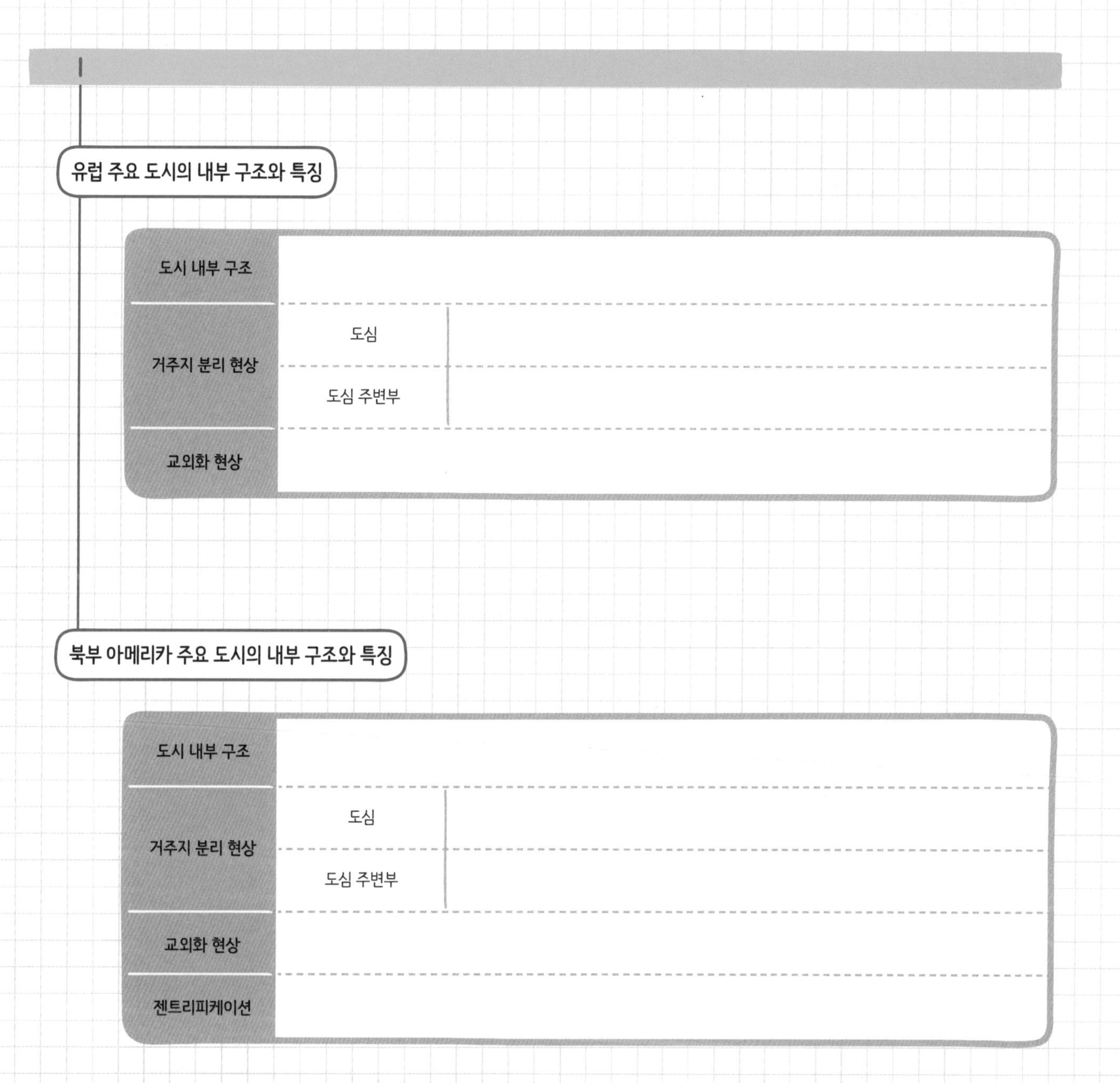

유럽 주요 도시의 내부 구조와 특징

도시 내부 구조		
거주지 분리 현상	도심	
	도심 주변부	
교외화 현상		

북부 아메리카 주요 도시의 내부 구조와 특징

도시 내부 구조		
거주지 분리 현상	도심	
	도심 주변부	
교외화 현상		
젠트리피케이션		

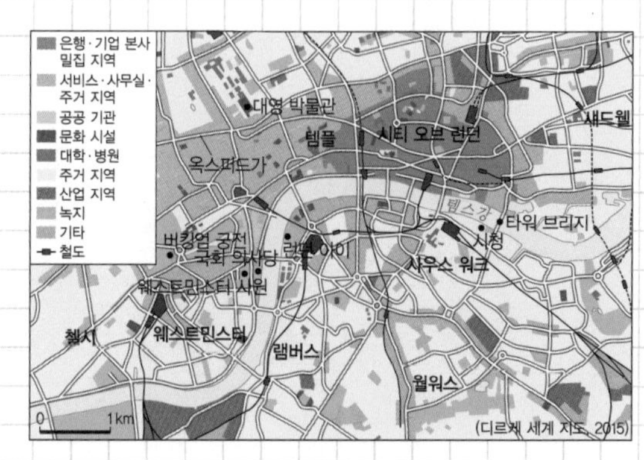

▲ 런던의 도시 내부 구조

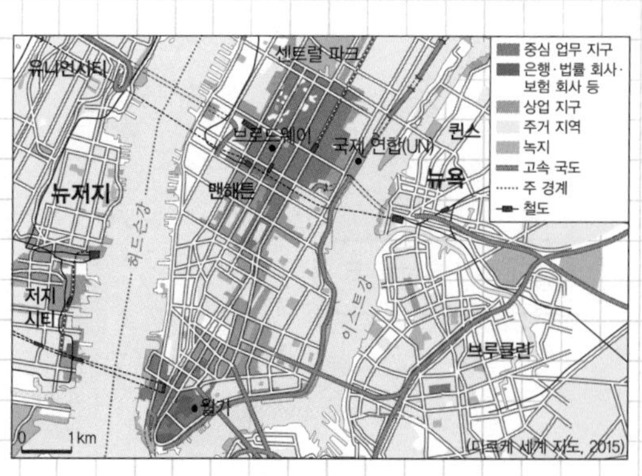

▲ 뉴욕의 도시 내부 구조

03 지역의 통합과 분리 운동

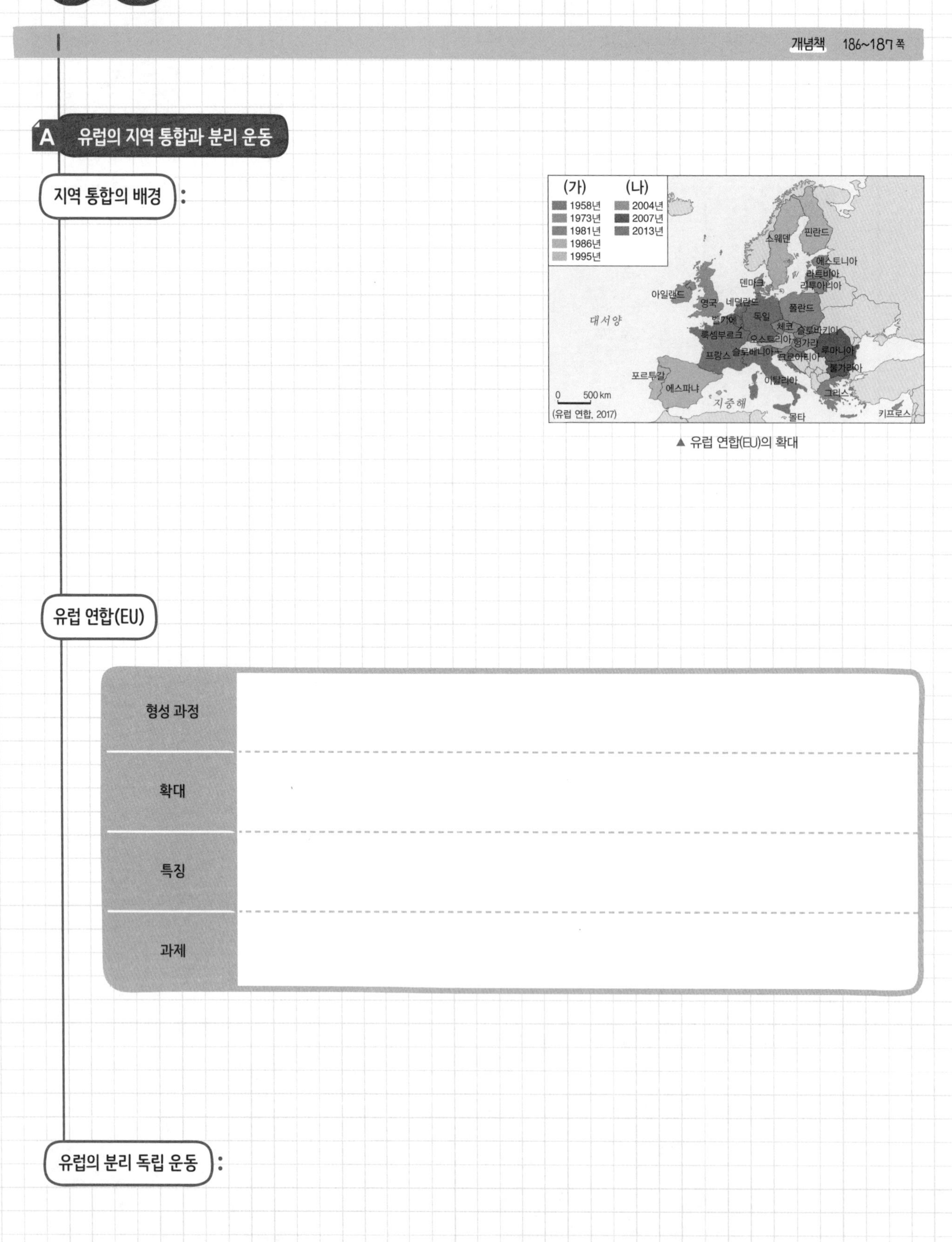

개념책 186~187쪽

A 유럽의 지역 통합과 분리 운동

지역 통합의 배경 :

▲ 유럽 연합(EU)의 확대

유럽 연합(EU)

형성 과정	
확대	
특징	
과제	

유럽의 분리 독립 운동 :

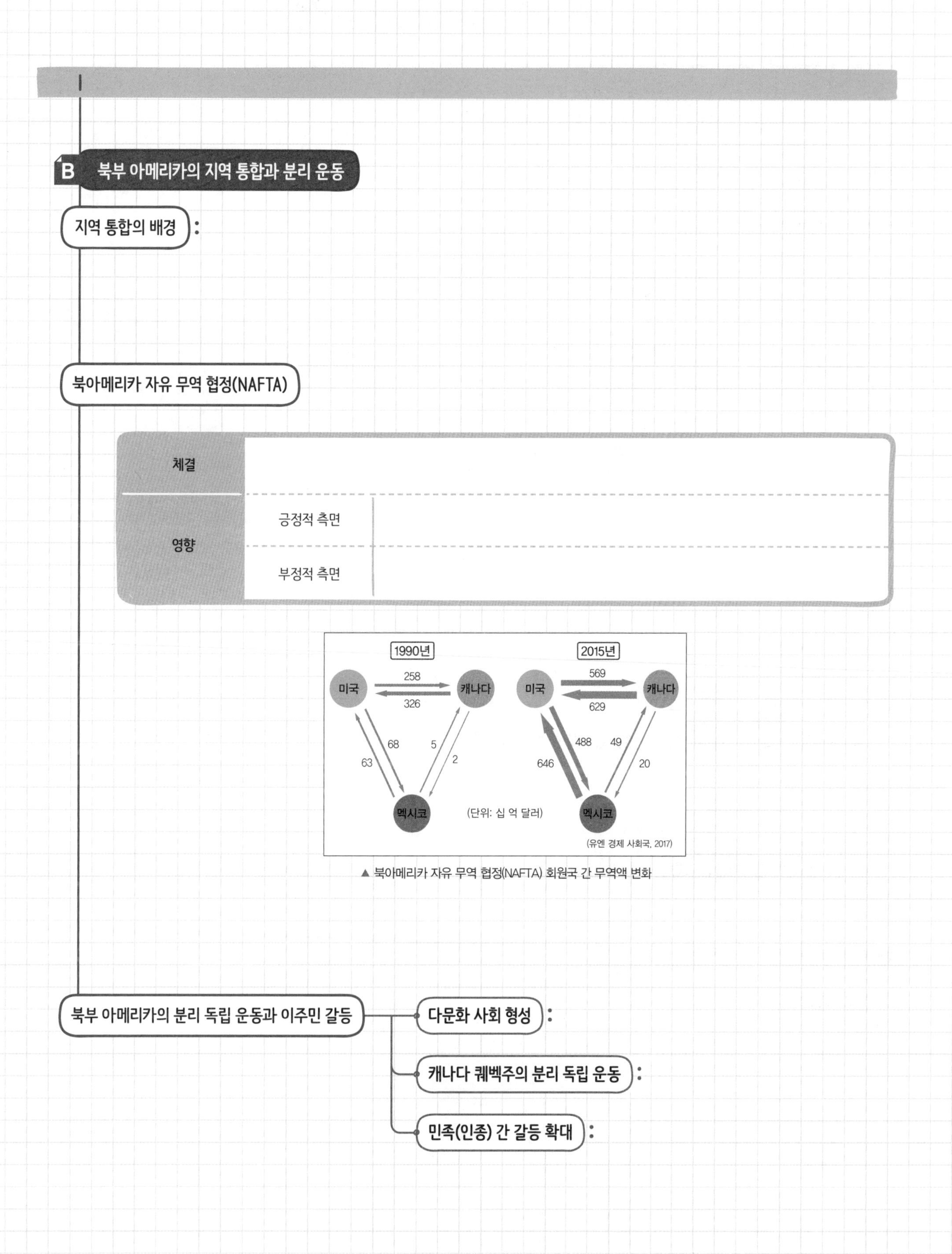

B 북부 아메리카의 지역 통합과 분리 운동

지역 통합의 배경 :

북아메리카 자유 무역 협정(NAFTA)

체결		
영향	긍정적 측면	
	부정적 측면	

▲ 북아메리카 자유 무역 협정(NAFTA) 회원국 간 무역액 변화

북부 아메리카의 분리 독립 운동과 이주민 갈등

- **다문화 사회 형성** :
- **캐나다 퀘벡주의 분리 독립 운동** :
- **민족(인종) 간 갈등 확대** :

단원 정리하기

그림으로 정리하기

지도와 그림에 자신만의 설명을 덧붙여 핵심 내용을 정리해 보자.

01 주요 공업 지역의 형성과 최근 변화

• 공업 지역 형성과 변화

▲ 유럽의 공업 지역 변화

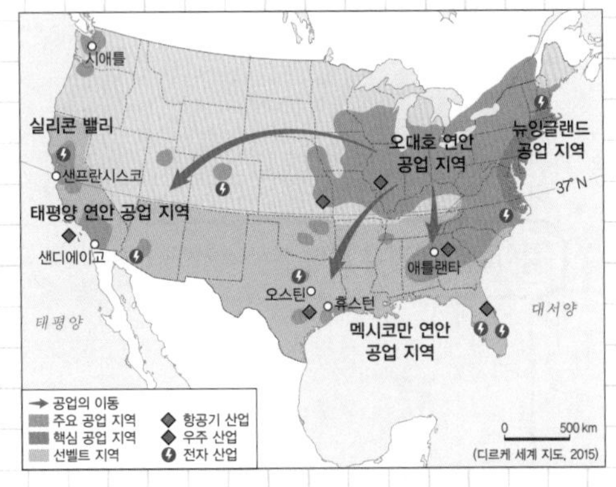

▲ 미국의 공업 지역 변화

02 현대 도시의 내부 구조와 특징

• 도시 내부 구조 특징

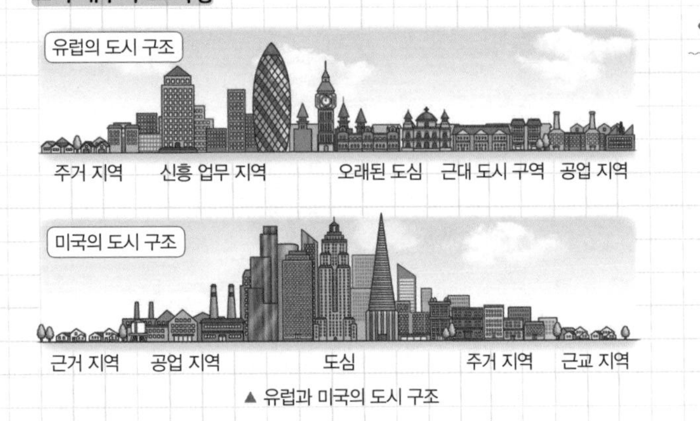

▲ 유럽과 미국의 도시 구조

03 지역의 통합과 분리 운동

• 분리 독립 운동

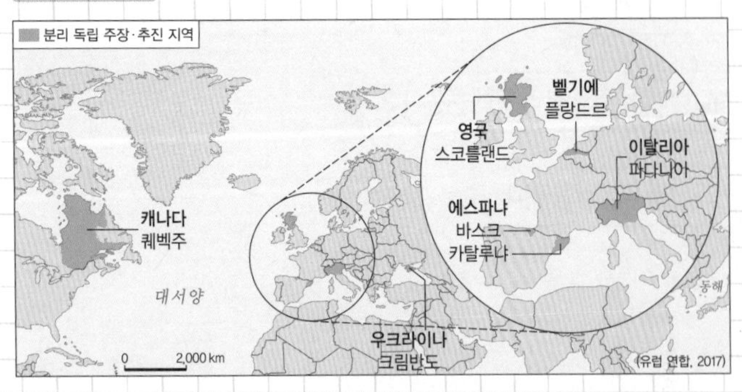

▲ 유럽과 북부 아메리카의 분리 독립 주장 및 추진 지역

마인드맵으로 정리하기

◎ 자신만의 마인드맵을 만들어 단원의 핵심 내용을 정리해 보자.

주요 공업 지역의 형성과 최근 변화

유럽과 북부 아메리카

» 선배들이 작성한 정리노트 바로가기

Ⅶ 사하라 이남 아프리카와 중·남부 아메리카

01 도시 구조에 나타난 도시화 과정의 특징

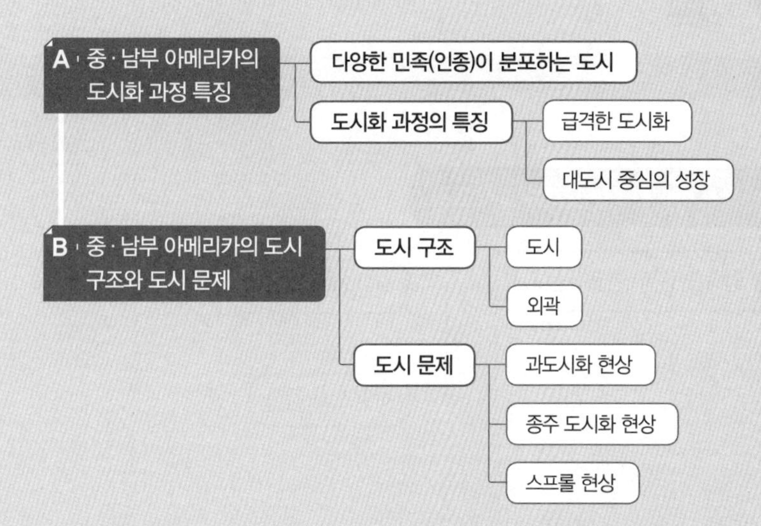

02 다양한 지역 분쟁과 저개발 문제

- A 사하라 이남 아프리카의 식민지 경험과 민족(인종) 및 종교 분포
  - 식민지 경험
  - 민족(인종) 및 종교 분포
- B 사하라 이남 아프리카의 분쟁과 저개발
  - 분쟁 및 갈등
  - 저개발의 현황과 개발 노력

03 자원 개발을 둘러싼 과제

- A 중 · 남부 아메리카와 사하라 이남 아프리카의 자원 개발
  - 중 · 남부 아메리카의 자원 분포와 개발
  - 사하라 이남 아프리카의 자원 분포와 개발
- B 환경 보전과 자원의 정의로운 분배
  - 자원 개발과 환경 보전
    - 환경 문제
    - 해결 방안
  - 자원의 정의로운 분배

01 도시 구조에 나타난 도시화 과정의 특징

개념책 198~199 쪽

A 중·남부 아메리카의 도시화 과정 특징

다양한 민족(인종)이 분포하는 도시
- 식민 지배의 영향 :
- 식민 도시 건설 :

(%)
100
80
60
40
20
0
1910 1950 1990 2015(년)
아르헨티나
칠레
브라질
미국
캐나다
(세계의 도시, 2008 / 각국 통계청)

▲ 남북 아메리카 주요 국가의 도시화율 변화

도시화 과정의 특징
- 급격한 도시화 :
- 대도시 중심의 성장 :

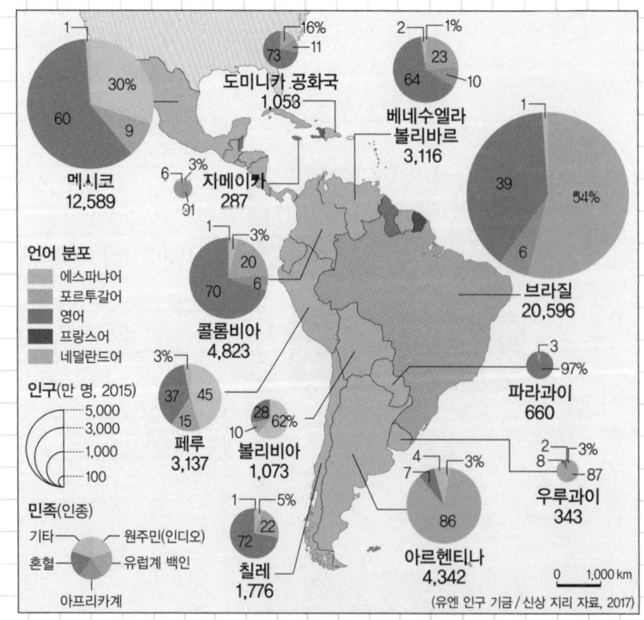

▲ 중·남부 아메리카의 언어와 민족(인종) 구성

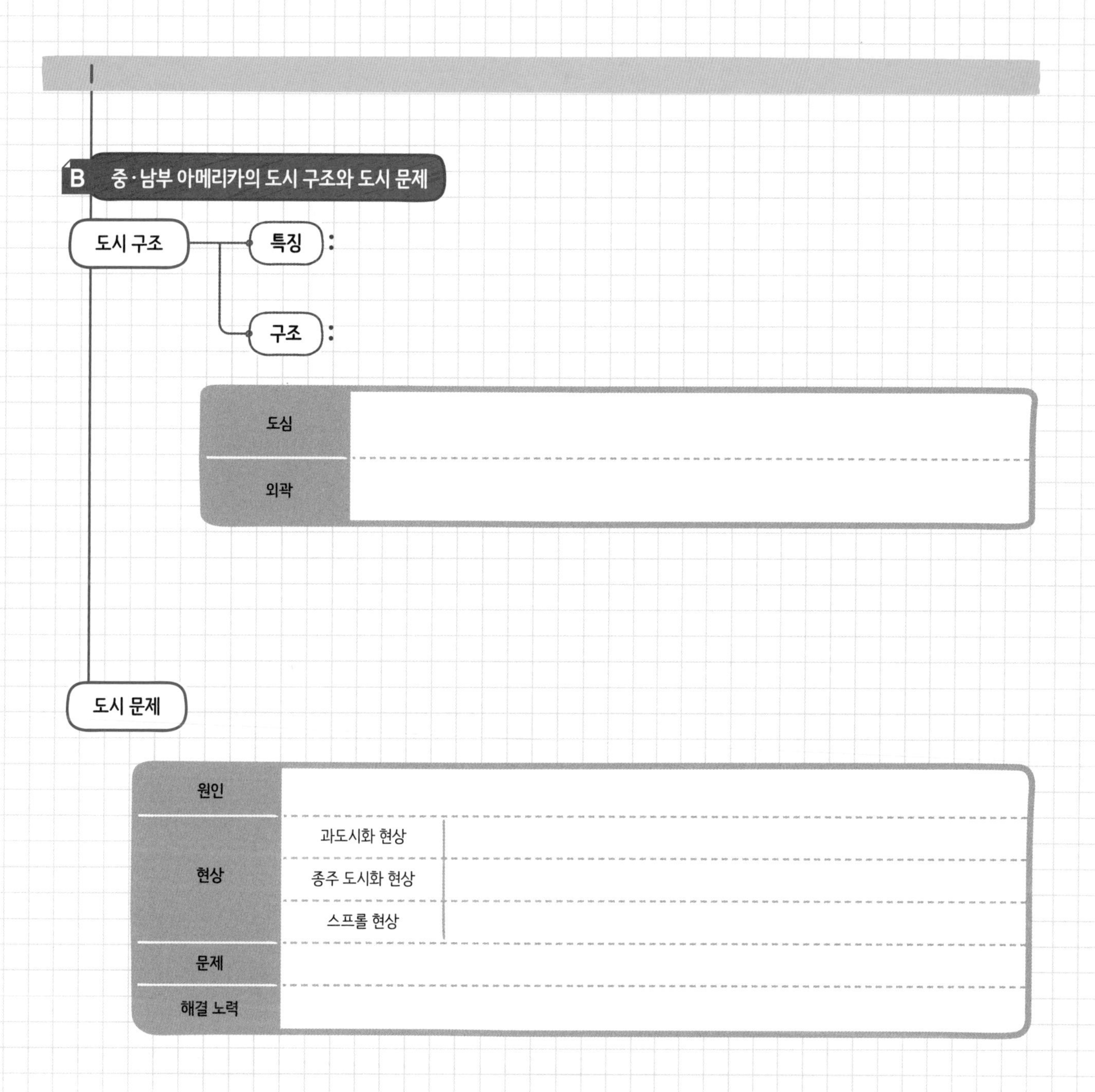

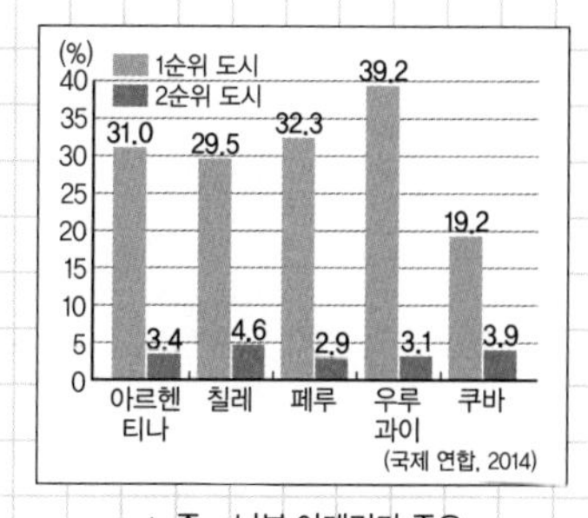

▲ 중 · 남부 아메리카 주요 국가의 종주 도시화

02 다양한 지역 분쟁과 저개발 문제

개념책 204~205 쪽

A 사하라 이남 아프리카의 식민지 경험과 민족(인종) 및 종교 분포

식민지 경험

- 사하라 이남 아프리카의 식민지 경험 :
- 사하라 이남 아프리카의 독립 :

민족(인종) 및 종교 분포

민족(인종) 분포	
종교 분포	

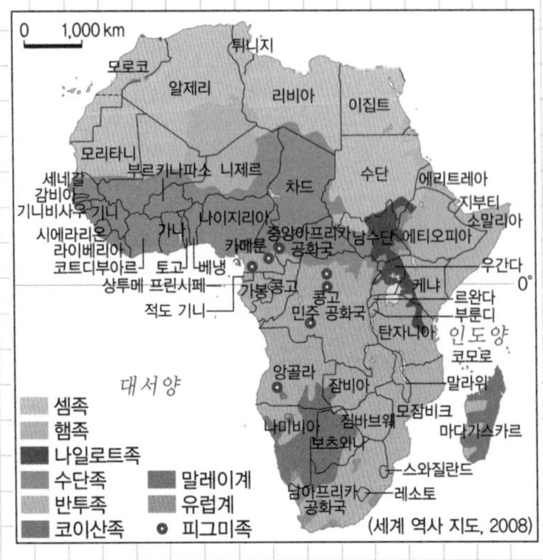

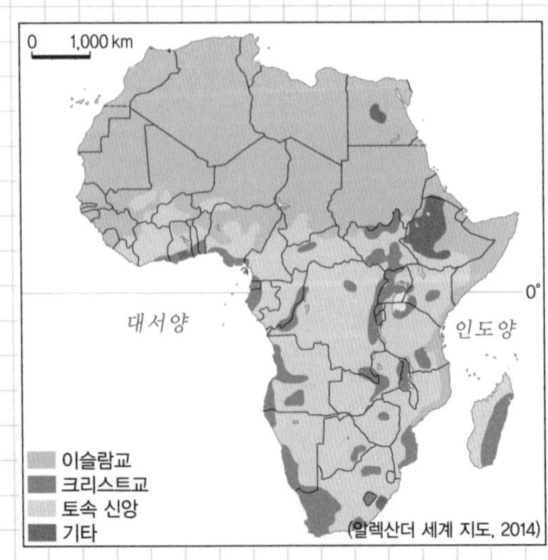

▲ 아프리카의 민족(인종) 및 종교 분포

B 사하라 이남 아프리카의 분쟁과 저개발

분쟁 및 갈등

원인	
결과	

— 국가 경계
— 민족(종족) 경계
인도양
대서양
0 1,000 km
(경계에서 권역을 보다, 2015)

▲ 아프리카의 국경선과 부족 경계

저개발의 현황과 개발 노력

현황	
노력	

03 자원 개발을 둘러싼 과제

개념책 210~211 쪽

A 중·남부 아메리카와 사하라 이남 아프리카의 자원 개발

중·남부 아메리카의 자원 분포와 개발

지하자원 분포 :

아프리카 7.6(%)
아시아·오세아니아 49.9
유럽 및 러시아 9.1
아메리카 33.4
남수단 2.6
이집트 2.6
기타 10.7
앙골라 9.2
알제리 9.2
리비아 36.8(%)
나이지리아 28.9
(BP, 2017)

▲ 석유의 대륙별 매장량 및 아프리카 국가별 매장량

자원 개발 :

사하라 이남 아프리카의 자원 분포와 개발

지하자원 분포 :

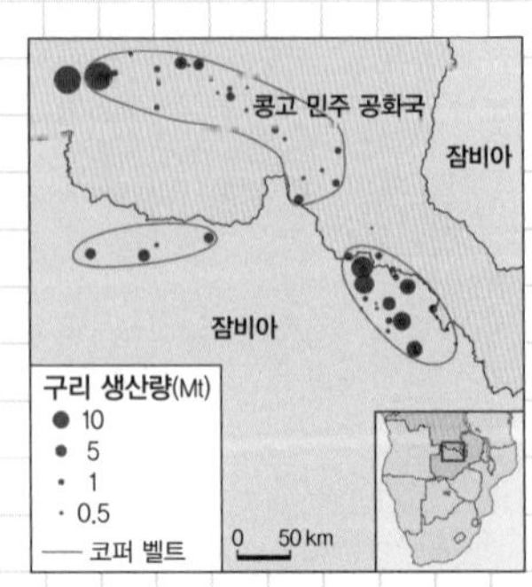

▲ 코퍼 벨트

자원 개발 :

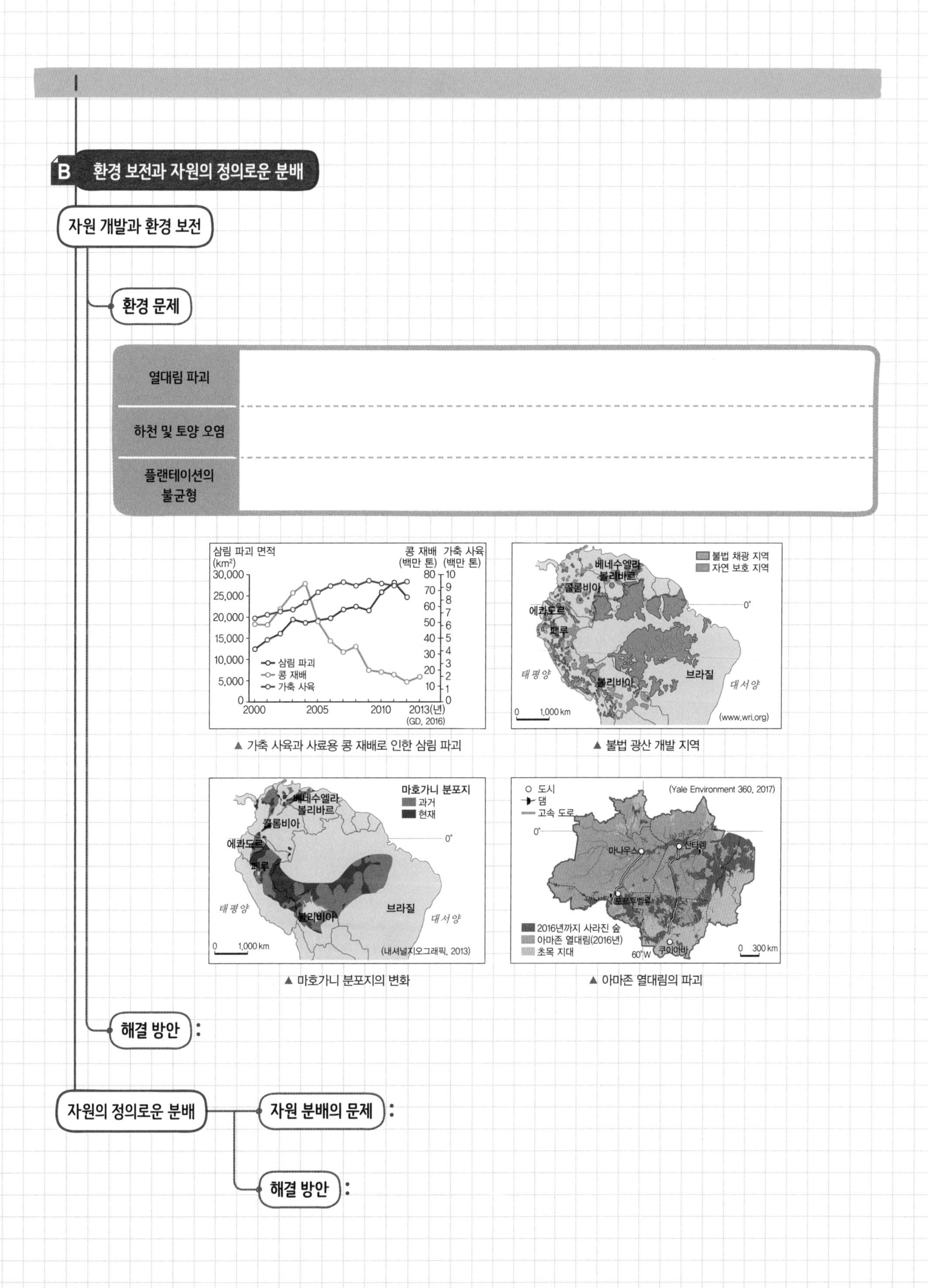

▲ 가축 사육과 사료용 콩 재배로 인한 삼림 파괴

▲ 불법 광산 개발 지역

▲ 마호가니 분포지의 변화

▲ 아마존 열대림의 파괴

단원 정리하기

그림으로 정리하기

● 지도와 그림에 자신만의 설명을 덧붙여 핵심 내용을 정리해 보자.

01 도시 구조에 나타난 도시화 과정의 특징

• 중·남부 아메리카의 도시 내부 구조

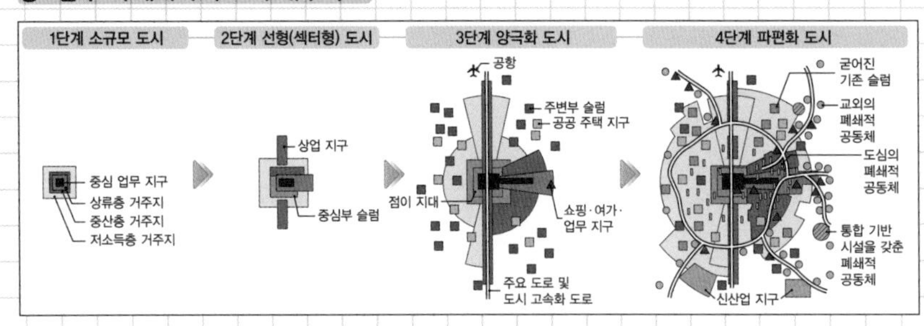

▲ 중·남부 아메리카의 도시 발달 과정과 내부 구조

02 다양한 지역 분쟁과 저개발 문제

• 분쟁과 저개발

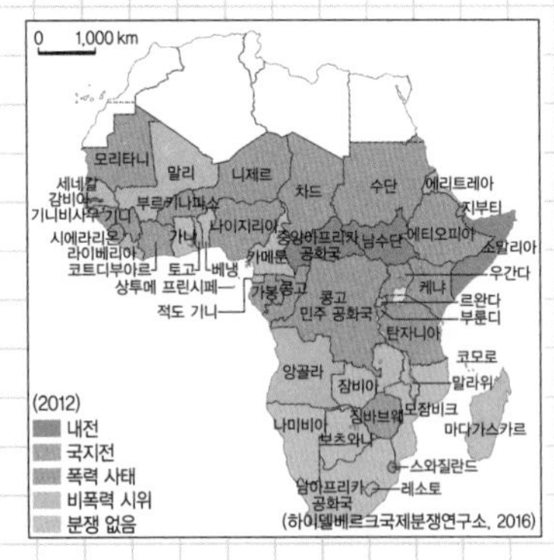

▲ 아프리카의 분쟁 현황

▲ 1인당 국내 총생산

03 자원 개발을 둘러싼 과제

• 자원 분포

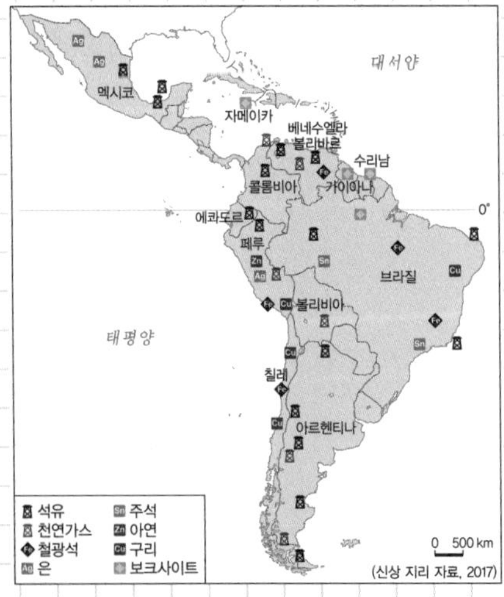

▲ 중·남부 아메리카의 자원 분포

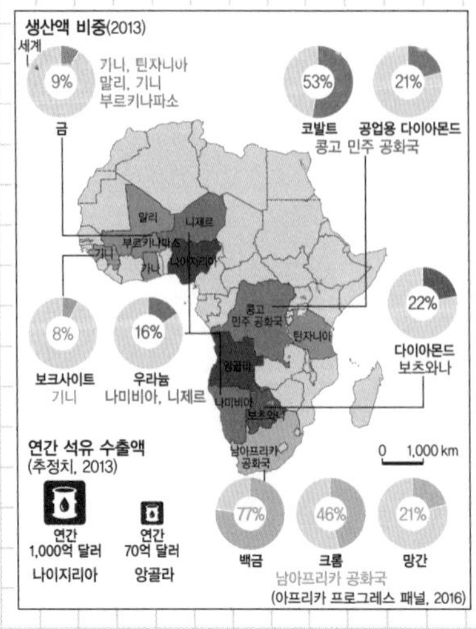

▲ 사하라 이남 아프리카의 자원 분포

마인드맵으로 정리하기

● 자신만의 마인드맵을 만들어 단원의 핵심 내용을 정리해 보자.

도시 구조와 도시화 과정

사하라 이남 아프리카와 중·남부 아메리카

» 선배들이 작성한 정리노트 바로가기

Ⅷ 공존과 평화의 세계

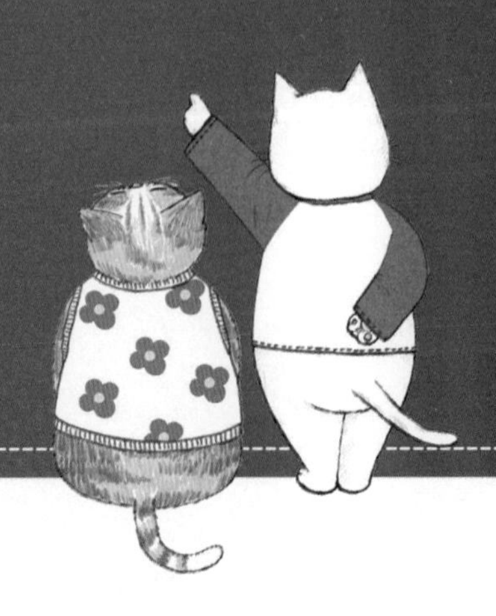

01 경제의 세계화와 경제 블록

- A 경제의 세계화
  - 경제의 세계화의 의미와 특징
  - 경제의 세계화의 영향
    - 긍정적 영향
    - 부정적 영향
- B 경제 블록의 형성과 특징
  - 경제 블록
  - 경제적 통합의 유형
    - 자유 무역 협정
    - 관세 동맹
    - 공동 시장
    - 완전 경제 통합

02 지구촌 문제의 해결을 위한 노력

- A 지구적 환경 문제와 해결을 위한 노력
  - 지구적 환경 문제의 종류와 특징
    - 기후 변화
    - 오염 물질 국제 이동
  - 지구적 환경 문제의 해결을 위한 노력
    - 정부의 노력
    - 그 밖의 노력
- B 세계 평화와 정의를 위한 노력
  - 지구촌의 다양한 분쟁
    - 영토 분쟁
    - 민족(인종) 분쟁
    - 자원 분쟁
  - 세계 평화를 위한 노력

01 경제의 세계화와 경제 블록

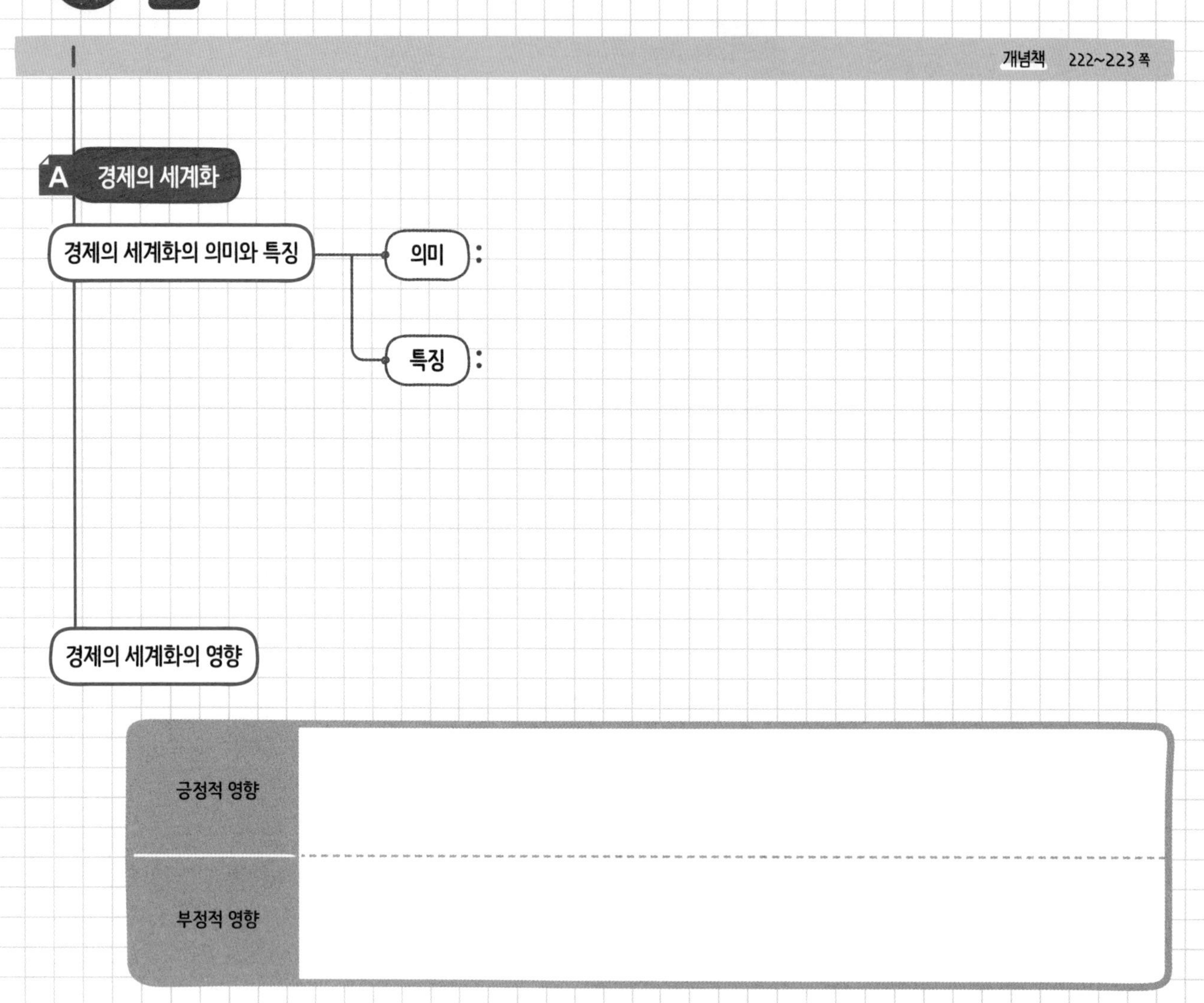

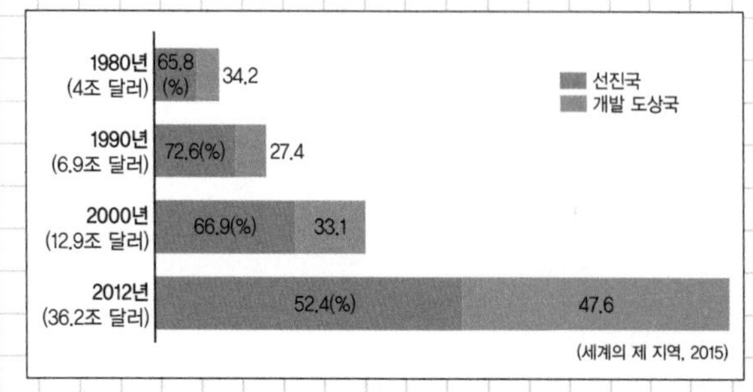

▲ 선진국과 개발 도상국의 무역액 비중 변화

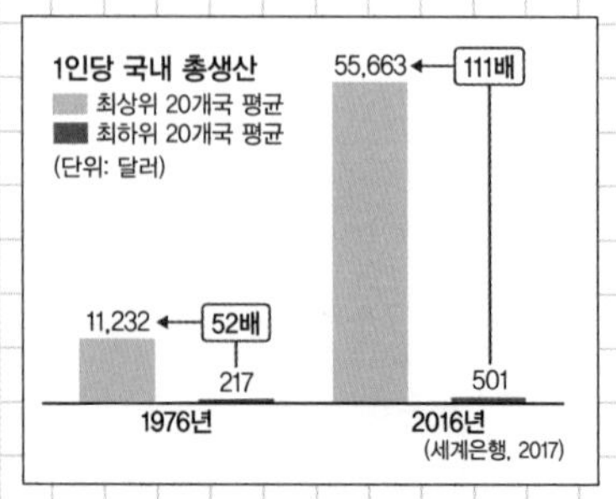

▲ 세계의 빈부 격차(1인당 GDP 기준)

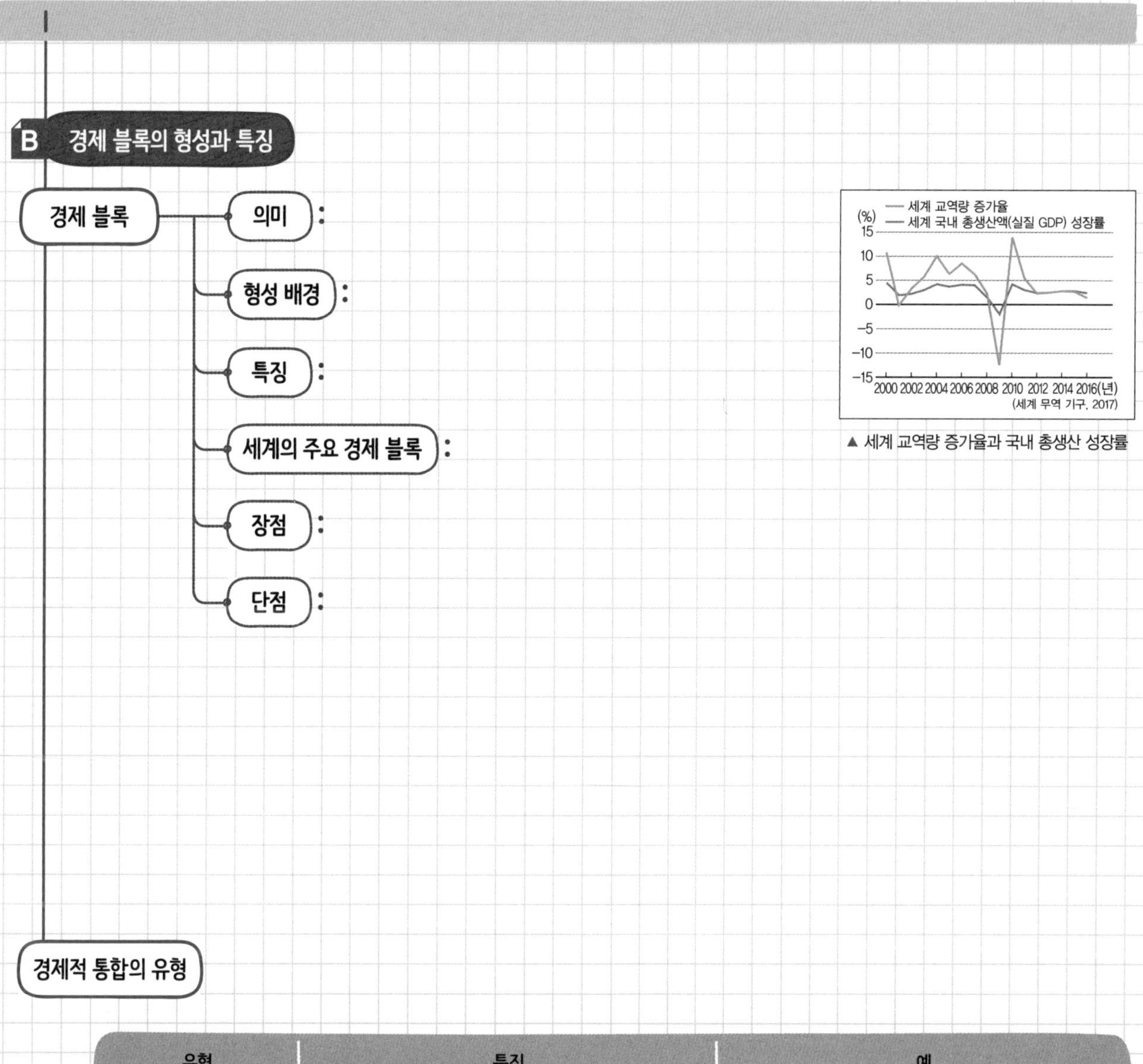

▲ 세계 교역량 증가율과 국내 총생산 성장률

유형	특징	예
자유 무역 협정 (FTA)		
관세 동맹		
공동 시장		
완전 경제 통합		

02 지구촌 문제의 해결을 위한 노력

개념책 228~229 쪽

A 지구적 환경 문제와 해결을 위한 노력

지구적 환경 문제의 종류와 특징

종류		특징	영향
기후 변화	지구 온난화		
	오존층 파괴		
	사막화		
오염 물질 국제 이동	산성비		
	해양 오염		
	황사		

지구적 환경 문제의 해결을 위한 노력

정부의 노력	
그 밖의 노력	

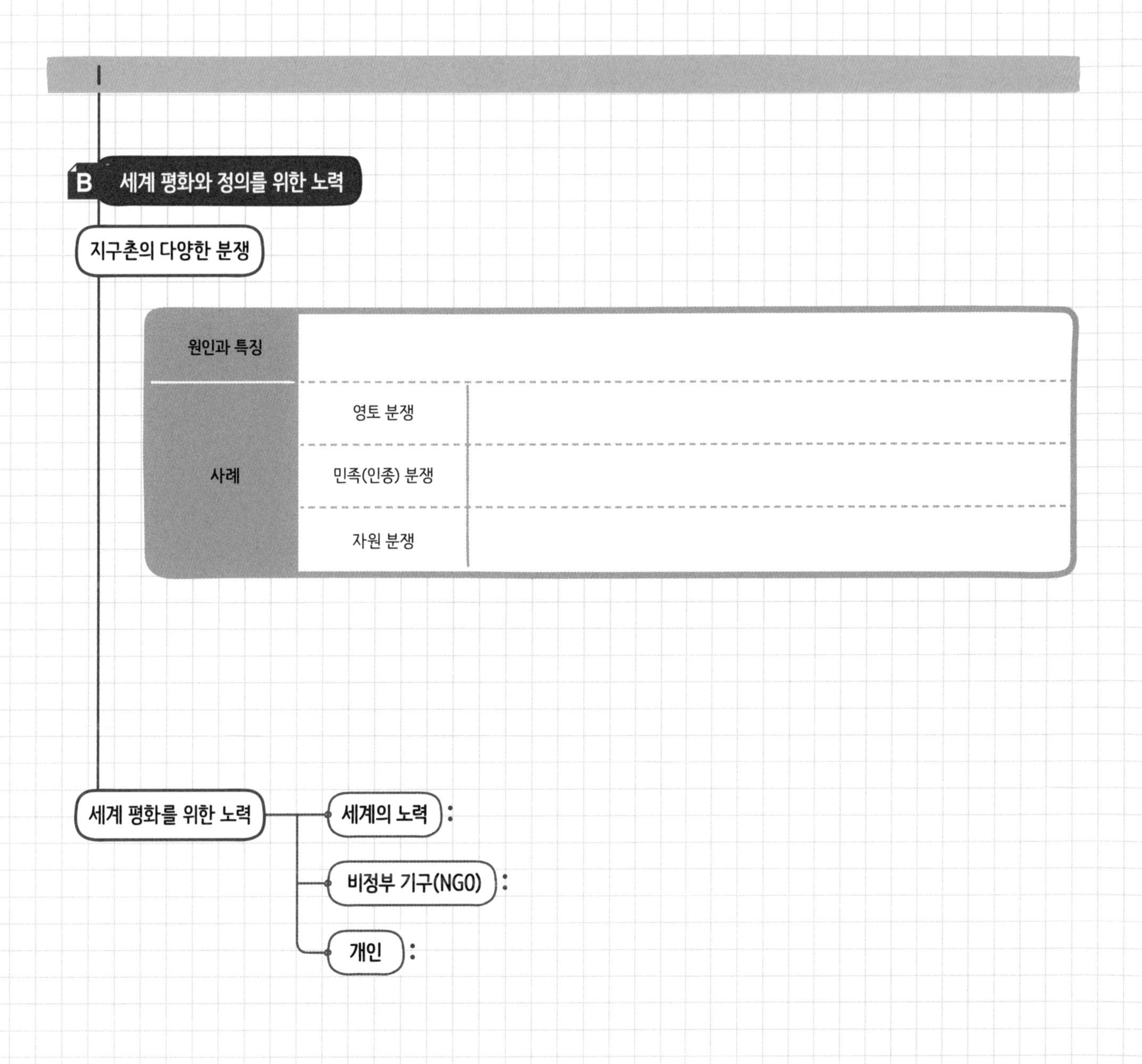

B 세계 평화와 정의를 위한 노력

지구촌의 다양한 분쟁

원인과 특징		
사례	영토 분쟁	
	민족(인종) 분쟁	
	자원 분쟁	

세계 평화를 위한 노력

- 세계의 노력 :
- 비정부 기구(NGO) :
- 개인 :

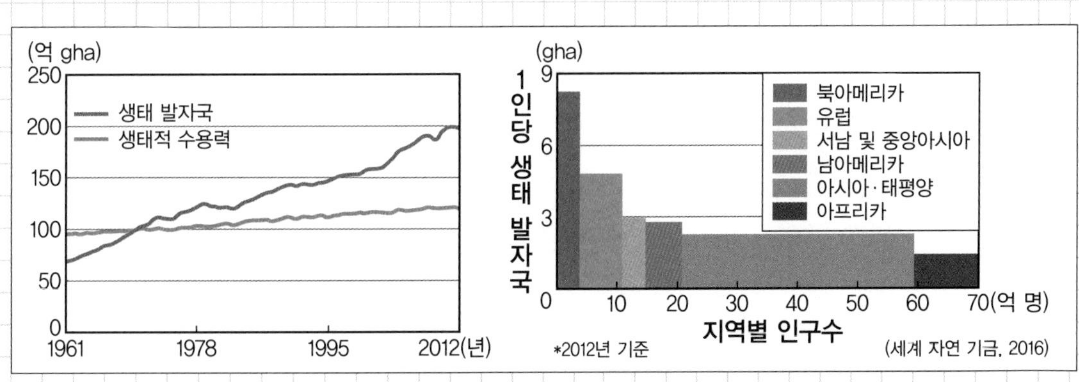

▲ 세계의 주요 분쟁 지역과 난민 수

그림으로 정리하기

● 지도와 그림에 자신만의 설명을 덧붙여 핵심 내용을 정리해 보자.

01 경제의 세계화와 경제 블록

• 경제 블록

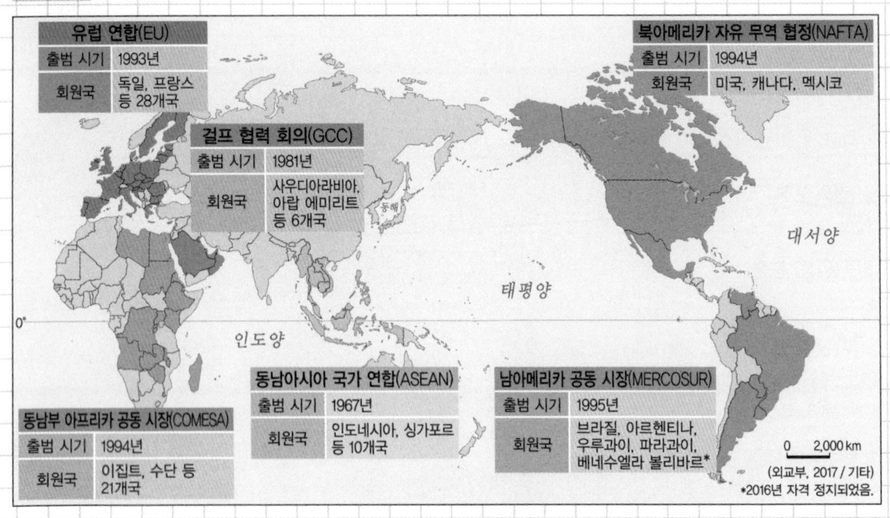

▲ 주요 경제 블록의 특징

02 지구촌 문제의 해결을 위한 노력

• 지구적 환경 문제

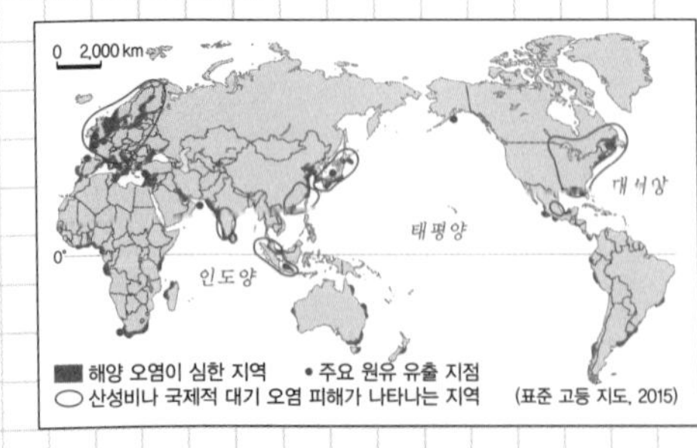

▲ 해영 오염과 산성비 피해 지역

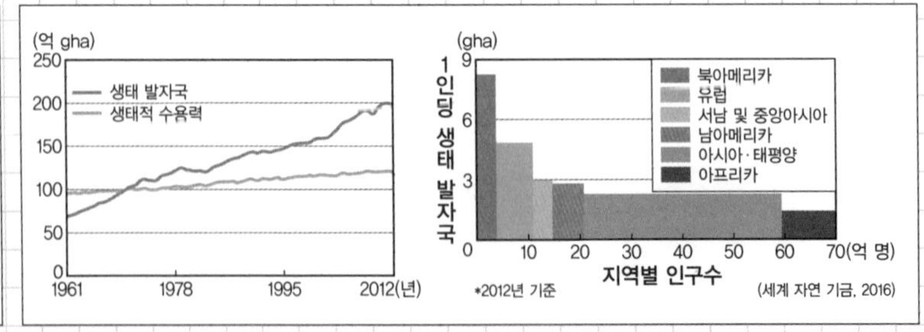

▲ 생태 발자국

마인드맵으로 정리하기

● 자신만의 마인드맵을 만들어 단원의 핵심 내용을 정리해 보자.

경제의 세계화

공존과
평화의 세계

● 권역별 백지도를 활용해 Ⅳ ~ Ⅶ단원을 정리해 보자.

몬순 아시아와 오세아니아

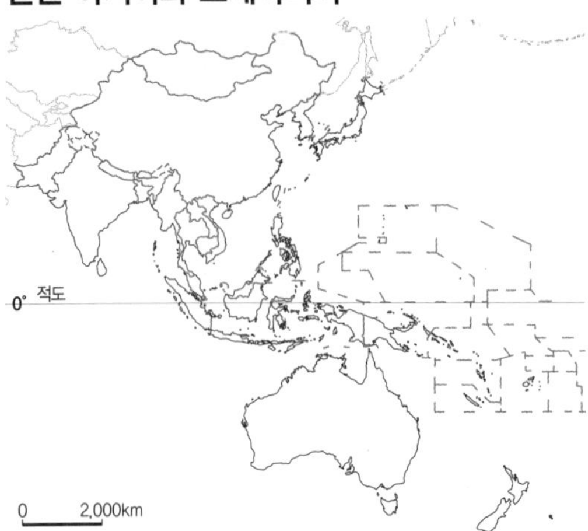

건조 아시아와 북부 아프리카

유럽

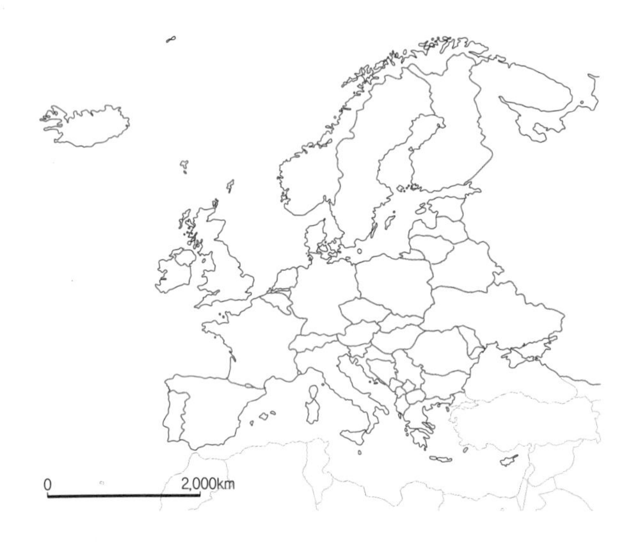

북부 아메리카

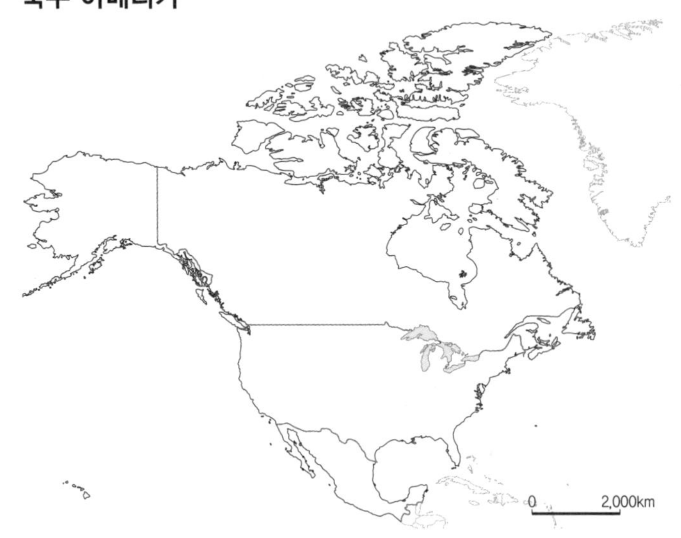

사하라 이남 아프리카

중·남부 아메리카